PAUL CLAVAL

RÉGIONS, NATIONS GRANDS ESPACES

• • •

[illegible]graphie générale
[illegible] territoriaux

ÉDITIONS M.-Th. GENIN - PARIS

RÉGIONS, NATIONS, GRANDS ESPACES

GÉOGRAPHIE ÉCONOMIQUE ET SOCIALE

Régions, Nations, Grands espaces

Géographie générale des ensembles territoriaux

PAR

PAUL CLAVAL

Chargé d'enseignement à la Faculté des Lettres
et Sciences humaines de Besançon

ÉDITIONS M.-TH. GÉNIN
Librairies Techniques
26, rue Soufflot
PARIS-Ier

Les pays ne sont pas cultivés en raison de leur fertilité, mais en raison de leur liberté.

MONTESQUIEU. *L'Esprit des Lois* livre XVIII, chap. III.

AVANT-PROPOS

Cet ouvrage est né d'une curiosité d'étudiant. M. Taillefer, dont je suivais les cours à Toulouse, nous avait proposé d'étudier l'organisation régionale des États-Unis. Le travail me passionna, mais j'avais l'impression de manquer des bases conceptuelles nécessaires pour mener convenablement une analyse de ce genre. Il ne s'agissait pas de décrire des régions, de montrer leur originalité; il fallait voir dans quelle mesure leurs économies se complétaient, se compénétraient aussi et comment elles concourraient à créer une nation. Il ne suffisait pas simplement de procéder à un changement d'échelle. Les méthodes auxquelles nous avions été formés pour la description et l'analyse des individus régionaux n'éclairaient guère notre démarche. Il fallait cesser de voir les régions comme la somme d'éléments indépendants, il s'agissait de montrer leurs interrelations, de mettre en évidence des liaisons globales.

Nous avons longuement cherché des ouvrages qui nous fourniraient les éléments nécessaires à aborder des études de ce type. Nous avons trouvé des indications dans les travaux de certains géographes; nous avons surtout puisé chez les économistes. Aucun travail d'ensemble n'existe cependant sur le problème géographique des équilibres territoriaux. Cet ouvrage est destiné à combler cette lacune. Il fournira des indications bibliographiques, des orientations de recherche, un certain nombre d'hypothèses. Par certains de ses aspects, il est destiné à des étudiants débutants et ne contient par conséquent pas de raisonnements trop complexes. Un certain nombre de notions de base ont été redéfinies au passage, car nous sommes parti du principe que certains étudiants ignoraient tout du vocabulaire économique. Dans l'ensemble, la lecture ne peut être profitable qu'au lecteur un peu familiarisé avec les méthodes et les résultats de l'économie : nous avons supposé que les connaissances fondamentales si clairement exposées dans l'ouvrage de Samuelson (1) étaient déjà assimilées.

Par d'autres aspects, cet ouvrage est plus ambitieux : il est plus qu'un manuel, et malgré la simplicité voulue des raisonnements et des exposés, il essaie d'aborder un certain nombre de problèmes de fond de la géographie actuelle. Nous pensons que l'approche que nous avons retenue, permet de les clarifier et parfois de faire apparaître de nouvelles directions de travail et de recherches. Nous pensons surtout que le très large sujet que nous avons abordé permet de simplifier la présentation d'un certain nombre de problèmes, d'unifier les points de vue, de lier des éléments jusque là disparates. C'est en ce sens que notre travail peut toucher un public plus large.

Les lectures nécessaires à l'élaboration de l'ouvrage ont commencé il y a maintenant une dizaine d'années, durant l'hiver 1957-1958, au hasard de la vie militaire. Les recherches ont été parallèles à celles menées sur les marchés — la « géographie générale des marchés » étant le symétrique, sur le plan de la micro-économie, de l'ouvrage que nous présentons ici. La matière a été progressivement clarifiée à l'occasion de cours sur la région, professés à la Faculté des Lettres de Besançon en 1962-1963, 1964-1965, 1966-1967, et de cours sur les relations économiques internationales, professés à la Faculté libre de Droit de Besançon en 1964-1965 et en 1966-1967.

La rédaction de l'ouvrage a progressé moins vite que nous ne l'aurions voulu : nous avons été sollicité par trop de tâches pour pouvoir le terminer rapidement. Nous avons cependant tiré parti de ces délais en élargissant le cercle de nos lectures et partant, celui des problèmes analysés.

L'illustration a été réalisée, sous la direction de ma femme, par Mlles Bouvard et Pau. La dactylographie du manuscrit est due à Mlle Valot.

Qu'il me soit permis de remercier ma femme qui a été associée à ce long travail, l'a relu et a facilité constamment ma tâche.

Poitiers, 1957-Besançon, 1967.

(1) SAMUELSON (Paul A.). *L'économique*. Paris, Armand Colin, 2 vol., XII, 902 p., 2e éd., 1957: 3e éd., 1965-1966 (coll. U).

INTRODUCTION

La diversité des lieux, des races et des mœurs frappe le voyageur. La géographie — comme le montre la lecture d'Hérodote — est née de l'étonnement naïf suscité par cette découverte.

Le sentiment de cette diversité fut longtemps le ressort essentiel de la géographie. Ce que l'on essayait de souligner, c'est l'originalité de chaque situation, de chaque combinaison particulière de traits topographiques, climatiques, pédologiques ou humains. Ainsi, chaque étude régionale prenait la forme d'une reconstitution originale. Quelle que soit l'unité décrite, on prenait grand soin de mettre en évidence ce qui assurait sa spécificité, ce qui la rendait dissemblable de toutes les autres.

Sans renoncer à souligner le parfum original de chaque lieu, de chaque unité territoriale, on s'aperçoit pourtant que des régularités apparaissent : tout ne varie pas d'un point à l'autre, les régions se ressemblent par bien des traits, comme les nations, comme les grands espaces économiques. Petit à petit, l'idée apparaît d'une étude possible de ces régularités, on sent percer le besoin d'une géographie générale des unités territoriales, que ce soit la région, la nation ou le grand espace.

M. Étienne Juillard est revenu plusieurs fois sur ce point, et dans un article (1) très important, il rappelle comment les premières tentatives pour dégager des types généraux d'organisation régionale remontent au début de ce siècle. Il lui est facile de montrer comment Vidal de la Blache avait déjà clairement mis en évidence des régions naturelles (2), des régions uniformes, des régions nodales (3). C'est dans l'analyse de ce dernier type

(1) Juillard (Étienne), « La région : essai de définition. » *Annales de Géographie*, vol. 71, 1962, pp. 483-499.

(2) Vidal de la Blache (Paul), « Des divisions fondamentales du sol français. » *Bulletin littéraire*, vol. 2, 1888-1889, pp. 1-7 et 49-57.

Cet article est repris comme introduction de Vidal de la Blache (Paul), Camena d'Almeida (P.), *La France*. Paris, Armand Colin, 1897, 542 p.

(3) Vidal de la Blache (Paul), « Les régions françaises. » *Revue de Paris*,

d'unité territoriale que son originalité était d'ailleurs la plus grande — puisque dès le XVIIIe siècle, les notions de régions naturelle et historique avaient été pour le moins pressenties. Et M. Étienne Juillard indique ainsi que l'élaboration d'une géographie générale des unités territoriales, négligée longtemps par les géographes, avait déjà été esquissée par les précurseurs. Cet effort de réflexion a été abandonné à la suite des publications de Gallois (4), dont la conception de la géographie était plus étroite, moins ouverte que celle de Vidal de la Blache. Il a fallu attendre la fin des années 1940 pour que ce problème, longtemps oublié, fût de nouveau abordé par M. Le Lannou dans sa « géographie humaine (5) ». Dans ces dernières années, des progrès considérables ont été effectués dans cette voie à la fois par les géographes français et par leurs collègues étrangers. C'est peut-être aux États-Unis que les études récentes sur ce problème des régularités des organisations territoriales ont été les plus nombreuses.

Ce développement actuel de la recherche est difficile à cerner. Les études sont nombreuses. Les hypothèses récemment mises en avant permettent de se faire une idée plus juste de ce qui fait l'originalité de la région. Il n'existe malheureusement pas de synthèses (6) qui permettent de dominer tout ce nouveau champ de la recherche géographique. Pour ceux qui en abordent l'étude, il est difficile de trouver les articles fondamentaux, de faire un état de la question et de voir les points déjà solidement établis et ceux qui restent à explorer. C'est pour aider tous ceux qui s'intéressent à ces problèmes que nous avons écrit cet ouvrage, qui se veut un état de la question, un essai pour rendre aisément accessible au géographe des études dispersées, et dont beaucoup ont été entreprises par des spécialistes de disciplines voisines.

La géographie des ensembles territoriaux a été analysée par des géographes, mais elle doit également beaucoup aux travaux

15 déc. 1910 pp 821-841. — ID. *La relativité des divisions régionales*, pp. 3-14 de BLOCH (C.), *Les divisions régionales de la France*. Paris, Alcan, 1913, 260 p.

(4) GALLOIS (Lucien), *Régions naturelles et noms de pays. Étude sur la région parisienne*. Paris, Armand Colin, 1908, 356 p.

(5) LE LANNOU (Maurice), *La géographie humaine*. Bibliothèque de Philosophie scientifique, Paris, Flammarion, 1949, 252 p., cf. p. 157.

(6) L'article, déjà signalé d'Étienne Juillard, constitue une mise au point et une synthèse très riches, mais il n'aborde pas le problème des ensembles territoriaux dans sa généralité.

des sociologues et des économistes. Ce sont ces derniers qui ont été les premiers à aborder l'étude de ces problèmes sous un angle général. Aussi est-il bon de retracer rapidement l'histoire des idées dans ce domaine, pour comprendre la diversité des sources et pour savoir où l'on doit rechercher les études fondamentales.

Les économistes et l'étude de la nation.

Les économistes ont mis en évidence l'originalité de la nation dès le début de l'époque moderne et longtemps ils s'intéressèrent uniquement à elle (7). Il faut dire que l'évolution économique mettait en relief, au début du xviie siècle le rôle de la nation. Au monde médiéval, à la fois cosmopolite et cloisonné en unités étroites, s'opposaient désormais des unités intermédiaires, sans cesse plus nettes, plus conscientes de leur originalité, et dont le poids dans la vie économique et le commerce devenait prépondérant.

En même temps que les nations se constituaient dans une partie de l'Europe de l'Ouest, les gouvernements trouvaient le moyen de dominer plus complètement la vie économique. La fiscalité devenait plus lourde et les droits de douane ou les prohibitions permettaient de donner une forte cohésion aux économies.

Durant le xviiie siècle, le rôle de l'État dans le développement économique apparaît comme moins décisif, cependant que celui des diverses catégories de producteurs est mis en relief. Les physiocrates insistent sur le rôle du travail de la terre et commencent à analyser les divers éléments du cycle économique national (8). Adam Smith (9) met en évidence les aspects créateurs du commerce et de l'industrie et c'est comme premier

(7) Sur les préoccupations nationales des mercantilistes, on consultera Heckscher (Eli F.), *Mercantilism*. Londres, George Allen et Unwin: New York, Macmillan, 2 vol., 1935, 1936, 474, 423 p. — Marchal (André), *La conception de l'économie nationale et des rapports internationaux chez les mercantilistes français et leurs contemporains*. Paris, Sirey, 1931, 181 p.

(8) L'analyse du « zigzag » économique apparaît aujourd'hui comme singulièrement moderne et vaut à Quesnay un regain de notoriété. Quesnay (François), *Le tableau économique*. Versailles, 1758.

(9) Nous aurons souvent l'occasion de revenir sur l'œuvre d'Adam Smith : sa signification géographique nous semble décisive. Mais sur le plan de l'analyse des réalités globales, il reste en retrait sur ses prédécesseurs. Smith (Adam), *An Inquiry into the Nature and Causes of the Wealth of Nations*. Londres, 1776.

témoin conscient de la révolution industrielle que son importance est capitale. On s'explique ainsi qu'il ait pu faire oublier longtemps les travaux souvent plus originaux d'un Quesnay ou d'un Turgot.

Cet effort nouveau de compréhension du monde va réduire la part faite à la nation dans l'analyse économique. Il est vrai que le grand ouvrage de Smith s'appelle *la Richesse des nations.* Mais il ne faut pas s'y méprendre : il s'agit d'un titre de contre-manifeste. Si Adam Smith met l'accent sur la richesse des Nations, c'est pour montrer en quoi l'analyse de ses prédécesseurs était incomplète et artificielle. Et dans son analyse de la richesse des nations, le rôle de l'État apparaît secondaire. Se sont les individus qui, par leur industrie et leur savoir-faire, sont à l'origine de toute richesse. Le rôle des gouvernants n'est pas négligeable, mais le fait nouveau sur lequel Smith attire l'attention, c'est que la richesse des nations est d'abord faite de celle des individus. Après lui, l'économie politique cessera d'être l'étude de la richesse des nations pour devenir celle de la richesse des individus.

Cela explique donc que toute l'économie classique soit relativement pauvre en études sur les ensembles territoriaux. Le créateur de l'économie spatiale, von Thünen (10), ne s'intéresse qu'à l'équilibre de l'exploitation dans l'espace. Il imagine les règles du développement des régions économiques, mais il n'analyse pas ces régions économiques comme des ensembles. Et en ce sens, il reste en retard sur son contemporain Ricardo, auquel on l'oppose souvent, en montrant comment l'un avait compris le rôle de la distance, et l'autre le négligeait : en fait, von Thünen est plus classique que Ricardo, car il insiste davantage sur les conditions de l'équilibre de l'entreprise. Ricardo redonne au contraire de l'intérêt à l'étude de la nation en imaginant la théorie des coûts comparatifs (11) qui lui permet de rendre compte des conditions dans lesquelles s'effectue l'échange international.

(10) L'État isolé est demeuré difficile à consulter, faute de rééditions : THUNEN (Johann von), *Der isolierte Staat in Beziehung auf Landwirtschaft und Nationökonomie.* Hambourg, Perthes, 1826, 290 p.; Rostock, Leopold, 2 vol., 1842-1850, 391, 284 p. Traduction française ; Paris, Guillaumi, 1851-1857. Traduction anglaise, présentée par Peter Hall : Oxford, Londres, Pergamon Press-1966, LVI, 304 p.

(11) RICARDO (David), *The Principles of Political Economy and Taxation.* Londres, 1817. Cf. chap. 7 ; on y trouvera l'exposé classique de la théorie de l'avantage comparatif, avec l'exemple toujours repris de l'échange de vin et de drap entre l'Angleterre et le Portugal.

La nation dont il s'agit est sans doute plus schématique que celle des théoriciens du siècle précédent. Elle est contenu spatial, elle n'est pas gouvernée, elle est neutre, et les entreprises individuelles ne lui doivent rien. Quoique incomplète, cette théorie a le mérite de redonner un certain intérêt à l'étude des nations (12). Mais le libéralisme triomphant de la seconde moitié du XIXe siècle n'est pas fait pour stimuler les recherches dans ce domaine : il semblait que les nations dussent disparaître complètement à la suite du développement des traités de commerce. Durant quelques années, on put croire que la nation allait s'effacer en tant que réalité économique; les théoriciens du protectionnisme et du nationalisme économique, List et Carey (13) par exemple, étaient des isolés. Ils avaient au fond si mauvaise conscience, qu'ils ne justifiaient le développement de nations fermées sur le monde extérieur qu'à titre transitoire, en attendant que le développement national mette le pays en état de supporter les conditions de la concurrence internationale.

On doit garder présent à l'esprit ce fait essentiel : les économistes du siècle dernier ont oublié les ensembles territoriaux, ils n'ont pas vu que le monde des réalités de grande dimension ne pouvait s'analyser comme celui des entreprises individuelles. Cela est vrai aussi bien des économistes spatiaux que des économistes classiques.

Au début de ce siècle, certains redécouvrent le rôle éminent de l'État dans la vie économique et contribuent de façon décisive à orienter les études vers les réalités globales. Les questions monétaires devaient fatalement conduire à cette redécouverte. A partir du moment où les analyses marginalistes ruinaient la théorie de la valeur-travail et celle qui lui est corrélative de la monnaie-marchandise, il était nécessaire de renouveler complè-

(12) La théorie de l'échange international fut en particulier perfectionnée par John Stuart Mill, qui introduisit le calcul des termes de l'échange, reprenant ainsi une expression de Turgot. MILL (John Stuart), *Principles of Political Economy, with some of their Applications to Social Philosophy*. Londres, 1848.

(13) En Allemagne, l'économie politique était demeurée plus fidèle aux recherches sur la richesse des nations. Ne portait-elle d'ailleurs pas le nom de *Nationalökonomie?*

C'est peut-être à cela que l'on doit l'orientation des recherches de LIST (Friedrich), *Das nationale System der politischen Oekonomie, der internationale Handel, die Handels Politik und der deutsche Zollverein*. Augsbourg, 1841. Trad. française Richelot, sous le titre *Système national d'économie politique*, Paris, 1851.

Aux États-Unis, ces thèses furent reprises par CAREY (Henry Charles), *The Principles of Social Sciences*. Philadelphie, 2 vol., 1858-1859. Trad. française : *Principes de la science sociale*, Paris, Guillaumin, 1861.

tement les bases de la théorie élaborée au milieu du siècle dernier. Dans les premières années de ce siècle, G. Knapp (14) dans un ouvrage retentissant montre comment la monnaie doit sa valeur à un concensus social et doit par conséquent s'expliquer par l'exercice d'une autorité capable d'assurer la confiance. Ainsi fonctionnent les monnaies de papier qui permettent de pratiquer des échanges de manière normale, mais dont la théorie classique ne permettait pas de bien comprendre la nature : ainsi s'explique la méfiance dont on entourait le papier-monnaie dans bien des pays jusqu'à la veille de la Première Guerre mondiale. Cela était particulièrement vrai en France : le souvenir des aventures monétaires du XVIIIe siècle n'était pas effacé.

Le rôle de Knut Wicksell (15) est plus important encore dans cette prise de conscience de l'évolution contemporaine. Il analyse les phénomènes monétaires, met en évidence le fait que la monnaie est pour partie une monnaie de crédit, une monnaie créée et montre le rôle de la politique économique en ce domaine. Après Wicksell, il n'est plus possible de considérer que la monnaie est un élément neutre de la vie économique. Sa création est inséparable de tout le déroulement de la vie économique. Désormais, il faut placer les analyses dans la durée et insister sur cet élément fondamental, la monnaie, qui permet d'agir sur l'ensemble des conditions économiques et qui est soumis à l'influence de l'État.

Les conséquences de la révolution wicksellienne ne sont pas immédiatement apparues. Wicksell était suédois, son œuvre mit longtemps à être lue par les économistes de langue anglaise ou de langue allemande. Il fallut la publication de *la Théologie générale...* de Keynes (16) pour que l'on accordât enfin autant de place à l'étude des réalités globales qu'à celle des réalités micro-économiques.

Les progrès se sont dès lors accélérés. Les circonstances s'y prêtaient. La rupture économique du monde provoquée par la Grande Crise mit en évidence le rôle des nations et posa de façon aiguë le problème des équilibres internationaux.

(14) KNAPP (G. F.), *Staatliche Theorie des Geldes*. Munich, 1905.

(15) WICKSELL (Knut), *Vorlesungen über Nationalökonomie*. Iéna, 1913-1922. Trad. anglaise, New York, Macmillan; Londres, Routledge et Kegan Paul, 2 vol., 1935, 1936 (sous le titre *Lectures on political Economy*).

(16) KEYNES (John Maynard), *The General Theory of Employment, Interest and Money*. Londres, Macmillan, 1936, 403 p. Trad. française, Paris, Payot, 1942.

La récession mettait en cause la structure même de l'économie capitaliste et l'équilibre de l'emploi devenait un des objectifs majeurs de toutes les politiques économiques. Il y avait des domaines où l'action des entreprises individuelles était impuissante à assurer la stabilité. Il fallait se résoudre à pratiquer une action concertée à l'échelon de la nation. La politique monétaire n'est plus laissée sous la responsabilité d'une banque privée. Le vieux dogme de la séparation des pouvoirs politiques et économiques ne résiste pas à l'épreuve. La nation redevient le centre de toutes les analyses économiques.

Dans tout ce développement, la part des économistes spatiaux est négligeable comme celle des géographes. D'où cela provient-il? De ce qu'ils se sont longtemps intéressés à des réalités spatiales plus étroites que la nation.

Les géographes et les réalités globales.

Les géographes firent porter leur effort essentiel sur l'analyse de la région. Ils analysèrent la complexité du terme, montrèrent, comme Vidal de la Blache, qu'il pouvait être entendu de plusieurs manières. Leur rôle fut capital en ce sens qu'ils firent prendre conscience à tous de l'importance des constructions régionales. Ils montrèrent qu'il y avait là un échelon que l'on avait singulièrement négligé dans toutes les études antérieures, mais qui pourtant s'imposait à tout observateur de bonne foi. L'effort des géographes put paraître à certains économistes un peu fastidieux, il fut pourtant fondamental puisqu'ils sont à l'origine de cette prise de conscience de la réalité régionale. Les unités territoriales de plus grande dimension demeurèrent longtemps étrangères au géographe. La nation et les grands espaces économiques restèrent négligés. Rares sont les géographes français de l'entre-deux-guerres qui ont suivi l'exemple de Demangeon : il avait essayé de cerner ce qui fait l'originalité de la construction impériale britannique (17) : elle tient à une civilisation qui en assure la cohésion beaucoup mieux que ne pourraient le faire une autorité plus centralisée et un pouvoir plus despotique.

Des notions intéressantes se dégagent cependant de certaines

(17) Demangeon (Albert), *L'Empire britannique. Étude de géographie coloniale.* Paris, Armand Colin, 1923, VIII, 280 p.

analyses géographiques. C'est ainsi que l'on définit de manière toujours plus précise ce que l'on entend par pays neuf. Les études économiques sur les nations du début de ce siècle et spécialement sur les dominions britanniques et certains pays d'Amérique du Sud (18) mettent en relief leurs caractères communs : jeunesse du peuplement, constitué pour la plus grande part d'immigrants européens ou de leurs descendants, spécialisation dans la production de quelques grandes matières premières, dépendance à peu près totale envers les pays industrialisés de l'Europe du Nord-Ouest pour tous les produits fabriqués. Cette image s'efface dès la fin de la Première Guerre mondiale qui a provoqué un début d'industrialisation dans ces pays neufs. La Grande Crise et la Seconde Guerre mondiale précipitent leur évolution. Il n'y a plus de pays neufs : tous ceux qui méritaient ce titre à la fin du siècle dernier ont développé des économies complexes à l'image de celles de l'Europe. Et les géographes (19) soulignent cette évolution que les économistes négligent souvent.

Les géographes contemporains redécouvrent les réalités globales lorsqu'ils abordent l'étude des pays socialistes et celle des pays sous-développés. Par ailleurs, l'étude de la région est en train de se renouveler. Mais les géographes ne sont plus des pionniers en ces domaines : dans le cas des études régionales, ils ont révélé aux économistes une réalité qui leur échappait, mais ils sont tributaires de ceux-ci pour une partie des méthodes d'analyse qu'ils essaient d'utiliser (20). La conscience du sous-développement est née pour une bonne part des études sur la croissance que les économistes ont multipliées depuis la Grande Crise (21).

(18) La description géographique la plus riche d'un pays neuf est sans doute celle de l'Argentine par Pierre Denis. DENIS (Pierre), *La République argentine.* Paris, Armand Colin, 1920, 303 p.

(19) Voir par exemple à ce sujet *La notion périmée de pays neuf*, pp. 170-171 de DERRUAU (Max.), *Précis de géographie humaine.* Paris, Armand Colin, 1961, 572 p.

En fait, l'évolution économique des pays neufs n'avait pas échappé à l'attention de Demangeon. La prise de conscience définitive de la disparition des « pays neufs » se situe aux alentours de 1950.

(20) Les travaux de « science régionale », à la manière de Walter Isard, sont réalisés en grande partie par des économistes. En France, l'évolution est plus récente, mais elle est déjà sensible : ISARD (Walter), *Methods of Regional Analysis. An Introduction to Regional Science.* New York, The Technology Press of M. I. T. et John Wiley, 1960, XXIX, 784 p. — BOUDEVILLE (Jacques-R.), *Les espaces économiques.* Coll. « Que sais-je? », n° 950, Paris, P. U. F., 1961, 128 p.

(21) L'intérêt pour les problèmes de la croissance est déjà manifeste avant-guerre. Il est alimenté par les travaux de Hansen, de Harrod et de Domar, qui donnent une dimension dynamique aux enseignements de Keynes.

Ces études de la croissance sont contemporaines de la prise de conscience du

On parlait autrefois de pays arriéré, ce qui traduisait une observation de moraliste ou de pédagogue : on parle maintenant de pays sous-développé ou de pays en voie de développement : ce sont là des expressions d'économistes.

Les méthodes nouvelles d'analyse des ensembles territoriaux.

Ces progrès récents de l'analyse économique sont liés à l'emploi de nouvelles méthodes. Les économistes spatiaux, nous l'avons vu, s'étaient surtout intéressés jusqu'ici à la firme et avaient négligé les réalités globales (22). Ils les redécouvrent avec Christaller et Lösch (23) qui montrent qu'il est possible d'élaborer une théorie de la région économique. Cette théorie reste encore pour l'essentiel micro-économique, puisqu'elle est liée à la théorie des marchés, mais elle permet enfin de passer des analyses pratiquées au niveau de l'entreprise ou de l'industrie à l'analyse de leurs combinaisons. Au moment où l'on élaborait ainsi une théorie de la région, les travaux relatifs à l'économie nationale progressaient à pas de géant : les études fondamentales de Christaller et de Lösch sont contemporaines de celles de Keynes. Les méthodes mises au point pour l'analyse des grandes unités ont été petit à petit utilisées pour les unités plus petites, pour celles que nous qualifions généralement de régions.

Entre la parution des premières grandes études d'économie spatiale et 1950 peu de progrès cependant : la diffusion difficile

sous-développement. L'exposé le plus complet de l'histoire de la pensée en pareil domaine se trouve dans Higgins (Benjamin), *Economic Development. Principles, Problems and Policies.* New York, Norton, 1959, XVIII, 803 p.

On trouvera une mise au point récente sur la recherche géographique dans le domaine du sous-développement dans Lacoste (Yves), *Géographie du sous-développement.* Coll. Magellan, n° 2, Paris, P. U. F., 1965, 285 p.

On trouvera un exposé de l'évolution de l'économie spatiale dans Ponsard (Claude), *Histoire des théories économiques spatiales.* Coll. Études et Mémoires du Centre d'Études économiques, n° 41, Paris, Armand Colin, 1958, 202 p.

(22) La théorie de la région économique est inséparable, sous sa forme moderne, de la théorie des lieux centraux. Un géographe et un économiste s'en partagent la paternité.

(23) Christaller (Walter), *Die zentralen Orte in Süddeutschland.* Iéna, G. Fisther, 1933. Trad. anglaise : *Central Places in Southern Germany,* Englewood Cliffs, Prentice-Hall, 1966, 230 p.

L'exposé le plus accessible de la théorie de Lösch se trouve être Lösch (August), *The Nature of Economic Regions,* Southern Economic Journal, vol. 5, 1938, pp. 171-178.

des ouvrages de Lösch par suite de la guerre en est peut-être la cause. Les travaux de Hoover (24) font exception au cours de cette période. Ils n'apportent pas de solution au problème de la combinaison des méthodes d'analyse de la micro- et de la macro-économie, mais ils utilisent pour l'analyse de la structure de l'espace, un certain nombre de notions jusque-là négligées et qui se sont révélées fondamentales dans la société actuelle : il s'agit des coûts de transfert, des économies d'échelle et des économies externes.

Les pays de civilisation germanique avaient jusque-là été à la pointe de la recherche en économie spatiale. Après 1950, les travaux les plus nombreux sont dus à des Anglo-Saxons (25). Ceci n'est pas un hasard. Cela tient au retard pris par les économistes d'Europe continentale dans le domaine des recherches d'économie globale dans les années qui ont précédé et suivi immédiatement la Seconde Guerre mondiale. Or, ce sont les techniques mises au point pour l'étude de la nation qui ont permis les progrès les plus rapides dans le domaine de l'étude des ensembles territoriaux.

Les méthodes de description chiffrée ont permis de mieux comprendre l'originalité des ensembles territoriaux, de préciser des notions comme celle d'ouverture de l'économie. Mais la recherche fondamentale est demeurée en retard sur la recherche appliquée. Pressé par les demandes des aménageurs, l'économiste (ou le géographe) a essayé d'utiliser des recettes qui avaient fait leur preuve dans d'autres domaines, mais sans être bien sûr toujours si les problèmes qu'il abordait ne pouvaient pas être traités d'une manière plus directe et plus efficace. On dispose donc d'une masse énorme de recettes pratiques, mais l'ensemble manque encore de la cohérence que donnent nécessairement les synthèses méthodiques (26).

(24) HOOVER (Edgar M.), *The Location of Economic Activity.* New York, Mc Graw Hill, 1948. Trad. française : *La localisation des activités économiques*, Paris, Les Éditions ouvrières, 1955, 240 p.

(25) L'histoire de l'économie spatiale était essentiellement germanique jusqu'à la Seconde Guerre mondiale. Il ne faudrait pourtant pas passer sous silence certains précurseurs français : LEVASSEUR (Émile), *L'étude et l'enseignement de la géographie.* Paris, Delagrave, 1872, 126 p. — BROCARD (Lucien), *Principes d'économie nationale et internationale.* Paris, Sirey, 3 vol., 1929-1931.

Après la Seconde Guerre mondiale, le développement rapide de l'économie spatiale aux États-Unis doit beaucoup à Walter Isard (*supra*, note 20). Chez les géographes, l'impulsion vint plutôt d'Edward L. Ullman.

(26) Cette indécision de la science régionale nous semble très nette dans l'ouvrage de Walter Isard que nous signalions plus haut (note 20).

La comptabilité territoriale (27) joue un rôle dominant dans tous ces travaux. Elle a réussi à élargir son champ d'application lorsqu'elle s'est doublée de l'analyse des entrées et des sorties, lorsqu'elle est devenue une étude des relations et des cœfficients interindustriels. L'idée vient, on le sait, de l'économiste russo-américain Leontief (28), qui avait l'expérience de la planification-matière des soviets. Walter Isard a transposé ces méthodes sur le plan de l'analyse régionale et sur celui de l'analyse des relations interrégionales (29). Combinées avec les théories micro-économiques de la localisation que l'on avait déjà mises au point, elles permettent d'aborder les problèmes du développement régional avec des instruments beaucoup plus perfectionnés et surtout beaucoup plus efficaces que ceux que l'on utilisait jusqu'alors.

Tout n'est pourtant pas résolu. Le besoin d'une théorie générale des équilibres spatiaux a été éprouvé pour la première fois par Lösch (30), mais sa théorie demeure bâtie sur un modèle walrasien. Il a fallu attendre Walter Isard (31), le premier qui ait essayé d'envisager le problème de cet équilibre général sous un angle franchement macro-économique.

Les travaux les plus récents permettent de combiner les diverses théories construites jusqu'à présent pour forger des modèles très complexes de la réalité observable. C'est en particulier le cas des essais de formulation par Edwin von Böventer (32) d'une théorie générale et unifiée des structures écono-

(27) On trouvera des indications sur les principes des comptabilités territoriales ou interritoriales dans les ouvrages suivants : BOUDEVILLE (Jacques-R.), *Les programmes économiques*. Coll. « Que sais-je? » n° 1073, Paris, P. U. F., 1963, 128 p. — MARCZEWSKI (Jean), *La comptabilité nationale*. Précis Dalloz, Paris, Dalloz, 1965, II, 661 p. — VIET (Jean), *Input-Output. Essai de présentation documentaire du système de W. Léontief*. Paris, La Haye, Mouton, 1966, 143 p. — JOUANDET-BERNADAT (Roland), *Comptabilité économique et espaces régionaux*. Coll. « Techniques économiques modernes », n° 10, série « Espace économique », n° 2, Paris, Gauthier-Villars, 1964, 233 p.

(28) L'ouvrage de M. Viet, signalé ci-dessus, ainsi que celui de M. Marczewski, permettent de se familiariser avec l'histoire et les caractères essentiels du système de W. Léontief.

(29) WALTER (Isard), « Interregional and Regional Input-Output Analysis : a Model of a Space Economy. » *Review of Economics and Statistics*, vol. 33, 1951, pp. 318-328.

(30) LÖSCH (August), *Die raümliche Ordnung der Wirtschaft*. Iéna, Gustav Fischer, 1re éd., 1940, 348 p.; 2e éd., 1944, 380 p. Trad. anglaise ; *The Economic of Location*, New Haven, Yale University Press, 1954, 520 p.

(31) ISARD (Walter), *Location and Space Economy*. New York, The Technology Press of M. I. T. et John Wiley, 1956, XIX, 350 p.

(32) BÖVENTER (Edwin von), *Theorie des raümlichen Gleichgewichts*. Tübingen,

miques spatiales. Mais ces études demeurent presque toujours enfermées dans un cadre statique, comme le souligne Hans Christoph Binswanger (33) à propos de von Böventer. Le recours aux méthodes de la comptabilité globale ne contraint pas à traiter les problèmes de manière véritablement dynamique.

Les essais pour faire entrer la notion de durée dans la théorie des ensembles territoriaux sont délicats, car il faut combiner à tous les éléments que l'on était déjà obligé d'étudier ceux qui proviennent du jeu des anticipations des partenaires et du rôle de la monnaie, qui traduit souvent les tensions entre anticipations et possibilités (34).

Nous nous proposons de faire un tableau de l'état actuel de la théorie des ensembles territoriaux. Dans une première partie, nous passerons en revue les éléments théoriques nécessaires à la compréhension de tout ensemble territorial. Nous nous placerons d'abord dans l'hypothèse d'un territoire isolé du reste du monde et nous chercherons à voir dans quelles conditions son économie peut croître.

Abandonnant ensuite l'hypothèse peu réaliste de l'espace clos, nous montrerons dans quelle mesure les diverses unités territoriales ont une économie ouverte et quelle est la signification de ce terme. Il nous sera alors possible d'étudier les rapports qui se nouent entre les divers territoires, de voir comment leurs échanges peuvent contribuer à accélérer le développement de l'ensemble ou, au contraire, produire ou aggraver des déséquilibres : nous aborderons là le problème général de la dynamique de la croissance des unités territoriales.

J. C. B. Mohr, 1962. Trad. française : *Théorie de l'équilibre en économie spatiale.* Coll. « Techniques économiques modernes », n° 20, série « Espace économique », n° 7, Paris, Gauthier-Villars, 1966, XV, 190 p. — Id., « Towards a United Theory of Spatial Economic Structure. » *Papers and Proceedings of the Regional Science Association,* vol. X, 1963, pp. 163-187.

(33) Binswanger (Hans Christoph), « Comments on Böventer. » *Papers and proceedings of the Regional Science Association,* vol. X, 1963, pp. 189-191.

(34) L'analyse des relations économiques internationales a fait des progrès rapides depuis une quinzaine d'années, dans la mesure même où les crises du système économique international, et les politiques d'intégration, visant à créer de grands ensembles territoriaux, contraignaient à se placer hors des conditions habituelles de l'économie classique. Nous fournirons plus loin une bibliographie de ces travaux.

Cette première partie générale demande à être complétée par une étude des réalités territoriales que nous fournit l'observation. Nous aurons constamment ici le souci de serrer de près la réalité géographique, alors que dans la première partie du travail, l'accent sera mis surtout sur l'axiomatique qui précède toute l'analyse des réalités spatiales.

Nous commencerons par l'étude de cet objet privilégié pour le géographe, la région. Nous verrons ensuite comment les diverses régions se combinent au sein des nations. Cela nous amènera à proposer une géographie générale de la nation, puis des ensembles de nations terminant ainsi ce tableau général des types d'organisation territoriale.

PREMIÈRE PARTIE

THÉORIE DES ENSEMBLES TERRITORIAUX ET DE LEURS RAPPORTS

CHAPITRE PREMIER

LES MÉCANISMES DE L'ÉCONOMIE

Pour analyser, démonter et expliquer les circuits économiques des ensembles territoriaux, il faut se faire une idée claire de la vie d'une ville, d'une région, d'une nation. Nous mènerons cette analyse par étapes successives. Nous partirons des ensembles dans lesquels les dimensions territoriales sont faibles et pour lesquels il est possible de négliger le facteur distance. Nous reprendrons ensuite notre analyse en donnant aux économies une dimension spatiale.

L'économie politique est une logique, une certaine façon de raisonner sur des situations, celles où les gens cherchent à se procurer des biens rares, à trouver ce qui est nécessaire à leur existence et que la nature ne leur offre pas directement. L'économie politique est sans objet au Paradis terrestre. Elle naît avec le fruit défendu; elle s'intéresse à toutes les opérations nécessaires pour procurer aux hommes ce qu'ils désirent et qu'ils ne peuvent trouver sans effort.

I. — Sujets et agents économiques.

Le monde économique est peuplé de sujets qui prennent les décisions économiques et d'agents qui les exécutent.

Toutes les décisions ne sont pas de nature économique. Nous intéressent seules, celles qui ont trait aux biens rares désirés par les individus, à leur fabrication, à leur distribution, à leur consommation. Ces biens rares ne sont pas tous des objets. Au siècle dernier, les besoins et les désirs essentiels avaient trait aux objets, comme il est normal dans un monde où les excédents de production demeuraient toujours limités. La situation contemporaine est quelque peu différente. L'opulence ou l'affluence, comme disent les auteurs américains, caractérisent notre civilisation. La quantité d'objets que l'individu peut désirer et consomme n'est pas infiniment élastique. Ceci revient à dire que la consommation de produits alimentaires d'abord, de vêtements, d'équipements ménagers, de logements, d'automobiles, ne peut augmenter indéfiniment. Il existe une limite à l'augmentation des besoins, des désirs et des consommations physiques. Les biens matériels n'ont pas cessé d'être rares, mais leur rareté est relativement bien moindre pour les citoyens de toutes les économies développées. Ce qui se développe, ce sont de nouveaux besoins, que l'on avait jusqu'alors réprimés, comme ceux de service, de loisirs, d'air, de calme. Le développement de l'aisance n'a été possible qu'à travers une urbanisation et une concentration de la population qui ont effectivement rendu rare pour beaucoup ce qui, jusqu'alors, était donné librement par la nature. Il en est ainsi de plus en plus de l'eau sous toutes ses formes, de l'air pur. On conçoit donc que la liste des biens rares se modifie sans cesse et finisse par englober une gamme sans cesse plus diverse d'articles ou de services.

Les économies primitives, celles de cueillette, sont souvent celles où l'effort demandé à l'homme pour se procurer une certaine quantité de produits est le plus considérable, ce qui montre que les biens ne sont pas libres à ce niveau. Mais l'analyse économique a de la peine à prendre prise dans un tel contexte, car les rôles sont confondus et il est à peu près impossible de distinguer clairement les cheminements de la vie économique. C'est la même personne qui désire, décide, exécute, consomme ce qu'elle a produit. On arrive à discerner des étapes lorsqu'on lit les aventures de Robinson Crusoé, mais Robinson est un civilisé qui se trouve rejeté dans l'état de nature, et qui doit réinventer ce que Vendredi pratique d'une manière intuitive, et sans raisonnement clairement explicité.

Dans les civilisations évoluées, on voit mieux les divers éléments de la vie économique. Un homme et une femme se marient. Ils montent leur ménage. Ils éprouvent le besoin d'un logement, ils désirent un mobilier, du linge, ils aspirent, dans un avenir plus lointain ou plus proche, selon les cas, leur tempérament et leurs habitudes, à posséder une tente, une caravane, une voiture. Ils décident d'agir pour se procurer ce dont ils ont besoin : ils sont sujets, au sens économique du terme. Pour satisfaire leurs désirs, ils se mettent à travailler. Si l'homme devient employé, ou ouvrier, il se trouve pris dans une grande organisation productive et la part de décision qui lui revient est faible, nulle s'il est manœuvre spécialisé dans une usine de montage en série. Son travail est si peu humain, au sens profond du terme, qu'il risque de le voir supprimer le jour où une machine plus perfectionnée, mieux asservie, pourra faire ses gestes sans fatigue et sans erreur. Il est dans ce cas un simple agent. Ce sont les responsables de la firme qui prennent les décisions de production, qui choisissent les modèles, prospectent la clientèle, fixent les prix. Ils sont de vrais sujets économiques. Mais leur travail est la plupart du temps spécialisé et compartimenté, si bien qu'aucun des dirigeants ou des cadres de l'entreprise ne prend à lui seul de décision importante. La tendance actuelle est au développement des formes de direction collégiales. Le sujet existe toujours aux yeux de l'économiste, mais il est devenu un être collectif.

Si le jeune homme qui commence à travailler s'installe à son compte comme agriculteur, comme artisan, comme commerçant, il prend lui-même les décisions de production, garde une autonomie plus complète que s'il était salarié. Mais il sera peut-être contraint à partager les responsabilités des décisions importantes. S'il est agriculteur, il adhère à une coopérative de vente, à des coopératives d'achat. Celles-ci lui imposent sans doute le choix de certaines variétés, le respect de certaines normes de qualité. Si elles n'y parviennent pas, elles connaîtront sans doute une existence médiocre, et le cultivateur dynamique aura alors intérêt à signer des contrats de livraison avec des chaînes de distribution ou des industriels qui assureront l'écoulement de sa production, à charge pour lui de renoncer à une part de l'iniative qui caractérise le sujet.

Les commerçants indépendants sont aussi de plus en plus rares. L'évolution est très sensible dans le domaine des ventes de produits alimentaires. La concurrence du grand commerce intégré rend toujours plus précaire la position des indépendants. Ceux-ci créent des chaînes volontaires, au profit desquelles ils renoncent à un certain nombre de leurs prérogatives.

Ainsi voit-on, au niveau des activités de production, le

nombre des sujets individuels se restreindre. Notre civilisation est celle des sujets collectifs et du partage des responsabilités. Parallèlement à ce rétrécissement du nombre de ceux qui prennent les décisions, le nombre des agents augmente.

Ces transformations traduisent la complexité croissante de la vie économique. On met l'accent sur la différence entre la décision et l'exécution — ce qui n'aurait pas de sens dans une économie où chacun pourrait arriver à satisfaire à tous ses besoins. L'agent économique n'existe guère dans les économies d'autosubsistance, où l'on voit s'épanouir une démocratie de petits propriétaires exploitants. Les seuls agents sont alors les enfants et les auxiliaires familiaux. Dans notre monde, les ménages gardent une bonne partie de leur autonomie dans le choix de la consommation, mais l'individu a perdu sa liberté de producteur.

II. — La division du travail et le circuit économique.

C'est que la vie économique se décompose en actes plus nombreux. Adam Smith a montré il y a deux siècles la supériorité de la division du travail dans le domaine de la production (1). L'apparition de la machine, la domestication de sources d'énergie sans cesse plus variées ont accéléré le processus qu'il voyait naître et dont il a été le premier théoricien. La division du travail social est une réalité ancienne, mais elle a pris une importance nouvelle depuis le début de la révolution industrielle. Du coup, le lien entre les décisions des sujets et la manière de les satisfaire cessent d'être directs. Pour se procurer l'objet A qu'il désire, le sujet va intervenir dans la fabrication d'un objet B, qui sera peut-être lui-même intégré dans un ensemble C. Le détour ainsi réalisé devient toujours plus complexe. Il existe déjà dans les économies qui pratiquent les échanges rituels du type *potlatch*. Il se développe avec le troc. Il s'épanouit avec l'apparition de la monnaie, un étalon universel grâce auquel on peut comparer tous les biens, tous les services, les échanger, grâce auquel aussi il est possible aussi de mettre en réserve de la valeur jusqu'au moment où l'on désire l'objet. L'accentuation

(1) Smith (Adam), *La richesse des nations...*, *op. cit.*, cf. livre premier, chap. 1, 2, 3.

de la division sociale du travail est donc liée au développement de l'économie monétaire, mais il n'y a pas de rapport simple entre les deux phénomènes. Il peut y avoir division complexe des tâches dans des économies qui ignorent la monnaie — il en était ainsi de certaines économies antiques, celles de la vallée du Nil, ou celle de la Mésopotamie par exemple. Réciproquement, le développement de l'économie monétaire n'a pas toujours accentué immédiatement la division du travail. Celle-ci n'offre d'avantage certain que lorsque certaines conditions techniques sont remplies : sans mécanisation, le gain tiré d'une spécialisation demeure limité; tant que de bons moyens de communication font défaut, les frais de transport trop élevés limitent la taille des marchés.

Adam Smith a été le premier théoricien de la division du travail, et, partant, de l'économie industrielle qui commençait à se développer. A la même époque, les économistes français étaient moins sensibles aux problèmes de la vie industrielle. Ils voyaient pourtant le rôle de la division du travail et ils s'en sont fait eux aussi théoriciens, mais d'une autre façon. Quesnay, dans son *Tableau économique* (2), a mis en évidence la solidarité des diverses parties de l'économie. Il a montré le zigzag et les liaisons (fig. 1.1) qui existent entre les diverses étapes de la production et de la consommation. Le fermier abandonne une partie de son revenu au propriétaire de la terre. Celui-ci dépense son revenu en achetant des produits de la terre — absorbe donc une partie de la production de son fermier et contribue à la formation du revenu de ce dernier. Il achète par ailleurs des produits manufacturés, se fait construire une belle demeure, la meuble, la fait tendre de toiles peintes ou d'indiennes, voyage, se paie une maison en ville pour y passer l'hiver et surveiller l'éducation de ses enfants. Il donne du travail à tout un peuple d'artisans, d'ouvriers, de maîtres d'œuvres et de manufacturiers. Il les fait vivre et les revenus qu'il distribue sont utilisés pour l'achat de produits agricoles et finissent ainsi par contribuer à leur tour à la formation du

(2) Quesnay (François), *Le tableau économique...*, *op. cit.*
Il semble que le zigzag qui a rendu fameux Quesnay ait été déjà décrit en partie par Boisguilbert dans le *Détail de la France.* Voir à ce sujet Molinier (J.), *Les métamorphoses d'une théorie économique : le revenu national chez Boisguilbert, Quesnay, J.-B. Say*, Centres d'Études économiques. Études et Documents, n° 40, Paris, Armand Colin, s. d., (1957), VI, 116 p.

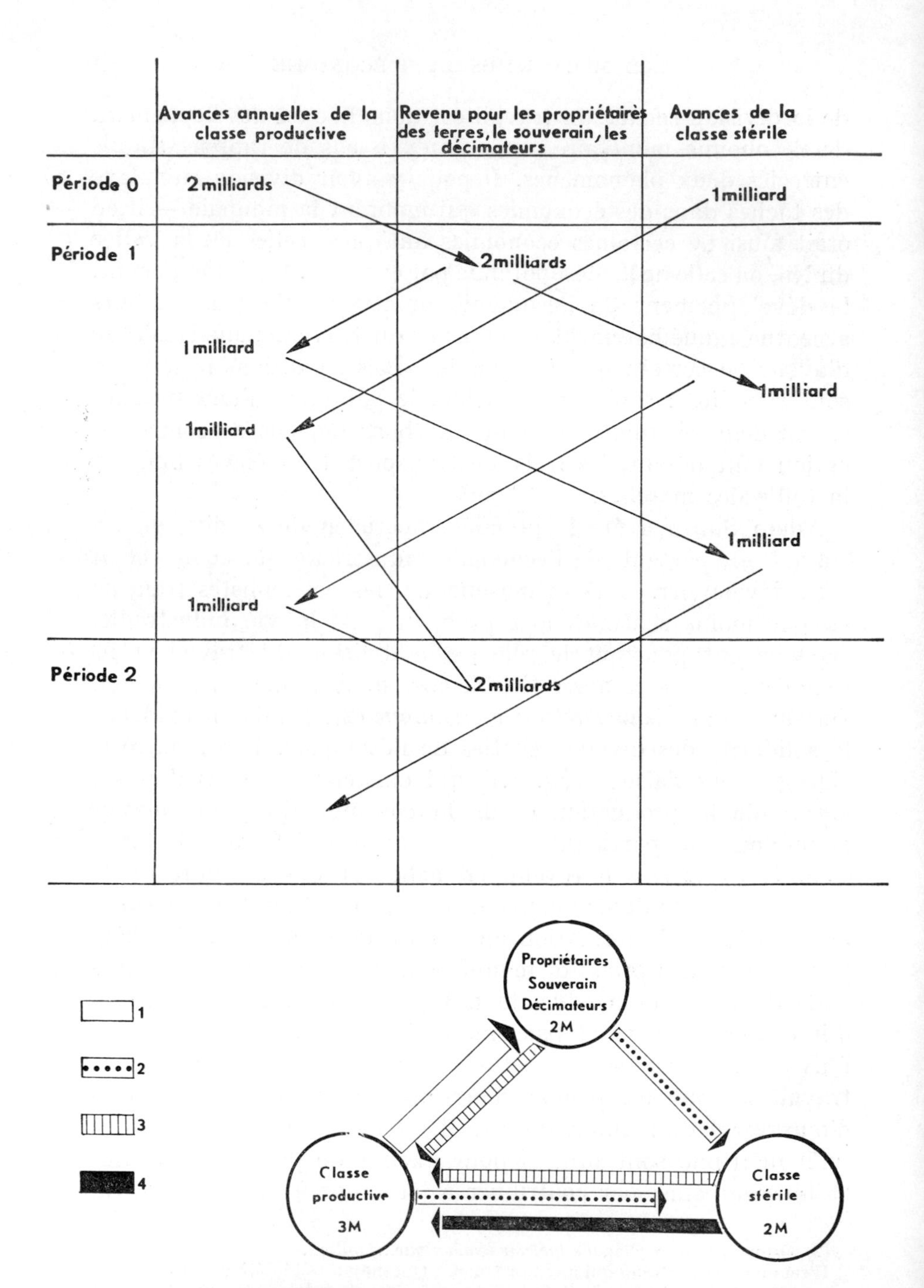

FIG. 1.1. — *a)* Le zigzag de Quesnay.
b) Le système de circulation économique ; Boisguilbert-Quesnay.

1. Rente. — 2. Produits finis. — 3. Aliments. — 4. Matières premières.

revenu du fermier, dont toute l'analyse était partie. Tel est dans ses grandes lignes le zigzag que décrit le Dr Quesnay. On sait qu'il en tirait des conséquences critiquables — celle en particulier que les seuls créateurs de richesse, dans tout le circuit, étaient les agriculteurs, puisque tout le produit net provenait de la terre. Mais il montrait un fait essentiel, l'existence d'un circuit, de plusieurs circuits même : celui des produits, celui des revenus. L'analyse de la circulation économique est en un sens équivalente à celle de la division du travail — il n'y a pas de zigzag sans une spécialisation des divers acteurs de la scène économique. Mais la description incluse dans le tableau économique dépasse en intérêt celle de la division du travail, car elle nous introduit à une vision globale de l'économie.

III. — Le circuit de production.

On a imaginé depuis longtemps de démonter ces circuits, d'analyser les rouages de l'économie territoriale (3) et de rendre les interactions sensibles en élaborant des organigrammes (fig. 1.2) qui mettent en évidence les liaisons des diverses parties.

Il est habituel de commencer la description du circuit économique par l'étude de la production. Dans certains cas, l'acte productif demeure simple, si bien qu'il est réalisé par une même personne ou dans un même établissement. En pareil cas, le circuit de production est réduit au minimum. Il ne comporte qu'une étape, où se trouvent combinés les facteurs de production. On en distingue trois : la main-d'œuvre, le capital, la terre. La combinaison productive est le fruit de l'entreprise et lorsqu'une nouvelle combinaison apparaît, on dit qu'il s'agit d'une innovation.

L'action des facteurs de production s'applique à des matières premières qu'ils transforment, en consommant de l'énergie.

Dans les entreprises agricoles, presque partout dans le monde, l'ensemble du processus productif est réalisé par une seule et

(3) On trouvera un exposé très simple du fonctionnement des circuits économiques dans Albertini (J. M.), *Les rouages de l'économie nationale*. Paris, Économie et Humanisme et Les Éditions ouvrières, 1960, 215 p.

La plupart des schémas de flux reprennent ceux qui illustraient l'ouvrage de Ruggles (R.), *National Income Accounting and its Relation to Economic Policy*. Paris, E. C. A., 1949.

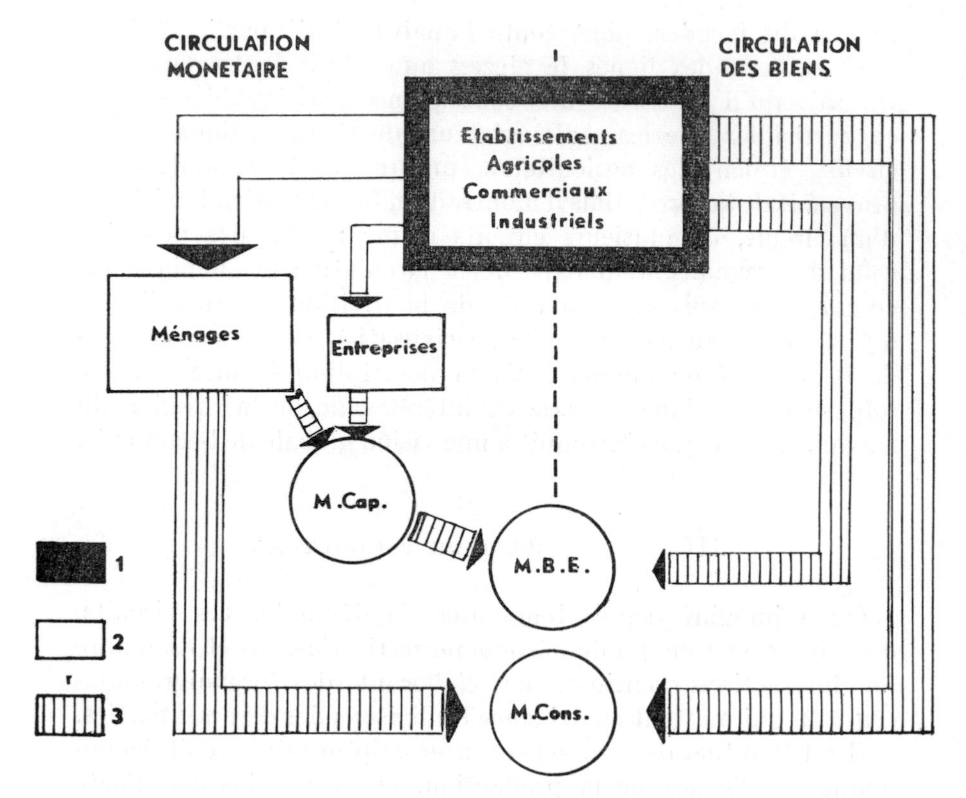

Fig. 1.2. — Les rouages de l'économie nationale. Inspiré de J.-M. Albertini.

1. Circuit de production.
2. Circuit de distribution du revenu.
3. Circuit de dépenses.

M. Cap. : Marché des Capitaux.
M. B. E. : Marché de Biens d'Équipement.
M. Cons. : Marché de Consommation.

même entreprise. Au fur et à mesure que la production se complique, que les actes deviennent plus nombreux et plus complexes, pour satisfaire à des besoins plus divers, selon des modes plus élaborés, on voit les tâches se diviser. Les outils cessent d'être fournis et construits sur place. Ils sont fabriqués par les spécialistes : c'est là une des premières formes de la division du travail. Par la suite, celle-ci devient sans cesse plus poussée. Il arrive cependant que toutes les opérations demeurent effectuées au sein d'une même entreprise. On dit alors que la production est intégrée. L'exemple de Ford aux États-Unis, celui, moins net de Renault en France, sont là pour nous montrer qu'il est possible à une entreprise d'assurer la totalité d'un long processus productif. Mais la chose n'est pas aisée. Le plus souvent, les entreprises se multiplient. Elles achètent leurs matières premières à des entreprises situées en amont. Elles fabriquent rarement l'énergie qu'elles consomment et l'obtiennent de producteurs spécialisés. Elles intègrent dans le produit qu'elles fabriquent toute une série de pièces et de sous-ensembles qu'elles achètent à d'autres. Elles acquièrent à l'extérieur tout l'outillage dont elles ont besoin. On voit donc la complexité des liaisons qui existent dans une économie industrielle de type moderne. La plupart des entreprises ne fournissent pas de produits destinés à l'utilisateur final — consommateur ou investisseur. Elles se contentent de fabriquer des demi-produits.

On voit ainsi se tisser toute une série de solidarités au sein du processus de production. Elles étaient déjà indiquées dans le zigzag économique de Quesnay. Leur étude est devenue depuis une génération une des branches les plus dynamiques de l'économie. L'économiste russo-américain Léontief (4) s'était familiarisé avec le maniement des comptabilités-matières dans le cadre des services de planification soviétique. Il a transposé les méthodes ainsi mises au point à l'étude de la réalité américaine et ses imitateurs ont petit à petit développé ses méthodes dans d'autres contextes. Léontief analyse systématiquement ce qui entre dans une fabrication donnée comme demi-produits, comme facteurs de production. Il appelle les quantités qui concourent à la formation du produit des inputs; on emploie souvent le terme anglais en français : on essaie aussi de le traduire, et selon les cas, on parle alors d'entrée, ou d'intrant. Ce que l'entreprise fabrique, c'est son output, ou sortie, ou extrant. Lorsque l'entreprise ne se livre qu'à une fabrication, il est facile de dire ce qui est dû à chacun des facteurs dans l'élaboration du produit final. Dans la plupart des cas, la même entreprise livre sur le marché des produits différents — afin de diminuer les risques qu'elle assume, ou plus souvent encore pour valoriser des sous-produits, ou parce qu'elle travaille dans une fabrication où plusieurs produits se trouvent étroitement liés. On arrive encore,

(4) Sur l'histoire de Léontief et de sa méthode, on pourra se reporter aux ouvrages de MM. Marczewski et Viet (cf. Introduction, note 27).

mais souvent avec quelque imprécision, à affecter à chaque produit la part d'intrants qui lui revient.

Léontief a coutume de présenter les résultats de son travail

ENTREES INPUTS ACHATS ↓

SORTIES OUTPUTS VENTES →

	Agriculture	Industrie	Reste de l'éco-nomie (de-mande finale)	Production Totale
Agriculture	7	18	30	55
Industrie	15	10	60	85
Reste de l'éco-nomie: Valeur ajoutée	33	57	90	
Total	55	85		140

Fig. 1.3. — Tableau industriel de la Bordurie.

Unité : milliards de Bordures.
Source : Hergé. Le sceptre d'Ottokar.

Remarques : 1° Le cadre intérieur fait apparaître les consommations intermédiaires. 2° La ligne et la colonne extrêmes permettent de connaître la production et le revenu totaux, doubles emplois compris. Elles servent à s'assurer de la cohérence des calculs.

sous la forme de tableaux carrés (fig. 1.3). Dans les colonnes figurent tout ce qui a été rendu par une branche d'industrie donnée, dans les lignes tout ce qu'elle a consommé et acheté. Ainsi se trouve mis en évidence l'ensemble des liaisons techniques qui existent au niveau de la production (5). Ces tableaux soulignent le jeu des multiplicateurs techniques : pour obtenir une

(5) Léontief (Wassily), *Structure of the American Economy, 1919-1939*. New York, Oxford University Press, 1re éd., 1941: 2e éd., 1951, XVI, 264 p. Trad. française : *Structure de l'économie américaine*, Paris, M.-Th. Génin, 1958, XVI, 278 p. — Id., *Input-Output Economics*. New York, Oxford Uni-versity Press, 1966.

quantité donnée d'un produit, on peut savoir ce qu'il faut d'intrants. De là, vient la grande valeur pratique de ces travaux économétriques. Ils nous renseignent sur un des mécanismes les plus simples, mais aussi les plus mal connus de l'économie. Les résultats obtenus ont permis de faire des prévisions assez remarquables dans la période courte. On dit que c'est au moment du blocus de Berlin, lorsqu'il fallait envoyer par avion le nécessaire pour que la vie de la ville continue, que la méthode a fait ses preuves. La méthode présente cependant quelques limitations. Dans la plupart des pays, les diverses entreprises qui participent à la fabrication d'un produit donné emploient des techniques différentes, ont des productivités diverses, si bien qu'il y a autant de coefficients d'intrant-extrant qu'il y a d'entreprises. La diversité des coefficients est sans doute plus grande dans des économies qui juxtaposent des secteurs plus inégalement développés qu'ils ne le sont aux États-Unis. Les coefficients changent avec le progrès technique. Il y a maintenant assez longtemps que l'on possède des données relatives aux coefficients techniques de production pour qu'il soit possible de procéder à des comparaisons. Aux États-Unis, on dispose ainsi de comptes effectués en 1947 et en 1960. Les coefficients ont évolué d'une manière sensible (6).

La comptabilité de Léontief montre bien l'importance de la division du travail dans le circuit de production. Dans le prix des produits vendus par une entreprise, ce qui correspond à son travail propre ne représente qu'une partie, souvent faible. La plus grande partie du coût est consacrée à l'achat de demi-produits à l'amont. La part qui revient à l'entreprise, la valeur qu'elle a ajoutée, correspond seulement à la rémunération des facteurs de production qu'elle a mobilisés. A l'échelle d'une entreprise, on peut donc voir, grâce au tableau des intrants, exactement ce qui revient aux divers producteurs antérieurs et ce qui est valeur ajoutée.

Pour les économistes, les services entrent dans la catégorie des activités productives, en occident tout au moins (7). Il

(6) CARTER (Anne P.), « The Economics of Technological Change. » *Scientific American*, vol. 214, nº 4, avril 1966, pp. 25-31.

(7) Les économistes soviétiques excluent les services du secteur productif. Ceci rend difficile les comparaisons entre les statistiques globales des pays socialistes et celles des pays capitalistes : le revenu national est minoré en économie socialiste, cependant que dans le secteur de la production physique on englobe certaines activités qui sont considérées ailleurs comme des services.

est possible de les intégrer dans les comptabilités d'input-output. On peut ainsi savoir ce qui est nécessaire comme service judiciaire, financier, comme service de recherche, bureau d'étude extérieur, pour une production donnée. On voit donc la généralité du principe de ces comptabilités et la très large connaissance qu'elles donnent sur toutes les liaisons techniques. Il est d'usage de faire figurer parmi les branches distinguées celles des ménages : il apparaît alors ce que chaque branche d'activité verse comme salaire, ou comme autre forme de revenus, aux particuliers, et ce que les ménages achètent aux différentes industries. C'est dire que le système de Léontief permet non seulement de décrire la production, mais encore de voir ses liaisons avec les autres parties du circuit de la vie économique : revenu et dépense.

IV. — Les circuits de répartition.

On a peut-être tort de commencer la description du circuit économique par la production. C'est bien l'origine de tout le circuit : les biens sont d'abord produits, puis distribués, échangés, consommés, ou stockés et accumulés. Mais l'acte productif apparaît comme une conséquence des options et des décisions prises par les sujets que sont les consommateurs. Ce sont ces intentions qui sont vraiment à l'origine de tout le cycle de la vie économique. Le problème majeur, c'est que tout fonctionne de telle sorte que les désirs des consommateurs soient satisfaits dans les meilleures conditions : il faut que la production soit réglée, que soit fixé le niveau global de fabrication de chaque catégorie de produit. Le problème est simple dans les économies d'autosubsistance, où chacun doit produire ce qu'il veut consommer. L'ajustement de la production à la consommation est affaire individuelle. Lorsque le circuit productif s'allonge, lorsque la division du travail apparaît, le problème se complique.

L'ajustement est réalisé en plusieurs étapes. Tout acte de production engendre des revenus. Ceux-ci sont distribués entre les agents et les sujets en fonction de leur contribution à la production. Les règles de ces attributions varient considérablement d'un système économique à un autre, elles constituent une des bases de tout le mécanisme d'ajustement : les choix et les possibilités de chacun vont être conditionnés par la part qui lui revient.

Chaque catégorie de facteurs de production reçoit un type de revenu différent. Les salaires viennent rémunérer le travail. L'intérêt permet de payer les services du capital. La terre reçoit une rente. En fin de compte, les revenus qui échoient au capital ou à la terre sont attribués à des sujets — des ménages dans la plupart des cas, ou des sujets collectifs aussi, comme le sont les entreprises industrielles. L'État reçoit une partie de ces revenus, dans la mesure où il est propriétaire d'une partie des facteurs de production de la nation. Dans les pays socialistes, cette propriété d'État joue un rôle prépondérant, mais elle existe à des degrés divers dans toutes les nations et spécialement en Europe occidentale où les diverses nationalisations ou l'apparition d'entreprises industrielles publiques ont élargi la part de l'État dans la vie économique.

Le directeur de l'entreprise reçoit un revenu. Il est difficile de le classer dans les catégories précédentes : ce n'est pas un salaire, ce n'est pas un intérêt. Le profit réalisé par l'entreprise est un revenu différentiel : c'est ce qui reste une fois que la rémunération des autres facteurs de production a été assurée, une fois que tous les frais d'achat des matières premières, de l'énergie et des demi-produits ont été acquittés. Ce revenu ressemble à la rente qui vient rétribuer l'usage de la terre. Il naît dans un cas comme dans l'autre de l'existence d'une rareté, qui permet d'obtenir plus qu'il n'est nécessaire à la rémunération des autres facteurs. L'entrepreneur reçoit donc comme revenu un profit, qu'il crée en renouvelant sans cesse la rareté par son activité innovatrice — ou par d'autres formes de comportement, par la collusion ou l'entente qui permet de contrôler le marché.

La part des revenus qui revient aux ménages est considérable. Les entreprises gardent une partie des profits qu'elles réussissent à engendrer, sans les distribuer aux particuliers qui sont propriétaires de l'entreprise. Cette habitude s'est répandue depuis un siècle, avec le développement des sociétés anonymes et la multiplication des très grandes entreprises. Les propriétaires se trouvent impuissants devant les décisions de l'entreprise et se voient ainsi dépouillés d'une part importante de leurs profits. L'État garde pour lui-même une part croissante des revenus qu'il s'assure en contrôlant une partie du capital et des facteurs rares de la nation. Aussi la part du revenu qui revient aux ménages est-elle sans doute plus faible qu'elle ne l'était il y a un siècle dans la plupart des économies occidentales. Comment se répartissent les revenus ainsi distribués? Si on admet que les lois du hasard régissent la répartition des aptitudes humaines et que les gens sont rémunérés en fonction de leurs aptitudes, c'est à une distribution symétrique des classes de revenu que l'on doit s'attendre. Les catégories les plus nombreuses devraient être celles qui s'assurent les revenus moyens, cependant que les revenus inférieurs et supérieurs écherraient à des groupes à peu près égaux entre eux, et moins nombreux. Ce que l'on observe est très différent : les catégories les plus nombreuses sont celles dont le revenu est le plus faible; au-dessus, on voit une pyramide décroissante de classes de revenus supérieurs (8). Cela indique clairement que les mécanismes de répartition des revenus ne sont pas faits pour assurer à chacun une rémunération calquée sur ses aptitudes. Les possibilités d'achat d'une large partie de la population sont réduites à peu de choses, cependant que les disponibilités de la minorité fortunée sont telles que les besoins immédiats sont plus que satisfaits. L'inégalité des revenus permet donc de développer le pouvoir d'épargne et d'investissement.

La répartition des revenus est toujours pyramidale. Des différences substantielles existent de pays à pays. Dans le monde sous-développé, les inégalités sont maxima. Les classes de revenus les plus bas jouissent de possibilités dérisoires et ce sont les classes les plus misérables qui sont réellement les plus nombreuses. Au-dessus de cette base extrêmement élargie, se dessine une espèce de taille de guêpe : les classes moyennes sont très peu nombreuses ou absentes. Une minorité privilégiée s'assure des revenus substantiels. Dans les pays d'économie développée, des nuances sensibles apparaissent. Les revenus les plus nombreux ne sont pas les plus faibles : au-dessous de la catégorie nombreuse des travailleurs dont le revenu est relativement décent, existe une minorité de défavorisés, dont les conditions sont analogues à celle que l'on trouve dans les pays sous-développés. Au-dessus des classes laborieuses, se dessine une pyramide plus régulière : la décroissance est régulière au fur et à mesure

(8) Vilfredo Pareto avait été frappé par la généralité de cette loi de distribution et avait proposé une expression logarithmique de la relation entre le niveau du revenu et le nombre de ceux qui en bénéficient.

que l'on s'élève dans l'échelle des revenus. Cela traduit l'existence de classes moyennes vigoureuses et d'une transition graduelle vers les catégories fortunées.

La répartition que nous venons de décrire est celle qui résulte des règles de rémunération des facteurs de production. Ces règles ne sont pas toujours les mêmes, mais elles présentent suffisamment d'analogies pour que l'on observe généralement une répartition pyramidale du revenu. Il est nécessaire de respecter un certain équilibre entre les facteurs, si l'on veut que la production se développe harmonieusement. Sans cela, on assiste à un relâchement de l'effort productif. Le souci d'efficacité immédiate est à l'origine d'une certaine dose d'injustice. Pour des raisons sociales, on peut être amené à préférer une répartition plus équitable. Il se peut que la redistribution à laquelle on procède alors soit au fond profitable à la machine économique prise dans son ensemble : en élevant les revenus les plus faibles, on stimule la consommation, ce qui est une des conditions pour que se développe une économie de production de masse dans une société affluente. On a donc complété les mécanismes de distribution des revenus par des mécanismes de transfert. On a systématisé ceux qui étaient apparus spontanément. L'aide aux catégories de travailleurs défavorisées, aux personnes âgées, aux jeunes est devenue officielle. La part des revenus qui circulent ainsi varie considérablement d'une économie à une autre. Elle est particulièrement élevée dans les pays qui ont été touchés par des préoccupations sociales dans les années qui ont suivi la Seconde Guerre mondiale : France, Grande-Bretagne, Italie par exemple. Elle est plus faible dans les pays demeurés plus fidèles au schéma du capitalisme classique, comme la Suisse ou les États-Unis; les transferts de revenu y existent cependant, mais ils sont effectués dans une large mesure par l'entremise des compagnies d'assurance.

La rémunération des facteurs de production est ainsi réalisée qu'elle néglige tout ce qui n'est pas directement inclus dans l'acte productif mais qui est nécessaire pourtant à la vie économique. La part des dépenses indirectes d'éducation, d'infrastructure, de transport, de police économique et de police au sens strict du terme va croissante dans nos économies, au fur et à mesure que les connaissances exigées des producteurs deviennent plus complexes, au fur et à mesure que le poids de la recherche augmente, que les processus de production s'allongent et se compliquent. L'État est donc obligé de prélever une partie des revenus distribués, pour payer toute la part qui lui revient. Il fut un temps où, pour certaines de ces tâches, pour l'éducation et la recherche par exemple, on pouvait faire confiance à l'initiative et à la générosité publiques. Dans les pays développés, l'ampleur des dépenses est devenue telle que l'on ne peut évidemment plus se contenter de cela. Ainsi ce second type de transfert est sans cesse plus important dans le monde moderne.

V. — L'utilisation des revenus.

Les revenus gagnés ou redistribués sont alors dépensés : ainsi se clôt la description du circuit économique.

Les détenteurs de revenu peuvent acquérir des biens destinés à la consommation ou demander des prestations de services. Une très large part du revenu se trouve ainsi utilisée. Les biens et les services qui sont objet de la demande de la plupart des ménages sont extrêmement variés. Ils correspondent à tout ce qui est nécessaire pour le déroulement de l'existence : aliments, vêtements, services de santé et d'hygiène, pour ne citer que quelques exemples. Dans les économies primitives, la plus grande partie du pouvoir d'achat est ainsi employée à acquérir des biens et des services qui sont totalement détruits par la consommation qui en est faite, au bout d'un temps généralement bref.

L'augmentation générale des revenus permet de satisfaire de nouveaux besoins (9). Ceux de produits alimentaires, de vêtements, ne sont pas indéfiniment élastiques. Ils se développent généralement moins rapidement que n'augmentent les revenus. Le surcroît est souvent utilisé à s'assurer une gamme de services plus complète — on ajoute à ceux qui sont indispensables à la vie de tous les jours ceux qui permettent d'agrémenter les loisirs, de plus en plus longs dans la vie moderne. On consacre également une large part du revenu à l'acquisition de biens de consommation durable. C'est là un phénomène récent. La distinction entre le bien de consommation durable, le bien de

(9) Nous rapportons ici les résultats connus sous le nom de lois d'Engel (1857), complétés, en ce qui concerne les dépenses de services, par les analyses de Colin Clark.

consommation immédiate et le bien d'investissement est souvent délicate : lorsqu'un particulier fait construire une maison, s'agit-il d'une dépense de consommation durable ou d'un investissement? S'il installe un atelier dans une partie du local, il aura certainement procédé à un investissement; sinon, il aura plutôt réalisé une dépense de consommation durable. On range les vêtements dans la catégorie des biens de consommation immédiate et les meubles dans celle des biens de consommation durable : mais comment classer les étoffes d'ameublement?

Les économies classiques ne connaissaient comme biens de consommation durable que les locaux d'habitation, les meubles, la vaisselle. La gamme qui s'offre au consommateur actuel est beaucoup plus variée : la ménagère pourra équiper sa cuisine comme un véritable laboratoire, y utiliser des fours ou des cuisinières perfectionnées, un réfrigérateur, une machine à laver la vaisselle, et toute une gamme d'instruments électriques destinés à alléger sa tâche. Elle disposera d'une buanderie, où trônera une machine à laver. Le ménage utilisera des appareils de photo, de radio, de télévision, des magnétophones, possédera une ou plusieurs voitures, partira en vacances dans la caravane qu'il gare l'hiver sur un terrain vague. Si des disponibilités demeurent, il fera aménager dans le jardin une piscine individuelle.

Lorsque l'on regarde la manière dont sont utilisés les revenus, en un moment donné, dans une société, on s'aperçoit que la partie qui est consommée est d'autant plus faible que le revenu est plus élevé. On pourrait donc croire que lorsque, avec le progrès, le revenu de l'ensemble des classes sociales augmente, la part qui est faite aux dépenses de consommation diminue. Les mesures économétriques que l'on a effectuées depuis une trentaine d'années ont montré qu'il n'en était rien. Aux États-Unis, par exemple, on a constaté que la part consacrée à la consommation chez les détenteurs d'un revenu donné croissait avec le temps : ceci traduit la tension qu'introduit la multiplication des biens de consommation durable (10).

La partie du revenu qui n'est pas consommée est épargnée. Les sommes qui sont ainsi mises de côté peuvent l'être pour des périodes plus ou moins longues, pour satisfaire des besoins divers.

(10) DUESENBERRY (J.), *Income, Saving and the Theory of Consumer Behaviour*. Cambridge, Harvard University Press, 1949. — MODIGLIANI (F.), *Fluctuations in the Saving Income Ratios*, Studies in Income and Wealth, National Bureau of Economic Research, 1949, vol. XI.

On garde de l'argent pour des motifs de sécurité, pour se prémunir contre les aléas du futur. On cherche à acquérir quelque bien de consommation durable particulièrement dispendieux. On désire créer une entreprise personnelle et on accumule le capital qui sera nécessaire à la lancer. On a envie de tirer revenu d'un capital que l'on pourra prêter, et qui servira à financer des opérations constructives.

Les sommes épargnées ne sont pas utilisées de la même manière. Lorsque les épargnants les conservent chez eux, on dit qu'ils thésaurisent : le circuit économique se trouve momentanément interrompu par leur décision. Les sommes peuvent être employées très rapidement dans des opérations d'investissement — c'est le cas pour les agriculteurs, les commerçants, les artisans. Dans les grandes entreprises, il en va souvent de même et l'épargne se trouve engagée au fur et à mesure qu'elle se dégage. Pour le petit épargnant, comme souvent aussi pour l'entreprise qui ne peut entreprendre des aménagements fractionnés (certaines opérations techniques sont indivisibles), la solution retenue consiste souvent à confier les sommes épargnées à des organismes spécialisés, qui les font fructifier, en attendant que l'on en trouve une utilisation directe.

L'épargne alimente en fin de compte les dépenses d'investissement : elle permet de créer les équipements, avec lesquels on assure la production; on achète des machines, on construit des usines, des ateliers, des routes, des chemins de fer, des aéroports, des canaux. On assure l'entretien du matériel existant, son extension ou sa modernisation.

VI. — L'ajustement du circuit économique. La théorie générale.

Nous voyons maintenant comment se boucle le circuit économique : les revenus engendrés par la production permettent d'acquérir les biens et les services qui sont offerts aux consommateurs et aux utilisateurs finaux. L'ajustement de la production et de la consommation se fait par l'intermédiaire des marchés ou par celui de leur substitut, la planification; il s'agit de régler la production de telle sorte que les demandes formulées par les consommateurs soient toutes satisfaites et qu'il n'y ait pas d'excédent de production inutilisé. Dans une économie de profit, l'ajustement se réalise grâce aux variations des prix sur le marché. Les décisions de produire et de consommer varient en fonction des prix. L'offre augmente, le prix diminue, jusqu'au moment où l'équilibre s'établit. On constate alors que les profits obtenus par les producteurs se sont progressivement réduits et tendent à s'annuler, cependant que les consommateurs ne bénéficient d'aucune rente. Dans une économie de marché, la répartition optimale des moyens de production est assurée lorsque les profits se sont ainsi égalisés et tendent vers le zéro.

Certaines conditions sont requises pour que le mécanisme d'équilibre que nous venons de définir fonctionne bien : il faut que le cycle de production ne soit pas trop long, que les délais qui séparent les décisions économiques de leur réalisation ne soient pas trop divers. Sinon, le marché, au lieu de favoriser l'ajustement des projets, fonctionne comme un système oscillant, voire même comme un système d'amplification des perturbations (11).

Ceci montre la limite des mécanismes du marché. Les cycles de production sont souvent longs. Le marché assure la transparence dans l'immédiat. Il n'assure pas une vision à longue échéance.

Celle-ci est nécessaire pour permettre une économie harmonieuse dans les secteurs complexes. Qu'on pense par exemple aux productions lourdes : il faut plusieurs années pour qu'une usine sidérurgique moderne soit dessinée, construite, que les hauts-fourneaux soient mis à feu, et que la fonte et l'acier soient livrés à la consommation. Une telle entreprise suppose que l'on dépasse la vision courte, que l'on essaie de percer le futur, que l'on y dégage une certaine transparence. C'est ce qu'essaient de faire les firmes isolées qui planifient leur expansion en fonction de l'évolution qu'elles estiment probable de la demande dans les années qui viennent. Les organismes de planification centralisent les renseignements provenant des services chargés d'évaluer la consommation et ses possibilités d'évolution : ils mettent ainsi sur pied des plans de développement pour le futur. Dans les systèmes de planification souple, comme l'est le système fran-

(11) Le schéma de ces circuits oscillants ou amplificateurs est fourni par Ezekiel sous la forme de la « toile d'araignée ». EZEKIEL (Mordecai), « The Cohweb Theorem. » *The Quaterly Journal of Economics*, vol. LII, 1938.

çais, les réunions des industriels et des représentants des différentes catégories sociales permettent d'éclairer peu à peu le public. La décision demeure cependant décentralisée. L'harmonie est plus probable car la décision est mieux informée. On ne va pas plus loin dans la coordination des initiatives. Dans les systèmes de planification autoritaire, la répartition des fonds de développement entre les diverses branches d'activité économique est décidée en haut lieu. L'ajustement de l'économie est facilité, car la consommation peut-être dirigée, soit de manière indirecte, en jouant sur les prix, soit plus brutalement, par un rationnement physique. Les économies de marché dans lesquelles se sont installés des monopoles offrent des systèmes qui sont socialement très différents, mais qui dans la pratique, présentent de grandes analogies de fonctionnement avec ceux de l'économie centralisée.

Dans les économies centralisées, les ajustements sont conscients, volontaires. On se rend bien compte que les responsables modifient leurs impulsions de manière à promouvoir sans cesse le développement le plus harmonieux de la vie économique. Il n'est pas sûr qu'ils y parviennent — ils se heurtent à des contraintes de temps, à des réactions difficiles à prévoir et à maîtriser, de la part du corps qu'ils dirigent. Mais l'établissement d'une certaine harmonie entre les divers secteurs de l'économie paraît concevable.

Les mécanismes d'ajustement de l'économie décentralisée sont constitués par les marchés. Chacun fonctionne indépendamment des autres. On pourrait concevoir que chacun tende isolément à assurer l'équilibre dans un secteur particulier de l'économie, sans que l'équilibre d'ensemble se trouve accusé. En fait, des liaisons existent entre les secteurs de la vie économique : les facteurs de production employés, les revenus utilisés assurent la solidarité des divers marchés. Les économistes ont pris l'habitude d'appeler théorie générale une théorie, qui, à l'instar de celle exposée par Léon Walras, et perfectionnée par Wilfredo Pareto, permet de mettre en évidence tous les enchaînements qui existent dans une économie. Walras écrivait un système d'équations simultanées pour décrire les liaisons économiques. Il montrait qu'il existait autant d'équations que de variables, moins une : cela revenait à dire que du moment où l'on fixait arbitrairement la valeur d'une variable, toutes les autres se trouvaient fixées. Le système économique se trouve déterminé par une seule valeur et la solidarité de ses parties implique qu'il soit en équilibre (12).

L'élément essentiel de la démonstration de Léon Walras demeure acquis. On sait que les différentes pièces qui concourent à la vie économique ne sont pas étrangères les unes aux autres, et qu'en l'absence de toute direction centralisée, le jeu des mécanismes économiques d'ajustement conduit à un équilibre général.

On procède de nos jours aux analyses de la vie économique d'une manière peu différente de celle qu'affectionnait Walras. Celui-ci analysait les pièces les unes après les autres, passait d'un rouage à l'autre, montrait ainsi la solidarité de l'ensemble, mais n'envisageait jamais celui-ci pour lui-même. Depuis Keynes, on passe volontiers du plan des réalités micro-économiques, entreprise, sujet, agent, au plan de la macro-économie. On analyse les quantités globales, la somme des revenus, des produits, des dépenses effectuées dans un cadre territorial donné : la solidarité des faits économiques que l'on mettait en évidence au niveau de l'entreprise, nous la retrouvons cette fois exprimée pour l'ensemble d'un pays.

Le circuit économique se déroule dans le temps. Il faut un certain délai pour que les revenus engendrés par la production se trouvent distribués, et utilisés. Les divers éléments de la boucle ne s'inscrivent pas tous dans la même durée. Aussi est-il délicat de choisir l'unité qui convient le mieux pour la description et la compréhension de la vie économique — nous retrouverons la même difficulté lorsque nous essaierons de définir les limites spatiales qui permettent la compréhension la plus intime des mécanismes de l'économie territoriale.

Pour résoudre cette difficulté, on a pris l'habitude de diviser l'analyse économique, de se livrer à deux démarches complémentaires. On regarde d'abord ce qui se passe en un moment donné. On fige le mouvement de la vie économique, mais on saisit mieux les conditions de l'équilibre et des interrelations. On complète cette analyse statique par une description des enchaînements dynamiques.

(12) On trouvera un exposé clair de la théorie générale construite suivant le modèle walrasien au chapitre III (« Interdépendance et équilibre », pp. 107-154) de DEHEM (Roger), *Traité d'analyse économique*. Paris, Dunod, 1958, 222 p.

CHAPITRE II

NOTIONS D'ÉCONOMIE GLOBALE

Nous avons essayé, au cours du chapitre précédent, de voir comment, pour chaque produit et chaque service, les faits de production, de distribution et de consommation interfèrent. Nous allons préciser les relations qui existent entre l'ensemble de la production, de la répartition et de la dépense. La théorie du commerce international supposait bien qu'il y avait des ensembles économiques que l'on envisageait dans leur totalité, mais la théorie des espaces territoriaux demeurait très sommaire. Il a fallu attendre Keynes pour que l'on se mette à analyser les liaisons globales.

I. — Production, revenu et dépense territoriale : notions de comptabilité territoriale.

Nous avons décrit les étapes du cycle économique. Pour compléter cela, il faut essayer de chiffrer l'ensemble des grandeurs correspondant à chacune des étapes du circuit économique. On peut mesurer les productions globales en termes physiques : la puissance des nations s'apprécie en calculant le nombre de têtes de bétail, de tonnes de blé, de houille, de fer ou d'acier, le nombre d'automobiles produites. On étudie la consommation en comparant les quantités physiques consommées par chaque habitant. Ces mesures sont indispensables. Elles ne sont pas suffisantes pour pouvoir raisonner sur les problèmes économiques, car les données numériques mises en avant sont incommensurables et ne permettent pas d'apprécier l'ensemble de l'économie.

Aussi, les économistes commencent-ils toujours, dans un premier stade, par tout réduire en une unité commune : la valeur monétaire. Seuls, les comptables du monde socialiste répugnent à employer les mesures monétaires pour effectuer leurs études. Cela les conduit à des calculs si longs qu'ils doivent renoncer à l'élaboration de prévisions multiples. Ces méthodes ont fait l'objet de critiques récentes de la part de certains économistes russes : si on ne modifie pas le système actuel de mesure et de prévision, toute la population active de l' U. R. S. S. devra être employée dans les services de comptabilité en 1980 (1)!

Comment opère-t-on pour obtenir une évaluation du produit? On additionne la valeur des diverses productions et des services. La difficulté essentielle provient de l'existence de demi-produits; si on additionne les chiffres d'affaire de toutes les entreprises, on compte plusieurs fois la valeur de ceux-ci. Pour évaluer le produit territorial, ce ne sont pas les chiffres d'affaire qu'il faut additionner, mais les valeurs ajoutées par les entreprises au cours de chacune des phases des processus de fabrication.

La valeur obtenue ainsi constitue le produit territorial brut. Il importe de remarquer que celui-ci peut se définir de plusieurs manières : quels prix doit-on retenir pour effectuer le calcul? Lorsqu'on retient les valeurs des marchandises au prix du marché, on obtient un chiffre qui constitue le produit territorial au prix du marché. Cette valeur est parfois difficile à utiliser pour les comparaisons entre territoires voisins, car le prix du marché est influencé par des prélèvements opérés par l'État. Dans un pays où la fiscalité est indirecte, les prix du marché sont majorés par rapport à ceux des pays où les dépenses publiques sont financées par l'impôt sur le revenu. Très souvent, on calcule donc les quantités globales au prix des facteurs, c'est-à-dire en faisant abstraction des impôts indirects.

Le produit territorial que nous venons de définir — qu'il soit évalué au prix des facteurs ou au prix du marché — est un produit brut : il ne permet pas de mesurer exactement la richesse créée dans un territoire, car une partie est destinée à l'entretien du capital existant. Cette fraction nécessaire au maintien en service de la capacité de production doit être soustraite si l'on veut évaluer réellement le potentiel d'une nation et si on veut la comparer à celui des nations voisines.

(1) Certains auteurs interprètent les réformes actuelles des méthodes de planification, le retour à des indicateurs décentralisés, comme une tentative pour alléger les méthodes actuelles de comptabilité économique.

Le produit net est donc plus utile pour certaines recherches, mais il est beaucoup plus difficile à évaluer que le produit brut. Quelle est la part des investissements destinée à maintenir en service la capacité existante, quelle est celle qui correspond à des équipements neufs? Le calcul est d'autant plus délicat que nous sommes dans un monde où le progrès technique est rapide, si bien que les installations vieillissent souvent avant d'être usées et que leur remplacement est alors accéléré. Aussi le produit territorial net ne sert guère que dans les raisonnements théoriques. Ce qu'il est possible d'évaluer statistiquement, c'est l'ensemble des productions territoriales brutes.

Le calcul du revenu territorial offre à peu près les mêmes difficultés que celui du produit territorial. Il s'agit d'additionner les revenus qui sont dévolus aux divers facteurs de production en évitant de compter deux fois certains d'entre eux. La tâche est délicate dans les économies modernes, car l'importance des transferts est énorme : qu'il s'agisse de retraites, de systèmes de sécurité sociale ou d'assurances, ces transferts peuvent porter sur plus du tiers du revenu global. On conçoit l'intérêt qu'il y a à les étudier de manière précise.

Doit-on compter dans le revenu national, le revenu de l'État? L'ensemble des impôts constitue un transfert, mais leur incidence sur la vie économique est assez variable. Les impôts directs correspondent à un transfert pur, cependant que les impôts indirects augmentent les prix des produits sans toujours donner lieu à des transferts au sens propre du terme : il n'y a transfert que si le vendeur ne peut répercuter l'impôt indirect sur le consommateur.

L'évaluation de la consommation globale est assez facile, dans la mesure où elle porte sur des objets. L'appréciation de la consommation de services est plus délicate, car ils se prêtent souvent à l'évasion fiscale. L'investissement total peut s'évaluer d'une manière assez satisfaisante, mais il n'en est pas de même de l'investissement net, comme nous l'avons indiqué plus haut. En fait, les différences dans les définitions statistiques rendent très difficiles les comparaisons de taux d'investissement d'un pays à l'autre. La comparaison des taux bruts est sujette à caution, la comparaison des taux nets n'a pour ainsi dire pas de sens.

Il est également possible de ventiler la dépense en épargne

et consommation, mais l'évaluation des quantités épargnées est délicate. Seule est connue de manière satisfaisante la partie de l'épargne qui est confiée à des institutions spécialisées et dont la comptabilité est nécessairement bien menée. La part de l'épargne qui passe ainsi par des circuits spécialisés va croissant dans les économies modernes : elle est draînée par toute une série d'institutions soit vers l'État, soit vers les entreprises privées. L'épargne est très difficile à évaluer directement dans les économies primitives. Il faut alors procéder par sondages, pour se faire une idée des habitudes de dépense des particuliers, ou opérer par différence et renoncer à la mesure directe.

Les difficultés de l'évaluation des quantités globales sont telles que la comptabilité territoriale ne se serait jamais développée s'il n'existait pas des procédés de recoupement qui permettent de vérifier la cohérence des mesures effectuées et de compléter les sources, lorsque celles-ci présentent des lacunes.

Les documents essentiels sur lesquels on peut s'appuyer pour bâtir une comptabilité globale sont constitués par les statistiques physiques de production et les relevés de prix d'une part, par les documents fiscaux d'autre part. Ces derniers permettent d'évaluer le revenu, puisque la plupart des revenus sont imposables et de connaître également la production. La mise sur pied d'un système d'impôt à la valeur ajoutée devrait faciliter la mesure de la production à partir de bases fiscales. La France qui fait figure de pays pionnier pour la mise en œuvre de cette forme d'impôt devrait se trouver particulièrement bien placée pour l'élaboration des tableaux globaux. Malheureusement, les déclarations fiscales sont bien souvent sujettes à caution et l'évaluation du produit global repose en grande partie sur des calculs à partir de données physiques.

C'est pour la consommation, l'investissement et l'épargne que les chiffres sont les plus difficiles à rassembler. C'est une grave faiblesse, car ce sont les données les plus significatives pour qui veut comprendre la dynamique économique. Heureusement, les relations entre les diverses grandeurs globales, que nous allons analyser, permettent de résoudre une partie des difficultés auxquelles on se heurte, en autorisant les calculs indirects pour un certain nombre de grandeurs qui échappent à l'évaluation directe (2).

(2) On trouvera une description des techniques d'évaluation et de recoupements

Parmi les grandeurs fondamentales que les comptables du territoire peuvent examiner, nous avons jusqu'à présent parlé uniquement des flux de biens ou des flux de revenus. Il est également possible de dresser un état des stocks qui existent dans un territoire donné. C'est alors à une évaluation de la richesse territoriale que l'on procède. La mesure de cette richesse territoriale a peut-être suscité moins de travaux que celle du revenu, au moins depuis une génération. Au cours du siècle dernier, il y avait eu des recherches assez nombreuses sur la fortune nationale (3). Dans le monde actuel, l'évaluation des richesses apparaît peut-être plus délicate. Quelle valeur donner à des équipements que l'obsolescence guette, et qui peuvent ainsi perdre presque toute valeur en quelques mois, alors qu'ils pourraient servir durant des années? L'évaluation des flux est moins sujette à caution, les possibilités d'erreur sont moins nombreuses. Quelles que soient les difficultés pratiques auxquelles se heurtent les comptabilités en capital, leur développement apparaît nécessaire. L'étude de la dynamique économique ne peut faire abstraction de la fortune accumulée. Comme nous aurons l'occasion de le voir, les possibilités de croissance sont souvent liées par l'intermédiaire des faits monétaires, à la richesse et à ses variations. En ce sens, la comptabilité en terme de flux et celle en termes de stocks se complètent. Lors même qu'elles ne se prêtent pas assistance pour expliquer l'évolution économique, elles permettent par leur comparaison de préciser certains éléments de la description des ensembles économiques : le rapport qui existe entre la richesse créée et le flux de revenus est un élément important pour qui veut comprendre l'évolution des pays et les rapports qui existent entre le développement de diverses économies.

II. — Les relations économiques fondamentales entre quantités globales.

Toute la théorie économique moderne prend appui sur un certain nombre de relations qui traduisent l'identité entre les

dans Malinvaud (M.), *Initiation à la comptabilité nationale.* Paris, P. U. F., 1re éd., 1957; 2e éd., sans nom d'auteur, sous le sigle de l'I. N. S. E. E. et du S. E. E. F., 1960, 223 p.

(3) On doit signaler en particulier les recherches effectuées dans ce domaine

quantités produites et dépensées. Elles retracent le déroulement d'opérations déjà effectuées. Pour employer le langage des économistes, elles sont rétrospectives, ou, à la manière suédoise, *ex post.* Au stade des projets, au contraire, il n'est pas du tout évident que la production prévue soit égale à la dépense souhaitée. Nous aurons l'occasion de revenir longuement sur ce point.

La première équation pose l'identité entre produit, revenu et dépense. Il s'agit d'une relation de bon sens, qui ne souffre comme exception que celle qui provient des variations de stocks qui peuvent se produire entre le début et la fin de la période étudiée : si une partie de la production n'a pas été vendue mais est venue grossir les stocks des entreprises, l'égalité entre production et dépense n'est vérifiée que si l'on considère qu'une partie de la dépense globale a été affectée à la constitution de ces stocks. Sous cette réserve, la relation fondamentale que nous avons indiquée se trouve toujours vraie. En spécifiant le type de quantité globale auquel on se réfère, on peut écrire

Produit territorial brut = revenu territorial brut = dépense territoriale brute = consommation + investissement territorial brut.

Le dernier élément de la relation est établi à partir de la définition des quantités brutes. On sait que

Investissement brut = Investissement net + amortissement.

En abrégé, on écrira : $P_b = R_b = D_b = C + I_b$ ou encore, en employant les symboles anglais : $GP = GY = GD$.

Aussi, si on déduit des quantités globales les amortissements, on obtient les relations suivantes, valables entre quantités nettes :

Produit territorial net = Revenu territorial net = dépense territoriale nette = consommation + investissement net.

En abrégé : $P_n = R_n = D_n = C + I_n$, ou encore : $P = Y = C + I$.

Il est évidemment possible de faire éclater les divers éléments qui figurent dans ces égalités comme nous l'avons fait pour le dernier élément qui figure : il peut être intéressant de remplacer la production par la somme des productions des diverses branches, la dépense par la somme des revenus afférents aux divers facteurs de production. On a par exemple :

par de Foville, entre 1880 et 1910. Par exemple : FOVILLE (A. de), « La richesse de la France ». *Revue économique internationale,* avril 1906.

Produit = Salaires + Profits + Intérêts = Consommation + Investissement.

Il est possible de faire éclater le compte relatif à la dépense en consommation et épargne. Cela s'écrit donc :

Consommation + Épargne = Consommation + Investissement = Dépense = Produit = Revenu.

Nous posons ici l'épargne égale à l'investissement. Il s'agit là d'une égalité qui n'est pas vraie *a priori*. Elle ne se vérifie que dans les situations *ex post*. Les classiques y voyaient pourtant une identité toujours vérifiée; ils confondaient même parfois épargne et investissement. Adam Smith, Stuart Mill et, avant eux, Turgot commettaient cette erreur (4). Ils avaient de bonnes raisons de le faire : dans le monde où ils vivaient, l'investissement ne pouvait s'appuyer que sur une épargne monétaire préalable, il ne pouvait être financé par un appel au crédit. Les égalités postulées avaient donc plus de chances de se trouver réalisées *ex ante* que ce n'est le cas dans le monde actuel. Mais de toute façon, le fait de considérer que l'investissement et l'épargne sont automatiquement égaux au niveau des anticipations constitue une simplification dangereuse. On ne tient pas compte des effets possibles d'une thésaurisation, on enlève tout rôle à la monnaie dans le déroulement de la vie économique. L'égalité entre épargne et investissement ne l'établit qu'après coup, il est nécessaire de le comprendre pour saisir les problèmes délicats de la croissance et des équilibres dynamiques.

Sous ces réserves, le système de relations que nous avons indiqué permet de mieux décrire le fonctionnement de l'économie. Il facilite également la tâche de ceux qui doivent mesurer les quantités globales : ils peuvent partir d'une évaluation du revenu global et de la consommation globale pour déterminer le montant des investissements qu'ils n'arrivent pas à calculer directement. Les possibilités de recoupement qu'offrent les équations fondamentales assurent ainsi la cohérence des comptabilités territoriales.

(4) Dieterlen (Pierre), *L'investissement.* Bilans de la Connaissance économique. Paris, Marcel Rivière, 1957, 362 p. Cf. p. 132.

III. — La présentation systématique des comptabilités territoriales.

Les relations que nous venons de noter permettent de présenter dans un même tableau synthétique les résultats des diverses computations auxquelles se livrent les comptables territoriaux (5).

Il est en effet possible de représenter ces comptes territoriaux sous forme de tableaux. Il suffit pour cela de prendre deux à deux les éléments que nous avons distingués : produit, revenu,

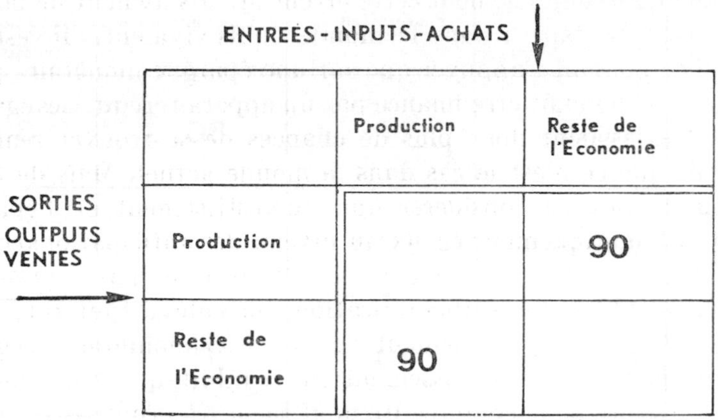

ENTREES - INPUTS - ACHATS

SORTIES OUTPUTS VENTES

	Production	Reste de l'Economie
Production		90
Reste de l'Economie	90	

Fig. 2.1. — Tableau économique de base de la Bordurie.

dépense. Soit par exemple le couple produit-dépense : ce qui est produit correspond à ce qui est dépensé. On peut donc représenter l'économie par deux lignes et deux colonnes : c'est le tableau économique de base (fig. 2.1). Les lignes permettent de décrire les sorties des différents secteurs. Les colonnes permettent de retracer leurs entrées. Dans ce tableau, les cases correspondant à la première diagonale restent vides. Celles qui correspondent à la seconde portent l'une le total de ce que le secteur productif fournit au reste de l'économie, l'autre, le total de ce que le reste de l'économie fournit à la production, c'est-à-dire l'ensemble de la valeur ajoutée par la production.

(5) Nous suivrons dans ce paragraphe la présentation proposée par Boudeville (Jacques-R.), *Les programmes économiques*, *op. cit.*, cf. pp. 35-39.

L'intérêt de cette présentation peut sembler maigre. Il n'apparaît clairement que lorsqu'il est possible de décomposer les comptes de production de revenu ou de dépense en leurs diverses composantes. Il est possible de faire éclater de la sorte les comptes de production et de montrer en détail le cheminement des produits d'une phase à l'autre de leur transformation. Nous avons déjà évoqué cette possibilité : c'est à partir des tableaux d'entrée

ENTREES - INPUTS - ACHATS ↓

SORTIES VENTES OUTPUTS

	Production	Consommation	Accumulation Investissement
Production		60	30
Consommation	70		
Accumulation	20 Epargne des Producteurs	10 Epargne des Particuliers	

Fig. 2.2. — Tableau de comptabilité sociale de la Bordurie.

et de sortie des entreprises industrielles qu'il est possible de calculer les coefficients techniques selon la méthode de Léontief. Lorsqu'on fait éclater de la sorte le compte production : on obtient un tableau interindustriel (cf. fig. 1.3). Symétriquement, si l'on prend comme second membre du couple le revenu, on peut faire éclater le compte revenu en salaires, profits, intérêts. On peut ventiler enfin le compte dépense en investissement, amortissement et consommation et répartir ces comptes secondaires en diverses classes.

La théorie économique distingue mal ces deux dernières possibilités. La ventilation du revenu en salaires, profits, intérêts est rarement opérée. On pratique plus souvent la décomposition de la dépense en éléments caractéristiques. En effet, l'étude de l'investissement est au centre de tous les problèmes d'emploi, d'équilibre et de croissance. La décomposition du revenu des divers facteurs de production présente moins d'intérêt car elle n'est pas utilisée par les développements récents de la théorie économique. Aussi ne faut-il pas s'étonner de voir parler de comptabilité sociale à propos de comptes de dépense (fig. 2.2),

ENTREES-ACHATS-INPUTS

SORTIES VENTES OUTPUTS

	Agriculture	Industrie	Demande finale	Consommation	Accumulation (Investissement)
Agriculture	7	18	30	25	5
Industrie	15	10	60	35	25
Valeur ajoutée	33	57	90	60	30
Revenus distribues	28	42	70	60	10
Amortissement autofinan- -cement	5	15	20	0	20

FIG. 2.3. — Comptabilité développée de la Bordurie.

alors qu'en toute rigueur, il faudrait réserver ce terme aux comptes d'affectation du revenu aux divers facteurs de production.

Il est enfin possible de faire éclater simultanément les deux comptes fondamentaux qui figurent dans un tableau carré. C'est ce que l'on fait dans la plupart des pays modernes : on divise le compte production en un certain nombre de branches d'industries, le compte de dépense en secteurs de consommation (lui-même divisé en ménages et État par exemple) et secteur d'accumulation (divisé en investissement productif et amortissement). On parle alors de comptabilité développée (fig. 2.3).

Il est également utile de mettre en évidence les relations qui existent entre les comptes de flux et les comptes de capitaux. Il ne peut s'agir en pareil cas de construire des tableaux semblables à ceux qui unissent les divers flux qui existent dans une économie : il n'existe pas entre les stocks et les flux de relations simples, car la dépréciation du capital est souvent l'occasion de mouvements autonomes. Mais il est possible de mettre en regard les stocks ou capitaux existants dans une branche donnée de la production et la valeur ajoutée par cette branche. C'est de cette manière que l'on peut évaluer l'importance moyenne des capitaux dans la production de tel ou tel produit. Une telle étude n'est pas sans intérêt. Elle vient doubler utilement l'utilisation des coefficients techniques de Léontief pour comprendre la nature de la construction économique. Le rapport C/R qui existe entre le capital national C et le revenu national R constitue l'intensité capitaliste moyenne d'une économie. Cette intensité capitalistique est un élément très important pour qui veut comprendre le fonctionnement d'une économie (6).

Il est possible en calculant les rapports qui existent entre le capital et la dépense ou l'investissement de forger de nouveaux indices intéressants pour décrire la production ou la structure économique d'une nation. L'imprécision des mesures de la richesse a fait négliger jusqu'ici cette possibilité.

Sous leur forme actuelle, les comptabilités globales constituent de remarquables instruments d'étude et de prévision économiques.

IV. — L'analyse des économies globales et les conditions de leur analyse.

Nous avons indiqué un certain nombre de relations fondamentales entre les grandeurs qui caractérisent une économie globale.

(6) L'utilisation du coefficient de capital est assez rare, par suite des difficultés que soulève toute évaluation de la fortune nationale. Dans les modèles d'accélérateurs, on se sert fréquemment du coefficient marginal de capital. L'analyse de ce coefficient a fait des progrès récents. On peut lire à ce sujet ; Allais (Maurice), « Fondements théoriques, perspectives et conditions d'un marché commun

Ce sont des relations de définition. Elles ne permettent pas de comprendre l'économie, mais seulement la décrire de manière cohérente.

N'existe-t-il pas entre ces grandeurs des relations de fonctionnement? Keynes les a le premier soulignées et la plus grande partie des travaux de l'économie contemporaine repose sur l'analyse qu'il a fournie de ces problèmes (7).

Parmi les relations indiquées au paragraphe précédent, la plupart se bornent à constater l'identité des quantités produites, gagnées ou dépensées. Il en est une qui soulève un problème particulier : après coup, la quantité épargnée dans une économie est toujours égale à la quantité investie. Mais il s'agit d'une relation *ex post*. Dans la pratique, l'investissement projeté n'est pas toujours égal à l'épargne. De ces écarts naîtront les tensions qui sont au cœur de la théorie keynésienne et permettent de comprendre l'existence d'équilibres de sous-emploi ou de tendances inflationnistes.

Cela vient de ce que, pour Keynes, comme pour la plupart de ceux qui ont travaillé après lui, les actes d'épargne et d'investissement sont indépendants. L'épargne correspond à une part résiduelle du revenu. Lorsque celui-ci s'accroît, la consommation et l'épargne augmentent, mais à des rythmes différents. Il existe une relation entre le niveau du revenu, la part qui est consacrée à la consommation et celle qui est consacrée à l'épargne. Ces deux grandeurs ont ceci en commun qu'elles dépendent exclusivement du niveau de revenu et qu'elles sont indépendantes des autres variables économiques. Cette dépendance vis-à-vis des variations de revenu est mesurée par des propensions — propension marginale à épargner (S) ou à consommer (C) : si l'on appelle $\triangle$R la variation du revenu, $\triangle$S la variation de l'épargne et $\triangle$C celle de la consommation, on a : $S = \triangle S / \triangle D$; $C = \triangle C / \triangle D$. La somme de ces deux propensions est égale à l'unité : $S + C = 1$, puisque $\triangle S + \triangle C = \triangle D$.

La propension à investir est indépendante de la propension à épargner. Cela provient en partie de ce que les investisseurs ne sont pas les mêmes personnes que les épargnants et qu'ils

effectif ». *Revue d'Économie politique*, vol. 68, 1958, n° 1, janv.-fév., pp. 56-99. Cf. pp. 76-78.

(7) Nous suivons dans ce paragraphe l'exposé de la théorie de l'équilibre de Kurihara (Kenneth K.), *National Income and Economic Growth*. Londres, George Allen et Unwin, 1961, 176 p.

ne fixent pas le montant des revenus. Ce qui compte, pour eux, c'est la possibilité d'obtenir une rémunération importante pour leurs investissements. Cette rémunération est fonction du taux d'intérêt, puisque l'investissement reçoit comme rémunération la différence qui existe entre le taux d'intérêt et le profit brut. Comme le taux d'intérêt est fixé par les instituts d'émission, c'est en partie de cet acte libre que dépendra l'équilibre de toute l'économie. Lorsque les investissements sont insuffisants pour assurer l'équilibre de plein emploi, il faut agir sur le taux d'intérêt pour augmenter les sommes consacrées effectivement à l'investissement.

La représentation graphique de ces relations proposée par Hansen et Samuelson est classique. Elle permet de comprendre plus aisément les possibilités d'équilibre et de déséquilibre qui peuvent exister dans une économie :

Portons sur les axes d'un graphique rectangulaire le revenu territorial en abscisse et la dépense territoriale en ordonnée (fig. 2.4*a*). La relation fondamentale d'égalité entre dépense et revenu se traduit graphiquement par le fait que toutes les situations réelles sont matérialisées par la droite issue de l'origine et dont la pente est égale à 45° (droite des situations possibles).

La dépense se décompose en épargne et consommation. Il est possible de représenter cette consommation et cette épargne graphiquement : soit (C) la droite qui indique les variations du niveau de la consommation en fonction du revenu. L'épargne est égale à l'espace qui sépare la droite C de la droite des situations réelles.

L'investissement est indépendant du revenu. Il est représenté par la droite (I), parallèle à l'axe des x. La quantité effectivement dépensée va donc différer de la quantité gagnée : cela se traduit par le fait que la courbe de demande effective se déduit de la courbe de la consommation en lui ajoutant une quantité fixe, correspondant au montant de l'investissement. La courbe de demande effective ne passe donc pas par l'origine. Lorsque le revenu est nul, la demande effective est positive. Mais par la suite, elle croît moins vite que lui. La droite des situations réelles et la courbe de demande effective se croisent donc en un point pour lequel s'établit l'équilibre du revenu (Yu) et de la dépense. Cet équilibre peut se situer à un niveau tel que le plein emploi ne se trouve pas assuré ou bien il se situe à un niveau supérieur à celui que peut effectivement atteindre l'économie du pays.

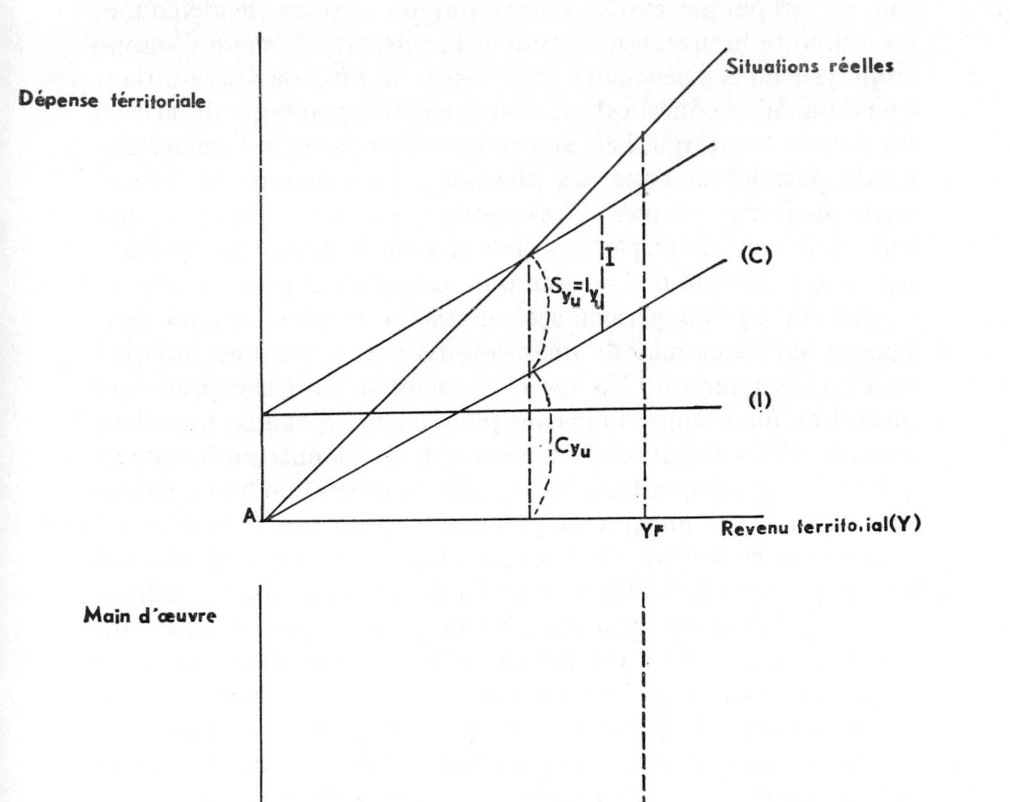

FIG. 2.4.

A : Croix de Keynes (première manière).
B : Équilibre de plein emploi.
C : Consommation.
I : Investissement.
S : Épargne.
Y*u* : Revenu d'équilibre.
YF : Revenu de plein emploi.

Pour le démontrer, étudions les variations de main-d'œuvre nécessaires à assurer la production que nous avons envisagée. Sur un graphique cartésien, portons en abscisse le revenu et en ordonnée le niveau de l'emploi, la quantité de main-d'œuvre employée dans l'économie (fig. 2.4*b*). L'offre de travail, dans une économie donnée, est pratiquement indépendante du niveau du revenu territorial. Elle se présente donc sous la forme d'une droite parallèle à l'axe des abscisses. La demande de travail varie au contraire avec la production, elle est représentée par une droite qui passe par l'origine et dont la pente est positive. Le niveau d'équilibre de l'emploi est atteint pour le niveau de revenu Yf qui permet seul d'assurer le plein emploi sans tension sur le marché de main-d'œuvre. Il n'y a que fort peu de chances pour que Yu et Yf coïncident : les classiques qui niaient au fond l'importance des phénomènes globaux, pensaient que l'égalité des quantités globales se fixait automatiquement à un niveau tel que tous les équilibres étaient obtenus simultanément. Il y a une grande probabilité pour que l'équilibre de production se trouve situé à un niveau qui ne coïncide pas avec le plein emploi. Si la valeur Yu de la production d'équilibre se trouve inférieure au niveau Yf de plein emploi, il existe un sous-emploi comme c'est fréquemment le cas dans certaines économies avancées. Par contre, lorsque la production Yu est supérieure à la production de plein emploi Yf, il existe une pénurie de main-d'œuvre. Ces situations, bien loin de se corriger automatiquement, ont tendance à perdurer lorsqu'on laisse l'économie fonctionner librement, sans intervention. C'est cette démonstration qui explique le choc causé par la publicité de la théorie générale, alors que l'on se trouvait en pleine crise économique et qu'on ne voyait pas le moyen de retrouver les niveaux de production de la période des années 1920.

Toute la théorie repose donc sur la détermination du niveau d'équilibre global de la production par le jeu de l'épargne et de l'investissement. Nous avons vu comment cette détermination pouvait s'opérer graphiquement : le point d'équilibre se trouve fixé par l'intersection de la droite des situations possibles et de la droite de demande totale de biens dans l'économie; il est donné par la croisée de deux droites. Aussi a-t-on pris l'habitude, dans les pays anglo-saxons, de parler de ce graphique de détermination du niveau de la production d'équilibre, sous le nom de croix de Keynes (première manière).

Il existe une seconde présentation graphique du même résultat : elle a l'avantage de souligner encore davantage le rôle de l'épargne et de l'investissement. Portons, sur un graphique cartésien, le revenu en abscisse et l'épargne et l'investissement en ordonnée (fig. 2.5). Le niveau atteint par l'épargne

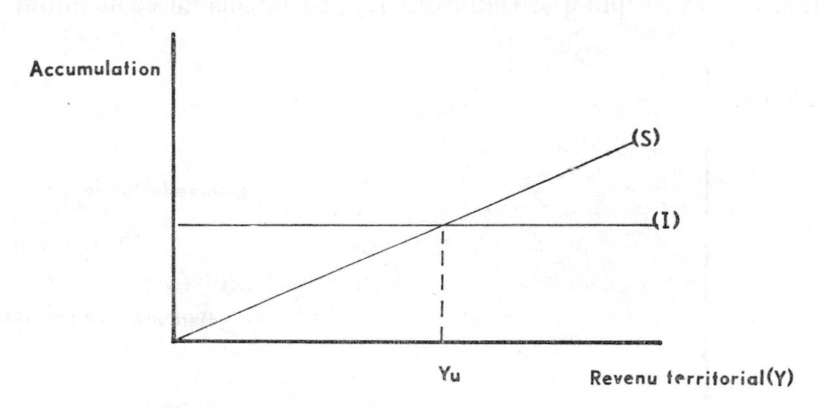

FIG. 2.5. — Croix de Keynes (deuxième manière).
S : Épargne.
I : Investissement.
Y*u* : Revenu d'équilibre.

est proportionnel au niveau du revenu. Il est représenté par la droite (S), dont la pente est positive et qui passe par l'origine, puisque l'épargne d'une société qui ne produit rien est nulle. L'investissement, indépendant du niveau de production, est figuré par une parallèle (I) à l'axe des x. La croisée des deux droites d'investissement et d'épargne indique le point d'équilibre de production. Ce graphique est désigné sous le nom de croix de Keynes (deuxième manière). C'est en l'utilisant qu'il est le plus facile de mettre en évidence les écarts entre l'épargne et l'investissement qui caractérisent les situations de plein emploi.

La démonstration de Keynes repose sur le fait que certaines quantités globales varient indépendamment les unes des autres, en fonction de lois qui leurs sont propres. C'est ce qui explique que l'équilibre ne puisse pas se produire à tous les niveaux de production et qu'il ne coïncide pas forcément avec le plein emploi de tous les facteurs.

Il est possible de généraliser les résultats de l'analyse keynésienne, en montrant que chaque fois qu'il existe des contraintes qui font varier la demande d'investissements, de produits ou de services indépendamment du niveau de production ou non proportionnellement à lui, l'équilibre n'est atteint qu'en dehors du plein emploi. Cette propriété se retrouve implicitement à la base de la critique que Galbraith fait de la société économique

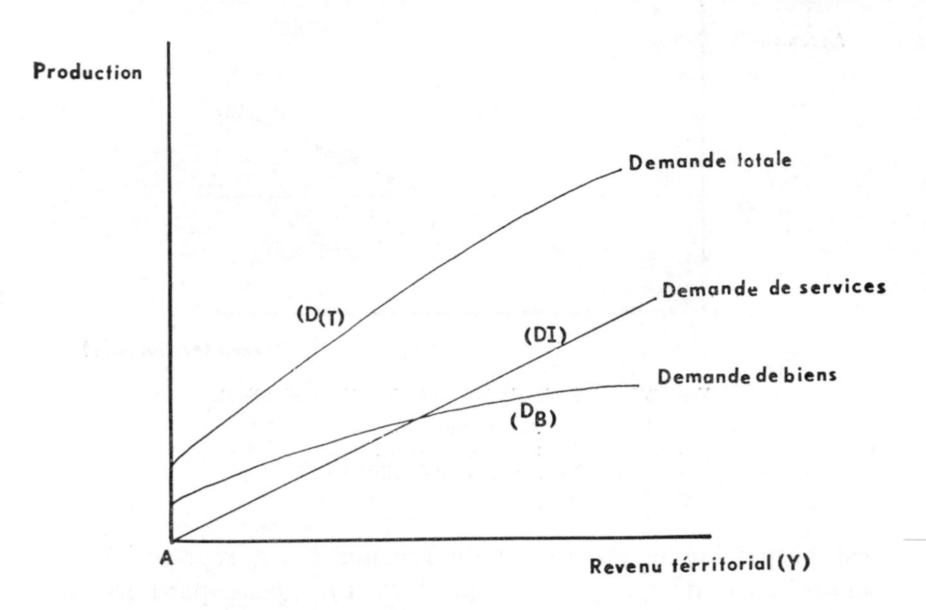

contemporaine dans sa *Société affluente* (8). Dans le tableau qu'il dresse de l'économie contemporaine, il admet que la demande de services est liée au niveau du revenu — qu'il existe un certain rapport entre revenu total et demande de services; un graphique cartésien où les revenus figurent en abscisses, les emplois en ordonnées, la demande de services peut être représentée par une droite passant par l'origine (D1) (fig. 2.6*a*). La demande de biens (D_b) est au contraire dominée par un fait essentiel : elle augmente moins vite que le revenu et doit être représentée par une courbe convexe vers le haut. L'offre totale de biens et de services varie par contre proportionnellement au niveau du revenu et est représentée par une droite (D) qui

(8) GALBRAITH (John Kenneth), *The affluent Society*. Londres, Hamish Hamilton, 1re éd., 1958; Harmondsworth, Pelican Books, 1962, 298 p.

passe par l'origine (fig. 2.6*b*). Il existe une relation fixe entre le volume des biens et le volume des services que peut produire

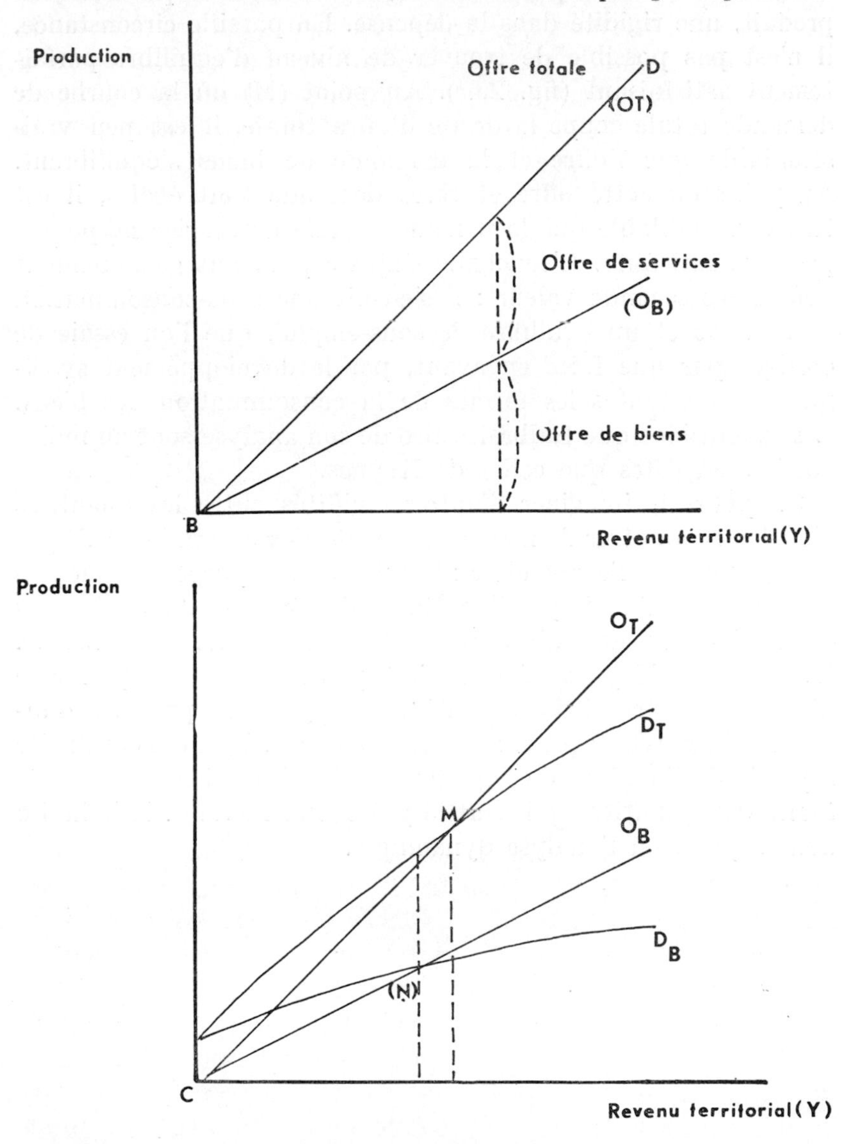

Fig. 2.6. — *a) b) c)*. Le déséquilibre des économies affluentes d'après Galbraith.

l'économie, ce qui se traduit graphiquement par le fait que les deux fonctions d'offre sont représentées par des droites qui passent par l'origine.

Le système de Galbraith suppose donc deux rigidités dans le système économique : une rigidité dans la répartition du produit, une rigidité dans la dépense. En pareille circonstance, il n'est pas possible de trouver de niveau d'équilibre parfaitement satisfaisant (fig. 2.6*c*). Au point (M) où la courbe de demande totale coupe la droite d'offre totale, il est peu vraisemblable que l'offre et la demande de biens s'équilibrent. Au point où cette offre et cette demande sont égales, il est très vraisemblable que la demande totale de service ne pourra pas être satisfaite. L'économie s'ajuste pourtant généralement pour cette seconde valeur : il s'ensuit une sous-consommation de services et un équilibre de sous-emploi, que l'on essaie de corriger par une fuite en avant, par le développement systématique de toutes les formes de la consommation des biens. Les conclusions que Galbraith tire de son analyse sont au moins aussi pessimistes que celles de Keynes.

On pourrait imaginer d'autres rigidités entre les quantités globales et montrer de même comment elles déterminent l'équilibre général de l'économie ou la font osciller perpétuellement à la recherche d'un impossible état qui satisfasse aux exigences contradictoires des divers éléments du circuit économique. La thèse de Keynes, si elle n'est pas la seule qui permette d'explorer les conditions de l'équilibre général, présente d'incontestables avantages sur toutes les autres. Elle est construite à partir de l'analyse de l'épargne et de l'investissement, c'est-à-dire des quantités qui lient le présent et l'avenir. Elle invite donc à passer à l'analyse dynamique.

CHAPITRE III

LE DYNAMISME DES ÉCONOMIES GLOBALES

La théorie moderne place l'investissement au centre du champ de la recherche économique. Elle l'analyse de plusieurs manières, qui toutes conduisent à mettre en évidence les conditions de transformation de développement et de croissance des économies. L'investissement apparaît comme une ponction effectuée sur la production, dont une partie se trouve soustraite à la consommation. Il donne naissance à des revenus, qui cherchent à s'échanger contre des biens et des services. Le multiplicateur permet d'apprécier ces effets, de mesurer l'importance du revenu engendré par un certain investissement. A cette première relation entre revenu et investissement s'en ajoute une autre, complémentaire : un revenu nouveau demande une production accrue; celle-ci n'est possible que dans la mesure où de nouvelles installations industrielles, de nouveaux équipements sont mis en place; l'augmentation du revenu nécessite, si l'on veut que la demande soit réellement satisfaite, un investissement. L'accélérateur permet de préciser le lien entre l'augmentation du revenu et l'investissement qui se trouve induit.

Tant que le plein emploi des facteurs n'est pas assuré, la croissance du revenu suscitée par une augmentation de l'investissement ne pose pas de problème difficile. Lorsque de nouvelles installations deviennent nécessaires, des déséquilibres risquent de se produire; on conçoit que la croissance ne puisse s'effectuer selon n'importe quel rythme, de n'importe quelle manière : elle doit, pour être harmonieuse, satisfaire à certaines conditions, que les économistes ont essayé de préciser depuis une génération.

L'investissement, contenu ainsi dans certaines limites, est le moteur des transformations du monde économique. Il importe de bien saisir la manière dont il est conçu. L'analyse de l'équilibre dynamique se situe au plan des schémas *ex post*. La compréhension intime des mécanismes ne peut être réelle que si l'on essaie de saisir le déroulement même des opérations d'ajustement.

I. — LA MÉCANIQUE DE LA CROISSANCE

Le multiplicateur : le lien de l'investissement et de la consommation.

Certains économistes pré-classiques avaient compris que l'investissement est à la source d'une augmentation du revenu distribué. Pierre Dieterlen note ainsi que l'action immédiate de l'investissement sur le revenu avait été aperçue par Cantillon, par Quesnay, mais surtout par Boisguilbert (1). L'économie classique oublia ces réflexions. Elles retrouvèrent une certaine actualité lorsque l'attention se porta sur la croissance du produit dans le courant de ce siècle. La crise économique de 1929 suscita des mesures de lutte contre le sous-emploi. Dans quelle mesure les dépenses engagées par les gouvernements permettaient-elles de résoudre les difficultés économiques et de résorber le chômage?

Kahn montra dans un article célèbre (2) que les investissements dans les travaux publics permettaient de distribuer des salaires qui, en circulant dans l'économie, provoquaient finalement une augmentation du revenu plusieurs fois supérieure à l'investissement initial. Cette analyse est valable en situation de sous-emploi, dans le cas où l'augmentation induite du revenu et de la production ne nécessite pas d'investissements nouveaux. Elle inaugurait une méthode de recherche sur les effets de l'investissement sur le revenu, que Keynes devait exploiter (3) et léguer à ses continuateurs.

Supposons que l'on effectue un investissement (4). Le pro-

(1) Dieterlen (Pierre). *L'investissement, op. cit.*, cf. p. 102.

(2) Kahn (Richard F.), « The Relation of Home Investment to Unemployment ». *The Economic Journal*, vol. XLI, 1931, pp. 173-198.

(3) *La théorie générale de l'emploi, de l'intérêt et de la monnaie (op. cit.)* donne à l'analyse du multiplicateur sa véritable portée. On y trouve le système des propensions et des incitations qui constitue le fondement de toute la mécanique globale.

(4) Dans les paragraphes suivants, nous nous inspirons de la présentation qui

blème que se pose Keynes est le suivant : de combien cet investissement va-t-il faire varier le revenu global? Soit Y le produit territorial avant l'investissement, dY la variation de ce produit induite par l'investissement nouveau, dI l'investissement nouveau. Le revenu créé est égal à celui qui provient de l'inves-

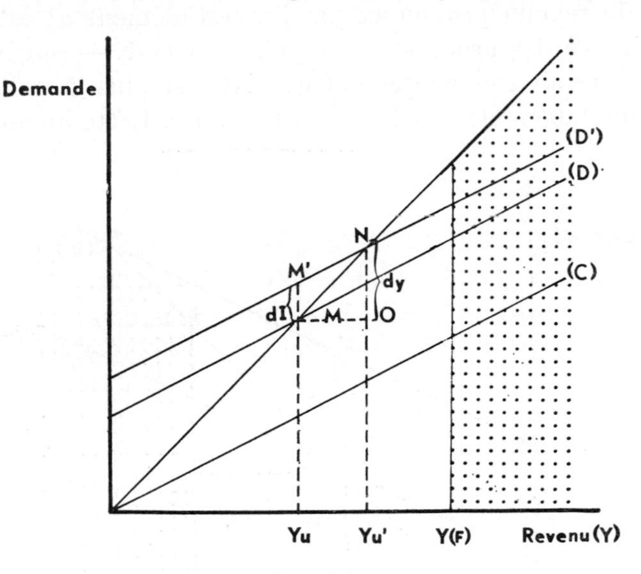

FIG. 3.1.

MM' : Investissement autonome.
ON : Variation du revenu.
= : Variation du produit.

tissement initial augmenté de celui qui provient du jeu de l'augmentation induite de la consommation :

$$dY = dI + dC.$$

Reportons ces données sur une croix de Keynes (fig. 3.1). Nous représentons par la droite D la demande totale avant investissement autonome additionnel. L'équilibre de la production correspond alors au point M, où se croisent (D) et la droite d'équilibre. La demande, après investissement additionnel dI, est représentée par la droite (D'). Elle se déduit de la droite (D) par une translation verticale dont la valeur est égale à dI :

a été faite de la théorie globale par Kenneth K. Kurihara dans *National Income and Economic Growth (op. cit.)*.

cet investissement autonome est, par définition, indépendant du niveau du revenu.

L'investissement additionnel provoque un ajustement de l'économie : l'équilibre de production est atteint au moment où la droite (D') coupe celle des situations réelles en N. L'augmentation du revenu provoquée par l'investissement dI est égale à la différence des ordonnées des points M et N — soit NO sur la figure. On voit très clairement que NO est plus grand que dI : il y a une augmentation induite du revenu. Cette augmentation

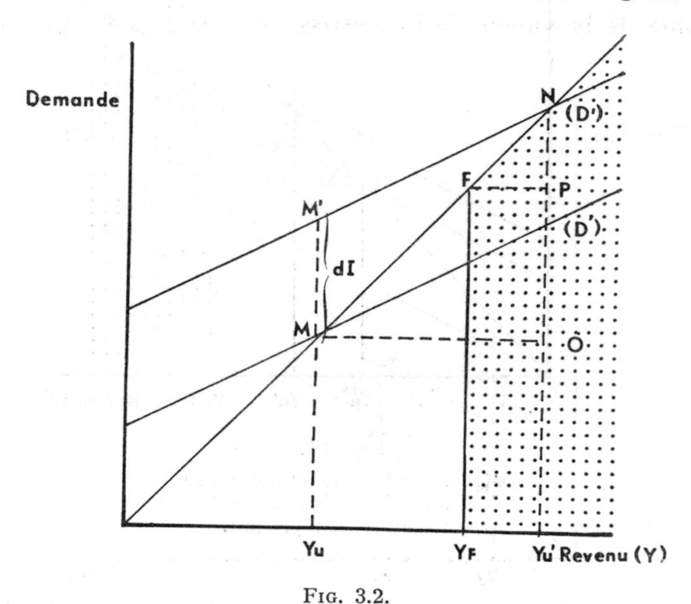

Fig. 3.2.

MM' : Investissement autonome.
ON : Variation du revenu.
OP : Variation du produit.
PN : Écart inflationniste.

induite dépend évidemment de la valeur de dI. Elle dépend également de la valeur de la pente de la droite (D). Celle-ci s'obtient, on le rappelle, en imposant à la droite (C) représentant la consommation, une translation verticale égale au montant de l'investissement. La pente de la droite de demande dépend donc uniquement de celle de la droite de demande de biens de consommation. Plus la demande de ceux-ci croît vite lorsque le revenu augmente, plus l'angle de la droite (D), et partant, celui de la droite (D') avec la droite des situations réelles est faible, plus est grand l'effet induit d'augmentation du revenu.

Sur le graphique, on voit que tant que le point N se trouve à gauche de Y*f* (revenu correspondant à la situation de plein emploi), l'augmentation induite du revenu se réalise sans mal. Si N était par contre à droite de Y*f* (fig. 3.2), le revenu distribué (Y*n*) serait supérieur au produit (Y*f*). L'investissement a créé un écart inflationniste.

On peut de la même manière suivre les effets d'une diminution autonome de la valeur de l'investissement (fig. 3.3). Soit *d*I la

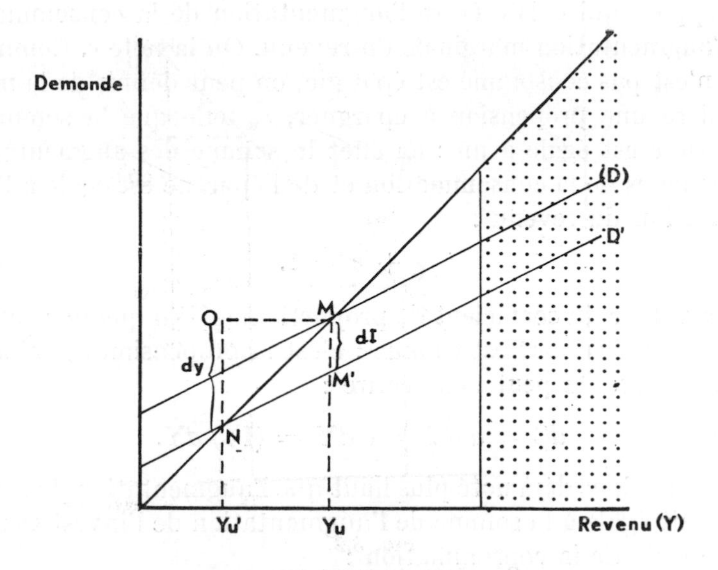

FIG. 3.3.
MM' : Investissement autonome.
ON : Variation du revenu.
= : Écart déflationniste.

diminution autonome : la droite (D') se trouve maintenant au-dessous de la droite (D), le point N à gauche du point M. Le revenu a diminué d'une quantité plus que proportionnelle à la diminution de l'investissement. Le revenu distribué est plus faible que le produit : il apparaît un écart déflationniste et le jeu de la diminution des prix fait baisser la production jusqu'à ce que l'équilibre s'obtienne en Y*n*.

La présentation graphique de l'effet de multiplication peut

être complétée par une formulation algébrique. Il s'agit de voir quelle est la valeur de l'augmentation induite de la consommation. Elle est proportionnelle à l'accroissement total du revenu

$$dC = a\, dY.$$

Nous avons en effet indiqué que le niveau de consommation était lié au niveau du revenu par une relation linéaire simple (ce qui revient encore à dire que le revenu additionnel est dépensé selon les mêmes critères et dans les mêmes proportions que le revenu originel). On appelle propension marginale à consommer le rapport qui existe entre l'augmentation de la consommation et l'augmentation marginale du revenu. On la note c. Comme ce qui n'est pas consommé est épargné, on peut définir de la même manière une propension à épargner, s, telle que la somme de s et de c est égale à un : en effet la somme des augmentations marginales de la consommation et de l'épargne est égale à l'augmentation du revenu :

$$s + c = 1.$$

La valeur du coefficient de proportionnalité a que nous avions introduit plus haut est connue : c'est la propension marginale à consommer. On peut donc écrire :

$$dC = a\, dY = c\, dY = (I\text{-}s)\, dY. \qquad (1)$$

Nous avions déjà noté plus haut que l'augmentation du revenu dY était égale à la somme de l'augmentation de l'investissement et de celle de la consommation :

$$dY = dI + dC. \qquad (2)$$

Si l'on reporte dC de l'équation (1) en (2), on obtient :

$$dY = dI + (1\text{-}s)\, dY.$$

Exprimons donc la valeur de la variation de revenu dY en fonction de dI :

$$dY\, (I\text{-}I + s) = dI.$$

On en tire finalement la relation fondamentale suivante :

$$dY = \frac{I}{s}\, dI = k\, dI.$$

Le coefficient k de proportionnalité qui permet de mesurer l'influence du niveau d'investissement sur le niveau du revenu est le multiplicateur d'investissement. Il est égal à :

$$k = \frac{1}{s} = \frac{1}{1\text{-}c}\,.$$

Cette relation est importante puisqu'elle montre que l'effet d'un investissement sur le niveau d'activité économique dépend en définitive du comportement des sujets dans le domaine de la dépense. Plus la population est économe, plus réduit se trouve l'effet de l'investissement initial. Plus elle est dépensière, plus fort se trouve l'effet de l'investissement initial.

Au-delà des formules, on voit la signification du multiplicateur : il permet de montrer comment l'affectation des revenus supplémentaires agit sur la demande et se répercute par un progrès de la production, donc des revenus qui à leur tour engendrent des besoins nouveaux... La croissance de la production est d'autant plus importante que tous les revenus sont consommés : s'ils sont consommés en totalité, il peut y avoir croissance infinie de la production puisque les revenus supplémentaires pourront s'engendrer indéfiniment. Si une partie du revenu n'est pas consommée, s'il y a une fuite (désignée souvent dans les textes français par le terme anglais, *leakage*) dans le système économique, la croissance du revenu induite par l'investissement sera finie : la production, le revenu, la dépense retrouveront un équilibre nouveau lorsque la production aura atteint le niveau fixé par le jeu du multiplicateur.

Cette utilisation du multiplicateur pour analyser les variations du revenu induite par un investissement est intéressante par le fait qu'elle nous permet de passer de l'étude de l'équilibre économique d'un territoire à la comparaison des équilibres successifs qui s'y produisent. Entre le moment où un investissement se produit et le moment où les revenus auxquels il donne naissance apparaissent, il existe un décalage, nécessaire pour que les revenus successivement dégagés à partir de l'investissement initial aient pu être dépensés, puis redépensés... L'augmentation de revenu que permet de prévoir le multiplicateur n'est pas immédiate. Théoriquement, lorsqu'on étudie la propagation d'une vague de revenu provoquée par un investissement autonome, le niveau d'équilibre que fixe le multiplicateur n'est atteint qu'au bout d'un nombre infini d'ajustements, donc au bout d'un temps qu'il n'est pas possible de préciser — un temps infini à la limite. Dans la pratique, l'essentiel de l'effet du multiplicateur se fait sentir dans des délais assez brefs — de l'ordre de quelques mois dans une économie en sous-enploi, où l'expansion de la production ne nécessite pas la mise en place d'investissements additionnels.

On voit donc que la durée intervient dans le jeu de la théorie du multiplicateur, mais qu'elle n'intervient pas directement. La théorie permet de fixer des valeurs d'états d'équilibres qui se situent à des moments différents, mais elle ne permet pas de dire à quels moments vont se situer précisément ces équilibres.

L'investissement induit et l'accélérateur.

Les revenus engendrés par l'investissement initial autonome nécessitent une augmentation de la production. Si les équipements ne sont pas utilisés en totalité, comme c'est le cas en situation de sous-emploi, la satisfaction des besoins peut être assurée sans difficultés. Sinon, il est nécessaire de prévoir la mise en place de toute une série de nouvelles installations.

Il y a plus d'un demi-siècle que l'on a pris conscience de la solidarité de la demande de biens de consommations et de l'investissement. Il doit exister une certaine proportionnalité entre le produit territorial, et la valeur des équipements dont dispose le territoire. Un accroissement de la demande de produits de consommation, donc du revenu, suppose que l'on crée des équipements nouveaux susceptibles de satisfaire les nouveaux besoins. Cet accroissement des équipements doit être considérable, car l'efficacité marginale du capital n'est pas très élevée. Elle est très souvent voisine de l'efficacité moyenne et est égale à l'inverse de l'intensité capitalistique. Il faut donc augmenter le capital de 3 ou de 4, dans la plupart des cas, pour obtenir une augmentation de la production de biens de consommation égale à 1.

Les modifications de la demande finale de biens de consommation engendrent donc une augmentation proportionnellement beaucoup plus élevée encore de la demande d'équipements. Aftalion (5) avait vu, dès avant la Première Guerre mondiale,

(5) La paternité de l'analyse de l'accélérateur revient à Aftalion (Albert), « La réalité des surproductions générales ». *Revue d'économie politique*, vol. XIX, 1909, pp. 219-220. — Id., *Les crises périodiques de surproduction*. Paris, Rivière, 2 vol., 1913.

que ce mécanisme pouvait expliquer les fluctuations cycliques pour une bonne partie. Dans l'optique psychologique où il se plaçait, l'effet déséquilibrant était plus grand encore que dans la perspective *ex post* qui actuellement est la nôtre. De toute manière, les analyses se doivent de tenir compte de ces effets induits.

On a perfectionné le calcul des multiplicateurs pour tenir compte des effets induits (6). Puisque cette fois-ci, à l'accroissement de la demande de biens de consommation fera suite à un accroissement induit de la demande d'équipement, il faudra s'attendre à voir le multiplicateur prendre des valeurs bien plus élevées quc dans des cas de sous-emploi. On a pris l'habitude d'appeler supermultiplicateur le coefficient qu'il convient d'appliquer dans ce cas. On le désigne souvent dans les calculs par k'. Si l'on appelle, comme dans les formules précédentes s la propension marginale à épargner, et i la propension marginale à investir, la valeur de k' est exprimée par :

$$k' = \frac{1}{s - i} = \frac{1}{1 - c - i}\,.$$

Dans la plupart des situations, les propensions à épargner et à investir ont des valeurs voisines, si bien que le dénominateur est très petit et le rapport prend une valeur très élevée. Il y a plus de chance de trouver dans la réalité économique des propensions marginales à investir voisines des propensions marginales à épargner, que de trouver des propensions à consommer qui soient très élevées et proches par leur valeur de l'unité : on voit donc que le supermultiplicateur est plus grand que le multiplicateur, comme on pouvait le prévoir.

Dans la pratique, la détermination du supermultiplicateur présente moins d'intérêt pour l'économiste qu'on pourrait le croire. Il est toujours extrêmement élevé et comme le dénominateur est une différence dont la valeur est souvent très petite, la mesure économétrique que l'on peut en faire ne saurait avoir une bien grande précision.

(6) La combinaison du mécanisme de l'accélérateur et de celui du multiplicateur a été réalisée entre 1938 et 1940 par plusieurs auteurs, sur des principes différents, comme nous le verrons plus loin (Roy Harrod, Paul Samuelson). Nous empruntons l'exposé de la théorie du supermultiplicateur à Kenneth K. Kurihara (*National Income...*, *op. cit.*, cf. pp. 76-88).

Ce qui est plus intéressant, c'est de reprendre l'analyse de la séquence des enchaînements causaux : un investissement autonome donne naissance à une augmentation induite du revenu. Celle-ci se produit assez rapidement, en moins de trois mois, pour l'essentiel disent certains spécialistes, en moins d'un an aux yeux de la majorité. Mais ce nouveau revenu ne peut-être satisfait que par la mise en place d'équipements productifs nouveaux par un investissement induit : le délai pour que cet équipement soit mis en place est sans doute beaucoup plus long que celui nécessaire pour que le revenu créé par le multiplicateur se manifeste. Il faut un certain délai avant que les sommes investies soient converties en équipements, avant que ceux-ci soient installés dans des locaux, dans des usines, le long de voies de communication qui leur conviennent. Si la demande induite se traduit par une augmentation de la consommation de produits sidérurgiques, il faudra compter cinq ans entre le moment où une demande se manifestera et le moment où la capacité de production induite par cette demande se trouvera en service. Ainsi, le jeu du supermultiplicateur lie les périodes économiques successives et introduit réellement à l'analyse de la dynamique.

Les équilibres de croissance.

Lorsque l'on procède à un investissement autonome massif, les effets induits atteignent de telles dimensions que l'ensemble de la vie économique de la nation se trouve déséquilibrée. On sait que Samuelson (7) a décrit un peu avant la Seconde Guerre mondiale un système de génération de fluctuations économiques en couplant le mécanisme du multiplicateur et celui de l'accélérateur. L'accroissement brutal de l'investissement se traduit par une augmentation brutale du revenu, par l'apparition de tensions inflationnistes et par une vague d'investissements induits qui ont pour but de répondre à la demande suscitée. Il est probable qu'au moment où les équipements en question seront en mesure de déverser sur le marché leurs produits nouveaux, la demande sera incapable de l'absorber car l'effet initial de l'investissement autonome sera épuisé. Ainsi, de proche en proche,

(7) SAMUELSON (Paul A.), « Interaction between the Multiplier Analysis and the Principle of Acceleration ». *Review of Economic Statistics*, vol. XXI, 1939, pp. 75-78.

peut-on envisager que l'économie globale d'une nation se mette à osciller sous l'action des vagues d'investissements successives.

Les spécialistes ne font pas aujourd'hui très grand cas du modèle de Samuelson. Il n'ajoute pas grand-chose à la mise en évidence l'effet de déséquilibrant de l'accélération dont Aftalion parlait au début du siècle. Et l'hypothèse d'investissements autonomes massifs semble peu réaliste, dans la mesure même où les effets induits sont très importants. Dans la masse des investissements effectués à l'intérieur d'une économie, ceux qui sont réellement issus d'une décision libre ne sont pas très nombreux : la plus grande partie est commandée par l'augmentation de la demande.

La démonstration de Samuelson rappelle tout de même que la croissance peut aboutir à des déséquilibres permanents : l'investissement a un double visage, il permet seul d'augmenter le revenu global, mais dans l'immédiat, il n'y parvient qu'en réduisant le revenu disponible. Il est donc source de tensions, qui, si on n'y prend garde, peuvent devenir dramatiques.

Ces accidents peuvent-ils être évités, la croissance peut-elle se produire dans l'harmonie? Une analyse de bon sens permet de répondre par l'affirmative. Les déséquilibres que mettait en évidence Samuelson provenaient de ce qu'il travaillait sur un modèle statique qu'il animait brusquement. La production était stationnaire, il n'y avait pas de nouvelles installations en gestation. L'investissement autonome venait bousculer un ordre statique. En réalité, la situation est toujours différente. Il y a là chaque instant des investissements autonomes et des investissements induits. Certains de ceux-ci commencent à être mis en place, d'autres entrent en activité et augmentent à chaque moment la production qui est réellement disponible. Sans investissement autonome, le mouvement de création cessera un jour, car les effets de multiplication et d'accélération s'épuiseront. Si l'investissement autonome est trop important, la machine subit des périodes de tension brusque et se conduit comme un système oscillant. Entre ces deux solutions extrêmes, il semble qu'il soit possible de trouver des positions où le rapport entre l'investissement induit et l'investissement autonome puisse se maintenir de manière régulière d'une période à l'autre. Il semble que l'on puisse trouver un taux d'investissement qui soit garant d'un taux régulier de croissance.

Les recherches menées dans ce domaine sont nées des premiers résultats de Keynes. Elles ont abouti très vite à l'élaboration d'une théorie de la croissance équilibrée (8), dont la première formulation est due à Harrod (9). Il a défini ce que devait être un taux de croissance d'équilibre et a montré quelles conditions devaient être remplies pour qu'il soit possible. Il a mené son calcul en couplant accélérateur et multiplicateur, mais d'une manière différente de celle de Samuelson, car il s'est placé tout de suite dans une perspective de transformation continue, dans une optique dynamique. En appelant G le taux de croissance de la production exprimé en pourcentage, *s* la production marginale à épargner, et *c* le rapport de l'accroissement marginal du capital à l'accroissement marginal du revenu ou coefficient marginal de capital ou coefficient d'accélération, on arrive au résultat simple suivant : la croissance est équilibrée lorsque existe la relation suivante :

$$Gc = s.$$

De multiples auteurs ont essayé de préciser ce résultat, de lui trouver de nouvelles formulations, ou de marquer les limites de sa validité. Domar (10) a proposé une formule qui nous paraît plus intéressante, car on y voit mieux apparaître les éléments couplés du multiplicateur et de l'accélérateur. Pour lui, la croissance est équilibrée lorsque la relation suivante se trouve réalisée :

$$I = I_0 e^{\alpha\sigma t}$$

I est l'investissement courant, I^0 l'investissement de la période initiale, α la propension à épargner, σ la capacité productive de l'investissement I, *t* le temps et *e* la base des logarithmes népériens. Dans cette formule, on voit avec α un coefficient qui montre

(8) On trouvera des analyses de la théorie de la croissance équilibrée dans Pierre Dieterlen *(L'investissement, op. cit.)*, dans Kenneth K. Kurihara (*National Income..., op. cit.*, cf. pp. 158-168), dans Benjamin Higgins (*Economic Development..., op. cit.*, cf. pp. 144-166) et dans Piatier (André), *Statistique et observation économique.* Coll. Thémis, Paris, P. U. F., 2 vol., 1961, 972 p., cf. pp. 646-688.

(9) Harrod (Roy F.), « An Essay in Dynamic Theory ». *The Economic Journal*, vol. XLIX, 1939, pp. 14-23.

(10) Domar (Eusey D.), « Capital Expansion, Rate of Growth and Employment ». *Econometrica*, vol. 14, 1946, pp. 137-147. — Id., « The Problem of Capital Accumulation ». *The American Economic Review*, vol. XXXVIII, 1948, pp. 777-794.

Les différentes études de Domar sont reprises dans Domar (Eusey D.), *Essays in the Theory of Economic Growth.* New York, Oxford University Press, 1957.

que l'on tient compte de l'effet multiplicateur, avec σ un autre qui reflète l'effet d'accélération.

De pareils résultats peuvent être critiqués de bien des manières : ils ne peuvent rendre compte d'une réalité diverse et changeante et leur précision est plus apparente que réelle. Mais il faut savoir les prendre pour ce qu'ils sont. Ils ne cherchent pas à enfermer la croissance dans un mécanisme rigide, ils se proposent simplement de préciser comment les divers effets de l'investissement se combinent et réagissent les uns sur les autres. Les tensions antagonistes peuvent donner naissance à des pertubations, le taux de l'investissement ne peut être fixé arbitrairement si l'on veut éviter les déséquilibres permanents. Le développement économique est un phénomène complexe et périlleux : les schémas d'Harrod et de Domar, comme tous ceux que l'on a élaborés depuis une génération sont là pour nous montrer que l'équilibre dynamique est possible, mais qu'il n'est pas automatique, qu'il n'y a pas de mécanisme homéostatique qui assure toujours le retour à la position la plus satisfaisante : un système en croissance ne peut être laissé sans direction, il doit être régularisé si on ne veut pas le voir s'emballer, se mettre à osciller sans arrêt ou au contraire se stabiliser dans la médiocrité économique : il n'y a pas de boucles de feed-backs entre le présent, le passé et le futur qui puissent jouer le même rôle que celles que l'on mettait en évidence dans le fonctionnement des marchés de l'économie classique.

L'efficacité de l'investissement et les taux de croissance.

La théorie de la croissance montre que celle-ci est le résultat de l'accumulation de capital productif. Elle cherche à montrer quelles sont les conditions qui doivent être remplies pour que cette croissance se fasse dans les conditions de plein emploi. Ce point demande à être précisé (11). Si l'on suppose que tous les facteurs susceptibles d'être utilisés sont déjà employés, il est difficile d'imaginer une croissance : celle-ci n'est possible que par utilisation de nouveaux facteurs ou meilleure utilisation de ceux qui existent déjà. Si l'on suppose que la main d'œuvre ne connaît

(11) Sur ce point, nous suivons Pierre Dieterlen (*L'investissement, op. cit.*, cf. pp. 166-171).

pas le chômage, que tous les capitaux sont utilisés au mieux, toutes les sources de matières premières exploitées, toutes les sources d'énergie mises à contribution au maximum de leurs capacités, on définit un type de plein emploi total qui n'est plus compatible avec la croissance. Le progrès de la production est possible dans la mesure où il reste toujours un écart entre les moyens utilisés et les moyens effectivement utilisables — ceux-ci s'enrichissant au fur et à mesure que des découvertes techniques élargissent la gamme des combinaisons productives. L'économie croît, si l'on veut reprendre l'expression mise à la mode par les historiens et les géographes américains, parce qu'il existe une terre vierge au-delà de la « frontière », de la limite de ce qui est effectivement utilisé. Les progrès de la productivité, l'accumulation du capital permettent progressivement d'étendre l'économie en profondeur dans ce nouveau domaine.

Les différentes parties de l'espace qui se trouvent au-delà de la frontière mouvante de l'exploitation ne sont pas susceptibles de donner les mêmes résultats lorsqu'elles sont mises en valeur. Certaines permettent d'augmenter rapidement le produit en investissant peu, d'autres demandent au contraire des investissements massifs. Le taux de croissance de l'économie compatible avec des conditions tolérables de stabilité varie donc largement en fonction du niveau des investissements, mais encore, en fonction de leur efficacité — comme l'indiquent d'ailleurs la formule de Domar et celle d'Harrod.

L'investissement peut avoir un effet très différent selon le secteur de l'économie où il s'applique. Dans des industries légères, la masse d'équipement nécessaire est faible et un investissement limité permet un accroissement substantiel du revenu. Dans de telles industries, l'intensité capitalistique est faible et l'effet de l'achat de nouveaux équipements sur le niveau général de la production est fort. C'est le cas de la plupart des industries textiles traditionnelles, comme celles de la laine et du coton. C'est aussi celui d'industries comme celle de l'habillement qui ne nécessitent que des équipements très légers.

Aussi très souvent, est-ce par ces secteurs que démarre spontanément l'industrialisation dans les pays développés comme c'est par eux qu'elle s'est d'abord développée dans l'Angleterre de la fin du XVIIIe siècle et dans l'Europe occidentale du début du XIXe.

Dans bien des cas, l'investissement agricole est aussi relativement léger. Dans les pays de prairies ou de steppes, le sol est facile à retourner et la mise en valeur demande peu de matériel : cela explique la croissance rapide de l'agriculture américaine une fois traversées la chaîne des Appalaches et la zone forestière orientale. Cela explique la conquête aisée des pampas argentines, des terres à blé de l'Australie occidentale ou méridionale : les frais les plus élevés, dans le cas de ces terres neuves, ont été entraînés par la création de l'infrastructure de transports nécessaire pour évacuer la production nouvelle. C'est pour bénéficier des possibilités de développement de la production avec un investissement très réduit que Khrouchtchev a provoqué la mise en valeur des terres vierges. En région forestière, ou lorsqu'il est nécessaire de procéder à des travaux de bonification préalables, les investissements sont plus élevés. Ils peuvent alors être plus importants que dans l'industrie : lorsque la masse de capitaux à investir est limitée, c'est alors vers celle-ci que se porte l'essentiel des efforts.

Les industries lourdes nécessitent des investissements beaucoup plus importants par rapport à la production additionnelle qu'il est possible d'obtenir. Dans le cas de la sidérurgie par exemple, la masse de capitaux investie est telle que cela peut décourager des pays où l'épargne demeure faible.

On voit donc que de l'étude des cœfficients d'intensité capitalistique, il est possible de tirer toute une stratégie du développement : bien des conseils adressés aux pays en voie de développement trouvent là leur justification. Les progrès de l'analyse statistique permettent de se faire une idée de la part des revenus consacrée aux investissements, donc à la croissance (12).

On peut distinguer des pays où le taux de l'investissement est fort et d'autres pour lequel il est médiocre ou très faible : cela permet de mettre en évidence l'opposition entre des pays d'économie développée et des pays sous-développés. Les pays socialistes se caractérisent la plupart du temps par des taux d'investissement bien supérieurs à ceux des pays capitalistes :

(12) Les annuaires des Nations Unies fournissent toutes les indications que l'on peut souhaiter. Les ouvrages géographiques les utilisent de plus en plus ; Lacoste (Yves), *Géographie du sous-développement*, *op. cit.*, cf. pp. 138-148.

Les ouvrages des économistes donnent également une large place à ces problèmes : Lebret (L.-J.), *Suicide ou survie de l'Occident*. Coll. Économic humaine. Paris, Économie et Humanisme, Les Éditions ouvrières, 1958, 402 p., pp. 127-132.

la part du revenu national consacrée à l'investissement peut atteindre plus de 30 % dans les pays socialistes, elle est le plus souvent comprise entre 15 et 25 % dans les pays développés d'économie capitaliste. Dans les pays sous-développés, la part du revenu consacrée à l'investissement est parfois inférieure à 5 %.

Toutes ces données sont le plus souvent relatives aux investissements bruts, car il est très difficile d'obtenir des renseignements dignes de confiance et directement comparables entre les divers pays pour ce qui touche à l'amortissement : les règles qui permettent de le fixer diffèrent trop d'un pays à l'autre. Les valeurs brutes sont plus faciles à comparer. Elles ne constituent pourtant que des appréciations grossières et certaines données sont systématiquement infléchies. L'investissement en pays socialiste est parfois plus faible qu'on ne le dit. Dans les pays sous-développés, on a tendance à le sous-estimer, dans la mesure où il se fait pour partie en dehors des circuits monétaires. Malgré ces imperfections, qui tiennent à l'hétérogénéité des statistiques, le taux d'investissement est une donnée essentielle que les géographes ont appris à manier depuis une dizaine d'années. Cela montre qu'après les économistes, ils en viennent à reconnaître l'intérêt de certaines études globales.

La portion du revenu national consacrée à l'investissement ne permet pas de connaître le taux d'expansion de l'économie, puisque l'efficacité de l'investissement varie d'un secteur à l'autre, d'une économie à l'autre. On peut, en comparant les rapports du montant des investissements aux augmentations du revenu, se faire une idée de l'efficacité de l'organisation économique d'un pays.

II. — Épargne et investissement.

L'analyse de la croissance économique telle que nous l'avons conduite jusqu'à présent s'est faite en analysant les situations *ex post* — nous avons envisagé la manière dont une série de situations réelles s'enchaîne, en passant sous silence les tensions qui ont précédé la réalisation de tel ou tel équilibre. Nous avons négligé une bonne partie des faits les plus significatifs. Un exemple le montrera. Nous avons analysé l'action de l'accélérateur. Nous avons supposé que l'investissement se trouve induit par la demande d'une manière presque mécanique. La réalité est toute autre. Les entrepreneurs prennent le vent, évaluent sans arrêt les perspectives de la branche dans laquelle ils travaillent, et celles de l'économie de manière plus générale. Dès qu'ils ont espoir de voir la demande augmenter, ils se mettent en mesure de répondre au mouvement escompté. Ils risquent fort de surestimer l'augmentation réelle du revenu, ils projettent des installations très importantes : il y a un effet d'accélération, mais beaucoup plus fort que celui qui naîtrait de simples liaisons mécaniques. Il suffit d'ailleurs souvent que l'État annonce qu'il va lancer un programme d'investissement public important, pour que les hommes d'affaires prévoient une augmentation du revenu, donc de la demande et qu'ils investissent; en pareil cas, l'investissement est induit directement par l'investissement autonome; même si on a dû renoncer aux projets — la persévérance n'étant pas la vertu majeure des gouvernements — le phénomène d'accélération a joué (13).

Dans l'analyse de la mise en place de l'investissement qui conditionne la croissance, les études *ex post* saisissent mal la manière dont l'épargne et l'investissement se conditionnent. On ne dispose sur ce point que de quelques indications globales d'où on ne peut guère tirer de lumières sur ce qui a un effet causal et sur ce qui est pure conséquence. C'est sur ces problèmes que nous voudrions nous attarder quelque peu.

Les formes non monétaires de l'investissement.

Longtemps, la croissance économique n'a pas provoqué de difficultés monétaires majeures, alors que l'usage de la monnaie était largement répandu. Pourquoi? Cela provient d'un phénomène très simple. Le secteur des biens de consommation est devenu plus tôt un secteur d'économie monétaire que ne l'a été le secteur de l'investissement. Dans les économies de type médiéval, la monnaie joue un grand rôle dans les transactions commerciales. Elle n'est pas utilisée dans la plupart des investissements qui sont alors possibles. La croissance est dans ces économies, pour l'essentiel, une croissance du secteur agricole.

(13) Le raisonnement qui précède est emprunté à DIETERLEN (Pierre), *L'investissement, op. cit.*, cf. pp. 120-121.

En l'absence de toute intensification, la production agricole ne peut se développer que par l'extension des superficies cultivées. Celle-ci est l'œuvre de petites exploitations qui assurent l'épargne nécessaire sous la forme d'une épargne en nature : l'exploitant qui veut défricher un bois s'assure un fond d'épargne sous la forme d'une réserve de nourriture qui lui permet d'effectuer ces travaux. Les dépenses d'outillage sont presque toujours faibles; et une bonne partie de celui-ci est créé sur place, dans l'exploitation. Ainsi, l'accroissement du capital, presque totalement foncier, s'effectue par un lent bourgeonnement, en marge des circuits monétaires. C'est ce qui rend si difficile la reconstitution des étapes de la progression, car elle ne laisse aucune trace dans les archives. C'est ainsi que la mise en valeur d'une partie de la lande bretonne ou des landes des pays de l'Adour, au cours du XVIIIe siècle ou du XIXe siècle demeure très mal connue, faute de documents comptables (14). Il est parfois difficile de la dater à cinquante ans près, ce qui est étonnant pour une période aussi proche de nous.

La mise en valeur de certains pays neufs du nouveau monde nous offre des images analogues d'expansion de l'agriculture sans investissements monétaires. La longue progression des Canadiens français le long des fronts pionniers du Québec s'est faite longtemps de cette manière. Les fils de l'exploitant partaient défricher un coin de forêt dans une zone vierge, en emportant les vivres que leur fournissaient leurs parents : l'épargne nécessaire à l'investissement échappait au secteur monétaire.

La situation n'était pas très différente dans l'artisanat. Très souvent, une part importante de l'outillage était fabriquée par l'utilisateur. Le forgeron confectionnait ainsi une partie de l'outillage qui lui était nécessaire. Le menuisier n'achetait que le minimum d'outils, les serpes, puis les rabots ou les scies. Tout ceci ne représentait qu'un capital assez faible. L'immobilisation la plus lourde, pour le bâtiment de travail, se faisait aussi en dehors du circuit monétaire, alors même que l'on

(14) Les études de Serge Lerat montrent l'importance de ces défrichements dans les pays de l'Adour. C'est la comparaison de la carte de Cassini et du paysage actuel qui permet de mettre en évidence l'évolution qui échappe par ailleurs dans une très large mesure ; LERAT (Serge), « Les pays de l'Adour à la fin du XVIIIe siècle d'après la carte de Cassini ». *Revue géographique des Pyrénées et du Sud-Ouest*, vol. XXVIII, 1957, pp. 373-387. — ID., *Les pays de l'Adour... (structures agraires et économie agricole)*. Bordeaux, Union française de l'impression, 1963.

avait déjà recours à des ouvriers spécialisés. Très souvent, une bonne partie de la rétribution des ouvriers était faite en nature : le gîte et le couvert étaient fournis par l'employeur. Dans les régions rurales, ce système s'est maintenu jusque fort tard. Au siècle dernier, des artisans spécialisés dans les fabrications d'outillage ou d'équipement étaient payés en totalité en nature : dans le Sud-Ouest, le forgeron recevait un forfait en blé, moyennant quoi il se chargeait de ferrer les bœufs et les chevaux des exploitants. Il se trouvait ainsi parfois à la tête de la plus grosse récolte de blé de la communauté.

A quoi servait l'accumulation monétaire? L'épargne n'était pas destinée à un investissement nouveau. Elle était d'abord une mesure de sécurité. Son montant était thésaurisé et ne servait qu'en cas de nécessité, pour permettre au détenteur de faire face à une situation grave. Elle pouvait servir à acquérir des terres, des biens-fonds : il ne s'agissait pas alors d'un acte créateur. Un individu investissait, mais ce qu'il déboursait correspondait à un désinvestissement de la part du vendeur. L'argent versé à l'occasion de la vente d'une terre ne finançait pas de nouvelles entreprises. Il était destiné à assurer la consommation d'une famille qui se trouvait incapable de gérer correctement le capital dont elle disposait. Par suite, l'image de ces sociétés est celle qui nous est donnée par la société chinoise traditionnelle, telle qu'elle ressort des romans de Pearl Buck. Les familles y passent par des cycles de prospérité puis de décadence, mais le monde d'ensemble reste immuable, puisque l'investissement est faible ou nul. L'achat d'une terre représente un transfert plutôt qu'un acte productif.

L'impression d'univers fermé, soumis à un destin cyclique et sans espoir qui prévaut lorsqu'on se penche sur les économies paysannes de l'Extrême-Orient, provient de la difficulté qu'il y a à investir dans un milieu où toute mise en valeur doit commencer par une domestication des eaux. Alors que le paysan européen pouvait réaliser seul ou par petits groupes la mise en valeur des bois qu'il convoitait, un effort collectif était nécessaire pour la mise en valeur des terres basses des plaines de l'Asie des Moussons. On sait que certains historiens (15)

(15) La thèse la plus célèbre dans ce domaine est celle de WITTFOGEL (Karl A.), *Oriental Despotism*. New Haven, Yale University Press, 1957.

On trouvera des développements et des discussions sur ce même thème dans

en ont tiré la thèse selon laquelle les formes de monarchie et d'État qui se sont développées très tôt dans ces pays, s'expliquent par la difficulté qu'il y a d'investir à l'échelle individuelle : le monarque oriental tire l'essentiel de son autorité du fait qu'il est le grand promoteur des équipements qu'il s'est chargé de faire exécuter puis de faire entretenir. Son autorité est bien plus grande que celle des chefs des États occidentaux : il a en effet la lourde responsabilité de concevoir et d'effectuer l'investissement créateur dans le pays qu'il domine. Pour cela, il doit se charger de dégager une épargne, puis de la mobiliser pour créer l'équipement; généralement l'épargne prend la forme d'un impôt en nature, permettant de créer des magasins de vivres. Ceux-ci servent à nourrir les masses de travailleurs mobilisés par la corvée, et nécessaires à l'exécution des travaux. Ainsi, l'investissement collectif nécessaire à ces économies favorise le développement d'États centralisés et de villes où s'installent les représentants du gouvernement.

Dans toutes les économies restées agricoles, l'investissement a échappé longtemps aux circuits monétaires. Cela apparaît clairement lorsqu'on analyse l'activité financière et bancaire à la fin du moyen âge, et au début de l'époque moderne (16). Le progrès du commerce favorise alors le développement de l'économie monétaire et l'accumulation d'argent prend des formes nouvelles. La thésaurisation d'espèces monétaires cesse d'être la seule issue normale de l'épargne; on se met à prêter. Le crédit devient le but essentiel de certaines institutions dans les villes italiennes au XVe siècle et cette forme nouvelle d'activité se répand très vite sur l'ensemble du continent. Mais lorsqu'on étudie les placements effectués par les banquiers de la Renaissance, on est frappé du choix qu'ils effectuent. Ils se lancent dans des travaux de bonification (17). Ils développent leurs

SJOBERG (Gideon), *Cities in Developing and in Industrial Societies : a Cross Cultural Analysis*, pp. 213-263 de HAUSER (Philip. M.) et SCHNORE (Léo. F.), *The Study of Urbanization.* New York, John Wiley, 1965, X, 554 p. — KEYFITZ (Nathan), *Political-Economic Aspects of Urbanization in South and Southeast Asia*, pp. 265-309 de l'ouvrage précédent.

(16) On trouvera des éléments suffisants dans les histoires classiques de la banque : DAUPHIN-MEUNIER (A.), *Histoire de la banque.* Coll. « Que sais-je? », n° 450, Paris, P. U. F., 1950, 128 p. — ID., *La banque à travers les âges.* Paris, Éditions techniques et professionnelles, 2 vol. 1936-1937.

(17) C'est en Italie que les investissements agricoles sont surtout importants. On voit le rôle des investissements urbains dans la conquête de la plaine du Pô, la « systématisation » et la bonification des terres dans des ouvrages d'historiens,

entreprises personnelles. Les Fugger favorisent la mise en valeur des mines de Hongrie. Ils prêtent aussi, mais leur client essentiel, c'est le Prince. Les techniques de l'heure sont insuffisantes pour attirer les investissements. Les dépenses les plus lourdes que l'on a à effectuer dans la plupart des industries sont celles de main-d'œuvre; il est toujours gênant de prêter pour payer des travailleurs. L'entreprise n'offre aucune garantie solide sous la forme d'immobilisations et d'équipements fixes. Le Prince offre de meilleurs gages : il possède un domaine, qu'il peut aliéner pour honorer ses dettes. Il engage ses ressources fiscales, qui se développent alors à un rythme assez rapide. Aussi, l'épargne monétaire sert-elle alors à financer les dépenses somptuaires des cours ou les guerres. Il faut attendre le XVIIe siècle pour que le commerce international offre des opportunités aussi grandes aux placements : c'est en Hollande et en Angleterre que l'épargne monétaire trouve pour la première fois à s'employer de façon productive (18) hors du secteur agricole. Elle favorise le développement de l'industrie : les progrès du machinisme augmentent le poids des investissements et rendent nécessaire la constitution d'unités de production de grande dimension dont les équipements spécialisés sont achetés à des fournisseurs extérieurs.

L'utilisation de la monnaie a constitué un progrès certain : elle a permis de faire varier plus aisément le montant des immobilisations, de créer une industrie de fabrication des biens d'équipement, qui est un des grands moteurs du progrès économique. Mais elle a suscité des difficultés nouvelles que ne connaissaient pas les économies traditionnelles. Celles-ci avaient des périodes de crise qui étaient provoquées par des mauvaises récoltes et qui se signalaient en même temps par des flambées de prix. Au fur et à mesure que se développait la production industrielle, on aurait pu croire que les fluctuations économiques allaient

comme Braudel, et de géographes, Almagia ou Sereni. BRAUDEL (Fernand), *La Méditerranée et le monde méditerranéen à l'époque de Philippe II.* Paris, Armand Colin, 1949, XV, 1160 p. — ALMAGIA (Roberto), *L'Italia.* Turin, U. T. E. T., 2 vol., 1959, XVI, 1320 p. — SERENI (E.), *Storia del paesaggio agrario italiano.* Bari, Laterza, 1961, XXVIII, 439 p.

(18) Le commerce maritime avait joué un rôle analogue à Venise et à Gênes. Il n'y a pas de continuité entre le capitalisme commercial qui y fleurit alors et l'essor économique moderne — à la différence de ce qui s'est passé en Hollande, et, plus encore, en Grande-Bretagne. Là, les capitaux nés du commerce maritime sont en partie responsables de l'industrialisation.

s'amortir, puisqu'on s'affranchissait des aléas climatiques qui en étaient responsables. Ce que l'on observa, au contraire, c'est une péjoration des récessions et des crises capables d'arrêter complètement l'activité de certains secteurs, de provoquer des difficultés considérables à l'ensemble de l'économie mondiale (19). Alors que les crises de l'économie agricole présentaient un caractère inéluctable, celles de l'économie industrielle plus purement économiques étaient plus difficiles à supporter.

Or, l'analyse montre qu'elles trouvent souvent une explication dans les fluctuations et les difficultés que l'investissement soulève lorsqu'il se réalise sous forme monétaire. C'est sur ces difficultés que nous allons nous attarder.

L'investissement prend forme monétaire : l'épargne préalable.

La monnaie modifie complètement les problèmes de l'investissement. Les particuliers la recherchent pour plusieurs raisons. Elle est instrument de mesure des valeurs et sert par conséquent d'étalon universel des utilités et des désutilités sociales : la possibilité de fixer une valeur en argent permet de procéder à des transactions beaucoup plus facilement qu'il n'est possible de le faire dans une économie de troc. La monnaie présente ensuite la propriété importante de conserver la valeur. Elle permet de garder une liberté et une sécurité pour l'avenir que ne fournissent pas la plupart des biens : elle est un bien désiré pour lui-même. C'est ce que Keynes nous a rappelé après un siècle d'économie classique où l'on avait trop eu tendance à insister sur la neutralité de la monnaie.

Supposons que nous nous placions dans le contexte des économies de l'époque moderne. La monnaie est métallique. Son offre est indépendante du niveau de l'activité économique. Elle varie avec les découvertes minières ou avec le progrès des techniques de traitement des minerais. Dans le court terme, la masse monétaire est fixe. Lorsqu'un entrepreneur décide de procéder à un investissement, il est obligé d'économiser la totalité du montant nécessaire à l'opération. C'est donc une certaine fraction de la masse monétaire qui se trouve soustraite à la circulation. Ceci

(19) Les recherches d'histoire économique ont permis de dater le passage des crises de type ancien aux crises de type industriel à la dépression qui prend naissance en 1845-1846, et qui participe des deux.

crée une gêne pour tous les chefs d'entreprise (20). Le manque de monnaie rend difficile la conclusion d'un grand nombre d'opérations de commerce et la diminution de la masse monétaire active se traduit par une baisse du niveau des prix. La mise en réserve préalable que nécessite l'épargne en vue de l'investissement provoque une déflation. Elle peut entraîner une contraction de la production, par suite des difficultés d'écoulement que l'on éprouve.

Lorsque l'entrepreneur a enfin réuni la somme qui est nécessaire à la mise en œuvre de ses projets, il engage des travaux, passe commande de matériel, fait construire des bâtiments et remet en circulation au cours d'une période très brève la somme qu'il a épargnée au cours de l'époque antérieure. La plus grande partie de cette somme va se trouver versée à titre de salaires aux entreprises qui ont accepté de fournir les machines ou à celles qui se chargent de la construction des installations fixes. La masse des salaires distribuée grossit donc brusquement le pouvoir d'achat de l'ensemble de la société. Avant même que les nouvelles installations soient rentrées en fonction et que le produit de l'ensemble territorial analysé ait commencé à croître, la masse des moyens monétaires mis à la disposition du pays augmente. La demande croît plus vite que la production. A la phase de déflation qui caractérisait la préparation de l'investissement succède une phase d'inflation dont les effets peuvent être également néfastes.

L'investissement est source de toute une série de mouvements déséquilibrants qui sont particulièrement graves là où l'offre monétaire est rigide. Parallèlement, l'obligation que l'on a de prévoir une épargne suffisante pour assurer l'ensemble des dépenses d'investissement, de production et de commercialisation décourage l'esprit d'entreprise : la vertu requise de l'entrepreneur dépasse les qualités moyennes de l'homme d'affaires qui n'a pas le courage de renoncer à la consommation durant le temps très long nécessaire à l'accumulation. C'est peut-être une des raisons pour lesquelles les sociétés protestantes ont connu plus vite le développement de l'économie d'entreprise : l'attitude de la bourgeoi-

(20) T. S. Ashton rapporte à ce sujet des témoignages intéressants : la gêne monétaire était telle que certaines entreprises, faute de numéraire, payaient leurs ouvriers à des heures différentes, pour réemployer les sommes versées et déjà dépensées dans l'économat de l'usine. ASHTON (T. S.), *La révolution industrielle (1760-1830)*. Trad. Franz Durif, Paris, Plon, 1955, XXVIII, 218 p., cf. pp. 129-131.

sie protestante, travailleuse, mais volontiers économe, aurait facilité le démarrage de l'économie capitaliste (21).

En Angleterre, l'invention de ce nouveau style d'économie a été en bonne partie l'œuvre des commerçants enrichis dans le commerce international : les profits élevés qu'ils percevaient leur permirent de construire des fortunes avec lesquelles ils franchirent sans mal les premières étapes de la croissance économique.

Le crédit facilite et allège l'épargne préalable.

Une bonne partie de l'histoire de l'économie occidentale depuis le XVIIIe siècle est dominée par les essais pour résoudre les difficultés qui naissent de l'épargne que les entreprises doivent dégager préalablement à l'investissement (22).

Dans une première phase, épargne et investissement sont demeurés intimement liés. Mais on s'est efforcé d'assouplir les conditions dans lesquelles s'effectuait cette épargne et de limiter ses effets déséquilibrants.

Les divers pays d'Europe occidentale ont peu à peu créé des systèmes monétaires qui permettaient de donner une certaine souplesse à l'offre de monnaie (23). Les marchés financiers se

(21) La coïncidence des régions précocement industrialisées et des grands foyers calvinistes ne cesse de tourmenter historiens et sociologues, depuis Max Weber. La tendance actuelle minimise l'importance de l'autorisation du prêt à intérêt et accorde une attention particulière à l'attitude globale vis-à-vis du monde, à travers lequel le protestant cherche à glorifier le Seigneur.

(22) Pour comprendre les problèmes de technique monétaire, il est utile de se référer à des études sur la monnaie d'une part, sur les problèmes du financement de l'investissement d'autre part. MOSSE (Robert), *La monnaie*. Coll. Bilans de la Connaissance économique, Paris, Marcel Rivière, 1951, 207 p. — ID., *La monnaie, analyse des théories de...* La théorie économique du temps présent. Paris, Domat-Montchrestien, 1952, 501 p. — CAUBOUE (Pierre), *Monnaie, crédit, banque*. Paris, Delmas, 1957, 280 p. — MARCHAL (Jean), *Monnaie et crédit*. Paris, Cujas, 1964, 476 p. — JAMES (Émile), *Problèmes monétaires d'aujourd'hui*. Paris, Sirey, 1963, 354 p. — LELART (Michel), *Les fondements actuels de la valeur de la monnaie*. Paris, Nouvelles Éditions Latines, 1964, 286 p. — MALISSEN (Marcel), *Investissement et financement : origine et emploi des fonds des grandes sociétés*. Cahiers de la Fondation nationale des Sciences politiques nº 88. Paris, Armand Colin, 1957, 215 p.

(23) Le système monétaire de l'émission s'est tout d'abord mis en place en Suède (Palmstruck fonde la Banque de Stockholm en 1650). Il crée le billet de banque moderne, qui ne porte pas d'intérêt. L'Angleterre suit avec un demi-siècle de retard, mais la Banque d'Angleterre créée en 1694 est la première à lier l'émission à l'escompte des effets commerciaux. Les pays européens imitèrent successivement le système anglais dans le courant du XVIIIe siècle et surtout au XIXe siècle. En France, après l'échec de Law, l'émission moderne fut rendue possible par la Caisse d'Escompte (1776), puis par la Banque de France (1800).

sont dissociés des marchés monétaires. Pour toutes les transactions qui se dénouent rapidement, celles pour lesquelles il existe une contrepartie solide sous forme de marchandise en cours de fabrication, ou en voie d'être distribuée, il est possible de créer des espèces monétaires sans crainte d'inflation : lorsque l'opération se trouve dénouée, les autorités qui ont fabriqué et avancé la monnaie se trouvent remboursées; les variations de la masse monétaire suivent exactement le mouvement des affaires. Cela permet aux entrepreneurs de renoncer à financer sur leurs fonds propres les opérations commerciales nécessaires à l'écoulement de leur production et diminue la masse monétaire exigée pour la mise en route d'une fabrication. Cela revient à dire que le montant des investissements nécessaires pour obtenir un niveau donné de production se trouve ainsi réduit.

Une seconde transformation, d'ailleurs contemporaine, facilite plus encore l'investissement sous forme monétaire : c'est celle qui permet de dissocier l'acte d'épargne de celui de l'investissement. Jusque là, c'était au sein d'une même unité qu'il était nécessaire de procéder à l'épargne (24), puis à sa mise en œuvre. Les qualités nécessaires pour ces deux opérations n'étant pas les mêmes, l'efficacité du système économique se trouvait limitée. La création de marchés de l'argent et de marchés de capitaux a permis de s'affranchir de ces difficultés.

Les marchés financiers se sont développés lentement. Les bourses de valeur voient pourtant leur activité se transformer (25) dans la première moitié du XIXe siècle. Grâce aux réformes

(24) Le commerce maritime était financé par la mise en commun de capitaux apportés par un nombre souvent élevé d'actionnaires. Il en avait été ainsi à Venise. L'essor du grand commerce atlantique multiplie à l'époque moderne les compagnies de navigation : Compagnie néerlandaise des Indes orientales (V. D. C., 1602), Compagnie anglaise du Levant (1581), London India Company (1600), London and Plymouth Adventurers (1606), Compagnie d'Orient, de Regault ou de Madagascar (1642), Compagnie des Indes. Ces compagnies sont généralement privilégiées. Elles mobilisent une épargne diffuse, mais elles ne seront imitées qu'avec l'apparition des sociétés par action de forme moderne. La suppression de l'agrément par le Parlement et la Couronne est accordée en Angleterre en 1856. La France suit cet exemple et la loi du 24 juillet 1867 donne aux sociétés anonymes par action leur statut moderne.

(25) Les bourses de valeur ont longtemps été essentiellement des marchés de change. Cela explique leur ancienneté, et le nom d'agents de change que portent leurs principaux opérateurs. Les prêts aux gouvernements ont intéressé très vite les grandes institutions financières : à la fin du XVIIIe siècle, le gouvernement français utilise largement les ressources des places d'Amsterdam, de Hambourg et de Genève. La bourse passe ainsi des opérations de change, aux opérations financières. La transformation est progressive. Elle est achevée vers 1850.

L'évolution des bourses de valeurs étrangères est quelque peu différente :

légales qui assurent le développement des sociétés anonymes, les petits épargnants peuvent contribuer au financement des entreprises. Les banques de dépôts constituent le second maillon de l'organisation des marchés financiers et en étendent leur rayonnement dans l'espace (26).

A ce stade, l'épargne continue toujours à précéder l'investissement productif. Mais son poids se trouve allégé par les marchés des capitaux. Elle est devenue collective, ce qui réduit le temps d'immobilisation préalable, permet d'économiser de la monnaie et facilite les affaires.

Malgré des retours en arrière, des hésitations, on peut dire que vers le milieu du siècle dernier, les difficultés qui sont liées à l'investissement effectué sous forme monétaire sont en partie résolues. Le délai d'immobilisation des épargnes a été réduit par le recours au financement collectif — et l'effet de déflation se trouve déjà à peu près éliminé. Le poids de l'investissement est allégé car tous les besoins exclusivement monétaires se trouvent déjà satisfaits indépendamment des variations de l'offre de monnaie métallique. Les économies du début du siècle ne se trompaient pas qui disaient que les entrepreneurs trouvaient toujours l'argent dont ils avaient besoin — mais ils tiraient de cette constatation de bon sens des idées erronées sur la neutralité de la monnaie.

L'investissement devient le moteur de l'épargne.

Ce premier stade d'évolution des techniques de financement de l'investissement se trouve dépassé vers le milieu du siècle dernier, en partie à la suite des contraintes imposées par l'acte de Peel. Quels sont les nouveaux traits du système monétaire?

Le premier et le plus frappant, c'est la mise au point de mécanismes très souples d'offre de monnaie. On sait comment les

DEFOSSE (Gaston), *La Bourse des valeurs.* Coll. « Que sais-je? », n° 825, Paris, P. U. F., 1959, 128 p.

Sur l'histoire du Stock Exchange : DAUPHIN-MEUNIER (Achille), *La Cité de Londres et les grands marchés internationaux.* Paris, Nouvelles Éditions Latines, 2e éd., 1954, 358 p., cf. pp. 187-218.

(26) M. Labasse a décrit la manière dont s'était mis en place le réseau qui assura à Lyon un large rayonnement régional et lui permit de drainer l'épargne d'une bonne partie de la France du Sud-Est. LABASSE (Jean), *Les capitaux et la région.* Cahiers de la Fondation nationale des Sciences politiques, n° 69, Paris, Armand Colin, 1955, XVIII, 532 p.

restrictions apportées par la banque d'Angleterre à la pratique de l'escompte ont développé l'usage de la monnaie scripturale. Elle circulait durant la première moitié du XIXe siècle, mais son importance demeurait secondaire. La gêne apportée par les nouvelles mesures contraignit les hommes d'affaires anglais à recourir de plus en plus aux chèques bancaires pour leurs règlements. Et le jeu d'ouverture des dépôts dans les diverses banques permit de multiplier l'offre de monnaie : l'argent déposé dans une banque sert à effectuer un prêt qui alimente lui-même des dépôts dans des banques voisines et le processus ainsi amorcé continue jusqu'à ce que la masse totale de monnaie en circulation soit plusieurs fois supérieure à la mise de fond monétaire initiale. L'expansion n'est limitée que par les impératifs de sécurité qui imposent au banquier de garder une partie des dépôts qui sont effectués à ses guichets pour s'assurer une liquidité minima (27).

En fait, la puissance nouvelle que s'assurent les banques de dépôts est considérable. Elles peuvent battre monnaie de manière quasi indéfinie. Elles règlent l'offre de monnaie en fonction des besoins de l'économie. Elles bénéficient d'autant mieux de ce pouvoir que la théorie reste alors en retard sur la pratique, ce qui explique l'indifférence des autorités devant la multiplication de la monnaie scripturale (28).

Le mécanisme de création est celui de la pyramide de crédit qui permet, à partir d'une masse donnée d'espèces monétaires, de multiplier par les prêts et les dépôts, la masse totale réellement utilisée. Le danger qui pèse sur un tel système, c'est qu'il repose sur la confiance : il suppose que les déposants ne procèdent pas tous en même temps à la levée de leurs dépôts. Il ne peut fonctionner en cas de crise que si la liquidité élevée des banques leur permet de faire rentrer rapidement les fonds qui leur sont demandés. Si les sommes créées ont été utilisées pour acquérir des équipements nouveaux, les entreprises ne peuvent les rembour-

(27) On trouvera un exposé limpide des conditions de la création monétaire pour les banques dans SAMUELSON (Paul A.), *L'économique*, *op. cit.*, cf. t. 1, pp. 202-239, « Système bancaire et création des dépôts ».

(28) Ce sont des économistes et des financiers américains qui ont pris conscience les premiers des problèmes soulevés par le développement de la monnaie de crédit. Le Federal Reserve System, créé en 1913, est ainsi dès le départ en mesure d'agir dans ce domaine. Les principes des banques américaines furent par la suite adoptés par la plupart des pays d'Amérique latine, puis des pays européens. Le théoricien, en même temps que l'un des grands praticiens de cette réforme, fut E. W. Kemmerer. KEMMERER (E. W.), *Money and Credit Instruments in their Relations to General Prices*. New York, 1907.

ser qu'un bout d'un laps de temps très long et la masse monétaire croît plus vite que la production. L'inflation menace, cependant que la stabilité de l'édifice monétaire est compromise.

En fait, le danger d'inflation est souvent surestimé. Les fonds qui sont créés pour assurer l'investissement et qui sont distribués sous forme de salaires ne servent pas uniquement à satisfaire des besoins de consommation. Ils sont à l'origine d'une épargne qui permet de rembourser les avances effectuées : on a réussi à gagner encore sur le décalage entre épargne et investissement. L'investissement et l'épargne ne sont plus deux actes successifs, ils deviennent simultanés et les effets déséquilibrants de la croissance se trouvent réduits d'autant (29).

Ce dénouement heureux ne se produit pas toujours. Il arrive que l'augmentation des dépenses de consommation dépasse de beaucoup l'augmentation de la production qui découle de l'investissement. Il faut plusieurs années pour qu'une usine métallurgique entre en activité, mais la masse des salaires augmente immédiatement. S'il n'existe pas une épargne préalable, la masse des revenus consacrés à la consommation croît plus vite que la masse des biens. Des tensions apparaissent dans certains secteurs. La demande y excède l'offre. Les prix augmentent. L'investissement crée une inflation qui réduit la consommation désirée par les détenteurs de revenu. Une nouvelle forme d'épargne apparaît cette fois : il ne s'agit plus d'une épargne préalable à l'investissement ou d'une épargne contemporaine de l'investissement, mais d'une épargne forcée : la consommation réelle est limitée par l'inflation et le résultat recherché est obtenu : l'expansion se trouve financée par une épargne.

Cette analyse montre que l'égalité comptable de l'épargne et de l'investissement masque des situations bien différentes et que le rôle moteur est tantôt joué par l'épargne, tantôt par l'investissement (30). La monnaie n'est pas neutre. Lorsque son offre est rigide, l'investissement est gêné par la longueur des détours monétaires. Lorsque son offre est souple, elle facilite

(29) La théorie économique est restée longtemps en retard sur la pratique en ce domaine. La politique financière du Dr Schacht, au début de l'époque hitlérienne, est apparue scandaleuse à la plupart des économistes. Elle ne faisait que transposer au plan de l'État des techniques de financement de l'investissement sur monnaie créée que les entreprises privées avaient progressivement mises au point.

(30) On pourra se reporter à DIETERLEN (Pierre), *L'investissement*, *op. cit.*, cf. pp. 150-159.

l'épargne et permet parfois à l'investissement de devancer l'épargne qu'il appelle ou qu'il impose par l'inflation.

Le développement des banques de dépôts permit à ces mécanismes nouveaux de jouer dès le milieu du siècle dernier. En France par exemple, la politique des Pereire est de financer leurs grandes entreprises à partir des dépôts qu'ils réussissent à collecter. Quelques années plus tard, la pratique des grandes banques de dépôt allemandes s'alignera sur ces principes. Elles rendront possible l'expansion industrielle de l'Allemagne wilhelminienne qui fait alors l'étonnement du monde.

Cependant, les dangers de telles pratiques sont évidents. Le risque d'inflation n'est pas négligeable, surtout dans des pays où la pression sur la consommation est forte et où la propension à épargner est faible. Les dangers de crise de crédit sont multipliés par la longueur des immobilisations. Des efforts sont alors effectués dans un certain nombre de pays pour limiter l'emploi de la monnaie scripturale aux usages monétaires : il faut distinguer soigneusement l'argent à court terme de l'argent à long terme : celui-ci ne peut provenir que d'une épargne préalable. En Angleterre et en France, l'orthodoxie monétaire triomphe. La faible concentration du capitalisme anglais limite les possibilités d'appel au marché financier : les entreprises familiales tiennent jalousement à garder le contrôle de leurs affaires. Elles empruntent pour dénouer les opérations commerciales, elles répugnent à s'engager pour créer de nouveaux équipements. En France, l'entreprise des Pereire échoue et ce sont leurs rivaux plus classiques, les Rothschild qui donnent le ton à la pratique de la banque. L'Allemagne est la seule nation européenne à pratiquer le financement par les banques de dépôts; aux États-Unis, l'anarchie du système bancaire favorise dans une certaine mesure le développement de ces pratiques, mais l'ensemble du système est fragile et il sera secoué par des crises souvent tragiques, jusqu'au moment où sera institué le système fédéral de réserve.

A l'époque actuelle, les autorités monétaires ont adopté dans la plupart des pays des attitudes plus souples. Elles acceptent de créer de la monnaie pour assurer des investissements. C'est à cette fin que se sont multipliés les crédits à moyen terme qui permettent de fournir de l'argent aux entreprises spécialisées dans les opérations de financement. Une proportion appréciable des investissements s'effectue par cette voie (31). Ceci montre que l'évolution commencée au milieu du siècle dernier est maintenant achevée; la pratique de la création de monnaie pour le financement de l'investissement est devenue courante. C'est de cette manière que l'État finance souvent les équipements dont il assume la responsabilité, préférant une épargne forcée par l'inflation à une épargne préalable imposée par les prélèvements fiscaux (32).

Semi-monnaies, pyramides parallèles de crédit et investissement.

Mais les chiffres que donnent les autorités monétaires ne fournissent qu'une idée incomplète de la part de l'investissement financé par de la monnaie créée dans l'économie actuelle. Elles ne tiennent pas compte en effet de l'existence de semi-monnaies et pyramides de crédit parallèles. Il faut dire qu'on n'a pris conscience de l'importance de ces phénomènes qu'à une date récente. Les analyses de Wicksell ont ouvert la voie aux études sur le rôle de la création de monnaie dans l'économie (33), mais ce n'est guère que depuis une décade que l'on accorde une grande attention aux systèmes de monnaie parallèles. Un des résultats de la révolution keynésienne a été de mettre l'accent sur les flux économiques et de faire négliger les stocks. Or, ce sont les stocks de capitaux qui servent de base à la création de la plupart des semi-monnaies.

Un titre de créance sur un bien capital possède un des attributs essentiels de la monnaie : il garde la valeur, comme le fait la monnaie — quoique, en principe d'une manière moins parfaite, puisque la conservation dépend de l'évolution du stock. Le titre est négociable, transmissible. Il donne une certaine

(31) On trouvera un tableau de l'origine des fonds utilisés dans l'investissement en France dans Marchal (Jean), *Monnaie et crédit, op. cit.*, cf. chap. 4 et 5, pp. 229-332.

(32) Le rôle de l'inflation comme génératrice d'épargne forcée et son influence sur l'équipement ont été décrits et analysés par Bresciani-Turroni (C.), *Le vicende del marco tedesco.* Milan, 1931. Trad. anglaise ; *The Economic of Inflation*, Londres, Allen et Unwin, 1937, 464 p., cf. chap. V et X.

(33) Les thèses essentielles de Wicksell sont déjà exposées dans son premier grand ouvrage : Wicksell (Knut), *Geldzins und Güterpreise.* Iéna, 1898. Trad. anglaise : *Interest and Prices : a study of the causes regulating the value of Monney*, Londres, MacMillan, 1936, 216 p.

Ces idées sont reprises dans les *Lectures on Political Economy, op. cit.*

1. Un milieu physique homogène.
Platitude et monotonie des glacis désertiques, que le pain de sucre aux flancs à demi masqués par les éboulis fait mieux ressortir. Vue prise au Hoggar.
(Cliché : *G. Sarda.*)

2. Le bocage vendéen.
Tout ce que l'on observe, c'est la répétition d'une même structure.
(Cliché : *Vues aériennes, Alain Perceval.*)

Pl. I.

Pl. II.

3. Contrastes topographiques, contrastes dans la mise en valeur.
Alors que parfois l'agriculture réussit à effacer les contrastes physiques, elle se plaît ailleurs à les souligne
le paysage de San Feliù de Pallarols, en Catalogne, évoque ceux de certaines campagnes d'Extrême-Orie
par la vigueur de l'opposition entre les collines boisées et les fonds cultivés. (Cliché : *P. Claval.*)

4. Les vergers de noisetiers au pied du mont Sant.
Un pays de relief varié, fait de collines et de chaînons. Une monoculture commerciale
le transforme en terroir homogène : seuls les sommets échappent à la spéculation dominante. (Cliché : *P. C*

liberté, inférieure à celle qu'assure la monnaie, mais qui permet de satisfaire le besoin de liquidité de beaucoup. Tout ensemble de titres émis par une société correspond donc à une forme de monnaie, imparfaite, mais substituable dans bien des cas à la monnaie pure. C'est par l'échange de titres que les marchés financiers ont pu naître et que l'épargne a pu être drainée par des entreprises dynamiques. Le rôle de ces titres n'est pas seulement de draîner l'épargne existante. Il permet de créer de la monnaie ou d'en provoquer la création au moment où celle-ci est nécessaire pour financer un investissement nouveau. Les titres émis ont une valeur immédiate : ils ne représentent encore aucune immobilisation, ils ne correspondent à aucun accroissement de la production, mais ils représentent des traites sur ces immobilisations futures, sur ces capitaux en voie de création, sur ces productions projetées. Une partie des titres émis est acquise par des particuliers qui immobilisent ainsi leurs épargnes. Mais une autre partie est placée auprès de sociétés de financement qui tiennent certaines de leurs ressources d'emprunts bancaires gagés sur les titres qui leurs sont confiés : les titres servent donc à créer des dépôts qui, selon le processus bien connu, se multiplieront mutuellement : c'est en vertu de ce principe que la fabrication de semi-monnaie permet de déboucher sur la création monétaire et rend possible dans bien des cas le préfinancement de l'investissement (34).

Il existe dans certaines branches d'industries des entreprises qui jouent en bourse sur les valeurs qu'elles ont émises. Une forte réprobation morale les frappe. Leur comportement n'est pourtant pas tellement différent de celui de la plupart des autres : elles utilisent la bourse comme un instrument de création monétaire, ce qu'elle est et ce qu'elle a été depuis les origines; il n'a

(34) On trouvera une analyse des détours de financement dans BIENAYMÉ (Alain), *Croissance et monnaie en plein emploi*. Paris, Cujas, 1964, 320 p.; cf. chap. III, sect. II, « Les détours de financement et le processus de création monétaire », pp. 211-239.

On pourra également consulter un article où la thèse exposée est très proche de celle de M. Bienaymé : LE BOURVA (Jacques), « Création de la monnaie et multiplication du Crédit ». *Revue économique*, vol. XIII, 1962, pp. 29-56.

Émile James écrit : « Notre collègue Le Bourva a développé... une thèse beaucoup plus audacieuse. Nous croyons qu'il a raison si l'on ne considère que la technique du crédit. Nous pensons cependant qu'il faut admettre que les banques ont le souci des conséquences que leur politique peut avoir sur les mouvements des prix ou de l'activité : ce souci ne limite-t-il pas plus qu'il ne l'a dit les possibilités ouvertes aux établissements de crédit » (*Problèmes monétaires d'aujourd'hui*, *op. cit.*, cf. pp. 82-83).

pas été nécessaire de voir se multiplier les sociétés de financement pour que la semi-monnaie représentée par les titres de bourse réagisse sur la masse monétaire globale : tout mouvement de hausse crée de nouvelles valeurs qui peuvent donner naissance à des flux monétaires lorsqu'elles sont déposées dans des portefeuilles de banques ou servent à justifier des emprunts. La liaison des divers systèmes n'est pas absolue : l'effondrement d'une pyramide de crédit en semi-monnaie peut ébranler la pyramide de crédit monétaire, mais la plupart du temps, les deux systèmes gardent une certaine indépendance. L'effondrement de la semi-monnaie des titres négociés en bourse lors de la Grande Crise de 1929 a ébranlé le dollar, qu'il a été nécessaire de dévaluer trois ans plus tard pour relancer l'expansion économique, mais le traumatisme monétaire n'a pas été aussi fort que le traumatisme boursier.

Les valeurs mobilières ne sont pas les seules à se comporter comme des semi-monnaies dont l'inflation permet de créer indirectement de la monnaie. Quoique le cas soit souvent moins visible, les valeurs immobilières peuvent servir de base à des constructions du même ordre. Tout cycle de spéculation foncière crée une pyramide de crédits analogue à celle que crée la spéculation en bourse. C'est ce qui apparaît nettement lorsqu'on évoque l'histoire des grands booms fonciers aux États-Unis. La plupart du temps, ces booms se sont terminés par des krachs sensationnels, localisés, mais aussi impressionnants que celui qui a atteint Wall Street en octobre 1929. Chaque cycle de spéculation foncière a permis de créer une masse considérable d'actifs. La croissance en a été si disproportionnée à l'augmentation réelle de la production et de la valeur des terres faisant l'objet de la spéculation que la pyramide s'est souvent effondrée sans laisser de fortunes. Dans certains cas, la période de spéculation a permis ainsi de faire démarrer rapidement la construction d'une ville neuve, comme cela a été le cas à Chicago en 1830. Bien d'autres villes de l'Ouest américain se sont développées à la suite de crises analogues (35). Dans les pays sud-américains les cycles de spéculation foncière font également partie des phénomènes courants. En Europe, la longue suite des crises et des

(35) Pour une analyse de certains cycles de spéculation foncière aux États-Unis et de leurs conséquences, on verra TUNNARD (Christopher), REED (Henry H.), *American Skyline*. New York, New American Library, 1956, XIX, 224 p.

guerres du début du siècle a fait négliger l'importance de ces semi-monnaies. Mais le développement général de l'urbanisation, la politique de construction mise en place un peu partout depuis une quinzaine d'années ont provoqué une fièvre générale de spéculation. Ainsi le contrôle de l'utilisation du sol dans la ceinture verte du grand Londres limite l'offre de terre disponible dans le rayon proche de la Cité : les prix ont augmenté de manière spectaculaire. Les projets français de construction immobilière sont parfois gênés par la poussée des prix à laquelle ils donnent naissance. Les littoraux d'Europe méridionale, les vallées les plus reculées des Alpes voient le prix des terrains augmenter, au fur et à mesure que le tourisme se développe dans des couches plus modestes de la population et que le besoin de résidence secondaire monte.

L'allure de ces mouvements de prix varie dans le temps. Les grandes spéculations frénétiques, sur le modèle américain du siècle dernier ont pratiquement disparu. La dernière en date est celle qu'a connue la Floride au cours des années 1920. La montée échevelée des prix ne se rencontre guère que dans quelques pays sud-américains, mais là aussi, des efforts sont faits pour éviter la brutalité des à-coups que les flambées de spéculation peuvent infliger à l'économie.

La législation actuelle de la plupart des pays européens est devenue délibérément hostile à ces mouvements. On se préoccupe un peu partout de limiter la part de plus-value qui revient au propriétaire d'un terrain lorsque l'utilisation du sol change pour des raisons qui sont indépendantes de sa volonté : il y a quelque scandale à s'enrichir en profitant de la poussée d'une demande que l'on ne contribue pas à créer. En France, de nos jours, et en Angleterre depuis la fin de la Seconde Guerre mondiale, le problème est à l'ordre du jour. Jusqu'à présent, on ne lui a guère trouvé de solution satisfaisante.

Peut-être ne voit-on pas assez ses vraies dimensions. Il n'y a que peu de temps que l'on a pris conscience du poids de la spéculation foncière dans les mécanismes inflationnistes. On n'en parle guère en France que depuis quatre ou cinq ans. Il n'est pas sûr que l'on ait toujours compris la nature exacte du problème; la pression inflationniste naît là de deux effets qui s'ajoutent : la hausse du prix des terres est un élément qui se répercute sur le prix d'un grand nombre de produits ou de services, puisqu'elle provoque une hausse généralisée des loyers; mais l'inflation naît aussi d'un effet monétaire : la hausse de valeur permet aux détenteurs de terres, en engageant leurs titres de possessions de se procurer de l'argent, de l'argent neuf, créé pour la circonstance. La spéculation a fait croître la valeur des terres, cette hausse permet de gager une émission plus forte, le passage de la semi-monnaie à la monnaie neuve se fait sans difficulté par l'entremise des divers organismes de prêts hypothécaires ou de prêts fonciers, dont les actifs sont constitués par des titres dont la valeur est née de l'inflation.

Ainsi, avec les titres fonciers, comme avec les titres mobiliers, est-il possible de fabriquer de la monnaie neuve. Le phénomène n'est pas sans danger. Il rend le contrôle de l'équilibre monétaire des nations beaucoup plus difficile qu'il n'apparaît à première vue : les autorités monétaires ne sont pas toujours maîtresses de régler la masse monétaire. Les mouvements sur les semi-monnaies échappent à leur compétence.

Les législations modernes essaient de contrôler le passage de la semi-monnaie à la monnaie. Les grandes crises de crédit sont devenues plus rares. Le passage de la semi-monnaie à la monnaie se fait presque toujours dans un délai fixé par les autorités monétaires : les titres fonciers ou mobiliers confiés aux banques ne peuvent servir à gager de nouveaux prêts ou ne peuvent être engagés auprès des banques centrales qu'au bout d'un certain délai, ce qui limite les risques d'emballement de la machine monétaire (36).

Au total, les détours progressivement mis au point pour utiliser les variations de valeur des patrimoines permettent d'agir sur la masse monétaire : ils sont devenus un des éléments essentiels de la dynamique de la croissance. A la lumière de ce que l'analyse de la société actuelle nous montre, il est facile de voir que les possibilités de création de monnaie pour financer

(36) Bienaymé (Alain), *Croissance et monnaie...*, *op. cit.*, pp. 272-279. L'auteur montre comment les mesures actuelles de contrôle des détours de financement traduisent la prise de conscience de l'importance de ces nouvelles voies monétaires à la suite de la publication du rapport Radcliffe sur le fonctionnement du système monétaire anglais (Londres, H. M. S. O., 1959). Il est personnellement assez sceptique quant à l'efficacité des mesures de contrôle.

un investissement sont beaucoup plus anciennes qu'on ne le dit généralement. Il est certain que les autorités monétaires se sont toujours méfiées de ces pratiques, dont l'effet peut être dangereux. Elles ont volontairement limité l'emploi des dépôts pour le financement des investissements — elles l'ont même parfois interdit. Mais au même moment, les marchés spéculatifs qui fonctionnaient permettaient de battre monnaie et de créer des fonds qui, destiné à l'investissement, précédaient l'épargne à laquelle ils donnaient naissance.

Il est hors de doute que ces pratiques ont facilité la croissance économique au cours du siècle passé et plus encore, au cours de ce siècle. Moralement et économiquement, ces pratiques ne sont pas condamnables si elles se traduisent à terme par un accroissement des richesses vraies et de la production. Elles deviennent nocives si elles ne permettent que d'alimenter des dépenses de consommation. C'est ce qui rend la spéculation foncière plus dangereuse, dans bien des cas, que la spéculation mobilière : alors que le jeu en Bourse est souvent mené par des entrepreneurs qui utilisent à des fins productives tous les signes qu'ils savent faire créer, les détenteurs de terres ne sont en rien préparés à leur rôle de détenteurs de capitaux. C'est en cela et en cela seulement que la spéculation foncière est plus dangereuse que la spéculation mobilière. Que la plus-value serve à financer de nouveaux moyens productifs et elle perdra ce caractère uniquement inflationniste qui la fait redouter, cet aspect immoral que l'on a si souvent dénoncé.

On voit donc comment les mouvements de la valeur des patrimoines permettent de mieux comprendre le dynamisme de l'économie. Ce sont les études récentes d'économistes comme Gurley et Shaw (37) aux États-Unis, et Bienaymé (38) en France, qui ont mis au premier plan ce rôle des actifs mobiliers et immobiliers. Si les mouvements positifs de la valeur des patrimoines augmentent la liquidité totale du système et permettent d'anticiper sur l'épargne en préfinançant les investissements, il existe des mouvements symétriques dont l'importance est sans doute aussi grande : un mouvement général de baisse de valeur des patrimoines peut gêner considérablement

(37) Gurley (J. G.), Shaw (E. S.), *Money in a theory of finance*, Washington, The Brookings Institution, 1re éd., 1960; 2e éd., 1962; 3e éd. 1964, XIV, 371 p.
(38) Bienaymé (Alain), *Croissance et monnaie...*, *op. cit.*

le fonctionnement de l'économie. La baisse des prix de la terre peut limiter les possibilités de financement dont dispose une économie : c'est ce qui explique sans doute en partie la léthargie qui a frappé certaines régions agricoles françaises, lorsqu'elles ont été atteintes par la Grande Crise des valeurs foncières de la fin du siècle dernier.

L'étude *ex ante* de l'investissement permet donc de préciser le travail un peu trop schématique que l'analyse *ex post* fournissait. Il y a toujours, certes, égalité entre l'épargne et l'investissement lorsqu'on étudie les résultats comptables à l'échelon d'un ensemble territorial clos. Mais cette égalité masque des situations de fait bien différentes. Il est des cas où l'épargne est la condition préalable de l'investissement, qu'elle conditionne. Les deux grandeurs sont liées comme le sont les projets des agents économiques : épargne et investissement sont alors les deux faces d'un même acte, ce qui explique leur égalité. C'est l'image que s'en faisaient les classiques. Ils vivaient dans une société où prédominaient les entreprises familiales et le financement de l'investissement était précédé par une épargne qui correspondait à la valeur de l'investissement désiré.

Dans les conditions actuelles, les fonctions d'épargne et d'investissement sont largement dissociées. Cela permet à l'investisseur de jouer un rôle moteur. Ce n'est plus l'épargnant qui provoque la croissance, c'est l'entrepreneur qui la prend en main. Ce sont ses anticipations, ses projets qui sont à l'origine du mouvement économique. L'épargne suit. Si la consommation croît plus vite que la production, l'inflation produit un rationnement par le prix, donc une épargne forcée. L'égalité de l'épargne et de l'investissement se trouve encore réalisée, mais l'investissement est seul volontaire. Il détermine la valeur de l'épargne.

L'investissement n'est pas libre pour autant. Son volume ne peut varier au-delà de certaines limites. S'il est trop faible, le montant de l'épargne autonome, spontanée, lui est supérieur : le système économique va connaître la déflation. S'il est trop fort, le système économique ne pourra s'adapter aux besoins qui lui sont imposés que par le recours à l'inflation, qui réduit la valeur globale de la consommation. Et les possibilités de restriction ne sont pas indéfinies. Il est sûr que la mise au point d'un système de rationnement physique, comme on en a vu au cours de toutes les périodes de guerre du XXe siècle, ou comme les pays d'économie socialiste, et certains pays sous-développés en ont imaginé, permet de réduire la part faite à la consommation au-delà de ce que l'on imagine normalement. Mais il est une limite à cet effort et l'investissement, même s'il a réussi à se libérer des contraintes que lui imposait l'existence d'une épargne préalable garde des bornes que l'analyse des équilibres globaux permet justement de mieux comprendre.

On voit donc que la monnaie peut intervenir dans le jeu de l'investissement et de la croissance. Elle est loin d'être neutre, elle joue un rôle de premier plan : si elle est rare et difficile à créer, l'épargne préalable est déséquilibrante et l'investissement se trouve découragé. Lorsqu'elle répond à l'augmentation des besoins, elle permet aux entrepreneurs les plus dynamiques de devancer l'épargne, de la mobiliser au fur et à mesure qu'elle se dégage, voire même de contraindre à l'épargne lorsqu'elle ne se dégage pas et doit prendre la forme indirecte de la réduction de consommation par l'inflation. Ce que les théoriciens modernes appellent les détours du financement, donne finalement un pouvoir majeur aux entrepreneurs : il leur donne la direction de la croissance et de l'expansion. Ils peuvent faillir dans l'accomplissement de leur tâche et c'est ce que l'analyse de Keynes a montré. L'entrepreneur privé se voit alors secondé par l'entreprise publique. Celle-ci a recours aux mêmes procédés que lui. Elle peut dégager une épargne préalable — au moyen de l'impôt par exemple, ou en faisant appel, par l'emprunt, à l'épargne des particuliers. Elle peut financer l'investissement en devançant l'épargne, qui est réalisée progressivement par le moyen des impôts — ou qui est encore remise au moment où les entreprises créées pourront rembourser l'État des avances qu'il a effectuées. C'est le procédé que l'on trouve employé dans un grand nombre de pays modernes : l'impasse budgétaire correspond à cet ensemble de dépenses non couvertes par l'impôt ou par l'emprunt, mais dont les effets inflationnistes sont faibles, puisqu'elles donneront naissance à terme à des flux compensateurs, à une épargne qui correspondra à la somme des dépenses engagées. Enfin, l'État peut procéder à l'investissement en émettant de la monnaie au-delà de ce qui correspond à la limite de l'impasse saine, c'est-à-dire de celle dont l'effet est amorti par l'augmentation du produit territorial et de l'épargne. L'État recourt à l'inflation pour financer ses activités et à l'épargne forcée (39).

Dans les économies de l'Europe occidentale, l'État joue un rôle considérable dans l'expansion actuelle. Il intervient directement pour la construction d'infrastructures ou d'équipements dont l'entreprise privée ne peut se charger. Il contribue aux investissements dans certains secteurs productifs, dans la mesure où des entreprises sont nationalisées. Enfin, il peut encourager l'entreprise privée à investir et son action est capitale dans ce sens pour assurer le rééquilibre d'économies qui seraient sans cela constamment perturbées.

L'analyse moderne des mécanismes de l'investissement, lorsqu'on la mène *ex ante* est très importante, car elle redonne à l'homme une autonomie que les théories économiques classiques lui enlevaient. L'investissement moteur dépend surtout des hommes, de la société dans laquelle ils vivent et des institutions qu'ils ont créées. Le taux de croissance d'une économie ne reflète pas seulement les qualités de parcimonie de la population, ce refus de vivre que constitue bien souvent l'acte d'épargner. Il résulte de l'action des entrepreneurs, qui arrivent à modeler dans une large mesure le pays dans lequel ils agissent. La stagnation des pays sous-développés est due autant au manque d'esprit d'entreprise qu'au manque d'esprit d'épargne.

Est-ce à dire qu'il suffirait d'envoyer quelques entrepreneurs dynamiques dans un pays sous-développé pour qu'il sorte du marasme et que son produit croisse enfin plus rapidement que ne le fait la population et la demande territoriale? Non, car il ne faut pas simplifier au point de la dénaturer l'analyse moderne de l'investissement; il ne faut pas se faire l'apôtre d'un volontarisme qui ne correspond pas à la réalité observable. Les entrepreneurs peuvent infléchir le taux de croissance en fonction de leurs projets, mais ils ne peuvent le faire isolément. C'est cela que montre l'analyse du détour de financement : l'entrepreneur ne peut créer directement la monnaie dont il

(39) La réalisation de l'investissement dans les économies modernes se trouve facilitée dans la mesure où les liens de subordination à l'épargne préalable se trouvent distendus. Il semble qu'une inflation limitée facilite ainsi la croissance. L'action de l'État se répercute ainsi sur l'ensemble de l'économie d'un pays. DIETERLEN (Pierre), « La monnaie auxiliaire du développement ». *Revue économique*, vol. IX, 1958, pp. 513-546. — ID., « Monnaie et expansion, le rôle de la Banque centrale ». *Revue d'économie politique*, vol. 171, 1961, pp. 269-334.

a besoin. Le système est ainsi fait que l'épargne déjà drainée par le réseau bancaire doit être utilisée en priorité. Au-delà des disponibilités actuelles, la création de monnaie est inséparable de la spéculation, mais celle-ci est nécessairement œuvre collective. Elle suppose que toute une catégorie d'agents économiques se préoccupe de l'évolution future de la production. Elle résulte d'une prise de conscience des problèmes d'évolution qui manque précisément dans les pays sous-développés.

L'investissement est un acte moteur original, dont le rôle est prépondérant dans la croissance économique. Sa mise en œuvre suppose tout un jeu d'institutions et de comportements sociaux qui rend inséparable l'analyse de l'investissement de celle des sociétés qui l'effectuent (40).

Les divers aspects de l'économie des ensembles clos que nous venons d'évoquer peuvent sembler inutiles à qui veut décrire et comprendre les faits d'organisation spatiale. Nous allons essayer de montrer, dans les chapitres qui suivent, qu'il n'en est rien. Les équilibres dans l'espace ne se comprennent pas si l'on n'analyse pas le rôle des institutions et des mécanismes de la création monétaire. Et l'ensemble des faits d'organisation de l'espace ne peut s'éclairer que si l'on laisse à l'étude des sociétés, des institutions, des hommes et de leur dynamisme, la part qui est la leur dans la vie quotidienne et que l'analyse *ex ante* de l'investissement et de la croissance met précisément au centre de l'explication.

(40) Nous avons consacré l'essentiel de la deuxième partie de ce chapitre à l'analyse des modalités de l'investissement dans les économies décentralisées. Nous voulions montrer par quelles voies l'investissement s'était progressivement libéré des contraintes de l'épargne. Nous avons supposé que l'économie demeurait proche des conditions de la concurrence parfaite. Le problème du financement de l'investissement est beaucoup plus facile lorsque les entreprises disposent d'un pouvoir de marché considérable : elles peuvent s'assurer des marges de profit confortables, déplacer à leur avantage les possibilités d'épargne. Dans ce cas encore, l'entrepreneur est maître de l'investissement ; celui-ci s'effectue de manière apparemment orthodoxe, sur épargne préalable. En fait, la décision et le moteur de la croissance se trouvent concentrés dans les mains des monopoleurs ou des oligopoleurs.

La concentration des moyens d'investissement de l'épargne donne aux économies centralisées une liberté que les économies capitalistes n'ont acquise que lentement, par la mise en place d'institutions souples de création monétaire. L'analyse des problèmes monétaires des économies socialistes n'offre donc pas grand intérêt pour l'analyse de la croissance.

CHAPITRE IV

L'ÉCONOMIE DANS L'ESPACE

L'activité économique se déroule dans l'espace. La production, la consommation, la distribution ont un support, sont utilisatrices d'étendue. L'agriculture, les activités minières incorporent la terre ou ses ressources dans la combinaison productive.

Support ou élément de la combinaison économique, l'espace occupé et utilisé détruit les conditions de transparence et de fluidité idéales que la théorie économique suppose généralement. Les transports de biens sont onéreux au point parfois de prévenir les échanges entre différentes régions. Les prestations de service se heurtent plus encore à des limites imposées par l'éloignement. Les circuits de l'information, parallèles à ceux des biens, des revenus et des services et qui assurent l'équilibre de la machine économique sont également gênés par l'obstacle de la distance. Le fait est moins évident aujourd'hui qu'autrefois, puisque les moyens de communication modernes peuvent se passer de support matériel et qu'ils sont instantanés. La mobilité de l'information s'est accrue plus vite que celle des autres catégories économiques depuis le début du siècle passé : elle n'est pourtant pas infinie et la transparence économique est très imparfaite. Certaines catégories d'information, les plus importantes souvent pour la vie économique, ne peuvent s'échanger que directement, de bouche à oreille, ce qui les enferme dans le cercle de mobilité des personnes.

Le poids de la distance et de l'étendue se fait donc sentir à tous les niveaux du circuit économique. Nous essaierons d'abord de voir comment la distance économique des éléments qui interviennent dans le circuit, puis nous montrerons la manière dont l'équilibre du circuit se trouve modelé dans l'espace et par l'espace.

I. — La mobilité des éléments et des constituants de la vie économique.

Il y a plusieurs manières d'analyser la mobilité. Dans certains cas, le déplacement est impossible pour des raisons techniques. Ainsi, dans les économies continentales traditionnelles, le déplacement de masses considérables était limité à certains cas précis : on savait acheminer des mégalithes grâce à des chemins de roulement sur quelques centaines de mètres, faire descendre des blocs énormes le long des pentes vertigineuses : les carrières de marbre de la région de Carrare, où certaines des techniques traditionnelles sont encore utilisées, montrent comment l'homme a su s'ingénier pour résoudre ces problèmes. Mais les limites techniques de la mobilité étaient vite atteintes. L'invention de la roue, de l'attelage permit des progrès considérables; après la mise au point de l'attelage moderne, les charges que l'on pouvait tirer en plaine n'excédaient pourtant pas une tonne pour un cheval.

La limite technique de la mobilité n'est pas toujours la plus significative pour notre propos. Il en est de sociales et d'économiques qui nous intéressent bien plus ici : les frontières des groupes sociaux ont souvent constitué des obstacles que les biens, les hommes et les idées franchissaient difficilement (1). Elles demeurent imparfaitement perméables au mouvement dans le monde actuel. Les attitudes et les coutumes contribuent souvent à modeler la mobilité : il est des peuples qui acceptent plus facilement de se déplacer, de se mêler à d'autres, de renoncer à une partie de leurs habitudes pour accéder à des milieux nouveaux (2).

(1) Les recherches des écoles diffusionnistes permettent de préciser à la fois l'obstacle des limites du groupe et la vitesse à laquelle se déplacent modes et innovations. Les travaux les plus nombreux sont le fait d'ethnologues et d'anthropologues; A. L. Krœber, aux États-Unis, a donné à l'école diffusionniste un large rayonnement. Les géographes ont conduit des études parallèles. Citons Stanilawski (Dan), « The Origin and Spread of the Grid-pattern Town ». *Geographical Review*, vol. 36, 1946, pp. 105-120. — Troll (Carl), « Qanat-Bewässerung in der Alten und Neuen Welt ». *Mitteilungen der Osterreichischen Geographischen Gesellschaft*, Band 105, Heft 3, 1963, pp. 313-330.

(2) Un des exemples les plus remarquables de ces différences de comportement a été mis en évidence par les recherches systématiques sur les migrations menées par les géographes suédois. Lorsque l'on a tenu compte de tous les facteurs écono-

La machine sociale doit être soucieuse d'efficacité. Lors même que le transport est techniquement possible ou que le déplacement est concevable, ils peuvent constituer des gaspillages intolérables à l'échelon de la communauté. La rationalité sociale exige que certaines limites soient apportées à l'utilisation des moyens techniques. Sans cela, les charges qui tiennent à la mobilité peuvent devenir insupportables. On admire souvent le réseau routier de l'Empire romain. On souligne son caractère stratégique, on montre comment il permettait d'unifier un grand espace politique et économique. Lorsqu'on essaie de voir ce qu'il coûtait, on est confondu de voir à quel point il pesait sur les forces vives de la société de l'époque. La construction et l'entretien des voies devaient absorber le quart ou le tiers du revenu courant (3); la rationalité du réseau de transports était moins grande qu'il n'apparaît de prime abord. Faute d'avoir inventé les moyens techniques susceptibles d'alléger ces charges écrasantes, l'Empire romain a toujours vécu à l'extrême limite de ses moyens. A la moindre crise, les ressources fléchirent et la cohésion devint un luxe auquel on dût renoncer.

La limite de la mobilité est donc pour l'essentiel, ou pour une grande partie de nature économique. Elle varie avec les modifications dans la technique des transports et des communications, mais les prix sont la plupart du temps fixés sur un marché, c'est-à-dire qu'ils ne reflètent pas seulement les conditions de coût de revient. Dans la mesure où il existe de forts éléments de monopole, l'espace se trouve modelé au moins autant par les motivations des monopoleurs, que par les contraintes purement économiques qu'expriment les prix de revient (4).

A l'action de direction par le marché du transport, la société peut adjoindre des méthodes d'intervention plus directes sur la mobilité. Elle peut la favoriser dans certains cas — aux dépens

miques et sociaux qui peuvent conditionner la mobilité, on s'aperçoit qu'il reste un résidu, qui correspond aux goûts et aux aptitudes profondes des groupes. La Suède apparaît divisée en deux. WENDEL (Bertil), *Regional aspects of internal migration and Mobility in Sweden*, pp. 7-26 de HANNEBERG (David), HAGERSTRAND (Torsten), ODEVING (Bruno), « Migration in Sweden ». A Symposium. Lund Studies in Geography. Ser. B, *Human Geography*, n° 13, 1957, 336 p.

(3) JONES (A. H. M.), *The later Roman Empire 284-602*. Londres, 1964, 3 vol. textes, 1 vol. doc., 1068 + 448 p.

(4) On pourra se faire une idée des problèmes de l'économie du transport en se référant à DAGGETT (Stuart), *Principles of Inland Transportation*, New York, Harper 4e éd., 1955, 788 p. — FAIR (Marvin), WILLIAMS (Ernest), *Economics of transportation*. New York, Harper and Brothers, 2e éd., 1959, XI, 684 p.

d'autres objectifs, comme c'était le cas pour l'Empire romain — ou la restreindre, pour éviter la compétition avec d'autres groupes plus entreprenants, plus dynamiques, plus aptes à profiter du déplacement des personnes, de l'échange des idées ou de la transmission des biens.

Il est donc difficile de définir de manière précise la mobilité de chaque élément de la vie économique : elle varie avec l'ensemble du système; on ne peut nier l'artifice qu'il y a à isoler chacun des éléments du contexte social, institutionnel et technique dans lequel il trouve sa pleine explication. Il est néanmoins possible de mettre en évidence des différences de degré, des hiérarchies dans la mobilité.

La mobilité des biens.

Dans les économies pré-industrielles, la portée des biens était médiocre. Les moyens techniques étaient insuffisants pour permettre les transports de masse sur de grandes distances. C'était vrai surtout sur les continents. La plupart des matières premières non élaborées ne pouvaient pas raisonnablement être déplacées au-delà de quelques kilomètres. Les matières premières textiles, plus légères, plus précieuses, voyageaient mieux. Il en allait de même pour des minerais ou des métaux rares. La plupart des économies du monde de l'Antiquité classique, comme celle de l'Extrême-Orient, étaient à base céréalière : les échanges en étaient facilités. Les civilisations où le produit de base était constitué par tubercules — c'est le cas d'une bonne partie du monde intertropical livré à la culture itinérante sur brûlis — se caractérisaient par une mobilité bien inférieure des produits de grande consommation. Les obstacles volontaires restreignaient dans un grand nombre de cas les mouvements de vivres dans le monde antique ou médiéval et à l'époque moderne. Sur les continents, les seuls produits alimentaires qui pouvaient s'échanger à très longue distance étaient ceux de l'élevage, à cause de la mobilité propre du bétail. Dans les économies écrasées par l'espace comme celle de l'Amérique latine coloniale, le développement de l'élevage extensif a permis de faire participer de larges régions au circuit économique : les Espagnols et les Portugais ont maîtrisé ainsi un espace qu'ils ne pouvaient effectivement occuper.

Les seuls produits qui donnaient naissance à des échanges à

longue distance étaient des matières très rares, des objets précieux, des produits manufacturés de luxe. On sait la prospérité des vieilles routes de caravane, le cheminement prodigieux de la

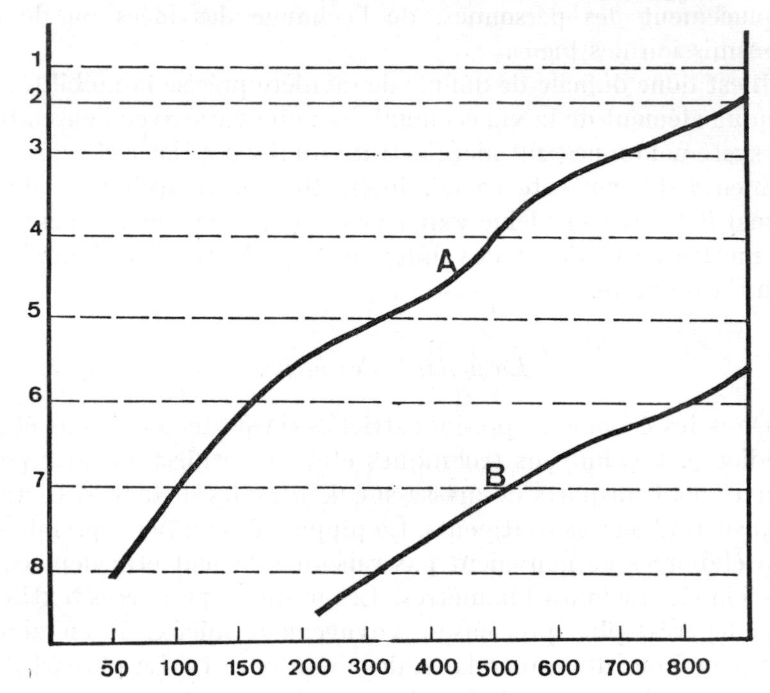

Fig. 4.1. — La portée des différents types de produits aux États-Unis.
En abscisses, les distances exprimées en milles.
En ordonnées, les types de biens par catégories de la classification de la commission inter-états du commerce.

1. Articles de valeur.
2. Produits manufacturés et divers 1re et 2e classes.
3. Produits manufacturés et divers 3e et 4e classes.
4. Fer et acier 5e classe.
5. Fer et acier 6e classe.
6. Anthracite.
7. Charbon bitumineux.
8. Sables et graviers.

Courbe A : Portée lorsque le transport se fait par camion.
Courbe B : Portée lorsque le transport se fait par rail.
D'après Fair et Williams, *Economics of Transportation*, *op. cit.*

soie de l'Extrême-Orient, ou des épices qui atteignaient l'Europe par une voie en grande partie terrestre.

La mobilité des biens était beaucoup plus considérable lorsqu'ils voyageaient par eau, sur les fleuves à l'intérieur des continents ou sur mer. C'est par l'amélioration des techniques de transport maritime, à partir du XVIe siècle que l'Occident a commencé la longue transformation qui devait le conduire aux formes modernes d'économie et lui assurer une avance considérable sur les autres parties du monde.

La révolution des transports est à la fois cause et conséquence des transformations de l'agriculture et de l'industrie. Elle s'est déroulée à la fois sur terre et sur mer, à un rythme quelque peu inégal. Les innovations techniques dans le domaine des transports n'ont pas eu des conséquences uniformes pour toutes les catégories prises en charge. Les moyens actuels permettent une diminution rapide des frais lorsqu'il s'agit de transporter en vrac des marchandises (fig. 4.1) pondéreuses : pour les transports maritimes, on a pu parler d'une seconde révolution depuis dix ans (5). Désormais, la portée de la plupart des minerais, des matières premières lourdes, des combustibles, est devenue planétaire. Sur terre, l'évolution se fait dans le même sens, particulièrement pour les marchandises qui peuvent se transporter par trains complets sur de très longues distances — minerais encore, mais aussi produits alimentaires, céréales par exemple. Les progrès ont été plus faibles, pour les objets qui se transportent en quantités plus réduites, qui sont plus fragiles. Leur portée est limitée par d'autres facteurs. Pour les objets de consommation durable, il est nécessaire de mettre en place une infrastructure de points de service après-vente, de dépôts de pièces détachées, qui limitent parfois l'extension de la zone de vente.

La situation actuelle se caractérise donc par un allongement prodigieux de la portée des biens, mais cet allongement est inégal, ce qui provoque un bouleversement des conditions d'équilibre de la production.

Le facteur terre, ou l'immobilité corrigée par l'abondance.

La vie économique dépend de la localisation des facteurs de production et de leur mobilité. De manière générale, ceux-ci sont moins mobiles que les biens. On opposait autrefois la terre aux autres facteurs en montrant qu'elle était la seule à être immo-

(5) On se reportera à LE LANNOU (Maurice), « Les transports maritimes. Réalités et perspectives ». *Revue de Géographie de Lyon*, vol. XXXIX, 1964, pp. 207-245.

bile, les autres étant susceptibles de se déplacer. C'est vrai et l'ensemble des facteurs est moins mobile que ne le sont les biens.

En première analyse, la terre est rigoureusement immobile. Les activités productives occupent un certain espace et comme l'espace est rare, il importe de rémunérer l'utilisation qui en est faite. Mais les besoins d'espace des divers types d'activité sont très différents, si bien que la qualité de bien rare que possède la terre n'est pas partout la même. Dans l'agriculture, la terre participe activement à la production. Aussi est-elle pour l'exploitant un facteur hétérogène, variable d'un point à un autre, difficilement substituable. La rareté générale du facteur s'en trouve accrue. Cependant, il existe encore des régions où toutes les terres cultivables ne sont pas exploitées. La rareté de la terre n'est pas absolue. Elle provient de ce que la mise en valeur initiale demande des travaux considérables : il faut déboiser, dessoucher, drainer, irriguer, avant de pouvoir semer. Il faut investir pour que la terre devienne productive. Ce qui est rare, dans ces économies, ce n'est pas la terre, mais les capitaux nécessaires à la vivifier; le prix de la terre est dans une large mesure celui du capital que l'on a dû investir pour la mettre en valeur. Lorsque les frais de mise en culture sont réduits au minimum, comme c'était le cas dans les pays de prairies tempérés de l'hémisphère nord et de l'hémisphère sud, il a pu se développer durant les périodes assez longues des économies où la terre était un facteur libre : en pareil cas, il est toujours possible de substituer une parcelle de terre à une autre, ce qui revient à dire que l'immobilité du sol ne gêne pas la mobilité de la mise en valeur. A partir du moment où toutes les terres sont appropriées et utilisées, la situation devient différente (6).

Pour un industriel, pour un commerçant, la terre est un simple support. Elle se présente comme un facteur relativement homogène. Les seules différences physiques proviennent de la façon dont les sols se prêtent à la construction. Selon le sous-sol, selon le climat aussi, les conditions dans lesquelles on peut utiliser un terrain varient considérablement, si bien que les techniques de construction doivent s'adapter et que les prix se trouvent modi-

(6) On trouvera une analyse théorique de l'influence du facteur terre dans l'agriculture dans THUNEN (Johann von), *Der Isolierte Staat*, *op. cit.* — DUNN (E. S.), *The Location of Agricultural Production*. Gainesville, University of Florida Press, 1954, 115 p.

5. La naissance d'une région de monoculture spéculative.
Les vergers de la plaine régularisée du Rhône, à Martigny. L'uniformisation du paysage n'est pas achevée, comme cela se produit souvent au cours du développement des cultures commerciales.
(Cliché : *P. Claval.*)

6. L'affinage du Comté.
Une région agricole, c'est autant et plus qu'une zone d'aptitudes physiques homogène, une zone où s'est diffusée certaine technique.
(Cliché : *Est républicain, B. Faille.*)

fiées pour le constructeur et l'utilisateur. L'hétérogénéité du facteur terre provient pourtant essentiellement des conditions de situation. Les surfaces nécessaires sont suffisamment faibles par rapport à celles des zones où l'industrie peut s'installer, pour que la terre ne soit pas pour elle rare. Elle ne paie que le coût de substitution à une activité agricole, qui obtient pour une superficie donnée un produit bien moindre; ce coût est donc généralement négligeable. Le vendeur est en position difficile pour confisquer à son profit les bénéfices escomptés de la nouvelle installation. Dans la très grande généralité des cas, le prix du facteur terre comporte en fait surtout des charges de capital.

Pour le commerçant, la situation est quelque peu différente. Il vend des services et la mobilité de ceux-ci ne s'explique pas comme celle des biens. Le progrès des transports a accru la portée de la plupart des services, mais celle-ci demeure limitée. Qui dit service, dit rapport direct, dans la plus grande partie des cas, entre les clients et les prestateurs; cela suppose un déplacement de personnes — celui du prestateur dans certains cas, celui du client le plus souvent. Ces déplacements sont bornés à la fois par le prix du transport et par le temps qu'il demande. On a abaissé considérablement le coût de la distance, les vitesses se sont largement accrues, cependant que la diffusion de l'automobile assure les progrès de la mobilité individuelle. Mais la longueur du parcours consenti dépend de la fréquence d'usage. Aussi, le prestateur de service se trouve lié à la clientèle d'une manière étroite. Les services sont solidaires les uns des autres, car les clients évitent les pertes de temps en ne faisant qu'un déplacement pour plusieurs; les lieux centraux se trouvent avantagés sur tous les autres types de localisation (7). Du coup, la terre cesse d'être un bien libre pour les activités de service, car les bonnes situations sont rares et le facteur-terre — ici, facteur-situation, plus que facteur-sol, entre largement dans la combinaison productive du prestateur de service. Toute la théorie économique classique de l'organisation de l'espace régional et de l'espace urbain, est construite sur cette constatation (8).

(7) On trouvera à la fois une bibliographie et une présentation synthétique de la théorie des lieux centraux dans BERRY (Brian J. L.), PRED (Allan), *Central Places Studies : a Bibliography of Theory and Applications.* Philadelphie, The Regional Science Institute, 1961, VI, 153 p.

(8) On trouvera un exposé de la théorie de la ville dans ALONSO (William), *Location and Land Use. Toward a General Theory of Land Rent.* Cambridge (Mass.), Harvard University Press, 1964, XII, 204 p.

L'augmentation de la mobilité individuelle a transformé depuis une génération les conditions générales de l'activité des services. La mobilité des gens s'est accrue au point que des possibilités très nouvelles sont apparues. Cela permet de dire à certains auteurs que ce qui caractérise les villes modernes c'est qu'elles disposent d'espace d'une manière apparemment illimitée, c'est que la terre est redevenue pour elles un bien libre (9). Nous reviendrons sur ce point, mais on comprend aisément comment une fluidité plus grande de la clientèle peut faire disparaître la vieille tyrannie des lieux centraux et distendre énormément l'échelle spatiale des agglomérations.

La possibilité de substitution entre les terres contribue à limiter les effets économiques de l'immobilité du sol tant que la rareté demeure limitée. Dans l'économie moderne, on assiste, avec le développement des activités industrielles, l'épanouissement d'une civilisation de la mobilité individuelle, à une libération progressive de la production vis-à-vis du facteur terre. Alors que pour la plupart des nations évoluées du monde, les terres cultivables sont très largement utilisées, qu'il ne reste pas de grandes réserves de terres vierges et que l'ère du monde fini, pour reprendre l'expression de Paul Valéry, commence, on voit, pour l'économiste, une situation paradoxale : l'économie se libère du facteur terre, dans la mesure où elle se tourne vers des activités qui en sont moins grandes consommatrices. L'abondance relative du facteur corrige ici sa fixité.

La mobilité du capital.

Le capital est plus mobile que ne l'est la terre. Mais il l'est moins que beaucoup de biens, à partir du moment où il est devenu réel, a pris la forme de machines, d'équipements, de stocks. La plupart du temps, ce capital se présente alors sous la forme d'un certain nombre de biens, dont la portée s'est trouvée accrue comme celle de tous les autres par la révolution des transports. On constate en effet que les équipements lourds, les machines, le matériel de manutention et de levage, les instruments de mesure et de contrôle qui sont nécessaire à toutes les chaînes de fabrication, bénificient de marchés extrêmement

(9) Abrams (Charles), « The Uses of Land in Cities ». *Scientific American*, vol. 213, n° 3, sept. 1965, pp. 150-161.

larges. Il s'agit pourtant de biens, souvent encombrants et de transport difficile, mais la valeur du travail qui est incorporée est telle qu'ils sont capables de supporter des charges de transport élevées. Aussi les marchés d'équipements neufs sont-ils souvent les plus vastes des marchés de biens. Des pays comme la Suède, ou la Suisse, ont appuyé leur essor économique moderne sur la production de biens d'équipement qu'elles écoulent dans le monde entier. Et cependant, la mobilité du capital pris dans son ensemble est médiocre.

Une machine isolée n'a pas de valeur pour la production. Elle ne devient utilisable que dans un ensemble souvent très considérable dont les opérations sont complémentaires. Dans les usines du siècle dernier, on voyait souvent juxtaposées de nombreuses machines du même type, faisant en parallèle la même opération : on pense aux broches des filatures, aux métiers des tissages. On pouvait, dans ces conditions, distraire une machine, ou en ajouter une sans que le fonctionnement de l'ensemble soit compromis. La mobilité du capital, dans ces usines, restait appréciable, puisqu'il était possible de procéder à des mouvements fractionnés. Les industries métallurgiques et chimiques actuelles se présentent très différemment. Les opérations qui s'y déroulent sont liées et non juxtaposées. Il est nécessaire de déplacer l'usine tout entière, transporter une machine isolée n'a pas de sens.

En dehors de la valeur du matériel, des machines, le capital englobe tout ce qui a été nécessaire à la mise en place de l'ensemble productif : bâtiments, infrastructure, — et qui est généralement immeuble. Déplacer une usine entraîne donc des pertes d'immobilisations fixes. Le matériel mobile peut supporter les transports, mais généralement il en souffre et demande ensuite des réglages nombreux. Les expériences de décentralisation industrielle ont montré qu'il était possible de déménager sans trop de difficultés et sans trop de frais des usines légères. Les analyses minutieuses auxquelles se sont livrés les Anglais (10) ont révélé que les charges étaient considérables et rendaient douteuse la rentabilité de l'opération dans bien des cas. Sans subvention officielle, le transport du capital ne serait jamais entrepris à cette échelle. Il n'a été effectué systématiquement

(10) LUTTRELL (F.), *Factory Location and Industrial Movement*. Londres, National Institute, 2 vol., 1962, 1087 p.

que dans des circonstances exceptionnelles. En période de guerre, on ne regarde plus à la rentabilité. On déménage des usines entières, l'équipement de régions menacées. L'industrialisation des régions orientales de l' U. R. S. S. a été accélérée par la guerre et l'évacuation des régions industrielles de l'Ukraine. Après la guerre, les réparations ont donné lieu au déménagement d'équipements et d'installations. L'opération n'est pourtant pas toujours intéressante et les bénéficiaires préfèrent presque toujours obtenir du matériel et des équipements neufs.

Au niveau des installations neuves, les équipements sont bien plus mobiles. On n'a pas intérêt à procéder à des dépenses d'infrastructure pour du matériel qui sera rapidement hors d'usage. Pour du matériel neuf, l'opération sera au contraire aisément amortie. En France, et dans les pays qui comme elle essaient de promouvoir une politique de décentralisation industrielle, on s'est aperçu qu'il était plus facile d'obtenir la création d'installations nouvelles en province que le transfert de capacités de production déjà existantes. La mobilité des investissements nouveaux n'est limitée que par certains avantages que l'on peut tirer d'une localisation ancienne. Partout où l'accroissement des capacités de production se fait plutôt par un lent bourgeonnement des installations existantes que par création d'une chaîne de fabrication *ex nihilo*, le poids des anciennes localisations est très grand. Elles continuent à attirer une bonne partie de l'investissement neuf. Quoique les conditions qui ont déterminé la localisation de l'industrie américaine de l'acier se soient radicalement modifiées depuis la guerre, avec l'épuisement progressif des gisements de fer du lac Supérieur, les transformations de la géographie de la production sont demeurées modestes (11). Parmi les capacités neuves, une bonne partie s'est créée en bordure de la mer, à proximité des grands marchés, comme le veut la théorie de la localisation, mais les usines anciennes se sont maintenues et ont accru leur capacité. Des innovations comme les fabrications à l'oxygène, permettent d'accroître la production des unités existantes et favorisent donc la permanence de l'implantation du capital.

On voit ce qui limite la mobilité des capitaux réels. On peut

(11) ALEXANDERSSON (Gunnar), « Changes in the Location Pattern of the Anglo-American Steel Industry, 1948-1959 ». *Economic Geography*, vol. 37, 1961, pp. 95-114.

retenir que l'investissement neuf est relativement plastique, alors que l'investissement ancien est lié au sol.

La mobilité du travail.

La mobilité de la main-d'œuvre est difficile à analyser. Elle varie beaucoup selon les circonstances, mais dans la plupart des cas, elle demeure assez faible. Dans un rayon de quelques centaines de mètres pour ceux qui se déplacent à pied, de quelques kilomètres, voire de quelques dizaines de kilomètres pour ceux qui utilisent des moyens de transport mécaniques, la distance ne constitue pas un obstacle aux déplacements quotidiens. Les migrations alternantes du travail ont toujours existé, dans les économies rurales comme dans les villes. Avec la révolution des transports et la concentration progressive des activités productrices dans de gros établissements, le phénomène est devenu de plus en plus important. Les géographes l'étudient minutieusement depuis une trentaine d'années. Ils définissent des zones dans lesquelles la mobilité de la main-d'œuvre est très élevée. Des différences existent d'un pays à un autre. Dans les pays sous-développés, là où n'existent pas de réseaux de transports collectifs, la limite des migrations alternantes est de quelques kilomètres. Elle atteint ses plus hautes valeurs dans les grandes agglomérations équipées en moyens de transports collectifs à grand débit ou dans les pays où la diffusion de l'automobile est devenue générale (12). Tout ne s'explique pas dans ces contrastes par les écarts de niveau de vie. Les migrations sont souvent plus importantes dans les pays de l'Europe moyenne, de l'Italie du Nord à la mer du Nord, qu'elles ne le sont en France. Ce qui intervient sans doute, ce sont des conceptions différentes de l'existence, un goût plus fort pour la vie dans les petits centres, des sociétés locales demeurées plus vigoureuses.

De telles nuances nous montrent que la mobilité des travailleurs ne s'explique pas toute entière par des considérations économiques — ou plus précisément, par des considérations de revenu (13). Le fait apparaît clairement lorsque l'on envisage

(12) Il existe des cas où la mobilité quotidienne est accrue par l'usage de l'avion : il existe ainsi un courant de migration alternant entre San Francisco et Los Angeles.

(13) Les disparités de salaire suffisent à prouver que le niveau de rémunération

la mobilité à plus longue distance. Dès que l'on dépasse la limite de ce qui peut être parcouru quotidiennement sans excès de fatigue, la mobilité baisse brutalement. Elle est limitée par les frais qu'entraîne alors le changement de domicile. Elle est plus forte pour ceux qui se déplacent seuls que pour ceux qui sont chargés de famille. Bien souvent, d'ailleurs, ils préfèrent garder leur domicile originel, y laisser leur famille, et revenir chez eux toutes les semaines. Pour les activités très mobiles, les chantiers de travaux publics, en particulier, la main-d'œuvre présente des caractères spéciaux. Elle comporte une proportion anormalement forte de jeunes, de célibataires et dans la plupart des pays développés, d'étrangers, qui sont contraints d'accepter des conditions de travail que les nationaux ne supportent plus.

L'obstacle économique aux déplacements est considérable. Il est renforcé partout où les marchés immobiliers manquent de fluidité : les propriétaires de logements migrent moins facilement, à moins que n'existent des marchés fonciers fonctionnant bien et qui permettent d'échanger sans difficulté des appartements ou des maisons. Pour les jeunes qui habitaient chez leurs parents, le fait d'avoir à payer l'hôtel ou la pension, diminue considérablement l'intérêt des migrations. Aussi y-a-t-il une période de mobilité maximale qui correspond au moment où les jeunes fondent une famille et où ils ne sont pas encore chargés d'enfants au point d'être profondément enracinés en un point. La mobilité diminue par la suite, puis augmente à nouveau à la fin de la vie active, mais demeure plus faible que celle des classes jeunes.

On constate généralement que le nombre des déplacements varie dans le même sens que le revenu. Ce sont les cadres supérieurs du commerce et de l'industrie, les fonctionnaires de niveau élevé qui migrent le plus. La relation n'est cependant pas simple. La mobilité diminue lorsque baissent les revenus jusqu'à un certain seuil — qui correspond en gros à celui des revenus des petits fonctionnaires, des employés de commerce et de bureau, des ouvriers qualifiés. Elle augmente brusquement au-dessous de ce niveau, chez les manœuvres et les salariés agricoles en particulier. Cela dénote des différences de compor-

ne suffit pas à expliquer les mouvements de population. MADINIER (Philippe), *Les disparités géographiques de salaires en France.* Paris, Imprimerie Nationale, 1959, 199 p.

tement de part et d'autre de ce seuil. Au-dessus, les chefs de famille considèrent comme normal de mener une existence familiale, de posséder un logis, de donner une instruction à ses enfants. Au-dessous, les salariés renoncent à s'assurer ces conditions de vie : ce sont elles qui lient à une ville, à un village. Des faits sociologiques se lient aux faits purement économiques dans l'explication de la mobilité (14).

De nombreux traits permettent de souligner l'influence de ces facteurs sociologiques. Que dans une région rurale, un courant d'émigration se dessine : il prend bien vite une certaine fermeté, il devient régulier; les gens partent pour le même quartier, pour la même ville, pour le même pays. Dans tel village des Abbruzzes, on part pour l'Australie, alors que le village voisin envoie ses jeunes hommes au Venezuela et que dans un troisième, on continue à gagner à New York depuis des générations. Voilà qui révèle l'importance de ce que les sociologues appellent des stuctures d'accueil. On part plus volontiers pour un pays où l'on ne se sentira pas complètement étranger, où l'on saura que l'on peut compter sur des solidarités, sur l'aide efficace de compatriotes déjà installés. Les possibilités de travail, le niveau des rémunérations ne sont pas les seuls éléments qui entrent en considération dans les décisions de migration. Cela explique la structure souvent déroutante des déplacements. De manière générale, la mobilité diminue avec la distance, mais les exceptions sont si remarquables qu'elles montrent la fragilité des motivations économiques pures : en Italie du Sud, il est arrivé souvent que les migrations à courte distance demeurent à peu près nulles, alors que les mouvements transcontinentaux étaient massifs.

Le marché du travail est extraordinairement compartimenté. Il l'a été de manière croissante depuis le début de la révolution industrielle. La part des opérations qualifiées a augmenté, le niveau d'instruction que l'on demande aux cadres et aux agents

(14) On se rendra compte de la complexité des mouvements migratoires, de leur évolution et de leur motivation dans Girard (Alain), Bastide (Henry), Pourcher (Guy), « Mobilité géographique en province et concentration urbaine ». *Population*, vol. 19, 1964, pp. 227-266. — Pourcher (Guy), « Un essai d'analyse par cohorte de la mobilité géographique et professionnelle ». *Population*, vol. 21, 1966, pp. 357-378. — Beltramone (André), *La mobilité géographique d'une population*. Coll. « Techniques économiques modernes », n° 15, série « Espace économique », n° 6, Paris, Gauthier-Villars, 1966, 299 p.

de maîtrise s'est élevé. Pour les ouvriers, le mouvement a été double. La mécanisation et la standardisation, de nos jours l'automation, font disparaître une bonne partie des tâches professionnelles d'autrefois. Dans la plupart des usines modernes, la masse des manœuvres et des ouvriers spécialisés n'a plus besoin d'apprentissage : pour eux, le marché du travail est plus homogène qu'autrefois, moins compartimenté. On ne parle plus guère, comme on le faisait naguère de l'atavisme des populations ouvrières des vieux foyers de développement. Les qualités requises pour le travail ne sont pas de celles auxquelles il faut s'habituer dès l'enfance. Si la masse des travailleurs industriels se trouve ainsi progressivement rendue plus homogène, elle perd en volume par suite des progrès de l'automation et de la mécanisation. Des emplois qualifiés d'un autre type apparaissent. Ils ne sont plus spécifiques de telle ou telle industrie : les mécaniciens, les régleurs, les électriciens, les électroniciens sont nécessaires pour le maintien en activité des installations de production dans tous les secteurs d'activité. Ceci favorise en un sens le développement de la mobilité géographique de la main-d'œuvre, puisque le nombre d'établissements susceptibles de faire appel à un ouvrier de niveau donné est plus grand que par le passé et qu'il peut se situer dans des régions dont la vocation est différente. En un autre sens, cela la diminue car les mouvements croisés d'une spécialité à l'autre sont rares. La qualification est le résultat d'études théoriques, elle suppose tout un savoir livresque, des possibilités de communication, qui font hésiter à passer d'un pays à un autre. La langue constitue un obstacle efficace aux mouvements de migration internationaux pour la plupart des catégories de qualification moyenne. Le problème de l'adaptation à une nouvelle communauté est beaucoup plus simple pour un terrassier ou pour un maçon que pour un dessinateur industriel, un projecteur, un chimiste ou même un ajusteur. L'évolution des conditions du travail a parfois tendance à limiter des déplacements que le progrès des techniques modernes de transport rend plus faciles. Dans la mesure où le prix des déplacements, où leur rapidité s'accroît, les problèmes de dépaysement perdent un peu de leur acuité. On sait désormais qu'il sera possible de revoir son pays, sa famille, ses amis assez souvent. On hésite moins à s'éloigner de chez soi. La mobilité à moyenne ou à longue distance se trouve rendue plus aisée, mais elle est freinée par l'obstacle de la langue dans les activités qualifiées. Aussi les migrations internationales ne se sont pas développées en même temps que s'amélioraient les transports. Relativement à la population totale du monde, les mouvements transcontinentaux n'ont pas le même poids qu'au siècle dernier. Les mouvements très importants qui se dessinent à l'intérieur des continents, en Europe en particulier, mettent en mouvement des masses considérables de travailleurs faiblement qualifiés. Le personnel plus solidement formé reste prisonnier des frontières des nations dans lesquelles il s'est perfectionné. Le seul domaine où la mobilité internationale à très longue distance a crû considérablement est celui du travail scientifique très qualifié dont la pénurie est grande dans les économies développées, alors que les pays faiblement industrialisés ont de la peine à trouver un emploi aux spécialistes qu'ils forment.

Les déplacements de travailleurs n'obéissent pas à des règles simples. La civilisation industrielle moderne les a incontestablement facilités. La mobilité de la population a augmenté, mais si l'on dépasse le cercle élargi des mouvements quotidiens, on s'aperçoit que les déplacements ont été généralement bien plus limités qu'on ne pourrait le croire. Cela tient à l'évolution des activités productives, à la part croissante de certaines formes de qualification. Cela tient aussi à ce que le progrès économique libère les hommes d'une partie des contraintes qu'ils subissaient jusqu'alors. Ils ne réagissent pas seulement en demandeurs de salaires. Ils sont, au sens large du terme, des consommateurs autant que des producteurs, leurs goûts et leurs préférences dans ce domaine jouent un rôle grandissant dans leurs décisions. Certains préfèrent renoncer à des revenus plus élevés pour continuer à mener une existence familiale harmonieuse. On choisit son lieu de travail pour l'intérêt du métier pratiqué, mais aussi pour le charme de la région, pour sa beauté, pour les possibilités qu'elle offre à la vie en plein air. Lorsque la semaine de travail se trouve réduite à quatre jours, quatre jours et demi ou cinq, ces aspects tiennent plus de place dans les décisions de localisation. Les travailleurs ne cherchent pas à maximiser leurs revenus, ils essaient plutôt de maximiser leur fonction d'utilité, pour employer le vocabulaire des économistes : cette utilité intègre des éléments très variés; elle limite dans bien des cas la mobilité de la main-d'œuvre; dans d'autres circonstances, elle ne s'oppose pas à son développement, mais l'oriente dans des directions que ne justifient pas les seuls impératifs de la production.

Au total, les facteurs de production sont diversement mobiles, mais ils le sont bien moins que ne le sont les biens. C'est là un trait stable depuis le début de la révolution industrielle. Il justifie les articulations majeures des théories de la localisation des activités économiques.

La vie économique n'est pas seulement faite de biens, de services, de facteurs de production. Elle nécessite l'utilisation de monnaie, elle n'atteint son équilibre que par l'échange d'informations, de nouvelles, par la circulation des ordres.

La mobilité de la monnaie.

La monnaie est certainement un des instruments essentiels de la fluidité spatiale de l'économie. En rendant les objets et les services les plus divers comparables, elle permet l'échange, la division du travail et la spécialisation géographique des activités. Du même coup, la monnaie doit circuler dans l'espace. Tant qu'elle s'est présentée sous forme métallique, cela n'allait pas sans certaines difficultés, sans frais aussi. Le transport de l'or d'un point en un autre est coûteux. Il est nécessaire de payer le déplacement de la marchandise, celui des convoyeurs, celui de l'assurance qu'il faut contracter pour couvrir des risques de l'opération. Dans les économies primitives, le coût ne se décompose pas de manière aussi nette, mais il doit en fait couvrir les mêmes catégories de dépenses.

La mobilité de la monnaie métallique n'est pas très supérieure à celle de la plupart des biens. Mais les hommes d'affaires ont su très tôt l'augmenter en multipliant les opérations effectuées sur signe, en réduisant au minimum les transports de numéraire. Les techniques modernes du crédit sont nées des contraintes du commerce à longue distance. La lettre de change (15), qui a engendré la plupart des monnaies de crédit après une longue histoire est née du commerce à longue distance. La pratique générale des compensations et celle du crédit ont permis de limiter au minimum les déplacements d'espèces. Par la suite, l'usage de la monnaie fiduciaire ou scripturale a encore réduit

(15) Roover (Raymond de), *L'évolution de la lettre de change. XVIe-XVIIIe siècles.* Paris, Armand Colin, 1953, 240 p.

l'obstacle que la distance oppose aux déplacements monétaires. A l'intérieur d'une même nation, on peut dire que la distance ne compte plus, tant les moyens actuels permettent de réduire les frais et les risques des transferts.

Le problème est différent dans le domaine du commerce international. Là, le transport d'or monétaire demeure une nécessité. On note pourtant une évolution depuis le début du siècle. La généralisation de l'étalon de change-or fait que dans beaucoup de banques centrales, on conserve plutôt des devises étrangères que l'or : aussi, les transferts portent de plus en plus sur des signes, de moins en moins sur une marchandise.

Cette évolution n'est possible que dans la mesure où le signe est accepté par tous sans hésitation, dans la mesure donc où il inspire confiance. La fluidité de l'espace monétaire est liée à l'acceptation de règles communes et comme l'ont montré les analyses de G.F. Knapp (16) au début de ce siècle, par l'existence d'une autorité capable d'arbitrer les conflits, de faire respecter les règles et de maintenir la confiance. On voit donc comment les problèmes de fluidité viennent ici se confondre avec ceux de l'autorité, de la discipline et du pouvoir politique.

La mobilité de l'information et des ordres.

La situation est un peu la même pour tout ce qui touche à l'information ou aux ordres économiques. Ces éléments immatériels voyagent apparemment plus facilement que les biens. Ils ne se heurtent pas aux mêmes obstacles. Tant qu'on n'a pu la confier à des supports privilégiés, la mobilité de l'information a été liée à celle des personnes, mais comme une nouvelle peut se transmettre de personne à personne, elle peut aller bien au-delà de ce qu'un individu isolé atteint au cours de ses déplacements. On a vu ainsi voyager au cours des siècles certaines techniques de production, certaines modes parfois, ce qui montre la relative transparence de l'espace dans ce domaine. De la Chine au Bassin méditerranéen, les inventions ont ainsi diffusé lentement par la longue voie des caravanes de produits de luxe. Il était exceptionnel que les mêmes hommes parcourent d'un bout à l'autre la chaîne de transmission. Ainsi, tant que l'information est utilisée

(16) Knapp (G. F.), *Staatliche Theorie des Geldes, op. cit.*

unilatéralement, tant qu'elle ne comporte pas d'élément qui puisse servir ou desservir l'intérêt de celui qui la transmet, elle se montre mobile même là où la technologie demeure primitive : à partir du moment où il y a contact, il y a échange possible d'information.

Toutes les informations transmises ne présentent pas le même caractère. Lorsqu'il s'agit d'ordres, la bonne foi de celui qui transmet est nécessaire, mais elle n'est de mise que si la sécurité est assurée. L'acheminement des ordres cesse d'être possible là où le Prince n'a plus les moyens de châtier les menteurs, ou de mâter la rébellion ou l'insubordination. La vie économique demande transmission de commandements, de nouvelles nécessaires à la décision, mais bien souvent les donneurs d'ordre et ceux qui les reçoivent se trouvent dans des pays différents, sous des autorités différentes. Tant qu'il n'existe pas de droit international, la sécurité de la transmission des ordres se trouve compromise. Rien ne garantit la bonne foi et la sincérité de celui qui doit agir en votre nom, rien ne permet de se retourner contre lui. Les firmes de commerce ont tourné la difficulté en confiant leurs succursales à des parents, si bien que l'autorité familiale pouvait jouer et la solidarité, là où l'absence d'un pouvoir commun rendait difficile la coordination et le respect des ordres. Les maisons de commerce italiennes de la Renaissance peuplaient leurs factoreries de parents ou de clients. Les minorités ethniques ou religieuses à forte solidarité se trouvaient souvent en position avantageuse pour établir ainsi des réseaux d'information. Elles ne dédaignaient pas le surcroît de sécurité que peut donner l'appartenance à une même famille. Les Rothschild ont dominé les relations internationales durant les premières années du XIXe siècle, parce que quatre frères installés à Londres, Paris, Vienne et Naples pouvaient correspondre et créer, en toute confiance, les conditions nécessaires au succès des affaires.

Mais dans la plupart des transactions commerciales, on était désarmé et le seul moyen de s'informer sans risque, c'était de voir de ses yeux la marchandise que l'on se proposait d'échanger. Les marchés concrets que l'on a vu se multiplier depuis le moyen âge ont facilité les transactions de marchandises en permettant aux vendeurs et aux acheteurs de comparer objectivement l'offre et la demande. Pour la plupart des opérations commerciales donc, l'information circulait avec la marchandise et sa mobilité était limitée par celle des biens.

L'évolution est profonde dans ce domaine. La télégraphie, la téléphonie, la radio, la télévision ont multiplié les supports et les possibilités d'échange d'informations. La vie économique a été transformée, car parallèlement se mettaient en place des organismes qui avaient pour tâche de définir scientifiquement la qualité des marchandises; ils permirent ainsi à l'information de voyager de manière indépendante. Le bon fonctionnement du système suppose évidemment l'intégrité de ceux qui donnent et diffusent les nouvelles et un système de sanctions contre ceux qui essaient de frauder. La civilisation anglaise a réussi à créer à Londres une série d'institutions qui ont assis la confiance internationale dans le domaine des affaires. La puissance navale et militaire de l'Angleterre permettait, le cas échéant, de rappeler au respect des règles, ceux qui avaient tendance à les violer. On peut reprocher à ce système son inhumanité, on peut trouver qu'il instituait des règles injustes, car favorables aux pays évolués. On doit reconnaître qu'il a réussi à assurer la transparence de l'espace mondial pour la majeure partie des informations relatives aux biens et aux services économiques (17).

Pouvoir politique et économique et mobilité.

On voit dans ce cas comme dans celui de la mobilité de la monnaie et des moyens de paiement combien les faits économiques sont étroitement liés à l'exercice de l'autorité, à l'existence de règles communes. L'autorité et la puissance peuvent se manifester dans bien d'autres domaines et affecter la mobilité de tous les éléments de la vie économique. La portée peut se trouver accrue — il en est ainsi pour la monnaie et pour l'information, puisque sans autorité supérieure, la mobilité serait très faible. Elle peut également se trouver réduite. L'information technique et scientifique se trouve parfois étroitement contrôlée. On sait la jalousie qui régnait à l'époque mercantiliste dans ce domaine et les efforts faits par la France de Colbert pour rompre le monopole technique des Vénitiens, des Hollandais et des

(17) Pour bien apprécier le rôle de Londres dans la formation de l'espace économique international, on lira : DAUPHIN-MEUNIER (Achille), *La Cité de Londres...*, *op. cit.*

Anglais. La situation internationale de tension et de course aux armements a contribué à restreindre de manière autoritaire la diffusion de tout ce qui peut favoriser la croissance militaire de l'adversaire.

Les restrictions apportées au mouvement des biens sont multiples. Elles sont de deux ordres : restriction absolue, sous forme de prohibition, restriction partielle, sous forme de péage ou de droit de douane, ce qui permet d'augmenter la distance économique entre deux pays. La pratique de ces restrictions est ancienne. L'aménagement des voies de communication a justifié la mise en place de péages au moyen âge. Ils correspondaient parfois à l'acquittement des frais nécessaires à l'entretien de la route, du pont, au maintien de la sécurité dans la région. Ils comprenaient le plus souvent une part de taxation pure, possible grâce au pouvoir de monopole de celui qui détient le contrôle d'un point de passage obligé. L'autorité royale a restreint progressivement leur importance, mais elle a développé à des fins fiscales la taxation des marchandises importées ou exportées. Elle a par la suite utilisé le pouvoir qu'elle s'était ainsi donné à modeler des territoires nationaux, à renforcer leur cohésion économique.

La mobilité des biens peut se trouver limitée par toute une série de mesures indirectes, qui viennent renforcer les droits de douanes et se substituer aux vieilles prohibitions, dont l'usage est devenu à peu près impossible dans une société plus policée. On sait comment la législation sur la protection sanitaire s'est souvent révélée comme la plus efficace pour interdire les importations de telle ou telle catégorie de produits étrangers.

Il est des cas où l'intervention du pouvoir augmente la mobilité des biens. Les subventions à l'exportation, les détaxes accordées aux transporteurs, permettent d'abaisser les prix demandés au-dessus du niveau du prix de revient effectif, assurent une mobilité plus grande, allongent la portée des biens. C'est surtout à l'intérieur des territoires nationaux que l'action de l'autorité vise ainsi à accroître la fluidité de l'espace. Dans le domaine international, les restrictions sont plus nombreuses que les encouragements.

Dans le domaine de la mobilité des facteurs de production, les moyens de direction et d'intervention dont dispose l'État sont efficaces. Lorsqu'il impose les terres non pas en fonction du revenu qu'elles procurent mais en fonction de celui qu'elles pourraient fournir, il favorise l'utilisation la plus judicieuse qu'on peut en faire, évite que certaines demeurent insuffisamment vivifiées et favorise de la sorte une certaine mobilité du facteur terre. Toute la législation relative aux investissements et à l'amortissement retentit sur la mobilité des équipements. Plus directement, l'État peut imposer sa volonté en soumettant les nouvelles immobilisations à autorisation, en contrôlant l'octroi des crédits nécessaires, en accordant des dégrèvements fiscaux; la politique de décentralisation a démontré qu'il était possible d'accroître la mobilité du capital neuf. Pour les déménagements d'installations existantes, les résultats ont été plus médiocres· nous avons déjà vu que cela n'est guère étonnant.

C'est dans tout ce qui touche à l'information, aux nouvelles économiques que l'action régulatrice de l'État est la plus nécessaire. L'autorité qui assure la standardisation des mesures, l'unification des méthodes de définition des produits est souvent privée. Son action repose, semble-t-il, uniquement sur l'acquiescement que lui donnent les protagonistes du jeu économique. En fait, l'autorité privée coordinatrice s'appuie sur l'autorité civile capable de faire respecter les contrats privés. Les économistes libéraux savaient bien qu'ils ne pouvaient se passer de l'action de l'État dans ce domaine : ils le réduisaient au rôle d'un gendarme, ce qui ne veut pas dire qu'ils sous-estimaient son pouvoir économique.

Le droit international privé qui s'élabore lentement permet de s'appuyer sur l'autorité de puissances publiques étrangères pour assurer le respect des contrats passés entre particuliers : ceci permet aux formes d'organisation privées de se développer au-delà des frontières de l'État dans lequel elles ont pris naissance. Les grandes puissances ont fait respecter les règles de ce droit international, lorsque des violations étaient faites au détriment de leurs ressortissants. Ainsi, l'autorité d'un pays dominant a permis d'imposer les mêmes règles au jeu économique dans un très grand nombre de régions. On sait comment cette action se manifeste. Dans un article récent, M. Vigarié (18) souligne les aspects internationaux des paysages de port, de leur atmosphère, mais aussi de leurs institutions économiques : c'est là un exemple

(18) VIGARIE (André), « L'internationalisme dans la vie portuaire ». *Cahiers de Sociologie économique*, nos 13-14, 1966, pp. 218-236.

de l'action unificatrice de la vie maritime, et au-delà de la Grande-Bretagne et des pays européens qui ont su l'organiser sous leur autorité.

Dans le domaine de la monnaie et du crédit, l'action de l'État se fait plus directe et plus diverse aussi : responsable de la facilité accrue des transactions que conditionne son autorité, de la transparence plus grande de l'espace qu'il contrôle, l'État isole d'autant plus le territoire qu'il gouverne que l'autorité qu'il veut assurer est plus totale. Tant que sa politique monétaire n'est pas ambitieuse, il garde une monnaie à base métallique, mais accepte du même coup que les à-coups de la vie des autres États se fassent sentir chez lui. En dirigeant plus directement la monnaie nationale, en autorisant la création de monnaie par les détours que l'on sait et en la cautionnant de son autorité, l'État crée les conditions d'une mobilité plus grande des signes à l'intérieur du pays, mais il le clôt sur le monde étranger, dont la monnaie est désormais différente, soumise à des impulsions indépendantes.

Les liens entre autorité et mobilité apparaissent mieux encore dans l'analyse des semi-monnaies. Les titres immobiliers qui peuvent alimenter un cycle de spéculation foncière, les titres mobiliers qui alimentent l'activité des bourses de valeur n'ont pas la sécurité des monnaies. Cela tient à ce qu'elles représentent des éléments matériels dont l'avenir n'est pas certain. La marche des affaires peut rendre désuets en quelques mois des équipements à peu près neufs, condamner une usine dont les produits sont avantageusement remplacés par des produits de synthèse, dévaloriser un site urbain par suite de l'évolution des courants de circulation. Ceci nuit évidemment à la parfaite homogénéité des titres, limite leur mobilité. On hésite toujours à échanger un élément sur lequel on est renseigné, pour un qui n'est connu que très indirectement.

Les semi-monnaies reposent essentiellement sur la confiance qu'inspirent ceux qui les émettent et ne doivent rien ou presque à l'autorité publique — à l'exception des semi-monnaies constituées par les bons du Trésor. Elles s'échangent facilement au-delà des limites des territoires nationaux. Les détenteurs d'action des grandes sociétés industrielles appartiennent souvent à un grand nombre de nations et les titres se négocient à l'extérieur d'un territoire national. Ils sont à la fois plus et moins mobiles qu'une monnaie : plus mobiles, car les frontières n'ont pas pour eux de signification spéciale, moins, car on ne les échange pas avec la même facilité et l'ensemble de ceux qui participent aux cycles de création de la semi-monnaie est limité : c'est d'ailleurs là la condition pour que les autorités monétaires laissent se développer la pyramide des valeurs. Tant que le monde des spéculateurs demeure réduit, les répercussions qu'elle peut avoir sur le réseau général des relations monétaires le demeurent également; la multiplication de semi-monnaie permet la création de monnaie, mais sans que le mouvement soit incontrôlable, sans qu'il perde la mesure de la vie économique qui le rend sain.

Dans le cas des marchés fonciers, la transparence est plus difficile à réaliser que dans d'autres domaines. La valeur d'un site échappe à la définition objective : il faut connaître les lieux, savoir comment s'ordonne la vie d'une ville, pour assigner à une parcelle son prix actuel, et pour prévoir quelles seront ses utilisations possibles dans le futur. Le cycle de création de semi-monnaie demeure limité à ceux qui fréquentent la région. C'était la règle générale lors des grandes poussées de spéculation qui ont marqué la prise de possession de l'intérieur américain. Depuis lors, le cercle des spéculateurs s'est agrandi, en particulier au cours du cycle qui a touché la Floride au cours des années 1920, si bien que les conditions se sont rapprochées de celles qui règnent sur les marchés mobiliers. Le danger que fait courir à une monnaie la multiplication inconsidérée des semi-monnaies d'origine immobilière est d'autant plus grand que le cercle touché par l'inflation est plus large. On comprend que le contrôle de l'État se soit souvent affermi dans un domaine qui est devenu plus dangereux pour la vie économique, pour l'équilibre d'ensemble de la société.

A la différence de la monnaie et des capitaux sous forme monétaire, dont la mobilité est presque parfaite à l'intérieur d'un territoire national, la mobilité de la semi-monnaie est encore partielle : c'est là la source d'inégalités économiques sur lesquelles nous aurons à revenir.

II. — L'inscription du circuit économique dans l'espace.

La distance et l'étendue pèsent sur tous les aspects de la vie économique. Pour réduire les viscosités et les imperfections qui naissent nécessairement des déplacements et de l'éloignement, les éléments du circuit économique auraient intérêt à se trouver confondus au même point. Mais ce n'est pas possible, puisque les diverses activités sont consommatrices d'étendue et ne peuvent se superposer. L'économie spatiale se propose de déterminer la manière dont se résout cette tension. Entre les forces centrifuges et les forces centripètes qui affectent toutes les phases de la vie économique, quel est l'équilibre qui va s'établir? Une optimisation est-elle possible et à quelles conditions?

Nous avons décrit les articulations du circuit économique. Dans le double mouvement des biens, des services et des moyens de paiement, il est possible de distinguer des étapes, production, répartition, dépense. Ceci permet de mieux saisir la complexité totale et facilite l'analyse de l'équilibre global. Nous allons reprendre la même démarche et envisager la manière dont chaque boucle du cycle s'organise, les deux autres étant supposés fixes. Il est possible de décrire successivement l'organisation spatiale de la production destinée à satisfaire des détenteurs de revenu et des consommateurs dont la localisation est fixée, puis la manière dont le revenu se répartit dans l'espace, lorsque la production est fixée; l'analyse de la dépense permet enfin de refermer l'analyse sur elle-même.

Les économies les plus primitives semblent échapper à de pareilles investigations. Elles paraissent parfois ignorer les problèmes complexes de l'espace : c'est que l'obstacle que la distance oppose à leur développement est tel que l'on ne peut faire autrement que de superposer au maximum les diverses faces de l'activité économique. L'autoconsommation générale au niveau des petites unités de production évite ainsi les frais de déplacement, et réalise la combinaison optimale.

L'économie spatiale apparaît vraiment lorsque l'obstacle de la distance s'amenuise un peu. La division du travail se précise : à côté de son aspect technique, elle présente un aspect géographique — Adam Smith l'avait noté, puisqu'il intitulait un des chapitres de la *Richesse des Nations* : « de la division du travail limitée par l'étendue du marché ». Les différentes phases du circuit économique cessent de se dérouler en un même point.

L'insertion du circuit productif dans l'espace.

Une entreprise productive réalise la combinaison de matières premières, de biens intermédiaires, avec des facteurs de production, travail, terre et capital, en consommant une matière première particulière, l'énergie. Les matières premières et l'énergie peuvent à leur tour être considérées comme des combinaisons de capital, de travail et de facteur terre. Les demi-produits sont de même nature que les produits. Ainsi, lorsque l'on passe de l'analyse de la production d'une firme, à celle de toute une économie, le problème de l'équilibre spatial apparaît formulé en termes plus simples. Nous avons vu que les biens étaient généralement mobiles — mais inégalement, selon leur nature et leur valeur; les facteurs de production le sont moins; la terre l'est faiblement ou pas du tout, le capital et le travail le sont en partie.

Les produits fabriqués sont vendus, si bien que l'activité productive ne peut se comprendre que si l'on ne tient pas compte de la localisation des principaux consommateurs. Lorsque les biens voyagent mal, ce sont les clients qui se déplacent comme la cour carolingienne qui allait de villa en villa consommer les céréales, la viande et le vin produits localement. De manière générale, la mobilité des biens est supérieure à celle des personnes, si bien que la répartition des consommateurs se trouve sans lien direct avec celle de la production. Dans les économies pré-industrielles, ce n'était pas toujours le cas. Les études de Dean (19) ont montré que l'industrie pouvait se trouver attirée alors vers les zones de forte population rurale : les matières premières industrielles étaient moins coûteuses à transporter que les vivres nécessaires à l'alimentation de la main-d'œuvre.

Dans la plus grande partie des cas, la localisation du marché constitue pour le producteur une donnée indépendante, sur

(19) Dean (W.-H. Jr), *The Theory of the Geographic Location of Economic Activities*. Selections of the Doctoral Dissertations. Cambridge (Mass.), Harward University Press, 1938, 46 p.

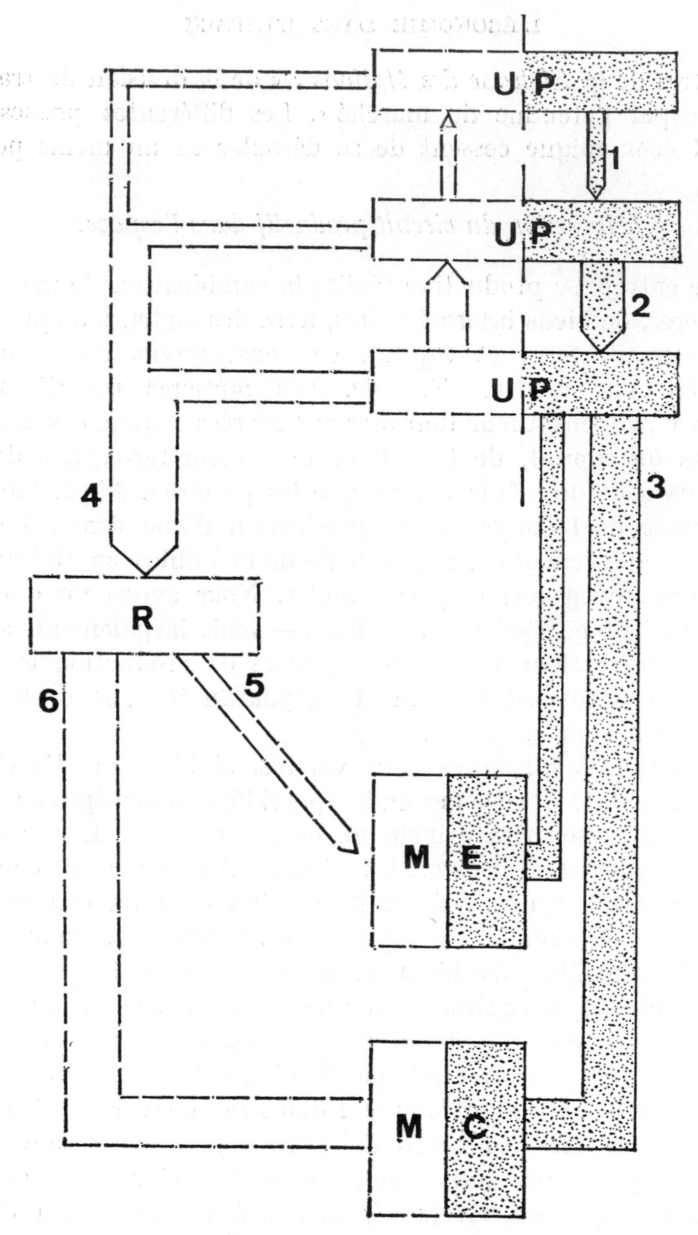

FIG. 4.2 *a)*. — Équilibre spatial du circuit de production.

1. Matières premières et sources d'énergie. — 2. Demi-produits. 3. Produits finals. — 4. Salaires, intérêts, profits. — 5. Dépense d'investissement. 6. Dépense de consommation.

UP : Unité de Production.
R : Revenu.
ME : Marché de biens d'équipements.
MC : Marché de biens de consommation.

lequel il ne peut exercer beaucoup d'influence : il n'a d'action que sur les producteurs, qui sont aussi des consommateurs — mais qui n'absorbent généralement qu'une petite partie du produit total.

Le problème de l'équilibre spatial de la production peut maintenant se poser de manière claire (fig. 4.2) : le facteur

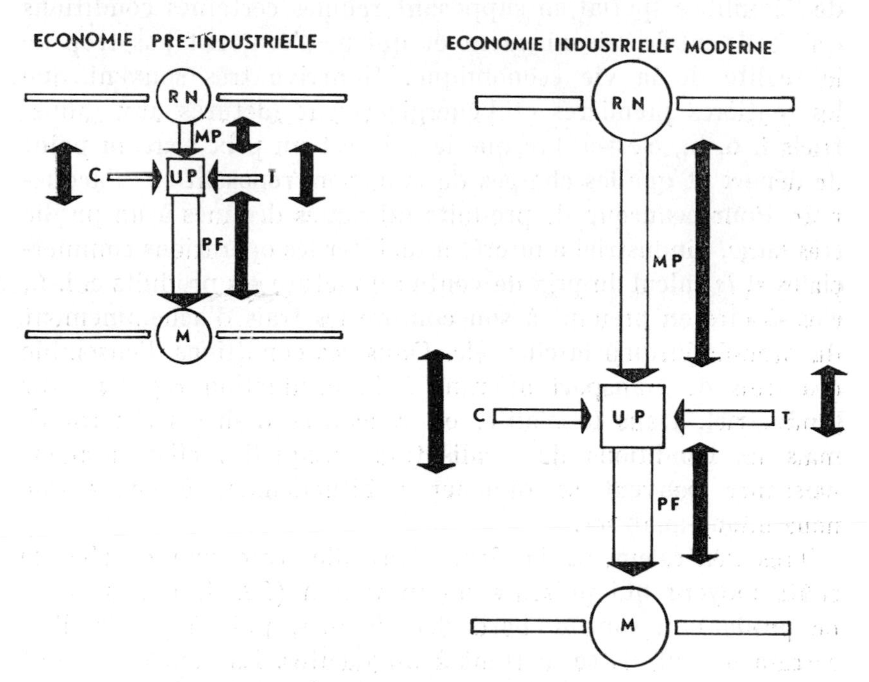

FIG. 4.2 *b)*. Équilibre spatial de la production.

RN : Ressources naturelles (facteur terre).
UP : Unité de production.
C : Capital.
T : Travail.
MP : Matières premières.
PF : Produits fabriqués.
M : Marché.

terre est inégalement réparti et presque parfaitement immobile s'il se prête mal à substitution, le marché de consommation apparaît comme une donnée à laquelle les producteurs doivent se soumettre. Le capital et la main-d'œuvre sont imparfaitement mobiles, mais la rigidité des localisations de la terre et du marché fait qu'ils sont obligés, dans une large mesure, de se modeler sur ces éléments. L'équilibre sera déterminé par les différences de mobilité entre les biens consommés par la production et ceux fournis sur le marché, par l'importance des différentes composantes de la combinaison productive, ce qui peut amener des solutions et des localisations très diverses selon les cas.

A l'échelle de la firme, il est commode de présenter la théorie de l'équilibre spatial en supposant réunies certaines conditions qui facilitent le raisonnement et qui ne s'écartent pas trop de la réalité de la vie économique. Il arrive très souvent que les matières premières et l'énergie soient facturés aux industriels f. o. b., c'est-à-dire que le prix est un prix brut au point de départ et que les charges de transport reposent sur l'acquéreur. Pour beaucoup de produits fabriqués destinés à un public très large, l'industriel a intérêt à faciliter les opérations commerciales et le calcul du prix de vente : il facture ses produits c. i. f., c'est-à-dire en prenant à son compte les frais d'acheminement du produit jusqu'à la clientèle. Dans ces conditions, l'ensemble des frais de transport afférant à la production reposent sur l'industriel. Dans la réalité, on rencontre d'autres situations, mais les conditions de localisation auxquelles elles donnent naissance peuvent se ramener habituellement à celles que nous allons analyser.

Très généralement, la firme travaille avec une courbe de coûts moyens qui présente un minimum (fig. 4.3). Les coûts de production sont d'abord décroissants, puis à partir d'un certain niveau, ils se mettent à augmenter. La courbe de coût marginal présente une forme analogue, mais le coût marginal commence à augmenter avant que le coût moyen passe par sa valeur la plus faible. La courbe de coût marginal passe par le minimum de la courbe de coût moyen.

La firme cherche à maximiser ses profits. Elle obtient ce résultat, si elle est seule sur le marché, si elle dispose d'un pouvoir de monopole, en limitant sa production au niveau pour lequel le coût marginal est minimum : le taux de profit est alors maximum, ainsi que le total du profit détenu. Dans les économies concurrentielles, le niveau de production est généralement plus élevé, il atteint le point minimum de la courbe des prix moyens. Le prix est généralement fixé par le jeu de la concurrence de telle façon que le taux de profit se trouve réduit à presque rien, ou à rien, ce qui traduit l'absence de pouvoir de marché de la part des vendeurs — comme des acheteurs — dans l'hypothèse retenue.

Stuart Mill indiquait que l'existence de coûts décroissants jusqu'à un certain niveau de production, puis de coûts croissants au-delà de ce niveau était la base de toute l'économie politique (20) : tous les raisonnements relatifs à l'équilibre économique supposent en effet le jeu de cette loi. La forme des courbes

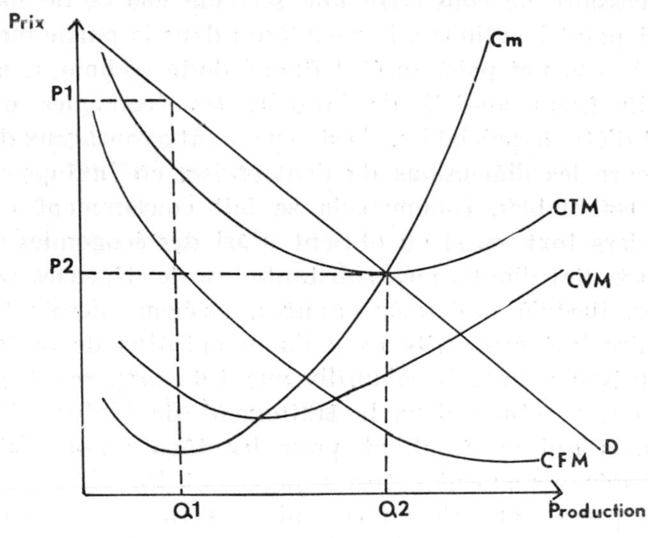

Fig. 4.3.

CFM : Coût fixe moyen.
Cm : Coût marginal.
CVM : Coût variable moyen.
CTM : Coût moyen total.
D : Demande.
P1 : Prix de Monopole.
P2 : Prix de Concurrence parfaite.

de coût est fixée par les conditions dans lesquelles s'effectue la production. Les économies d'échelles initiales résultent de l'utilisation de matériel plus puissant et de la compression des frais fixes avec le progrès de la production. Les déséconomies qui apparaissent à partir d'un certain niveau ont une double

(20) La plupart des classiques croyaient à l'universalité des coûts croissants : c'est là une des sources de leur pessimisme. Ricardo, puis Stuart Mill ont vu, à la différence de Malthus, qu'elle ne jouait qu'à partir d'un certain niveau. Ils n'ont pas remis en question le pessimisme général, mais Stuart Mill a vu l'importance de la limite des rendements décroissants pour tous les raisonnements économiques.

origine. Au-delà d'une certaine échelle, la mécanisation ne permet plus de gagner, à un moment donné, en productivité. Lorsque l'on regarde comment se déroule le travail dans une chaîne de montage de voitures automobiles, on s'aperçoit qu'il existe une cadence optimale. On ne peut accélérer la cadence du travail en un poste au-delà d'une certaine limite. Si l'on veut dépasser le niveau de production initialement prévu, il est nécessaire de construire une seconde chaîne de montage, en tout point identique à la première : dans la partie matérielle des opérations et pour un état donné de la technique, il existe une dimension au-delà de laquelle les économies d'échelle cessent d'être appréciables. Il est cependant avantageux d'agrandir encore les dimensions de l'entreprise, en juxtaposant des unités semblables, comme cela se fait couramment dans les entreprises textiles, si on obtient ainsi des économies de frais généraux, des diminutions substantielles de dépenses administratives. Jusqu'à ces dernières années, ces économies de direction disparaissaient assez vite avec l'augmentation de la taille de l'entreprise par suite de l'alourdissement de l'appareil de gestion. Les progrès actuels dans le traitement de l'information, les économies qui en résultent pour les tâches administratives ont permis d'augmenter très rapidement la taille des unités de dimension optimale en ce qui concerne la gestion. Ainsi s'explique la montée continue des échelles optimales de production (21).

Lorsque l'on fait entrer en considération les coûts de transport, les conditions d'équilibre se trouvent modifiées. On calcule les frais de transports nécessaires pour acheminer les matières et l'énergie utilisées jusqu'à l'usine puis des produits finaux jusqu'au consommateur. Dans l'hypothèse où nous nous sommes placé, ces coûts entrent dans la courbe des coûts variables. On peut comparer ce qui se passe dans le cas où les frais de transports sont nuls, fournisseurs et consommateurs étant localisés au même point, et ce qui se passe dans l'espace : les coûts marginaux et les coûts moyens se trouvent alors supérieurs à ceux qui existent en économie non dimensionnelle, les courbes qui les représentent sur le graphique s'inscrivent au-dessus

(21) On verra ce thème abondamment développé dans Wickham (Sylvain), *Concentration et Dimensions*. Paris, Flammarion, 1966, 252 p.

(fig. 4.4.). Chaque fois que la production augmente d'une unité, les matières premières consommées sont plus importantes. Dans la grande généralité des cas, il est possible de se procurer la quantité additionnelle de matières premières au même point que précédemment et comme les tarifs qui pèsent sur leur transport sont dégressifs avec la quantité transportée dans la plupart des systèmes économiques actuels, le coût marginal est

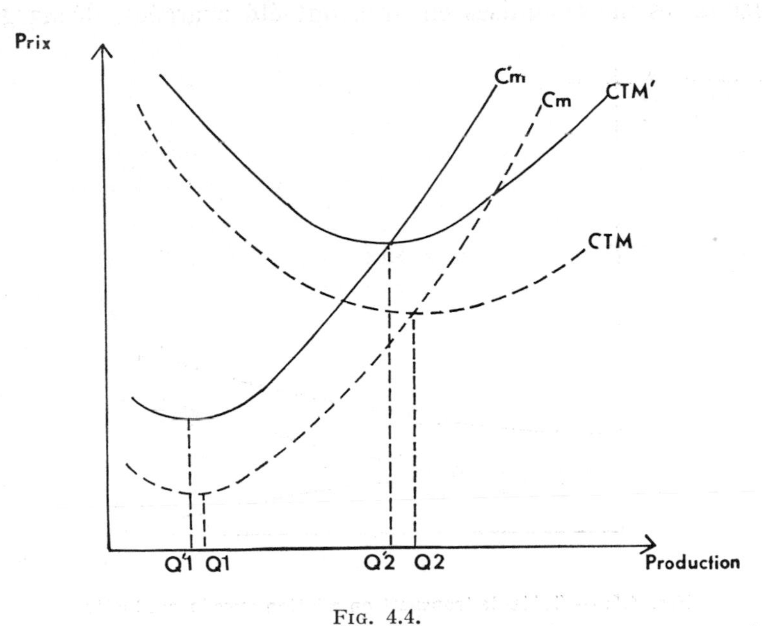

FIG. 4.4.

Cm : Coût marginal sans les charges de transport.
C'm : Coût marginal transports inclus.
CTM : Coût total moyen sans charges de transport.
CTM' : Coût total moyen charges de transport incluses.

assez faible, reste constant ou diminue au fur et à mesure que se développe la production (fig. 4.5). Pour les frais d'acheminement sur le marché, la situation est différente. Les consommateurs qui absorberont le surcroît de production sont ceux qui, jusqu'alors, étaient trop loin du producteur pour que celui-ci puisse les ravitailler. Comme ils sont dispersés, les tarifs de transport ne sont pas dégressifs. Au fur et à mesure que la production augmente, le coût marginal des charges de commercialisation augmente plus que proportionnellement. Si on étudie les variations des charges de transport en fonction du niveau de production, on s'aperçoit que les deux courbes marginales des frais de transport sont l'une décroissante et l'autre croissante (fig. 4.5).

De manière générale, les économies d'échelle obtenues sur le transport des matières premières ont été longtemps très réduites. Elles ne se sont développées que depuis la révolution des transports et plus spécialement depuis le début de ce siècle, lorsque les marchandises en vrac ont été chargées, déchargées

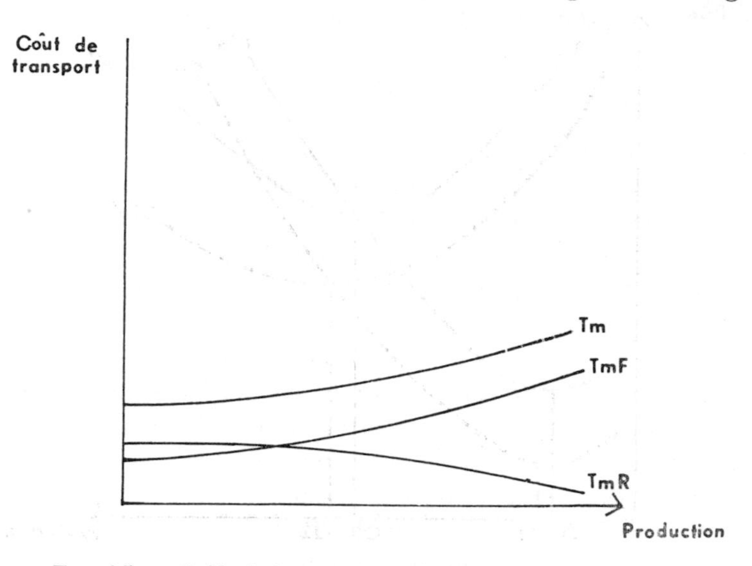

Fig. 4.5. — Coûts de transport en relation avec la production.

Tm ; Coût marginal total des transports.
TmF ; Coût marginal du transport des produits fabriqués à partir de l'usine.
TmR ; Coût marginal du transport des matières premières jusqu'à l'usine.

et manipulées avec des procédés industriels. Les frais d'acheminement du produit fabriqué augmentent rapidement, si bien que la courbe des frais de transport supportés par l'entreprise est croissante et que la courbe des frais marginaux de transport est elle aussi croissante, à partir d'un certain niveau au moins.

La présence des frais de transport affecte la position et la forme des courbes de coût marginal et de coût moyen, ce qui revient à dire que l'échelle optimale de production se trouve modifiée et nécessairement réduite (fig. 4.4). La réduction est d'autant plus nette que les frais de transport sont plus élevés. On comprend dans ces conditions comment la révolution des transports apparaît comme une des conditions nécessaires mais non suffisantes de l'utilisation de techniques nouvelles, permettant de dégager des économies d'échelle. Lorsque les frais de transport sont extrêmement élevés, les techniques qui assurent des économies d'échelle substantielles, mais qui nécessitent des niveaux de production importants sont sans intérêt.

Dans ce cas, les unités de production demeurent de petite dimension. Elles ne peuvent faire venir leurs intrants de très loin, ne peuvent expédier au loin leurs produits. Les marchés sont petits et la production dispersée; la répartition du facteur terre joue un grand rôle dans l'équilibre total des localisations. Elle peut se révéler tyrannique : pour l'agriculture traditionnelle, dans laquelle l'autoconsommation joue un rôle important, elle est même le seul élément déterminant de la localisation.

Les transports pèsent particulièrement lourd sur les matières premières dont le poids est élevé et la valeur faible (22). Avant la révolution industrielle et dans les premières décades de celle-ci, la répartition des ressources joue un rôle prépondérant dans les décisions d'implantation. Comme les produits fabriqués sont beaucoup plus légers, on a avantage à se rapprocher des sources d'approvisionnement lourd. Les maîtres de forge s'installent à proximité des forêts qui fournissent le charbon de bois, des minières dont ils tirent le minerai. Ils établissent leurs martinets sur les cours d'eau qui fournissent l'énergic nécessaire à la transformation. Plus tard, les prcmières machines à vapeur sont si grandes gaspilleuses de combustible qu'elles ne peuvent fonctionner de manière économique hors des zones de mines de houille. En pareil cas, la localisation du capital et de la main-d'œuvre se trouvent fixées de manière impérative par celle des ressources.

Dès cette époque pourtant, la règle n'est pas générale. Certaines usines sont attirées par le marché : celles qui incorporent le plus de travail et le moins de matière brute dans leur ouvrage.

La situation actuelle est différente. Les meilleures localisations sont intermédiaires entre les lieux de fournitures des matières premières — plus nombreuses, souvent que par le passé — et les

(22) On trouvera un exposé clair de la théorie de la localisation de la firme dans HOOVER (Edgar M.), *La localisation des activités économiques, op. cit.*

zones où s'écoule la production. Nous n'insisterons pas sur la manière dont on peut déterminer la localisation optimale pour la firme — tous les travaux qui se sont succédés depuis Alfred Weber (23) se sont proposés d'affiner les méthodes proposées par ce dernier pour déterminer le point qui assure les avantages les plus grands. De manière générale, l'augmentation de la dimension des entreprises les condamne à faire appel à plusieurs sources de matières premières, à se placer de manière à pouvoir recevoir des expéditions provenant de diverses régions. La diminution des prix de transport pour les transports en masse allonge le rayon que peuvent parcourir les matières premières, relativement à celui d'écoulement des produits fabriqués. La firme se rapproche de la clientèle, est moins liée aux ressources. Le facteur terre est moins important que par le passé. Les matières premières utilisées incorporent presque toujours une valeur de capital et de main-d'œuvre qui n'est pas négligeable — la rémunération qui revient à la terre est de moins en moins importante, car on sait lutter contre la rareté de ses fruits et l'on peut mieux substituer les intrants-terres les uns aux autres.

Dans la mesure où la production se rapproche du marché, il lui est possible de bénéficier de la présence d'une main-d'œuvre et d'un capital plus abondants : en ce sens, les conditions actuelles sont plus faciles que celles de jadis, puisque l'on n'a pas à déplacer ces éléments difficilement mobiles.

Ainsi, l'activité productrice s'inscrit dans le lieu géométrique commun aux divers cercles dans lesquels peuvent se produire les mouvements des éléments qui sont combinés. Le cercle dans lequel se meuvent les matières premières a tendance à s'élargir, cependant que celui où les ventes de produits fabriqués sont possibles s'agrandit plus lentement. Ceci provoque une migration générale de l'industrie des zones où les matières premières abondent, vers celles où se trouvent les marchés les plus notables. Ce n'est plus la présence du facteur terre qui détermine la localisation des autres facteurs de production, mais bien celle du marché, c'est-à-dire, des consommateurs. Les contraintes nées de l'inégale répartition des dotations créaient des tendances centrifuges dans la vie économique. Elles ont tendance à s'atté-

(23) Les plus importants, pour la compréhension de l'équilibre spatial de la firme sont ceux de PALANDER (Tord), *Beiträge zur Standorts Theorie.* Uppsala, Almqvist et Wiksell, 1935, 258 p.

nuer, puisque la part relative de la terre diminue, aux dépens de celle du capital et du travail qualifié.

L'espace productif est formé par la superposition d'aires de circulation des produits et des facteurs, depuis les sources de matières premières jusqu'aux marchés. Les aires sont de plus en plus grandes et les installations productives, de plus en plus voisines des autres éléments du cycle économique.

L'insertion du circuit de répartition dans l'espace.

Les autres éléments du circuit économique s'inscrivent eux aussi dans des espaces divers. Les revenus engendrés par la production se répartissent de manière très inégale selon leur nature (fig. 4.6). Ceux qui reviennent à la main-d'œuvre sont liés de très près à la production et se répandent à l'intérieur des mêmes cercles ou presque : les revenus bruts se trouvent distribués dans un rayon de quelques kilomètres ou quelques dizaines de kilomètres seulement du lieu où se déroule le travail. Le lien ne se distend que pour les opérations exceptionnelles, confiées à des équipes mobiles. Il en est ainsi pour certaines tâches de montage d'entretien ou de dépannage. Elles occupent une place plus grande que par le passé, mais ne correspondent qu'à une toute petite partie des revenus salariaux distribués par une entreprise. Dans le cas où l'entreprise ne dispose que d'un établissement, elle préfère souvent éviter le paiement à longueur d'année d'une main-d'œuvre très qualifiée et s'adresse à des spécialistes : le revenu qui est alors distribué n'est plus à proprement parler un salaire, mais un honoraire, rémunérant la prestation d'un service rendu par une personne indépendante. De manière générale, les circuits de distribution des honoraires sont beaucoup plus larges que deux des salaires, la liaison avec les productions sont moins directes : un avocat, un ingénieur-conseil résident loin des entreprises qui les consultent et pour lesquelles ils effectuent des études.

Les revenus qui échoient aux détenteurs de capital sont beaucoup plus libres que les salaires. Les détenteurs d'actions ont perdu pratiquement tout contrôle sur l'activité de l'entreprise dont ils sont copropriétaires. Les revenus qui leurs sont distribués correspondent à la rémunération du capital qu'ils ont engagé. Ils peuvent être payés n'importe où, moyennant des charges

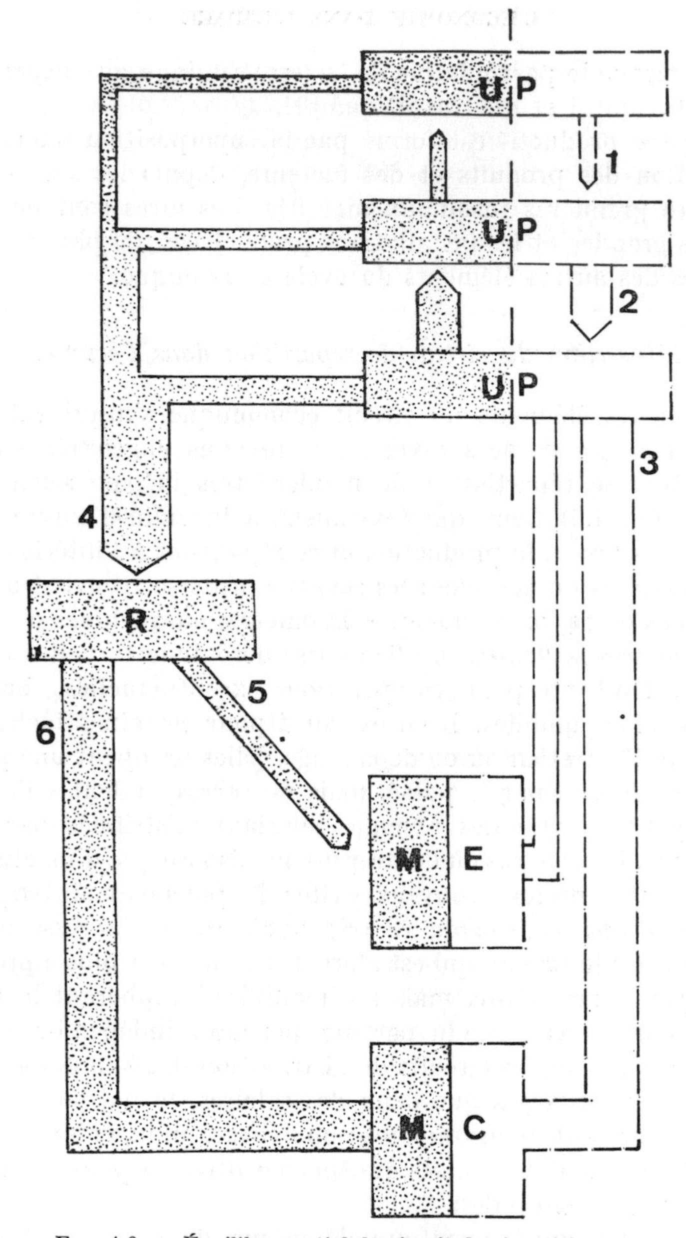

FIG. 4.6. — Équilibre spatial du circuit de répartition.
1. Matières premières et sources d'énergie. — 2. Demi-produits.
3. Produits finals. — 4. Salaires, intérêts, profits.
5. Dépense d'investissement. — 6. Dépense de consommation.

UP : Unité de production.
R : Revenu.
ME : Marché de biens d'équipement.
MC : Marché de biens de consommation.

très minimes. Pour les détenteurs d'obligations, qui n'ont aucun droit de regard sur la marche de l'entreprise, n'ont pas le souci de se faire représenter aux conseils d'administration ou d'y assister, la liberté de localisation est plus totale encore.

Les profits rémunèrent l'activité des chefs d'entreprise qui ont su créer des rentes ou les renouveler par la mise au point de combinaisons productives nouvelles; ils circulent souvent sur de moins longues distances que ne le font les intérêts. La part de profit distribuée aux actionnaires dans les grandes entreprises est aussi mobile que l'intérêt, elle alimente des circuits aussi étendus dans l'espace. Mais la plus grande partie du profit des grandes entreprises n'est plus aujourd'hui distribuée. Le revenu circule alors simplement à l'intérieur de la firme productrice. Il est difficile de localiser son origine lorsque le siège social se trouve installé dans un grand centre économique, même lorsque la firme n'y possède pas d'installation productive. Le revenu est domicilié au siège social, mais il est difficile de savoir ce qui provient de chacun des établissements. C'est là un problème d'imputation rès délicat. Les dirigeants de la firme ne sont pas toujours en possession des éléments qui leur permettraient de préciser cette répartition. La liberté et l'étendue des circuits du profit, pour être plus grandes que celles du salaire, n'en demeurent pas moins nettement inférieures à celles de l'intérêt. Dans le cas des petites entreprises, le circuit est plus réduit. Le patron qui dirige la firme qu'il a montée grâce à des capitaux familiaux est obligé de surveiller de très près ses affaires, il se déplace beaucoup, mais est contraint de résider à proximité de ses usines. Le profit se distingue alors mal du salaire qui doit revenir au directeur, il est soumis aux mêmes contraintes.

Pour les entreprises agricoles, la confusion des différents types de revenu est générale : lorsque l'exploitant est propriétaire, il est difficile de dire ce qui paie le travail, ce qui récompense l'esprit d'initiative, ce qui rémunère le capital et la terre. Les difficultés théoriques d'élaboration des comptabilités agricoles (24) montrent que le problème n'est pas artificiel et qu'il est très difficile d'affecter certains éléments de comptabilité.

(24) On trouvera une analyse des problèmes de la comptabilité et de la rentabilité des entreprises agricoles au chapitre X de la quatrième partie (pp. 265-282) de MILHAU (Jules), MONTAGNE (Roger), *Économie rurale*. Coll. Themis, Paris, P. U. F., 1964, 414 p.

Mais il est certain que le revenu est étroitement lié à la localisation de l'activité productrice.

Les cercles à l'intérieur desquels circule le revenu se trouvent être de taille inégale suivant les types d'activité professionnelle et selon la nature des rémunérations (fig. 4.7). La liaison avec

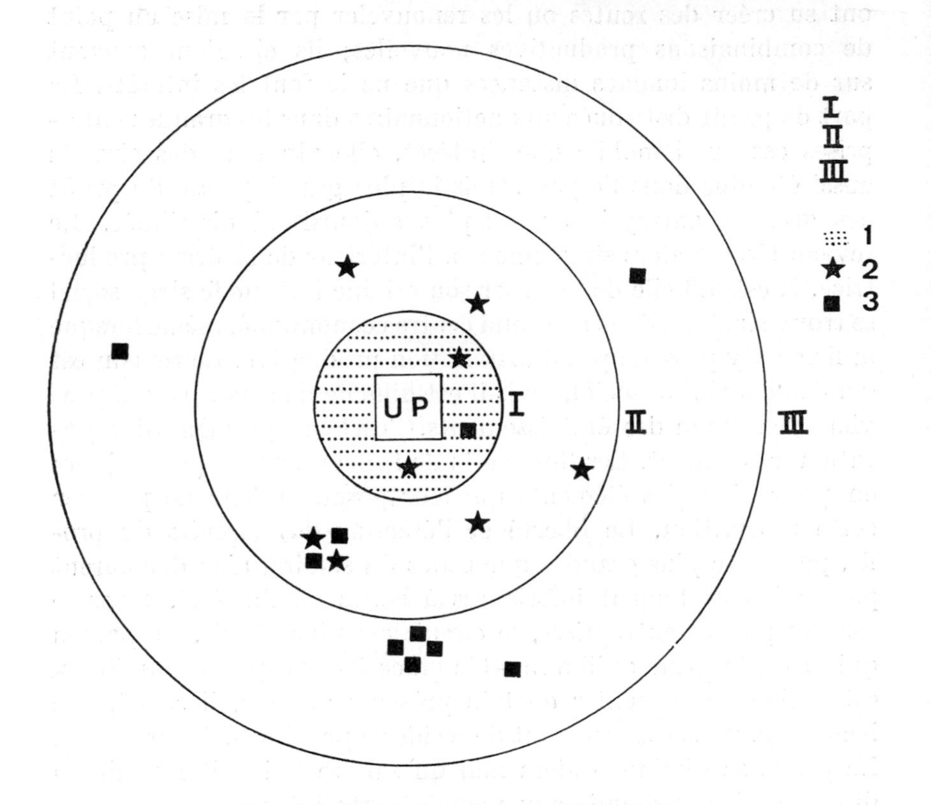

Fig. 4.7. Portée des salaires profits intérêts.

I. Portée limite des salaires.
II. Portée limite des profits.
III. Portée limite des intérêts.

1. Domiciliation des salaires.
2. Domiciliation des profits.
3. Domiciliation des intérêts.

l'activité productrice demeure généralement étroite. La part considérable qui revient au salaire dans la répartition du produit national — plus des deux tiers dans la plupart des économies évoluées, souvent près des quatre cinquièmes — montre qu'il y a superposition géographique quasi parfaite du produit et du revenu. Le développement de la grande entreprise moderne a pourtant distendu quelque peu les liens qui existaient autrefois. Quoiqu'il soit le résultat de flux monétaires et que la liberté de ceux-ci soit très grande et l'obstacle de la distance négligeable, le revenu se répartit en bonne part comme le produit.

Dans les économies modernes, la situation se trouve transformée par l'importance croissante des transferts. La redistribution des revenus assurée ainsi est considérable. Cette redistribution se fait dans plusieurs directions. Elle prive les catégories les plus fortunées d'une partie de leurs ressources brutes, elle les attribue aux groupes défavorisés. Elle réduit les disponibilités de ceux qui n'ont pas d'enfants et augmente celles de familles nombreuses. Elle prélève une partie des salaires des personnes actives et assure le versement de pensions et de retraites aux vieux travailleurs. Elle favorise certaines dépenses — celles relatives à la santé, à certaines catégories de loisir, aux dépens d'autres utilisations. Dans tous les cas, le transfert peut avoir des conséquences géographiques qui viennent doubler ses répercussions sociales, les seules directement recherchées d'habitude. Les régions qui comportent plus d'enfants, plus de vieillards, plus de nécessiteux que les autres bénéficient de ces transferts. L'effet n'est pas le même selon le mécanisme employé. Il est des cas où les compensations sont effectuées dans des limites étroites, ce qui restreint l'effet géographique. Dans la plupart des nations centralisées, les mécanismes de compensation ont tendance à jouer pour la totalité du territoire national, ce qui favorise les transferts à grande distance.

Les personnes qui bénéficient de revenus de transferts sont souvent beaucoup plus libres que les autres de leur résidence. Il en est ainsi pour une bonne partie des personnes âgées qui vivent des transferts de revenus assurés par leurs enfants ou par les caisses de pension. Cela introduit une redistribution du revenu à l'échelle de la nation : les régions productrices paient aux régions vieillies par le départ des jeunes et aux régions où les avantages du climat et l'agrément du séjour attirent les retraités.

Le rôle de l'État est prédominant dans la plupart des transferts que nous venons d'évoquer; il les impose, les effectue lui-même ou les confie à des organismes para-publics qui ont la responsabilité de gérer les paiements relatifs à telle ou telle catégorie sociale. Les transferts géograghiques de revenu entre les éléments disjoints d'une même unité de consommation, d'un même ménage, sont également importants.

Les paiements effectués par les travailleurs à leurs familles jouent un rôle essentiel dans l'équilibre des régions sous-développées à l'intérieur de nations industrialisées. La plus grande partie de l'Italie du Sud dépend ainsi largement pour vivre de ce que les jeunes envoient régulièrement à leurs parents. La situation est plus complexe qu'il n'apparaît à première vue. L'origine des transferts est en partie nationale. Elle est aussi internationale, moins que par le passé, car l'essor industriel de la plaine du Pô a permis d'absorber à l'intérieur plus de travailleurs, mais ce qui arrive des pays du Marché commun, de Grande-Bretagne, des États-Unis demeure extrêmement important. Dans d'autres pays, les transferts dont bénéficient ainsi certaines régions sont presque tous d'origine étrangère. La Kabylie vit des versements effectués par les ouvriers qui travaillent en France, l'Irlande de l'Ouest tire une bonne part de ses revenus des États-Unis et, de plus en plus, de la Grande-Bretagne. Malgré le développement depuis la Seconde Guerre mondiale des dons internationaux d'origine publique, les versements effectués par les émigrants demeurent une des sources essentielles de transferts à l'échelle de l'économie internationale.

Lorsque les nations industrialisées se lancent dans une politique d'aide aux pays sous-développés, le motif est social, mais le caractère de l'intervention est résolument géographique. Il arrive aussi qu'à l'intérieur des nations, les interventions aient une finalité géographique — il en est ainsi dans des pays comme l'Italie ou toute une législation de développement vise à résorber le retard du Sud de la péninsule et des Iles. La France et la Grande-Bretagne pratiquent des politiques du même type, mais sur une échelle plus modeste, comme c'est normal, puisque les disparités sont moins grandes. On essaie de donner le maximum d'efficacité à ces transferts en les attribuant aux agents qui sont le plus susceptibles d'en multiplier les effets : c'est souvent sous la forme d'exonération fiscale ou de bonification d'intérêt qu'ils se révèlent alors les plus fructueux.

L'insertion du circuit de consommation dans l'espace.

Les circuits occasionnés par la dépense (fig. 4.8) sont inégalement connus. Ils ont suscité l'intérêt des économistes pour deux

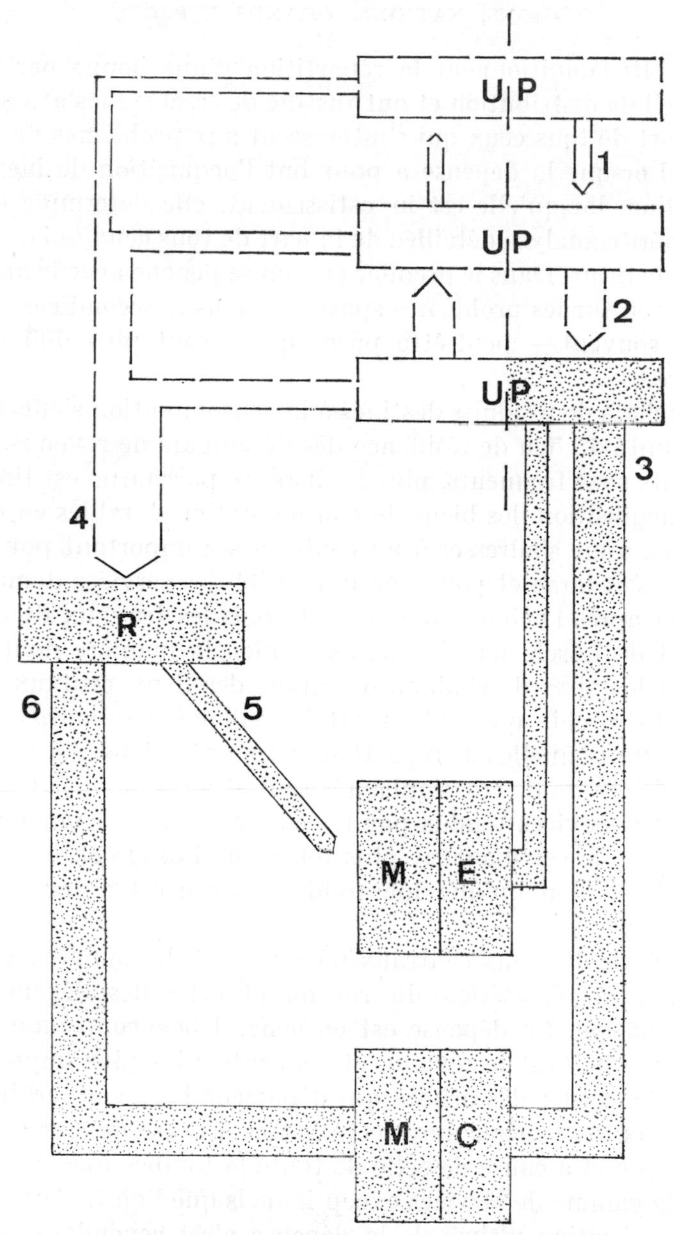

FIG. 4.8. — Équilibre spatial du circuit de dépenses.
1. Matières premières et sources d'énergie. — 2. Demi-produits.
3. Produits finaux. — 4. Salaires, intérêts, profits.
5. Dépense d'investissement. — 6. Dépense de consommation.
UP : Unité de production.
R : Revenu.
ME : Marché de biens d'équipement.
MC : Marché de biens de consommation.

raisons. Ils conditionnent la répartition d'une bonne partie de l'appareil de distribution et ont justifié des recherches attentives de la part de tous ceux qui s'intéressent aux problèmes du commerce. Lorsque la dépense a pour but l'acquisition de biens de production, lorsqu'elle est investissement, elle détermine l'avenir et mérite analyse détaillée de la part de tous ceux qui doivent prévoir le futur. Dans le premier cas, on se penche avec beaucoup d'attention sur les problèmes spatiaux, dans le second cas on les néglige souvent — peut-être parce qu'ils sont plus difficiles à résoudre.

Les achats de produits destinés à la consommation s'effectuent à proximité du lieu de résidence des détenteurs de revenus. Plus les achats sont fréquents, plus la distance parcourue est limitée. Pour l'acquisition des biens de consommation durables en particulier, on aime s'adresser à un centre assez important pour que le choix soit large et pour que la qualité des services demandés avant et après l'achat soit bonne. Depuis les travaux de Christaller et de Lösch, on connaît assez bien la manière dont s'ordonnent les aires de chalandise autour des lieux centaux, ainsi que la hiérarchie que présentent les villages, les bourgs et les villes entre lesquelles se répartissent les opérations. Le principe qui rend compte de ces régularités spatiales réside dans la faible portée des services rendus par les commerçants au moment de la vente : elle est d'autant plus forte que l'usage en est moins fréquent, si bien qu'une hiérarchie des centres a tendance à s'esquisser.

La théorie des lieux centraux nous permet de connaître la liaison entre la répartition du revenu et celle des dépenses de consommation. La dépense est en général beaucoup moins dispersée que ne l'est le revenu, et les centres les plus importants voient s'effectuer des achats qui dépassent beaucoup en importance ceux des centres moyens, à la fois à cause de leur population propre et à cause de celle de toute la tombée qui est attirée là par la gamme de services exceptionnels que l'on trouve.

La localisation ultime de la dépense n'est cependant connue que pour les prestateurs de services purs. On sait très bien où va l'argent dépensé en soins de beauté, en frais médicaux, en honoraires d'hommes de loi. Celui qui passe chez les commerçants ne reste qu'en partie sur place : ils prélèvent ce qui correspond à la rémunération du service qu'ils ont rendu et au profit qu'ils peuvent s'assurer en profitant d'une certaine position de force sur le marché. Les marges pratiquées sont élevées dans les commerces un peu exceptionnels, où les risques de perte sont grands et où les immobilisations sont de longue durée. Dans certaines branches de la mode, les commerçants peuvent être amenés à doubler leurs prix d'achat. Dans la plupart des cas, leurs prélèvements sont plus modestes. Ils prélèvent un tiers du prix de vente dans un grand nombre de secteurs. Les marges sont plus menues pour la vente de produits mécaniques qui ne risquent pas de s'abîmer, ainsi que pour les articles de grande consommation. Le développement des formes de commerce moderne a permis un abaissement considérable des marges bénéficiaires. Supermarchés, libres-services et grands magasins ont fait baisser considérablement les taux pratiqués couramment jusqu'à ces vingt dernières années.

Les commerçants s'approvisionnent auprès de grossistes, de chaînes d'achats, de marchés spécialisés, ou directement chez les producteurs. De toute manière, c'est chez ceux-ci que se trouvent localisées les dernières étapes de la dépense. Comme les produits fabriqués ont une forte valeur, ils peuvent subir des transports importants sans que leur prix de vente soit modifié de manière appréciable. Pour une automobile, les prix de revient ne varient guère que de 2 % à l'intérieur du territoire national français. Entre le commerçant et celui qui le fournit, les liens sont lâches. Dans un pays de la taille des États-Unis, un certain nombre de marques proposent des produits à un prix constant pour l'ensemble du territoire national, ce qui montre le faible rôle de la distance pour l'acheteur; il n'est pas négligeable pour autant et la firme qui pratique une vente à prix uniforme a intérêt à se placer au centre de gravité du marché qu'elle dessert, de manière à minimiser les coûs de vente : la distance joue sur la localisation du producteur, beaucoup plus que sur les décisions d'achat des divers commerçants. Nous l'avons déjà indiqué en analysant le circuit de production.

Pour les produits alimentaires, la liaison entre le consommateur et le producteur est longtemps restée limitée par les impératifs de la conservation du produit. Le prix du transport n'était pas le seul obstacle opposé par la distance. La durée du déplacement et la manière dont il s'effectuait comptaient beaucoup. La généralisation des procédés de conservation frigorifique a fait disparaître la plupart de ces sujétions, mais une inégalité demeure. Les céréales offrent la mobilité la plus grande et s'échangent sur la totalité de la terre. La viande et les produits d'élevage voyagent beaucoup plus que par le passé, mais les habitudes de consommation sont souvent peu favorables aux produits congelés. Pour les produits laitiers, pour la plupart des fruits et des légumes, les progrès ont été rapides, mais certaines catégories supportent mal les transports trop prolongés. En pareil cas, la liaison entre consommation et production demeure assez étroite.

Certaines catégories de consommation sont faciles à localiser, leurs liens avec le revenu est clair, celui avec la production difficile à cerner lorsque l'on pense au logement. Il s'agit là d'une consommation dont la localisation se confond avec celle du détenteur de revenu. Mais le propriétaire ne réside pas nécessairement au même endroit, si bien que l'on ne sait pas comment s'effectue la liaison entre acquéreur et vendeur. Les placements immobiliers sont particulièrement recherchés dans la plupart des sociétés industrialisées modernes. Ils ne demandent qu'un minimum d'attention de la part du propriétaire, des sociétés spécialisées de gérance le déchargent de tout souci. En dehors du revenu provenant de la location, les possibilités de gain spéculatif sont considérables. Aussi achète-t-on des appartements et des immeubles pour s'assurer des revenus réguliers. Les régions en pleine expansion, les zones touristiques où la demande de logement est élevée durant une bonne partie de l'année sont particulièrement recherchées par les investisseurs de tout un pays. Aussi, les liens entre la consommation et la production du service sont particulièrement lâches dans l'espace et dans le temps — c'est là un trait commun à toutes les dépenses en capital.

L'insertion du circuit de l'investissement dans l'espace.

Les rapports entre la localisation des investissements, celle des investisseurs et celle des épargnants sont souvent distendus (fig. 4.7). Tant que le détour monétaire n'a guère été pratiqué, épargne et investissement étaient liés géographiquement. L'épargne se faisait en nature et permettait une dépense de travail non immédiatement productif. L'investissement ne pouvait s'effectuer hors de la zone où il était commode de faire circuler les produits alimentaires. Lorsque le financement était pris en charge par une autorité publique forte, dans une bonne partie des civilisations hydrauliques orientales, la liberté géographique de l'investissement par rapport au revenu était plus considérable. Ces civilisations utilisaient les transports par voie d'eau, ce qui accroissait la marge de liberté. Dans les sociétés rurales occidentales, la liaison était beaucoup plus étroite. Elle ne se relâchait un peu que lorsque apparaissaient des unités économiques de dimension plus vaste que les cellules familiales ou communales qui constituaient les unités de base de la vie économique. Les plus grands travaux entrepris dans le domaine agricole, au moyen âge, l'ont été par les ordres monastiques. L'église était alors et est restée longtemps la seule institution capable de procéder à une épargne en nature importante, de la transférer et de concevoir des défrichements et des bonifications de grande ampleur. L'utilisation de moyens monétaires a favorisé très tôt son action.

Dans les civilisations du début de l'époque moderne, l'usage du détour monétaire se généralise — nous avons dit ses difficultés et ses conséquences sur l'équilibre économique général. Mais le recours au crédit demeure encore limité et l'entrepreneur fait rarement appel à l'épargne monétaire de personnes extérieures. Les liens de l'épargne et de l'investissement demeurent directs et comme l'entrepreneur doit surveiller de près la marche de ses affaires, la localisation des équipements neufs dépend de son domicile; on construit les ateliers et les manufactures à proximité de chez soi, on arme des bâteaux dans le port où l'on habite. Comme une bonne partie des immobilisations prend la forme de bâtiments ou de machines et d'installations conçues et construites sur place, la production des biens d'équipement se fait là où il y a épargne et investissement.

Avec le développement du machinisme industriel, les probèmes se sont considérablement modifiés. L'utilisation d'outillages très spécialisés nécessite que l'on fasse appel, pour la construction ou l'équipement d'une usine, à des fournisseurs extérieurs. Lorsque l'industrie textile s'est diffusée sous ses formes modernes, au début du siècle passé, des ateliers de construction de machines textiles sont apparus partout où existait une forte concentration de métiers : l'industrie mécanique du Lancashire, celle de la région de Glasgow en Écosse, les fabrications mécaniques de la région zurichoise et celles de Mulhouse sont nées de cette manière. Cette dispersion des fabrications de biens d'équipement n'a pas duré. Elle était due en partie à des causes artificielles, aux restrictions à l'exportation du matériel, apportées par certains des pays alors industriellement avancés. Elle venait aussi de l'absence de normalisation et de stocks de pièces de rechange, qui donnait un avantage considérable à ceux qui pouvaient acheter leurs machines sur place. L'industrie naissante des chemins de fer nous offre déjà un exemple différent. La Grande-Bretagne a été longtemps le fournisseur unique, puis un des grands fournisseurs de matériel. On doit à cela l'uniformité des écartements dans la plus grande partie de l'Europe et du monde. La multiplication des largeurs de voie ne s'est produite qu'au bout de trois décades d'histoire ferroviaire, lorsque le monopole anglais a faibli et que l'art de l'ingénieur s'est affiné.

De nos jours, les biens d'équipement sont ceux dont la portée est la plus forte. Pour les équipements électroniques des ensembles automatisés, les frais de distance sont devenus négligeables. Ce qui compte essentiellement pour l'acheteur, c'est de posséder un matériel satisfaisant totalement à ses besoins, robuste et capable de servir assez longtemps pour que l'amortissement puisse se faire sans heurts. L'accélération du progrès technique transforme les conditions. La durée de vie de l'équipement se réduit, mais sa complication croissante augmente son prix relativement à son poids, si bien que l'obstacle de la distance diminue sans cesse.

L'industrie de production des biens d'équipement a tendance à se concentrer. Nous aurons l'occasion de revenir, à propos du commerce international, sur les règles de sa localisation. Pour les besoins très spéciaux, il arrive que le nombre de fournisseurs qui existent dans le monde n'excède pas la demi-douzaine. Il est rare que les nations disposent d'une gamme de fabrication assez large pour satisfaire à tous leurs besoins. L'importance des échanges internationaux de biens d'équipement montre donc la liaison très lâche qui existe entre le lieu où s'effectue l'investissement et le point où les machines et l'outillage sont achetés.

La construction d'une usine demande aussi l'édification d'installations fixes. Lorsqu'il s'agit de fabrications légères, ne demandant que des bâtiments de conception simple, les entrepreneurs locaux peuvent assurer les travaux. Dans les *trading estates* britanniques, on construit certains bâtiments pour héberger des fabrications passe-partout, que l'on ne connaît pas à l'avance. De plus en plus pourtant, pour les fabrications mécaniques délicates, pour l'industrie chimique, pour la plupart des grandes usines, on passe par les services de sociétés d'engineering, qui se sont spécialisées dans l'étude de l'installation rationnelle des ensembles industriels. Une partie de la dépense va ainsi à des études effectuées par quelques firmes, souvent étrangères. Lorsque le programme est important, lorsqu'il nécessite un matériel de travaux publics difficile à amortir, on fait appel à des sociétés puissantes et dont le siège ne se trouve que rarement au lieu où l'on procède à l'investissement. Il y a donc là un divorce supplémentaire entre le lieu où s'élèvent les nouvelles capacités de production et l'endroit où les paiements des travaux sont effectués.

De l'épargne à l'investissement : une portion de circuit difficile à appréhender.

La complication des circuits d'investissement a cependant des causes plus générales. On arrive avec un peu d'effort à retracer le cheminement des dépenses et leur répartition entre les producteurs qui fournissent les biens et les services d'équipement. Les analyses que l'on a ainsi effectuées ont donné parfois des résultats étonnants. Les Italiens ont découvert avec surprise que, dans un premier temps, l'effort d'équipement effectué en faveur du Mezzogiorno, se traduisait par une augmentation plus rapide des emplois créés dans le Nord que dans le Midi (25). Les usines fournissant le matériel des complexes industriels nouveaux sont presque toutes dans le Nord et c'est là l'origine du paradoxe. L'exemple illustre à la fois l'ampleur du divorce géographique et les problèmes auxquels il peut donner naissance. Mais ce divorce peut être dans l'état actuel mesuré, prévu, au moins dans une certaine mesure, voire corrigé. Le divorce géographique qui se situe en amont, dans le circuit de financement de l'investissement est bien plus grave, mais il est plus mal connu, et plus difficile à apprécier.

L'apparition de la grande industrie moderne est contemporaine

(25) Comme l'ont montré les recherches de comptabilité interterritoriale. CHENERY (Hollis B.), « Le interdipendenze strutturali fra la Italia del Nord e quella del Sud ». *L'industria. Rivista di Economia Politica*, 1953, pp. 3-16.

de la mise au point de modes nouveaux de financement. Les sociétés anonymes par action draînent, par l'intermédiaire du réseau bancaire et des bourses de valeur, l'épargne dispersée qui restait jusqu'alors oisive, ou était thésaurisée sous forme de métaux précieux. L'ampleur de la mobilisation géographique de l'épargne a été considérable. On l'a dit bien souvent pour les campagnes françaises. Une bonne partie de l'expansion économique de la France dans la seconde moitié du siècle dernier a été ainsi rendu possible par le transfert de l'épargne des campagnes où elle s'accumulait, vers les villes, où elle permettait la construction d'installations industrielles modernes. Le goût manifesté par les épargnants français pour les emprunts d'État, qu'ils soient français ou étrangers, a malheureusement guidé cet investissement vers des emplois peu productifs et en a fait perdre le bénéfice, dans beaucoup de cas, à l'économie française.

Tant que l'épargne demeure préalable, on arrive à suivre son cheminement. Mais le financement direct de l'investissement ne joue pas un rôle exclusif dans le monde moderne. Le pouvoir conféré à la grande entreprise l'autorise à percevoir des revenus et à les transformer en épargne, mais le procédé n'est pas assez souple pour suivre le rythme irrégulier des besoins de capitaux dans l'entreprise.

Pour certains investissements, les entreprises et l'État s'adressent au marché financier, qui met à leur disposition l'épargne préalable que le public lui a confiée. Mais les ressources de ce marché ne se limitent pas à celle-ci.

Par l'intermédiaire des divers systèmes de semi-monnaie, les marchés financiers peuvent créer de la monnaie pour le financement d'une opération. Le rééquilibre à l'échelle de l'économie globale se fait de plusieurs manières : une large partie du revenu engendré peut servir uniquement au remboursement des sommes empruntées. Dans d'autres circonstances, l'épargne est involontaire : la hausse des prix diminue la consommation de la population dans son ensemble.

Les liens géographiques qui unissent en pareil cas les revenus de leurs points d'affectation sont très distendus. Lorsque l'on envisage l'économie *ex post*, il y a égalité entre l'investissement réalisé et l'épargne au niveau global. Mais cette égalité est le fruit d'ajustements globaux et n'est pas la marque d'une harmonie préétablie et de circuits volontairement mis en place. Lorsque les circonstances sont telles que le financement décidé *ex ante* sans épargne préalable peut être effectué sur les revenus engendrés directement, il n'y a pas de distorsion géographique apparente. En fait, la décision prise limite la liberté d'autrui, car les possibilités de création sans écart inflationniste sont finies. En cas d'inflation, l'équilibre n'est rétabli que grâce à un transfert du pouvoir d'épargne effectif au bénéfice de l'investisseur.

Dans les cas que nous venons d'évoquer, les liens entre l'épargne et l'investissement se sont distendus et inversés, en ce sens que l'épargne est le résultat de l'acte d'investissement, qu'elle se trouve localisée par lui, soit directement, soit indirectement. On voit donc combien, dans ces circonstances, le financement des opérations de développement des équipements devient libre, sur le plan géographique. Par quoi demeure-t-il lié? Par la possibilité, pour l'entrepreneur, de faire appel aux ressources dégagées sur les marchés financiers. La taille de l'entreprise impose une très large limitation dans ce domaine. On ne prête qu'aux riches et aux puissants. La petite affaire à la limite de l'artisanat a de la peine à trouver de l'argent, elle ne le peut que dans des conditions onéreuses, si bien que son expansion demeure liée à sa capacité propre d'épargne. Pour la grande entreprise, la situation est différente : le recours au marché financier, les facilités avec lesquelles les crédits sont accordés par les banques pour les opérations à court terme — mais aussi, bien souvent, par le report des découverts, pour des opérations à moyen ou à long terme — leur donne une souplesse de conduite plus large, les autorise à procéder à des investissements dans des conditions plus sûres. Pour les crédits à court terme, l'organisation des réseaux bancaires est telle que l'on trouve pratiquement dans tout l'ensemble d'un vaste territoire des conditions analogues. Les firmes les plus importantes ont des établissements répartis très largement sur un territoire national, ou à l'extérieur. Ce sont elles qui craignent le moins les risques que font courir les opérations d'implantation dans des régions jusque là peu industrialisées. Elles tendent cependant de plus en plus à concentrer leurs directions commerciales, leurs services financiers et leur siège social, dans les grandes places financières. Pour les opérations sur le capital, la proximité du marché financier joue beaucoup. Il est bon d'être connu, de pouvoir intervenir directement, de suivre de près l'évolution des conditions économiques générales. Ainsi, les possibilités de développement des entreprises dépendent un peu de leur position vis-à-vis du marché financier.

Des mécanismes compensateurs peuvent jouer. Wilbur Thompson le montre de la manière suivante (26). Dans une grande place financière, la majeure partie des disponibilités est distribuée par des institutions spécialisées, par les banques ou par les services de ceux qui font profession d'opérer en bourse. Les rapports établis entre demandeurs et fournisseurs de capitaux deviennent personnels au niveau des firmes les plus puissantes. Ils n'en demeurent pas moins extrêmement formels et prudents. La situation est différente dans un petit centre. La plupart des détenteurs de capitaux en confient la gestion à des services spécialisés, qui les offrent sur les marchés nationaux. Un certain nombre de personnes suivent cependant de très près la gestion de leur fortune. Certaines ont gardé le goût du risque. Au lieu de se défaire de la responsabilité de la direction de leur fortune en utilisant les services d'une société d'investissement dont la politique est nécessairement prudente, elles sont volontiers favorables à l'idée de financer l'entreprise d'un jeune homme dynamique. Ainsi, l'argent serait plus accessible dans beaucoup de petites villes qu'il ne le serait sur les places financières pour les entreprises qui essaient de lancer des fabrications nouvelles.

Wilbur Thompson en tire l'idée d'un cycle géographique dans la vie des firmes. Elles apparaîtraient souvent dans les villes relativement modestes, où les vertus d'innovation sont plus facilement reconnues. En se développant, elles auraient besoin de ressources plus importantes. Leurs succès antérieurs leur permettraient d'accéder sans trop de difficultés aux grands marchés financiers et elles installeraient alors leurs sièges sociaux et une partie de leurs établissements dans les villes importantes. Elles seraient alors contraintes d'adopter des méthodes de gestion plus prudentes, laisseraient passer certaines occasions, perdraient en partie le goût de l'innovation et permettraient de la sorte au cycle de recommencer.

Les conditions ainsi reconstituées ont sans doute été celles du capitalisme américain au début du siècle. La situation en Europe a été analogue au même moment. On est étonné de

(26) THOMPSON (Wilbur B.), *A Preface to Urban Economics*. Baltimore, The Johns Hopkins Press, 1935, XVI, 413 p., cf. chap. I.

voir la prolifération d'entreprises nouvelles dans certaines régions sans grandes villes au début de ce siècle. L'innovation technique demeurait relativement facile à mettre au point, elle pouvait être le fait d'isolés. Il n'en est plus de même. Les découvertes actuelles demandent des investissements considérables, des recherches fort longues. Elles sont le fruit d'une politique systématique et non pas d'une étincelle de génie ou d'un heureux hasard. Le mécanisme compensateur qui a certainement joué un grand rôle dans l'éclosion des petites affaires industrielles au début du siècle, tend à perdre de son importance.

Ainsi, la liaison de plus en plus lâche entre l'épargne et l'investissement, le rôle moteur joué par l'investissement, la mobilité presque parfaite des capitaux neufs, bien loin de favoriser la dispersion des entreprises et des établissements sur tout l'espace économique, tend à être surtout bénéfique à ceux qui peuvent accéder aux marchés financiers, qui peuvent avoir recours aux banques à des conditions avantageuses. Pour les très grandes entreprises, il est possible de dissocier le siège social des établissements sans que cela présente de difficultés, ou nuise à la rentabilité des opérations. Pour l'entreprise moyenne, la difficulté est plus grande. Si elle reste résolument provinciale, si elle demeure fidèle à la structure familiale, il lui est difficile d'investir au moment opportun. Elle ne peut procéder aux innovations aussi vite qu'il le faudrait. L'étouffement de l'affaire risque de se produire à la longue, surtout s'il existe dans la branche, des entreprises qui se trouvent mieux placées et qui pratiquent une politique beaucoup plus hardie. Si les responsables de l'entreprise veulent se montrer plus dynamiques, ils doivent renoncer à l'indépendance. Ils essaient d'obtenir les capitaux qui leurs manquent et s'adressent au marché financier. Il leur faut y être connus. S'ils installent à cette fin leur siège social dans une grande place, ils risquent de perdre de vue la direction de l'entreprise sur le plan commercial et sur le plan technique. La solution la plus avantageuse, c'est de posséder les établissements dans le centre financier lui-même ou à proximité. Ceci explique l'attrait des grandes métropoles et de la région périphérique, dans un rayon d'une ou deux heures de route, pour les types d'industrie modernes, où la production demeure le fait de sociétés de taille moyenne.

Parmi tous les éléments du circuit économique, celui qui

introduit le plus de liberté géographique, celui qui permet les brusques mutations et les discontinuités spatiales, c'est celui du financement et de l'investissement. Il n'en a pas toujours été ainsi. La liberté actuelle tient à la transformation des techniques de production, à l'utilisation d'outillages coûteux. Elle résulte de l'invention de toute une série de procédés qui donnent à l'entrepreneur le droit d'investir sans posséder de capitaux libres.

Une telle possibilité apparaît comme incompatible avec les modes de pensée de l'économie classique. Le pouvoir créateur que l'on reconnaît à l'entrepreneur ne pourrait se tolérer si l'on voulait assurer le respect des règles de la concurrence parfaite. Nous avons indiqué au chapitre précédent comment l'imperfection du marché aboutissait à une inégale répartition des revenus, des taux de profit et du pouvoir d'épargner. Le circuit de financement de l'investissement garde apparemment la même structure que dans le schéma normal. Une analyse ferme montre que là encore, le pouvoir d'investir librement est donné en fait à l'entrepreneur puisqu'il a la possibilité de modeler à son gré la géographie de l'épargne.

Les circuits de la répartition et de l'investissement en situation de concurrence imparfaite.

Les mécanismes qui permettent de répartir le revenu au sein de l'économie ne sont pas neutres, indifférents au pouvoir, créés de toute éternité et selon des modèles parfaits Ils portent la marque de la puissance des groupes. Par le pouvoir économique qui leur revient, les entreprises qui se partagent un marché non concurrentiel, le groupe qui s'assure le monopole d'une fourniture industrielle parviennent à fixer les prix de telle manière que leurs niveaux de profit sont particulièrement élevés. Le prestige des modèles de concurrence provient de ce que de telles possibilités sont éliminées si, conformément à leurs indications, on parvient à faire disparaître tout pouvoir sur les marchés. Mais la situation de concurrence parfaite n'existe jamais, même lorsque la production est divisée en une multitude de petites entreprises, qui donnent l'image de la division atomistique de l'offre prévue par la théorie. Il est en effet rare que la demande se trouve divisée de la même façon, si bien qu'une inégalité s'instaure entre les acheteurs et les vendeurs : les seconds manquent effectivement de tout pouvoir, mais les premiers sont assez forts pour imposer leurs conditions de prix. Les schémas de fonctionnement des marchés agricoles sont fréquemment de ce type : on voit pourquoi les agriculteurs se voient attribuer des revenus trop faibles cependant que les acheteurs peuvent épargner et investir. La répartition de l'épargne n'est pas le résultat de lois neutres. Elle traduit le pouvoir qu'ont les groupes économiques de s'approprier des revenus plus ou moins élevés, de les utiliser à leur guise, en limitant les sommes dont disposent les ensembles sociaux moins favorisés. Dans un premier stade, la baisse du revenu empêche de procéder à une épargne, sans restreindre la consommation. Si la réduction des ressources est plus forte, le niveau de consommation s'effondre. Ainsi, au simple transfert de la capacité d'épargner se joint, à partir d'un certain moment, une épargne forcée.

Il arrive qu'une région dispose d'une gamme d'industries jeunes dont la demande augmente sans arrêt, alors que les régions voisines, industrialisées plus tôt, fabriquent des produits dont le besoin n'augmente pas. Les premières peuvent exiger des prix relativement élevés, et faire d'excellentes affaires. Les secondes voient leurs marges réduites par la concurrence très vive que se livrent les producteurs. Les taux de profit sont faibles et les salariés n'arrivent pas à obtenir les augmentations que leurs collègues des industries jeunes se voient proposées. La région en expansion a une capacité d'épargne élevée. Les entreprises peuvent procéder à un autofinancement très rapide. Les salariés arrivent à mettre de côté ce qui est nécessaire à la construction d'un appartement, d'une maison, constituent des réserves de sécurité. Les conditions du marché permettent de transférer le pouvoir d'épargne des régions pauvres aux régions dynamiques qui disposent d'une gamme d'activités bénéficiant d'une demande très ferme (27).

Des mécanismes compensateurs réduisent un tout petit peu ces inégalités. Lorsque le climat économique est optimiste, la

(27) C'est au plan de l'économie internationale que l'on a pris tout d'abord conscience de ces mécanismes, exposés pour la première fois par PREBISCH (Raùl), *The Economic Development of Latin America and its Principal Problems*. Lake Success, United Nations Economic and Social Council, Economic Commission for Latin America, 1950. — ID., *Towards a New Trade Policy for Development*. New York, United Nations, 1964.

part du revenu consacré par les particuliers à l'épargne est plus faible que dans un climat difficile : les régions en expansion, où les salaires sont particulièrement forts ne réussissent pas toujours à épargner plus que les autres. La Sécurité Sociale a fait disparaître un des motifs les plus puissants de l'épargne, si bien que les masses ouvrières des régions les plus prospères dépensent tout leur salaire. De toute manière, l'épargne des ménages ne joue souvent qu'un rôle assez faible dans le financement de l'investissement régional. Elle est drainée par les organismes spécialisés — caisses d'épargne, banques ou compagnies d'assurances. Ces organismes utilisent leurs disponibilités comme bon leur semble et procèdent à des placements sur toute l'étendue du territoire national. C'est donc l'inégalité des taux de profit qui règle presque seule le niveau des investissements régionaux. L'épargne individuelle n'agit guère que sur le volume de la construction de logements neufs — dans les pays où le financement est assuré par les particuliers. En France, où cette épargne a été découragée, une bonne part de la construction est financée sur des fonds publics et échappe ainsi aux règles de répartition du revenu.

Les imperfections du marché qui permettent une distribution inégale des revenus et donnent à certains un pouvoir d'épargne dont ils privent leurs partenaires ne se traduisent pas par les mêmes effets selon les phases des cycles économiques. Lorsque la production est régulière, qu'il n'y a ni pénurie, ni surabondance, que les marchés fonctionnent sans heurts, les inégalités de pouvoirs sont réduites à peu de choses; en temps de pénurie, à la fin d'une guerre par exemple, et durant les années de reconstruction qui suivent, la situation est tout à fait différente. Les producteurs possèdent un avantage considérable et peuvent réduire le revenu de toutes les autres catégories. Le bouleversement peut être tel que des groupes traditionnellement défavorisés imposent leur volonté. Les agriculteurs n'ont pas la même puissance de négociation sur les marchés que les autres catégories sociales. Les produits qu'ils fournissent ne voient pas leur consommation augmenter aussi vite que celle des autres biens. La mécanisation permet à une minorité d'exploitants de procéder à des rabais importants sans diminuer le taux de profit. La structure concurrentielle des marchés agricoles empêche les actions collectives de défense des revenus d'être efficaces. Depuis la seconde moitié du siècle dernier, les revenus des agriculteurs ont connu une diminution relative, régulière dans la plupart des pays du monde. Peut-être cette évolution est-elle nécessaire pour provoquer le départ de main-d'œuvre vers les villes? Ce n'est pas certain. La situation de l'agriculture traduit l'inégal pouvoir de marché dont dispose les groupes. Il y a un siècle, les départements où le revenu individuel était le plus élevé coïncidaient avec des régions purement agricoles. Le Gers se plaçait en tête. La situation actuelle est à l'inverse. Les départements purement agricoles figurent tous dans le peloton de queue, appartiennent aux zones peu développées où la faiblesse des revenus crée des problèmes permanents.

A la fin des deux guerres mondiales, les régions agricoles ont vu leurs revenus atteindre des niveaux records. La capacité d'épargne qu'elles se sont attribuées était considérable. Elle n'a pu être malheureusement utilisée par suite de la faiblesse de la production des biens d'équipement agricole et l'inflation a fait perdre à ces régions une partie des bénéfices obtenus durant les années de pénurie.

Les régions industrielles qui fournissaient uniquement des biens destinés à la consommation finale ont alors été défavorisées par des mesures de restriction. Les fournisseurs de produits d'équipement se trouvaient en bonne posture, car l'effort de reconstruction leur permit de vendre beaucoup et de vendre cher. Le gouvernement préfère limiter durant quelques années l'activité des industries légères, textiles ou alimentaires par exemple, et donner la priorité aux industries métallurgiques ou mécaniques nécessaires à la reconstitution des capacités de production. En France, la reconstruction a provoqué le développement rapide des installations dans les régions houillères, dans les zones de métallurgie lourde et dans les régions de métallurgie différenciée fournissant les pièces nécessaires aux industries d'équipement. Ainsi, le Nord et à bien plus grand degré la Lorraine se sont trouvés favorisés. Une partie des investissements proviennent évidemment de transferts de fonds publics. Mais la part de l'autofinancement a été considérable. Elle traduit le pouvoir économique dont ont bénéficié durant quelques années ces régions.

Les institutions qui existent dans la plupart des pays industrialisés pour protéger les inventeurs et qui permettent de créer momentanément, sous la forme de brevets, des monopoles totaux ou partiels, permettent des taux de profits élevés, le transfert des revenus des consommateurs aux producteurs et plus spécialement aux inventeurs et aux entrepreneurs. Ce mécanisme s'est révélé essentiel dans le développement de la société contemporaine. Il est en désaccord avec les principes de l'économie classique, si bien que les circonstances qui permettaient à des firmes de s'assurer des profits exceptionnels étaient souvent entourées de réprobation. Dans l'optique classique, le retour à la normale devait se produire le plus vite possible, les concurrents devaient avoir accès aux nouveaux procédés de fabrication, les profits retomber au bas niveau où la pratique de la concurrence les limite normalement. Schumpeter a réagi contre ces interprétations. Il a montré le rôle de la grande entreprise dans la réalisation des innovations, a insisté sur le rôle de l'entrepreneur dans la vie économique. Il a montré que la logique des institutions et des situations résultant du développement du capitalisme industriel dans les grands pays dynamiques depuis les années 1870-1880 était plus grande que ne le croyait la plupart des tenants de la théorie classique. Les profits élevés, permis par la mise en application de combinaisons productives nouvelles les collusions entre rivaux et la découverte continuelle de nouveaux marchés, ont accéléré la marche du progrès technique, précipité le renouvellement des procédés de fabrication, fait du capitalisme une forme de structure éminemment progressive. Celui que la théorie économique classique avait décrit un demi-siècle plus tôt était moins injuste, mais il ne présentait pas le même pouvoir d'évolution. A long terme, les injustices créées par le capitalisme agressif sont peut-être moins grandes que celles qui se seraient maintenues dans une société plus statique. Le système est cohérent : en permettant aux entrepreneurs des profits élevés, de procéder à des augmentations régulières de salaires, le monde économique de la grande entreprise a assuré une répartition des pouvoirs d'épargne qui s'est révélée bénéfique. Elle a donné l'essentiel des revenus susceptibles d'alimenter l'épargne à ceux qui étaient les plus capables de la transformer en investissements efficaces, elle a ainsi assuré une répartition favorable à un développement économique rapide, le long de voies efficaces.

III. — Équilibres partiels et équilibre global du circuit économique dans l'espace.

Nous avons suivi les diverses étapes du circuit économique et nous avons analysé, pour chacune d'entre elles, les conditions qui président à la mise en place des localisations et qui permettent d'aboutir à des équilibres satisfaisants.

L'économie spatiale a longtemps borné ses efforts à analyser ces équilibres partiels. Elle a isolé certaines étapes, supposé que certains éléments étaient des données du système. Dans ces conditions, elle a déterminé les solutions optimales que l'on pouvait donner au problème de la localisation. Le premier exemple de construction théorique de ce type a été élaboré par von Thünen à propos des activités agricoles (28). Dans son schéma, le marché, la consommation étaient fixes. La variable essentielle était la distance au foyer d'utilisation de la production.

Les localisations industrielles n'ont été analysées de manière scientifique que plus tard. Une théorie élaborée est déjà présente dans les travaux d'Émile Levasseur (29), aux alentours de la guerre de 1870. Son orientation est voisine de celle qu'illustrera plus tard Alfred Weber (30), mais sa formalisation est incomplète. La géométrie des implantations que le grand économiste allemand révéla permit de procéder à une analyse complète des conditions de l'équilibre spatial de la firme. Cette méthode se prête pourtant mal aux généralisations théoriques. Predöhl a eu l'idée de recourir à l'utilisation du principe de substitution (31), qui avait donné de si bons résultats dans tous les domaines de l'économie néo-classique.

Les activités tertiaires ont vu leur équilibre expliqué plus tard par Christaller et Lösch (32) : cela peut surprendre, car c'est dans ce domaine que les régularités géographiques sont les plus évidentes, c'est donc là que l'exploration théorique aurait pu trouver les conditions d'application les plus faciles.

(28) Thünen (Johann von), *Der Isolierte Staat, op cit.*
(29) Levasseur (Émile), *L'étude et l'enseignement de la géographie, op. cit.*
(30) Weber (Alfred), *Über den Standort der Industrien.* Tübingen, 1909.
(31) Predohl (Andreas), « Das Standortsproblem in der Wirtschaftstheorie ». *Weltwirtschaftliches Archiv*, vol. XXI, 1925, pp. 294-331.
(32) Christaller (Walter), *Die zentralen Orte in Süddeutschland, op. cit.* — Lösch (August), *The Nature of Economic Regions, op. cit.*

L'économie spatiale se présente donc, aux alentours de 1930, comme constituée par une juxtaposition de théories partielles. Elle met presque uniquement l'accent sur l'analyse de l'équilibre de la production, qu'elle envisage comme le seul élément plastique entre une répartition des facteurs qu'elle n'analyse pas et une dépense qu'elle considère comme une des données du problème. L'unité du circuit économique se trouve de la sorte rompue; il n'est pas étonnant que l'on ait longtemps négligé les solidarités générales qui paraissent si évidentes lorsqu'on embrasse l'ensemble des mécanismes de la vie économique.

Les diverses parties du circuit économique portent la marque des contraintes opposées qu'imposent la consommation de l'espace et son rôle d'obstacle. Les liaisons techniques ou économiques se traduisent de la sorte par certaines trames géométriques ou géographiques. Lorsque l'on passe d'une étape à la suivante, les distances ne doivent pas être trop grandes, si l'on ne veut pas que les solidarités se trouvent amenuisées ou rompues. Tout se passe comme si chaque élément devait se trouver à l'intérieur d'un cercle, dont le rayon est caractéristique de l'étape et des liaisons analysées et dont le centre est constitué par l'élément précédent. Lorsqu'au cours d'une étape, se trouvent combinés plusieurs constituants, la localisation de l'opération économique se trouve nécessairement être dans le lieu commun aux divers cercles correspondants aux opérations précédentes.

Les dimensions de ces cercles sont variables d'une partie à l'autre de la vie économique. Elles augmentent avec le temps, le progrès technique et la baisse générale des frais de transport. Ces transformations se répercutent de proche en proche et comme le circuit économique est bouclé, elles affectent l'équilibre d'ensemble de la production, de la répartition et de la dépense. Elles mettent en évidence des liaisons générales que la théorie spatiale classique a mis longtemps à découvrir.

Il y a solidarité générale sur le plan spatial, entre les diverses étapes de la vie économique. Connaissant la localisation des étapes précédentes et celle des étapes suivantes, il semble possible de retrouver sans difficulté l'endroit le plus convenable pour exercer une activité donnée ou pour bénéficier d'un certain revenu ou pour le dépenser. Selon les cas, selon les éléments analysés, ce que l'on arrive à déterminer, c'est un point ou une zone optimale.

L'élargissement des cercles économiques que permet l'économie moderne enlève progressivement au facteur terre une partie de sa tyrannie d'autrefois. Dans la mesure où les produits peu élaborés sont ceux qui voyagent maintenant le mieux, on voit petit à petit les tendances centrifuges, qui prédominaient dans les économies traditionnelles s'amenuiser. Il n'y a aucun désavantage à raccourcir les distances, bien au contraire. Lorsqu'on a présentes à l'esprit les conditions d'équilibre de la production, une telle évolution semble même la seule logique. Nous avions supposée que la localisation des ressources et celle du marché étaient, pour le producteur, des données qui lui étaient imposées sur lesquelles il restait à peu près sans action. Nous avons montré ensuite que la localisation du revenu dépend beaucoup plus de celle de la production que de celle des marchés où s'effectue la dépense, que celle-ci dépendait à son tour essentiellement de la localisation des revenus. On voit donc qu'il y a une faille dans la logique du raisonnement : la production a l'air d'être tout entière soumise, dans les conditions actuelles, à l'action du marché. Celui-ci ne paraît avoir d'autres causes de localisation que celles qui déterminent l'apparition des établissements productifs. La diminution des frais de transport pourrait se traduire par un élargissement des espaces économiques. Cet élargissement se manifeste dans certaines parties du circuit : le poids du facteur terre diminue. Au total, pourtant, c'est à un resserrement que l'on assiste; il y a là un problème sur lequel nous nous étendrons longuement.

Il existe des éléments qui, à l'intérieur du circuit économique, sont moins solidement liés entre eux sur le plan géographique que ne le sont les autres. Il en est ainsi pour certaines formes du revenu, qui peuvent être réparties très loin du lieu où se concentre la production. Il en va de même pour certaines dépenses de consommation, celles qui portent sur des biens de grande valeur, qui peuvent voyager au loin sans subir trop de renchérissement. C'est au niveau de l'épargne et de l'investissement que le caractère déterminé, sur le plan économique comme sur le plan géographique, du circuit économique disparaît. Il n'en allait pas de même dans les économies traditionnelles où la boucle se refermait sur elle-même dans l'espace. De nos jours, des mécanismes globaux d'ajustement introduisent une rupture de continuité qui nous apparaît capitale (fig. 4.9).

On arrive après coup à retracer, dans certains cas, le circuit suivi par le revenu, par l'épargne, pour aller créer un certain

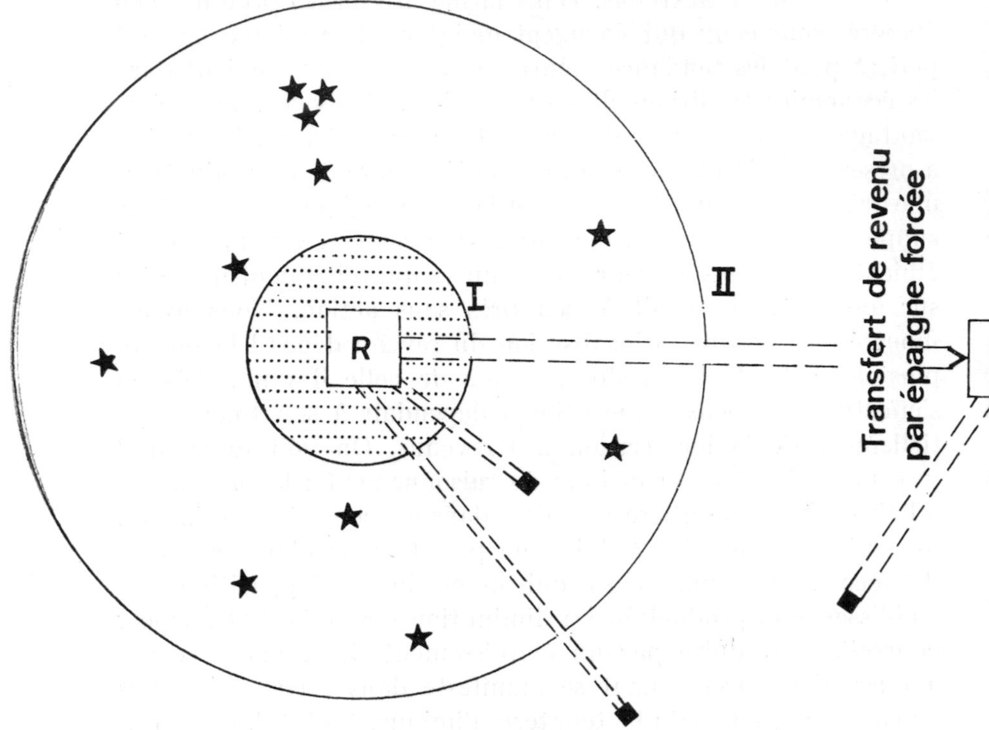

FIG. 4.9.

I. Portée des dépenses de services.
II. Portée des dépenses de biens.
1. Points d'impact de la dépense de services.
2. Points d'impact de la dépense de biens.
3. Points d'impact de l'investissement.
4. Circuit épargne investissement.
R : Revenu.
E : Épargne.

équipement : mais cette précision ne doit pas induire en erreur. C'est celui qui crée l'équipement qui détermine le tracé du circuit. Il n'y a plus déterminisme géographique, au même degré que dans les autres étapes de la vie économique.

Quelles sont les conséquences de cette évolution des circuits de l'épargne et de l'investissement? Puisque ceux-ci s'affranchissent complètement des déterminismes étroits de l'éloignement, de la distance, peut-être va-t-on voir les équipements nouveaux se disperser beaucoup plus qu'autrefois? Peut-être les tendances centripètes vont-elles trouver là une contrepartie et l'ensemble des tendances centrifuges et centripètes s'équilibrer? Beaucoup d'économistes l'ont cru au début de ce siècle, lorsque les nouvelles conditions de la vie économique actuelle ont commencé à se préciser. Des utopistes comme l'était Kropotkin (33), prédisaient alors la fin de l'ère des concentrations humaines, le retour à la dispersion qui garantit la vie saine et évite la tyrannie et l'oppression sociale. Leurs raisonnements étaient cohérents. Les faits ne leur ont pas donné raison.

Les économistes spatiaux ont pris pleinement conscience de la solidarité générale des composantes du circuit économique. Ils ont essayé de l'exprimer en bâtissant une théorie générale, dans l'esprit de celle qui avait été mise au point à la fin du siècle dernier par Léon Walras, et que Wilfredo Pareto devait perfectionner. August Lösch est le principal artisan (34) de ces analyses ambitieuses. Il a trouvé de nombreux continuateurs, en Amérique surtout. Les instruments de l'analyse spatiale tels qu'ils avaient été précisés par Predöhl ont permis d'adopter le cadre normal du raisonnement économique. Walter Isard s'est mis à analyser les inputs, les entrées de dépenses de transport qui interviennent à chaque étape de la vie économique : il a utilisé pour ce faire le cadre comptable fourni par le système de Léontief. Il a proposé une théorie générale qui se présente comme le symétrique de la théorie walrasienne (35) — on devrait plutôt dire qu'elle l'englobe, que la théorie classique n'est qu'un cas particulier de la théorie spatiale.

Le schéma de Walter Isard est sans cesse modifié et amélioré. Lefeber (36) et Edwin von Böventer (37) ont proposé des for-

(33) Pour Kropotkin, la fin des grandes concentrations humaines correspondait à un idéal anarchisant. L'analyse des forces économiques à l'œuvre le fortifiait dans son opinion. Les propositions de Kropotkin ont rencontré une large audience : traditionnellement, la grande ville, la concentration inhumaine des forces productives soulevaient la réprobation. Il justifiait les idéaux de retour aux formes traditionnelles du peuplement : Lewis Manford, dans la classification qu'il utilise des phases de l'évolution technique (cotechnique, paléotechnique, néotechnique) reprend ces thèmes. Kropotkin (Piotr), *Fields, Factories and Workshops*. New York, Putnam, 1899, 477 p.

(34) Lösch (August), *Die raümliche Ordnung der Wirtschaft.*, *op. cit.*

(35) Le premier exemple d'une théorie générale de l'économie est fourni par Walras (Léon), *Éléments d'économie politique pure*. Lausanne, Rouge, 2 vol., 1874-1877.

(36) Lefeber (Louis), *Allocation in Space. Production, transport and industrial location*. Amsterdam, North-Holland Publishing Company, 1958, XVI, 151 p.

(37) Böventer (Edwin von), « Théorie de l'équilibre en économie spatiale », *op. cit.* — Id., « Towards a United Theory of Spatial Economic Structure », *op. cit.*

mulations nouvelles de la théorie spatiale générale. Leurs méthodes sont mieux au point. Ils parviennent à rendre compte de nombreuses particularités d'évolution actuelle. Ainsi, le schéma fourni par von Böventer analyse toute une variété de motivations que l'on négligeait généralement. On ne parle plus de maximation des profits ou des revenus, mais de maximations de la fonction d'utilité. Les aménités, les conditions générales de la consommation et de la vie sociale se voient ainsi reconnaître un rôle que les modèles antérieurs leur refusaient.

On arrive à expliquer les tendances actuelles à la concentration des activités économiques. Tout ne paraît cependant pas très clair dans le raisonnement (38). On fait constamment allusion au jeu des économies externes et des indivibilités. C'est à ces éléments que l'on attribue généralement les effets de concentration que l'on retrouve à l'œuvre dans tous les pays développés. On comprend en effet que l'apparition d'économies d'échelle favorise la création d'unités géantes de production. La concentration de chacune des étapes de la vie économique est normale. Nous en avons exposé le principe en montrant comment le jeu des coûts décroissants était un des deux éléments qui concouraient à l'élargissement des marchés — l'autre étant constitué par la baisse des prix de transport.

La notion d'économie externe est bien plus difficile à cerner. Comment la définir sans sortir du plan de la micro-économique? Elle est utilisée sans que son contenu soit clairement défini. C'est là la pièce essentielle de la mécanique actuelle de l'espace. Sans le jeu de l'économie externe, la liberté de l'investissement suffirait à contrebalancer les tendances centripètes de la vie économique. Si l'interruption dans la continuité apparente du

(38) La théorie générale de l'équilibre de l'économie spatiale telle qu'elle est formulée par Walter Isard, Louis Lefeber ou Edwin von Böventer a fait l'objet de vives critiques de la part des économistes français de l'école de M. François Perroux. On en trouvera un exposé souvent pertinent, mais parfois injuste dans Erbes (Robert), *L'intégration économique internationale*. Coll. Études économiques. internationales, Paris, P. U. F., 1966, XII, 199 p. L'analyse fournie par la plupart des économistes français contemporains fait de larges emprunts au vocabulaire et aux idées perrousiennes. La description de la diversité des espaces économiques, les effets de domination et d'assymétrie, occupent une large place dans tous ces travaux. Nous n'accordons à ces problèmes que quelques développements. Ils ne nous paraissent pas de nature à faciliter une explication générale de la vie économique. Quoiqu'ils se présentent sous forme d'éléments théoriques, ils nous semblent manifester la réapparition des vieilles critiques formulées par l'école historique à l'encontre des tentatives d'interprétation logique.

circuit géographique n'est pas utilisée dans le sens d'un élargissement continuel du système spatial embrassé, si le droit que que l'on a de refaire la géographie en construisant là où on le désire les équipements neufs ne conduit qu'à réduire les bases géographiques de la plus grande partie des circuits économiques, c'est que les économies externes permettent de dégager des profits plus élevés, dans des conditions de sécurité et de facilité plus grandes. Mais ceci ne nous éclaire pas davantage sur l'origine et la nature de ces économies externes!

Il nous semble que cela marque les limites de la théorie générale de l'économie spatiale telle qu'on la présente normalement. Elle a la valeur de mettre en évidence les solidarités d'ensemble, de faire comprendre que l'analyse économique de la géographie ne saurait être partielle : il y a interaction entre les différentes étapes de la vie économique, action réciproque entre les localités et les régions voisines ou éloignées. Mais le schéma général ne peut rendre compte des évolutions actuelles. Dès qu'on essaie de le développer pour lui permettre non seulement de décrire une situation, mais de suivre une évolution, les insuffisances apparaissent. Nous essaierons, au cours des chapitres suivants, de voir comment il est possible de mieux étudier les interrelations dynamiques, comment on peut parvenir à rendre compte des principaux éléments de la transformation des géographies économiques.

CHAPITRE V

LES ÉCONOMIES TERRITORIALES

La recherche d'une théorie générale inspirée du modèle walrasien permet en principe de résoudre tous les problèmes théoriques et pratiques de l'économie. En fait, elle laisse désarmé, comme nous venons de le dire, devant les unités territoriales dont l'originalité s'impose avec force à l'observateur. Depuis quelques années, les travaux sur les aspects globaux de la vie économique se multiplient. On dispose d'une gamme complète ou à peu près de comptes économiques nationaux : en quinze ans, le progrès a été énorme et tous les pays disposent maintenant d'évaluations, au moins partielles. On a commencé à élaborer des comptes pour des unités plus menues. En France par exemple, les travaux de comptabilité régionale sont apparus timidement au début des années 1950 (1). A l'heure actuelle, on élabore des comptes pour des unités de toutes les dimensions (2), on prend conscience de certaines régularités, on dispose d'un corps de doctrine qui aide à résoudre les problèmes délicats que pose la mise en place des comptes à ces échelles.

(1) Le premier travail de comptabilité régionale réalisé en France est celui de BAUCHET (Pierre), *Les tableaux économiques. Analyse de la région lorraine.* Paris, Génin, 1955, 182 p.

(2) On trouvera une présentation de l'ensemble des méthodes et des problèmes de la comptabilité territoriale dans JOUANDET-BERNADAT (Roland), *Comptabilité économique et espaces régionaux, op. cit.*

Les travaux actuels prennent presque toujours comme cadre la région de programme, ou le département. Certains s'inscrivent dans des cadres plus réduits, celui du canton ou de la commune rurale (Sylvain Wickham, I. E. R. S. O.), celui de la ville ou de l'agglomération urbaine (enquête de la S. E. M. A. sur les comptes de La Rochelle et de Rennes).

Une étude synthétique permet de comparer les résultats obtenus pour les diverses régions françaises : I. N. S. E. E., « Comptes régionaux 1964 ». *Études et Conjoncture.* Série « Comptabilité nationale », n° 9, Paris, I. N. S. E. E., 1966.

Nous avons essayé de faire une mise au point sur ces recherches : CLAVAL (Paul), « Chronique de géographie économique. II. Les comptabilités territoriales ». *Revue géographique de l'Est,* vol. 6, 1967, n° 1.

On pourrait croire que l'intérêt pour l'économie territoriale est récent. Lorsqu'on lit les travaux des économistes spatiaux, on a l'impression que leur spécialité, à l'exception de l'œuvre de deux ou trois grands précurseurs du siècle dernier, est née et s'est développée depuis une génération. Il y a là quelque part d'illusion. La majeure partie des auteurs qui travaillent sur les problèmes de localisation demeure aujourd'hui fidèle aux orientations de la micro-économie. Ils oublient ainsi par exemple qu'une bonne partie de la théorie économique classique, celle des relations économiques internationales, constitue une pièce importante de toute théorie économique spatiale. Les économistes classiques ont en effet été assez vite conduits à admettre l'originalité et la réalité des économies territoriales et à tenir compte de leurs réactions pour comprendre la réalité spatiale.

I. — Économie ouverte, économie fermée et ensembles territoriaux.

L'analyse du circuit économique montre que les divers éléments de la chaîne globale prennent place dans des sphères de rayon différent. Certains composants se trouvent réunis et assemblés au même lieu. D'autres doivent subir des déplacements considérables. La taille des cercles dans lesquels s'inscrivent les divers circuits de la vie économique est très variable.

Économie fermée, économie ouverte.

Lorsque l'on considère une unité territoriale très vaste, la plupart des cercles de relation se referment dans le cadre retenu. Les échanges avec l'extérieur sont réduits à peu de choses. A la limite, les échanges avec l'extérieur sont rigoureusement nuls : on dit que l'économie territoriale est fermée. En fait, le seul exemple actuel que l'on puisse fournir d'économie close ou fermée, est constituée par l'ensemble du globe. Toutes les unités plus petites entretiennent des échanges entre elles.

Si l'on considère des unités territoriales suffisamment menues, la plupart des boucles du circuit sont coupées par le cadre choisi. A la limite, le cadre ne contient aucun élément complet du circuit. Lorsque toutes les transactions se font entre des agents situés dans le territoire, et des agents domiciliés dans le reste du monde, que les transactions intérieures disparaissent, on dit que l'on a affaire à une économie ouverte. Les situations d'économie ouverte parfaite ne se rencontrent guère plus que celles d'économie fermée. La seule image de l'économie ouverte est fournie par l'agent qui ne se rend à lui-même aucun service, qui ne produit rien pour lui et qui passe pour la totalité de ses besoins par l'intermédiaire du marché.

Dans la pratique, ce que l'on trouve le plus généralement, ce sont des situations intermédiaires. Il existe toujours une certaine proportion des circuits qui se referment à l'extérieur, une certaine proportion qui se bouclent sur place. Selon la proportion des uns et des autres, on parle d'économie ouverte et d'économie fermée. Les progrès des comptabilités territoriales ont permis de se faire une idée plus précise de ces situations. Si l'on compare la somme des importations et des exportations d'un territoire, à la somme de son produit et de sa dépense, on mesure la proportion des circuits noués à l'intérieur et des circuits qui débordent le cadre territorial. M. J.-R. Boudeville (3) donne quelques valeurs intéressantes de rapports de ce genre. Il indique que pour les nations le plus largement ouvertes sur l'extérieur, comme les Pays-Bas, le Danemark, la Suisse ou la Belgique, le rapport peut atteindre des valeurs voisines de 30 %, ou même légèrement supérieures. C'est évidemment dans les États de superficie réduite et qui sont incapables de satisfaire à la totalité de leurs besoins que le pourcentage est le plus élevé. Des empires continentaux à la dimension de l'U. R. S. S. ou de l'Amérique du Nord ne nourrissent avec l'extérieur que des relations beaucoup plus faibles.

Les circuits économiques et les cadres de l'économie territoriale.

Le choix du cadre est important lorsqu'on procède à des mesures économiques de ce type. Si on choisit une délimitation arbitraire, on multiplie les réseaux de relation situés à cheval sur les frontières, on obtient une valeur très élevée d'ouverture

(3) BOUDEVILLE (Jacques-R.), *Les programmes économiques, op. cit.*, cf. pp. 81-83.

économique de l'ensemble. Les valeurs obtenues ne seront significatives et comparables que si l'on prend quelques précautions.

Nous avons vu que dans les économies qui se développent dans l'espace, les éléments de circuit correspondant à une même opération avaient tendance à se diviser en fonction des contraintes imposées par la distance. Des limites de circuits apparaissent ainsi dans l'espace. On peut imaginer des cas où la dimension de chacun des circuits se trouverait différente, où les centres seraient tous isolés les uns des autres, où les réseaux de limites ne se superposeraient jamais. En pareil cas, la délimitation des unités économiques serait arbitraire et la notion d'économie territoriale perdrait tout intérêt : on pourrait étudier les phénomènes que par le biais de la micro-économie et de la théorie de la localisation sous sa forme classique.

On constate très généralement que certains circuits ont des tailles voisines (fig. 5.1) et que les relations économiques qu'ils caractérisent s'inscrivent dans des limites voisines ou même, très souvent, dans les mêmes limites. Si l'on choisit comme cadre d'analyse territoriale une ligne qui coïncide ainsi avec le tracé de toute une série de frontières de circuit, on évite de multiplier arbitrairement les passages de part et d'autre de la limite. On minimise ou on annulle les échanges qui s'effectuent dans un rayon de dimension donnée. Toute étude d'économie territoriale doit donc commencer par cette analyse des cadres de délimitation, de manière à éviter de fausser l'image de la vie de relation de l'économie par un choix trop arbitraire.

Ouverture, spécialisation et complexité.

L'ouverture d'une économie territoriale est liée à sa complexité, mais elle ne se confond pas avec cette dernière. Pour satisfaire tous les besoins exprimés par les consommateurs dans une économie moderne, le nombre des opérations nécessaires est considérable. Plus le développement économique s'affirme, plus la complexité s'accroît. Dans l'économie d'autosubsistance de beaucoup de régions agricoles, chacun produit ce qui lui est nécessaire. La gamme des activités peut être très riche, mais les circuits économiques sont réduits au minimum : la société garde une structure simple, élémentaire. La complexité traduit

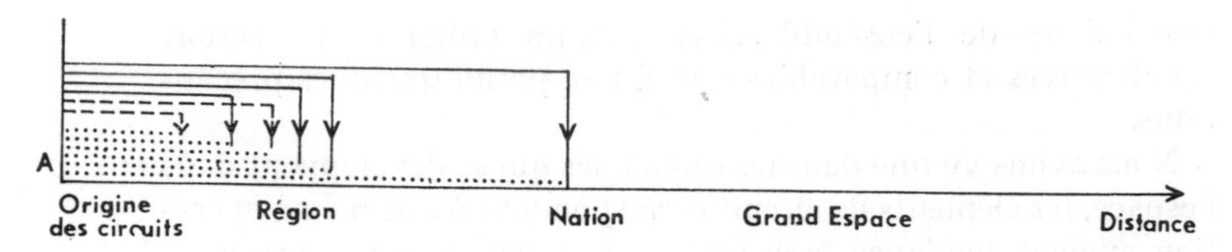

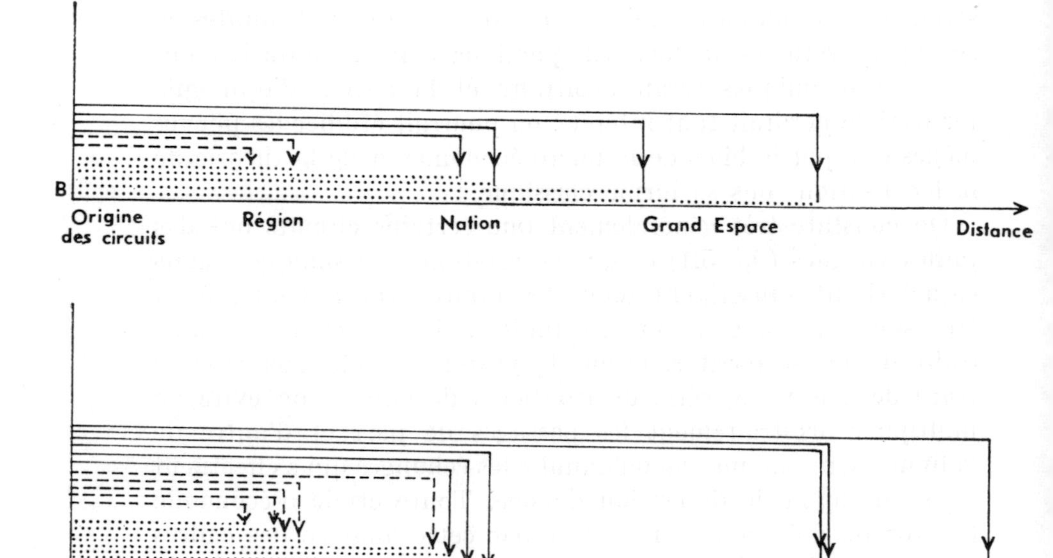

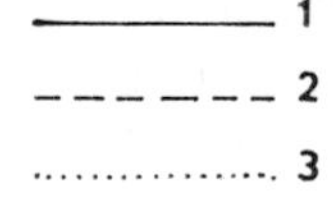

FIG. 5.1. — La dimension des circuits économiques.

A : Dans les économies préindustrielles.
B : Au début de l'ère industrielle.
C : A l'époque actuelle.

1. Circuits de biens.
2. Circuits de services.
3. Circuits monétaires.

non pas le nombre d'opérations effectuées par une personne donnée, mais l'étendue et la diversité des relations économiques qu'elle noue avec autrui. La division du travail est à la base de la spécialisation de chacun. Elle a provoqué une augmentation spectaculaire de la complexité des relations entre agents, a contribué à accroître le nombre des circuits et celui de leurs étapes.

Les résultats de cette évolution ne sont pas exactement les mêmes dans toutes les économies. Ce fait apparaît lorsque l'on étudie les relations que nourrissent des ensembles territoriaux de même taille, de même importance économique et de même nature. Il est des cas où l'ouverture est beaucoup plus affirmée que dans d'autres. Le nombre de circuits que l'on peut englober dans un cadre de dimension donnée est très variable. Dans certains cas, chaque unité territoriale se spécialise dans la fourniture d'un produit, ou d'une catégorie de produits. La quantité de biens qu'elle exporte est alors très forte, de même que la quantité de biens qu'il est nécessaire d'importer pour parvenir à satisfaire tous les besoins de la population. A la limite, l'économie spécialisée est totalement ouverte. Dans d'autres cas, la spécialisation demeure moins exclusive. Chaque producteur ne produit sans doute qu'un bien, ou qu'une partie de bien ou de service, mais il trouve l'essentiel de sa clientèle à l'intérieur de l'espace considéré. L'économie est beaucoup plus fermée.

La dimension croissante des marchés, liée à la spécialisation toujours plus grande de la production, à la division plus poussée des tâches, à la diminution très fréquente des frais de transport devrait se traduire par une diminution toujours plus marquée des économies complexes, et par le développement plus marqué d'économies spécialisées. L'évolution que l'on a constatée dans le monde durant la plus grande partie du XIXe siècle s'est produite en ce sens. La division des tâches s'est fortement accrue. Les régions industrielles ont sacrifié une bonne partie de leur agriculture, les régions agricoles du monde ont perdu une bonne partie de leur artisanat. L'Europe du Nord-Ouest est devenue l'atelier du monde. A l'intérieur des nations, une évolution du même type s'est poursuivie. L'industrie s'est concentrée dans les régions minières. La plupart des vieilles zones d'activités textiles ou métallurgiques dispersées ont disparu, ou ont restreint considérablement leurs fabrications. La tendance qui se manifestait ainsi avait peut-être trouvé sa plus belle expression aux États-Unis, où se mettait en place une division économique de l'espace dans un milieu neuf, sans héritage. La production agricole provenait de régions où se pratiquaient des monocultures étroites. Les produits industriels étaient fournis pour la plus grande partie par le Nord-Est — la région de Nouvelle-Angleterre et de l'Atlantique moyen d'abord, puis par une zone industrielle progressivement élargie de la Côte atlantique jusqu'aux Grands-Lacs.

L'importance des économies complexes :
les mesures de la base économique.

La situation actuelle est moins simple. La spécialisation des entreprises s'est accusée, la dimension des établissements qui fournissent certaines catégories de biens et de services s'est accrue. On est passé d'usines métallurgiques fournissant quelques dizaines de milliers de tonnes de métal à des usines dont la capacité optimale est voisine de 10 ou 15 millions de tonnes. La simplification des activités régionales, l'ouverture des économies semblerait donc devoir se poursuivre du même pas qu'au siècle dernier. Il n'en est rien. Au fur et à mesure que la dimension des unités de production augmente, que les aires de marché s'élargissent, on a l'impression que les circuits qui se bouclent à l'intérieur de l'espace territorial deviennent de plus en plus rares, pour finir par disparaître, à la limite. A terme, les économies territoriales perdraient ainsi toute originalité, les ensembles cesseraient d'avoir des réactions qui leurs sont propres. Il y a sans doute une évolution qui tend à élargir sans cesse les mouvements de produits et de services à la surface de la terre, mais le mouvement n'est pas près d'aboutir à la suppression des portions de circuit qui se referment dans des espaces limités.

On voit se développer des ensembles complexes d'une autre nature qu'auparavant. Chaque entreprise assure le plus souvent la desserte d'un marché très vaste, de plus en plus vaste. Mais le regroupement des entreprises de même nature dans le même espace est moins général. Il y a à la fois ouverture plus grande de l'économie et diversification de l'économie territoriale.

Les deux mouvements ne sont pas contradictoires. La multiplication des tâches productives permet à la fois le développement des dimensions de marché et la prolifération des activités de nature différente dans un même ensemble territorial. Les raisons qui favorisaient la spécialisation étroite dans une même région, il y a un siècle, sont moins impérieuses. La liberté d'implantation et de localisation d'un grand nombre d'industries était alors faible. Elle est maintenant considérable.

La démonstration empirique en a été fournie par les travaux relatifs à la base économique (4). Depuis une quinzaine d'années, les recherches de ce type se sont développées. Elles ont pris naissance de manière indépendante en Hollande et aux États-Unis et après une longue période de piétinement, elles ont pris une importance primordiale dans les études d'économie urbaine. Parmi les activités qui existent dans une agglomération, on distingue celles qui sont destinées à satisfaire des besoins locaux et celles qui sont vendues à l'extérieur. Les premières constituent le secteur domestique, les secondes la base économique. Les travaux statistiques qui se sont multipliés ont permis de se faire une idée du rapport des activités domestiques et des activités exportatrices. Comme on pouvait s'y attendre, ce rapport n'est pas constant. Il est pourtant stable pour des villes de même population. Comme il paraît normal, sa valeur s'accroît au fur et à mesure que la taille des agglomérations est plus forte. Ceci n'étonne pas : les grandes agglomérations sont capables de faire vivre des entreprises qui ne peuvent trouver de clientèle assez importante dans des agglomérations plus restreintes. Pour les villes américaines, on constate que le pourcentage de la population active employée dans le secteur domestique est toujours assez considérable. Il est compris entre 35 et 45 % selon la taille des agglomérations (5).

(4) On attribue les premières analyses de la base économique à Homer Hoyt. Les analyses ont été motivées par les besoins de prévision des municipalités soucieuses de pratiquer une politique du logement cohérente. On trouvera une histoire de la théorie de la base dans Andrews (Richard B.), « Mechanics of the Urban Base : Historical Development of the Base Concept ». *Land Economics*, vol. 29, 1953, pp. 161-167.

(5) Sur les mesures du minimum requis : Morrissett (Irwing), « The Economic Structure of American Cities ». *Papers and Proceedings of the Regional Science Association*, vol. IV, 1958, pp. 239-256. — Ullman (Edward L.), Dacey (Michael F.), « The Minimum Requirement Approach to the Urban Economic Base ». *Papers and Proceedings of the Regional Science Association*, vol. VI, 1960, pp. 175-194.

On ne dispose pas de données analogues pour des unités économiques plus étendues que les agglomérations urbaines. Quelques travaux récents permettent cependant de se faire une idée de la manière dont il serait possible d'étendre les techniques d'analyse de la base économique à ce domaine. M. Claude Ponsard et Mme Cahen (6) ont récemment procédé à une analyse de l'activité des grandes agglomérations françaises. Ils ont distingué, entre les activités dont le marché est purement local et celles dont le marché est national, une série qui se propose de satisfaire les besoins régionaux. Ils n'ont pas dépassé le cadre de l'analyse des structures urbaines. Mais on conçoit qu'une méthode analogue puisse être transposée à l'étude de l'économie d'un territoire. En chaque point, on calcule la part des activités domestiques et des activités régionales. On effectue la somme des quantités ainsi déterminées. On voit apparaître ainsi le volume total des opérations qui se dénouent sur le plan de l'unité élémentaire et celui des circuits qui se bouclent à l'intérieur du territoire analysé. C'est donc une manière de mettre en évidence le secteur domestique, de mesurer la complexité de l'économie territoriale.

La prise de conscience des problèmes de l'économie territoriale.

Les économies territoriales actuelles, qu'elles soient régionales ou nationales, sont donc devenues des économies complexes. Avant la révolution industrielle, l'ouverture des économies était faible. L'allongement des circuits économiques aurait pu généraliser les exemples de spécialisation totale.

A l'heure actuelle, il n'en est rien. C'est là une constatation qui a suscité de l'étonnement. On savait déjà qu'entre des régions au sein d'une même nation, les échanges devenaient plus importants avec la croissance des unités de production et de leur marché, qu'ils étaient d'autant plus divers que les régions étaient plus voisines par leur niveau de développement. On n'a pris conscience de l'évolution analogue des économies nationales qu'à

(6) Cahen (Mme Lucienne), Ponsard (Claude), *La répartition fonctionnelle de la population des villes et son utilisation pour la détermination du multiplicateur d'emploi.* Ministère de la Construction et de l'Urbanisme, Direction de l'Aménagement foncier et de l'Urbanisme, Centre d'Études économiques et sociales. Paris, juillet 1963, 101 p. ronéotées.

une date récente. On s'est aperçu depuis la fin de la Seconde Guerre mondiale que les échanges internationaux se développaient plus vite entre les pays d'économie industrielle complexe, qu'entre les pays industrialisés et les pays sous-développés dont les productions sont plus complémentaires et appellent la spécialisation. L'augmentation de ces échanges internationaux est due pour une large part à l'essor des transactions portant sur des produits fabriqués, biens d'équipement ou biens intermédiaires en particulier; ceci révèle que l'accroissement des échanges provient de la spécialisation plus poussée des fabrications, mais montre que cette spécialisation s'accommode fort bien d'une dispersion croissante des établissements pratiquant des activités différentes ou complémentaires.

Nous aurons l'occasion de revenir plus tard sur les problèmes que soulève le développement des économies territoriales spécialisées et sur ceux des économies complexes évoluées. Si la plupart des théoriciens du siècle passé s'étaient prononcés en faveur de la spécialisation territoriale, quelques isolés avaient déjà montré l'importance du développement complexe : Hamilton (7) et Carey (8) aux États-Unis, List (9) en Allemagne sont les représentants les plus connus de cette tendance. En France, à la fin du siècle dernier, Cauwés (10) se rattache à cette école de pensée. Le grand théoricien du développement complexe et partant, de l'économie spatiale, y a pourtant été Lucien Brocard (11). Son influence immédiate sur la pensée économique est demeurée modeste. Mais il a su former des élèves qui ont contribué à faire connaître son œuvre depuis une vingtaine d'années. André Marchal (12) a montré dès 1931 la continuité qui existait entre les travaux de Brocard et ceux des théoriciens mercantilistes du XVIIe et du XVIIIe siècles français.

(7) Alexander Hamilton, un des collaborateurs de George Washington, a fixé la doctrine américaine en matière de protectionnisme. Il fit faire le *Report on the Subject of Manufactures (1794)*, dans lequel on recommandait de subventionner l'industrie naissante.

(8) Carey (H.), *Principes de la science sociale, op. cit.*

(9) List (F.), *Système national d'économie politique, op. cit.*

(10) Cauwes (P.), *Cours d'économie politique.* Paris, 1893.

(11) Brocard (Lucien), *Principes d'économie nationale et internationale, op. cit.*

(12) Marchal (André), *La conception de l'économie nationale et des rapports internationaux chez les mercantilistes français et chez leurs contemporains, op. cit.*

Personnalité et spécificité des économies territoriales.

Malgré les progrès récents de la mobilité des biens et des services, malgré la complication croissante des relations économiques à longue distance, les liens intra-territoriaux demeurent importants. Entre deux territoires voisins, la multiplicité des liaisons entraîne une dépendance étroite. Les fluctuations et les impulsions économiques se transmettent d'une unité à l'autre, toute modification de l'équilibre économique d'un ensemble territorial retentit sur les équilibres des territoires voisins. Mais en même temps, l'existence d'un certain nombre de couplages internes donne à chaque économie territoriale des réactions autonomes. Il est possible que les réactions de territoires voisins à une même impulsion soient exactement comparables : si les couplages internes que l'on y trouve sont similaires, l'analogie des réactions territoriales est profonde. Mais les différences dans la structure des liaisons internes peuvent faire varier le comportement et les réactions d'un ensemble au suivant. Dans son traité sur la comptabilité nationale, M. Jean Marczewski (13) précise que pour que l'établissement d'un compte de groupe ait un sens, il faut qu'il ait une *personnalité économique* ou présente une *spécificité économique* bien déterminée. Il entend par « personnalité économique la faculté de prendre des décisions collectives, ou au moins la faculté de répondre d'une façon approximativement homogène aux impulsions économiques provenant de l'extérieur. La spécificité économique suppose, au minimum, l'existence d'un problème commun à l'ensemble des agents du groupe ».

Les ensembles territoriaux ne présentent pas tous de personnalité économique. Celle-ci n'apparaît qu'à un certain niveau, lorsque l'unité territoriale coïncide avec une unité politique et dispose d'un pouvoir d'organisation. La personnalité économique est donc un attribut de la nation, ou des unités plus grandes. Elle n'est pas nécessairement un attribut des unités territoriales plus étroites. La présence d'éléments du circuit économique refermés sur eux-mêmes donne cependant aux unités même les plus réduites une certaine spécificité. En ce sens, elles méritent d'être étudiées par l'économiste comme des êtres doués d'une individualité.

(13) Marczewski (Jean), *Comptabilité nationale, op. cit.*

Il existe une gamme continue de territoires de dimensions variées. Un certain nombre de caractères est commun à l'ensemble, ce qui justifie qu'une partie de la théorie économique et de la théorie géographique soit consacrée à l'étude générale des ensembles territoriaux. On gagne à procéder de la sorte une certaine efficacité, puisque l'on peut transposer les méthodes mises au point pour explorer une catégorie d'êtres territoriaux aux autres catégories. On perçoit également mieux les différences de niveau dans la hiérarchie, car on peut sans cesse comparer les résultats de la recherche menée avec celle obtenue pour les catégories voisines.

Les êtres territoriaux qui méritent notre attention sont ceux pour lesquels une unité de réaction naît de la présence d'un certain nombre de boucles et de circuits internes, ou de l'unité de comportement des agents économiques. La délimitation des ensembles étudiés doit suivre dans le premier cas les limites spatiales des divers circuits économiques (14). C'est là la condition nécessaire pour éviter toute confusion. Lorsque les circuits économiques sont tous coupés par les limites retenues, les réactions observées cessent presque toujours d'être spécifiques à moins que les agriculteurs, les industriels et les commerçants d'un ensemble, confrontés au même problème ne réagissent de la même manière. Dans ce second cas, l'unité territoriale est définie par la présence d'une certaine classe homogène d'agents (15).

(14) Nous définissons de la sorte des unités spatiales fonctionnelles. Les grands types abstraits d'unité spatiale ont été définis d'une manière claire par WHITTLESEY (Derwent), *The Regional Concept and the Regional Method.*, pp. 19-69 de JAMES (Preston E.), JONES (Clarence F.) (ed. by), *American Geography : Inventory and Prospect.* Syracuse, at the University Press, 1954, 590 p.

Ces définitions ont été reprises d'une manière plus axiomatique dans les exposés plus récents : BUNGE (William), « Theoretical Geography ». *Lund Studies in Geography*, sér. C, General and Mathematical Geography, n° 1, Lund, Gleerup, 1962, XII, 210 p., cf. pp. 15-26.

On trouvera une analyse plus récente dans McDONALD (James R.), « The Region, its Conception, Design and Delimitations ». *Annals of the Association of American Geographers*, vol. 56, 1966, pp. 516-528.

(15) Les unités spatiales homogènes que nous définissons ainsi, sont plus fréquemment choisies comme objet d'étude pour les géographes. Elles ont été longtemps les seules analysées. La région fonctionnelle, décrite souvent dans les premières années de ce siècle (Gallois, 1908), s'est vu officiellement reconnaître par Vidal de la Blache (1910). Depuis, la place qu'elle occupe dans les préoccupations des géographes s'est constamment élargie, au fur et à mesure que le poids des facteurs physiques s'est allégé. M. Juillard note cette évolution (1962). GALLOIS (Lucien), *Régions naturelles et noms de pays. Études sur la région parisienne, op. cit.* — VIDAL DE LA BLACHE (Paul), « Les régions françaises », *op. cit.* — JUILLARD (Étienne), « La région : essai de définition », *op. cit.*

On parle, par exemple, de région agricole, de région industrielle. Ces unités ne sont pas toujours réellement autonomes. Malgré l'homogénéité des réactions constatées parmi les agriculteurs dans un cas, parmi les industriels dans un autre cas, l'ensemble de la région considérée ne subit pas nécessairement les mêmes fluctuations, les mêmes contraintes.

Toutes les unités territoriales ne sont donc pas susceptibles d'être étudiées avec les mêmes méthodes. Certaines tirent leur réalité des liaisons internes qui les caractérisent. Elles constituent la grande catégorie des ensembles territoriaux ou économies territoriales au sens plein du terme. Les autres ne sont liées que par des traits plus extérieurs, des similitudes ou des analogies. Elle ne comportent pas de rouages propres. Nous nous attacherons essentiellement à analyser dans cet ouvrage les unités du premier type, mais serons amenés à les comparer parfois à des unités du second type, que nous devrons être capables de caractériser.

Économie régionale, économie nationale.

La différence entre l'ouverture des économies régionales et des économies nationales demande explication. M. Jacques-R. Boudeville compare par exemple la région Rhône-Alpes à la Suisse ou au Danemark (16). Les niveaux de vie sont équivalents, sont voisins les niveaux techniques des producteurs. Le choix des limites ne peut expliquer les différences observées. La région administrative et économique Rhône-Alpes est une de celles dont le tracé est le mieux choisi pour éviter les recoupements arbitraires de limites économiques. Elle coïncide de manière très satisfaisante avec la zone d'influence de Lyon et ceci contribue à imposer des tracés communs à la plupart des frontières de cercles de relations dont la dimension est de l'ordre de quelques dizaines de milliers de kilomètres carrés. La différence dans le degré d'ouverture des petites nations choisies et de la région Rhône-Alpes ne provient pas de maladresses dans le dessin des limites. Elle tient à la nature différente des économies territoriales en question.

Pour l'économie régionale, seules les forces économiques entrent en jeu dans la réalisation des équilibres partiels, dans la mise en place des diverses limites économiques. Certaines

(16) Boudeville (Jacques-R.), *Les programmes économiques, op. cit.*, cf. pp. 81-83.

catégories ont intérêt à confondre plus ou moins leurs installations, à prospecter les mêmes marchés, à mener leurs opérations sur des ensembles de même dimension. Le nombre des circuits qui peuvent se refermer sur une économie nationale est de toute évidence bien supérieur. Les conditions dans lesquelles se trouve créée, dirigée et contrôlée la monnaie moderne tendent à favoriser la fermeture des circuits de paiement à l'intérieur du territoire national. L'État dispose de pouvoirs économiques considérables. En appliquant des droits de douane, il impose une discontinuité dans l'espace au niveau des frontières, ce qui tend à faire coïncider d'une manière presque parfaite un grand nombre de limites économiques. Lorsque la nation coïncide avec un groupe linguistique original, les relations nouées à l'intérieur se trouvent favorisées par rapport à celles entretenues avec le reste du monde. Le rôle du gouvernement peut être plus direct encore. Il peut, par des prohibitions, par des restrictions diverses, limiter très étroitement le nombre de relations effectuées au-delà des frontières. Tout ceci explique la faible part de relations avec le reste du monde, des économies nationales.

Un caractère original des économies territoriales : les systèmes de prix.

A l'intérieur de l'espace national, les prix sont étroitement solidaires. Lorsqu'il s'agit de services, ils ont tendance à s'uniformiser par suite des effets de démonstration. Pour assurer la fourniture des produits sur les marchés de consommation, un gradient de prix s'établit entre les zones de production excédentaire et les zones déficitaires. Ainsi, connaissant les prix pratiqués en un point du territoire national, et la structure des échanges à l'intérieur du territoire, on peut calculer l'ensemble des prix pratiqués dans tous les points du territoire. Les prix sont liés les uns aux autres : ils constituent un système.

Aux frontières de la nation, la situation est différente. Par le jeu des droits de douane et des prohibitions, certains produits étrangers se trouvent éliminés du marché intérieur. Leurs prix peuvent s'établir sans référence directe à ce qui se passe à l'extérieur. Les échanges avec les pays étrangers ne portent que sur un certain nombre d'articles. Pour ceux-ci, les conditions sont différentes. Les prix doivent être ceux du marché mondial, si l'on veut exporter. Pour y parvenir, le gouvernement est parfois contraint à accorder des subventions : les prix demeurent liés à ceux du marché mondial, mais ils leur sont supérieurs. Les produits importés ne supportent quelquefois que des droits de douane négligeables. Ils sont le plus souvent taxés, si bien que leur prix dépend du prix international, mais s'inscrit au-dessus.

Le système de prix d'une nation est lié pour certains produits au marché international. Mais la marge de liberté qui est reconnu à la nation lui permet de choisir, en fonction des préférences de ses résidents, des structures de prix profondément originales, qui traduisent sa personnalité économique et sociale.

Les régions ne sont pas douées des mêmes attributs, si bien que leurs prix sont beaucoup moins libres. Les différences n'en existent pas moins : les gradients des marchés de produits se traduisent par des niveaux très différents pour les prix des principaux biens, surtout des pondéreux. Lorsque la transparence de l'espace est médiocre, les services reçoivent des rémunérations très diverses, les facteurs de production aussi : on est en droit de parler de spécificité du système de prix.

L'analyse des systèmes de prix fournit donc un procédé commode pour dessiner les contours des divers territoires, pour mettre en évidence les parties du circuit économique global qui s'y trouvent enfermées. Elle ne permet pas de mesurer l'importance de ces économies territoriales et de suivre leur évolution dans le temps. Il est nécessaire pour cela de procéder à une description plus complète de la vie économique, de dresser une comptabilité territoriale.

II. — La comptabilité territoriale et interterritoriale.

Il est possible de recenser à l'intérieur de chaque territoire des agents économiques dont on va retracer l'activité comme on a appris à le faire dans le cadre de l'économie non dimensionnelle. Les opérations effectuées par les agents sont reportées dans des comptes et elles figurent toujours deux fois. La différence avec les procédés de la comptabilité habituelle résulte de ce qu'un certain nombre d'opérations se trouvent nouées avec des agents qui se trouvent à l'extérieur.

Les comptes sociaux des territoires.

Il existe deux manières de procéder à l'élaboration de comptes pour une économie territoriale. Dans un système fermé, la comptabilité développée comporte deux aspects complémentaires : l'étude des relations interindustrielles, qui décrit les opérations de production et la comptabilité sociale qui analyse la manière dont les revenus circulent et sont affectés à la consommation, à l'épargne ou à l'investissement. Lorsque l'on étudie une économie ouverte, on peut accorder plus ou moins de place à chacun de ces aspects. Lorsque la spécificité du territoire est forte, que les boucles de production qui se nouent à l'intérieur du territoire sont nombreuses, on élabore une comptabilité très proche de celle des économies fermées. On cherche à comprendre comment se manifeste l'autonomie relative du territoire et comment se traduit sa liaison avec le reste du monde. Lorsque l'on s'intéresse au destin d'une certaine portion d'espace, on établit une comptabilité territoriale, au sens précis du terme. On retrace toutes les opérations qui se déroulent dans l'espace analysé ou qui y trouvent une partie de leur développement. Peu importe alors le statut et l'origine des agents : autochtones et allochtones sont analysés de la même manière, si leur activité s'inscrit dans un même espace.

Il arrive que l'on attache plus de prix à ce qui arrive à un groupe social déterminé qu'à ce qui se déroule dans un certain espace : on parle alors d'une comptabilité construite dans l'optique de la nation, dans celle de la région. On dit, plus simplement, comptabilité nationale ou régionale. Les opérations faites par des indigènes à l'extérieur sont prises en considération, alors que celles des étrangers qui résident dans le territoire sont déduites (17).

Qu'elle soit conduite dans l'optique du territoire, ou qu'elle le soit dans celle de la nation ou de la région, la comptabilité s'établit en procédant à l'analyse des étapes successives du circuit économique (18). Au niveau de la production, on addi-

(17) Pour la définition des types de comptabilité territoriale, on verra Byé (Maurice), « Relations économiques internationales ». *Précis Dalloz*. Paris, Dalloz, 1959, 536 p., cf. première partie, chap. I, « Comptes extérieurs et comptabilité nationale », pp. 15-31.

(18) Les méthodes de la comptabilité sociale ont été définies à propos de l'ana-

tionne les produits des diverses entreprises et on obtient le produit territorial global. Ce produit englobe un certain nombre de matières premières et de demi-produits qui ont été achetés à l'extérieur. On additionne tous les achats de ce genre effectués dans le reste du monde — on isole ainsi le montant des consommations intermédiaires importées. En retranchant ce total du produit territorial global, on met en évidence le produit territorial brut. Il est possible d'obtenir la valeur de cet agrégat de manière directe, en additionnant non pas le produit des entreprises territoriales, mais les valeurs qu'elles ajoutent au cours de leurs opérations.

Le revenu produit dans le territoire a la même valeur que la production brute, mais le revenu disponible en diffère de manière significative, lorsque l'on se place dans l'optique nationale, alors qu'il se confond avec lui si l'on effectue l'analyse dans l'optique territoriale. Dans le cas d'une comptabilité de type national, le revenu disponible est égal au revenu brut, augmenté des revenus provenant de l'extérieur, diminué des revenus versés à l'extérieur.

Au moment où s'effectue la dépense, les relations avec l'extérieur sont le plus souvent importantes. Une partie des biens produits est soustraite à la consommation ou à l'investissement intérieurs par l'exportation. Réciproquement, l'importation vient augmenter la masse des biens et des services qui sont à la disposition du territoire. L'investissement provient pour une part très importante de l'épargne intérieure. Il arrive cependant assez fréquemment que l'épargne locale soit renforcée par une épargne provenant de l'extérieur, ce qui se traduit pour l'économie étudiée par un transfert de capitaux issus de l'extérieur. Inversement, les agents résidant sur le territoire peuvent le consacrer à la construction d'installations à l'extérieur. En pareil cas, l'épargne intérieure sert à financer un investissement extérieur.

lyse des ensembles nationaux. Pour les espaces régionaux, on a préféré tout d'abord dresser des tableaux de relations industrielles. Le même décalage se note en France et aux États-Unis.

Pour avoir une idée d'ensemble des problèmes de la comptabilité sociale territoriale, on utilisera la première partie de JOUANDET-BERNADAT (Roland), *Comptabilité économique et espaces régionaux, op. cit.*

Les comptes des relations avec le reste du monde.

Lorsque l'on regroupe toutes les opérations qui ont été conclues avec l'étranger, on montre comment s'articule la balance extérieure du territoire considéré (19) (fig. 5.2.). Certains échanges se traduisent par des importations et des exportations de biens :

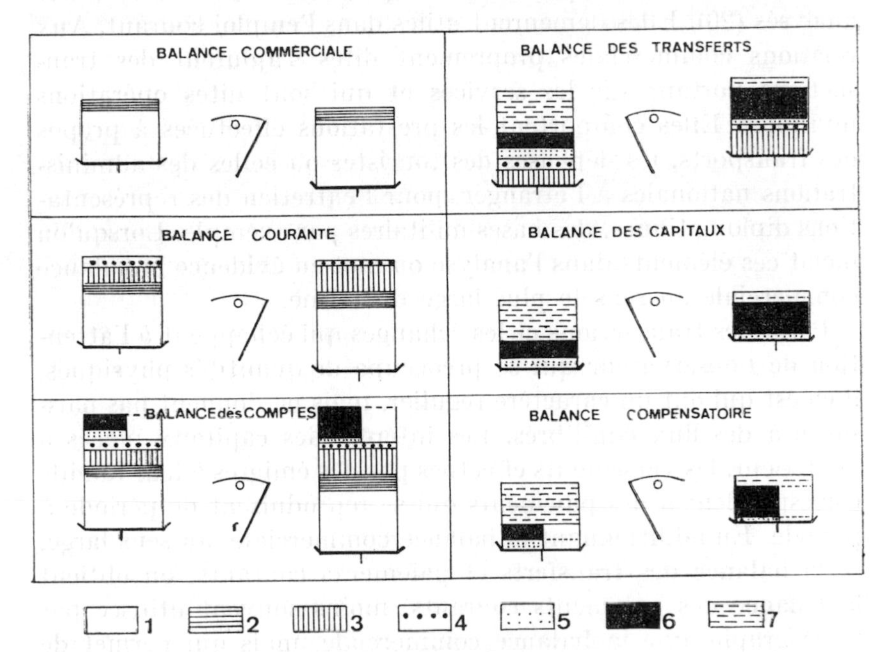

FIG. 5.2. — Les balances de paiements.

1. Marchandises.
2. Services territoriaux.
3. Revenus extérieurs.
4. Dons courants.
5. Dons en capitaux.
6. Placements.
7. Or monétaire.

le résultat est résumé dans la balance commerciale, qui indique si le montant des exportations est égale au montant des importations, s'il lui est supérieur, s'il lui est inférieur. Si le pays étu-

(19) On trouvera une analyse plus détaillée dans BYÉ (Maurice), *Relations économiques internationales*, *op. cit.*, cf. première partie, chap. II, « La balance des paiements », pp. 32-48. Le tableau de la figure 5.2. est emprunté à ce manuel, p. 47.

dié importe moins qu'il n'exporte, les opérations commerciales dégagent un solde positif à porter à son crédit; on dit que le solde de la balance commerciale, ou que la balance commerciale lui sont favorables. Ces expressions ne sont pas parfaitement heureuses, car elles impliquent un jugement sur l'intérêt des soldes pour une économie territoriale. Elles traduisent l'optique mercantiliste dans laquelle les comptes ont tout d'abord été analysés (20). Elles demeurent utiles dans l'emploi courant. Aux relations commerciales proprement dites s'ajoutent des transactions portant sur les services et qui sont dites opérations invisibles. Elles comportent les prestations effectuées à propos des transports, les dépenses des touristes ou celles des administrations nationales à l'étranger, pour l'entretien des représentations diplomatiques, des bases militaires par exemple. Lorsqu'on inclut ces éléments dans l'analyse on met en évidence la balance commerciale au sens le plus large du terme.

Parmi les transactions et les échanges qui échappent à l'attention de l'observateur qui se préoccupe de quantités physiques, il en est qui ont un caractère régulier, mais ne donnent pas naissance à des flux équilibrés. Les intérêts des capitaux placés à l'extérieur, les versements effectués par des émigrés à leur famille correspondent à des paiements qui se reproduisent de période à période. En additionnant la balance commerciale, au sens large, et la balance des transferts et paiements courants, on obtient la balance des paiements courants, moins souvent utilisée par le géographe que la balance commerciale, mais qui permet de mieux mesurer la position internationale d'un territoire. En dehors des mouvements de capitaux et des transferts qui se produisent régulièrement, en dehors des revenus du capital extérieur, il existe des opérations qui n'ont pas le même caractère de périodicité. Les particuliers et de plus en plus les États procèdent à des dons internationaux, qui se matérialisent sous la forme de transferts. Les grandes sociétés capitalistes procèdent à des investissements à l'extérieur pour mettre en valeur de nouvelles ressources, pour s'implanter sur un marché de consommation prometteur. Aux transferts et paiements courants s'opposent donc les opérations exceptionnelles. Lorsqu'on les addi-

(20) Des relevés systématiques de la balance commerciale sont effectués en Angleterre depuis 1696, en France depuis le début du XVIIIe siècle : cela trahit l'importance attribuée par les mercantilistes à ce problème.

tionne à la balance des paiements courants, on obtient la balance des paiements. Elle fait apparaître selon les cas un solde bénéficiaire ou un solde déficitaire pour la nation ou le territoire considéré. Les conditions de l'équilibre et de la croissance à long terme de l'économie territoriale dépendent beaucoup de ce solde, sur lequel nous reviendrons plus longuement en étudiant le dynamisme des économies territoriales et de leurs rapports. Le déséquilibre qu'il traduit doit être corrigé dans l'immédiat par un financement compensateur : si la balance des paiements d'un territoire est déséquilibrée et si des prêts ne financent pas le déséquilibre, des sorties de devises ou d'or monétaire détenus par les résidents ou par les autorités monétaires permettent de rétablir la situation : il y a identité comptable entre le montant des importations et le montant des exportations.

Les identités comptables.

Il est possible d'écrire de manière simple les liaisons logiques qui apparaissent lorsque l'on élabore les comptes du territoire. On obtient un système d'identités qui lient les grandeurs considérées. On peut écrire que l'ensemble des ressources disponibles dans le territoire correspond à l'ensemble des emplois. Les ressources correspondent à l'ensemble des revenus obtenus sur le territoire, augmentés de celles que l'importation permet de transférer de l'extérieur. Les emplois correspondent aux dépenses de consommation, à l'investissement et à l'exportation. En utilisant les notations conventionnelles :

$$Y + M = C + I + X$$
$$Y + M = C + S + X.$$

Les renseignements fournis par la comptabilité territoriale sociale sont surtout utiles lorsque l'on veut procéder à l'analyse des effets engendrés par les réactions internes de l'économie, lorsque l'on veut voir comment la machine territoriale réagit aux sollicitations extérieures. Elle ne permet pas de mettre pleinement en évidence les liaisons entre le territoire et les territoires extérieurs. Au lieu d'un seul compte pour le reste du monde, on peut, il est sûr, multiplier les comptes ouverts pour des agents étrangers. On peut analyser ainsi la répartition globale des échanges, les relations entre des territoires pris deux à deux. On réussit à voir une image plus complète des relations entre les économies territoriales voisines.

Les tableaux de relations interterritoriales.

Léontief a établi pour les économies fermées des comptes développés de production qui permettent de suivre les étapes de l'élaboration du produit. Walter Isard a transposé ces techniques pour l'étude des relations interterritoriales (21). Supposons que l'on étudie un univers spatial clos, composé de territoires, par exemple trois. Pour chaque branche de production, on va porter ce qui a été nécessaire comme intrant, ce que le secteur a fourni comme sortant et à qui il a fourni les sortants. On va ainsi élaborer une matrice des relations interindustrielles, mais on spécifiera ce qui a été acheté à chacune des régions et ce qui a été vendu à chacune (fig. 5.3). Si l'on additionne les postes que l'on affecte aux trois régions aussi bien pour les ventes que pour les achats, on retombe sur le tableau carré des relations industrielles de Léontief (fig. 5.4). Ce tableau carré peut s'ajuster à une comptabilité sociale pour donner un tableau développé, comme nous l'avons montré dans un chapitre précédent. Les tableaux partiels correspondant à chacune des régions ne peuvent pas s'ajuster directement aux comptabilités sociales.

Les liaisons qui apparaissent dans les tableaux de Léontief sont des liaisons techniques; dans le cas des matrices de Walter Isard, la situation est différente. Pour l'ensemble de l'univers clos, le tableau carré que l'on obtient en consolidant la comptabilité de Walter Isard indique des relations techniques. Ainsi

(21) Les méthodes d'élaboration des tableaux régionaux et interrégionaux ont été définies dès 1951. Isard (Walter), « Interregional and Regional Input-Output Analysis : A Model of a Space Economy », *op. cit.*

Les premiers résultats furent exposés en 1953 : Isard (Walter), *Some Empirical Results and Problems of Regional Input-Output Analysis*, pp. 116-164 de Léontief (Wassili W.), *Studies in the Structure of American Economy*, 2e éd., 1951, *op. cit.*

On trouvera des mises au point sur les problèmes de la comptabilité territoriale ou interterritoriale d'input-output dans Stone (Richard), *La comptabilité sociale à l'échelon régional : une vue d'ensemble*, pp. 273-308 d'Isard (Walter), Cumberland (John H.), *Planification économique régionale.* Paris, O. C. D. E., 1961, 467 p. — Cao-Pinna (Vera), *Problèmes posés par l'établissement et l'utilisation d'une comptabilité régionale d'entrée et sortie*, pp. 317-352 de l'ouvrage précédent.

La deuxième partie de l'ouvrage consacré par M. Roland Jouandet-Bernadat à la comptabilité régionale fait le point des recherches actuelles dans ce domaine. M. Viet (*Input-output. Essai de présentation documentaire du système de W. Léontief, op. cit.*) dresse une bibliographie commentée des publications essentielles.

les achats totaux effectués par l'agriculture aux industries chimiques pour l'ensemble des régions A, B et C traduisent le rap-

ENTREES ↓

SORTIES →

		Région A			Région B			Région C			Demande finale	Production totale
		Agriculture	Industrie	Services	Agriculture	Industrie	Services	Agriculture	Industrie	Services		
Région A	Agriculture	5	2	3	1	10	2	2	3	10	50	88
	Industrie	2	3	1	1	2	1	1	1	3	30	45
	Services	5	4	4	0	1	1	0	0	1	40	56
Région B	Agriculture	2	2	1	4	15	8	1	2	8	25	68
	Industrie	6	2	1	8	12	6	1	4	7	75	122
	Services	0	1	0	4	8	6	1	1	2	35	58
Région C	Agriculture	1	1	1	2	4	1	4	6	5	20	45
	Industrie	2	1	1	1	5	2	3	8	3	30	56
	Services	7	6	5	6	12	6	8	10	7	80	147
Valeur ajoutée		58	23	39	41	53	25	24	21	101	385	
Total		88	45	56	68	122	58	45	56	147		685

Fig. 5.3. — Comptes interterritoriaux de trois régions A, B, C d'un ensemble national N. La région A est agricole, la région B plus industrielle. La région C vit de la vente des services.

port technique nécessaire entre l'agriculture et les fournisseurs d'engrais, d'insecticides, de produits nécessaires à l'élaboration et à la conservation de la récolte. Mais les achats effectués par les agriculteurs de A aux industries chimiques de A, B et C reflètent à la fois les impératifs techniques de l'agriculture et la structure géographique des circuits de production. Le tableau

ENTRÉES-INPUTS ↓

SORTIES OUTPUTS →

	Agriculture	Industrie	Services	Demande finale	Production globale
Agriculture	22	45	39	95	201
Industrie	25	40	25	135	223
Services	31	63	32	155	261
Valeur Ajoutée	123	75	165	385	
Total	201	223	261		685

Fig. 5.4. — Comptabilité globale de la nation N.

Le tableau s'obtient en contractant le tableau précédent. Il met en évidence l'importance des secteurs agricoles et de services dans la production. La nation a les caractères d'une économie peu développée, où l'industrie se contente dans une large mesure de transformer les produits de la terre. Le secteur des services est pléthorique.

La comparaison du tableau interrégional et du tableau national montrent que la région A, la plus riche par son agriculture, alimente l'industrie de B, et les activités de service de C. A la structure d'ensemble d'un pays sous-développé s'ajoutent de forts contrastes régionaux. La capitale (en C) vit en partie du gonflement des services qui lui permet d'exploiter A et B.

d'Isard permet de voir quels sont les éléments du circuit qui se referment à l'intérieur de la région et ceux qui s'ouvrent sur le monde extérieur.

L'élaboration de tableaux d'échanges interterritoriaux est une tâche très lourde. Il faut, pour établir ces comptes, des statistiques d'une précision rarement obtenue. Le nombre des opérations et des relations croît en principe comme la puissance n^e du nombre N de régions distinguées (fig. 5.3). Dans la pratique, les comptabilités de ce genre portent rarement sur plus de trois ou quatre régions, souvent même deux seulement. On voit donc les raisons pratiques qui limitent l'emploi de ces techniques. Les États-Unis ont été divisés en trois ensembles : l'Est, l'Ouest, le Sud. Dans une optique analogue, on a analysé les rapports entre le Nord et le Sud de l'Italie (22). On n'a pas pu procéder à des divisions plus fines.

L'intérêt des relations mises en évidence par le tableau de Léontief provient de ce qu'elles présentent une certaine stabilité. Pour les échanges qui apparaissent dans un tableau interterritorial, la situation est quelque peu différente. A un instant donné, par exemple, les agriculteurs de la région A achètent leurs engrais à la région B. Le circuit économique ne se referme pas à l'intérieur de A. Si la production de l'agriculture de cette région doit augmenter, de nouveaux achats d'engrais seront nécessaires. Le tableau des coefficients techniques de Léontief nous dit à peu près de combien. Le tableau de Walter Isard ne nous permet pas d'affirmer que les nouveaux achats se produiront nécessairement dans la région B. Ils se produiront là si C est trop lointain pour pouvoir expédier ses produits à bon compte en A, et si l'absence de ressources rend les fabrications trop onéreuses dans cette région. On voit donc que la stabilité des liens mis en évidence par les tableaux de Walter Isard est plus limitée que celle des coefficients de Léontief. La comptabilité interterritoriale est davantage rétrospective que prospective, ce qui explique que l'on recule souvent devant les frais et les difficultés considérables entraînés par son élaboration.

III. — L'ÉQUILIBRE ENTRE LES ÉCONOMIES TERRITORIALES.

Comment s'effectue la répartition des tâches économiques entre les divers ensembles territoriaux? Ou, si l'on veut utiliser

(22) On trouvera les résultats de ces analyses dans CHENERY (Hollis B.), « Le interdipendenze strutturali fra la Italia del Nord e quella del Sud », *op. cit.* —

un autre vocabulaire, comment prennent naissance les différentes boucles des circuits, comment s'étendent-elles, comment s'équilibrent-elles? C'est un groupe de questions auxquelles les économistes essaient de répondre depuis la fin du XVIIIe siècle. Les préoccupations spatiales se sont affirmées là plus tôt qu'on ne le pense généralement.

Deux grands corps de théories s'affrontent dans ce domaine. Pour certains, les mouvements de facteurs de production, de biens et de services sont également possibles entre les diverses économies territoriales. Les agents choisissent leur localisation de manière à s'assurer le plus grand avantage absolu. Lorsque les facteurs de production cessent d'être mobiles, l'organisation spatiale de la production ne peut se faire de la même manière. Chacun se spécialise alors dans la production qui lui est relativement la plus avantageuse. Entre ces deux hypothèses extrêmes existe toute une série de situations intermédiaires, qui correspondent souvent plus à la réalité que les cas extrêmes.

La théorie de l'avantage absolu (23).

La théorie économique a cessé de s'intéresser aux problèmes de la nation à partir de la fin du XVIIIe siècle. L'action des physiocrates en France, d'Adam Smith en Angleterre explique ce retournement de la situation. Depuis le début du XVIe siècle, la réflexion politique et économique s'était attachée aux problèmes de la nation et de l'État. Par la suite, ce centre d'intérêt disparaît. Et pourtant, l'ouvrage qui a assis la célébrité de Smith s'appelle *la Richesse des nations*. Il a trait à la manière dont se constitue la fortune nationale; il ne peut se comprendre si on n'a pas présent à l'esprit l'ensemble des travaux qui s'étaient multipliés en Angleterre depuis le début de l'époque moderne. Smith présente une réfutation des thèses mercantilistes et montre que la richesse n'est pas liée à l'action des gouvernements. Il

MOSES (L.), « The Stability of Interregional Trading Patterns and Input-Output Analysis ». *American Economic Review*, vol. 45, 1955, pp. 803-832.

(23) Nous reprenons dans cette partie, mais en l'élargissant, l'opposition entre les théories de l'avantage absolu et de l'avantage comparatif que l'on trouve exposée dans un certain nombre de manuels relatifs aux relations économiques internationales. BYÉ (Maurice), « Relations économiques internationales », *op. cit.*, cf. pp. 110-117. — ELLSWORTH (P. F.), *The International Economy*. New York, MacMillan, 3e éd., 1964, X, 550 p., cf. pp. 60-67.

s'appuie pour cela sur une série de propositions qui constituent la première formulation de la théorie de l'avantage absolu.

Lorsqu'on lit *la Richesse des nations*, on est frappé de voir avec quelle minutie et qu'elle clairvoyance Smith analyse la mobilité des biens, ses variations en fonction des progrès des communications et sa relation avec la division du travail et la spécialisation des tâches. Il n'est pour ainsi dire jamais question de la mobilité des facteurs de production. Tout se passe comme si Smith ne s'intéressait pas à ce problème, sauf dans quelques cas spéciaux. Il attribue à la rareté plus grande de la main-d'œuvre dans les colonies anglaises d'Amérique du Nord la rémunération plus élevée dont bénéficie le travail — ce qui suppose une certaine viscosité du facteur sur le plan géographique. Mais il sait possibles les mouvements des capitaux et les mouvements de la main-d'œuvre.

Les sujets économiques cherchent à assurer la maximation de leurs profits — ou de leur utilité, si l'on veut employer un terme plus moderne et plus large. Ils vont se déplacer et déplacer leurs installations et leurs machines jusqu'à se trouver placés dans les meilleurs conditions possibles. Le revenu global est égal à la somme des revenus individuels. La valeur la plus grande de ce revenu est obtenue si on laisse à chacun la liberté de choisir son activité et son lieu de travail de manière à obtenir la production la plus élevée possible. La maximation du revenu mondial est réalisée si chacun agit en fonction de la recherche de son intérêt le plus grand. Il peut arriver que, pour une nation, un libéralisme absolu se traduise par une diminution du revenu et des ressources : si les possibilités de profit y sont plus faibles qu'ailleurs, la série des productions va progressivement se rétrécir, une bonne partie des travailleurs, en commençant par les plus qualifiés et par les plus entreprenants, iront chercher fortune ailleurs. La richesse de la nation va donc se trouver réduite. Mais une action du gouvernement qui irait à l'encontre du libéralisme, qui essaierait de modifier l'orientation naturelle de la population pourrait avoir des conséquences plus graves encore. La nation perd une partie de sa substance, mais cette perte est moins grande que celle qui résulte de la mauvaise répartition des tâches dans le cas où les gens renoncent à la situation qui est la plus intéressante pour eux et elle est compensée par l'augmentation du revenu mondial. L'effet de l'intervention peut être pire que le laissez-faire. La publication de *la Richesse des nations* a ainsi entraîné un désintérêt général pour les problèmes d'économie nationale chez la plupart des penseurs français et des penseurs anglais.

La forme naïve de la théorie de l'avantage absolu.

Dans l'esprit d'Adam Smith, et de la plupart des économistes classiques, la localisation la plus avantageuse est liée à quelque propriété particulière de la terre, à la présence de richesses minières de sources d'énergie abondantes et à bon marché, ou encore à la situation particulièrement avantageuse du point de vue des relations commerciales. La théorie de l'avantage absolu suppose la mobilité du capital et du travail, mais l'inégalité dans la répartition du facteur terre crée une géographie aux possibilités variables. On voit donc comment toutes les théories micro-économiques de la localisation, se rattachent au grand ensemble de doctrine mis en avance par Adam Smith. La plupart des analyses géographiques révèlent une adhésion implicite à la théorie de l'avantage absolu. Le rôle du géographe semble être de déterminer l'inégale dotation en ressources naturelles du globe : cette répartition explique ensuite tout naturellement la géographie des activités, celle de la population et celle des courants d'échange, si chacun cherche à maximiser son avantage. Dans une telle conception, la délimitation des tâches entre les géographes et les économistes se fait très simplement. L'économiste fournit un schéma général d'explication, dans lequel il montre que la répartition des activités dans l'espace s'explique par la localisation de facteurs non économiques — les ressources naturelles (24). Et le géographe qui se dit économiste peut tout ignorer de l'économie et de ses lois : il a un domaine qui lui est propre, celui de l'analyse des ressources et de leur utilisation. Dans son travail, il

(24) Il paraissait si naturel de faire de l'étude des ressources naturelles, de leur répartition, de leur exploitation, l'objet même de la géographie économique que l'on a longtemps négligé de définir clairement les termes employés. Les économistes et les géographes américains réagissent là contre. On trouvera un choix de textes et une orientation générale dans BURTON (Ian), KATES (Robert W.), *Readings in Resources Management and Conservation.* Chicago, University of Chicago Press., 1965, XI, 609 p.

On trouvera des exemples d'étude systématique de l'influence de la répartition des ressources naturelles sur la géographie économique dans PERLOFF (Harvey S.), DUNN (Edgar S. Jr), LAMPARD (Eric E.), MUTH (Richard F.), *Regions, Resources and Economic Growth.* Baltimore, The Johns Hopkins Press, 1960, 716 p.

a davantage à faire preuve de connaissances techniques que de compréhension des réalités économiques.

Les formes élaborées de la théorie de la localisation : von Thünen, Weber, Lösch, Christaller.

Lorsque la production résulte de la combinaison de plusieurs facteurs et suppose l'utilisation de demi-produits et d'énergie, la répartition des ressources ne détermine pas de manière aussi simple la localisation des activités. Il faut voir où il est possible d'obtenir la combinaison la plus avantageuse des facteurs. C'est le fondement commun de toutes les théories partielles de la localication que nous avons signalées : Von Thünen, Alfred Weber, Walter Christaller et August Lösch sont en ce sens les héritiers spirituels de l'illustre Écossais. La recherche de l'avantage absolu anime les sujets économiques dans chacune des hypothèses retenues par les grands théoriciens de l'économie spatiale. Comme les différents éléments de cette recherche se sont échelonnés sur plus d'un siècle et demi, on perd souvent de vue la cohérence logique de l'ensemble. Les géographes restèrent curieusement indifférents à ce courant de pensée. A la réflexion, on les comprend un peu. La théorie de la localisation des activités agricoles est la seule qu'ils auraient pu utiliser il y a déjà longtemps : mais le schéma de von Thünen n'était valable que pour les sociétés agricoles où la production est tout entière commercialisée et où les frais de transport sont très élevés. Dans la plupart des économies pré-industrielles l'autoconsommation domine, si bien que le principe de zonation agricole par rapport au marché n'est d'aucun secours. La révolution des transports a provoqué une baisse si rapide des prix que ce principe n'a plus guère de valeur qu'à l'échelle de l'économie mondiale. Lorsque l'on se livre à l'analyse d'espaces plus menus, ce qui compte essentiellement, ce sont les aptitudes de la terre, les caractères climatiques des régions. Les géographes ont pu ainsi ignorer la théorie économique de la localisation sans commettre de graves erreurs d'interprétation. Ils ont pressenti les règles qui devaient assurer la célébrité de Weber (25), participé à l'élaboration de la théorie

(25) Émile Levasseur définissait dès 1872 des règles de localisation très voisines de celles d'Alfred Weber. On trouve dans les travaux des géographes de la fin du siècle dernier, ceux de Vidal de la Blache par exemple, de nombreuses

des lieux centraux. Ils tardèrent longtemps à reconnaître l'intérêt de la recherche systématique des forces de localisation économique.

Pour les théoriciens de l'avantage absolu, la répartition des activités entre les nations, ou entre les régions, continue à être indifférente à la limite de ces ensembles. Elle peut tout entière s'analyser par les procédés de l'analyse micro-économique. Lorsque les forces de localisation deviennent plus complexes, on parle des effets d'économie externe, si bien que l'on parvient à tout expliquer, ou presque, sans avoir besoin de prendre en considération l'ensemble des économies territoriales. Mais lorsque l'on cherche l'origine de l'économie externe, on s'aperçoit que l'on a quitté le domaine des équilibres partiels.

La théorie de l'avantage comparatif.

Les économistes ont négligé longtemps l'analyse des économies globales : les hypothèses de base de la théorie de l'avantage les ont détourné de faire l'effort nécessaire, puisqu'il était déclaré superflu *a priori*. Il y avait pourtant des cas où la réalité territoriale s'imposait à l'attention. C'était le cas du commerce international. Comment ne pas voir que certaines des bases du raisonnement de Smith n'étaient plus valables dans ce cas?

C'est à Ricardo que l'on doit les premiers travaux importants dans ce domaine (26). Une partie de son œuvre se présente comme une interprétation des répartitions par la recherche de l'avantage absolu. Lorsqu'il se demande d'où provient la rente qui rémunère l'usage de la terre, il pense à la fertilité différente des exploitations, contribue ainsi à fournir une des pièces essentielles de la théorie naïve de l'avantage absolu. On a coutume de le représenter, à cause de cela, comme insensible aux problèmes spatiaux : on met en parallèle son œuvre, et celle de von Thünen consacrée elle aussi à l'explication des rentes de la terre. Ce dernier apparaît comme beaucoup plus sensible à certaines réalités géographiques, à la distance par exemple.

L'apport essentiel de Ricardo à la théorie spatiale tient à un autre aspect de son œuvre. Il était, à cause de son métier,

réflexions sur les forces de localisation. LEVASSEUR (Émile), *L'étude et l'enseignement de la géographie, op. cit.*

(26) RICARDO (David), *The Principles of Political Economy and Taxation, op. cit.*

particulièrement sensible aux problèmes de l'échange international. Il savait que dans un pareil domaine, la mobilité de la plupart des éléments de la vie économique est imparfaite. Les échanges de biens sont possibles, mais ceux de facteurs de production sont limités, voire même interdits. L'immobilité des facteurs de production était sans doute plus marquée il y a un siècle et demi qu'aujourd'hui. Les mouvements internationaux de capitaux, qui se sont développés progressivement avec la mise en valeur des pays neufs, étaient alors extrêmement réduits. La société internationale n'admettait que les mouvements d'or ou de métaux précieux et les conséquences de ces mouvements sur l'économie des pays étaient telles que tout était mis en œuvre pour éviter les déséquilibres durables de la balance des paiements. Dans ces conditions, comment un échange peut-il s'établir entre des territoires dont les aptitudes sont différentes, qui sont dotés de facteurs naturels de manière très inégale? Si chacun des territoires possède des ressources pour lesquelles il est le seul à exceller, la situation n'est pas très différente de celle qui règne en économie ouverte, et on conçoit sans mal le développement des opérations commerciales. Mais il arrive que dans un pays, les ressources sont toutes de médiocre valeur et inférieures à celles que l'on trouve à l'extérieur. Si les facteurs de production étaient mobiles, les ressources demeureraient inutilisées et tous les efforts de mise en valeur se porteraient sur la nation la mieux douée naturellement.

Si les facteurs de production, main-d'œuvre et capital ne peuvent pas quitter le pays pauvre, un échange s'établit qui permet à chacun des partenaires de conserver une activité originale et de tirer avantage du développement du commerce. Ricardo était issu d'une famille venue du Portugal et il était agent de change de son métier. Peut-être est-ce pour cela que l'exemple qu'il avait imaginé était celui des relations entre le Portugal et l'Angleterre? Il est d'usage de reprendre à la fois le raisonnement et l'exemple proposé par Ricardo. Supposons que pour produire une unité de vin il faille 80 heures de travail au Portugal et 120 en Angleterre, que pour produire une unité de drap, il faille 90 heures de travail au Portugal et 100 en Angleterre. Dans l'hypothèse de la recherche de l'avantage absolu, il y aurait arrêt de l'activité en Angleterre, et transfert des facteurs de production au Portugal. Lorsque les facteurs sont fixes, la situation est différente. L'avantage que le Portugal possède pour la production du vin est massif. Celui qu'il a pour la production du drap est beaucoup plus réduit. L'intérêt général des Anglais et des Portugais va être de procéder à une spécialisation du travail. Les Portugais développent leur production de vin, expédient ce vin en Angleterre, achètent du drap anglais. Au total, ils peuvent acquérir davantage de drap et les Anglais davantage de vin que s'il n'y avait pas commerce international. Le partage de l'avantage tiré de l'ouverture des relations dépend de la puissance des deux partenaires. Il se peut que l'Angleterre réussisse à s'assurer la plus grande partie de l'avantage, il est possible aussi que ce soit le Portugal. Les rapports de prix qui s'établiront après échange traduiront la manière dont le partage des gains est assuré. Mais dans tous les cas, il y a avantage global et les deux partenaires participent au bénéfice de l'opération

Depuis Ricardo, on a affiné l'appareil analytique de la démonstration, mais la théorie de la spécialisation internationale demeure toujours fondée sur l'étude des coûts comparatifs. Les répartitions auxquelles donnent naissance le jeu de cette spécialisation sont très différentes de celles qui apparaissent dans la théorie de l'avantage absolu. Dans le cas où les facteurs sont mobiles, il peut arriver qu'ils ne trouvent pas à s'employer de manière utile dans un territoire. Lorsqu'il n'y a pas migration des facteurs, un équilibre s'établit, qui permet à tous les territoires d'assurer le plein emploi. La répartition des activités est plus égale que dans le premier cas; on réussit à éviter la concentration qui paraît inévitable lorsque les migrations de main-d'œuvre et de capitaux sont libres. Dans l'immédiat, cette répartition plus égale des activités, ces chances mieux réparties se paient par une rémunération inégale des facteurs de production.

Le commerce international et le prix des facteurs.

Pour les premiers analystes du commerce international, l'inégalité des rémunérations obtenues par les facteurs de production est nécessaire au fonctionnement du système. Il a fallu près d'un siècle pour s'apercevoir qu'elle devait à la longue se corriger. Heckscher, Ohlin et Samuelson (27) ont

(27) L'essentiel de la théorie de la dotation en facteurs de production figure

montré que l'égalisation des rémunérations résulterait du jeu des échanges internationaux. Le raisonnement proposé par Ohlin permet de comprendre facilement pourquoi. La démonstration théorique proposée par Samuelson ne rentre pas dans notre propos.

Les différences entre les rémunérations des facteurs de production proviennent à l'origine de l'inégale dotation des pays. Dans une région où la main-d'œuvre est surabondante et la terre et le capital rares, les biens qui incorporent beaucoup de terre et de capital sont chers par rapport à ceux qui nécessitent surtout de la main-d'œuvre. Les produits d'élevage sont chers dans les campagnes d'Extrême-Orient, car ils demandent beaucoup d'espace. Les produits de l'artisanat d'art sont au contraire bon marché. A l'inverse, dans un pays où la terre est surabondante, et la main-d'œuvre peu nombreuse, comme c'est le cas de l'Australie, les produits d'élevage sont bon marché par rapport aux produits de l'artisanat de qualité. Si l'Australie exporte des produits d'élevage et importe les objets d'art dont elle a besoin, la situation s'améliore à la fois en Extrême-Orient et en Australie; les échangistes tirent bénéfice de leur commerce. Lorsque l'Australie exporte de la viande, du lait ou du beurre, c'est comme si elle procédait à une exportation du facteur terre qu'elle possède en surabondance. Réciproquement, l'exportation de produits artisanaux de qualité revient à une sortie de main-d'œuvre. De la sorte, les proportions de facteurs sur les divers marchés finissent par devenir semblables : les écarts de prix diminuent et disparaissent à la longue.

dans un article de Heckscher (1919). Publié en suédois, il ne fut traduit et connu que plus tard par les Anglo-Saxons. Bertil Ohlin reprend et perfectionne l'exposé de cette théorie dans un ouvrage qu'il publie directement en anglais (1933). Paul A. Samuelson fournit plus tard (1948) une démonstration mathématique de la tendance à l'égalisation du coût des facteurs. HECKSCHER (E.), « The Effect of Foreign Trade on the Distribution of Income », pp. 272-300 d'American Economic, Association : « Readings in the Theory of International Trade ». Philadelphie, Blakiston, 1949 XV, 637 p. Traduction de l'article publié en 1919 dans *Ekonomisk Tidskrift* vol. XXI. — OHLIN (Bertil), *Interregional and International Trade.* Cambridge (Mass.), Havard University Press, 1933. — SAMUELSON (Paul A.), « International Trade and the Equalization of Factor Price ». *Economic Journal,* vol. LVIII, juin 1948, pp. 163-184. — ID., « International Factor-Price Equalization once again ». *Economic Journal,* vol. LIX, juin 1949, pp. 181-197. — LERNER (A. P.) « Factor Prices and International Trade ». *Economica,* févr. 1952, pp. 1-15.

Le paradoxe de Léontief et la dotation en facteurs de production.

La démonstration théorique est impeccable. Dans la réalité, ce que l'on constate, c'est le maintien des écarts de rémunération et souvent, leur accentuation. Ceci a conduit à repenser la théorie des coûts comparatifs, à mieux mettre en évidence ses postulats implicites et à préciser les limites entre lesquelles les effets prévus peuvent se produire en fait.

Dans toute la tradition classique, la répartition des facteurs de production est une donnée exogène des systèmes économiques. Il y a des pays où les terres sont fertiles, le climat égal, les mines abondantes et faciles à exploiter. Les accumulations de population sont le résultat d'une longue histoire et ni le mouvement naturel, ni les migrations ne sont capables de bouleverser dans le court terme la répartition que l'on constate à un moment donné. La somme de capitaux accumulés est dépendante des conditions historiques, mais pour beaucoup d'économistes et de géographes, elle demeure liée à la présence de ressources naturelles abondantes : l'Amérique du Nord aurait réussi une accumulation sans précédent de biens capitaux grâce à la présence de ressources extrêmement abondantes.

Il y a une quinzaine d'années paraissait une étude de Léontief (28) qui provoqua — avec un certain retard, car elle figurait dans une publication peu connue — un véritable scandale intellectuel dans le monde de tous ceux qui s'occupent de relations économiques internationales. La méthode des tableaux d'intrants et de sortants permet de dire exactement pour chaque groupe de produits la part qui revient aux divers facteurs de production. Léontief avait analysé de la sorte la structure des exportations américaines et celles des importations. Bien loin de vendre des produits comportant surtout du facteur terre et du capital, pour acheter des produits incorporant une grande quantité de main-d'œuvre, les États-Unis achètent essentiellement des matières premières minérales et alimentaires, contenant beaucoup de facteur terre et exportent des produits

(28) Léontief (Wassily W.), Domestic Production and Foreign Trade : the American Society Reexamined. *Proceedings of the American Philosophical Society*, vol. 97, 1953, pp. 332-349; reproduit dans *Economia Internazionale*, vol. 7, 1954.

manufacturés de haute valeur, dans lesquels la part qui revient à la main-d'œuvre est essentielle.

Comment expliquer cette situation en apparence paradoxale? La première réaction de beaucoup d'économistes (29) a été de considérer l'article de Léontief comme une réfutation de la théorie des coûts comparatifs, comme l'infirmation définitive du théorème de Heckscher-Ohlin-Samuelson. C'est aller un peu vite en besogne. Le raisonnement sur lequel s'appuie la théorie de l'avantage comparatif est correct. Les résultats aberrants obtenus par Léontief montrent que les prémisses sur lesquelles repose l'analyse classique des coûts comparatifs sont inexacts. On suppose généralement que la répartition des facteurs de production est une donnée du système, que le jeu de la spécialisation et des choix guidés par les coûts comparatifs permet de corriger peu à peu. En fait, les dotations ne sont pas des données exogènes, extérieures au système économique : si les États-Unis exportent du facteur travail et importent du facteur terre, c'est qu'ils ont réussi à construire une économie où le travail est abondant et les ressources rares. Ceci est choquant si l'on se contente d'additionner les hommes, les tonnes et les renseignements statistiques, si on ne tient pas compte de l'hétérogénéité des facteurs. Il est certain que les États-Unis ne peuvent mobiliser de foules comparables à celles de l'Extrême-Orient et pour les produits qui demandent des masses énormes de main-d'œuvre peu qualifiée, ils se trouvent dans une position de relative rareté. Mais les produits livrés en Asie par une main-d'œuvre abondante et peu qualifiée peuvent être fabriqués ailleurs par une main-d'œuvre moins nombreuse et plus qualifiée, utilisant en abondance des machines et des capitaux. Ainsi, le jeu des substitutions de facteurs dans la combinaison productive permet à certaines économies de pallier la rareté relative d'un facteur. Les progrès des techniques modernes de production ont entraîné des modifications dans les qualités que l'on exige de la main-d'œuvre. Les ingénieurs, les cadres qualifiés ont mis des années à se former, ils représentent davantage un capital

(29) On trouvera un exposé des controverses suscitées par le paradoxe de Léontief dans CEDRAS (J.), « Paradoxe de Léontief et spécialisation internationale ». *Revue économique*, vol. 9, 1958, pp. 577-611. — DANIÈRE (A.), « American Trade Structure and Comparative Cost Theory ». *Economia Internazionale*, août 1956. — BALASSA (Bela), « The Factor-Price Equalization Controversy ». *Weltwirtschaftliches Archiv*, vol. LXXXVII, 1961, nº 1.

humain qu'un facteur brut et pur. En développant les productions modernes et hautement spécialisées, en assurant la formation technique de la main-d'œuvre nécessaire à servir les installations, à les concevoir et à les améliorer sans cesse, les Américains ont introduit à l'intérieur du facteur main-d'œuvre des différences qualitatives telles qu'on ne peut plus comparer une unité à une autre. Sur le marché des travailleurs très qualifiés, la situation américaine se caractérise par une relative abondance du facteur, alors qu'il demeure très rare à l'échelle du monde. Il n'y a qu'un paradoxe apparent à la situation saisie par Léontief. Les États-Unis vendent bien les produits qui incorporent les facteurs qu'ils ont en abondance. Mais le progrès technique introduit des différences telles que des pays peu peuplés mais développés peuvent exporter de la main-d'œuvre, cependant que les masses humaines sans éducation ne peuvent utiliser les ressources naturelles, pourtant médiocres, qui se trouvent dans leurs pays. Ainsi, les pays sous-développés deviennent-ils exportateurs de produits incorporant peu de main-d'œuvre et importateurs d'équipements qui en incorporent beaucoup.

IV. — L'analyse des circuits économiques et la spécialisation des économies territoriales.

Les économistes ont imaginé deux grandes familles de théories pour expliquer la répartition et la spécialisation de la production dans les ensembles territoriaux. Lorsque tout se passe sans contrôle, que la plus grande liberté de mouvement existe, la recherche de l'avantage absolu correspond à la règle la plus commune et détermine la géographie. Si les facteurs de production cessent d'être mobiles, on se résigne à ne rechercher qu'un optimum de seconde approximation (30). On ébauche de la sorte une double explication, selon que l'on s'intéresse aux réalités régionales ou que l'on cherche à comprendre les problèmes de la nation. Les analyses spatiales doivent à cette scission de la théorie fondamentale une de leurs faiblesses. Mais si la distinction retenue correspondait bien à la réalité, le

(30) Nous traduisons ainsi l'expression *Second best* des auteurs américains.

dualisme des théories ne serait pas condamnable. On se rend de mieux en mieux compte aujourd'hui que la différence entre la recherche de l'avantage absolu et la recherche de l'avantage comparatif ne saurait épuiser toute la richesse du contenu spatial des économies. On voit les deux corps de théorie se heurter aux mêmes difficultés, se transformer et perdre une partie de leur cohérence interne, pour se transformer progressivement en une théorie nouvelle, plus adaptée à l'analyse des situations spatiales que l'on peut réellement observer.

Les faiblesses de la théorie de l'avantage absolu et de la théorie de l'avantage comparatif.

Comme nous l'avons vu, les spécialistes de l'analyse de la localisation, comme ceux du commerce international ont réussi à adapter leurs constructions aux conditions actuelles du monde et à prendre compte de réalités qu'ils laissaient échapper autrefois. Tant que les principales productions industrielles se sont trouvées fixées par la présence des ressources minières, des sources d'énergie ou par les trames de voies de communications qui permettaient de les combiner aux moindres frais, la théorie de la localisation est développée sans difficulté. Lorsque le rôle du marché est devenu plus important, de nouveaux problèmes sont apparus. Ils ont été souvent repoussés et tournés par le recours à des hypothèses simplificatrices. Lorsqu'on étudie l'équilibre spatial de la production agricole, on admet que toute la consommation se trouve concentrée en un point. C'est là l'hypothèse fondamentale de von Thünen. Elle peut se justifier de deux manières : ou bien les exploitants agricoles continuent à pratiquer une autoconsommation personnelle, si bien que leur clientèle est négligeable, ou bien tous les produits transitent sur le marché central. Les deux possibilités ne s'excluent pas et correspondaient aux conditions qui prévalaient dans la société du début du XIXe siècle. Le monde actuel est différent. Le marché a cessé d'être une donnée indépendante de l'activité des producteurs. Il peut s'analyser au plan micro-économique, mais il a une signification macro-économique. Le pouvoir d'achat qui se matérialise sous la forme de demande de produits ou de services résulte de la distribution des revenus de la production et de leur affectation pour la dépense. Ainsi, la simplicité apparente de toutes les théories de la localisation qui s'appuie sur la répartition des marchés pour expliquer l'implantation des activités productives et trompeuses. On peut évidemment supposer que pour une toute petite entreprise, le marché est une réalité d'ordre supérieur, qu'il n'est pas affecté directement par l'activité de la firme. Il arrive un moment où les interactions de l'entreprise et du marché deviennent notables.

L'attraction des anciennes localisations, des foyers urbains importants, des grandes plaques tournantes des transports échappe aux procédés d'explication de la théorie de l'avantage absolu. Telle entreprise s'adresse à une clientèle essentiellement rurale, dispersée. Elle pratique des envois par la poste et les tarifs qui sont appliqués à ses expéditions restent les mêmes dans toute l'étendue du territoire national. Elle effectue des achats groupés assez importants pour bénéficier en tous points de tarifs de transports intéressants. Comment expliquer qu'elle s'installe de préférence dans les grandes régions urbaines, les foyers commerciaux et industriels les plus importants? En invoquant les économies externes — mais on renonce à la théorie sous sa forme classique : l'avantage ne naît pas de la distribution brute des facteurs de production, il tient à d'autres éléments.

Le paradoxe de Léontief a placé les spécialistes du commerce international devant une difficulté toute semblable. Puisque la spécialisation dépend d'une dotation de facteurs qui n'est plus une donnée extérieure au système, mais de l'action passée des différentes économies, expliquer le commerce international par les dotations de facteurs demeure possible, mais n'a plus de sens profond : on déplace la difficulté, on ne la résout pas : pourquoi les différences se trouvent-elles sans cesse accentuées entre des pays dont les dotations brutes semblaient équivalentes?

Les théories traditionnelles de la répartition des activités économiques dans les ensembles territoriaux et de la composition de l'échange interterritorial ne proposent plus que des solutions apparentes : elles jouent sur les mots; le vrai problème, celui de l'origine des économies externes, ou celui de l'enrichissement et de la transformation progressive des dotations en facteurs, elles ne peuvent le résoudre. La difficulté est semblable : il paraît raisonnable d'admettre que les deux démarches buttent sur le même problème.

Les prémisses des théories classiques de l'échange interterritorial.

Les enchaînements logiques des deux corps de théorie que nous avons évoqués sont parfaits. Si des faiblesses apparaissent, elles ne peuvent provenir que de l'inadaptation des hypothèses de départ. Nous l'avons déjà indiqué pour la théorie de l'avantage comparatif. Le point mérite d'être quelque peu développé.

Les deux théories de l'équilibre territorial sont curieusement indifférentes à la réalité spatiale de l'économie. Lorsqu'on les voit exposées dans les manuels ou dans les ouvrages d'économie politique, elles ne sont généralement précédées d'aucun développement relatif à l'insertion du circuit économique dans l'espace (31). C'est particulièrement vrai pour les analyses de l'échange international : on suppose généralement que l'on a affaire à des économies nationales ponctuelles. On ne réintroduit la distance et dans certains cas seulement, qu'à la fin du raisonnement. On tient compte, à côté des droits de douane, de coûts de transport, dont le résultat est de créer un protectionnisme géographique : les systèmes de prix différents pour partie à cause de l'obstacle de la distance (32). Nous n'insisterons guère sur ce point, tant il paraît évident. Mais le fait d'en tenir compte ne permet pas de dire que l'analyse de l'équilibre spatial est complète.

Dans les études de localisation telles qu'on les voit généralement effectuées, les éléments spatiaux tiennent la place essentielle. Ils sont pourtant partiels. On se contente de mettre en évidence les liens qui existent avec les stades amont et aval du circuit économique. On ignore systématiquement l'existence des boucles qui referment le circuit sur lui-même une ou plusieurs fois.

(31) Tous les manuels d'économie internationale présentent les théories de la spécialisation de cette manière : c'est le cas de ceux de Maurice Byé et de P. T. Ellsworth, que nous avons déjà cités, comme de ceux de KINDLEBERGER (Charles P.), *International Economics.* Homewood (Ill.), Richard D. Irwin, 1re éd., 1953; 3e éd., 1963, XX, 686 p. — HARRIS (Seymour E.), *International and Interregional Economics.* New York, Mc Graw-Hill, 1957, XIV, 564 p. — MARCY (Gérard), *Économie internationale.* Coll. Themis, Paris, P. U. F., 1965, 642 p.

(32) Le premier grand ouvrage dans lequel on ait tenu des comptes des frais de transport dans la théorie du commerce international est celui de Bertil Ohlin (*Interregional and International Economics, op. cit.*, cf. 3e partie). Les grands manuels anglo-saxons d'économie internationale reprennent ces développements.

Les meilleurs observateurs ont poussé plus loin la critique. Ils ont remarqué que la base même de la théorie du commerce international était fragile. Les classiques admettaient que la caractéristique essentielle de la nation venait de l'immobilité des facteurs de production, qui se trouvent comme emprisonnés en son sein. Cette théorie de l'avantage comparatif, on l'utilise généralement pour expliquer la répartition des activités économiques telles qu'elle était réalisée au XIXe siècle. On doit à Ellsworth des analyses bâties sur ce modèle (33) : pour lui, l'évolution dans la dotation des régions en facteurs de production suffit à expliquer les principaux courants du commerce international avant la Première Guerre mondiale, dans l'entre-deux-guerres et de nos jours. La démonstration serait plus convainquante si les facteurs de production étaient immobiles : de bons esprits le firent remarquer vers 1930 (34). La plupart des zones fournissant des matières premières aux pays industrialisés avaient été équipées avec du matériel européen ou américain, par des techniciens européens ou américains, disposant de capitaux européens ou américains. La marche de l'entreprise n'avait été rendue possible que grâce à des mouvements migratoires souvent considérables. Dans ces conditions, le commerce mondial n'était pas vraiment international. Les pays industrialisés projetaient des fractions d'eux-mêmes sur des territoires extérieurs chaque fois qu'ils devaient se fournir de matières premières rares. La critique allait plus loin. La mobilité des capitaux était plus grande entre pays sous-développés et pays industrialisés, qu'à l'intérieur des pays sous-développés. Cela tenait évidemment à l'importance des entreprises étrangères qui participaient à la mise en valeur des ressources du pays peu développé. Cela résultait également des conditions d'insécurité qui pesaient souvent sur le capital des bourgeoisies locales : celles-ci exportaient leurs économies, pour éviter les surprises et les risques de nationalisation, de confiscation et de ruine. Une théorie économique qui explique la réalité en supposant la fixité des facteurs de production alors que la caractéristique

(33) ELLSWORTH (P. T.), *The International Economy, op. cit.*, cf. pp. 170-176. Pour la période de l'entre-deux-guerres, Ellsworth utilise les données fournies par une étude de la S. D. N.

S. D. N., *Le réseau du commerce mondial*. Genève, S. D. N., 1942.

(34) WILLIAMS (John H.), « The Theory of Economic Trade Reconsidered ». *Economic Journal*, vol. XXXIX, 1929 pp. 195-209.

essentielle du système, c'est leur mobilité, n'est pas très satisfaisante.

Depuis une génération, la multiplication des États indépendants a provoqué des restrictions aux mouvements des capitaux. On se rapproche davantage des conditions prévues par la théorie ricardienne. L'arrêt des transferts de capitaux est pourtant difficile à obtenir. S'il existe des mouvements de biens, l'évasion du capital peut résulter de la fixation du prix du produit sur le marché international. Nous avons déjà évoqué cette éventualité (35) : lorsque les marchés sont très imparfaits, il est possible de faire baisser les prix de matières premières relativement à celui des produits manufacturés contre lesquels ils sont échangés de telle sorte que le pays exportateur se voit dépouillé du pouvoir d'épargner et d'investir. La théorie de l'avantage comparatif semble pouvoir s'appliquer dans de bonnes conditions : c'est une illusion.

Que le capital soit légalement mobile ou immobile, les conditions d'évolution sont assez voisines. Ce n'est pas sur ce critère que l'on peut asseoir une théorie expliquant à la fois la répartition des activités dans l'espace et les divergences constatées.

Les différences dans la mobilité du facteur main-d'œuvre sont plus significatives. Elles introduisent des oppositions dans le sens des évolutions sur lesquelles nous aurons l'occasion de revenir. Elles ne dépendent pas nécessairement du statut réservé aux territoires analysés. Dans le courant du XXe siècle, la mobilité internationale est généralement faible, plus réduite que celle qui existe au sein de nations où la mécanisation de l'agriculture provoque une urbanisation forcée. Il est des cas pourtant où les mouvements internationaux l'emportent sur les mouvements internes. Il en va ainsi pour l'Irlande ou pour certains des Pays de l'Europe du Sud. Au XIXe siècle, cette situation était fréquente. Ainsi, la distinction que l'on a mise à la base de toutes les analyses théoriques de la localisation semble assez peu conforme à la réalité actuelle et tout à fait inadaptée aux conditions qui prévalaient au cours du siècle passé.

(35) Elle est connue sous le nom de théorie de Singer-Prebisch. Nous avons signalé les articles où Prebisch étudie la détérioration des termes de l'échange dont souffrent les pays sous-développés au chapitre précédent. L'apport de Singer est contenu dans SINGER (H. W.), « The Distribution of Gain Between Investing and Borrowing Countries ». *American Economic Review*, vol. 40, 1950, pp. 473-485.

Vers une théorie de l'équilibre interterritorial.

Les critiques des théories classiques de la localisation sont fréquentes. Mais on ne voit pas exactement que proposer pour remplacer les constructions qu'on s'acharne à démolir. Certains acceptent des compromis boiteux. La critique la plus pertinente de la théorie de l'échange international se trouve formulée par Ellsworth dans son manuel (36). Il montre comment la théorie actuelle est incapable de rendre compte des mouvements de capitaux ou de main-d'œuvre qu'elle ne peut ignorer. Il suppose alors, pour donner une certaine symétrie à son analyse, que les capitaux et la main-d'œuvre sont des services spécialisés, exportés par des nations qui disposent d'une abondante dotation en entreprises capables de mener de telles opérations : l'explication est faible puisqu'elle redonne cohésion à une théorie dont on vient de démontrer justement les insuffisances.

On trouve cependant à l'heure actuelle des éléments dispersés et incomplètement coordonnés qui permettent de dessiner les grandes lignes d'une théorie de la localisation et de la spécialisation des activités entre les unités territoriales.

La théorie de la base économique.

Les recherches menées depuis les années 1930 pour déterminer la base économique des espaces urbains sont ambiguës. Elles aboutissent à une comptabilité des emplois, dont nous avons déjà indiqué quelques résultats. Elles donnent les éléments nécessaires pour aboutir à une classification rationnelle des activités et partant des fonctions urbaines. Elles permettent également d'élaborer un multiplicateur géographique (37). Elles fournissent alors l'image d'une théorie spécifique de la structure des économies territoriales.

(36) Ellsworth (P. T.), *The International Economy*, *op. cit.*, cf. pp. 146-150.

(37) La théorie de la base économique a été conçue dès l'origine comme une analyse du multiplicateur géographique. Les spécialistes des problèmes urbains qui, comme Homer Hoyt, l'imaginèrent et l'utilisèrent, cherchaient à prévoir des besoins de logement. La valeur générale de la méthode n'est apparue qu'à partir de 1955.

La mise au point la plus complète sur la théorie de la base et les problèmes techniques associés est celle de Pfouts (Ralph E.) (ed. by), *The Technics of Urban Economic Base Analysis.* West Trenton, Chandler Davis, 1960, 410 p.

Qu'est-ce qui permet d'opposer les secteurs de base et les secteurs domestiques? La portée des produits et des services qu'ils livrent sur le marché. C'est ce qui crée une association étroite entre les progrès des entreprises de base, vendant au loin et celui des firmes domestiques, qui, pour satisfaire les besoins nés de l'expansion du revenu dans le secteur de base, n'ont pas la liberté de s'implanter là où elles le désirent. Elles sont prisonnières de la localisation des activités de base.

Dans l'économie actuelle, il existe un certain nombre d'éléments du circuit économique qui sont nécessairement courts — dans le domaine des prestations de service en particulier. La théorie de la base s'appuie sur cette particularité de la structure des circuits économiques.

La théorie de la polarisation.

La dépendance géographique des activités de service ne peut expliquer qu'en partie la répartition des forces. Elle ignore les liens entre des productions destinées à être écoulées sur un vaste marché, elle ne se prête pas à l'explication de la localisation de la production des biens et plus particulièrement des biens lourds.

M. François Perroux a inventé une expression qui a fait fortune, celle de polarisation (38). Alors que la plupart des modèles proposés par l'économie classique démontraient et prévoyaient l'étalement des activités productrices dans tout l'espace économique. M. Perroux a été frappé, comme beaucoup de contemporains, de leur concentration progressive dans un petit nombre de grandes villes, de régions surindustrialisées, de grands foyers de développement : il peint cette évolution en parlant d'effet de polarisation.

La théorie de la polarisation est née d'une image expressive et heureuse; elle s'est progressivement constituée (39). Cela fait

(38) M. François Perroux définit la notion de pôle de croissance en 1955. PERROUX (François), « La notion de pôle de croissance ». *Économie appliquée*, vol. VIII, 1955, pp. 307 *sq.* Repris aux pp. 142-144 de *L'économie du XXe siècle*. Paris, P. U. F., 1961, 598 p.

Des analyses antérieures portant sur les conceptions de l'espace économique, et sur les effets de domination, préparaient la voie. PERROUX (François), « Les espaces économiques ». *Économie appliquée*, vol. III, 1950, pp. 225 *sq.* Repris aux pp. 123-141 de *L'économie du XXe siècle*. — ID., *L'économie des jeunes nations*. Paris, P. U. F., 1953, 252 p.

(39) La théorie de la polarisation se précise depuis 1955 à la suite des travaux

son charme mais aussi sa faiblesse : car elle n'est pas comprise par tous les auteurs de la même manière. L'évolution qu'elle se propose d'expliquer est la même, mais elle n'isole pas toujours les mêmes éléments stratégiques.

L'interprétation qui a fini par devenir commune à tous les économistes de tendance perrusienne, est celle qui met l'accent sur le jeu de la firme motrice et sur les effets de domination et d'assymétrie qu'elle engendre (40).

Lorsqu'une grande usine de demi-produits s'installe dans une région peu industrialisée, elle a des chances de provoquer un effet de développement en chaîne, un effet de polarisation. Son action organisatrice et motrice va se sentir en aval comme en amont. D'un côté, elle va stimuler les fournisseurs de matières premières et d'énergie, ceux d'équipements et d'infrastructures nécessaires à sa construction, à son entretien, à son fonctionnement. De l'autre, elle va fournir du travail à une multitude de petites entreprises qui transformeront le demi-produit, l'exporteront, le vendront après avoir incorporé une valeur très importante. L'action de la firme sera d'autant plus importante que son pouvoir de domination sera plus grand.

L'effet de polarisation sera par ailleurs renforcé par le jeu des revenus : dans la mesure où la firme distribue des salaires importants, provoque des créations d'emplois en chaîne à l'amont

de M. François Perroux, de M. Jacques-R. Boudeville, d'Albert O. Hirschman, pour ne citer que quelques-uns des auteurs les plus marquants. Perroux (François), « Les pôles de développement et l'économie internationale », dans *The Challenge of Development, A Symposium.* Jérusalem, 1957, pp. 81-97. Repris aux pp. 172-192 de *L'économie du XX*e *siècle.* — Id., *La coexistence pacifique.* Paris, P. U. F., 3 vol., 1958, 666 p. Cf. plus spécialement le vol. II : *Pôles de développement ou Nations?* — Id., « Les points de développement et les foyers de progrès ». *Cahiers de l'I. S. E. A.*, no 94, série F, no 12, nov. 1959. Repris aux pp. 192-225 de *L'économie du XX*e *siècle.* — Boudeville (Jacques-R.), « Les pôles de croissance brésiliens : la sidérurgie du Minas Geraes ». *Cahiers de l'I. S. E. A.*, no 10, série F, 1957, 71 p. — Hirschman (Albert O.), *The Strategy of Economic Development.* New Haven, Yale University Press, 1958, 217 p.

La théorie de la polarisation se trouve exposée sous une forme plus complète dans Perroux (François), « Qu'est-ce que le développement? », *Études*, janv. 1961. Repris aux pp. 155-171 de *L'économie du XX*e *siècle.*

(40) Cette orientation des travaux sur la polarisation était annoncée par les recherches de M. François Perroux. Elle a conduit à attacher beaucoup d'importance aux questions de flux d'information, de réseaux d'influence et de domination. Pour aborder l'analyse de ces problèmes délicats, on a été conduit à imaginer des techniques très modernes : les circuits sont décrits à l'aide de matrices du type de celle de Léontief, les dissymétries y sont mises en évidence par triangulation; les structures de relation et de dépendance peuvent être précisées grâce à l'emploi de la théorie des graphies. On trouvera un exemple d'application de ces méthodes dans Erbes (Robert), *L'intégration économique internationale, op. cit.*

et à l'aval, elle se trouve en mesure de susciter un marché dont l'importance est fondamentale pour le démarrage de la croissance.

La théorie ainsi présentée ne va pas sans soulever quelques critiques. On peut douter de l'efficacité de la grande unité motrice à voir l'exemple d'un certain nombre de régions richement dotées en entreprises de ce type (41). En Lorraine française, l'effet de polarisation suscité par la sidérurgie est demeuré médiocre, à la différence de ce qui s'est passé un peu plus tôt dans la Ruhr. Certains des pôles les plus dynamiques sont par ailleurs caractérisés par l'absence de grandes unités : on pense à la région zurichoise en Suisse.

La théorie de la polarisation n'a pas été aussi féconde qu'elle aurait pu le devenir si elle n'avait pas mélangé l'analyse des structures de production, et celle des structures géographiques. Elle est partie d'une analyse des circuits économiques, mais elle les a vite négligés pour ne s'intéresser qu'aux circuits de domination et d'influence.

L'analyse des économies externes.

Si M. Perroux a eu le mérite de choisir une expression énergique pour caractériser l'évolution actuelle de la répartition des activités économiques, les éléments théoriques qui débouchent sur une explication se sont précisés lentement, sous une forme beaucoup plus modeste. Alfred Marshal définit les économies externes dès la fin du siècle dernier (42). Elles lui parurent jouer un rôle dans la répartition des installations industrielles. Il nota l'influence de l'atmosphère des villes de vieille tradition sur la vie de l'entreprise et sur son dynamisme. Il inventa l'expression et la notion pour expliquer certains faits de localisation et de répartition.

Une trentaine d'années plus tard, Allyn Young (43) remit à

(41) L'analyse de la croissance du pays de Montbéliard aurait conduit Gœtz-Girey à nuancer fortement le schéma de la croissance polarisée. La grande firme motrice est là, mais elle provoque un appauvrissement des structures productives que la théorie n'explique pas. Gœtz-Girey (Robert), « Stimulants et propagation de la croissance dans le pays de Montbéliard ». *Revue économique*, vol. XI, 1960, pp. 1-16.

(42) Marshall (Alfred), *Principles of Economics*. Londres, Macmillan, 1890.

(43) Young (Allyn), « Increasing Returns and Economic Progress ». *Economic Journal*, vol. XXXVIII, 1928, pp. 527-542.

l'honneur l'analyse des économies externes. Il vit comment elles étaient liées à l'étendue du marché dans le sens où Adam Smith employait le terme. Il orientait leur étude vers l'analyse des circuits économiques.

Les pays sous-développés ont attiré l'attention des théoriciens depuis une vingtaine d'années. Une des premières réponses données à la question : mais pourquoi les entreprises ne prospèrent-elles pas dans ces pays?... fut proposé dès la fin de la guerre par Rosenstein-Rodan (44) et reprise et développée par la suite par Ragnar Nurkse (45). La stagnation est liée à l'absence d'économies externes. Les cercles vicieux du sous-développement que l'on se plaît à énumérer dans les manuels qui ont pullulé depuis la fin de la Seconde Guerre mondiale proviennent généralement de l'absence d'effets de ce type. Les stratégies de la croissance préconisées par Hirschmann (46) ont pour but de provoquer le plus rapidement possible l'apparition des économies externes, ce qui permettra d'accéder à la croissance soutenue. Le remède ainsi proposé est voisin de celui envisagé par François Perroux : il consiste à opérer des investissements massifs dans un secteur stratégique.

L'étude systématique des économies externes progresse lentement. Elle a démarré réellement il y a une dizaine d'années avec les analyses de Tibor Scitovsky (47). Celles-ci servent de base à la plupart des recherches actuelles (48). La première difficulté à laquelle on se heurte, c'est celle de classer et de définir les effets d'attraction. Tibor Scitovsky distingue des économies externes qui ne se traduisent pas sur le plan des prix et d'autres qui se traduisent sur ce plan. Il se préoccupe ainsi plus de la forme qu'elles revêtent que de leur origine.

(44) Rosenstein-Rodan (Paul), « Problems of Industrialization of Eastern and South-Eastern Europe ». *Economic Journal*, vol. LIII, 1943, pp. 202-217.

(45) Nurkse (Ragnar), *Problems of Capital Formation in Underdeveloped Countries*. Oxford, Basil Blackwell, 1953, IX, 163 p.

(46) Hirschman (Albert O.), *The Strategy of Economic Development, op. cit.*

(47) Scitovsky (Tibor), « Two Concepts of External Economics ». *Journal of Political Economy*, vol. LXII, 1954, pp. 143-151.

(48) Fleming (Marcus), « External Economics and the Doctrine of Balanced Growth ». *Economic Journal*, vol. LXV, 1955, pp. 241-256. — Flamant (Maurice), « Concept et usage des économies externes ». *Revue d'économie politique*, vol. 74, numéro spécial : « Développement économique régional et aménagement du territoire », 1964, pp. 93-110. — Bourguinat (Henri), « Économies et déséconomies externes ». *Revue économique*, vol. XV, 1964, pp. 503-532. — Aydalot (Philippe), « Notes sur les économies externes et quelques notions connues ». *Revue économique*, vol. XVI, 1965, pp. 944-973.

Il nous semble indispensable de reprendre l'outil d'analyse ainsi préparé par Scitovsky, les spécialistes du sous-développement, ou ceux de l'intégration économique, comme Bela Balassa (49).

Les économies externes sont liées à des conditions particulières dans la structure des circuits économiques : elles proviennent des avantages qui découlent de la conjonction de certains éléments.

On néglige généralement l'analyse des circuits d'information lorsque l'on décrit et explique le fonctionnement spatial de la machine économique (50). Nous avons, au chapitre précédent, consacré un paragraphe à l'analyse de la mobilité de l'information économique, mais avons évité par la suite de présenter une description des circuits économiques. Nous aurions dû reprendre la totalité du circuit économique : à chaque circuit réel ou monétaire correspond un circuit d'information; le flux monétaire est en lui-même un flux d'information — le prix qui se dégage du marché permet aux producteurs et aux consommateurs d'ajuster leurs plans. A côté des circuits ainsi confondus avec les autres mailles du circuit, il en est d'autres, également importants, mais que nous n'avons pas signalés jusqu'ici : ce sont ceux qui assurent la diffusion de l'information technique, qui permettent la généralisation de certaines attitudes et assurent le façonnement des groupes sociaux. Il n'est pas possible de modeler des mentalités sans contacts prolongés, sans échanges renouvelés et réciproques. C'est dire que les contacts personnels sont là plus importants que dans tous les autres domaines : la mobilité de l'information est limitée par son caractère massif, continu, elle est liée à un milieu géographique donné. On peut, sur ce thème, analyser les circuits qui donnent aux régions industrielles ou aux grandes places de commerce l'atmosphère qui avait frappé Marshall.

La formation technique s'est systématisée — nous l'avons dit. Elle est assurée par un enseignement systématique — si bien que les circuits d'information sont beaucoup plus larges que par le passé. Ce n'est qu'au niveau supérieur des groupes de dirigeants, de responsables que la formation mutuelle par le

(49) Balassa (Bela), *The Theory of Economic Integration*. Homewood (Ill.), Richard D. Irwin, 1961; Londres, Allen and Unwin, 1962, XIV, 304 p.

(50) Les études sur l'information se sont multipliées, en économie politique, depuis 1950. Elles montrent que l'influence des recherches cybernétiques n'est pas négligeable. Elles s'attachent pourtant davantage à décrire la diffusion de l'innovation, qu'à explorer systématiquement tous les circuits d'information.

contact quotidien continue à jouer un rôle essentiel. La mobilité accrue de l'information technique moyenne ne signifie pas encore que celle-ci se trouve partout répandue. Elle est coûteuse, et une spécialisation dans un domaine est exclusive des autres. Malgré le rôle croissant de la culture scientifique de base et de la culture économique, dans l'acquisition des qualifications professionnelles actuelles, la présence d'un noyau de main-d'œuvre formée dans une spécialité, aux frais des gouvernements, constitue un facteur d'attraction important.

Les circuits d'information jouent bien d'autres rôles dans la dynamique de la localisation. Au niveau le plus élevé, celui des recherches et de la mise au point de l'innovation, le problème est bien souvent celui de la résistance à vaincre pour la diffusion et la mise en pratique des recettes nouvelles (51). Lorsque l'unité de production est isolée, lorsqu'elle bénéficie d'une protection géographique importante, elle perd le goût du risque. La présence d'un marché potentiel important, la menace de concurrents, supprime tous les obstacles artificiels à la diffusion de la novation et accélère les démarches de recherche et de mise au point technique.

Les problèmes commerciaux sont plus importants que ceux du secteur technique dans la plupart des activités : la concentration humaine des grandes villes assure de bonnes conditions pour s'informer et prendre les décisions importantes. Ce qui joue beaucoup, c'est la possibilité d'apprécier les variations futures de la demande, des goûts de la clientèle, des besoins. Ce sont là des informations que le mécanisme du marché et le prix ne fournissent que d'une manière incomplète, même lorsque la concurrence demeure vigoureuse. Il manque une profondeur d'appréciation, une vision du futur, que le contact avec une clientèle plus ouverte, plus prompte à se passionner pour la nouveauté, permet de s'assurer.

La main-d'œuvre apprécie son salaire en fonction de critères assez complexes. Le niveau brut de sa rémunération intervient, mais elle tient compte aussi, plus ou moins consciemment, des possibilités de dépense, de l'atmosphère de l'ensemble dans lequel

(51) Les problèmes des économies dégagées par la mise au point et par la diffusion des innovations sont analysés par Scitovsky (Tibor), « Two Concepts of External Economics », *op. cit.* — Balassa (Bela), *The Theory of Economic Integration, op. cit.*, cf. pp. 149-160.

elle vit. Lorsque existent des services nombreux, une gamme riche de possibilités de loisirs, l'employé dispose d'avantages qu'il apprécie et qui, à ses yeux, comptent autant que des primes et des gratifications. Il y a là encore un effet qui ne se traduit pas sous forme monétaire.

Les plus importantes économies externes apparaissent cependant au plan des revenus. La présence d'entreprises nombreuses et en expansion, provoque l'expansion régulière du marché le plus proche, ce qui ne peut qu'être une incitation supplémentaire à s'installer au pôle de croissance. Pour les firmes qui fournissent des demi-produits, l'importance même du marché potentiel est capitale : elle permet de se lancer dans des fabrications à grande échelle, elle conduit à diminuer les prix de revient, sans faire baisser les profits. Toutes les entreprises situées en aval bénéficient de cette diminution. Ce sont là des effets typiques de polarisation, au sens où M. Perroux utilise ce terme.

L'analyse des principaux types d'économie externe montre donc que celles-ci apparaissent liées à la structure des réseaux de circuits qui existent dans la vie économique. Au fur et à mesure que le progrès économique accroît la division des tâches, provoque une spécialisation plus totale, allonge le détour de production, et certaines boucles du circuit de production, le poids de ces structures spatiales devient plus grand dans l'équilibre des ensembles territoriaux. Lorsque l'infrastructure des transports demeurait modeste, lorsque les circuits de biens, de services, d'information s'inscrivaient dans un espace indifférencié, et brut, les enchaînements décrits par la théorie de l'avantage absolu ou par celle de l'avantage comparatif expliquaient de manière satisfaisante les situations réelles. A l'heure actuelle, les investissements qui ont permis d'assurer la mobilité sont tels qu'ils pèsent sur tout le développement de l'activité économique, qu'ils l'infléchissent d'une manière qui peut paraître tout à fait anormale pour celui qui ne tient compte que d'un élément du circuit. Les économies externes naissent d'abord de l'avantage qu'il y a à utiliser à l'optimum des investissements indivisibles, très lourds, et qu'il n'est pas possible d'adapter au volume des besoins à un instant donné, dans un milieu donné. Elles dépendent ensuite de la structure même des circuits économiques, de leur plus ou moins grande souplesse. Au plan de l'entreprise individuelle, le fait de s'installer dans un milieu où tous les circuits économiques existent déjà facilite la tâche, évite des immobilisations qui retomberaient sur l'entrepreneur directement ou indirectement — sous forme d'impôts locaux, de pression sur les salaires ou de baisse de la productivité de la main-d'œuvre employée.

L'analyse des économies externes indique comment l'obtention par l'individu du profit le plus grand dépend des réalisations des autres agents, et de l'ensemble de la société. L'optimum individuel est fonction du milieu économique dans lequel se meut le sujet économique. Dans la perspective classique, la recherche du mieux-être personnel aboutissait nécessairement à l'optimisation des fonctions sociales, puisqu'on négligeait les interactions globales. L'analyse moderne reconnaît l'importance de ces dernières. N'y a-t-il pas des conflits possibles entre les désirs de l'individu et les aspirations vers un état meilleur de l'ensemble social? Ce sont eux que l'on met en évidence lorsque l'on parle de déséconomies. Ce qui, pour l'individu, se traduit par un avantage, peut provoquer, au niveau de l'ensemble social, une baisse d'utilité. L'analyse des économies et des déséconomies externes conduit donc à reposer le problème des méthodes du calcul économique individuel. Il n'est pas possible d'attendre, pour prendre une décision, d'avoir exploré toutes ses conséquences possibles par la mise en œuvre d'un modèle global. Ceci conduirait à un gaspillage insupportable de temps et d'argent. Mais il est sans doute nécessaire de modifier l'appareil des incitations et des propensions qui guident la décision individuelle de manière à ce que les objectifs collectifs soient automatiquement pris en considération. Les systèmes d'imposition ou de subvention sont souvent orientés dans cette perspective.

La théorie de la spécialisation et de l'organisation de la vie économique des ensembles territoriaux s'appuie sur des données moins arbitraires que dans le passé. La réalité spatiale ne lui échappe pas, puisqu'elle reconnaît que l'analyse doit s'appuyer sur la description des circuits économiques qui font apparaître des unités à réaction originale, qui créent des économies externes, font surgir des avantages d'agglomération, ou parfois aussi des désavantages. Les oppositions essentielles cessent d'être celles qui existent dans le domaine juridique ou politique entre la région, la nation et les grands ensembles. Celles qui comptent le plus, ce sont celles qui tiennent à la nature des circuits bouclés à l'intérieur du territoire étudié. Que leur mise en place résulte d'options politiques, c'est évident — et la théorie moderne trouve donc là le moyen de distinguer, par les traits économiques originaux, la nation et la région : elle découvre ces différences, elle ne les pose pas comme définition, avant toute enquête.

La faiblesse des théories classiques de la localisation et de la spécialisation des activités économiques tient à la vaine symétrie qu'elles ont établie entre les facteurs de production. Elles considèrent que la main-d'œuvre, la terre, le capital, peuvent être mis sur le même plan, et sont également substituables les uns aux autres. Elles se présentent sous une forme statique. Les analyses modernes ont des caractères différents, car elles ne considèrent plus les facteurs de production comme des données équivalentes et indifférenciées. Le capital résulte d'une accumulation si bien que la dotation qui existe à un instant donné ne peut s'expliquer que par l'évolution passée. En faisant évoluer sans cesse la productivité du travail et celle de la terre, il introduit une souplesse de transformation qu'ignorait la théorie purement statique de la localisation et de la spécialisation.

La distinction établie par les théories traditionnelles entre les situations où les facteurs sont mobiles et celles où ils sont immobiles, n'est pas sans intérêt. La terre, toujours immobile, et le capital, toujours mobile, ne sont peut-être pas les éléments essentiels de la différenciation géographique. Celle-ci doit sans doute bien davantage à la mobilité très variable de la main-d'œuvre. Nous aurons l'occasion de le montrer en analysant les modalités de la croissance et de la transformation des économies territoriales.

CHAPITRE VI

LE DYNAMISME DES ÉCONOMIES TERRITORIALES ET DE LEURS RAPPORTS

Il est intéressant de connaître les étapes de l'évolution des économies régionales ou nationales. La vitesse avec laquelle elles peuvent s'adapter aux conditions de la compétition interterritoriale est très variable. Les ensembles qui possèdent les réactions les plus promptes, ceux qui sont les plus capables d'utiliser des situations passagères en retirent des satisfactions supérieures à celles que laissent prévoir les théories statiques. Tant que les localisations ultimes et la répartition des tâches entre les économies demeurent commandées par les inégalités de la dotation physique, les accidents de la croissance sont sans gravité. Lorsque le poids des contraintes naturelles s'allège et que s'affirme le rôle des hommes dans la répartition des avantages qui guident la localisation des activités, il devient difficile de négliger l'analyse détaillée des modalités de la croissance. Un avantage momentané peut devenir définitif, une ville attirer sans cesse de nouvelles activités, une région ou une nation multiplier les économies externes qui sont à l'origine d'un développement continu. Le résultat final de la spécialisation interterritoriale cesse d'être indépendant de la manière dont les économies grandissent. La distinction classique entre analyse dynamique et analyse statique perd de sa valeur, car les deux séries de phénomènes s'interpénètrent désormais (1).

(1) Les économistes contemporains insistent volontiers sur les insuffisances de l'analyse statique et sur la difficulté qu'il y a à concilier les points de vue statique et dynamique. On trouvera un exposé très dense de ces problèmes dans les pre-

I. — La croissance des économies territoriales : investissement multiplicateur et commerce extérieur.

La croissance économique, nous l'avons vu, résulte de l'expansion simultanée des capacités de production et des demandes engendrées par les revenus distribués. Les déséquilibres sont fréquents, plus normaux en un sens que les équilibres, puisque l'expansion des capacités de production se traduit d'abord par une réduction de l'offre de produits destinés à la consommation.

Il est commode, pour analyser le jeu de la croissance du revenu, de se placer dans le cas où les équipements existants ne sont pas utilisés en totalité : lorsque l'on aura mesuré l'importance du jeu du revenu en se plaçant dans une situation de sous-emploi, il sera plus facile de comprendre le mécanisme des équilibres et des déséquilibres dynamiques.

Le multiplicateur du commerce extérieur (2).

Dans les espaces fermés, les forces autonomes qui peuvent agir sur la croissance sont peu nombreuses : elles se ramènent toutes, en définitive, aux variations de l'investissement. C'est à ce niveau et à ce niveau seulement que s'interrompt le cycle de causalités que l'analyse du circuit économique nous a permis de mettre en évidence.

Dans une économie ouverte, la chaîne de causalité peut s'interrompre deux fois : l'investissement est quelquefois autonome; les relations avec l'extérieur échappent en partie à la causalité

miers chapitres de Austruy (Jacques), *Le scandale du développement.* Coll. Bilans de la Connaissance économique, Paris, Rivière, 1965, 535 p.

(2) La théorie du multiplicateur du commerce extérieur s'est développée un peu plus tard que celle imaginée dans les économies closes. Keynes, dans *La théorie générale...*, aborde le problème. Les premières études spécialisées sont celles de Metzler (Lloyd A.), « Underemployment Equilibrium in International Trade ». *Econometrica*, vol. X, 1942 pp. 97-112. — Machlup (Fritz), *International Trade and the National Income Multiplier.* Philadelphie, Blakiston, 1943.

On trouvera un exposé des mécanismes du multiplicateur dans les traités d'économie internationale déjà cités (Kindleberger, Ellsworth, Byé, Marcy). L'analyse la plus complète figure dans Marsh (D. B.), *World Trade and Investment.* New York, Harcourt, 1951.

En français, on pourra consulter Gendarme (René), « Le multiplicateur du commerce extérieur ». *Revue économique*, vol. 2, nov. 1951. — Boudeville (Jacques-R.), « Le multiplicateur à secteurs multiples et le circuit économique ». *Revue économique*, vol. VI, janv. 1950, pp. 84-112.

interne. Les importations résultent de la demande intérieure et font figure de donnée dépendante. Les exportations, au contraire, ne dépendent, en première approximation, que de la demande du reste du monde : elles sont donc autonomes, étrangères au système que l'on isole et que l'on étudie.

Imaginons un pays où les terres, les capitaux et la main-d'œuvre ne sont pas utilisés en totalité. Ce pays entretient des relations avec le reste du monde. Supposons qu'à un instant donné, les exportations augmentent brusquement, sans que les conditions intérieures aient été modifiées. La croissance des ventes à l'extérieur provoque une augmentation des revenus distribués, exactement comme lorsque se produit un investissement autonome.

L'augmentation initiale du revenu se traduit par une série de dépenses de la part des nouveaux détenteurs. Si tout le revenu nouveau se trouve dépensé à l'intérieur du territoire étudié, l'effet de multiplication est infini. En fait, il trouve deux limites, car le revenu qui entre dans le circuit économique interne peut se trouver distrait par deux fuites : l'épargne et les importations. A la limite, lorsque tous les produits nouveaux demandés par les détenteurs du revenu supplémentaire proviennent de l'extérieur, le multiplicateur est sans effet, le revenu total engendré est égal au revenu créé originellement. Cette situation n'est pas sans exemple. Lorsqu'une société capitaliste met en valeur un gisement nouveau de pétrole dans un pays sous-développé, elle procède à des investissements massifs, distribue de nouveaux revenus. Mais la main-d'œuvre dont elle a besoin est hautement spécialisée si bien qu'elle ne peut la recruter sur place. Les employés sont pour la plus grande part des étrangers, au moins au début. Ils ont tendance à faire venir tout ce qu'ils consomment de l'extérieur, car ils ont des habitudes alimentaires différentes de celles du pays dans lequel ils s'installent, un souci de l'hygiène qui ne leur permet pas toujours de consommer les produits offerts sur les marchés locaux et une propension très élevée à consommer des objets très élaborés, des instruments mécaniques et électriques, correspondant au besoin d'une population de niveau de vie avancé et que la production du pays sous-développé est incapable de fournir. Lorsque la main-d'œuvre étrangère est remplacée par une main-d'œuvre nationale, l'effet reste souvent presque identique, car il se crée une nouvelle classe moyenne qui copie ses habitudes de consommation sur ceux qu'elle remplace : elle fait largement appel aux produits importés (3).

Il est nécessaire, pour préciser ces indications de bon sens, d'employer l'appareil habituel des économistes (4). Nous rappelons l'identité fondamentale qui lie le revenu, l'investissement, la consommation, l'importation, l'exportation, dans une économie ouverte :

$$Y + M = C + I + X.$$

Supposons tout d'abord pour plus de simplicité que nous étudiions le cas d'un territoire où on ne procède à aucune épargne, à aucun investissement. La relation précédente se simplifie, et s'écrit :

$$Y + M = C + X.$$

Le niveau de l'importation dépend du revenu, comme celui de la consommation. Si nous rappelons m la propension marginale à importer, c la propension marginale à consommer, nous pouvons écrire :

$$\Delta M = m\Delta Y \text{ et } \Delta C = c\Delta Y$$

avec la relation complémentaire :

$$m + c = 1$$

puisque la totalité du revenu est utilisée dans des dépenses de consommation de produits nationaux ou importés.

Supposons que l'exportation augmente de manière autonome d'une valeur ΔX. Le revenu se trouve augmenté d'une certaine valeur ΔY. Nous cherchons à déterminer la valeur du coefficient k qui lie la valeur de l'augmentation du revenu à celle de l'augmentation autonome de l'exportation

$$\Delta Y = k\Delta X.$$

(3) Les spécialistes du sous-développement ont souvent mis en évidence la médiocrité du multiplicateur. Les théories dualistes sont nées d'une analyse des sociétés coloniales (de celles des Indes néerlandaises en particulier, où J. H. Bœke procédait à ses premières analyses dès avant la guerre de 1914). Ces explications sont devenues économiques le jour où l'on a montré le lien du dualisme et de l'explosion démographique (c'est l'interprétation la plus commune) et le rôle de blocage des effets de multiplication qui naît du compartimentage. Cette dernière idée est exprimée dans la plupart des analyses des cercles vicieux de la stagnation. L'étude la plus souvent citée est celle de l'économiste indien V. R. R. V. Rao (1952).

(4) Nous utilisons pour guide, dans les paragraphes qui suivent : KURIHARA (Kenneth K.), *National Income...*, *op. cit.*, cf. pp. 102-114.

La variation du revenu est égale à la variation autonome de l'exportation, augmentée de la variation induite de la consommation

$$\Delta Y = \Delta C + \Delta X.$$

Nous pouvons exprimer ΔC en fonction de ΔY :

$$\Delta C = c\Delta Y = (I - m)\Delta Y.$$

En reportant cette valeur de ΔC dans notre équation, nous obtenons :

$$\Delta Y = (I - m)\Delta Y + \Delta X.$$

Exprimons dY en fonction de ΔX :

$$\Delta Y(I - I + m) = \Delta X.$$

Nous extrayons de là la valeur du coefficient k, ou multiplicateur du commerce extérieur :

$$k = \frac{I}{m}.$$

Nous nous sommes placés dans des conditions assez exceptionnelles — celles du pays sous-développé où l'augmentation d'exportation est tout entière utilisée en produits de consommation et n'alimente aucun investissement. Plus la propension à importer est faible, plus le multiplicateur a une valeur élevée.

Imaginons maintenant une économie plus normale : l'investissement est autonome, comme l'exportation. Une épargne intérieure existe. Supposons que nous assistions à une augmentation autonome de la valeur de l'exportation, sans mouvement de l'investissement; une partie de l'augmentation du revenu est maintenant utilisée pour procéder à une épargne; l'augmentation du revenu est partagée entre l'épargne, la consommation de produits indigènes et la consommation de produits importés. Si s est la propension marginale à dépenser, on peut écrire :

$$\triangle M = s\triangle Y \qquad \triangle S = s\triangle Y \qquad \triangle C = c\triangle Y$$

avec la relation complémentaire :

$$s + m + c = I.$$

L'augmentation autonome $\triangle X$ de l'exportation a provoqué l'augmentation $\triangle Y$ du revenu. Il existe entre les deux une relation linéaire :

$$\triangle Y = K'dX$$

dans laquelle k' représente la valeur du multiplicateur du commerce extérieur que nous nous proposons de déterminer.

La variation du revenu est égale à la somme de la variation autonome de l'exportation et de la variation induite de la consommation

$$\triangle Y = \triangle C + \triangle X.$$

Exprimons $\triangle C$ en fonction de $\triangle Y$:

$$\triangle C = c\triangle Y = (I - s - m)\triangle Y.$$

Reportons cette valeur dans l'équation précédente :

$$\triangle Y = (I - I + s + m)\triangle Y \tfrac{1}{2}\triangle X.$$

Exprimons $\triangle Y$ en fonction de $\triangle X$:

$$\triangle Y(I - I + s + m) = \triangle X.$$

En reportant la valeur de $\triangle Y$ que nous avons là dans l'équation où figure k', nous obtenons $K' = \dfrac{I}{m + s}$.

C'est là la formule classique qui donne la valeur du multiplicateur du commerce extérieur : nous voyons y apparaître le jeu des deux fuites possibles, celle de l'épargne, celle de l'importation.

Pour rendre ce résultat plus concret, reportons les éléments que nous avons isolés sur la croix de Keynes, deuxième manière (fig. 6.1). L'investissement et l'exportation étant autonomes, la droite (I + X) qui représente leur somme est parallèle à l'axe des x, indépendante du revenu. La droite (S + M) représentant la somme de l'épargne et de l'importation varie avec le revenu. Sa pente est d'autant plus faible que les propensions à épargner et à importer sont plus faibles. L'équilibre initial de la production est obtenu en Y, là où (S + M) croise (I + X). L'augmentation autonome de l'exportation produit un déplacement vers le haut de la droite des emplois $(I + X + \triangle X)$ qui demeure parallèle à l'axe des x. Le point d'équilibre Y′ est obtenu à l'intersection de (S + M) et de $(I + X + \triangle X)$. La différence $\triangle Y = Y' - Y$, qui montre l'effet de multiplication dû à l'accroissement autonome de l'exportation $\triangle X$ est d'autant plus forte que la pente de S + M est plus faible, c'est-à-dire que les propensions marginales à importer et à épargner sont plus réduites.

Nous avons choisi les cas les plus simples pour analyser les effets de multiplication. Dans la réalité, l'augmentation de revenu provoque des accroissements induits de l'investissement qui exagèrent les possibilités de multiplication. Inversement, les réactions des économies extérieures peuvent provoquer des variations induites de l'exportation et de l'importation, dont on a appris à tenir compte.

Il importe de voir comment le jeu de ce multiplicateur se

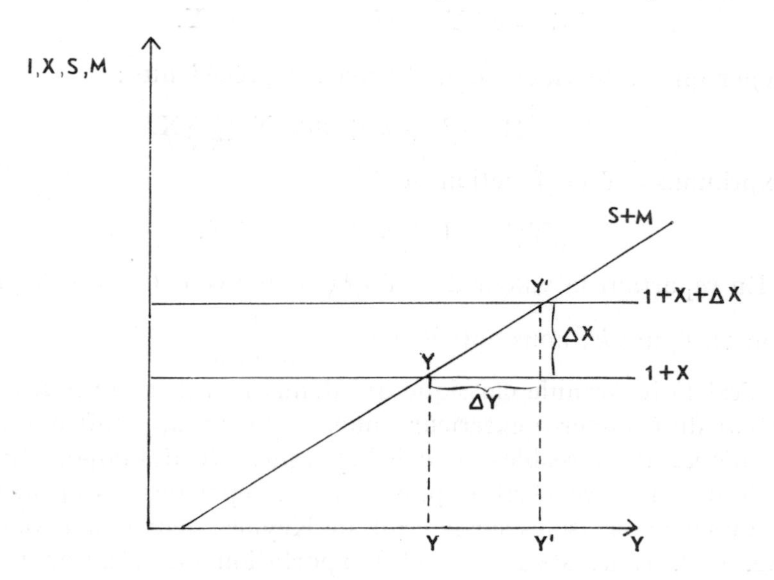

Fig. 6.1. — Le multiplicateur du commerce extérieur.

S : Épargne.
M : Importations.
X : Exportations.
Δ X : Augmentation autonome de l'exportation.
Δ Y : Augmentation induite du revenu.
Y, : Revenu initial.
Y, : Revenu final.

traduit sur l'évolution des économies dans les conditions que nous avons retenues, c'est-à-dire celles du sous-emploi.

Les effets d'entraînement en économie de sous-emploi.

Le revenu injecté par l'augmentation autonome de l'exportation circule dans le territoire étudié. Le multiplicateur nous indique quels sont les effets globaux de ce jeu de propagation de la demande. Il nous montre que les répercussions sont sensibles à l'intérieur du pays, mais qu'elles le sont également à l'extérieur, lorsque la propension à importer est notable : le multiplicateur nous fait toucher du doigt la solidarité des économies territoriales en nous montrant un des liens qui les unissent.

Lorsque les diverses économies en contact sont dans la même situation de sous-emploi, les transformations qui affectent un ensemble se répercutent de manière sensible sur les autres. Toute augmentation autonome des exportations dans une économie signifie accroissement des importations dans l'économie extérieure et diminution de la production intérieure. Dans le premier pays, le revenu augmente sous l'effet de l'accroissement autonome des exportations, puis est multiplié. Dans le second, la diminution du revenu initiale se trouve aggravée par un effet multiplicateur inverse. Ainsi, les pulsations du commerce entre les économies se trouvent amplifiées et risquent de provoquer toute une série d'oscillations que l'on ne sait comment arrêter. En fait, après le premier moment, il se produit des mouvements qui viennent en partie corriger le déséquilibre initial. Dans le pays qui voit ses importations augmenter et son revenu intérieur diminuer, la diminution du revenu provoque une diminution de la demande intérieure, une contraction des importations. Si le ralentissement de l'activité économique est important, il y a déflation. Le niveau plus bas des prix permet de procéder à des exportations plus importantes. Les effets indirects corrigent en partie l'effet déséquilibrant initial.

Le jeu du multiplicateur même amorti, permet de comprendre la gravité des situations de crise internationale. La politique menée par un territoire pour sortir du marasme peut être menée aux dépens de territoires voisins. Au moment de la Grande Crise, les essais de relance des économies nationales aboutirent bien souvent à l'exportation du chômage. Le résultat fut désastreux. Pour éviter les effets d'entraînement, la plupart des pays essayèrent de renforcer leur isolement économique; ils rehaussèrent leurs barrières douanières, procédèrent à la mise en place de mesures d'interdiction ou de prohibition. Au total, les effets d'entraînement et de blocage qui peuvent se produire entre des économies territoriales en situation de sous-emploi sont si graves que la fermeture du territoire apparaît souvent comme la solution la plus avantageuse (5). L'amplification des fluctuations par le jeu du commerce interterritorial est plus fort dans les ensembles dont le degré de fermeture est élevé. Dans une économie largement ouverte, l'augmentation autonome de l'exportation est pour ainsi dire corrigée d'elle-même par la croissance induite de l'importation. Lorsque l'espace est peu construit, que le nombre de circuits qui se bouclent à l'intérieur du territoire est faible, les rapports avec le reste du monde ne donnent généralement pas naissance à des fluctuations aussi graves que ce n'est le cas pour des économies très intégrées et en conditions de sous-emploi. Le contrôle des relations avec l'extérieur devient de plus en plus nécessaire au fur et à mesure que les constructions économiques deviennent plus complexes.

Multiplicateur du commerce extérieur, accélérateur et équilibre de croissance.

Lorsque le plein emploi des ressources est effectif, la croissance du revenu ne peut plus résulter que de l'augmentation de la productivité du travail ou de la mise en service de nouveaux équipements, plus efficaces, plus productifs que les précédents.

En économie close, il doit s'établir un certain équilibre entre l'investissement autonome et le taux de croissance : les revenus distribués par les entrepreneurs qui ont pris l'initiative de créer de nouveaux équipements doivent pouvoir trouver des biens de consommation disponibles sur le marché, si l'on ne veut pas voir se développer d'inflation : ceci suppose la mise en place d'équipements complémentaires, correspondant aux goûts et aux besoins réels du marché : les investissements induits sont importants. Ainsi, le jeu de l'accélérateur joint à celui du multiplicateur imposent une certaine limite à la puissance d'expansion d'une économie.

Lorsque l'on a affaire à plusieurs territoires, les conditions sont très différentes. Les problèmes sont à la fois plus simples

(5) Les réflexions inspirées par l'analyse du multiplicateur ont été nombreuses durant les années 1940 : elles ont justifié *a posteriori* certaines expériences heureuses, expliqué la dislocation du marché international et mis en évidence les responsabilités de certaines grandes puissances, États-Unis ou Grande-Bretagne dans la propagation de la Grande Crise.

L'effet multiplicateur est, selon les circonstances, bénéfique ou dangereux. Les politiques du commerce extérieur tendent donc, selon les cas, à le laisser se développer librement ou à le combattre.

et plus complexes. Le nombre de variables augmente, ce qui complique singulièrement les situations, mais le nombre des possibilités qui s'offrent à une économie est également plus grand, ce qui peut faciliter la tâche de ceux qui mettent au point les politiques économiques (6).

Supposons que dans un territoire, un industriel procède à un investissement autonome. Le revenu global du territoire se trouve accru par la distribution de nouveaux salaires. Comment satisfaire les besoins qui viennent ainsi d'apparaître? En mettant en place de nouveaux équipements productifs? C'est nécessaire, car une partie de la demande s'adresse au marché intérieur. Mais une partie est également satisfaite par des produits importés.

Le déséquilibre provoqué par l'investissement autonome ne se traduit pas simplement sur le plan intérieur. Il réagit sur les relations extérieures du territoire — et prend du coup de nouvelles formes. Les tensions inflationnistes se trouvent jugulées par l'importation des biens de consommation qui sont nécessaires à la satisfaction des nouveaux besoins. Les États le savent bien, qui essaient parfois de faciliter les importations de biens de consommation pour briser une spirale inflationniste, ou pour venir à bout de goulots d'étranglement qui risquent de compromettre l'équilibre monétaire et économique.

L'augmentation de la production liée à l'investissement est lente à se faire sentir, si bien que l'augmentation des importations ne peut être contrebalancée dans l'immédiat par une exportation plus forte. Si la balance des paiements était à l'origine en équilibre, elle se trouve maintenant défavorable au pays qui voit ses équipements progresser. Il achète plus qu'il ne vend.

Cette situation est à la fois intéressante pour l'équilibre interne immédiat et dangereuse à terme. Elle permet d'éviter l'inflation

(6) L'étude systématique des équilibres de croissance a été menée par bon nombre d'économistes dans le cadre des territoires clos. Nous avons signalé, au chapitre III, les analyses de Roy Harrod et d'Eusey D. Domar. Les études sur les conditions de la croissance en économie ouverte sont moins nombreuses et souvent plus axées sur les problèmes du démarrage des économies du Tiers Monde, que sur celui de l'équilibre dynamique.

On consultera : Johnson (Harry G.), « Equilibrium Growth in an International Economy ». *The Canadian Journal of Economics and Political Science*, vol. XIX, n° 4, nov. 1953. — Id., *International Trade and Economic Growth*. Londres, Allen et Unwin; Cambridge (Mass.), Harvard University Press, 1958. — Meade (James E.), *The Balance of Payments*. New York, Oxford University Press, 1951. — Meier (Gerald M.), *International Trade and Development*. New York, Harper et Row, 1963.

qui se manifeste lorsque le taux d'investissement est trop fort. Elle provoque l'apparition d'un déficit extérieur. Celui-ci peut être comblé par une aide extérieure. Le financement compensateur est parfois fourni au pays par des prêts à court terme de banques étrangères, par des avances consenties dans les mêmes conditions par les instituts d'émission de grandes puissances soucieuses d'éviter les traumatismes à l'économie qui se développe. Il peut résulter d'ajustements à long terme si l'extérieur accepte de fournir des capitaux aux pays qui s'industrialisent. Les investissements des grandes sociétés étrangères ou les dons systématiquement pratiqués par certains grands pays permettent à une nation de garder un déficit permanent de sa balance des paiements courants sans que l'équilibre soit atteint.

Les perturbations qui menacent l'économie close se trouvent, dans les cas que nous venons d'évoquer, écartées, grâce à l'aide de l'étranger, qui prend deux formes légèrement différentes : aide à court terme, investissement et financement à long terme. On comprend donc que les comptables nationaux désignent souvent le déficit de la balance des paiements courants sous le nom d'épargne extérieure. C'est l'étranger qui effectivement fait les frais de la croissance, prend à sa charge les investissements qui sont nécessaires pour que l'équilibre intérieur soit sauvegardé. L'aide est officiellement destinée à la réalisation d'un investissement ou à la compensation d'un déséquilibre momentané. Dans le second cas, le marché monétaire est seul à intervenir. Il doit en principe servir à résoudre les difficultés du commerce, à soulager la trésorerie d'un pays, comme, à l'intérieur de la nation, il permet de soulager la trésorerie des entreprises industrielles et commerciales. Et là, comme dans le domaine intérieur, les prêts à court terme servent souvent à bien autre chose qu'à des opérations commerciales : dans la mesure où les crédits sont reportés ou relayés d'une échéance à une autre, la croissance finit par être financée par le crédit fourni par les pays étrangers, comme elle l'est selon les mêmes modalités, par les banques nationales.

Le recours à l'étranger permet, dans certaines circonstances, aux territoires en expansion, de trouver des conditions plus favorables et plus faciles pour garder leur équilibre. Mais l'aide n'est pas nécessairement accordée. Si l'investissement extérieur ou les prêts à court terme sont refusés, si le pays ne peut procéder à des désinvestissements en vendant les entreprises qu'il possède à l'extérieur, la situation de son économie est aussi gravement menacée que dans le cas d'un système clos. Pour payer les importations que la poussée des équipements stimule, le pays doit faire appel à ses réserves de devises et d'or, exporter donc des capitaux; une concurrence plus vive se fait sentir entre les investisseurs. Les prix de l'argent augmentent — soit spontanément, soit à la suite d'une décision de la banque centrale qui augmente son taux de réescompte. L'investissement autonome initial était trop élevé pour que l'économie puisse le supporter sans perturbation grave. Le recours au marché extérieur brise en partie d'abord les tendances inflationnistes. Dans une seconde phase, le processus de réajustement se complète par les restrictions apportées à l'investissement : des tendances déflationnistes apparaissent.

Les économistes classiques, qui avaient analysé ces mécanismes en exagéraient l'efficacité et ne voyaient pas les dangers qui naissent de leur brutalité. Il leur semblait que du moment que l'équilibre des prix était automatiquement restauré, tout était pour le mieux dans le domaine des relations interterritoriales. Ils faisaient bon marché des séquences alternées et brutales de croissance et de stagnation, d'inflation ou de déflation qu'ils jugeaient indispensables au fonctionnement équilibré de l'économie internationale. La plupart des pays modernes essaient d'éviter les perturbations qui naissent d'un déséquilibre entre les possibilités de la croissance intérieure et les exigences des relations avec l'extérieur. Ils ont découvert que la croissance d'une économie ouverte ne peut être réglée sans égard au reste du monde. Dans une économie fermée, il doit y avoir un certain rapport entre le taux d'épargne et le taux d'investissement, si on ne veut pas voir se produire d'inflation. Dans une économie ouverte, un équilibre du même type doit exister; il s'établit cette fois entre l'investissement et l'épargne globale, intérieure ou extérieure, dont bénéficie l'économie.

La voie de la croissance est toujours difficile. Elle l'est souvent davantage dans un monde ouvert que dans un univers clos, car les effets de démonstration interdisent aux investisseurs ou aux gouvernants, de faire varier à leur gré les taux d'épargne : leur action sur les incitations à épargner est moins efficace. Mais le pays largement ouvert sur l'étranger a, dans une certaine mesure, un choix plus large, car il peut espérer de l'aide — il peut attirer l'épargne étrangère. Gagne-t-il à la chose beaucoup de liberté? Oui, apparemment, puisqu'il peut orchestrer sa croissance selon des rythmes différents. Il n'a pas à compter sur ses seules ressources. Non, le plus souvent, car il n'a guère de pouvoir sur l'épargne étrangère, et ne peut en bénéficier au moment où il la désirerait le plus.

Il arrive, au sein d'un pays fermé, que les investisseurs procèdent à leurs opérations sans épargne préalable : ils réalisent l'épargne dont ils ont besoin par effet global, en bénéficiant de l'écart qui existe entre la production et la demande des particuliers ou en limitant la consommation par l'inflation et l'épargne forcée. Lorsqu'on a affaire à plusieurs territoires, le problème se pose un peu de la même manière. Les investisseurs peuvent agir sans disposer, dans le pays où ils se trouvent, d'épargne préalable : ils ont la ressource de contraindre leurs concitoyens au financement par les moyens que l'on vient de signaler, mais ils ne peuvent espérer obtenir d'aussi bons résultats, car la limitation de la consommation est plus difficile à obtenir; ils peuvent obtenir l'aide financière de l'étranger, attirer l'épargne extérieure volontaire. Ils peuvent aussi contraindre les pays tiers à l'épargne. Nous avons déjà indiqué certaines des stratégies qu'ils emploient en pareille matière. La domination du marché, le contrôle des prix appartiennent à l'arsenal des moyens de coercition économique internationale les plus classiques. On peut également utiliser des manières plus subtiles d'opérer, essayer d'exporter l'inflation en accélérant la propagation des déséquilibres auxquels l'action intérieure donne naissance.

Les conditions de la croissance sont donc beaucoup plus complexes en économie ouverte qu'elles ne le sont en économie fermée. Parmi les éléments qui modèlent la dynamique si nuancée des rapports entre régions ou entre nations, ceux qui tiennent à la nature des institutions monétaires des circuits monétaires et de leurs rapports, sont essentiels. Ils sont malheureusement difficiles à isoler et à expliquer.

II. — La monnaie, les économies territoriales et la croissance.

La monnaie donne aux économies territoriales la possibilité d'organiser des circuits de production, de répartition, de dépense, aux dimensions variables. Elle introduit, au niveau global, une possibilité d'action et de direction; elle facilite l'investissement, en suppléant aux défaillances de l'épargne ou le rend difficile, elle est si rare que la moindre ponction effectuée sur sa masse déséquilibre le pays.

Selon les cas, les territoires ont la même monnaie, des monnaies différentes, ou des monnaies intérieures autonomes et une monnaie commune extérieure (7). Ces distinctions permettront de mettre en évidence l'influence des faits monétaires sur les modalités de la croissance des économies ouvertes et sur les types d'équilibres interterritoriaux vers lesquels on tend.

Il est difficile de considérer la monnaie comme un bien identique aux autres. Tant qu'elle se présente sous la forme d'une marchandise, d'un métal, elle possède, semble-t-il, une valeur propre. Le travail, le capital nécessaire pour la produire, lui donnent un coût, souvent élevé et qui asseoit sa valeur pour l'analyste superficiel. Pour celui qui est plus attentif aux problèmes économiques, le phénomène est moins simple. Ce n'est pas pour sa consommation que la monnaie est désirée, mais pour le pouvoir de disposition qu'elle donne sur les autres biens et pour celui de reporter dans le temps les gains réalisés. Elle n'a de valeur que par l'accord de tous les sujets qui acceptent son pouvoir libératoire.

Le monde a connu divers systèmes d'organisation monétaire. Les nations ont longtemps accepté d'utiliser une monnaie marchandise métallique. Elles ont inventé par la suite des instruments monétaires plus souples.

(7) Alors que la théorie des relations économiques internationales est née il y a plus d'un siècle, l'analyse des systèmes monétaires interterritoriaux est récente; cela s'explique assez bien si l'on songe que l'or a été, ou a paru être, le seul étalon commun, jusqu'à une date récente.

On trouvera une mise au point récente dans Tabatoni (P.), « Problèmes de l'organisation monétaire internationale ». *Revue d'économie politique*, vol. LXXIII, 1963, pp. 327-405.

Nous utilisons dans l'exposé qui suit certaines des indications d'Ingram (James C.), *International Economic Problems*. Coll. Introduction to Economics Series, New York, John Wiley, 1966, X, 180 p., cf. pp. 138-172.

Les territoires ont une monnaie commune,
dont l'offre est rigide.

Le cas le plus simple est celui où les différents territoires étudiés ont en commun une même monnaie. Les échanges intérieurs et les échanges extérieurs se règlent suivant les mêmes méthodes, en utilisant les mêmes espèces. Dans les situations les plus classiques, cette monnaie est métallique, si bien que son offre est indépendante des mouvements de l'économie. Elle n'est pas totalement rigide, puisque la production de métaux précieux permet de renouveler ou d'augmenter le stock d'or ou d'argent en circulation. Mais il peut arriver, lorsque la production minière diminue, que les pertes dues à la thésaurisation, aux emplois industriels et à l'usure physique de la monnaie en circulation soient plus élevées que les apports nouveaux : on se trouve en ambiance de déflation. Dans la courte période, on peut négliger création ou destruction de monnaie puisqu'il s'agit de phénomènes lents, en regard des fluctuations de toute activité économique.

Lorsque le montant des achats effectués par un territoire est très différent du montant des ventes, les versements en monnaie nécessaires pour régler le solde des paiements, déséquilibrent rapidement la vie économique des territoires considérés. On connaît des exemples de déficits qui ont, à long terme, compromis la solidité d'économies prospères. On a attribué au solde constamment défavorable de la balance des paiements de l'Empire romain avec les pays d'Orient les difficultés économiques qui se sont multipliées à partir de la fin du IIe siècle. La même cause de déséquilibre s'est retrouvée à la fin du moyen âge. Plus tard, l'économie d'Occident a été privée de l'appoint nécessaire de l'or et de l'argent d'Amérique par le développement du commerce direct entre le Mexique et les ports d'Extrême-Orient (8).

Dans un système à monnaie métallique, les conséquences de l'échange interterritorial peuvent être très considérables. Lorsqu'un pays exporte plus qu'il ne reçoit de l'extérieur, il reçoit en paiement un surplus d'espèces monétaires. C'est l'inflation.

(8) Les historiens de l'économie ont attaché beaucoup d'importance à l'analyse des fluctuations de la masse monétaire internationale, et par suite, de la production et du commerce des métaux précieux. C'est le domaine de l'histoire économique où les recherches ont été longtemps les plus nombreuses.

Dans le pays qui souffre d'un déficit de la balance des paiements se produit une poussée déflationniste. Le solde de la balance commerciale détermine, à l'intérieur d'un territoire donné, l'abondance ou la rareté de la monnaie. L'atmosphère économique dépend donc des résultats du commerce extérieur. Il faut se souvenir de cette situation lorsque l'on étudie les théories mercantilistes de l'échange international : l'accent mis sur la balance des paiements est naturel dans une économie qui est déjà monétaire, mais ne sait pas encore gonfler l'offre de monnaie au niveau des besoins de la vie du pays par le jeu des institutions de crédit. La seule adaptation possible est celle qui provient du commerce extérieur et de l'afflux de métaux précieux qu'il peut provoquer (9).

On retrouve des positions et des soucis semblables à ceux des économistes du XVIIe siècle chez tous ceux qui analysent des relations interterritoriales présentant des analogies avec celles qui existaient alors sur le plan du commerce international. La théorie de la base économique a suscité de multiples travaux depuis une génération tant aux États-Unis que dans les pays d'Europe occidentale. Dans l'esprit de la plupart de ceux qui l'utilisent, la croissance économique n'est possible que grâce au développement de la base d'exportation de l'économie étudiée. La justification de cette position provient d'une interprétation un peu sommaire de la théorie du multiplicateur; celle-ci indique un rapport statistique nécessaire entre deux secteurs, mais en dehors des cas de sous-emploi, ne permet pas de dire quel est l'élément moteur dans les activités liées. Choisir comme moteur l'exportation n'a de sens que si la croissance par enrichissement de la gamme d'activités domestiques, épargne et investissement intérieurs apparaît impossible. C'est le cas si l'unité étudiée ne peut battre monnaie, car l'expansion réalisée en circuit fermé est alors difficile. Des tensions déflationnistes se manifestent au cours de la croissance et viennent gêner les efforts des entrepreneurs qui sont à l'origine de l'expansion. Ainsi, comme on l'a remarqué (10), la théorie de la base économique s'appuie sou-

(9) La réévaluation de la théorie mercantiliste est un fait récent. John Maynard Keynes a montré comment l'afflux de monnaie provoquée par l'excédent de la balance des paiements favorisait une baisse du taux d'intérêt et partant, une expansion économique (chapitre XXIII de *La théorie générale*...).

(10) BLUMENFELD (Hans), « The Economic Base of the Metropolis ». *Journal of the American Institute of Planners*, vol. 21, 1955, pp. 114-132.

vent sur un point de vue mercantiliste inavoué. Celui-ci n'a de justification que dans le très court terme et dans des économies privées de toute souplesse dans la fabrication de monnaie; au fur et à mesure que la taille des unités territoriales diminue, les possibilités d'adaptation de l'offre de monnaie à la demande se trouvent sans doute plus réduites, si bien que le rôle de l'exportation devient plus grand. Mais les conséquences favorables d'un solde positif de la balance des échanges peuvent être très rapidement annulées par l'évolution de la situation économique intérieure. Nous avons déjà analysé les effets inflationnistes qui se dégagent dans l'économie exportatrice et qui risquent de compromettre à long terme le développement qu'elle semblait conditionner.

Lorsque les territoires ont la même monnaie et que son offre est parfaitement rigide, leur croissance ne peut s'effectuer que dans des conditions difficiles. Les désajustements inflationnistes et déflationnistes que l'on observait dans une économie isolée se retrouvent. Ils limitent le pouvoir d'épargne et d'investissement effectifs. Un territoire peut essayer de se libérer de ces contraintes en augmentant la masse monétaire dont il dispose : il peut espérer, de la sorte, investir sans connaître de déséquilibres. Le plus souvent, il se trouve vite ramené au sort commun. Les territoires extérieurs subissent des effets déflationnistes qui réagissent sur leurs exportations et leurs importations, si bien que le pays dont la balance commerciale était bénéficiaire perd progressivement son avantage et doit réduire son taux de croissance.

Le territoire ne pourrait connaître une expansion continue que s'il pouvait compter, pour faire varier sa masse monétaire, sur un excédent continu d'exportations, qu'il refuserait de compenser en ouvrant des crédits aux territoires tiers, ou en exportant des capitaux. Il jouirait alors de toute son épargne propre et de la désépargne que provoque, pour l'extérieur, le paiement du déficit en espèces métalliques. La réaction déflationniste des pays étrangers interdit à de tels mécanismes de fonctionner longtemps.

La rigidité de l'offre de monnaie compromet donc aussi bien la croissance d'une pluralité de territoires que celle d'un pays clos et elle impose des contraintes d'équilibre qui sont très lourdes à supporter par les économies en présence : ou bien les échanges sont équilibrés ou bien les fluctuations se trouvent transmises et amplifiées sans cesse par le jeu des relations internationales.

Les cas où l'offre monétaire est rigide correspondent à des situations où les effets globaux que nous avons analysés à plusieurs reprises sont réduits au minimum. Les transferts d'épargne en vue de l'investissement sont pratiquement impossibles : ils ne peuvent se faire que par le jeu des prix — mais ils finissent par se heurter aux problèmes créés par les rigidités monétaires.

Les territoires ont une monnaie unique, dont l'offre est élastique.

Lorsque les ensembles territoriaux ont même monnaie et qu'il leur est possible d'agir sur son offre, la situation est quelque peu différente. Il arrive parfois que les droits des deux territoires ne soient pas les mêmes : l'un peut créer de la monnaie, l'autre ne peut pas. Supposons par exemple un ensemble monétaire constitué par une région d'économie développée, très vaste, mais dont le climat est rude et où les possibilités de créer des centres de tourisme sont à peu près absentes. Le second territoire de l'association est constitué par une île au climat attirant, présentant des côtes très articulées, des souvenirs historiques, des stations d'altitude qui permettent de fuir lors des journées trop chaudes de l'été. Dans la région industrielle, il est impossible de procéder à une création quelconque de monnaie. Dans l'île, les équipements réalisés sont encore très modestes, si bien que les revenus engendrés par le tourisme sont négligeables. Les indigènes vivent pauvrement d'une économie d'autosubsistance, en marge des courants économiques généraux. Mais les promoteurs et les hommes d'affaires évaluent à leur juste prix les promesses du futur. Ils se portent acquéreurs de terres. Les indigènes, moitié par manque d'intérêt pour l'économie monétaire, moitié par calcul bien réfléchi, ne vendent leurs biens-fonds que très lentement, ce qui contribue à alimenter la spéculation et à faire sans arrêt monter les prix. Aussi les banques sont-elles prêtes à accepter comme garanties les titres hypothécaires émis sur les terres de l'île. Elles sont sûres de voir la valeur des titres qu'elles reçoivent croître régulièrement. De la sorte, les propriétaires indigènes peuvent se procurer des sommes élevées et qui sont créées par la spéculation. Les infrastructures sont trop faibles pour que le développement d'une production industrielle et commerciale soit possible dans l'île, si bien que la masse monétaire créée grâce au jeu de la variation de valeur des patrimoines qui y sont présents, alimente un courant d'importations pour lesquelles n'existe aucune contrepartie réelle. Si l'économie de la région continentale ne se développe pas, l'injection de revenus nominaux provoque une poussée vigoureuse de la demande, qui n'est suivie d'aucun accroissement de l'offre. A ce moment, il se produit une poussée inflationniste qui risque de provoquer une gêne dans les deux territoires. Mais si l'injection d'argent frais stimule l'expansion de la production agricole et industrielle sur le continent, il y a possibilité d'association stable des deux économies. Lorsque les espèces monétaires créées sont investies dans la construction de nouvelles installations productives, l'opération peut se traduire par une amélioration de l'ensemble. La tension inflationniste se trouve limitée par la croissance des équipements qu'a facilité un financement antérieur à l'épargne. La faculté de battre monnaie que possède l'île lui a servi à créer des installations nouvelles et ce sont les revenus des capitaux investis qui permettent de régler les importations courantes. La consommation de l'île peut demeurer élevée et croître avec le temps, puisqu'elle a un pouvoir croissant de disposition sur les biens capitaux dont profite l'économie prise dans son ensemble. L'inégale élasticité de l'offre de monnaie dans un ensemble de deux territoires utilisant la même unité monétaire peut donner au territoire qui possède le droit d'émettre les nouvelles espèces un pouvoir de contrôle sur le développement de l'économie de la région voisine (11).

Lorsque les deux territoires possèdent le droit de battre monnaie, la situation est plus instable (12). L'un d'eux procède à

(11) Le schéma que nous venons d'esquisser rend compte de situations réelles assez fréquemment rencontrées : l'équipement de régions touristiques, le démarrage économique de nations où le tourisme s'est largement développé, la mise en valeur des régions pionnières ont été rendues possibles ou favorisées par des poussées spéculatives. Lorsque les sommes créées ne servent qu'à nourrir la spéculation, ou à donner à une population oisive des revenus consommés, l'inégale élasticité de l'offre de monnaie compromet au contraire le dynamisme de l'ensemble territorial analysé : les pays sous-développés offrent de multiples exemples de situations de ce type.

(12) Cette hypothèse peut paraître irréaliste si l'on se contente d'évoquer le cadre de l'économie internationale. A l'intérieur d'une économie nationale, le jeu du crédit qui donne naissance à la monnaie scripturale permet en fait d'émettre de la monnaie en tout point. La banque centrale coordonne les initiatives des banques, bien plutôt qu'elle n'assure directement l'émission de monnaie.

On peut très bien supposer que l'élasticité de l'offre de monnaie varie d'un point à un autre. Au moment de la création des grands réseaux bancaires, au siècle der-

une création de monnaie qui dépasse les besoins de son économie; il alimente une inflation chez lui; il donne également possibilité à ses ressortissants de pratiquer des achats de biens dans l'économie voisine. En pareil cas, l'inflation issue d'un territoire se trouve propagée dans le territoire voisin. Si celui-ci essaie, pour sauver son équilibre, de procéder à une politique déflationniste, il diminue les possibilités qu'il a de nourrir l'expansion en utilisant sa propre épargne. Celle-ci se trouve amenuisée par les mesures déflationnistes locales. Le territoire d'où vient la pression inflationniste crée des signes qui ne correspondent sur place à aucune richesse nouvelle. Il utilise ces signes pour investir dans le territoire rival : il limite les répercussions intérieures de la politique qu'il pratique. S'il réussit à exercer une pression politique sur l'autre territoire, de manière à lui imposer des actions déflationnistes, les signes émis en excédent dans un des ensembles territoriaux peuvent être utilisés à financer l'expansion saine de l'autre ensemble. L'équilibre total de l'ensemble se trouve respecté, mais une région peut dépouiller les autres d'une grande partie du bénéfice de leur développement. La création de monnaie permet de déplacer, par effet global, le pouvoir d'épargne et d'investissement d'une économie territoriale au profit d'une autre.

Une situation de sujétion permanente peut être créée par le jeu des forces monétaires à l'intérieur d'un même ensemble. Il ne fait pas de doute que l'on soit là en présence d'un des éléments les plus puissants et souvent les plus discrets de l'impérialisme économique moderne, aussi bien à l'intérieur d'une économie nationale que sur la scène internationale.

L'élasticité de l'offre de monnaie facilite la croissance à l'intérieur de chacun des territoires et à l'échelle de l'ensemble qui dispose de la même unité monétaire. Lorsque l'élasticité n'est pas la même dans les diverses parties de l'ensemble, des tensions apparaissent, car on donne un pouvoir sans justification à ceux qui bénéficient de la création de monnaie nouvelle. On comprend que l'on ait préféré à cette solution des méthodes qui donnent à chaque territoire une garantie plus efficace sur le maintien de son équilibre.

nier, de telles inégalités étaient flagrantes. De nos jours, l'inégalité de l'offre est plus directement liée à la structure et à la taille des entreprises qui s'adressent aux banques : comme ces entreprises sont inégalement réparties dans l'espace, des différences notables d'élasticité de l'offre se remarquent.

Pas de monnaie interterritoriale.

Chaque territoire a une autonomie absolue dans le domaine monétaire. Il n'y a plus d'étalon de mesure qui puisse servir aux relations interterritoriales. La monnaie ne sert qu'aux échanges internes. Par suite, les échanges doivent être sans arrêt équilibrés, puisqu'il ne saurait y avoir de mouvements compensateurs d'espèces monétaires. Le niveau des changes s'établit à chaque instant de manière à éviter l'apparition de soldes de la balance des paiements (13). En fait, les échanges sont extrêmement variables dans le court terme. Pour éviter les fluctuations perpétuelles et imprévisibles qui seraient nécessaires pour réaliser une compensation instantanée des échanges, les deux partenaires s'ouvrent des crédits à court terme dans leurs banques respectives. Ils créent de la sorte, mais d'une manière incomplète et furtive, une monnaie internationale. Le report dans le temps des excédents ou des déficits permet de la sorte l'amortissement des fluctuations courtes. Le problème de l'ajustement subsiste à long terme. Sans unité commune, les échanges de capitaux sont impossibles, car les épargnants d'un pays ne sont jamais sûrs de pouvoir disposer librement des revenus que leurs placements pourraient produire à l'étranger et ils ne savent pas du tout quel niveau de rémunération sera finalement assuré au placement qu'ils font, car le rapport des valeurs des deux monnaies est variable. Le change flottant permet mal les

(13) Le problème de l'instabilité à court terme des taux dans le cas où les changes sont flottants est essentiel : sans les fluctuations à court terme qu'il entraîne, le système des taux flexibles serait le plus élégant, car il résoudrait élégamment les problèmes irritants de la monnaie internationale (ou si l'on préfère un vocabulaire plus moderne, ceux des réserves et de la liquidité).

Parmi les théoriciens actuels, James Meade se signale par ses projets de réforme, car il essaie de concilier flexibilité d'ensemble et stabilité à court terme : MEADE (James E.), « The Future of International Payments ». *Three Banks Review* (publiée par la Royal Bank of Scotland), juin 1961. Reproduit aux pp. 301-319 de GRUBEL (Hubert G.), *World Monetary Reform. Plans and Issues.* Stanford, Stanford University Press, 1963, XII, 446 p.

Le plan proposé par Meade suppose la mise en place d'institutions internationales à vocation régionale (il s'agit de région internationale). Comment déterminer les contours des zones où cette régularisation a lieu? Ou, si l'on préfère, quelle est la dimension optimale des aires à monnaie commune? Nous n'abordons pas directement la discussion de ce problème. Il est lié à celui des besoins contradictoires d'intégration et de clôture de l'espace des économies progressives, que nous traitons dans la quatrième partie de ce chapitre. On consultera : MUNDELL (R. A.), « A Theory of Optimum Currency Areas ». *American Economic Review*, vol. LI, sept. 1961, pp. 657-664.

7. La vallée de la Loue à Lods.
Une combinaison productive qui fut florissante, ruinée aujourd'hui.
Vignoble sur les pentes, usines utilisant la force vive des cours d'eau dans la vallée.
(Cliché : *Est républicain*, *B. Faille.*)

Pl. V.

8. Le maintien d'un morcellement extrêmement poussé de la terre en Alsace.
Burnhaupt-le-Bas. Vue aérienne verticale.
(Cliché : I. G. N.)

échanges de biens ou de capitaux. La régularisation du commerce international cesse d'être du domaine économique. Elle ne peut résulter que d'un contrôle politique de l'économie des deux territoires intéressés et d'une planification de leurs échanges. La pratique de l'autonomie monétaire complète nécessite la négociation d'accords bilatéraux. Elle assure en principe aux nations la liberté intérieure la plus grande possible. Elle interdit en fait les mouvements interterritoriaux de capitaux, s'oppose ainsi au fonctionnement d'un mécanisme qui peut faciliter la croissance. La négociation des accords bilatéraux se révèle décevante pour les petits pays. L'équilibre ne dépend plus de la compétitivité des producteurs, mais de la puissance de négociation des États : le poids militaire et politique assure une position de force aux plus grands.

La situation qui apparaît lorsque chaque unité territoriale est maîtresse de créer de la monnaie est très délicate. Si les territoires voisins utilisent la même unité, certains cessent d'être maîtres de leur destin, peuvent voir leur économie passer sous le contrôle de voisins peu scrupuleux. S'ils désirent assurer la défense de leur autonomie, ils se coupent de l'extérieur, interdisent pratiquement les mouvements de facteurs de production, de capital en particulier et réduisent les mouvements de biens. Faute de stabilité dans les échanges, faute de stabilité dans le système des prix, les gains que l'on peut attendre normalement de la spécialisation territoriale se trouvent compromis par les pulsations économiques de courte durée. Au total, un cloisonnement monétaire trop poussé interdit aux divers pays de tirer de l'échange le bénéfice le plus grand possible. En règle générale, la multiplication des systèmes monétaires risque de réduire le taux de croissance que connaît à long terme l'économie territoriale. Mais l'isolement peut aider les territoires à traverser une mauvaise passe, à surmonter une crise, à éviter une trop brutale irruption de capitaux étrangers.

La monnaie internationale métallique.

La solution la plus généralement adoptée dans le domaine des relations interterritoriales assure à la fois une certaine souplesse du mécanisme interne de création de monnaie et une certaine stabilité des conditions de l'échange extérieur. Deux méthodes légèrement différentes permettent d'y parvenir : les monnaies sont propres à chacun des territoires; les transactions interterritoriales sont mesurées dans une monnaie à usage externe; selon les cas, la monnaie internationale est une monnaie marchandise, ou une monnaie nationale acceptée comme monnaie internationale. Elle pourrait être une monnaie internationale acceptée par l'ensemble des participants; nous y reviendrons.

A partir du XVIIIe siècle, les pays européens ont jeté les bases d'une politique monétaire permettant l'échange international dans de bonnes conditions de régularité, sans pour cela les priver d'une certaine liberté d'action intérieure. Le principe a été empiriquement mis au point par l'Angleterre. Il a été imité par un grand nombre de nations, imposé par la force à celles qui s'y refusaient à l'époque de l'impérialisme triomphant (14). Les échanges internationaux se font par recours à une monnaie internationale, l'or officiellement. A choisir ainsi une monnaie métallique, on peut assurer la confiance et la sécurité des transactions sans qu'une autorité supranationale existe. Afin d'éviter toutes les contestations, l'habitude s'est petit à petit imposée du monométallisme rigoureux. Les fluctuations de la production minière rendaient difficile le maintien d'une parité constante de l'or et de l'argent. Certains États continuèrent à gager leur circulation monétaire sur l'argent, d'autres choisirent le bimétallisme pour la constitution de leurs réserves, mais la pratique fit de l'or la seule monnaie internationale. Le recours au monométallisme aurait pu avoir un effet déflationniste grave, à la fois pour l'économie nationale et pour l'économie internationale (15). Il n'en fut rien, à la fois par suite de la croissance de la production de l'or, et par l'emploi de plus en plus fréquent des techniques de la création de monnaie.

(14) Un certain nombre des interventions des puissances européennes dans les pays du tiers monde a eu pour but de faire respecter les engagements internationaux. Tant que les intérêts du commerce extérieur n'étaient pas menacés, l'attitude des grandes puissances était très souple. Sur le plan intérieur, on a vu se succéder des expériences de monnaie à cours forcé dans une bonne partie des pays extra-européens — en Amérique latine, au Chili et en Argentine en particulier.

(15) On sait les tensions que la querelle du monométallisme et du bi-métallisme provoqua à la fin du siècle dernier. Aux États-Unis, la mise en vigueur du système monométallique renforça l'effet déflationniste que provoquait le retour progressif à l'étalon-or, après les émissions de *greenbacks* réalisées au moment de la guerre de Sécession. Au plan international, les difficultés ont été apparemment moins grandes : c'est que le système monétaire international fonctionnait déjà, bien avant la Première Guerre mondiale, selon le régime du Gold Exchange Standard, que nous analyserons au paragraphe suivant.

Dans ce système, les monnaies intérieures continuent à être gagées sur un métal précieux. Mais la pratique bancaire a petit à petit permis d'en rendre l'offre élastique, sans danger pour l'équilibre national. La monnaie de crédit doit être réservée aux opérations à court terme, elle est détruite avec la créance qui lui a donné naissance. Elle est gagée sur l'or, mais la garantie efficace des espèces créées réside dans la masse des richesses déjà fabriquées qui sont en train de parcourir le circuit de distribution. Comment assurer totalement la stabilité de cette monnaie créée, comment obtenir qu'elle garde la même valeur au cours du temps? En limitant l'émission de monnaie de telle manière que la banque centrale puisse toujours faire face à ses obligations, qu'elle puisse rembourser en or les créances qu'elle a acceptées. Selon les cas, les pays et les moments, l'émission a été plafonnée à une certaine somme fixée une fois pour toutes (solution anglaise) ou contrôlée par un certain taux de couverture-or exigé de la banque centrale. De toute manière, une liaison étroite existe entre la situation du marché monétaire intérieur et les résultats du commerce international, puisque les variations des réserves de la banque provoquent des ajustements incessants de sa politique de crédit (16).

Lorsqu'une nation a une balance des paiements déficitaire, elle est obligée de régler en or. Elle réduit sa circulation interne d'un montant au moins égal (système du plafond de l'émission) ou plusieurs fois supérieurs (système du taux de couverture). L'effet est donc violemment déflationniste. Dans le pays qui bénéficie au contraire d'une balance positive, la création de monnaie est facilitée. Elle ne se produit pas nécessairement à un rythme aussi brutal que la déflation dans le premier pays, car elle dépend des demandes de l'économie, des anticipations des commerçants et des industriels; les conditions plus faciles du crédit tendent à provoquer une création effective de monnaie jusqu'au niveau où l'on se heurte de nouveau aux limites légales. Le système permet au pays qui dispose de réserves de répondre avec souplesse aux besoins qui résultent de son expansion. Lorsqu'une

(16) La théorie est ambiguë sur ce point. La raréfaction de la monnaie sur un marché doit faire monter le taux de l'intérêt, l'afflux doit le faire baisser. En réalité, l'offre de monnaie intérieure est très élastique. Les variations du taux de l'intérêt sont provoquées par les banques centrales qui agissent en fixant le taux de l'escompte. Le système de réajustement est beaucoup moins automatique, beaucoup plus volontaire qu'il n'apparaît à première vue.

économie se développe, elle n'est plus tout entière sous la dépendance de son commerce extérieur, et peut assurer la multiplication des espèces monétaires nécessaires à son essor par le recours au crédit. Mais les nations n'échappent qu'en partie aux fluctuations nées des déséquilibres de la balance des paiements. De manière plus grave que par le passé, ces déséquilibres tendent à introduire dans les économies des phases d'inflation et de déflation, puisque le système de relation entre la monnaie intérieure et la monnaie extérieure a un effet multiplicateur. Les variations des prix et des revenus se font alors en sens inverse chez les partenaires, si bien que le déséquilibre de la balance des paiements tend à s'annuler : le pays exportateur voit son avantage progressivement grignoté par l'inflation. La plupart des économistes du siècle dernier concluaient logiquement que les déséquilibres de la balance des paiements devaient se corriger, à condition que l'on n'essaie pas d'intervenir (17). Le jeu des automatismes économiques assurait sans cesse le retour à l'équilibre. Les périodes d'inflation et de déflation, les poussées d'investissement ou les périodes de stagnation engendrées par un tel système constituaient un prix bien lourd à payer pour bénéficier du mécanisme rééquilibrant, mais cet argument ne semble guère avoir frappé les libéraux.

La monnaie internationale est celle d'un pays dominant.

En fait, le système des échanges interterritoriaux fonctionnait au siècle passé et fonctionne toujours maintenant sur des principes quelque peu différents. Au lieu d'une monnaie métallique internationale, les différents territoires acceptent d'utiliser la monnaie d'un pays économiquement dominant. Durant toute la seconde moitié du XIXe siècle, la livre sterling a joué, beaucoup plus que l'or, le rôle de monnaie internationale (18). Elle était

(17) Les tensions inflationnistes ou déflationnistes nécessaires pour réaliser l'ajustement de la balance des paiements auraient eu de si graves conséquences que les interventions furent en réalité nombreuses. Les États latino-américains eurent plusieurs fois recours à la dévaluation pour résoudre leurs problèmes.

(18) Il existe de multiples études sur le rôle de la livre sterling et de la place de Londres dans l'économie mondiale. Nous renvoyons à l'ouvrage classique en français : DAUPHIN-MEUNIER (L.), *La cité de Londres et les grands marchés internationaux*, *op. cit.*

Pour une analyse plus récente, on utilisera BALOCH (Thomas), *Unequal Partners.* Oxford, Basil Blackwell, 1963, 2 vol., XIV, 253 p.; VI, 293 p.

aidée dans ce rôle par quelques autres monnaies des pays industrialisés de l'Europe du Nord-Ouest comme le montre l'appui mutuel que se prêtaient les instituts d'émission lors des crises économiques (19). Dans le monde du XXe siècle, le rôle de monnaie internationale passe progressivement de la livre sterling au dollar.

Quels sont les avantages du système de la monnaie dominante employée comme instrument d'échange international? Le premier, c'est de créer une certaine souplesse de l'offre de monnaie sur le plan interterritorial : tant que l'unité internationale est basée uniquement sur l'or, son offre est inélastique. A partir du moment où l'on accepte l'étalon de change-or, la situation est différente. On considère désormais comme équivalents l'or et la monnaie émise par le pays dominant. Les devises peuvent servir à gager les émissions de monnaie nationale. Ceci n'est possible que si la banque centrale de l'État dominant est sans cesse capable de faire face aux demandes d'or en échange de la monnaie qu'elle a émise. La grande puissance à monnaie internationale doit posséder des encaisses réelles importantes en or ou être capable de mobiliser des encaisses qui lui sont extérieures pour faire face aux demandes qui risquent de lui être adressées. Tout le système repose sur la confiance que l'on accorde aux pays qui orchestre tout le déroulement des paiements internationaux.

On s'affranchit de la sorte d'une partie des sujétions qui frappaient le système à monnaie métallique internationale. Sur le plan du commerce mondial, il est possible de faire varier l'offre en fonction du volume des transactions effectuées. On contrôle les fluctuations engendrées par les variations imprévisibles et difficilement gouvernables du stock d'or mondial.

Sur le plan des économies territoriales, les avantages du système sont très considérables. Puisque la monnaie internationale a une offre élastique, il est possible d'éponger une partie des fluctuations imprévisibles de la demande. Les banques du pays dominant prêtent les sommes nécessaires pour faire face aux engagements à court terme. Elles amortissent les irrégularités incessantes du commerce international et évitent que les variations mineures ne se répercutent sur le plan intérieur, avec les menaces inflationnistes et déflationnistes que l'on sait : les varia-

(19) La Banque d'Angleterre eut plusieurs fois recours aux réserves de la Banque de France, car elle ne disposait que de réserves métalliques très étroites.

tions du volume de la monnaie internationale résorbent les déséquilibres lorsqu'ils sont dus à des facteurs saisonniers ou passagers. C'est parce que le rôle des banques anglaises a été prépondérant dans la régulation des déséquilibres passagers enregistrés un peu partout dans le monde, que les théoriciens du siècle passé pouvaient considérer comme négligeables les perturbations internes nées des soldes positifs ou négatifs de la balance des paiements.

Charges et avantages du pays dominant.

La souplesse du système monétaire international est assurée par un double jeu de pyramides de crédit, qui assure l'ajustement des offres et des demandes aussi bien sur le plan mondial, qu'à l'intérieur des diverses économies nationales. Les variations du volume de la monnaie dominante sont le résultat des créations réalisées pour satisfaire les besoins internes et pour amortir les déséquilibres momentanés du commerce international que l'on finance par des prêts à court terme. Les différentes nations ont des pyramides de crédit qui leurs sont propres et qui leur donnent la possibilité de pratiquer la politique de croissance qu'elles ont choisie sans trop de difficultés. Les pyramides nationales dépendent de celle de l'économie dominante. Lorsqu'une création inconsidérée de monnaie apparaît dans la grande puissance, elle peut se répercuter en s'amplifiant dans tous les pays.

Le rôle de direction ne peut être effectivement rempli que si la balance des paiements courants est positive. L'équilibre est alors assuré par l'octroi de prêts à court terme ou par le placement de capitaux. Le rapport entre les deux formes d'opérations ne doit pas être trop rigide. Le pays dominant doit pouvoir à tout moment faire face aux besoins de crédits à court terme formulés par l'étranger. L'investissement extérieur ne doit apparaître que comme une variable dépendante. S'il est autonome, les possibilités de direction de la monnaie se trouvent singulièrement réduites. Lors que les décisions d'investir et celles de prêter à court terme ne sont pas prises par les mêmes autorités, l'équilibre entre les deux marchés dont dépend l'efficacité de l'action de la nation dominante est difficile à maintenir. A certains moments, l'exportation de capitaux est trop forte pour que les disponibilités à court terme soient suffisantes. Dans d'autres circonstances, les détenteurs de capitaux boudent les marchés extérieurs, si bien que l'équilibre de la balance des paiements n'est assuré que par un gonflement malsain des crédits à court terme : des risques d'inflation généralisés apparaissent. Le rôle directeur n'est correctement assuré que si ce sont les mêmes opérateurs qui effectuent les prêts au commerce international et les investissements extérieurs. Il faut pour cela que la part de l'épargne qui échappe au marché financier soit réduite au minimum. Ces conditions étaient remplies dans l'économie anglaise de la fin du siècle dernier. Les banques anglaises opéraient à la fois sur le marché monétaire et sur le marché financier, car elles se chargeaient des émissions de titres en bourse et pouvaient influer assez directement sur le placement de l'épargne à l'étranger. Les transformations de l'économie contemporaine ont rendu plus difficile le rôle de direction. Le marché financier se trouve réduit par le développement de l'autofinancement des entreprises et la liaison entre les deux compartiments des marchés de l'argent se fait mal; les interventions monétaires et financières de la grande puissance cessent d'être coordonnées. Les entrepreneurs peuvent lancer des investissements extérieurs massifs à un instant où les besoins monétaires sont élevés, provoquant le déséquilibre de la balance des paiements de la nation dominante (20).

Comment la grande puissance peut-elle alors parvenir à satisfaire ses obligations vis-à-vis du reste du monde, comment peut-elle assurer le maintien de la liquidité à court terme? Par l'émission de monnaie nationale, par l'inflation, si l'on préfère. Comme les hommes d'affaires exportent largement les épargnes locales, l'effet d'inflation demeure limité sur le plan intérieur. Les pays étrangers reçoivent des devises provenant du transfert des capitaux à long terme. Les tensions inflationnistes se développent chez eux. Pour les combattre, ils doivent réduire de manière très forte les incitations à l'investissement national. La monnaie dominante permet l'apparition d'un effet global de transfert du pouvoir d'investissement d'un territoire à l'autre (21).

(20) On trouvera une analyse comparée de la politique anglaise et de la politique américaine en ce domaine dans CLARKE (W. M.), *The City in the World Economy*. Londres, The Institute of Economic Affairs, 1965, XIII, 234 p.

(21) Les critiques faites par les Européens, les Français plus particulièrement, à la politique monétaire américaine portent sur ce point. Les investissements américains à l'étranger semblent financés par l'inflation américaine. On trouvera un exposé clair du processus dans INGRAM (James C.), *International Economic Problems*, *op. cit.*

De telles pratiques ne peuvent durer, à moins que la puissance de l'économie dominante ne soit colossale. Ses partenaires commerciaux s'irritent de se voir inondés de capitaux, conduits à sacrifier leurs investissements propres pour lutter contre l'inflation provoquée par l'investissement du pays dominant. La confiance qui était placée dans l'unité monétaire internationale disparaît. Le processus de déplacement de l'épargne ne peut être que provisoire.

L'économie dominante si elle veut assurer correctement son rôle doit régler l'octroi des prêts en fonction des besoins réels de l'échange international. Cela lui interdit de pratiquer l'inflation interne, qui entraînerait une détérioration de la balance des paiements courants. Le rôle de puissance monétaire dominante ne compte pas que des avantages. Pour le garder, l'économie anglaise a dû aussi bien avant, qu'après la Seconde Guerre mondiale limiter son taux d'expansion, renoncer à certaines opérations d'investissement. Il n'est pas sûr qu'à long terme, les Anglais aient gagné à pratiquer de la sorte une politique de grandeur (22).

Les systèmes à étalons internationaux multiples. La monnaie mondiale.

Le danger du système monétaire international à étalon de change-or peut devenir important si les devises acceptées par les diverses institutions centrales pour gager leurs émissions intérieures ne proviennent pas uniquement de l'économie dominante. Tant que seule une espèce monétaire est utilisée, il est possible de régler le volume à la fois des émissions de la monnaie-clef, et des émissions gagées sur les réserves de devises. Lorsque les banques centrales acceptent comme réserves, les monnaies émises par un grand nombre de partenaires (23), les conditions

(22) Le problème est analysé de manière précise dans CLARKE (W. M.), *The City in the World Economy, op. cit.*

(23) Le système monétaire international repose depuis longtemps sur l'utilisation conjuguée de plusieurs devises fortes. C'était très net dans les années qui précédèrent la Grande Crise. Après la Seconde Guerre mondiale, il fallut une douzaine d'années pour que les diverses monnaies européennes retrouvent leur assise. Depuis, l'usage de ces monnaies comme monnaie de réserve s'est trouvé encouragé par les divers organismes monétaires internationaux (Fonds Monétaire International, O. E. C. E....).

Les banques centrales, en s'ouvrant mutuellement des crédits *(swaps)*, sont en mesure de développer sans difficulté la masse monétaire internationale.

se trouvent réunies pour que se réalise une pyramide complexe de crédit, qui risque comme toutes les pyramides de ce type de ne plus être contrôlable. Le remplacement d'une domination unique de l'économie mondiale, par la domination de plusieurs économies territoriales, et l'emploi concurrent de leurs monnaies dans les paiements internationaux rend plus difficile le dosage des liquidités et multiplie les risques d'emballement en chaîne. Les théoriciens de l'équilibre monétaire condamnent donc fréquemment le système d'étalon de change-or dominé par plusieurs économies d'importance équivalente : ils l'estiment générateur à long terme d'inflation mondiale. Il semble bien que ce mécanisme ait joué plusieurs fois. On attribue la violence du début de la crise mondiale de 1929 au jeu des pyramides de crédit qui se sont toutes effondrées lorsqu'une nation a décidé de rompre le cercle qui permettait à toutes de s'épauler.

Malgré leurs imperfections et leurs dangers, les systèmes d'échanges interterritoriaux, où les divers pays restent maîtres de l'émission de monnaie chez eux et utilisent une monnaie internationale pour les transactions avec l'extérieur, sont incontestablement supérieurs aux systèmes sans monnaie internationale. Ils permettent la mise en place d'un système de prix mondiaux cohérents, ils rendent possible la compensation des fluctuations mineures et de courte durée de la balance des paiements. Ils demandent malheureusement une économie dominante consciente de ses devoirs et soucieuse de ne pas exploiter sa position. Pour conserver les avantages inhérents au système et limiter ses inconvénients, on propose depuis plus d'une génération d'instituer une monnaie mondiale (24), indépendante des monnaies nationales et qui permettrait de dénouer les transactions internationales dans de bonnes conditions. Certains pays s'y opposent : ceux dont l'économie est dominante et qui en tirent des avantages. D'autres y sont hostiles, car ils préfèrent un retour à l'étalon-or; dans l'état actuel de l'économie mondiale, la rigidité de l'offre de l'or constituerait un frein au développement des transactions. La

(24) On attribue la paternité de cette idée à KEYNES (John Maynard), *Proposals for an International Clearing Union*. Londres, H. M. S. O., 1943, Cmd 6437. L'étude est reprise aux pp. 55-79 de GRUBEL (Herbert G.), *World Monetary Reform*, *op. cit.*

L'idée a été reprise et développée par TRIFFIN (Robert), *Gold and the Dollar Crisis*. New-Haven, Yale University Press, 1960. Trad. française, *L'or et la crise du dollar*, Paris, P. U. F., 1962. XII, 201 p.

difficulté serait sans doute tournée par l'ouverture de crédits à court terme entre les échangistes. On procéderait à une création de monnaie, sans le dire et les besoins seraient satisfaits. Les nations favorisées seraient évidemment celles dont l'économie est la plus forte : le système permettrait d'accorder un avantage à la plupart des pays développés, sans qu'il leur soit demandé de contrepartie désagréable comme c'est le cas pour les pays qui doivent gérer une monnaie dominante. On comprend que des États industrialisés, mais dont la puissance n'est que secondaire, soient favorables à cette solution, alors que les pays sous-développés se sentent menacés par cette éventualité (25).

La monnaie, l'équilibre et les déséquilibres de la croissance.

L'analyse des questions monétaires et des rapports entre les territoires permet donc de mieux comprendre les conditions de l'échange extérieur et son influence sur la croissance économique. Le type de relation monétaire qui se noue entre les territoires n'est pas sans influer sur leur dynamisme respectif.

La monnaie intervient de deux manières dans la détermination des modalités de la croissance territoriale. Selon que son offre est rigide ou élastique à l'intérieur de chacun des territoires, les possibilités de développement varieront. Les déséquilibres de croissance seront d'autant plus graves que la masse monétaire sera plus rigide, aura plus de difficulté à s'adapter aux variations de l'activité économique. Au fur et à mesure que les méthodes de création de monnaie seront plus sûres, les conditions se modifieront : le développement se fera mieux, grâce à l'élimination de certaines des perturbations que le jeu de la monnaie accusait au cours de la croissance, grâce au pouvoir de disposition que l'entrepreneur gagne progressivement avec la mise au point des méthodes de financement de l'investissement sans épargne préalable.

Nous retrouvons les mêmes problèmes lorsque l'on analyse les rapports de plusieurs économies territoriales. Ils se compliquent du fait que la monnaie influe maintenant non seulement sur

(25) On trouvera un tableau d'ensemble des problèmes actuels du système monétaire international dans l'ouvrage déjà cité de Grubel (Herbert G.), *World Monetary Reform, op. cit.*

l'équilibre interne, mais encore sur l'échange international, qui est un des éléments moteurs du développement. Lorsque l'offre monétaire est très rigide, les difficultés des transactions sont multipliées, comme à l'intérieur de chacune des économies en présence. Le jeu monétaire ne peut alors provoquer des effets globaux, et permettre à un territoire de s'attribuer le droit de procéder à un investissement intérieur, en utilisant une épargne extérieure forcée ou, à l'inverse, d'investir à l'extérieur, en privant les résidants des territoires extérieurs du pouvoir d'épargner. Lorsque la souplesse de l'offre de monnaie devient plus grande, les effets globaux deviennent plus faciles. Les économies territoriales sont prises entre deux influences. Elles aimeraient éviter que le jeu des effets globaux ne les prive de leur autonomie, mais elles désireraient assurer leur croissance dans les conditions les plus faciles et le plus vite possible.

Les divers systèmes monétaires interterritoriaux se prêtent différemment à ces objectifs. Les systèmes à monnaie métallique sont les seuls pour lesquels les effets de déplacement de l'investissement sont négligeables, mais ils rendent la croissance de l'économie mondiale très difficile. Les systèmes où n'existe pas de monnaie internationale et où chaque pays est maître de sa monnaie, évitent également les effets globaux. Ils permettent en principe de doser au mieux la création monétaire, de promouvoir la croissance la plus harmonieuse possible à l'intérieur. Ils rendent si difficile l'échange international qu'ils ne sont sans doute pas les plus efficaces.

On a vu se développer des systèmes mixtes, dans lesquels existent à la fois des monnaies internationales et des monnaies nationales. On réussit à concilier ainsi la volonté d'autonomie, légitimée par le désir de mener une politique cohérente de croissance et d'éviter les effets globaux et le souci de pratiquer un échange international aussi aisé que possible de manière à pouvoir s'appuyer toutes les fois que cela paraît souhaitable sur les productions et les équipements des partenaires. Le jeu de pyramides de crédit en partie indépendantes permet de concilier les exigences de l'autonomie nationale et de la cohérence internationale. Les systèmes proposés ne sont malheureusement pas parfaits. Ils permettent à certains ensembles territoriaux de déplacer le pouvoir d'épargne ou d'investissement à leur profit. Toute la géographie de la croissance s'en trouve affectée.

On voit donc combien l'analyse des phénomènes monétaires est utile à qui veut comprendre la répartition de la croissance entre les divers pays du monde, entre les diverses régions d'une nation.

Conditionnées par les relations interterritoriales, les croissances se modifient au gré des effets de multiplication, d'accélération, au gré aussi des organisations monétaires de l'espace. Elles dessinent petit à petit le visage du monde économique présent. Il nous reste à voir comment les diverses variables de l'équilibre interterritorial que nous avons isolées interfèrent et concourent pour dessiner ces grands paysages économiques.

III. — Croissance économique et équilibre interterritorial.

Les transformations de l'équilibre économique spatial peuvent résulter de deux séries de causes. Elles sont parfois provoquées par une croissance, au cours de laquelle la mobilité des biens, des personnes, des capitaux demeure constante. De nouveaux investissements, de nouvelles unités productrices entrent en service, de nouveaux producteurs et de nouveaux consommateurs se présentent sur le marché. Le nombre des éléments du circuit économique se trouve ainsi multiplié, mais chacun reste limité de la même manière par les contraintes de l'espace.

Les transformations de l'équilibre interterritorial peuvent également résulter d'une série de mutations d'un principe tout à fait différent. Cette fois, ce qui compte, ce n'est pas l'investissement neuf, les nouvelles capacités productives, la multiplication des boucles du circuit économique. Les bouleversements sont provoqués par des changements dans la transparence de l'espace et dans sa fluidité. Les circuits économiques s'allongent, inégalement selon les secteurs et tout l'équilibre se trouve remis en question.

Dans la plupart des cas, les deux processus de transformation se trouvent intimement liés. La construction de nouvelles installations productives permet de faire baisser les prix de revient, de diminuer les prix des produits au départ de la fabrication : elle se traduit par un allongement des circuits. Réciproquement, l'utilisation de nouvelles techniques de transport, plus rationnelles, plus rapides, plus économiques, suppose la mise en place d'infrastructures, d'équipements, donc des investissements. Toute analyse concrète oblige à faire intervenir les deux ordres possibles de causalité. Mais sur le plan de la théorie économique, il est bon de distinguer les transformations au cours desquelles les circuits économiques gardent des dimensions fixes, les contours des économies territoriales demeurant stables et celles où l'augmentation de la dimension des circuits économiques provoque sans arrêt la modification des tracés. Pour employer les termes consacrés, il est utile de distinguer les effets de la croissance territoriale et ceux de l'intégration (26).

(26) La théorie de la croissance ne donne habituellement aucune place aux considérations spatiales : cela ne doit guère nous étonner, puisqu'elle admet implicitement que les contraintes de distance gardent la même valeur avec le temps. Les études consacrées aux pays sous-développés ont permis de préciser les notions dans ce domaine. Elles ont conduit à accorder une attention toute spéciale aux économies externes (Rosenstein-Rodan, Ragnar Nunske), aux problèmes du commerce extérieur (Raùl Prebisch, Singer). Elles ont favorisé la multiplication des recherches sur l'intensité capitalistique et l'efficacité du capital. Elles ont mis en évidence l'existence de séquences-types, d'enchaînements nécessaires dans la course du développement (W. W. Rostow, Albert O. Hirschman). Le premier de ces auteurs a insisté sur l'existence de seuils, ce qui nous apparaît comme la contribution la plus féconde à l'analyse dynamique apportée par les spécialistes du sous-développement : l'image de la croissance est beaucoup plus riche qu'elle ne l'était dans la théorie globale mise au point par les travaux de Sir Roy Harrod, car elle tient compte des transformations de structure que laissait échapper la mécanique des quantités globales.

La théorie de l'intégration s'est développée longtemps de manière discrète, en marge des grands courants de la réflexion contemporaine. Son objet était limité : analyser les conséquences de la formation des unions douanières. Les réformes et les unions se sont multipliées en Europe depuis la fin de la Seconde Guerre mondiale. On a pris conscience à ce propos de l'importance très générale des problèmes d'intégration, on a montré l'influence qu'ils pouvaient avoir sur la croissance. Dans une perspective dynamique, l'intégration devient une des bases essentielles de la théorie économique.

Les spécialistes de l'intégration ont su voir l'intérêt que représentait, pour leur propos, les études relatives aux économies externes ou à la polarisation. Ils ont aussi insisté sur les obstacles extra-économiques à l'intégration et se sont rapprochés de la sociologie économique.

Bela Balassa voit dans certains travaux de Cournot et des économistes spatiaux l'origine des recherches sur l'intégration. Les analyses modernes s'appuient souvent sur la publication de Viner. GIERSCH (Herbert), « Economic Union between Nations and the Location of Industries ». *Review of Economic Studies*, vol. 17, n° 2, 1949-1950, pp. 87-97. — VINER (Jacob), *The Customs Union Issue*. Princeton, Carnegie Endowment for International Peace. — MEADE (James E.), *Problems of Economic Union*. Chicago, The University of Chicago Press, 1953. — ID., *The Theory of Custom Unions*. Amsterdam, North Holland Publishing Co., 1955. — TINBERGEN (Jan), *International Economic Integration*. Amsterdam, Elsevier, 1954; 2e éd., 1965, 142 p. — SCITOVSKY (Tibor), *Economic Theory and Western European Integration*. Stanford, Stanford University Press, 1958. — SANNWALD (Rolf), STOHLER (Jacques), *Wirtschaftliche Integration*. Bâle, Kyklos Verlag, 1958. Trad. anglaise : *Economic integration*, Princeton, Princeton University Press, 1959. — ROBINSON (E. A. G.) (ed. by), *Economic Consequences of the Size of Nations*.

Parmi les forces qui contribuent le plus puissamment à modeler les équilibres économiques interterritoriaux, celles qui tiennent au jeu des économies d'échelle sont sans doute les plus importantes. Ainsi, les chances des divers territoires varient en fonction de leurs ressources, de leur position, de leurs activités antérieures, mais aussi en fonction des caractères de l'équipement et des techniques. Si ceux-ci ne se modifient pas avec le temps, si les dimensions optimales des entreprises sont constantes et si les économies d'échelle ne jouent qu'un rôle très modeste, les tendances à la concentration des activités économiques seront très faibles. Elles se renforceront lorsque le jeu des rendements croissants permettra d'obtenir sans cesse plus d'économies d'échelles, partant plus d'économies externes. Les équilibres territoriaux se présenteront alors très différemment.

L'équilibre interterritorial dans une économie statique où les coûts sont rapidement croissants et les facteurs de production mobiles.

Nous étudions l'équilibre spatial de la vie économique avant que ne commencent à se manifester des progrès rapides dans le domaine des rendements et dans celui des transports. Les charges qui pèsent sur la circulation des matières premières sont lourdes, comme celles qui frappent l'acheminement des produits fabriqués. Le machinisme moderne n'est pas encore né. On peut améliorer les conditions de la production en pratiquant d'une manière plus systématique la division du travail; mais les opérations demeurent manuelles, ce qui limite les gains de productivité. Très vite, aucun progrès n'est plus possible dans ce domaine.

Proceedings of a Conference held by the International Economic Association. Londres, Macmillan, 1963. — BALASSA (Bela), « Towards a Theory of Economic Integration ». *Kyklos*, vol. XIV, 1961, pp. 1-14. — ID., *The Theory of Economic Integration, op. cit.*

En français : DOBRETSBERGER (J.), « Théorie des territoires économiques ». *Économie appliquée*, vol. III, 1950, pp. 59 *sq.* — TUCHTFELD (E.), *Intégration économique et progrès technique*, pp. 91-113 de *Demain, l'Europe sans frontières*. Paris, Plon, 1958. — RIST (M.), « Une expérience de libération des échanges au XIXe siècle ». *Revue d'économie politique*, vol. 66, 1956. — ALLAIS (Maurice), « Fondements théoriques, perspectives et conditions d'un marché commun effectif », *op. cit.* — BOURGUINAT (Henri), *Espace économique et intégration européenne*. Coll. Observation économique, nº XVII, Paris, Sedes, 1961, 343 p. — BOUDEVILLE (Jacques-R.), PAELINCK (J.), COUSTE (P. B.), « L'intégration économique régionale ». *Cahiers de l'I. S. E. A.*, série L, nº 14, 1964, 135 p. — ERBES (Robert), *L'intégration économique internationale, op. cit.* — MARCHAL (André), *L'intégration territoriale*. Coll. « Que sais-je? », nº 120, Paris, P. U. F., 1965, 128 p.

On essaie de constituer des unités de production plus grandes, mais les manufactures ont un intérêt limité, car elles ne réussissent pas à obtenir des résultats nettement supérieurs à ceux des petits ateliers dispersés.

Dans un tel univers, la répartition de la production, de la population, de la consommation, est dans une large mesure dictée par celle des ressources naturelles, mais le point où s'effectue l'essentiel des opérations de fabrication dépend aussi de la localisation de la clientèle et par conséquent de toutes les boucles de circuit correspondant aux autres aspects de la vie économique.

Les économies externes sont nécessairement assez limitées. Leur poids n'est pas prépondérant. Comme les économies d'échelle sont négligeables, la production ne trouve à se concentrer d'autre intérêt que celui qui résulte de l'économie externe globale. Dans la mesure où le coût du transport des matières premières est élevé, celle-ci demeure très faible.

Comment vont se répartir les activités économiques, comment va s'ordonner le développement dans un tel monde? La mobilité des facteurs de production est souvent relativement élevée. Les biens se transportent mal, mais les travailleurs sont plus aisément mobiles et le capital sous forme monétaire jouit déjà d'une mobilité. Supposons qu'à l'origine les facteurs de production soient également répartis dans la région que l'on étudie. Au bout de très peu de temps, des inégalités vont apparaître. Les zones qui disposent de la dotation la plus complète en facteurs de production, celles où la fertilité des terres, l'abondance des mines, la puissance des chutes d'eau sont plus grandes bénéficient d'un avantage certain. Elles réussissent à produire à meilleur compte. Elles se trouvent en mesure de vendre facilement avec des bénéfices élevés. Elles ont un pouvoir d'épargne et d'investissement plus grand. Elles se développent donc plus vite, grâce à l'importance des disponibilités qui se dégagent sur place. Elles attirent les capitaux formés à l'extérieur et la main-d'œuvre. Les parties bien douées croissent plus vite que les autres. L'évolution économique conduit donc, dans un premier temps, à une concentration de l'activité productive dans les zones les plus fertiles (27).

Comme les rendements sont décroissants au-delà d'un seuil

(27) La théorie que nous exposons là est celle qui est implicite dans la plupart des travaux de géographie économique effectués jusque vers 1930.

qui ne bouge pas avec le temps, la situation ne tarde pas à se modifier. Les occasions de profit diminuent, car les investissements s'appliquent à un stock limité de terres ou de richesses minières et énergétiques si bien que les ressources les plus rentables sont exploitées en premier lieu et que leur productivité commence à baisser alors que l'accumulation de capital et de main-d'œuvre se poursuit. On s'aperçoit alors qu'on a intérêt à mettre en valeur des ressources moins accessibles, mais qui n'ont encore reçu aucun équipement : l'efficacité marginale du capital y devient égale à celle des gisements plus anciens et maintenant suréquipés.

Ainsi, l'absence d'économies d'échelle importantes conduit tout naturellement l'activité à se tourner vers des zones moins favorisées. Après s'être concentrée dans les zones fertiles, la mise en valeur se poursuit sur des terres de plus en plus pauvres, des gisements de plus en plus médiocres. Si les combinaisons productives étaient réellement souples, les zones les plus fertiles déverseraient progressivement leurs surplus de capitaux et de main-d'œuvre vers les régions périphériques. En réalité, les régions pauvres ne peuvent offrir comme rémunération au capital qu'un taux marginal plus faible que le taux moyen d'intérêt au centre. La mise en valeur de la périphérie est rendue possible par la pression qui existe sur le marché de main-d'œuvre. Les agriculteurs sont heureux de pouvoir conquérir à leurs frais, par un labeur acharné et une épargne en nature les quelques parcelles dont ils ont besoin. L'expansion spatiale de la production est due beaucoup plus à la mobilité du facteur main-d'œuvre qu'à celle du capital.

Il existe une concurrence très dure entre les travailleurs. S'ils perdent leur emploi dans les régions fertiles, ils devront s'exiler dans les zones périphériques et mettre en valeur des terres marginales. Dans ces conditions, la rémunération du facteur travail se trouve réduite au minimum : il pèse sur les salaires une loi d'airain, pour reprendre une expression qui s'appliquait dans l'hypothèse des rendements décroissants.

La productivité moyenne du capital investi dans les régions centrales demeure relativement élevée. L'entreprise bénéficie de plus des revenus que lui procure la rente de fertilité qui s'accroît au fur et à mesure que les zones pauvres sont conquises. Les détenteurs de terre n'ont aucun intérêt à investir dans les

9. Vignoble à Arbois. L'agriculteur fait de plus en plus appel aux machines dans tous les domaines de la production. (Cliché : *Henri Maire.*)

10. Verger moderne en Aquitaine. Il a fallu l'exemple des pieds-noirs pour que les agriculteurs reprennent confiance en leur terre. (Cliché *Vues aériennes, Alain Perceval.*)

11. Vignoble languedocien.
Aux vignobles de qualité s'ajoutent les vignobles de masse.
(Cliché : *Vues aériennes, Alain Perceval.*)

régions périphériques (28). Ils n'essaient pas de contribuer personnellement à l'expansion de la production. Ils utilisent leurs revenus à la satisfaction de besoins de seconde urgence. Ainsi, les régions riches centrales voient leur structure économique se diversifier et s'enrichir avec le temps, au fur et à mesure que la pression sur les ressources conduit à mettre en valeur des zones moins fertiles et accroît de la sorte les rentes produites par les terres opulentes.

La mise en valeur des ressources finit par être complète, mais la structuration des économies territoriales est très diverse selon les secteurs. Les pays qui sont les plus fertiles gardent un avantage permanent : ils concentrent les activités les plus nombreuses, ont des circuits plus complexes. Ils font vivre — de plus en plus mal — une population de plus en plus nombreuse. La misère a tendance à s'accroître partout, au fur et à mesure que la concurrence pour la possession des fruits de la terre devient plus forte : cela produit à la fois une extension continue des zones mises en valeur et une diversification plus intense de la vie économique des plus fertiles (29).

(28) Sur ce point, les opinions des théoriciens classiques divergent. Lorsque les capitaux de l'entreprise lui appartiennent, leur rémunération dépend de la productivité moyenne de l'entreprise. Elle n'est pas fixée par un marché. Le prix qui se forme sur celui-ci est un prix marginal, nécessairement plus faible si les ressources les plus fécondes ont été exploitées en premier lieu.

Dans le premier cas, les détenteurs de capitaux n'ont aucun intérêt à investir à l'extérieur. Dans le second cas, ils sont conduits à chercher des emplois où la rémunération marginale sera plus forte — hors des vieux noyaux de développement où les coûts croissants limitent les opportunités. Si la transparence de l'espace devient plus grande, si de nouvelles ressources riches sont découvertes, on verra l'exportation des capitaux en produire plus sûrement encore — mais on n'est plus dans le cadre des hypothèses que nous avons retenues ici. Le transfert du capital vers les zones périphériques nous apparaît comme peu probable dans les économies pré-industrielles dépourvues de marchés financiers : le taux d'intérêt pratiqué n'y est pas un taux d'efficacité marginale. Le mécanisme classique de la répartition optima des capitaux dans le monde ne peut fonctionner que dans des économies déjà développées : mais alors, le jeu des économies d'échelle permet aux foyers anciens d'améliorer sans cesse leur position compétitive, d'offrir une meilleure rémunération au capital. Nous reprendrons la discussion de ces problèmes dans la seconde partie de l'ouvrage.

L'exposé classique de la théorie des transferts de capitaux est celui d'IVERSEN (C.), *Aspects of the Theory of International Capital Movements*. Londres, Oxford University Press, 1935.

(29) On s'est souvent étonné de la condamnation économique des activités manufacturières et de services par les physiocrates. Elle se justifie dans la mesure où la société où ils vivaient correspondait au schéma que nous venons d'esquisser. Les propriétaires des régions riches se trouvaient les seuls détenteurs de capitaux. Dans une société où la surpopulation était grave, ils auraient dû les utiliser à la mise en valeur des terres marginales. Par suite de la faible rémunération qu'ils en auraient retiré, ils préféraient les dépenser, permettant le développement des sec-

Nous nous sommes référés implicitement au cas d'une civilisation agricole. Le problème est le même pour le secteur secondaire, si les économies d'échelle sont négligeables : les effets de l'évolution régressive des possibilités de production et de rémunération ont attiré très vite l'attention des économistes : l'analyse pessimiste des classiques, celle de Malthus comme celle de Marx, s'explique si l'on songe que l'on pouvait regarder comme stable le niveau où commençaient à apparaître les coûts croissants. La concurrence ouvrière réduisait sans cesse les possibilités d'emploi, laminait les salaires. L'épuisement des richesses minières les plus faciles à exploiter devait conduire tôt ou tard à mettre en valeur des ressources moins accessibles, moins productives. Comme dans le cas de l'économie rurale, on ne devait pas tarder à voir apparaître un capitalisme de rente, où les mieux lotis auraient exploité sans vergogne la misère des mal lotis et auraient assis leur pouvoir et leur opulence sur la misère croissante de la totalité. Les pays riches auraient eu de la sorte intérêt à voir se développer la pression sur les moyens de production, de manière à bénéficier de rentes de plus en plus élevées.

En l'absence d'économies d'échelle et lorsque les facteurs de production sont mobiles, les économies territoriales voient se succéder des mouvements opposés : concentration d'abord sur les zones les plus fertiles, puis étalement au fur et à mesure que la pression démographique augmente. Il n'y a toutefois jamais d'égalisation possible entre le sort des pays riches et celui des pays pauvres. La complexité de l'économie des premiers est constamment supérieure à celle des seconds.

Dans la mesure où l'absence d'économie d'échelles et la médiocrité corrélative des économies externes interdisent aux régions de profiter d'avantages cumulés, toutes les finesses de stratégie volontaire se trouvent impuissantes à modifier l'allure de l'évolution. La géographie évolue sous l'influence d'une loi d'airain, comme le font les salaires. Les régions connaissent un développement complexe parce qu'elles sont bien douées et non parce qu'elles ont commencé plus tôt à réaliser le processus de concentration. Les effets globaux, la concurrence pour l'appropriation

teurs secondaires et tertiaires : on voit comment ils apparaissent comme des secteurs parasitaires.

de l'épargne et du pouvoir d'investir ne sauraient modifier de manière durable l'évolution économique (30).

L'équilibre interterritorial dans une économie statique où les coûts sont rapidement croissants et les facteurs de production immobiles.

Dans la plupart des économies traditionnelles, la situation était un peu différente de celle que nous venons d'analyser. Les rendements devenaient très rapidement décroissants, les prix de transports étaient élevés. Mais la mobilité des facteurs de production était limitée. Elle l'était par suite de la faible fluidité de l'espace, de sa transparence très incomplète (31). La main-d'œuvre et les capitaux restaient prisonniers de leurs régions d'origine, faute d'être informés des possibilités qu'ils auraient pu trouver ailleurs. L'hétérogénéité des structures sociales favorisait évidemment cette opacité. Les conditions politiques l'accusaient encore. Les obstacles de la langue et des civilisations étaient plus forts dans des univers sociaux qui se concevaient comme des univers clos. L'étranger y apparaissait comme un ennemi et les lois cessaient d'avoir cours lorsque l'on avait affaire à lui. Comment s'expatrier, alors, ou comment se lancer dans des placements à l'extérieur? Tout, dans les mœurs, s'y opposait. Les pratiques de la politique renforçaient l'obstacle, car les mesures de prohibition ou de contrôle étroit de l'échange extérieur sont demeurées longtemps très strictes.

L'immobilité des facteurs de production modifie considérablement l'évolution économique. Les régions les plus fertiles cessent d'attirer toutes les forces vives. Comme la transparence économique est très imparfaite, les conditions du travail sont très mal connues d'un point à un autre. Le niveau des rémunérations peut différer largement, sans que cela crée des conditions de tension sociale insoutenable.

(30) La théorie de la croissance que nous avons esquissée s'appuie sur les mêmes bases que certains raisonnements géographiques — nous l'avons dit. Elle montre le caractère déterminé des répartitions observées; on s'explique par suite très bien pourquoi tant d'analyses géographiques négligent l'analyse des accidents de croissance; ils apparaissent, dans le monde sans progrès technique que nous analysons, comme incapables de provoquer un infléchissement durable de l'équilibre spatial.

(31) L'opacité de l'espace est sans doute le trait le plus caractéristique des économies primitives. Elle explique la très faible mobilité des facteurs de production, et constitue la condition la plus nécessaire pour que puisse jouer la loi de l'avantage comparatif.

Ainsi, le jeu de la spécialisation peut s'effectuer à la manière prévue par l'analyse classique de l'avantage comparatif. Les considérations de stratégie économique reprennent leur droit : comme les rémunérations de facteurs sont très mal connues, les entrepreneurs peuvent jouer sur les salaires distribués à la main-d'œuvre pour agir sur des taux de profit : ceux-ci dépendent beaucoup moins directement que dans le cas précédent des niveaux de fertilité, des dotations en ressources.

Il est donc possible à des régions pauvres de se développer dès le départ, alors même que les zones plus fertiles ne sont qu'incomplètement mise en valeur. Il leur est également loisible de mettre à profit la stratégie économique de l'investissement pour accéder à un niveau de développement complexe avant que les régions riches y soient parvenues. Le monde géographique pré-industriel abonde en contradictions de ce type : les plaines riches sont médiocrement peuplées et exploitées, cependant que les zones de collines ou de montagnes ingrates qui les entourent sont occupées par des sociétés vigoureuses, nombreuses, actives et dont l'organisation économique est complexe. La paradoxe s'explique parfois par les difficultés qu'il y a à mettre en valeur les terres basses — elles sont au départ peu fertiles, mais par le jeu des rendements croissants se trouvent à la longue plus favorisées que les autres (32). Dans la plupart des cas, pourtant, l'explication du contraste tient simplement à la faible mobilité des facteurs, que les régions basses n'attirent pas, pour des raisons de sécurité, pour des raisons politiques, pour des raisons sociales.

L'équilibre ainsi atteint est lié à la viscosité des facteurs de production : que celle-ci disparaisse et toute la construction se retrouve mise en jeu. On a souvent analysé ce phénomène dans le cas des sociétés rurales de l'Afrique de l'Ouest (33). Les groupes

(32) Bon nombre de géographes, d'économistes et d'agronomes ont en effet fait remarquer que la mise en valeur des pays neufs commençait rarement par le défrichement des terres les plus fertiles. Carey insistait sur cela en s'appuyant sur l'exemple américain. Ceci montre que dans un assez grand nombre de cas, la loi des rendements croissants joue en agriculture : la fertilité des bonnes terres n'apparaît qu'au-delà d'un certain niveau d'investissement.

(33) C'est un thème bien connu de tous les géographes qui ont étudié l'Afrique occidentale que nous abordons là. On pourra l'illustrer en se reportant à RICHARD-MOLARD (Jacques), *Problèmes humains en Afrique occidentale.* Paris, Présence africaine, 1958, 467 p., cf. pp. 31-52. — ROUGERIE (Gabriel), *L'Afrique occidentale*, pp. 119-143 du tome II de DEFFONTAINES (Pierre) (publié sous la dir. de) : *Géographie universelle, Larousse.* Paris, Larousse, 1959.

L'exemple le plus expressif se trouve fourni par une monographie : FRŒLICH

paléonigritiques ont été refoulés dans des milieux périphériques âpres, isolés du reste du monde. Ils ont édifié là des sociétés vigoureuses, ont mis au point une agriculture savante, ménagère du sol, en équilibre avec les conditions très dures du monde naturel. L'organisation sociale est souvent d'une étonnante complexité, ce qui est frappant dans des milieux aussi avares. Que les barrières à la mobilité disparaissent et le bel équilibre est détruit. La colonisation en a apporté la preuve. Les hommes quittent les montagnes surpeuplées. Avec leurs maigres capitaux, ils vont s'employer dans les zones fertiles voisines. Et l'on constate avec stupéfaction que des formes d'agriculture savante, en apparence supérieures sont aussitôt oubliées. Elles sont plus efficaces pour la conservation du sol, mais nécessitent une débauche de travail qui n'apparaît plus nécessaire dans un milieu plus large. Ainsi, le retour à la mobilité des facteurs réintroduit une géographie en un sens plus naturelle, parce que plus étroitement dépendante des facteurs physiques.

Les entraves à la mobilité du capital et du travail n'éloignent pourtant pas autant qu'on pourrait le croire de la réalisation de l'optimum économique à long terme. Dans la mesure où, avec le temps, on voit se succéder dans l'hypothèse de la mobilité, une phase de concentration des activités et une phase d'éparpillement, l'évolution économique est responsable de gaspillages géographiques. Puisque, en tout état de cause, tous les territoires finiront par être mis en valeur, peut-être n'y a-t-il pas grande perte à éviter les mouvements alternés qui caractérisent l'évolution en milieu libre? On économise les déplacements de facteurs de production sans ralentir beaucoup les possibilités de croissance. L'investissement dans les régions marginales reste, en pareil cas, le seul à être réellement efficace pour la croissance. Pourquoi favoriser les régions fertiles, qui ne profitent guère de leurs possibilités que pour mettre en place des circuits économiques parasitaires et sans effet sur le développement à long terme? Les interventions qui visent à limiter la mobilité des facteurs ont souvent été considérées comme bienfaisantes par les théoriciens et par les gouvernants qui se plaçaient dans cette optique.

Nous avons supposé, dans les deux cas, que nous venons d'ana-

(Jean-Claude), « Généralités sur les Kabré du Nord-Togo ». *Bulletin de l'I. F. A. N.*, Dakar, XI, n°s 1-2, 1949, pp. 77-105.

lyser que la mobilité des biens reste très imparfaite. Les marchés que l'on peut espérer atteindre à partir d'une zone de production sont limités (34). Aussi les équilibres dont nous avons suivi la mise en place se situent dans des espaces très restreints : c'est entre la plaine et les collines ou les montagnes voisines que se situent les échanges possibles et les comparaisons. Au-delà d'une certaine distance, la portée des biens est si faible que l'échange et les déplacements de facteurs deviennent impossibles. Des cellules économiques quasiment ou totalement indépendantes apparaissent. C'est à l'intérieur de chacune de ces unités que joue la concurrence entre zones fertiles et zones pauvres, que se réalise progressivement la mise en valeur des terres et la construction de circuits économiques complexes dans les zones les plus anciennement mises en valeur. La tendance à la concentration géographique des activités, qui marque les premières étapes de l'évolution, est donc limitée par la faible fluidité de l'espace, si bien que la mise en valeur peut commencer en plusieurs domaines en même temps, à la condition qu'ils ne fassent pas partie du même monde.

Avant même que les techniques de production se soient modifiées de manière profonde, il peut se produire une évolution des moyens de transports. Celle-ci peut transformer l'équilibre géographique des territoires, car l'amélioration des transports provoque une intégration économique plus grande.

Une baisse du prix des transports des produits fabriqués provoque un mouvement d'intégration économique.

Supposons, dans une première phase, que les progrès dans les transports aient des répercussions inégales sur la mobilité des biens. Comme l'amélioration demeure encore modeste, elle se traduit relativement bien moins sur les produits bruts et sur les matières premières pondéreuses, que sur les produits fabri-

(34) C'est cette condition qui explique que la théorie économique classique ne puisse prendre prise que sur des situations où la civilisation demeure assez médiocre. Mais en pareil cas, les motivations sociales diffèrent beaucoup d'un groupe à l'autre. La théorie doit être adaptée à chaque cas particulier. Elle ne présente pas grande efficacité : l'analyse des sociétés traditionnelles peut très bien se faire sans appareil économique élaboré; si l'on veut utiliser la théorie générale, il faut la traduire dans la langue économique locale, ce qui ne va pas sans difficultés. COUTY (Ph.), « Réflexions sur les procédés de recherche dans les enquêtes de commercialisation ». *ORSTOM, Bulletin de liaison Sciences humaines,* nº 6, août 1966, pp. 1-24.

qués. La situation des entreprises vis-à-dis des zones qui fournissent les biens à transformer ne se trouve pour ainsi dire pas modifiée. Les liaisons avec le marché sont au contraire bouleversées. Pour chacune des firmes, la révolution des transports se traduit par un allongement du rayon de l'aire de vente. Si, les entreprises étaient disposées de telle sorte qu'elles desservaient chacune une aire indépendante du marché, on assiste à une mutation dans les conditions de la concurrence : celle-ci ne se fait plus entre des aires distinctes. Elle met aux prises des producteurs différents sur des aires communes (35).

Quelles sont les conséquences géographiques de cette transformation? Que se passe-t-il si les ressources qui contribuaient à ravitailler les différentes entreprises sont inégalement commodes à exploiter? Les entreprises situées dans les secteurs les mieux doués bénéficieront de conditions plus favorables. Elles pourront porter la concurrence sur le territoire de leurs rivaux, les éliminer. Comme les économies d'échelle sont inexistantes, elles ne développeront pas les installations qu'elles possèdent déjà. Mais elles créeront de nouveaux établissements, parallèles aux anciens dans les secteurs les plus doués. Si les facteurs de production sont mobiles, l'intégration provoque une concentration de l'activité dans les régions riches.

Lorsque les facteurs de production sont immobiles, la situation demeure plus complexe. Les entreprises qui utilisent des matières premières plus chères peuvent soutenir la concurrence, car elles peuvent bénéficier d'une main-d'œuvre meilleur marché et maintenir les taux de profit à un niveau acceptable. Ainsi, en l'absence de progrès techniques, le commerce interterritorial n'introduit pas trop de difficultés. Les zones défavorisées jouent sur le prix de la main-d'œuvre. Une bonne stratégie économique peut même leur permettre de triompher de régions mieux placées.

Dans un certain nombre de cas, les ressources naturelles sont réparties de manière relativement uniforme dans l'espace économique. Dans le monde pré-industriel, il en allait ainsi pour les activités qui utilisaient comme base de leur transformation

(35) Les études menées sur ce problème de concurrence spatiale sont nombreuses. Lorsque les différences de coût de transport sont faibles d'un point à un autre du territoire, les conditions sont réunies pour qu'apparaisse une concurrence spatiale jouant plus sur la qualité des produits que sur leur prix. On trouvera une discussion générale du problème dans PONSARD (Claude), *Économie et espace, op. cit.*, cf. pp. 18-114.

le bois, l'eau, ou certains produits agricoles. Que la mobilité des facteurs soit parfaite ou qu'elle soit imparfaite, l'allongement du circuit économique ne se traduit alors pas, en l'absence de progrès techniques et d'économies d'échelle, par une redistribution géographique importante des activités. Ce qui se transforme, ce sont les forces respectives des échangistes. Les producteurs ne peuvent plus compter sur de confortables monopoles territoriaux. Ils entrent en concurrence et la mobilité des biens rend plus parfait le fonctionnement des marchés, car elle donne aux acheteurs un pouvoir de choix plus grand : ce sont eux qui sont les grands bénéficiaires de la transformation. L'effet géographique n'est pas localisé, il est global. La concurrence plus vive conduit les producteurs à faire un effort plus grand pour fournir des articles de qualité. A défaut de progrès quantitatif, l'élargissement géographique des zones de marché assure l'amélioration de la civilisation matérielle. On a souvent remarqué, en France, que le XVIIIe siècle apparaît dans la plupart des campagnes comme une période où les constructions sont particulièrement soignées, les arts, les costumes populaires plus développés que jamais; on sait aussi combien les conditions de vie étaient dures pour la plus grande partie des manouvriers et des travailleurs. Le paradoxe apparent de la pression accrue sur les ressources, du paupérisme et de la qualité des articles fabriqués trouve là son explication. Jamais un système n'a été aussi bien fait pour permettre aux privilégiés qui disposent de revenus confortables d'imposer des règles de qualité, d'élégance et de goût aux producteurs (36).

La baisse des prix des transports affecte à la fois le prix des matières premières et celui des produits fabriqués.

Lorsque les progrès dans les conditions de transport sont tels que les matières premières pondéreuses peuvent être expédiées au loin, les conditions de localisation de l'activité économique se trouvent transformées d'une manière toute différente de celle que nous avons analysée jusqu'à présent. Dans tous les exemples que nous avons évoqués jusqu'ici, les circuits économiques demeu-

(36) La baisse des tarifs de transport des produits fabriqués peut, par ce biais, peser sur l'avenir économique en favorisant la recherche de la qualité, ce qui stimule la recherche et l'innovation.

raient relativement simples. Ils ne se compliquaient qu'avec le temps, l'épuisement des ressources faciles à exploiter, et la surpopulation progressive de certaines régions; l'accumulation de population pouvait faciliter l'apparition d'économies externes et l'épanouissement de circuits nouveaux, selon un processus d'action et de réaction qui est à la base de tous les effets de polarisation : le facteur essentiel dans la répartition de l'activité demeurait la richesse des ressources naturelles ou l'absence de mobilité des facteurs de production. Les économies externes apparaissaient comme des phénomènes seconds, dépendant d'une évolution d'ensemble où le déterminisme des dotations était essentiel.

Avec la baisse générale des prix de transports, tous les éléments de l'équilibre des localisations se trouvent modifiés. Si les ressources sont également réparties, comment se placer pour s'assurer les avantages les plus grands? Les firmes installées au centre du marché seront les mieux placées pour se ravitailler à bon compte et pour atteindre la clientèle. Leurs chances sont bien supérieures à celles des entreprises périphériques. La première entreprise qui s'installe au centre bénéficie d'un avantage. La seconde qui cherche une localisation optimale pourra venir se placer au même point : elle y aura les mêmes satisfactions que la première et y trouvera une faculté d'accès au marché déjà renforcée, puisque la région centrale est déjà plus peuplée. Ainsi, au fur et à mesure que le temps passe, ces conditions donneront de plus en plus d'avantages aux localisations centrales : le jeu des économies externes renforcera leur position au fur et à mesure qu'elles attireront une proportion plus grande des producteurs et partant des consommateurs (37).

Si les différences de fertilité ou de dotation sont plus sensibles, les entreprises les plus avantagées seront parfois celles qui se trouvent à proximité des gisements ou des régions les plus riches. Le rôle des inégalités dans la dotation physique demeure important pour qui veut comprendre la répartition des activités économiques. La tyrannie exercée par les ressources sur les loca-

(37) La théorie des lieux centraux fait appel, sans que cela soit toujours clairement précisé, à un jeu d'économies externes de ce type : sans elles, la superposition en un même point du centre des aires de marché ne se produirait pas; si elles présentaient un caractère cumulatif, elles aboutiraient à une concentration croissante des activités de services dans les villes les plus importantes.

lisations cède déjà pourtant un peu. Si la région riche est périphérique et relativement peu peuplée, les producteurs bénéficiant d'une centralité plus grande pourront lutter victorieusement contre elle. A l'inverse, si l'accumulation humaine dans les zones fertiles est très importante, la géographie du marché s'en trouve modifiée : le centre de gravité économique peut différer beaucoup du centre géographique. Il se trouve à l'intérieur ou à proximité de la zone dont le peuplement s'est renforcé depuis longtemps. Les économies externes viennent relayer l'influence des forces traditionnelles de répartition et expliquent que les activités se moulent dans le cadre hérité de la période précédente.

Tant que les économies demeurent peu progressives, le poids des contraintes physiques demeure dans l'ensemble directement ou indirectement important dans la géographie de la localisation. Lorsque le travail et le capital sont mobiles, les seules ressources qui contribuent de manière décisive à modeler la géographie économique sont celles qu'offre la nature. Lorsque le travail devient immobile, il est une ressource qui caractérise telle ou telle région, au même titre que la terre ou que les bassins miniers. En l'absence d'économies d'échelle, les caractères des circuits économiques sont relativement stables. Les produits et les services demandés ne subissent que peu de modifications avec le temps. Le détour de production est court. Les économies territoriales ne comportent que peu de circuits. Lorsque le progrès des communications permet d'allonger les circuits, des effets nouveaux apparaissent, les économies externes se manifestent, les zones bien placées pour desservir tout le marché ou celles qui sont peuplées depuis longtemps, attirent une large part des activités. Leur économie se caractérise par un nombre d'éléments de circuit plus important que dans les zones périphériques. La différence demeure faible, pourtant, car les conditions de la vie économique ne se sont pas encore modifiées. Les circuits économiques sont plus longs, mais ils demeurent peu nombreux. En l'absence de progrès technique, dans une société dominée par le jeu des coûts croissants, les économies territoriales demeurent peu complexes et l'abaissement du coût des transports a tendance à faire perdre aux différents territoires l'unité qu'ils devaient au fait que la plupart des boucles du circuit se refermaient sur elles-mêmes.

Avec le progrès technique, les conditions de détermination de l'équilibre des économies territoriales se sont trouvées totalement bouleversées.

IV. — L'ÉQUILIBRE DES ÉCONOMIES TERRITORIALES DANS UNE CIVILISATION OU LE JEU DU PROGRÈS TECHNIQUE REPOUSSE LE POINT D'APPARITION DES COÛTS CROISSANTS.

A partir du moment où l'utilisation du machinisme a permis de rendre sans cesse plus efficace le travail humain, les niveaux de production à partir desquels commencent à se manifester les coûts croissants se sont élevés. A un instant donné, pour un état donné de la technique, il existe une limite aux rendements croissants, mais cette limite se trouve sans cesse repoussée par le jeu du progrès (38). La transformation est inégale. Elle touche les secteurs les uns après les autres, laisse certains domaines stables durant de longues périodes, puis les bouleverse en quelques années.

Deux séries de conséquences apparaissent au plan de l'analyse économique globale que nous menons. Chaque progrès particulier se traduit tout d'abord par un allongement de la portée des biens. Lorsque l'on réussit à mettre au point de nouveaux procédés, que l'on obtient des économies d'échelle, le prix de revient plus faible des produits allonge, toutes choses étant égales d'ailleurs, l'aire de vente. Ainsi, le progrès technique multiplie les tendances à l'intégration. S'il n'était mis des freins à cette évolution, certains circuits tendraient à s'élargir de la sorte à la dimension des nations, des groupes de nations, du monde entier. C'est chose faite depuis longtemps pour beaucoup de produits. Mais l'élargissement des circuits se trouve contrebalancé par le second effet global du progrès, à savoir la multiplication des circuits et la complication croissante des structures spatiales de l'économie.

Le progrès technique a des effets profonds sur la structure d'ensemble de la machine économique. Il permet de satisfaire plus facilement les besoins élémentaires. La quasi-totalité de l'humanité était autrefois occupée à produire des objets de première nécessité. Les consommations de biens et de services de

(38) On trouvera des indications détaillées sur le jeu des rendements croissants dans WICKHAN (Sylvain), *Concentration et dimensions, op. cit.*

luxe étaient réservées à une petite minorité. L'augmentation des niveaux de vie se traduit par la diversification des besoins, par la multiplication des productions. Les éléments du circuit économique sont plus nombreux, leurs rapports deviennent plus complexes au fur et à mesure que la division des tâches se généralise, que le nombre de ceux qui se spécialisent dans la fourniture des équipements de base et des demi-produits augmente.

Ces nouveaux circuits de production sont souvent longs. Ils le doivent à la valeur des produits et à la facilité qu'il y a à faire voyager les matières premières et les objets fabriqués. Ils confondent souvent leurs boucles sur une fraction de leur tracé, car le jeu des économies externes se joint alors à celui des économies d'échelle. La partie vitale du processus de production se trouve limitée à un petit espace où les circuits viennent se nouer en écheveaux complexes.

La consommation nécessite des services de plus en plus nombreux et qui s'inscrivent dans des aires dont le rayon ne s'accroît guère : aussi le mouvement d'allongement des circuits n'est pas absolument général. Il est en partie combattu par l'apparition de boucles nouvelles, par nature plus courtes que celles qui caractérisent la circulation des biens de production (39).

Les effets de l'intégration et de la concentration géographiques des circuits.

L'allongement des circuits a tendance à faire perdre aux économies territoriales leur identité, en détruisant les structures d'échanges sur lesquelles étaient bâties leurs propriétés d'ensemble, leur pouvoir de réaction au monde extérieur. La multiplication des circuits et plus spécialement celle des circuits courts, a tendance au contraire à conserver ou à recréer sans cesse de nouvelles structures territoriales globales. Qu'est-ce qui va l'emporter des deux tendances?

L'allongement des circuits économiques permet à chaque producteur de s'adresser à des sources de ravitaillement plus lointaines et lui donne le pouvoir de prospecter des marchés plus larges. La liberté d'implantation de l'entreprise se trouve de la sorte accrue. Comment va-t-elle en tirer profit?

(39) Nous reprendrons l'analyse de ce problème en abordant l'étude des structures régionales, dans la seconde partie de cet ouvrage.

En l'absence de progrès technique, nous avons vu que cette liberté se traduit par une concentration dans les zones bien faites pour desservir l'ensemble du marché — les zones centrales, au sens géographique, ou plus souvent encore, économique du terme. Des économies externes apparaissent, puisque les entreprises se créent les unes aux autres des marchés et que les frais d'accès à l'ensemble de la clientèle se trouvent ainsi minimisés. Ce processus ne peut suffire à provoquer la poursuite indéfinie du mouvement de concentration géographique si les tarifs de transport continuent à baisser, car les charges de distribution diminuent sans cesse pour l'entrepreneur, ce qui finit par limiter l'efficacité des économies externes. Sans le jeu des économies d'échelle, sans les effets de transformation des structures associées au progrès, l'avantage de la concentration disparaîtrait rapidement. En facilitant la diffusion de l'information, le jeu de la recherche, en précipitant le progrès technique, en assurant une gamme de services plus nombreux, en abaissant leurs coûts, en multipliant les économies liées et les économies d'échelle, l'agglomération se trouve assurée des avantages supplémentaires à l'entrepreneur. Plus le nombre des circuits est grand, plus leur jeu est complexe et plus les chances pour qu'un effet se répercute dans tout le circuit économique se trouve accru (40).

Ainsi, dans la dynamique économique, un nouveau phénomène est apparu : la concurrence spatiale est moins que par le passé une concurrence d'individus — elle est une concurrence entre ensembles territoriaux, entre zones économiquement structurées.

En l'absence de progrès techniques, l'analyse de l'équilibre des localisations peut se mener au niveau de l'entreprise. Avec la multiplication des effets globaux, ce n'est plus possible.

L'allongement des circuits économiques a tendance à provoquer la diffusion à l'infini des impulsions données à un élément du circuit — et du même coup aussi, à amortir leurs effets. La multiplication des boucles courtes associées limite au contraire la diffusion dans l'espace, mais amplifie l'effet local. Toute la dynamique de la croissance dans l'économie progressive peut se

(40) Nous définissons là l'effet de polarisation. Au lieu de donner une place exclusive aux structures de domination, nous préférons mettre clairement en évidence, tout ce qui, dans son explication, relève de l'architecture spatiale du circuit économique.

résumer à cela : qu'est-ce qui va l'emporter, des effets de concentration ou des effets de diffusion des impulsions? L'expérience montre que l'évolution est plus rapide là où ses effets ne se dispersent pas trop. Les transformations structurelles, qui accélèrent le rythme de l'évolution y prennent place plus vite et se succèdent sur un rythme plus rapide.

Ainsi, la multiplication des circuits locaux, des boucles courtes donne un avantage aux points de concentration de l'activité. Les économies externes et les économies d'échelle y assurent des bénéfices réguliers aux entrepreneurs et leurs permettent d'investir et d'accélérer la transformation. Cette évolution dynamique trouve pourtant une limite : à trop vouloir limiter la diffusion de l'effet, on finit par réduire les possibilités que l'on a de réaliser des économies d'échelle. Si celles-ci ne viennent plus appuyer de leur poids les économies externes, le dynamisme du système se trouve altéré. Les modifications structurelles se heurtent à des obstacles plus nombreux et les producteurs n'ont pas les mêmes incitations à bousculer les obstacles. On voit donc comment la dynamique du progrès permet de définir des dimensions optimales d'espaces économiques.

Allongement et diversification des circuits apparaissent liés de manière plus subtile qu'il n'apparaissait à première vue : les deux phénomènes sont antithétiques, opposés, mais leur déroulement est lié. Faute de possibilité d'intégration territoriale progressive, le dynamisme disparaît. Faute de transformation structurelle, d'apparition de nouveaux besoins, de nouvelles boucles, la transformation économique s'amortit très vite. Ainsi, la croissance résulte d'un équilibre fragile et sans cesse modifié entre les tendances à l'intégration croissante et les tendances à l'enrichissement de la structure des circuits en un même point (41).

Il semble donc qu'il doive exister à chaque moment un rapport optimum entre la dimension des circuits économiques : la proportion des boucles courtes, des boucles moyennes, des boucles longues évolue par suite de l'abaissement des coûts de production, de la baisse des coûts des transports et des transformations de structure qui leur sont liées. La croissance est entretenue par

(41) Dans l'économie moderne, il n'est pas possible d'isoler les problèmes spatiaux des autres : le problème de la croissance a une dimension géographique que l'on a longtemps négligée et que les théoriciens de l'intégration s'efforcent de préciser depuis une quinzaine d'années.

les effets de mutation renouvelée de la nature des consommations, mais celle-ci n'est possible que dans un cadre où l'initiative est stimulée. Une structure spatiale rigide favorise jusqu'à un certain niveau le développement, en facilitant les effets en chaîne. Lorsque la dimension du marché devient trop faible et que les économies d'échelle cessent d'apparaître, l'évolution perd un de ses moteurs. L'économie territoriale étouffe.

Ce blocage peut se produire à différents niveaux : pour les marchés de produits manufacturés, à l'échelle de la nation, pour les marchés de service, à l'échelle de la région. La dialectique de l'espace et de la croissance se reproduit selon des thèmes analogues sur plusieurs étages.

Les enchaînements de la croissance et les causes initiales des déséquilibres territoriaux.

Tant que les moyens de production évoluent peu, que les rendements deviennent décroissants à un niveau constant et assez bas, le facteur essentiel de localisation des activités économiques était représenté par la localisation des ressources naturelles. En évitant l'émigration de leur main-d'œuvre, et accessoirement, de leurs capitaux, les régions apparemment mal douées pouvaient, sous certaines conditions, entrer en compétition avec les pays fertiles. Elles étaient riches d'une ressource dont le rôle était assez symétrique à celui de la terre et du capital.

Avec la mobilité accrue des choses et des hommes, les liens qui unissaient l'activité aux ressources se sont distendus. Comment s'opère donc la répartition des tâches? Comment naissent des concentrations d'activité dont le dynamisme interne constitue une des données essentielles de l'analyse moderne? Nous l'avons vu, la position centrale est souvent favorable, car elle permet de minimiser certains frais de transport et de bénéficier au maximum du jeu des économies d'échelle.

En fait, la croissance est déterminée essentiellement par le volume de l'investissement effectué dans un secteur. Si dans une économie traditionnelle, l'explication de la croissance peut être recherchée aussi bien du côté de la dynamique de l'épargne et de l'investissement, que du côté de la géographie des coûts de production et des prix, c'est que ce sont les coûts et les prix qui déterminent les marges bénéficiaires, les taux de profit, les salaires et les opportunités pour les investisseurs.

Dans l'économie moderne, les enchaînements sont moins clairs Les investissements se font là où les possibilités de gain sont les plus élevées, mais ces possibilités dépendent bien davantage des accumulations que des répartitions de ressources et des trames physiques. Ainsi, la croissance est-elle beaucoup plus que par le passé dépendante d'effets historiques. Elle traduit beaucoup plus la volonté des groupes et les résultats dépendent des stratégies adoptées.

A partir du moment où un certain seuil est atteint, la présence d'une masse suffisante d'hommes et de matériel crée des conditions telles que la rentabilité des nouvelles installations a, *a priori*, beaucoup de chances d'être supérieure à celle qui existe à l'extérieur. Aussi, les actions qui assurent, à un moment donné, un avantage quelconque à une contrée peuvent être grosses de conséquences futures (42). Le pouvoir de déplacer l'épargne, de contraindre l'investissement à prendre certaines formes, de le fixer à certains niveaux, de l'implanter dans certaines localités devient un des éléments essentiels de l'explication de la croissance. Les possibilités d'action monopolistique sur le marché, celles d'influer par effet global sur le niveau des revenus du territoire ou du monde extérieur apparaissent souvent comme les seules causes efficientes de la localisation et de la croissance.

Les avantages acquis sont plus importants que par le passé, mais la possibilité que l'on a de jouer, de contraindre, garantit à la géographie des localisations une certaine souplesse. Des zones peuplées, équipées peuvent se trouver frappées de décadence, pour s'être fourvoyées dans leur choix ou pour être victimes de spécialisations qui ne sont plus les meilleures, par suite des mutations de structure de la consommation (43).

(42) Cela signifie, pour employer d'autres mots, que le développement ne peut s'expliquer tout entier par des mécanismes, c'est-à-dire des automatismes. Il est, pour reprendre la juste expression d'Albert Hirschman, le résultat d'une stratégie. Les aspects spatiaux n'en sont pas toujours analysés avec suffisamment de fermeté dans les travaux des économistes.

(43) La stagnation et la régression qui frappent certaines régions autrefois riches, prospères et bien équipées démontrent que les enchaînements de croissance ne sont pas déterminés uniquement par leurs dimensions, par leurs accumulations passées. Les modifications incessantes de la structure de la production rendent nécessaires les adaptations répétées. Les unités de grande taille ont souvent plus de liberté pour se reconvertir, bénéficient de meilleures possibilités pour promouvoir le progrès, pour s'assurer de nouveaux profits. Elles ne savent pas toujours tirer parti de ces avantages.

Les territoires d'économie complexe et les zones extérieures.

Lorsque les facteurs de production sont mobiles, les avantages de la concentration produisent une évolution très simple. Les zones centrales d'un grand ensemble territorial, ou les régions qui ont connu un avantage initial par suite de leur densité de population plus grande, de leur fertilité plus forte, de leur influence politique plus efficace se trouvent être de plus en plus attirantes. Les zones périphériques se vident petit à petit. Elles ne gardent que la population nécessaire à l'exploitation des ressources naturelles consommées par la région d'économie dynamique. Leur production peut augmenter, au fur et à mesure que la demande de produits primaires augmente. Elles sont étroitement spécialisées dans la fourniture de produits dont l'importance relative décroît dans l'économie, dont la production se rationalise et se fait en utilisant de moins en moins de main-d'œuvre. Le processus de désertification se poursuit, alors même que la production augmente. Petit à petit, les conditions de vie dans les zones périphériques se font plus difficiles. Les besoins de service sont plus mal satisfaits, les équipements moins rentables.

En l'absence de toute contrainte initiale, l'économie mondiale pourrait ainsi évoluer vers une situation où toute l'activité se concentrerait dans un même foyer et où le reste du monde se contenterait de produire, aux moindres frais, et avec le moins de main-d'œuvre possible, tout ce qui est nécessaire comme produits primaires incorporant beaucoup de facteur terre.

La réalité est un peu différente. Si les séquences de concentration sont fréquentes là où les mouvements de facteurs de production sont libres, certaines réactions se produisent en sens inverse. Lorsque la dimension du secteur d'économie dynamique est trop réduite, le processus de croissance se trouve ralenti ou bloqué à partir du moment où les économies d'échelle deviennent plus rares. Comme dans le cas de l'économie où le progrès technique est négligeable, il semble qu'après une phase où la concentration domine, il y ait place pour une phase d'élargissement. Mais cet élargissement est bien plutôt un élargissement économique du marché qu'un agrandissement de l'espace vivifié et utilisé directement à des fins productives.

Aussi, une poussée démographique vigoureuse est souvent plus importante, pour rompre des effets d'inhibition ou de stoppage, qu'un simple report des frontières économiques. Les brusques immigrations dont ont été victimes certains pays européens par suite de l'afflux de réfugiés, leur ont permis de franchir un certain nombre de seuils et de croître à un rythme extrêmement rapide (44).

La phase de décontraction qui suit la période de contraction absolue ne se présente absolument pas comme dans les économies préindustrielles. Il ne s'agit plus de mettre en valeur toutes les ressources, par une occupation de plus en plus large de l'espace. Un minimum de population dispersée permet de fournir à la totalité de l'économie tous les biens primaires dont elle se nourrit, mais qui l'occupent de moins en moins.

L'élargissement est donc purement économique. Ce sont les dimensions du marché qui doivent s'ouvrir et ceci peut très bien se faire sans qu'il y ait déconcentration des activités. Il suffit que plusieurs zones vives se trouvent englobées dans le même ensemble pour que l'effet recherché soit obtenu (45).

Le processus de concentration peut cependant trouver une limite géographique. Il est certain qu'à partir d'un certain seuil, des déséconomies externes font suite aux économies du même nom. Il y a plus de cinquante ans que les spécialistes ont essayé d'établir à partir de quel niveau de population les villes engendraient normalement de tels faits de déséconomies (46). Leurs résultats sont contradictoires et n'inspirent guère confiance. Les premiers fixaient l'optimum vers 30.000 habitants. Beaucoup le placeraient plus volontiers aujourd'hui au voisinage du demi-million. Mais les mots ne recouvrent plus les mêmes réalités et

(44) L'afflux des réfugiés a stimulé l'économie de l'Allemagne fédérale pour plusieurs séries de raisons. Deux nous semblent significatives dans l'optique où nous nous plaçons. La demande finale s'est accrue constamment, le marché de consommation s'est élargi. L'immigration de cadres et de personnel qualifié a fait sauter les obstacles à l'innovation que les groupes stables secrètent.

Le reflux des Français d'Afrique du Nord n'a pas suscité de poussée de la demande aussi vigoureuse. Il a eu des effets plus spectaculaires en élargissant la société soucieuse de nouveauté et de croissance dans les régions du Midi.

(45) C'est ce qui se passe lorsque l'on réalise une union douanière, une zone de libre-échange ou un marché commun.

(46) La critique de la civilisation urbaine contemporaine, qui est à la base des projets de cité-jardin d'Ebenezer Howard, le conduit à chercher quel est l'optimum de dimension : la concentration est nécessaire à l'épanouissement de la production moderne, mais elle ne doit pas empêcher le contact avec la nature. L'équilibre le meilleur paraît alors atteint pour des agglomérations de petite dimension.

l'agglomération d'un demi-million d'habitants est incomparablement plus étalée, plus déconcentrée que la petite ville du début du siècle. Quelles que soient les hésitations de la théorie, on peut admettre qu'il existe comme pour les activités productives un niveau optimum; au-delà, les rendements sociaux décroîtraient, comme décroissent les rendements des usines au-delà d'une certaine dimension. Et comme dans le cas de l'usine, la taille optimale pourrait se modifier au gré du progrès technique et des modifications de la vie économique (47).

Il est possible que le jeu des déséconomies limite effectivement la tendance à la concentration. Il y aura alors non plus un noyau de croissance à développement indéfini, mais des noyaux dont la répartition serait assez indifférente aux conditions physiques, les distances et l'espacement également. Ils s'insèreraient au cœur d'un espace devenu presque vide. Mais au lieu d'avoir un gros noyau au milieu d'un espace déshumanisé, il aurait des chapelets ou des grappes de centres. C'est là un des domaines où la théorie géographique est la plus indécise (48), car les données sont fluctuantes et les contraintes difficiles à définir et à expliciter.

Lorsque la suppression des obstacles politiques à l'intégration mettent en présence plusieurs zones de forte activité au sein de régions plus ou moins vidées, la disposition obtenue est peut-être plus satisfaisante que celle qui résulterait d'une concentration continue et massive sur un seul ensemble territorial (49).

(47) On consultera à ce propos : PINCHEMEL (Philippe), VAKILI (A.), GOZZI (J.), *Niveaux optima des villes. Essai de définition d'après l'analyse des structures urbaines du Nord et du Pas-de-Calais*, Cérès, cahier n° 9. Lille, Fac. Droit, 1959, 118 p.

La tendance générale chez les planificateurs régionaux a été, durant les quinze premières années de l'après-guerre, de restreindre la croissance des grandes métropoles (Paris, Londres ou Moscou), que l'on jugeait particulièrement onéreuse. Le mouvement naturel de la population et l'afflux des immigrants ont eu raison des fragiles barrages. On a fini par admettre que les déséconomies étaient moins graves qu'on ne les avait imaginées.

(48) La géographie des villes tenait ses régularités du jeu des effets de centralité, qui créaient un rapport dimensionnel précis entre la ville et la région. Lorsque celle-ci cesse d'être un marché, lorsqu'elle n'est plus qu'un exutoire, qu'un poumon, les contraintes spatiales se transforment totalement. Nous y reviendrons dans la seconde partie.

(49) Les espaces économiques nés de l'intégration de plusieurs territoires auparavant indépendants, conservent généralement plusieurs noyaux dynamiques : l'équilibre d'ensemble apparaît meilleur.

Les enchaînements de croissance et l'immobilité des facteurs de production.

Lorsque les facteurs de production sont immobiles, les conditions d'évolution se trouvent modifiées. Les pays qui ne bénéficient d'avantages initiaux dus à leur centralité, à leur dotation en facteurs divers, à leur équipement accumulé, peuvent essayer de se défendre en limitant les effets de désertification liés à la croissance des centres. Nous avons vu comment la théorie des coûts comparatifs justifiait l'intérêt et l'efficacité de pareilles politiques. Dans les économies préindustrielles, des équilibres stables pouvaient s'établir de la sorte.

Quels sont maintenant les résultats d'une politique d'isolement qui interdit les migrations de main-d'œuvre et limite les mouvements de capitaux? Il est vain de vouloir, dans le pays mal doué, attirer les équipements venant des régions dynamiques : les profits que l'on peut obtenir sont généralement moins importants que dans les zones plus actives, car il manque ici les effets d'économies externes et d'économies d'échelle combinés qui font le dynamisme des grands centres.

Le problème qui se pose à ceux qui veulent assurer l'immobilité des capitaux, ce n'est donc pas d'éviter leur afflux, mais bien au contraire de conjurer leur fuite et de favoriser leur formation. La chose demeure possible tant que la différence entre les niveaux techniques de la région avancée et de la zone périphérique est faible. Grâce à la rémunération plus faible du facteur travail on arrive à dégager des profits élevés en région périphérique. Mais si les produits sont livrés au commerce international, l'évolution est généralement défavorable à long terme. Sur les marchés de matières premières, les pays périphériques voient les prix baisser relativement à ceux des produits fabriqués qu'ils importent. Ils sont donc en position de plus en plus difficile pour s'assurer une épargne indigène solide. Ils peuvent essayer de sauver la situation en réduisant la rémunération de la main-d'œuvre. Ils réduisent du même coup le marché potentiel intétieur, découragent l'épargne ou l'incitent à aller s'investir à l'extérieur (50).

(50) Sur les cercles vicieux du sous-développement, nous renvoyons aux analyses de Ragnar Nunkse, de Benjamin Higgins, de Jacques Austruy et d'Yves Lacoste.

La dissymétrie des économies en présence se traduit donc, au plan de l'évolution de longue durée par une diminution progressive du pouvoir d'investir dans l'économie périphérique. En limitant la rémunération de la main-d'œuvre, on peut obtenir une compensation provisoire au déséquilibre, mais on manque de moyens qui assureraient un rééquilibre de longue durée. A terme, la situation devient insoutenable. La réduction des rémunérations du facteur travail a des limites. L'économie sous-développée devient incapable de soutenir les conditions de l'échange avec l'extérieur. Elle évite la désertification qui frappe les zones périphériques dans le cas où la mobilité des facteurs, de la main-d'œuvre en particulier, intervient. La population continue à s'accumuler sur place. Mais le territoire n'en est pas moins rejeté hors des circuits de l'économie moderne. Celle-ci exploite certaines ressources primaires qui lui sont nécessaires, mais il s'agit, sur le territoire d'un pays étranger, d'enclaves de l'économie maîtresse bien plutôt que de foyers de développement interne. La modernisation des équipements, les progrès de la productivité permettent de réduire constamment la main-d'œuvre utilisée dans ce secteur d'exportation : la base d'association entre les zones périphériques et les zones riches se réduit avec le temps (51).

L'immobilité des facteurs de production ne suffit plus à maintenir un semblant d'égalité entre les chances des divers territoires. Les artifices légaux, les contrôles, les politiques qui s'efforcent de donner vie aux pays marginaux se trouvent de la sorte frappés d'une sorte d'impuissance. Comme dans le cas précédent, la concentration laisse sans vie économique de vastes territoires qui n'ont pas pris le départ à temps.

La situation qui est ainsi créée tend à devenir explosive à partir du moment où la diffusion des informations économiques se fait mieux (52). Alors que dans le monde pré-industriel, les populations ne souffraient pas des différences de niveaux de vie qu'elles ignoraient ou sous-estimaient, les moyens modernes de communication, de publicité et de distraction font apparaître à tous des écarts insupportables. Les ouvriers et les employés des zones périphériques essaient d'obtenir des conditions de vie

(51) Nous retrouvons là les thèmes mis à la mode par les analyses de Singer et de Raùl Prebisch — mais présentés sous un aspect géographique.

(52) Le problème du sous-développement doit une partie de sa gravité aux effets de démonstration, pour reprendre l'expression imaginée par Duesenberry.

semblables à celles des zones centrales. S'ils parviennent à faire aligner leurs salaires sans que les conditions de la productivité et de l'équipement se soient modifiées, ils créent des situations inextricables : le petit pays ne peut résister à l'inflation — à moins qu'il ne laisse s'exiler ses excédents de population, et qu'il accepte, en fin de compte, d'opter pour la désertification.

La présence d'un noyau de population dense laisse pourtant à ces zones périphériques aujourd'hui contournées par les grands circuits économiques des chances de mutation qui manquent aux régions qui se sont totalement vidées. Qu'une période de pénurie de main-d'œuvre survienne dans la région centrale, que les déséconomies dues à la concentration apparaissent si graves que l'on cherche à opérer une déconcentration au moins partielle, et voilà des opportunités qu'il faut saisir, mais qui dépendent dans une large mesure des conditions de peuplement local. Dans une région totalement vidée de sa population, la création d'une économie complexe demande que l'on procède à une construction totale, à partir du néant. Les régions peuplées peuvent se développer à moindre frais. Elles offrent des possibilités d'économies externes. Il arrive par exemple que le niveau intellectuel de la population soit élevé, si bien qu'il est possible de recruter sans mal une main-d'œuvre relativement qualifiée. Si plusieurs initiatives de déconcentration se produisent au même moment, le développement de l'emploi dans le secteur moderne multiplie les revenus et déchaîne un jeu d'économies externes et d'économies d'échelle en chaîne.

Ainsi l'immobilité des facteurs de production est incapable de maintenir les régions périphériques dans les circuits mondiaux. Elle leur laisse quelques chances de s'y trouver réintégrées un jour : c'est en ce sens qu'elles se montrent relativement efficaces et capables d'appuyer le développement économique futur.

Lorsque le progrès technique introduit ou multiplie la mobilité des biens, les économies externes et les économies d'échelle, les conditions de l'équilibre interterritorial et de la croissance se trouvent totalement bouleversées. Les mécanismes de rééquilibre qui permettaient aux différents territoires de bénéficier de l'expansion de l'activité économique se trouvent faussés. Les avantages de certaines zones s'accumulent et cessent de reposer sur la simple distribution des facteurs physiques. Le processus de concentration apparaît irréversible.

Il ne semble pas logique de lutter contre de telles tendances, puisqu'elles assurent la croissance rapide que chacun souhaite. Et une analyse précise montre que les conditions modernes de l'équilibre géographique sont moins mauvaises qu'on ne pourrait le croire à première vue. Il est clair que le poids de la répartition des ressources physiques sera ou se trouve progressivement réduit : ce sont elles qui conditionnaient la dispersion. Cependant, des tendances divergentes se manifestent : celles qui naissent de la consommation directe de certains éléments locaux : le soleil, le climat, la vue. Pour en profiter, il faut vivre sur place. La mobilité accrue des biens permettra aux régions de beauté de trouver une puissance d'attraction qui leur était refusée dans un monde où l'économie n'était pas encore d'abondance.

La sujétion moins forte vis-à-vis des conditions de la localisation des ressources permet le développement de la concentration, qui se trouve avantageuse de toute évidence; elle se trouve pourtant limitée par l'apparition de certaines déséconomies. Le monde économique qui se dessine ne sera sans doute pas marqué par une tendance continue à la concentration. Une grande partie de l'espace demeurera peu humanisée, extérieure à la vie économique et aux circuits d'échange. Mais les noyaux de concentration seront plus nombreux et le nombre d'économies territoriales complexes se trouvera de la sorte progressivement accru. Leur répartition permettra à un plus grand nombre d'hommes de vivre dans le milieu qui leur plaît.

DEUXIÈME PARTIE

RÉGIONS, NATIONS, GRANDS ESPACES

La théorie des ensembles territoriaux met en évidence les enchaînements de la vie économique dans l'espace. Mais les compartiments que l'on observe sont plus complexes que ceux que la théorie isole. Au fur et à mesure que le progrès technique introduit des conditions nouvelles d'équilibre spatial, les cellules se modifient. Aussi, la même unité territoriale analysée à des moments différents ne s'explique plus par le jeu des mêmes forces. Lorsque l'on se tourne vers les unités concrètes, on doit sans cesse tenir compte de l'évolution de leur contenu avant d'utiliser de manière pratique les résultats mis en évidence par les démarches théoriques.

Quels sont les principaux étages de la réalité spatiale que signalent le langage et l'observation quotidienne? Trois niveaux sont nettement marqués : celui des régions, celui des nations, celui des réalités de grande dimension, zones monétaires, unions douanières, marchés communs. Il importe de voir à quoi correspondent chacun de ces types de construction spatiale, de marquer dans quelle mesure l'évolution du monde moderne accroît ou diminue leur importance, modifie leur autonomie, renforce ou désagrège progressivement leur structure. Les catégories acceptées par tous correspondent bien à des niveaux différents de la réalité. Mais elles ne sont peut-être pas assez fines pour tenir compte de toutes les nuances. Nous essaierons de les préciser au cours de notre analyse.

CHAPITRE VII

LES RÉALITÉS RÉGIONALES

Diviser l'espace en unités possédant une certaine individualité s'est fait de tout temps. La nécessité s'en est d'abord fait sentir sur le plan politique. Les États de grande dimension ont éprouvé le besoin de délimiter des ensembles confiés à une même autorité pour faciliter la tâche des administrateurs, assurer le transfert des ordres du gouvernement central jusqu'aux autorités locales et la diffusion des informations issues des parties périphériques du corps politique jusqu'au centre de décision central, dont le travail ne peut se faire de manière efficace si l'espace est trop peu transparent. Les formes prises par cette division de l'espace sont très diverses, selon les âges et selon les pays. Les limites retenues se sont souvent moulées sur des frontières de tribus, sur des obstacles physiques qui constituaient des barrières efficaces. La division de la Gaule en *pagi* s'appuyait de la sorte sur une série de marches frontières inhabitées et souvent forestières (1). Elles séparaient des groupes différents, fixés sur des zones aux sols pauvres, trop maigres ou trop humides pour tenter les défricheurs. Les divisions administratives mises en place au début de l'époque moderne n'avaient pas la simplicité et la cohérence de celles qui s'étaient dessinées au cours de l'Antiquité. Elles s'appuyaient sur les divisions du monde féodal, moins cohérentes, plus complexes. Elles se chevauchaient; leur rationalité pouvait être mise en doute.

Dans le courant du XVIIIe siècle, le nombre de personnes que l'arbitraire des divisions administratives heurtait s'accrut. On

(1) Le rôle des marches séparantes dans la formation des unités régionales a été souligné par Demangeon pour la Picardie, par Vacher pour le Berry. L'étude la plus systématique a été réalisée par DION (Roger), *Les frontières de la France.* Paris, Hachette, 1947, 112 p.

se mit à chercher s'il n'existait pas de principe universel pour assurer une division rationnelle de l'espace. On découvrit qu'il existait des unités de dimension moyenne, intermédiaires entre les petits districts agricoles et les nations et qu'elles possédaient une originalité indéniable. On prit ainsi conscience de l'existence de constructions spatiales auxquelles on donna de manière de plus en plus générale (2) le nom de région. Mais on mit longtemps à définir ce que l'on entendait exactement par ce terme, si bien que les réalités décrites ou ressenties sont souvent très différentes. Il est bon de retracer le mouvement de la pensée scientifique dans ce domaine pour bien comprendre la portée des distinctions retenues par la plupart des théoriciens. On pourra alors définir les catégories générales qui permettent de classer les individus régionaux observés et dresser un inventaire des principaux types d'espaces concrets, isolés par l'analyse.

I. — La prise de conscience des réalités régionales.

Il apparaît à beaucoup de géographes ou d'hommes politiques contemporains que les divisions administratives en province correspondaient à une échelle et à une trame d'unités bien adaptées par leur dimension à la vie économique moderne et demeurées vivantes. C'est ce qui justifie le choix du nom de vieilles provinces, pour un certain nombre des régions administratives mises en place en France depuis une dizaine d'années (3). Mais le sen-

(2) François de Dainville donne la définition suivante : « Une étendue de terre ou de pays « quelconque ». » Et il ajoute : « Le terme qui a précédé province en ce sens (en France du xe au xiie siècle)... au xviie et au xviiie siècle, les auteurs sont unanimes à entendre par région une grande étendue de terre habitée par plusieurs peuples contigus sous une même nation qui a ses bornes et ses limites, vg. région de Bourgogne » (Dainville (François de), *Le langage des géographes*. Paris, Picard, 1964, XXII, 384 p., cf. p. 277).

Dans la pratique habituelle, on utilise plus fréquemment, jusque dans le dernier tiers du xixe siècle, le terme de province. Son sens a depuis eu tendance à se restreindre quelque peu : il n'y a plus synonymie entre région et province. Thiébaut Flory analyse ce mouvement : les grands ancêtres du mouvement régionaliste, Proudhon en particulier, ne parlent que de province. Mistral, qui doit l'essentiel de sa doctrine fédéraliste au socialisme proudhonien, parle de région. Flory (Thiébaut), « Le mouvement régionaliste français. Sources et développements. » *Travaux et recherches de la Faculté de Droit et des Sciences économiques de Paris*, série « Science politique », no 6, Paris, P. U. F., 1966, XII, 131 p., cf. pp. 21-28.

(3) La superposition de la région économique et de la province historique est parfois presque parfaite : c'est le cas de la France de l'Est (Alsace, Lorraine, Champagne, Bourgogne, Franche-Comté). La coïncidence est également excellente pour l'Auvergne et le Limousin. Ailleurs, on a gardé le nom de la province là même où ses limites ne coïncident pas avec les circonscriptions modernes (Bretagne, Languedoc).

timent qui prévalait au XVIIIe siècle était très différent. Les dimensions très diverses des unités, le manque de précision des limites donnaient plutôt l'image de l'incohérence et beaucoup de bons esprits cherchaient s'il n'était pas possible de trouver un principe permettant de distinguer des ensembles plus harmonieux.

C'est dans le monde physique que l'on chercha d'abord à trouver les éléments stables permettant de tracer des limites. Philippe Buache proposa de s'appuyer sur les tracés des bassins fluviaux (4). Son idée connut un vif succès immédiat. Elle suscita des critiques de la part de ceux qui s'occupaient de géographie physique, car Buache avait des vues fort contestables sur les rapports du relief et des ensembles hydrographiques et confondait à tort ensemble montagneux et ligne de partage des eaux. La méthode n'était cependant pas dépourvue d'intérêt. Les bassins fluviaux constituent des unités d'aménagement qui marquent de leurs contraintes la vie pratique, si bien qu'il est souvent nécessaire de mouler certains services administratifs dans ces cadres naturels (5). Dans les régions au relief contrasté, il existe des complémentarités entre les diverses parties d'un bassin-versant. Les régions élevées sont forestées ou consacrées à l'élevage, cependant que les parties basses sont vouées à la culture, concentrent la plupart des villes et se livrent à l'artisanat. Lewis Mumford (6) s'est plu à rappeler que le bassin fluvial fournissait ses limites idéales à *La République* de Platon. Ce cadre naturel a permis la formation d'unités vigoureuses dans les régions montagneuses, celles du monde méditerranéen en particulier. Si Lewis Mumford a été sensible au rôle des bassins fluviaux dans *La République* de Platon, c'est qu'il est le lointain et indirect héritier de Buache. Les idées de ce dernier ont eu une influence durable et insoupçonnée en France. Sinon, aurait-on de la sorte donné des noms de fleuves ou de rivières aux départements? Les principes qui ont présidé au choix de leurs limites ont été très empiriques, les Constituants ont réussi à maintenir

(4) BUACHE (Philippe), *Essai de géographie physique, où l'on propose des vues générales sur l'espèce de charpente du globe composée des chaînes de montagnes qui traversent les mers comme les terres...* Hist. Acad. royale des Sciences, 1752. Mémoires de math. et de phys., pp. 399-416.

(5) L'exemple le plus célèbre est celui de la Tennessee Valley Authority.

(6) MUMFORD (Lewis), *A Story of Utopias.* New York, 1re éd., Boni et Liveright, 1922; 3e éd., Viking Press, 1962, 315 p., cf. pp. 29-56.

pour l'essentiel les frontières humaines consacrées par le temps, mais au niveau de la conception même de la nouvelle division administrative, le rôle des idées de Buache est indéniable (7). Dans le courant du XIXe siècle, beaucoup ont continué à voir dans les bassins fluviaux des unités naturelles à ne pas négliger dans le tracé des unités administratives. Frédéric Le Play fut marqué par ce courant de pensée et par l'intermédiaire de Patrick Geddes, la doctrine se répandit chez certains penseurs anglo-saxons, Mumford en particulier. Peut-être est-ce ce qui explique la mise en place rapide d'organismes de planification à l'échelle d'un bassin fluvial aux États-Unis et les recherches que ce thème a suscitées par la suite (8).

Dans la plupart des pays européens, la vogue de la théorie des bassins fluviaux fut cependant courte. Les géographes continuèrent à calquer leurs descriptions sur les limites administratives ou bien ils cherchèrent des principes de division naturelle plus rationnels que ceux proposés par Buache.

Le mouvement de réflexion dans ce domaine se développa pour une très large part en France. Les circonstances politiques s'y prêtaient puisque les structures administratives anciennes étaient particulièrement complexes et que l'on cherchait à mettre au point des divisions plus satisfaisantes. L'intérêt porté aux sciences naturelles devait favoriser le développement des travaux. En levant les cartes géologiques, on en vint petit à petit à sentir les correspondances profondes qui existaient parfois entre le milieu physique et les unités humaines. Avant même la tourmente révolutionnaire, on trouve dans les œuvres curieuses de Giraud-Soulavie (9) une description des ensembles naturels de la région du Vivarais. Il base sa division sur une appréciation des aspects de la topographie, de la végétation, de l'ensemble des caractères physiques des unités retenues. Il souligne que c'est la Nature qui est à l'origine des unités ainsi délimitées; il se

(7) Sur la formation de départements, l'analyse classique demeure celle de Brette (Armand), *Les limites des divisions territoriales de la France en 1789*. Paris, Cornély, 1907.

(8) Les géographes américains s'intéressent beaucoup au problème de l'aménagement des bassins fluviaux. On trouvera une mise au point récente sur les travaux entrepris dans White (Gilbert F.), « Contributions of geographical analysis to river basin development ». *Geographical Journal*, vol. 126 (4), 1963 pp. 412-432.

(9) Giraud-Soulavie (Abbé), *Histoire naturelle de la France méridionale*. Paris, 7 vol., 1780-1784.

trouve ainsi l'initiateur de toutes les études relatives aux régions naturelles.

Les héritiers spirituels de Giraud-Soulavie ou ses continuateurs plus ou moins inconscients sont des fonctionnaires de l'administration impériale, Omalius d'Halloy et Coquebert de Montbret (10). Leurs idées sont assez voisines. Ils s'appuient sur la géologie et c'est à partir d'eux que l'on va confondre les notions de région naturelle et d'ensemble homogène. Leur analyse se trouve prolongée par celles des géologues qui commencent à entreprendre la cartographie systématique de la France, d'abord de manière partielle, à l'échelle du département, comme de Caumont (11) pour le Calvados, et un peu plus tard à l'échelle de l'ensemble, avec Élie de Beaumont et Dufrénoy (12) auxquels on doit la première tentative de synthèse des travaux antérieurs. Ces divers auteurs furent frappés par l'accord souvent remarquable qui existe entre les limites géologiques qu'ils relevaient et les frontières de petites unités dont l'originalité était clairement perçue par les agriculteurs. La région naturelle était si clairement dessinée qu'elle était comprise, et vécue, par des gens sans culture; il semblait y avoir un accord à peu près parfait entre les unités naturelles et les ensembles humains.

Les analyses de la seconde moitié du XIXe siècle n'ont pas entamé les bases de la doctrine de la région que l'on doit aux naturalistes et aux géologues français. Les géographes la reprirent à leur compte. On la trouve à la base du *Tableau géographique de la France.* Vidal de la Blache demeura sensible à l'importance de ces unités naturelles jusque très tard (13). Il était pourtant conscient dès le début de son œuvre des divergences qui existaient entre les petites unités naturelles et les pays historiques,

(10) Pour plus de détails, nous renvoyons au premier chapitre de l'ouvrage de Lucien Gallois : l'évolution de la notion de région naturelle y est analysée avec précision. GALLOIS (Lucien), *Régions naturelles et noms de pays, op. cit.*, cf. pp.12-21 sur Coquebert de Montbret et Omalius d'Halloy.

(11) *Ibid.*, pp. 22-23.

(12) *Ibid.*, pp. 25-29.

(13) Vidal de la Blache utilise durant la plus grande partie de sa carrière une méthode d'analyse régionale qui s'inspire des principes posés par Élie de Beaumont et Dufrénoy. Les deux publications les plus importantes sous ce rapport sont : VIDAL DE LA BLACHE (Paul), « Des divisions fondamentales du sol français », *op. cit.* Reproduit comme introduction de VIDAL DE LA BLACHE (Paul) et CAMENA D'ALMEIDA (P.), *op. cit.* — VIDAL DE LA BLACHE (Paul), *Tableau géographique de la France.* Tome I de Lavisse, *Histoire de France*, Paris, Armand Colin, 1903. Réédition séparée en 1908.

tels que la tradition les révélait (14). Il est probable qu'il fut amené à remanier ses conceptions primitives à la suite de la publication de l'ouvrage de Lucien Gallois. L'étude menée sur la « région naturelle et les noms de pays (15) » marque un progrès essentiel dans les réflexions sur la région. Elle comporte un relevé minutieux de toutes les limites de pays historiques de la région parisienne. Celle-ci avait servi de modèle aux géologues pour la distinction des unités naturelles car les contrastes entre les sols sont très nets, souvent évidents dans le paysage. La topographie souligne le plus souvent les limites des terroirs. Les conditions sont idéales pour dessiner des compartiments aux contours simples. Les noms de pays sont nombreux et souvent populaires. L'enquête de Gallois, menée avec prudence et un souci remarquable de précision, se révéla très féconde. Elle montra que les noms de pays sont restés longtemps mal fixés, que les frontières ont fluctué au cours des temps; l'étude des documents historiques permet de mettre en doute certains des postulats sur lesquels reposait l'analyse menée par les géologues. Les pays coïncident rarement avec les unités naturelles. Ce sont les érudits et les naturalistes qui ont bien souvent restreint l'usage académique, si bien que l'on pourrait croire à l'exactitude de leur thèse, si on ne se livrait pas à une critique rigoureuse. Peut-être qu'à la longue, l'usage savant finira par prévaloir sur la tradition populaire. Quoique Gallois n'évoque pas cette éventualité, on peut se demander si la conscience populaire n'est pas devenue plus sensible aux différences de terroir et moins aux constructions historiques, depuis que la Révolution a balayé les vieilles divisions administratives et depuis que l'ouverture de l'économie des régions rurales a permis de tirer parti des moindres différences de fertilité, de climat, d'exposition pour le développement des productions spécialisées.

On est donc conduit à admettre que les unités naturelles sont différentes des pays qui se sont manifestés comme des cellules vivantes dans les différentes parties de la France. A la suite des

(14) La théorie de la région naturelle, Vidal de la Blache la reprend à son compte dans ses travaux pédagogiques. Mais dès ses premières publications, son allure est beaucoup plus libre et son interprétation plus nuancée lorsqu'il décrit un pays. Il accorde plus de place à la description des relations que nourrissent entre elles les régions, qu'à la délimitation de compartiments naturels. C'est particulièrement net dans VIDAL DE LA BLACHE (Paul), *L'Europe. États et nations autour de la France.* Paris Delagrave, 1889, XII, 567 p.

(15) GALLOIS (Lucien), *Régions naturelles...*, *op. cit.*

travaux de Longnon (16), on s'aperçoit que ces unités coïncident volontiers avec les *pagi* gallo-romains (17) et on voit le rôle essentiel de l'histoire dans leur formation. Les obstacles naturels ont évidemment eu leur part dans le choix des limites, mais l'unité est d'abord une construction humaine, une œuvre de l'histoire. Et, au début de ce siècle, certains auteurs mettent l'accent sur l'importance des régions historiques comme cadres essentiels de la vie humaine (18).

Dans la dernière partie de son ouvrage, Gallois essaie de dégager les enseignements que l'on peut tirer de son enquête. Il complète ainsi l'historique de la notion de région qu'il avait effectué au début du livre. Il dresse un catalogue des différentes catégories d'unités que livre l'analyse géographique. Il montre que toutes les constructions vivantes ne coïncident pas avec des unités naturelles. Il fournit des exemples de région industrielle, de région dominée par une grande métropole urbaine : les pays noirs, la région lyonnaise lui servent de modèle. Dès la publication de cet ouvrage, les géographes ont donc en main un inventaire des divers types de constructions spatiales qui ont en commun d'être plus petites que la nation, de posséder une certaine individualité, d'être souvent ressenties comme des entités par les gens qui les habitent ou par ceux qui se trouvent à l'extérieur. L'observation révèle donc progressivement la complexité des structures géographiques de moyenne dimension. L'ouvrage de Gallois a sans doute favorisé le développement des recherches régionales en France. Il a nourri la réflexion de bon nombre de

(16) Les travaux de géographie historique d'Auguste Longnon ne concernent pas directement l'analyse régionale. Mais ils révélèrent la stabilité de bon nombre de circonscriptions historiques anciennes — de là naquit tout un courant de réflexion qui permit de définir la notion de région historique.

(17) C'est entre 1890 et 1910 que s'élaborent la plupart des grandes notions de géographie régionale qui ont assuré le prestige des travaux de l'école française durant un demi-siècle. L'ouvrage de M. Thiébaut Flory (« Le mouvement régionaliste français », *op. cit.*) rappelle opportunément que le travail de réflexion géographique prend place dans un mouvement plus large : les thèmes du fédéralisme (Proudhon), de l'enracinement (Barrès) font redécouvrir les réalités régionales. Dans la fermentation intellectuelle qui marque cette période, on néglige souvent le petit livre de P. Foncin-Confus, partial, il est important car tous les thèmes y sont mêlés : la théorie de la région historique doit beaucoup à sa libre interprétation des résultats de Longnon. FONCIN (P.), *Les pays de France. Projet de fédéralisme administratif.* Paris, Armand Colin, 1898, 80 p.

(18) C'est Albert Demangeon qui, à notre avis, fit entrer la région historique dans la catégorie des grandes catégories de la géographie. DEMANGEON (Albert), *La plaine picarde : Picardie, Artois, Cambrésis, Beauvaisis. Étude de géographie sur les plaines de craie du Nord de la France.* Paris, Armand Colin, 1905, 495 p.

collègues, mais il n'a pas abouti à une remise en question aussi large que l'on aurait pu le croire. La responsabilité en revient à l'auteur lui-même, qui après avoir énuméré les diverses structures que révèle l'analyse de l'espace, rejetait du champ de l'enquête géographique celles qui ne se moulent pas sur des contraintes physiques (19). Aussi n'y a-t-il rien d'étonnant à ce que, longtemps, les géographes français ne se soient plus interrogés sur le contenu de la région, sur les principes sur lesquels reposent les divisions utiles ou possibles de l'espace. Ils ont accepté de choisir comme cadre d'étude des ensembles dont la personnalité et l'originalité sont retenues comme telles par les habitants. Ils ont fini par ne plus se soucier de la valeur du cadre et par ne plus voir dans la région qu'une échelle particulièrement commode pour analyser la réalité géographique.

Les meilleurs poussèrent plus loin leurs réflexions. Vidal de la Blache, soucieux de promouvoir une réforme administrative proposait de se guider sur les grands courants de la vie de relation et imaginait la division en grandes unités qui ne coïncident pas avec les ensembles naturels, mais qui s'articulent aux limites de zones d'influence des grandes villes françaises (20). Il utilisait pour la première fois le principe de nodalité et inventait la région économique au sens moderne du mot. Alors que la plupart des géographes français avaient accepté de se plier au cadre de la région globale perçue intuitivement pour composer la *Géographie universelle* dont le projet avait été formé par Vidal de la Blache et qui fut effectivement dirigée par Gallois, Demangeon essaya de poser sur des bases nouvelles son analyse de l'espace français (21). Son ouvrage comprend une triple série de divisions régionales. Il montre l'originalité de certaines parties de l'espace agricole de la France, l'unité de régions industrielles. Ce

(19) GALLOIS (Lucien), *Régions naturelles...*, *op. cit.*, cf. pp. 222-223 : « Je crois en effet que c'est dans la nature même qu'il faut chercher le principe de toute division géographique. » « Mais en réalité, c'est pour des raisons plus hautes qu'il faut s'en tenir aux divisions physiques. »

(20) VIDAL DE LA BLACHE (Paul), « Les régions françaises », *op. cit.* — ID., *La relativité des divisions régionales*, *op. cit.* — ID., *La France de l'Est.* Paris, Armand Colin, 1917, X, 280.

Les deux articles expliquent comment la France se divise en régions économiques et pourquoi leurs contours et leur allure se trouvent modifiés avec le temps. La France de l'Est utilise, pour l'analyse d'un même ensemble les cadres de la région naturelle, puis ceux de la région économique.

(21) DEMANGEON (Albert), *La France économique et humaine. Géographie universelle* publiée sous la direction de Paul Vidal de la Blache et de Lucien Gallois. Paris, Armand Colin, 2 vol., 1946-1949, 899 p.

sont là les parties les plus neuves et les plus intéressantes des deux tomes. Il met de la sorte en évidence des associations de forces productives, des groupements d'activités, qui se répartissent de manière ordonnée dans le territoire national. Il dégage le caractère peu évolué de l'industrie du Nord. Il montre la faible diversification métallurgique de la région lorraine. D'autres l'avaient fait avant lui, mais on n'avait pas systématisé ces recherches dans l'ensemble du pays. Demangeon analyse les caractères originaux de la métallurgie dispersée du Centre, ou encore des systèmes agricoles de régions comme celles de l'Ouest et du Centre-Ouest. Ces deux premiers types de division sont complétés par une analyse des principales villes et de leur rôle. Elles constituent la partie qui aurait subi le plus de modifications si le temps en avait été accordé à Demangeon. Il aurait sans doute complété les monographies urbaines par une analyse du rapport des villes entre elles. L'ouvrage tel qu'il est nous montre un Demangeon sensible à l'existence de trois types de régions en France, mais celles qui correspondent à l'aire d'influence des métropoles régionales ne sont pas aussi clairement saisies que les autres, ni aussi vigoureusement définies. Il manquait la floraison des travaux sur les aires d'influence, les réseaux urbains et la hiérarchie des centres que l'on a vu se produire depuis vingt ans pour qu'il ait pu aboutir à une analyse claire des structures économiques régionales (22).

A la même époque, cette conscience de la diversité des constructions régionales apparaît encore dans le manuel de géographie de *la France* pour la classe de première qui fut rédigé par MM. Cholley, Clozier et Chabot (23). Les cadres généraux retenus sont, comme c'est la coutume, des cadres physiques ou des cadres historiques — les premiers étant plus vastes que les seconds, par exemple le Bassin parisien d'une part, la Champagne, la Lorraine, la Picardie de l'autre. Mais il est des cas où les auteurs utilisent d'autres critères. L'opposition entre une Aquitaine maritime et une Aquitaine intérieure n'est pas seulement d'ordre climatique. Les contrastes s'expliquent par le rôle de la mer et des ports, qui ont ouvert l'économie de toute la région orientée vers Bordeaux

(22) Pour une mise au point sur ces directions de recherche : CLAVAL (Paul), « La théorie des lieux centraux. » Chronique de géographie économique. I. *Revue géographique de l'Est*, vol. 5, 1966, pp. 131-152.

(23) CHOLLEY (André), CLOZIER (René), CHABOT (Georges), *La France*. Géographie, classe de 1re. Paris, Baillère.

ou de celles qui commerçaient par les ports charentais ou basques. La partie dominée par Toulouse n'a pas réussi à s'intégrer de la même façon aux grands courants de l'économie d'échange. Elle est restée jusqu'à une date récente une région de polyculture de subsistance — elle l'est même devenue sans doute de plus en plus entre 1850 et 1950.

Dans le Sud-Est, les auteurs indiquent de la même manière qu'il existe, à côté d'une division indiquée par la trame physique très vigoureuse, une articulation autour de la grande métropole urbaine qu'est Lyon. Ce sont ces indications qui montrent le cheminement en France du courant de réflexion dont l'origine remonte à Gallois.

Dans les pays étrangers, la découverte de la réalité régionale s'est souvent faite à la suite des travaux des géographes français. Ce fut le cas pour les pays méditerranéens et dans une certaine mesure, pour les pays anglo-saxons. Là, l'influence française s'est combinée avec une influence allemande peut être moins vigoureuse.

Les pionniers allemands de la géographie avaient de bonne heure été attirés par l'analyse de la différenciation régionale de l'espace (24). Mais la réflexion sur l'espace à la manière de Ratzel conduisait plutôt à une analyse générale qu'à une recherche précise des caractères régionaux. L'audience de Ratzel ne fut jamais que partielle en Allemagne. Nombreux étaient les géographes qui refusaient d'admettre les prémisses de sa méthode. Le double sens du mot Landschaft, qui recouvre à la fois le paysage et la région, explique certaines orientations originales de la méditation de nos collègues d'Outre-Rhin. L'unité qu'ils reconnaissent aux ensembles est appréhendée globalement, à travers l'observation directe du paysage. Leur analyse conduit à une division en unités homogènes — en unités dans lesquelles les facteurs humains se combinent aux facteurs physiques. L'idée de région que dégage cette école est très voisine de celle que les géographes français se sont faits longtemps de la région naturelle. Les travaux qui ont abouti à la distinction dans le territoire allemand d'un ensemble cohérent de petites régions s'appuient sur l'ana-

(24) Richard Hartshorne a minutieusement analysé la conception de la géographie comme science de la différenciation régionale et ses origines germaniques. HARTSHORNE (Richard), « The Nature of Geography : a critical survey of current thought in the Light of the past. » *Annals, Association of American Geographers,* vol. 29, 1939, pp. 171-658.

lyse des paysages (25). On sait à quelles difficultés ils ont donné lieu (26) : les Allemands ont appris à ce propos que les divisions utiles au géographe se confondaient rarement avec les divisions naturelles.

Pour Hettner, le but de la géographie est de montrer comment s'effectue la différenciation régionale de l'espace terrestre. Mais le souci de conserver à la géographie son caractère de science idiographique fait considérer les régions comme des êtres originaux, si bien qu'il ne semble pas possible d'établir une classification générale. Tout ce que l'on peut espérer c'est une typologie. Là aussi un certain parallélisme se manifeste entre les conceptions allemandes et les conceptions françaises. Dans un cas comme dans l'autre, le fait de considérer la région comme un tout unique conduit à minimiser le rôle des études théoriques. A la limite, rien ne garantit contre la subjectivité de l'interprète qui pense saisir l'essence des êtres.

La géographie anglo-saxonne a puisé aux deux sources françaises et allemandes, mais elle a mis l'accent sur certains aspects souvent négligés ailleurs. Les principes de délimitation ont été analysés avec un très grand soin par un certain nombre de géographes américains, soucieux de trouver des méthodes objectives de régionalisation. Hartshorne a consacré ainsi une part importante de ses travaux à élaborer des méthodes scientifiques d'analyse des unités agricoles dans le monde (27).

Au total, et malgré les différences souvent fort sensibles entre les diverses écoles nationales, les géographes de la première moitié de ce siècle ont multiplié les analyses régionales; ils en ont fait le souci dominant de leurs travaux, mais ils n'ont guère développé la connaissance théorique de la région. Les économistes ont manifesté moins d'intérêt pour le sujet, mais ils ont fourni des éléments qui se sont révélés par la suite importants pour comprendre la structure de certains types de régions. Soucieux de comprendre le fonctionnement du circuit économique, ils ont montré l'importance des boucles régionales, comme Lucien

(25) *Handbuch der natürraumlichen Gliederung Deutschlands.* Heransgegeben von E. Meynen und J. Schmithusen, *Bundesanstalt für Landeskunde.* Remagen, 1953.

(26) M. le professeur W. Harthe a évoqué ces difficultés lors du colloque de géographie appliquée de Strasbourg, au mois d'avril 1962.

(27) Hartshorne (Richard), Dicken (S. N.), « A classification of the Agricultural Regions of Europe and North America on a Uniform Statistical Basis ». *Annals of the Association of American Geographers*, vol. 15, 1935, pp. 99-120.

Brocard (28). Frappés de la régularité des réseaux urbains, ils ont créé la théorie des lieux centraux. Là, le travail de Lösch (29) s'inscrit en parallèle avec celui de Christaller (30).

L'intérêt pour les problèmes de la région s'est développé depuis une vingtaine d'années, au point que les économistes ont relayé souvent les géographes sur un terrain que ceux-ci considéraient pourtant comme le leur. Mais les recherches n'auraient pu se développer sans un effort préalable de classification et de réflexion, qui a permis de procéder à une mise en ordre de toute la moisson des résultats obtenus depuis un demi-siècle. Le progrès essentiel dans la réflexion théorique est dû à un groupe de géographes américains (31).

Les méthodes nouvelles d'analyse, qui ont prodigieusement élargi le champ de l'enquête régionale sont dues plutôt à des économistes. C'est du côté des sociologues en Amérique, qu'ils s'étaient d'abord tournés pour trouver leur inspiration (32). Le groupe de Walter Isard, qui a réussi à attirer la plupart des spécialistes des questions régionales, n'a découvert les géographes qu'un peu plus tard. Maintenant, géographes et économistes contribuent chacun de leur côté à consolider les bases théoriques de l'analyse régionale. Les économistes français ont montré comment la distinction établie par François Perroux entre divers types d'espaces (33) pouvait se transposer sur le plan de l'analyse régionale — Jacques R. Boudeville (34) a ainsi proposé une synthèse partielle entre certains aspects de la réflexion américaine et les travaux des économistes français.

Les géographes américains ou anglais, soucieux de rigueur, présentent leurs distinctions d'une manière de plus en plus systématique. Ils jettent les bases d'une axiomatique (35) qui per-

(28) Brocard (Lucien), *Principes d'économie nationale et internationale, op. cit.*

(29) Lösch (August), *The Nature of Economic Regions, op. cit.*

(30) Christaller (Walter), *Die zentralen Orte in Süddeutschland, op. cit.*

(31) La commission travailla entre 1948 et 1952. Le rapport final fut rédigé par Whittlesey (Derwent), *The Regional Concept and the Regional Method, op. cit.*

(32) Odum (H. W.), Moore (H. E.), *American Regionalism — a Cultural-Historical Approach to National Integration.* New York, Henry Holt, 1938.

(33) Perroux (François), *Les espaces économiques, op. cit.*

(34) Boudeville (Jacques-R.), *Les espaces économiques, op. cit.*

(35) On consultera par exemple Gilbert (E.-V.), *The Idea of the Region.* Geography, vol. 45, 1960, pp. 157-175. — Zobler (L.), « Statistical Testing of Regional Boundaries ». *Annals of the Association of American Geographers,* vol. 47, 1957, pp. 83-95. — Bunge (William), « Theoretical Geography », *op. cit.* — Teitz (Michael B.), « Regional Theory and Regional Models ». *Papers and Proceedings of the Regional Science Association,* vol. 9, 1962, pp. 35-50. — Berry (Brian J. L.), « Approaches

met d'employer un vocabulaire enfin clair dans un domaine très fuyant. En France, E. Juillard (36) a renoué avec le courant de réflexion sur la région qui s'était quelque peu assoupi depuis une génération. Il propose des distinctions voisines de celles établies par le groupe dirigé par Derwent Whittlesey; il montre comment les diverses recherches menées jusqu'à ce jour par les géographes français et allemands pouvaient s'intégrer dans la classification générale. L'analyse des paysages se rattache à la description des régions homogènes, cependant que les analyses de réseaux urbains s'intègrent dans l'étude des espaces fonctionnels.

De manière générale, la plupart des travaux poursuivis à l'heure actuelle dans le monde s'organisent dans les cadres définis il y a une quinzaine d'années et perfectionnés depuis. Les diverses écoles nationales perdent de leur originalité et leurs conceptions se rapprochent. Dans les pays de l'Est cependant, l'orientation fondamentale est demeurée longtemps assez différente de celle des pays capitalistes. Le déclin de la géographie humaine et économique caractéristique des années 1930 et 1940 a entraîné la mise en sommeil des études régionales, en dehors de celles qui avaient trait aux problèmes de délimitation des ensembles physiques; celles-ci ont fait l'objet de soins attentifs et ont progressé à un rythme plus rapide que dans la plupart des autres pays du monde. Depuis une dizaine d'années, dans les démocraties populaires d'abord, puis en U. R. S. S ., on a assisté à un renouveau des recherches en géographie humaine. Du point de vue régional, l'accent a été mis sur les « complexes de forces productives » (37), si bien que les aspects retenus ne coïncident pas exactement avec ceux que l'on analyse ailleurs. Les problèmes de géographie physique, ceux d'inventaire des ressources reçoivent plus d'attention. Une évolution se fait cependant jour : on prend conscience de l'importance des réseaux urbains, de la hiérarchie des villes. On s'aperçoit que la mise en

to Regional Analysis : A Synthesis ». *Annals of the Association of American Geographers*, vol. 54, 1964, pp. 2-11. — GRIGG (David), « Regional Systems ». *Annals of the Association of American Geographers*, vol. 55, 1965, pp. 465-491. — McDONALD (James R.), « The Region : its Conception. Design and Limitations », *op. cit.*

(36) JUILLARD (Étienne), « La région : essai de définition », *op. cit.*

(37) SAUSHKIN (Julian C.), « Large areal complexes of productive forces of the Soviet Union ». *Papers and Proceedings of the Regional Science Association*, vol. VIII, 1962, pp. 93-104.

place d'une économie socialiste a eu des répercussions profondes sur l'équilibre régional antérieur. C'est évidemment dans les démocraties populaires, où les transformations sont plus récentes et où les structures anciennes étaient plus développées que l'on se pose le mieux ces problèmes. Les Polonais établissent de la sorte une synthèse entre les recherches menées en Occident et celles des pays de l'Est. Ils pratiquent l'analyse des complexes de forces productives, mais ils attachent également une grande importance à tout ce qui concerne les espaces urbains, les zones d'influence et, de manière générale, la structure des espaces de production polarisés (38).

La multiplication des travaux aurait pu se traduire par le foisonnement des catégories distinguées. Il n'en est rien. On voit se dessiner une classification générale qui permet d'ordonner les résultats des recherches régionales qui se sont multipliées depuis un demi-siècle.

II. — Les catégories fondamentales de l'analyse régionale.

La première constatation faite par ceux qui, à la demande de l'Association des géographes américains, avaient accepté de participer aux travaux de la commission chargée de définir les termes utilisés en recherche régionale, fut qu'il leur était impossible de se mettre d'accord sur une définition unique et valable dans toutes les circonstances. Richard Hartsthorne a fait part, ailleurs, de son expérience de la Seconde Guerre mondiale. Mobilisé, il fut affecté à un service chargé de mettre sur pied les administrations territoriales nécessaires à l'économie de guerre et à la conduite des opérations. La plupart des militaires qui participaient aux travaux cherchaient à découvrir un système de division qui permette de satisfaire à tous les besoins à la fois. L'aspect le plus utile de sa contribution de spécialiste fut de faire comprendre à ses collègues ce qu'il y avait de chimérique à pro-

(38) On trouvera des exemples de travaux de ce type dans Kosinski (L.), « Problems of the Functional Structure of Polish Towns ». *Przeglad Geograficzny*, vol. 21, 1959, supplément pp. 35-68. — Berezowski (Stanislaw), « Les régions économiques de la Silésie ». *La Pologne et les Affaires occidentales*, vol. I, 1966, nº 1, pp. 136-181.

céder de la sorte. Il y a autant de principes de division possibles qu'il est de besoins. Il est souhaitable de ne pas mutiplier à l'excès les divisions territoriales, et de ne pas compliquer inutilement la structure de l'organisation administrative. Mais il est vain de chercher un principe de division général, qui soit le meilleur pour toutes les actions envisagées. On peut certes envisager, comme problème de recherche opérationnelle, de trouver le système de division qui permette les économies les plus grandes. Mais cette solution ne sera qu'une sous-optimation et en acceptant une certaine pluralité des schémas de division, on réussira sans doute à obtenir de meilleurs résultats.

Reconnaissant la multiplicité des types de divisions régionales distinguées jusqu'à ce jour par les géographes, les administrateurs ou les hommes d'affaires, la commission chercha comment classer les faits retenus. Parmi les travaux analysés, certains se caractérisent par le souci de fournir des classifications tenant compte de tous les traits physiques ou humains, d'autres se contentent d'isoler des éléments particulièrement significatifs. Ainsi, on retrouvait dans les recherches régionales les deux courants que l'on suit à travers toute l'évolution de la géographie depuis plus d'un siècle : la tendance idiographique, qui vise à atteindre l'essence profonde des objets et des structures concrètes inscrits dans l'espace et la tendance nomothétique qui se propose d'isoler des constantes, des moyennes, de mettre en évidence de grandes régularités. Plus on fait intervenir de facteurs dans la délimitation des espaces, moins on a de chances de mettre en évidence des êtres comparables. A la limite, on se trouve conduit à renoncer à toute recherche générale. Dans la pratique, les géographes sont souvent amenés à procéder à des comparaisons, à définir des types généraux. Ceci n'est possible que par un certain effort d'abstraction. Au lieu de décrire des régions, on analyse des ensembles moins complets, des « compages » (39) pour retenir le terme proposé par la commission, mais dont l'usage ne s'est guère étendu même dans les pays anglo-saxons.

La distinction ainsi apportée est intéressante pour notre propos. Le géographe qui s'intéresse aux faits économiques est nécessairement amené à simplifier le contenu des constructions spatiales qu'il étudie, de manière à accéder à un certain degré de

(39) WHITTLESEY(Derwent). — *The Regional concept and the Regional Method, op. cit.*, pp. 44-51.

généralité. La région qu'il décrit n'est pas celle qui retient l'attention de ceux dont l'orientation demeure plus classique. Il est *a priori* disposé à renoncer à une appréhension complète du réel, pour obtenir plus d'efficacité dans son intervention. Son ambition limitée — qui l'autorise à aborder les problèmes sous l'angle des études générales, lui donne le droit d'utiliser les méthodes théoriques, de construire des modèles et, en somme, la rend utile.

Le principe directeur qui permet de classer les régions et les travaux qui leurs sont relatifs tient au contenu même du territoire étudié. S'il mérite de porter le nom de région, c'est qu'il n'est pas dessiné au hasard, il possède une certaine originalité ou une certaine spécificité. Les traits retenus pour définir les régions peuvent se classer en deux grands ensembles. Dans certains cas, ce qui frappe surtout dans la zone étudiée, c'est l'homogénéité, la présence des mêmes traits partout. Cette homogénéité peut être totale. C'est le cas pour des régions au relief parfaitement uniforme : ainsi un plateau monotone comme le sont certaines hamadas sahariennes. Mais le plus souvent, c'est une combinaison de traits qui se reproduit de place en place plutôt qu'un trait isolé. Une région homogène de montagne présentera un ensemble de versants dont les profils et les pentes sont semblables, sans que pour autant deux points différents soient jamais identiques. Les répartitions humaines ne sont jamais homogènes de la première manière : les hommes n'occupent directement qu'un espace très réduit, leurs œuvres aussi. Tout ce que l'on observe, c'est la répétition d'une même structure. On note ainsi la récurrence de paysages où la dispersion de l'habitat, la présence de haies, la superficie consacrée aux herbages et aux productions consommées par le bétail finit par engendrer la monotonie. Souvent l'uniformité existe très réellement au-dessous de la surface des choses que révèle le paysage. Dans la plupart des cas, l'homogénéité ne peut être postulée que dans la mesure où l'on se représente l'espace comme un ensemble fini de points, dans la mesure où on le considère comme une variable discrète. De la sorte, il est possible de parler d'uniformité, alors même que les faits observés n'occupent qu'une toute petite partie de la surface terrestre. Il est alors loisible de parler de régions industrielles homogènes, bien que les bâtiments industriels n'occupent qu'une toute petite partie de la surface totale du sol, même dans les régions les plus profondément marquées par l'industrialisation, même dans les pays noirs massivement équipés au siècle dernier.

L'homogénéité de l'espace n'est pas une donnée directe de la perception ou plus exactement, elle ne l'est pas toujours. Lorsqu'on parle de région physique homogène ou de région agricole homogène, il s'agit d'unités de paysage que l'on peut appréhender directement. Mais l'analyse moderne a appris à se méfier de certaines apparences et à discerner la régularité lorsque l'on ne voit normalement que la diversité. Ainsi, dans une région de collines que l'on dit homogène, ce que perçoit l'œil d'abord, c'est un ensemble de traits sans cesse mouvants, sans cesse différents. C'est par un effort de raisonnement, par le recours à la carte, à la morphométrie que l'on arrive à préciser les contours et les caractéristiques de la zone que l'on étudie. Dans le domaine agricole, le paysage ne suffit pas à conclure à l'homogénéité profonde de la vie et des techniques. Les travaux menés depuis une génération par les géographes et par les historiens nous ont accoutumés à voir dans beaucoup de traits frappants des structures agraires des survivances de systèmes depuis longtemps disparus. Le même paysage de bocage peut correspondre ici à une zone de petite culture intensive, mais peu évoluée techniquement, là à une zone où les techniques sont plus modernes, la productivité du travail meilleure, mais où la présence de très grandes exploitations permet un certain gaspillage de la terre et le maintien de pratiques extensives. On connaît des contrastes de ce genre entre la Normandie et la Bretagne. Le spécialiste des paysages agraires pourra réunir les deux régions dans la même catégorie; mais si l'on essaie de voir comment vivent les exploitations, il faudra distinguer deux ou plusieurs ensembles homogènes.

Lorsque l'on passe à l'analyse du monde industriel ou commercial, la notion d'homogénéité gagne en abstraction. Il est clair que ce n'est qu'à la suite d'un travail d'analyse plus ou moins poussé que l'on peut isoler des ensembles uniformes. Pour employer un langage qui est de plus en plus utilisé par les théoriciens de la région, le géographe distingue des populations d'aires élémentaires à la surface de la terre (40). Il reconnaît l'existence

(40) Nous utilisons là un vocabulaire et des idées qui sont communs à une

d'ensembles territoriaux au sein desquels un caractère de la population se trouve compris au voisinage d'une valeur centrale, si bien que l'on peut considérer les diverses valeurs observées comme des variations aléatoires : c'est là une région homogène et on voit qu'elle n'est jamais une donnée directe et absolue. Lorsque l'on étudie successivement plusieurs caractères, on peut observer des cas où les limites des zones homogènes distinguées coïncident. Mais il est rare qu'il en soit ainsi de façon systématique. Lorsque l'on confond les limites obtenues pour un certain nombre de traits, on est conduit à accepter une certaine marge d'indétermination ou à donner quelques coups de pouce là où la superposition n'est pas parfaite. La plupart des études empiriques systématiques ont montré que les familles de limites se superposent rarement de manière parfaite. C'était la grande faiblesse du point de vue des géographes du siècle dernier, persuadés que les limites des ensembles naturels qu'ils s'ingéniaient à mettre en évidence étaient suffisamment contraignantes pour qu'un grand nombre de phénomènes se moule dans leurs cadres. Ainsi l'analyse logique du travail de ceux qui délimitent des régions homogènes prouve que les espaces ainsi obtenus ne sont le plus souvent que des ensembles partiels, qui ne recouvrent que certains des aspects de la réalité. Pour les géographes classiques, le mot de région ne convient plus en pareil cas. Et bien souvent, il vaut mieux effectivement utiliser les termes que propose M. Cholley dans son *Guide de l'étudiant en géographie* et parler de *zones* ou de *domaines* (41).

Les réalités spatiales homogènes ont été les premières à frapper les géographes. Ils se sont efforcés longtemps de dessiner sur les cartes de grandes plages en teintes plates, marquant des zones où les phénomènes se répètent identiques d'un point à l'autre. Il y a plus qu'une simple convention technique dans les procédés de cartographie par tâches de couleurs simples : il y a toute une vision géographique du monde, dans laquelle on pense que le réel peut se réduire à une mosaïque. Cette démarche est sans doute nécessaire dans toute enquête spatiale, mais elle n'est pas suffisante. L'observation révèle aussi souvent des tran-

partie des travaux signalés à la note 35, ceux de William Bunge, de Michael Teitz, de David Grigg et de James R. Macdonald en particulier.

(41) CHOLLEY (André), *La géographie : guide de l'étudiant en géographie*. Paris, Presses Universitaires de France, 2e éd., 1951, 218 p., cf. pp. 30-57.

sitions graduelles, des frontières indécises que des cas de limites bien tranchées. On a souvent l'impression que les phénomènes ne peuvent se représenter en teintes plates, ce qui domine, ce sont au contraire les dégradés et les fondus.

La seconde grande catégorie d'articulation spatiale reconnue par les théoriciens de l'analyse régionale est présentée sous des aspects légèrement différents selon les auteurs et selon les moments. Elle permet de rendre compte de cas où les variations de valeur des faits observés sont telles qu'il est impossible de définir la moindre réalité homogène. Pour les géographes américains groupés autour de Whittlesey, pour M. Juillard, ces espaces sont des espaces fonctionnels. Pour les tenants d'une axiomatique de la région ou pour certains économistes français comme M. Jacques-R. Boudeville (42), il s'agit plutôt d'espaces polarisés. Ce sont là des termes qui recouvrent des réalités différentes, mais il existe entre les deux concepts des liens étroits. La notion qui s'oppose le plus directement à celle de régularité et d'homogénéité est sans doute celle de polarité. Les économistes français de l'école de M. François Perroux ont utilisé ce terme avec une telle prédilection qu'ils l'ont chargé de toute une série de connotations qui en rendent l'emploi délicat. Mais il est clair que lorsque l'on observe d'un point en un autre des variations de valeur de la caractéristique d'un phénomène, cela peut traduire le fait que la valeur est déterminée par un champ de force ordonné autour d'un pôle. Homogénéité et polarisation peuvent donc se définir symétriquement, en utilisant une démarche mathématique simple (43). Dans les travaux géographiques, les applications de la notion de champ de forces sont sans doute et depuis longtemps aussi nombreuses et aussi importantes que celle d'homogénéité. Les procédés de représentation du relief sont devenus réellement scientifiques le jour où l'on a eu l'idée de tracer des courbes de niveau : cela revient à dessiner un champ de gravitation à la surface de la terre. Plus tard,

(42) BOUDEVILLE (Jacques-R.), *Les espaces économiques, op. cit.*

(43) La symétrie entre les définitions de la région homogène et de la région fonctionnelle est moins parfaite. Cette dernière correspond au développement d'une distinction proposée par Hetner et reprise par Hartshorne : celle des régions qui doivent leur caractère à la présence des phénomènes statiques, celles où les phénomènes observés sont d'interrelation. On se reportera sur ce point à HARTSHORNE (Richard), *The Nature of Geography, op. cit.*, cf. pp. 285-365. — ID., *Perspective on the Nature of Geography*. Chicago, Rand Mc Nally, 1959, VII, 200 p. cf. pp. 108-145.

Humboldt a emprunté à Halley la même méthode pour la représentation d'un certain nombre de faits climatologiques. Il a systématisé l'emploi d'isolignes, a dessiné les premières cartes donnant les isothermes des deux rives de l'Atlantique nord, par exemple.

Les phénomènes polarisés que l'on atteint de la sorte sont isolés. Lorsque l'on procède à l'analyse successive de plusieurs champs, il est rare que les gradients soient ordonnés de la même manière et autour des mêmes pôles. On pourrait refaire pour les régions polarisées les mêmes remarques que pour la région homogène. Il est peu probable que les faits d'ordre différent se moulent dans les mêmes cadres, si bien que l'analyse systématique des champs et des polarisations livre bien souvent une série de cartes entre lesquelles on a de la peine à trouver la moindre parenté et qui ne révèlent aucun lien entre les phénomènes qui se déroulent à la surface de la terre.

Fort heureusement pour le géographe et pour l'économiste, ce trait n'est pas absolument général. Il arrive que les pôles observés pour plusieurs ordres de phénomènes soient confondus; que les champs soient dessinés de manière à suggérer une liaison entre eux. Le champ de force traduit une tension qui est la condition nécessaire au mouvement. L'étude des polarités est donc équivalente de celle des flux, auxquels elles donnent naissance. Les circulations ne sont pas désordonnées : dans le domaine économique, elles empruntent les différents chenaux ou boucles que nous avons décrits. Elles mettent en rapport les agents, sont liées au fonctionnement de la machine de production, de répartition et de consommation. On comprend que l'on puisse de la sorte considérer comme équivalentes les notions de région polarisée et de région fonctionnelle. Pour ceux qui se préoccupent de géographie économique, il est souvent plus utile, plus évocateur de parler d'unités fonctionnelles que d'unités polarisées. Des nuances existent entre les deux termes qui n'impliquent pas des constructions du même ordre de complexité. La région polarisée est souvent dessinée à partir de l'observation d'une seule série de phénomènes. Pour parler avec rigueur, elle constitue plutôt une zone, un domaine, une aire. Lorsque l'on cherche à saisir le fonctionnement économique d'une région, on procède, il est sûr, à un choix, on simplifie, mais on appréhende un bien plus grand nombre de phénomènes. Pour employer le vocabulaire forgé par Whittlesey, on a affaire à un *compage*, souvent à une région, au sens plein du terme.

La plupart des géographes se satisfont à l'heure actuelle des deux grandes catégories que l'on vient de mettre en évidence et qui ont été exposées dans l'article de M. Étienne Juilliard, où l'on trouve l'état le plus récent de la réflexion française sur les problèmes régionaux. M. Jacques-R. Boudeville propose de compléter la distinction entre espace homogène et espace polarisé par une catégorie nouvelle, celle de l'espace-plan et il parle de région-plan (44). Ceci lui permet de présenter une classification des régions qui est en quelque sorte symétrique de celle qui était proposée par M. François Perroux. On peut se demander si cette distinction est indispensable. L'espace-plan est un espace polarisé et peut sans doute aisément se réduire à lui. La région-plan apparaît comme une fausse fenêtre, dont on ne sait pas trop que faire dans la pratique. Alors qu'il existe des théories cohérentes de la région homogène et de la région polarisée, on ne trouve que la présence d'une autorité publique ou privée pour cimenter la région-plan. Lorsque l'on se reporte aux exemples proposés — tels ceux des autorités chargées d'appliquer un programme d'aménagement complexe pour la mise en valeur d'un bassin fluvial, on ne voit rien qui ne puisse s'exprimer en terme de polarisation ou de liaison fonctionnelle.

Cependant les catégories générales proposées depuis quinze ans pour clarifier l'analyse régionale ne remplacent pas les distinctions que l'analyse concrète avait permis de mettre en évidence : région historique, région économique, région agricole, région industrielle, complexe régional de forces productives. Tout ce travail de réflexion théorique est-il vain? Il n'aboutit qu'à ajouter deux catégories supplémentaires à des types déjà nombreux, mais les distinctions nouvelles ne sont pas du même ordre que les types de régions traditionnels. Elles permettent de mieux saisir l'originalité des constructions que les économistes distinguent. Une des sources de confusion résidait dans l'idée implicite que toutes les réalités mises en évidence se situaient sur le même plan. Une autre venait de ce que l'on tenait ces ensembles pour peu soumis à variation dans le temps. On parle de région agricole pour une société d'Ancien Régime, pour un

(44) BOUDEVILLE (Jacques-R.), « L'espace opérationnel macro-économique, la région-plan ». *Cahiers de l'I. S. E. A.*, série L, n° 6, 1960.

pays d'Extrême-Orient où une vieille civilisation paysanne n'a pas réussi à franchir le seuil qui mène au développement et pour nos campagnes. L'analyse actuelle permet de distinguer des niveaux et de saisir des évolutions. La réflexion logique a rappelé que la région n'est pas un absolu, elle a des contours et des aspects multiples, elle évolue. Elle présente pourtant un certain nombre de caractères communs et de traits stables : c'est ce qui pousse les géographes à lui accorder tant d'attention.

III. — Les caractères communs des constructions régionales.

Les points communs aux divers types de régions sont assez peu nombreux. Le plus important, c'est celui qui tient à leur dimension. Il s'agit généralement d'un espace d'échelle moyenne, d'une dimension inférieure à celle des nations (45), encore que certaines régions puissent être plus vastes que des États comme la Suisse, la Belgique ou le Danemark. Pour donner un ordre de grandeur, l'unité la plus fréquente se mesure en milliers de km^2 ou en dizaines de milliers, le cas le plus fréquent étant celui d'unités supérieures à 10.000 km^2. Les dimensions des unités retenues varient avec les caractères que l'on retient. Les régions historiques étaient souvent plus grandes que les régions agricoles, elles étaient du même ordre de grandeur que les régions économiques de l'analyse moderne. Plus le peuplement est lâche, plus la superficie a tendance à s'accroître : cela montre que les régions sont des constructions humaines et que le nombre des hommes intervient, au même titre que la distance, parmi les forces qui les modèlent. Dans les États de très grande taille et où le peuplement est faible, l'échelle est beaucoup plus vaste. Lorsque l'on

(45) Les économistes emploient fréquemment le terme de région pour désigner de vastes ensembles supra-nationaux, à l'échelle des continents. Ils appellent région tout cadre territorial, sans se soucier de savoir s'il a un contenu spécifique. Les géographes sont au contraire intimement persuadés, en France tout au moins, de l'existence de réalités régionales profondément originales.

Les travaux d'analyse axiomatique menés par un certain nombre de collègues anglo-saxons les conduisent à adopter un point de vue voisin de celui des économistes. Leurs recherches clarifient indiscutablement les définitions des espaces régionaux, mais elles ont besoin d'être complétées. On trouvera une position voisine de la nôtre dans Wrobel (Andrzy), « Regional Analysis and the Geographic Concept of Region ». *Papers and Proceedings of the Regional Science Association*, vol. VIII, 1962, pp. 37-42.

compare les diverses parties de l'espace américain, on est frappé de l'opposition entre les régions de l'Est, où les unités sont encore à la mesure européenne et les espaces peu peuplés de l'Ouest, où les surfaces s'accroissent au fur et à mesure que les densités diminuent. Il en va de même en Australie ou au Canada — mais la construction régionale y demeure incomplète, tant le peuplement se raréfie dans les régions désertiques ou arctiques. En U. R. S. S., les dimensions sont généralement élevées; les provinces ont une plus grande superficie dans les régions de colonisation récente de l'Est et du Sud-Est que dans les vieilles zones de développement historique. La structure régionale est particulièrement bien marquée en Russie centrale, autour de Moscou. Elle l'est moins, plus à l'Est, dans les pays de la Volga et dans l'Oural. Nous reviendrons sur les raisons de ces oppositions. Les espaces régionaux peuvent atteindre plusieurs centaines de milliers de km^2 dans les régions en voie de développement de l'Est.

On trouve généralement plusieurs niveaux d'unités territoriales participant à une hiérarchie complexe. C'est vrai pour les espaces homogènes, comme le montrent les classifications de zones climatiques, mais ce l'est plus encore pour les espaces fonctionnels. De manière fréquente, on réserve le terme de région pour les unités de dimension supérieure, pour celles qui se trouvent immédiatement au-dessous de la nation. Pour les subdivisions qui les fragmentent, on emploie des termes spéciaux — celui de pays, par exemple, en France, pour les régions agricoles ou pour les régions historiques. Mais on utilise aussi le terme de région, quoique cela puisse être la source de confusion. De manière générale, il existe une grande parenté entre les divers échelons mis en évidence par l'analyse, si bien que l'on peut transposer assez facilement ce que l'on dit pour un niveau aux niveaux supérieurs ou inférieurs. C'est peut-être dans le domaine des régions économiques, au sens moderne du terme, c'est-à-dire dans les régions d'influence urbaine, que la hiérarchie est la plus complète et les traits communs aux divers niveaux les plus nombreux. C'est là aussi qu'elle a été le mieux analysée.

La dimension est le seul caractère commun que l'on puisse qualifier de positif dans l'analyse régionale. Tous les autres sont plutôt négatifs : ce qui caractérise la région, c'est moins la présence de tel ou tel type d'institution, que l'absence de certains équipements ou fonctions. Ainsi, la région se caractérise tout d'abord par la responsabilité limitée de ses institutions politiques et par la limitation des pouvoirs économiques qui lui appartiennent. Il arrive que les unités géographiques coïncident avec des ensembles administratifs. Dans la plupart des états démocratiques, les pouvoirs reconnus aux collectivités territoriales sont assez importants. Ils sont presque aussi importants que ceux qui reviennent à la collectivité nationale dans les états fédéraux. De nos jours, on assiste un peu partout dans le monde à un effort pour créer des structures administratives satisfaisantes pour le développement de la vie régionale. Des pouvoirs assez larges sont dévolus aux administrations locales. Malgré tout, les limites de la direction politiques sont toujours très clairement marquées. Certaines attributions échappent à la compétence du pouvoir régional lorsqu'il existe. C'est le cas de tout ce qui touche à l'argent; la région est privée de ce pouvoir essentiel qui participe à la fois du politique et de l'économique : elle n'est pas maîtresse de sa monnaie. La plupart du temps également, les pouvoirs de la région sont très limités sur le plan de législation économique et du contrôle du mouvement des personnes et des biens. C'est là toutefois un caractère moins absolu. On a montré que les particularités de la législation sanitaire des divers états américains créaient, pour certains produits, des obstacles infranchissables. Mais il s'agit de cas un peu anormaux.

Un corollaire des propositions énoncées c'est que les limites de l'espace régional ne sont pas toujours clairement marquées. Il peut arriver qu'elles coïncident avec des frontières administratives. Mais elles peuvent être indifférentes à tous les tracés de frontière, sans que la réalité de l'espace régional s'en trouve affectée. C'est ce qui avait frappé les premiers théoriciens de la recherche régionale : ils étaient en quête d'une division plus vraie que celles imaginées par les gouvernants. La frontière nationale constitue pourtant, de nos jours, une barrière quasi insurmontable à l'expansion d'une construction régionale. La limite de l'espace régional périphérique tend à se confondre avec la frontière nationale. Il arrive que l'on voit une région d'influence urbaine se développer de part et d'autre d'une frontière; on a l'impression de se trouver en présence d'une véritable région internationale, animée par un seul pôle : on a affaire en réalité à plusieurs constructions qui dépendent effectivement d'un même pôle, mais qui gardent chacun une originalité due aux caractères juridiques et économiques de l'espace national sur lequel elles sont installées. Les régions internationales ont perdu une partie de leur cohésion au fur et à mesure que l'intervention de l'État dans la vie économique s'est fait sentir plus fortement. Cela ne veut pas dire que les zones frontières aient été pour cela systématiquement défavorisées, que les constructions régionales aient été étouffées. Mais les régions frontières se sont fragmentées (46). C'est ce que l'on observe le long de la frontière suisse, à Genève, et surtout à Bâle. Il existe une zone d'influence internationale de cette ville, mais les caractères de la vie dans la région allemande de Lorrach sont différents de ceux que l'on peut observer dans la partie de la plaine alsacienne tournée vers le grand carrefour économique suisse.

Les espaces régionaux se caractérisent par une ouverture économique très large sur le plan des échanges de biens et de services (47) et plus encore sur celui des mouvements de capitaux et de monnaie (48). Il n'y a pas de monnaie autonome, pas de change entre la région et l'extérieur, pas de direction possible de la vie économique par manipulation des quantités globales. Lorsqu'une autorité existe, qui coordonne l'ensemble de la vie économique, son action doit s'inscrire au niveau des motivations de l'entreprise. Elle pourra influer sur la croissance industrielle en accordant des bonifications d'intérêt, en rendant plus efficace l'ensemble de l'infrastructure nécessaire à la vie de l'entreprise, mais elle n'aura pas le moyen de favoriser les effets globaux qui permettent l'investissement, ou le facilitent.

Pour importantes qu'elles soient, les similitudes que nous venons de passer en revue ne suffisent pas à justifier la place accordée aux études régionales. Celle-ci ne se comprend vraiment

(46) Les analyses de zones frontalières fournissent des exemples expressifs du rôle croissant de limite de région joué par la frontière nationale. Dion (Roger), *Les frontières de la France*, *op. cit.* — Rochefort (Michel), *L'organisation urbaine de l'Alsace*. Strasbourg, Publications de la Faculté des Lettres de Strasbourg, 1960, 385 p. — Daveau (Suzanne), « Les régions frontalières de la montagne jurassienne », *Mémoires et documents de l'Institut d'Études rhodaniennes*. Lyon, Institut d'Études rhodaniennes, 1959, 571 p.

(47) Nous avons déjà cité à ce propos les données apportées par M. Jacques-R. Boudeville (chap. V).

(48) Cette mobilité des capitaux est tellement générale, et contraste tellement avec les entraves apportées aux mouvements internationaux, qu'elle est à la base de tous les développements de la théorie des coûts comparatifs. La mobilité des facteurs de production est cependant limitée entre les régions. Nous y reviendrons.

que si l'on tient compte de la stabilité remarquable de certaines constructions. Alors que les divisions administratives sont indifférentes aux tracés de provinces humaines et économiques, qu'elles les ignorent ou qu'elles tendent à les faire éclater, on est frappé de voir les solidarités se maintenir de génération en génération, les zones d'influence rester les mêmes. Cela ne veut pas dire que rien ne bouge, que rien n'évolue, bien au contraire : mais cela montre de manière claire que les forces qui modèlent les régions, lors même qu'elles sont presque uniquement sociales ou économiques, qu'elles ne doivent rien au monde naturel, sont permanentes et qu'elles méritent à ce titre l'attention du géographe.

CHAPITRE VIII

L'ÉVOLUTION HISTORIQUE DE LA RÉGION

Les géographes ont été frappés par la permanence des constructions spatiales que l'on appelle régions. Les *pagi* de la Gaule romaine consacraient des divisions tribales qui s'étaient établies progressivement. Ils se retrouvent souvent presque intacts dans les contours des grandes provinces de la France d'Ancien Régime. Les Révolutionnaires les ont démembrés, mais ne les ont pas détruits. Certaines des divisions économiques du monde moderne viennent se mouler dans ces cadres qui sont bimillénaires (1).

En géographie humaine, les régions n'ont pas la stabilité que leur prêtaient les théoriciens de la région naturelle, mais elles sont suffisamment constantes pour être objet de recherche — objet privilégié de recherche, aux yeux de la grande majorité des géographes. Si l'on veut éviter les confusions, les simplifications abusives, il est bon de suivre avec précision le contenu des unités dont les contours se retrouvent de période à période presque identiques à eux-mêmes. La stabilité de la dimension des êtres territoriaux ne signifie pas nécessairement que leur nature reste la même.

I. — La région dans les économies pré-industrielles.

Il n'existe pas, dans le monde pré-industriel, d'unité dans les types de subdivision de l'espace humain. Dans certains secteurs, les contraintes physiques ont l'air d'imposer la division du milieu. Ailleurs, les forces sociales paraissent seules à l'œuvre. Dans la

(1) Nous avons signalé au chapitre précédent le rôle de P. Foncin dans la mise en évidence de ces solidarités. Foncin (Pierre), *Les pays de France. Projet de fédéralisme administratif, op. cit.*

plupart des cas, les forces économiques ne jouent en première analyse qu'un rôle négligeable. Progressivement pourtant, des constructions plus stables se mettent en place, que l'on appelle souvent, en France, des régions historiques.

L'organisation territoriale dans les sociétés primitives et les civilisations rurales traditionnelles.

Sur le plan économique, les sociétés traditionnelles ne sont que très faiblement ouvertes. La part de l'activité qui est destinée à satisfaire directement les besoins des producteurs est toujours élevée. Les échanges commerciaux ne portent que sur des produits de luxe, n'affectent qu'une toute petite partie de la population, ne nécessitent pas d'installations importantes et ont souvent un caractère nomade. Dans ces conditions, il est impossible de discerner dans l'espace des organisations économiques à caractère fonctionnel. Les seules structures existantes sont liées aux faits de la vie politique ou de la vie sociale, au sens le plus large du terme. Des groupes ethniques imposent leur autorité dans un espace donné. Ils lui donnent sa langue, le modèlent à leur image. Ils lui confèrent une organisation stable, dans laquelle les liens qui existent entre les hommes et les lieux finissent par avoir autant de poids que ceux qui sont purement sociaux. Dans son introduction aux principes de géographie humaine, Demangeon insiste sur le rôle de la symbiose des groupes humains avec le sol (2). Il est certain qu'à partir d'un certain degré d'occupation de l'espace, la stabilité qui s'impose aux hommes finit par modeler les liens tenaces entre la personnalité et le paysage. Les régions où ces liens sont demeurés ténus sont caractérisées par une certaine instabilité des constructions humaines — c'est le cas de régions frontières, de zones de passages, trop fréquemment balayés par les invasions, c'est le cas de secteurs où la fragilité des sols, l'instabilité du climat compromettent sans arrêt les résultats de l'activité de l'homme et rendent les formes d'exploitation pastorale aussi avantageuses que les formes de vie rurale. Les vicissitudes qui ont, à certaines époques, donné la supériorité militaire aux groupes nomades, ont pu ruiner des civilisations déjà fortement enracinées. En

(2) DEMANGEON (Albert), *Principes de géographie humaine.* Paris, Armand Colin, 1942, 409 p., cf. pp. 30-32.

dehors des cas où des déterminismes physiques ou historiques impérieux ont distendu les liens entre l'homme et le cadre, les exemples les plus nombreux sont bien ceux d'ensembles où les liens territoriaux finissent par triompher des liens du sang ou d'autres formes de cohésion sociale. Ainsi se créent des zones souvent remarquables par leur homogénéité, sans que pour autant les différences ethniques, la conscience des origines différentes des groupes qui occupent un espace donné se soient effacées. L'espace agricole se trouve marqué par ces conditions. Il faut que dans toutes les régions, on parvienne à satisfaire la gamme complète des besoins humains. Les conditions naturelles sont souvent uniformes sur de vastes superficies. Il est normal de constater, en pareil cas, une répartition régulière des exploitations et des systèmes agricoles. Pour satisfaire des besoins qui sont à peu près les mêmes pour tous les hommes, on pratique les mêmes opérations sur des fermes qui se ressemblent par leur superficie, par leur train de culture, par la manière dont elles sont gérées. Dans de telles conditions, on peut parler de région homogène au sens plein du terme. Les deltas de l'Asie des Moussons, les plaines irriguées de certaines parties du monde méditerranéen nous offrent des images des mondes monotones bâtis de cette façon. Dans le même milieu, les solutions adoptées pour satisfaire les besoins varient en fonction des connaissances techniques, des valeurs culturelles, des habitudes de consommation. Aussi voit-on parfois, dans des économies sans échange, des groupes humains différents apporter des solutions différentes au problème de l'alimentation dans un même milieu. C'était souvent le cas des campagnes de l'Europe danubienne avant la dernière guerre mondiale. Il existait un fond commun de techniques agricoles, une série de productions pratiquées par tous. Mais dans le même contexte, les dosages variaient selon le groupe ethnique. Ici, les vergers ou les vignes dominaient, là on attachait plus de prix à l'élevage. En pareil cas, des milieux naturels uniformes pouvaient abriter des unités élémentaires assez différentes les unes des autres. L'histoire du peuplement avait cependant mêlé de telle sorte les divers groupes que l'on avait l'impression d'un ensemble dont la bariolure de détail ne masquait pas la régularité d'ensemble.

Dans les pays où le peuplement est constitué par des groupes de même tradition culturelle, les différences dans les milieux physiques créent des contraintes souvent gênantes. Pour des consommateurs de grain, habitués à la culture des céréales, un milieu montagnard au climat rude constitue un obstacle. Comment tirer sa subsistance d'un pareil milieu? Va-t-on chercher à tirer parti des aptitudes naturelles de la montagne, de sa fraîcheur, des facilités qu'offrent les hauts pâturages pour le développement de l'élevage? Oui, mais souvent beaucoup moins qu'on ne le croit. Dans un monde à l'économie peu ouverte, les efforts essentiels visent à adapter les ethniques culturales au milieu hostile. On garde le grain treize mois en terre, mais on ne renonce pas à la céréaliculture. Ceci explique que les différences d'aptitudes ne soient pas mises pleinement en relief dans les économies traditionnelles. On retrouve les mêmes combinaisons productives sur de très vastes espaces. L'uniformité des cultures masque souvent la diversité très réelle des sols et des conditions climatiques. Dans les pays d'économie peu développée, les limites de secteurs uniformes coïncident souvent davantage avec des frontières culturelles, qu'avec des limites de zones naturelles. Lorsqu'il y a superposition des deux systèmes de limites, cela provient souvent d'une évolution assez complexe. Les différences de milieux n'ont pas modelé les hommes et les groupes. Les frontières entre ceux-ci se sont fixées à la suite de longues périodes de tension : les solutions les mieux adaptées à un milieu donné ont donné l'avantage au groupe qui les pratiquait, si bien que l'on a l'impression que le milieu a modelé la réalité humaine.

Au total donc, les économies fermées nous offrent l'image des seules constructions régionales réellement homogènes. Les limites de paysages agraires que l'on a reconstituées à la suite de travaux patients nous indiquent ainsi les frontières de grands ensembles à l'intérieur desquels l'homogénéité du paysage était bien plus grande que ne le laisseraient prévoir les conditions physiques (3).

Les constructions régionales et le développement des échanges.

L'apparition de groupes territoriaux mieux adaptés à la variété des conditions naturelles suppose un certain degré d'ouverture

(3) La monotonie des grands types de paysages agraires avait frappé dès la fin du siècle passé les géographes allemands, A. Meitzen en particulier. Il croyait que les grandes unités qu'il distinguait témoignait des limites anciennes des zones

de l'économie, le passage de l'autosubsistance intégrale à un système d'échanges. On voit du même coup les régions changer de nature. Elles ne témoignent plus seulement de la force des liens sociaux, elles ne résultent plus du long équilibre qui s'établit entre l'homme et les milieux qu'il exploite, mais qu'il subit sans pouvoir les maîtriser complètement. La construction régionale est déjà en partie liée aux échanges.

Dans les régions rurales, chacun essaie de subvenir à ses besoins, mais vend des excédents, pour se procurer des produits rares. On assiste de la sorte à une diversification très réelle des paysages. Dans l'ensemble, l'impression d'uniformité domine, car chacun continue à cultiver la plus grande partie des grains et des produits de consommation courante nécessaires à la vie. Mais on achète le vin, certains produits d'élevage, des bêtes, des élèves en particulier, à des régions dont les aptitudes sont meilleures. Ainsi, apparaissent de menues subdivisions où l'on pratique des spécialisations particulières. Là, l'économie se présente comme beaucoup plus ouverte. Les vignerons, les éleveurs ont appris à vivre en renonçant à la plus grande partie des activités traditionnelles. Il peut même apparaître de véritables secteurs de monoculture. L'uniformité d'ensemble des paysages agricoles n'est pourtant pas considérablement modifiée par cette évolution. Les contraintes de la distance ne rendent possibles les échanges à longue distance que pour un petit nombre de produits. Aussi les possibilités de spécialisation véritable demeurent limitées pour la plupart des pays. Elles n'apparaissent vraiment importantes que dans des régions aux conditions naturelles contrastées, où des secteurs complémentaires peuvent exister à courte distance. La diversification des paysages agricoles est ainsi surtout sensible dans les régions montagneuses, où l'alti-

de peuplement de l'Europe antique — et il établissait une équivalence entre les zones d'habitat groupé et les régions de prépondérance de telle ou telle civilisation.

La géographie française n'a pris conscience de l'existence de ces grands thèmes qu'assez tard, à la suite des travaux de Marc Bloch, de Gaston Roupnel et de Roger Dion.

L'opposition essentielle est celle des pays de bocage et de dispersion et des pays de groupement et de campagne. Les analyses contemporaines permettent de nuancer les grandes oppositions admises depuis une génération. On a pris ainsi conscience de la parenté des systèmes à *outfield* et à *infield* qui caractérisent toute l'Europe du Nord-Ouest. PLANHOL (Xavier de), « La genèse des paysages agraires européens au symposium de Vadstena (14-20 août 1960) ». *Revue géographique de l'Est*, vol. I, 1961, pp. 235-246.

Ces similitudes ont été soulignées en France par M. Flatrès, en Allemagne par Uhlig.

tude crée des oppositions faciles à exploiter et dans les régions de contact climatique où les variations locales de la topographie et des sols donnent naissance à une multitude d'unités dont les aptitudes peuvent être utilisées en des sens différents. On comprend de la sorte pourquoi les régions de climat de transition qui traversent la France de l'Aquitaine aux marches de l'Est aient pu faire longtemps figure de bons pays : les conditions pour l'apparition précoce d'une économie spécialisée s'y trouvent réunies (4). En dehors de ces zones un peu exceptionnelles, les conditions générales d'autarcie locale subsistent. La complémentarité entre zones voisines crée des liens fonctionnels entre les unités homogènes spécialisées où elles apparaissent.

L'amélioration des conditions de l'échange et la diminution des frais de transport ont complètement modifié les régions agricoles. L'ouverture des campagnes aux échanges a provoqué une concurrence beaucoup plus vive, la recherche d'une spécialisation qui permette de mieux tenir compte des aptitudes des régions. A la fin du XVIIIe siècle, l'ouverture se traduit, autour des grandes villes, par une spécialisation où les conditions de situation jouent le rôle essentiel (5). Les frais de transport sont si élevés que c'est en fonction de la distance au marché de consommation que s'effectuent les choix essentiels. L'espace agricole s'ordonne de la sorte en zones concentriques, chacune spécialisée dans la fourniture d'un produit ou d'une gamme de produits. L'homogénéité des régions agricoles subsiste à l'échelle élémentaire du paysage, mais elle a disparu au niveau de l'ensemble économique. Une unité d'ordre supérieur se constitue autour du marché, mettant en relation des zones complémen-

(4) La diversification de la vie rurale a été sans doute plus précoce en France que dans d'autres pays, à raison même de la diversité plus grande des milieux. Il est possible que ceci ait retardé la prise de conscience des similitudes de paysages agraires, ait gêné l'analyse de leurs fondements.

La plupart des thèses de géographie régionale françaises fournissent des analyses précises de cette diversification des activités agricoles. Celles qui ont été consacrées depuis la fin de la guerre aux régions de la France moyenne sont sans doute les plus intéressantes à ce point de vue. DERRUAU (Max), *La Grande Limagne auvergnate et bourbonnaise.* Grenoble, Allier, 1949, 541 p. — JUILLARD (Étienne), *La vie rurale dans la plaine de Basse-Alsace, essai de géographie sociale.* Strasbourg, Publications de la Faculté des Lettres, 1952, 582 p. — LEBEAU (René), *La vie rurale dans les montagnes du Jura méridional. Étude de géographie humaine.* Lyon, Publications de l'Institut des Études rhodaniennes, 1955, 593 p.

(5) On est là dans les conditions qui prévalaient au moment où von Thünen élaborait son modèle. THÜNEN (Johann von), *Der Isolierte Staat...*, *op. cit.*

taires, assurant une circulation des biens dans la totalité de l'espace analysé.

Dans ces économies rurales ouvertes aux échanges, ceux-ci peuvent s'effectuer de diverses façons. Dans bien des régions de l'Extrême-Orient, ainsi que dans certaines zones rurales de l'Europe, le développement du commerce s'est fait sans création de lieux centraux permanents. Les exemples les plus classiques de situation de ce type sont cependant fournis par les civilisations berbères où les souks ne donnent lieu qu'à des rencontres périodiques (6). La sédentarisation du négoce ne se produit pas. Le passage à une économie commerciale ne modifie pas les données de base de la répartition de la population, ne crée pas d'organismes nouveaux. Bien souvent, l'échange peut se poursuivre durant un temps infini entre des groupes différents sans que s'établisse la moindre solidarité durable. Les règles de fonctionnement du marché sont telles que la régularité des transactions est assurée, alors même que les groupes restent presque totalement étrangers les uns aux autres. Aussi, les solidarités de fait que marque l'échange sont toujours ressenties comme révocables, comme passagères et le passage à des formes supérieures d'organisation de l'espace est impossible.

Les échanges portent souvent sur des produits agricoles. Ils permettent à des secteurs de vocations complémentaires de s'aider mutuellement. Ils sont également destinés à fournir aux populations d'agriculteurs et d'éleveurs les produits de l'artisanat, les outils, les tissus, les poteries qu'ils ne peuvent fabriquer individuellement. Cette activité de transformation reste rurale dans bien des pays de vieille civilisation. On trouvait, dans les campagnes du Sud-Ouest de la France, des villages de potiers, des villages chapeliers, des villages de cordonniers, dont l'ancienne prospérité n'a pris fin que vers le milieu du siècle dernier (7). On cite des cas de dispersion analogue des fabrications dans les zones de deltas de l'Extrême-Orient, dans les campagnes tonkinoises en particulier (8).

(6) Le mécanisme des marchés berbères est expliqué dans BENET (Francisco), *Explosive Markets : the Berber Highlands*, pp. 98-217 de POLANVI (Karl), ARENSBERG (Conrad M.), PEARSON (Harry) (ed. by), *Trade and Markets in the Early Empires*. Glencoe, The Free Press, 1957, XVIII, 382 p.

(7) On en trouvera une évocation dans DEFFONTAINES (Pierre), *Les hommes et leurs travaux dans les pays de la Moyenne Garonne (Agenais, Bas-Quercy)*. Lille, SILIC, 1932, XXXIV, 462 p.

(8) L'étude la plus classique des aspects traditionnels des campagnes d'Extrême-

A ces formes un peu frustes d'organisation de la production artisanale s'opposent celles qui demandent une concentration plus poussée des fabrications. Celles-ci sont alors effectuées dans de véritables régions industrielles ou dans des centres urbains comme l'usage s'en était établi durant la plus grande partie du moyen âge. On s'aperçut vite que la concentration totale n'était pas indispensable au stade de la fabrique. Les ateliers se dispersèrent dans le plat pays, dans les campagnes, sans que jamais le paysage rural ne disparaisse complètement. La Flandre, certaines parties de la plaine anglaise font ainsi figure de véritables pays industriels. Ce sont des zones homogènes, lorsqu'on en compare les diverses parties, mais leur fonctionnement suppose des liaisons lointaines, l'intégration dans des circuits économiques de vastes dimensions (9).

Le rôle de l'échange et des villes dans la formation des régions historiques.

Les constructions spatiales qui existent en Europe occidentale à la fin du XVIIIe siècle sont fort complexes dans leur histoire, comme dans leur principe. Elles englobent des espaces ruraux qui demeurent très souvent dominés par une économie domestique visant à assurer l'auto-satisfaction la plus large de tous les besoins. Mais l'ouverture progressive des échanges a créé des solidarités souvent très fortes entre des ensembles complémentaires. Des villes apparaissent qui servent de marchés. Le réseau des échanges n'embrasse la plupart du temps que des espaces assez limités si bien que l'importance des lieux centraux demeure médiocre, que leur rayonnement ne s'étend que sur de faibles étendues et que n'existe pas de hiérarchie véritable entre eux. Au-dessus de la poussière des petits centres qui vivent ainsi de la répartition des produits locaux ou régionaux, il existe quelques villes marchandes dont l'activité est d'une toute autre ampleur. On passe directement de la bourgade à la ville

Orient est en effet celle de GOUROU (Pierre), *Les paysans du delta tonkinois. Étude de géographie humaine.* Paris, Éditions d'Art et d'Histoire, 1936, 666 p.

(9) Les études consacrées à l'industrie des Flandres depuis le moyen âge se sont multipliées à tel point depuis Pirenne qu'il n'est pas question de les citer ici. Signalons, pour l'industrie traditionnelle de la plaine anglaise, l'analyse de SMITH (Wilfred), *An Economic Geography of Great Britain.* Londres, Methuen, 1949, XVI, 756 p.

dont les relations s'étendent sur plusieurs pays. Elle s'adonne au grand commerce, est en relation avec les grands ports, avec les places des Flandres ou de l'Europe méditerranéenne, plus tard avec les ports de commerce des côtes atlantiques et réussit à s'élever à un degré de prestige incomparable. Le réseau des centres urbains comprend ainsi deux grands étages, très nettement séparés, pour tout ce qui touche aux activités commerciales et industrielles (10).

Il est indiscutable que les forces économiques ont contribué souvent à modeler les unités régionales qui se révèlent très vigoureuses en Europe dès le moyen âge et dont le rôle va se maintenir durant toute l'époque moderne. Mais elles n'ont pas constitué le seul élément moteur dans l'opposition des régions. C'est dans les zones les plus ouvertes par le grand commerce que les organisations régionales se sont modelées le plus vite en fonction des impératifs de la vie économique. Il en fut ainsi dans certaines parties de l'Italie, il en alla de même en Flandres. Les diverses unités apparues dans la plaine du Pô entre le XIIIe et le XVIe siècle sont plus nettement modelées sur les aires d'influence urbaine dans la partie orientale et centrale de la plaine, de Milan à Venise, que ce n'est le cas au Sud ou à l'Ouest. Là, les constructions politiques sont plus voisines de celles qui sont nées dans les autres parties de l'Europe féodale. Au contact des mondes slaves et germaniques, le Frioul demeure une principauté féodale isolée de la mer par les ports dépendant de Venise : c'est au débouché des grandes voies du commerce transalpin que les organisations à base urbaine se sont affirmées le plus vite. Même dans le cas des réussites les plus éclatantes, à Milan comme à Venise, le simple jeu des forces économiques n'aurait pas réussi à donner naissance à une région très vaste. C'est la conjonction du pouvoir politique et de la prospérité économique qui a permis d'assurer la position dominante de ces métropoles. Jusqu'au XIIe siècle, les forces en présence avaient donné naissance à toute une floraison de centres urbains qui, comme très souvent dans les économies pré-industrielles, présentaient peu de différences, étaient difficilement hiérarchisables. La Lombardie et la Vénétie correspondent à des régions sous-tendues

(10) Les monographies consacrées par les médiévistes à l'essor des grandes villes et à leur histoire, apportent des lumières précieuses sur l'originalité du réseau urbain à cette époque.

par des relations commerciales permettant d'asseoir une économie déjà très complexe. Mais cela n'a été possible que dans la mesure où les métropoles ont su se donner un rôle véritablement international et ont pu, en recourant à la force politique, éviter l'apparition de concurrences et se réserver le bénéfice de leurs entreprises lointaines.

Le cas de l'Italie est exceptionnel. La Toscane, la Vénétie et la Lombardie ne peuvent se comparer à aucune des autres régions historiques que l'on voit alors s'épanouir en Europe. C'est peut-être à cela que l'on doit encore la physionomie si particulière de ces régions italiennes, très vivantes dans l'esprit de leurs membres, mais qui ne se marquent pas dans le paysage par une mosaïque de traits humains différents aussi variée que dans d'autres parties de l'Europe : dans la mesure où les relations économiques sont anciennes et importantes, l'unification des formes de civilisation a été plus effective, plus profonde qu'ailleurs.

Les unités nées progressivement dans les régions de l'Europe moyenne se sont construites autour de grandes voies de commerce. L'Alsace et les diverses unités de la vallée du Rhin moyen sont nées des échanges menés le long des routes qui longent les massifs anciens encadrants. En France, quelques-unes des régions les plus vivantes trouvent leur unité dans l'exploitation du privilège que donne une position de seuil : que l'on songe au Poitou, à la Bourgogne, au Languedoc ou à la Franche-Comté. Le trafic des vins et du sel anime les grands axes qui ont assis la puissance de la famille de Chalon et lui ont permis de consolider la fortune de la Comté. Mais les faits économiques ne sont pas les seuls à jouer. Ainsi, la position du Languedoc est moins bonne du point de vue économique qu'elle ne l'est du point de vue stratégique. Jusqu'au percement du canal des deux mers, le seuil de Naurouze ne constitua pas la voie la plus utilisée entre l'Atlantique et la Méditerranée. La Garonne n'offrait qu'une voie de navigation difficile et dangereuse et les terreforts se prêtaient mal aux communications. Les voies les plus fréquentées passaient plus au nord, de Montauban à Béziers, ou de Cahors à Rodez et à la région montpelliéraine. La valeur du seuil de Naurouze est essentiellement militaire dans toute cette période. Les travaux des historiens sont là pour montrer le rôle des grandes familles princières dans la naissance des diverses régions qui paraissent si unies, si fortes, si logiquement constituées. Certaines sont dues aux entreprises d'un aventurier, comme ces régions du Centre-Ouest, dans un milieu peu différencié, où l'action d'un Foulques Nerra pût donner naissance à un ensemble aussi vigoureux que l'Anjou.

La fragilité des dominations urbaines.

Nous avons vu combien l'assise de l'économie urbaine restait fragile dans la plupart des économies occidentales jusqu'à la fin du XVIIIe siècle, à quelques exceptions près. Certaines constructions économiques très solides ont pu s'effectuer sans véritable poussée urbaine. Et la fragilité est confirmée par les vicissitudes de l'histoire urbaine partout où la prospérité des villes est demeurée assise sur des bases purement commerciales ou industrielles. Le Saint-Empire offre de multiples exemples de cette instabilité de la fortune. Les grandes villes du moyen âge ont connu une fortune diverse. Certaines, et des plus grandes, des plus riches, sont redevenues de petits centres dont les fonctions purement locales ne masquent pas le déclin. Qu'est-ce qui rappelle aujourd'hui l'ancienne importance de Worms, de Spire, et même d'Augsbourg, sinon les monuments, la splendeur des cathédrales et des hôtels? L'évolution de l'Empire a multiplié les villes libres, si bien que leur sort a été presque uniquement déterminé par les possibilités que leur ouvraient leurs activités transformatrices et les marchés qu'elles réussissaient à maîtriser. Elles manquaient du rôle régulateur que donnent les fonctions administratives et politiques. Leurs réussites étaient d'autant plus éclatantes que toutes les énergies pouvaient se conjuguer pour assurer le succès dans le domaine des grandes affaires. Les institutions étaient élaborées en fonction du but à atteindre, et aucune force extérieure ne venait freiner le mouvement d'expansion. En contrepartie, rien ne venait limiter les causes de décadence. Les principautés féodales qui s'étaient multipliées dans le plat pays vécurent longtemps sans organisation administrative lourde, si bien que la vie urbaine n'était pas nécessaire à leur action. Le seul élément qui donnait une certaine assise territoriale fixe aux villes était l'administration ecclésiastique. Elle a contribué à sauver certaines des villes commerçantes anciennes d'une ruine irrémédiable (11).

(11) On a de la peine, en France, à apprécier le rôle stabilisateur des fonctions

La Renaissance et la Contre-Réforme ont été marquées par la diffusion progressive de nouvelles idéologies, mais aussi par celles de nouvelles techniques administratives. Les principautés allemandes ont créé des bureaucraties inspirées de modèles italiens et qui furent souvent fort lourdes. Le support urbain est devenu nécessaire à la vie des États. Mais il n'a pas consolidé toujours la situation des villes anciennes : la solidité des privilèges dont jouissaient les villes libres était telle que l'on a préféré créer de nouvelles agglomérations. Certaines sont restées des Versailles au rôle mineur, à côté de grands centres urbains qu'elles doublaient et qui les ont absorbées. Les autres se sont au contraire développées au point de devenir des points essentiels du réseau actuel des centres urbains dans l'Allemagne moyenne (12).

Les forces politiques, les villes et la région historique.

On voit à l'exemple de l'Empire le rôle essentiel joué par les organismes politiques et par les intitutions administratives dans la formation des régions historiques. Jusqu'à une date assez récente, la centralité n'était pas nécessaire à l'accomplissement de la plupart des tâches de la vie économique. Elle pouvait se montrer avantageuse dans certaines circonstances, mais on a bien plutôt l'impression que les économies externes et les économies d'échelle que l'on pouvait espérer de la concentration demeuraient limitées. C'est seulement sur le plan politique que la centralité donnait un avantage à ceux qui savaient l'organiser à leur profit.

En Occident, la concentration du pouvoir n'est pas apparue comme une des conditions nécessaires au progrès économique — la situation était différente en Orient, nous y reviendrons. La fortune des villes tient au développement de forces politiques nouvelles. Elles rompent avec les habitudes du monde

administratives. Il nous semble naturel de voir des villes conserver des fonctions de direction depuis l'époque romaine : il faut analyser les régions de l'Est pour voir des évolutions dissemblables. On pourra se reporter par exemple à Fohlen (Claude) (sous la direction de), *Histoire de Besançon*. Paris, Nouvelle Librairie de France, 2 vol., 1964-1965, 754 p.

(12) Les analyses allemandes sont sur ce point très nombreuses. Nous avons utilisé un article de Pfeifer (Gottfried), *Die Rhein-Neckar-Lande in Wandel Historisch-Geographischen Situationen.* Zestschrift zum XXXIV deutschen Geographentag von 4 bis 7 Juni 1963 in Heidelberg, pp. 11-34.

féodal, même lorqu'elles en sont largement les héritières. Les liens de fidélité, les contrats d'homme à homme cessent de jouer le rôle essentiel dans la vie politique. Du coup, les ressorts sur lesquels on doit s'appuyer pour construire de grandes unités territoriales changent. Les appuis, on les cherche dans des corps qui possèdent la stabilité et la durée et qui sont seuls capables d'assurer un contrôle efficace de l'espace au point de vue économique : ce sont les villes qui possèdent ces qualités. On a souvent parlé de l'alliance des pouvoirs politiques nouveaux et des villes dans la période qui coïncide avec l'affermissement du pouvoir royal dans la plus grande partie de l'Europe occidentale. On a vu dans la bourgeoisie un des agents essentiels de la formation des constructions politiques modernes. C'est vrai, mais en parlant de bourgeoisie, on réduit le problème à son aspect social, alors qu'il est pour l'essentiel géographique. Les bourgeois sur lesquels s'appuient les hommes politiques clairvoyants, ce ne sont pas les représentants d'une classe, mais ceux qui habitent les bourgs ou ceux qui réussissent à en contrôler la politique. Et c'est sur la stabilité et la force militaire des villes que se construisent la plupart des États modernes.

Les caractères des régions historiques à la fin du XVIIIe siècle.

Les régions historiques sont donc construites très souvent autour d'un réseau urbain, ce qui conduit à exagérer, avec le recul du temps le rôle des forces économiques dans leur genèse. Dans la plupart des cas, c'est une volonté politique qui a assuré l'unité. Les contours qui ont arrêté l'expansion de la puissance politique ont souvent été marqués par des frontières ethniques ou culturelles anciennes ou par des obstacles physiques très difficiles à maîtriser. Mais les régions historiques se présentent essentiellement comme des constructions politiques élaborées dans le même temps que se construisaient les États modernes. Parmi les groupes qui ont essayé d'unifier l'espace à leur profit, un tout petit nombre seulement a réussi à excercer son pouvoir sur de très vastes territoires. La plupart du temps, les efforts voisins sont venus expirer les uns contre les autres. Avec le temps, les unités ont été progressivement absorbées dans les grands États, mais elles sont demeurées des entités administratives. Elles ont duré longtemps, si bien que leur unification les a cimentées profondément. Elles ne sont pas homogènes à tous les points de vue. Les régions historiques sont formées d'une mosaïque de pays fortement individualisés. Elles chevauchent souvent des limites culturelles. Elles englobent des groupes de race et de religion différentes, comme on l'observe à la limite des mondes latins et germaniques, dans toute l'Europe occidentale et centrale. Elles n'en ont pas moins une unité et une solidité réelles. Les gens se sentent solidaires. Ils connaissent leurs diversités, mais ils ont admis leur appartenance à une même unité. La loi commune les a façonnés progressivement, a favorisé l'épanouissement d'attitudes, de préjugés ou de modes de pensée voisins.

On voit donc la complexité des régions historiques que l'on se plaît à évoquer dans l'Europe de la fin du XVIIIe siècle. Elles ont uni des éléments disparates, mais en imposant un même moule aux hommes, elles ont fini par être habitées par des groupes aux attitudes similaires. Il n'y a pas de modèle universel, de combinaison privilégiée des divers éléments que nous venons d'étudier. Dans certains cas, à Florence, à Venise, les courants d'échange et la volonté des hommes d'affaires a été le ferment essentiel. Ailleurs, l'unité est le résultat de l'œuvre entêtée d'une famille comme en Anjou, ou en Ile-de-France. Ici, la région est bâtie sur un réseau de villes hiérarchisées ou qui se présentent toutes à peu près sur le même plan. Là, les villes au contraire demeurent en dehors de la construction régionale. On conçoit qu'il soit à peu près impossible de faire entrer la région historique dans un cadre unique et rigide. Région homogène, elle l'est au terme de son élaboration, lorsque les hommes se sont habitués à constituer un groupe solidaire, mais elle ne l'est souvent que de cette manière. Région fonctionnelle, elle le devient lorsque l'épanouissement de l'économie de marché, vers la fin de l'époque moderne, ouvre les régions rurales aux grands courants d'échange. Il fut un moment où le cadre régional a représenté un élément assez vaste pour englober presque tous les éléments du circuit économique. Mais pour l'essentiel, la région historique apparaît comme le résultat d'une très longue action de polarisation, excercée sur le plan politique plus que sur le plan économique et qui a fini par ordonner les éléments divers autour d'une idée, d'une autorité commune.

La taille des régions historiques présente une certaine régularité. Certains y voient l'influence des facteurs économiques. Les régions historiques correspondraient à la taille moyenne des circuits économiques fondamentaux au cours de l'époque considérée. Mais c'est conclure un peu vite. La plupart des grandes régions historiques de l'Europe occidentale ont atteint leur dimension actuelle à une époque assez reculée — au cours de la période qui va du XIIIe au XVIe siècle. Les marchés sont demeurés longtemps de dimension très inférieure à la région, pour une bonne part des produits faisant l'objet d'échanges. Pour les céréales, on a constaté par exemple que la mise en place de grands marchés régionaux s'était effectuée en Angleterre au début de l'ère moderne. Le développement du centre de consommation londonien a progressivement altéré l'équilibre obtenu au cours de cette période. La zone qui contribuait à ravitailler la capitale s'est assez vite étendue à la moitié au moins de l'Angleterre. La coïncidence des frontières régionales avec les limites des zones économiquement homogènes n'a le plus souvent été que passagère. Il est arrivé, pour la plupart des produits, que l'accroissement de la dimension des marchés, fasse coïncider leurs aires d'offre et de vente avec les dimensions de la région. Mais les évolutions se sont produites indépendamment les unes des autres, si bien que la consistance économique de la région historique n'a pas évolué de manière appréciable au cours des temps. Tout ce que l'on peut constater, c'est qu'à la longue, l'ouverture de l'économie s'accentue, la part des circuits purement locaux diminue aux dépens de ceux qui ont une dimension régionale, ou plus que régionale. Dans les régions continentales, les produits qui peuvent être distribués sur une aire très large demeurent rares par suite des frais de transports. La dimension des aires est du même ordre de grandeur que celle des régions historiques, mais les échanges se font bien souvent sans aucun rapport avec les limites de celles-ci.

Diverse par son évolution, par ses dimensions, par ses caractères économiques, la région historique semble une construction hétérogène et fragile. Son seul ciment est social et psychologique. Il demande une longue évolution en commun, ce qui justifie le qualificatif d'historique. Il suffit à donner permanence et force. Dans la mesure où les habitants d'un ensemble se sentent solidaires alors même que la langue et la religion les séparent parfois, ils forment une unité qui peut résister aux transformations sociales et économiques. L'évolution contemporaine, en France, s'est faite presque toujours contre la région historique. Celle-ci est demeurée vivante, pourtant, dans l'esprit d'une bonne partie des provinciaux.

II. — De la région historique a la région économique.

L'intérêt qui persiste chez beaucoup de géographes pour l'étude des unités historiques s'explique aisément lorsque l'on voit la coïncidence souvent presque parfaite entre leurs limites et celles des unités les plus vivantes du monde moderne, ces régions économiques, animées par un grand centre urbain, et qui jouent un rôle essentiel dans l'organisation de l'espace actuel. Une analyse attentive montre cependant qu'il y a bien plutôt coïncidence, qu'héritage : les deux types de construction que l'on désigne sous le nom de région historique et de région économique recouvrent des réalités tout à fait différentes. Une analyse de l'évolution historique permet de bien s'en rendre compte.

L'évolution des transports et la formation des régions économiques.

La révolution économique qui se prépare en Angleterre dans le courant du XVIIIe siècle et se propage sur le continent au cours des premières décennies du siècle suivant est caractérisée à la fois par des progrès dans les techniques de la production agricole, de la transformation industrielle — c'est sur elles que l'on insiste généralement — et par une diminution générale des frais de transport, permettant l'extension des aires de marché et conditionnant de la sorte la mise en œuvre des techniques nouvelles. La portée des biens a cru à un rythme rapide. Dès le début de l'époque moderne, les progrès de la navigation étaient tels que l'obstacle de la distance était devenu relativement léger pour les économies donnant sur la mer. Le commerce des produits agricoles en avait été très vigoureusement stimulé. Par la suite, les ingénieurs et les constructeurs ont amélioré les transports continentaux. La construction de routes modernes a permis de généraliser le roulage. Les canaux ont créé des axes particulièrement bon marché pour les échanges. On a souvent montré le rôle de ces vagues de construction de voies de communication dans l'épanouissement de l'économie moderne, tant en Angleterre qu'en Europe continentale et qu'aux États-Unis. Jusqu'à l'invention des chemins de fer, les progrès sont demeurés pourtant relativement lents, la portée des biens s'est allongé, mais sans mutation brusque. La construction d'un canal était une opération de longue haleine, comme l'était la correction d'un cours d'eau pour permettre la navigation régulière. Les prix des travaux étaient si élevés qu'ils dépassaient très souvent les moyens de financement, ce qui ralentissait encore le rythme des aménagements. Ainsi, les améliorations restaient très localisées, les résultats, fragmentaires. A la fin du XVIIIe siècle et au début du XIXe siècle, on assiste à une accélération du rythme des travaux. Elle est particulièrement sensible en Angleterre et plus tard aux États-Unis. Elle s'explique par les progrès du financement plus que par l'évolution des techniques de construction.

La révolution ferroviaire a eu une tout autre importance. La construction des réseaux s'est effectuée en un temps assez bref dans les grands pays européens. Il n'a généralement pas fallu plus d'une génération pour mettre en place tous les axes essentiels à la vie économique des nations. En Angleterre, l'équipement est déjà très poussé au moment des agitations sociales du milieu du siècle. En France, les débuts de la construction furent lents. Il a fallu attendre 1845 environ pour que les programmes de construction deviennent importants. Tous les grands axes sont en place une trentaine d'années plus tard. On comprend que des opérations aussi vastes produisent des effets qui sont sans commune mesure avec ceux qui résultaient des progrès antérieurs des voies de communication. Sur mer, la généralisation progressive du bateau à vapeur, jointe à l'ouverture des grands canaux transocéaniques, assure la baisse régulière des frets et donne une plus grande sécurité aux transports.

Les pratiques de la tarification ont sans doute atténué quelque peu l'effet de choc provoqué par la mise en œuvre des nouveaux moyens de communication (13). Les propriétaires de chemin de fer ont longtemps calqué leurs tarifs sur ceux de leurs concurrents, plutôt qu'ils ne les modelaient sur la structure de leurs coûts. C'est grâce à cela que les profits furent très élevés, ce qui permit

(13) JOUFFROY (L. M.), *L'ère du rail.* Coll. Armand Colin, n° 286, Paris, 1953, 224 p.

de draîner l'épargne nécessaire à la poursuite de travaux aussi importants. Les avantages apportés par la voie ferrée ne sont pas tous liés aux prix. La régularité du transport, la facilité avec laquelle on peut procéder à des expéditions en toute saison, la rapidité du service, ont contribué dans une large mesure à augmenter la portée effective de beaucoup de biens. Au total, les tarifs ont fini par baisser et cela d'une manière très appréciable. La concurrence a pu favoriser cette évolution là où des voies parallèles étaient construites par des entreprises différentes. Au fur et à mesure que les réseaux se construisaient, que des compagnies les unissaient au sein de larges sociétés, la tarification devint plus rationnelle. Les prix appliqués sur les nouveaux tronçons étaient calculés en fonction de ceux pratiqués sur le reste du réseaux, bien plutôt qu'en fonction de ce que demandaient les rouliers sur le même itinéraire. L'effet de choc de la construction du réseau ferroviaire s'est accentué avec le temps. Aussi a-t-on assisté à une véritable explosion des marchés. On est passé de biens locaux à des biens dont les échanges peuvent se faire à l'échelle de la nation tout entière ou à l'échelle du monde. Pour les produits agricoles de conservation facile, la portée est devenue d'emblée planétaire.

La révolution liée à la diffusion de l'automobile n'a pas eu le même effet général (14). Elle a fait participer à la vie moderne des régions périphériques, des zones peu peuplées, des montagnes au relief trop difficile pour être maîtrisé par le rail. Mais dans tous les pays européens, et dans une bonne partie de l'Amérique, dans certains pays coloniaux d'Asie ou d'Afrique enfin, la voie ferrée avait atteint tous les noyaux de peuplement susceptibles de donner naissance à des courants d'échange importants.

La baisse du prix des transports a bouleversé les conditions générales de toute l'activité économique. Il n'a plus été nécessaire de produire en chaque point l'essentiel de ce qui est nécessaire à la vie. Les échanges se sont multipliés. Les producteurs se sont spécialisés de manière à s'assurer des avantages nouveaux. Les contraintes qui imposaient l'uniformité, l'homogénéité des constructions régionales avant le XVIIIe siècle ont disparu. Dans ces conditions, les types d'activité auraient pu se multiplier dans un même espace, les fermes se consacrer chacune à une produc-

(14) Son influence a été décisive sur l'architecture interne de la région, comme nous le verrons au chapitre X.

tion différente et les usines se répartir beaucoup plus librement que dans le passé. Des échanges à grande distance auraient permis à chacun de s'assurer la totalité du ravitaillement en biens et en services qu'il aurait désiré. La structure régionale aurait totalement disparu. On constata un certain affaiblissement, mais la région se transforma bien plutôt qu'elle ne dépérit.

Aptitudes physiques et spécialisation des régions agricoles.

La baisse des prix de transport a été si rapide que les schémas de von Thünen ont vite cessé de pouvoir s'appliquer aux réalités de petite dimension. Ils n'ont plus de valeur qu'à l'échelle du monde, où l'on peut reconnaître une certaine spécialisation en fonction de la distance aux marchés de consommation; les activités prédominantes dans les régions de l'hémisphère sud au climat comparable à ceux de l'Europe du Nord-Ouest sont dans l'ensemble beaucoup plus extensives, comme le laisse prévoir le modèle proposé par von Thünen. A plus petite échelle, les conditions de distance ont cessé d'intervenir (15). Les facteurs qui guident la spécialisation sont des facteurs physiques. On assiste, au cours du XIXe siècle, à une évolution des campagnes européennes qui accentue nettement les contrastes traditionnels. Alors que l'on avait jusqu'alors des étendues uniformes très vastes, interrompues de-ci de-là par quelques unités spécialisées menues, à l'échelle de marchés régionaux qu'elles satisfaisaient, on voit maintenant le paysage fait d'espaces agricoles très contrastés, mais de taille plus uniforme. Les petits secteurs privilégiés du temps jadis ont perdu leurs avantages. Pour une économie à plus large rayon, ils apparaissent bien souvent comme en situation marginale dans la spécialité qu'ils se sont choisie. Les petits vignobles de consommation courante installés aux limites des aires de culture de la vigne ne peuvent résister à la concurrence des régions méditerranéennes. L'avantage des banlieues maraîchères subsiste plus longtemps, car les légumes se conservent assez mal, et perdent une partie de leur valeur durant le transport. Mais petit à petit, les zones spécialisées les mieux placées finissent par rompre leur monopole. Aux États-Unis, les statistiques montrent le déclin régulier de ces ceintures depuis une

(15) L'analyse la plus complète de l'adéquation des modèles de von Thünen au monde agricole moderne est celle de Michaël Chisholm, que nous suivons ici.

génération. En France, le mouvement est également sensible dans une bonne partie du pays. Il est un peu masqué par le développement d'agriculture sans terre, mais le rapport entre les banlieues maraîchères, et les grandes zones spécialisées se modifie lentement au profit de ces dernières.

C'est donc pour l'essentiel l'aptitude donnée par les qualités du sol et du climat qui justifie les spécialisations dans les conditions actuelles de la production (15). Le morcellement de beaucoup de marchés agricoles par les frontières nationales limite les spécialisations à l'échelle internationale à certains produits de base pour lesquels un grand commerce existe. Les droits levés à l'importation sont souvent si élevés que les prix intérieurs sont sans aucun rapport avec ceux de l'extérieur, si bien que même pour les produits dont le marché est large, les conditions de l'équilibre s'établissent en grande partie à l'échelon de l'espace national. Il en va ainsi depuis le début de la révolution des transports, mais le protectionnisme agricole s'est beaucoup renforcé depuis une trentaine d'années, si bien que les équilibres de localisation s'expliquent davantage que par le passé par les avantages relatifs appréciés à l'intérieur de l'espace national (16).

Ainsi, le développement de l'économie moderne s'est traduit sur le plan agricole par une diversification des cultures à l'intérieur de l'espace des nations modernes. Au lieu de très vastes ensembles très faiblement différenciés, ce qui s'impose maintenant, ce sont des unités de dimension moyenne, qui coïncident le plus souvent avec des limites naturelles. On s'explique ainsi aisément l'intérêt accordé aux délimitations des pays, ces unités à la fois physiques et humaines, par les géographes de la fin du siècle dernier. A l'époque où s'effectuaient leurs enquêtes, les pays constituaient réellement l'unité fondamentale de toute la vie humaine des régions rurales (17).

A la différence de ce qui se passait au siècle précédent, les petits

CHISHOLM (Michaël), *Rural settlement and land use*. Londres, Huntchison Universitary Library, 1962, 207 p.

(16) On verra clairement apparaître cette influence dans les cartes élaborées par KLATZMANN (J.), *La localisation des cultures et des productions animales en France*. Paris, I. N. S. E. E., 1955, 480 p. — SPENCER (J. E.), et HORVATH (R. J.), « How does an agricultural region originate? » *Annals of the Association of American Geographers*, vol. 53, n° 1, mars 1963.

(17) Vidal de la Blache était particulièrement sensible à l'ouverture des régions naturelles qu'il analysait. Il faut dire qu'il a toujours eu une vision dynamique des problèmes de localisation. Il voyait dans la société un organisme et mettait sur le même plan l'analyse des organes, et celle de la circulation.

pays ne forment plus alors des unités homogènes qui se suffisent à elles-mêmes. Ils se trouvent intégrés dans des ensembles fonctionnels plus vastes, la plupart du temps nationaux; leur équilibre s'explique uniquement lorsque l'on analyse les problèmes à cette échelle. Pour assurer la commercialisation des produits de la région, pour permettre leur conditionnement et leur expé-

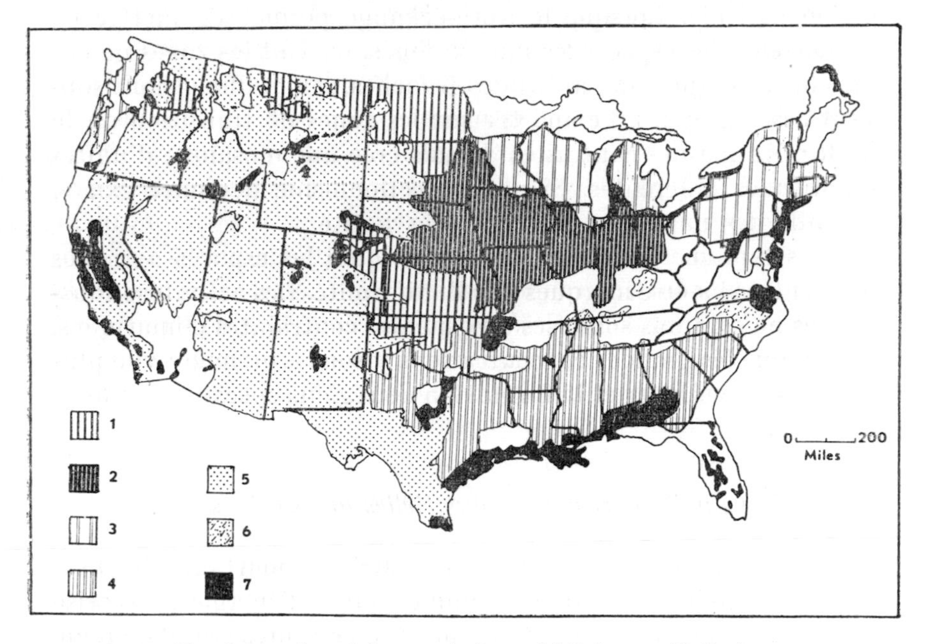

Fig. 8.1. — Les régions agricoles spécialisées aux U. S. A.

1. Wheat Belts.
2. Corn Belt.
3. Dairy Belt.
4. Cotton Belt.
5. Élevage extensif.
6. Tabac.
7. Cultures maraîchères et fruitières spécialisées.

dition, toute une organisation est nécessaire, si bien que l'espace agricole est déjà structuré par une armature commerciale et administrative qui assure son intégration dans un ensemble plus vaste. Les régions agricoles apparaissent à l'observateur comme des espaces homogènes, mais elles sont déjà organisées par une série de trames fonctionnelles (fig. 8.1). Si les observateurs de la fin du siècle dernier ou du début de ce siècle les négligent généralement, c'est que l'ouverture de l'économie agricole ne s'est pas encore accompagnée d'un bouleversement fondamental des techniques de production — ce qui limite les besoins des exploitants.

La dimension de ces espaces homogènes est très diverse. Elle est fonction à la fois de la diversité des conditions climatiques et des caractères de l'ensemble dans lequel se trouve intégrée la région agricole. Lorsque le libre-échange permet de mettre en concurrence les espaces les mieux doués, on voit les zones de climat bien marqué, aux aptitudes franches, et aux dimensions souvent assez grandes, l'emporter sur les zones de transition où la multiplication des contrastes de sols crée une mosaïque d'unités d'aptitudes différentes. Si un protectionnisme douanier existe, la taille des unités est souvent plus petite.

On s'explique donc assez bien pourquoi les espaces agricoles ont continué à être marqués par l'uniformité. Les activités industrielles ne sont pas soumises aux mêmes contraintes climatiques, si bien que les grandes concentrations y sont à première vue plus difficiles à expliquer et la formation de régions spécialisées moins normale.

Pays noirs et régions industrielles au XIXe siècle.

Au moment de la révolution industrielle pourtant, l'utilisation généralisée de la houille comme source d'énergie a favorisé la concentration des productions sur des territoires réduits. Même avec l'apparition des modes de transport modernes et l'amélioration progressive du rendement de la machine à vapeur (18), qui a diminué la consommation de houille nécessaire au fonctionnement de la plupart des ateliers, le prix de l'énergie a continué

(18) Le rendement des premières machines à vapeur était très faible — de l'ordre de 1 ou 2 %. Les améliorations qui se succédèrent dans le courant du XIXe siècle permirent de faire passer ce rendement au voisinage de 7 %. Le progrès est notable, mais il est limité. Il fallut attendre la construction d'installations à turbine pour dépasser 20 % : elles ne se justifient pas pour la plupart des entreprises individuelles, ne sont rentables que pour la fourniture de l'énergie électrique. L'utilisation de l'électricité a donc eu une double influence sur la libération de l'industrie vis-à-vis de la houille. On pense généralement au rôle de la production hydroélectrique, aux possibilités de transport à distance du courant. Les pertes en ligne sont fortes, si bien que l'énergie, sous forme électrique, a une portée limitée. Mais l'utilisation de puissantes centrales thermiques alimentées en charbon ou en fuel permet de créer des installations productives à proximité des marchés et le prix du transport du produit brûlé est plus faible que celui de l'énergie produite. Ainsi, la géographie de la production de l'énergie consommée est-elle devenue indépendante de celle des sources d'énergie.

à varier très vite avec la distance. Toutes les activités grandes consommatrices d'énergie ont eu tendance à s'agglomérer sur le carreau des mines. En même temps, la portée des produits manufacturés est devenue considérable. Ainsi sont apparues des régions purement industrielles, des pays noirs; leur développement a vivement frappé les contemporains, au point que les paysages où fourmillent les hautes cheminées de briques, dans un entassement confus de quartiers ouvriers, d'ateliers, d'usines, de terrils, de voies de communication, ont symbolisé jusqu'à ces dernières années le type même de la région industrielle. Il y a longtemps que les pays noirs ont cessé d'avoir le monopole des transformations économiques et qu'ils ne se développent qu'à un rythme relativement lent. Il a fallu pourtant un demi-siècle pour que l'image de régions industrielles propres et où la campagne ne soit pas saccagée finisse par apparaître comme normale.

Une idée d'uniformité est liée au paysage, à la présence des bâtiments industriels bâtis sur un modèle uniforme, à la confusion que crée la présence des terrils et des chevalements. Cependant, rien ne semble condamner ces régions industrielles à la mono-industrie. Elles n'ont d'ailleurs pas connu une spécialisation totale, puisque l'on y trouve toujours deux catégories d'activités : l'extraction du charbon et les activités de transformation qui permettent de valoriser cette production. Mais on aurait pu imaginer, dans chaque bassin houiller une floraison d'activités variées. Chaque zone minière aurait ainsi donné naissance à une gamme complète d'activités : industries du feu (céramique, verrerie), sidérurgie et métallurgie lourde (ce sont également des industries du feu), construction de machines, activités textiles. Un tel dispositif n'interdisait pas l'extension de la dimension des marchés et la superposition des zones de clientèle, puisque la complication croissante de la production multipliait les types de produits. Ce n'est pourtant pas à l'apparition de bassins polyindustriels que l'on a assisté. La spécialisation étroite paraît de règle dans la plupart des zones industrielles développées au siècle passé. L'Angleterre en offre une image classique, puisque chacun des bassins houilliers a sa vocation originale. Le Lancashire travaille le coton, les bassins des Middlands et celui de Sheffield se sont spécialisés dans la fourniture des produits mécaniques après avoir connu une période de développement de la sidérurgie. Le district des poteries développe la consommation de la porcelaine et de la faïence dans l'ensemble du territoire national et vulgarise les modèles imaginés par Wedgewood. Le bassin côtier du Sunderland fournit des produits métallurgiques et construit des bateaux. Il en va de même pour la partie occidentale de l'Écosse, dans la région de Glasgow. Le pays de Galles méridional se spécialise dans la fabrication des produits étamés, dans la métallurgie, en particulier dans celle des produits non ferreux.

Les facteurs favorables à l'uniformisation de l'activité industrielle au sein de la région.

Toutes les zones industrielles ne coïncident pas avec des bassins houillers. Les productions qui ne sont pas très grosses consommatrices d'énergie sont plus libres dans leur localisation. La laine est peignée, cardée et tissée dans les régions de la bordure de la chaîne pennine, à proximité de la houille, mais en-dehors de la zone minière. Les zones textiles d'Écosse se trouvent un peu dans le même cas.

Les pays d'Europe occidentale offrent des images analogues de spécialisation plus ou moins poussée et souvent absolue. En France, on voit ainsi se constituer petit à petit au cours du siècle des districts métallurgiques et textiles de la région du Nord. On voit naître la grosse sidérurgie lorraine. En dehors des zones minières, des ensembles textiles, comme celui de la région rouennaise, ou comme celui des vallées vosgiennes, se constituent. Dans toutes les zones dont l'épanouissement s'est effectué avant les années 1880, la spécialisation dans une seule branche de production paraît être de règle et l'espace industriel semble fait de petits secteurs homogènes intégrés dans des circuits économiques souvent très larges : les régions textiles anglaises exportent dans le monde entier; ce sont des rails anglais, des locomotives anglaises qui équipent les chemins de fer un peu partout dans le monde. L'homogénéité apparaît de plus en plus frappante lorsque l'on pousse l'analyse. Les productions sont non seulement uniformes, mais elles proviennent d'établissements dont la structure est voisine. Les régions textiles des Vosges (fig. 8.2) voient se multiplier les établissements de dimension moyenne; le plus souvent, ils emploient de 100 à 200 ou 300 ouvriers. Les usines qui dépassent la moyenne sont très rares, de même que les ateliers plus petits. Au-dessous d'une certaine dimension, il est difficile de se procurer l'équipement

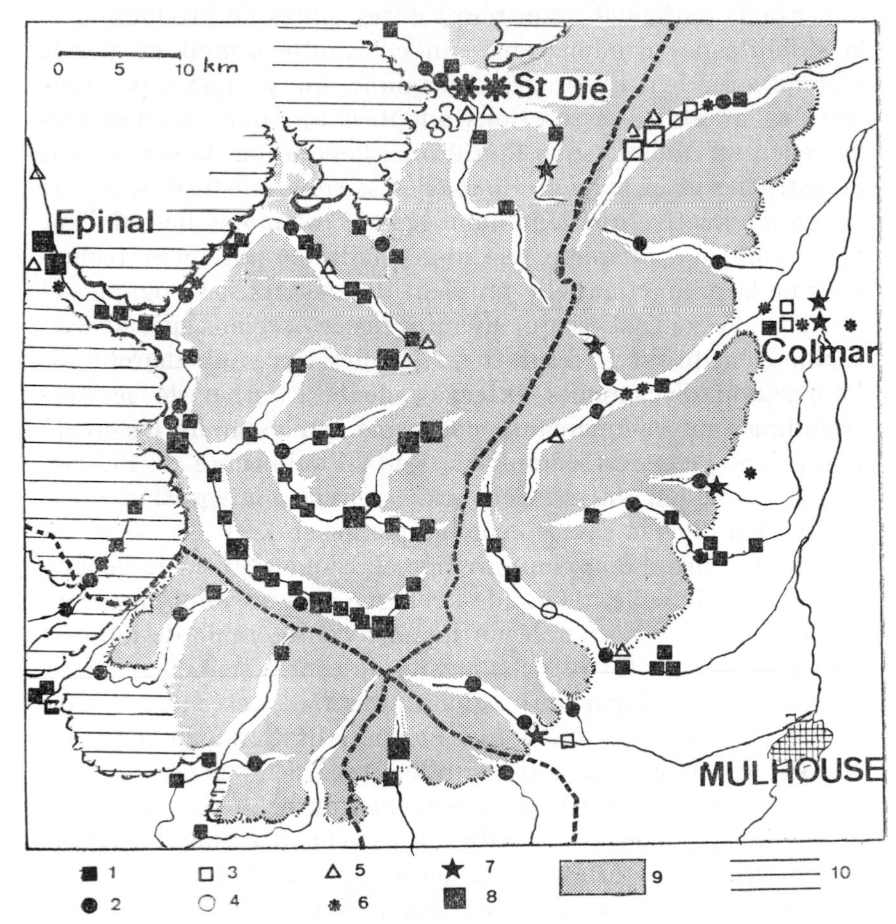

FIG. 8.2. — La région d'industries textiles des Vosges.

1. Tissage de coton.
2. Filature de coton.
3. Tissage de laine.
4. Filature de laine.
5. Blanchiment. Teinture.
6. Bonneterie.
7. Textiles artificiels.
8. Signes correspondant à cinq entreprises.
9. Vosges cristallines.
10. Vosges gréseuses.

Les données sont extraites de l'*Annuaire France textile 1961.*

mécanique nécessaire pour produire à bon prix. Au-dessus d'une certaine taille, les économies d'échelle disparaissent. On juxtapose des machines de taille constante, si bien que les progrès sont limités. Ainsi, l'uniformité des établissements est liée aux dimensions optimales de la plupart des unités de production et la stabilité des combinaisons qui en résulte s'explique par le rythme assez lent du progrès technique, qui ne remet pas sans cesse en question les solutions adoptées au cours des périodes précédentes. Mais lorsque l'on étudie l'évolution de ces régions industrielles et la manière dont elles se sont constituées, on est obligé d'admettre que leur homogénéité est moins liée qu'il ne peut sembler à première vue aux conditions purement techniques de la production; elle provient de facteurs sociologiques et de faits d'organisation qui avantagent les régions spécialisées. L'homogénéité est le résultat du jeu des forces du marché, de l'apparition d'économies externes, de la création de services techniques ou commerciaux communs qui assurent les avantages dont l'effet est cumulatif. Ainsi, l'uniformité de l'espace témoigne du jeu des services qui assurent l'intégration de la production dans le circuit économique général.

Wilfred Smith, dans son ouvrage classique (19) sur la géographie économique de la Grande-Bretagne et son évolution depuis le XVIIIe siècle a accumulé un nombre considérable de données que géographes (20) et économistes interprétèrent à sa suite. L'histoire de la plupart des régions industrielles est moins simple qu'il n'apparaît à première vue. La spécialisation s'est rarement imposée d'emblée, elle a toujours été précédée par des périodes de tâtonnements. Ainsi, la région du Lancashire ne s'est pas, dès le début, vouée à l'activité exclusivement cotonnière qui la caractérisait à la fin du siècle dernier. Il en était de même de la région de Glasgow, où l'on trouvait, à côté de la métallurgie et des constructions mécaniques, des usines de cotonnades qui étaient aussi anciennes que celles de la région de Manchester et apparemment aussi bien placées pour conquérir les marchés extérieurs. La spécialisation s'est effectuée tardivement, au moment de la guerre de Sécession américaine. A ce moment-là, le Lancashire ne possédait guère d'activités qui, en dehors des textiles, pouvaient se prêter à un développement rapide. La

(19) SMITH (Wilfred), *An Economic Geography of Great Britain, op. cit.*

(20) Nous suivons, dans les paragraphes qui suivent, l'un d'entre eux : CHISHOLM (Michaël), *Geography and Economics.* Bell's advandced Economic geographies. Londres, Bell, 1966, X, 230 p.

situation de l'Écosse était meilleure. La crise des approvisionnements en coton qui secouait durement les industriels du textile, nécessitait une adaptation des équipements pour travailler des fibres de qualité différente, coïncidait avec une poussée rapide des besoins en produits métallurgiques, soutenue par une demande extérieure ferme. L'Écosse abandonna ses activités textiles traditionnelles, cependant que le Lancashire accroissait sa domination. Il trouvait dans cette concentration des raisons de mieux triompher des crises passagères. La multiplication d'équipements divers permettait de travailler toutes les qualités de coton, de se procurer toutes les qualités de fil. L'équipement commercial de l'industrie avait atteint une rare puissance (21). Cela se traduisait par la création de bourses de commerce et de services de courtage dans les lieux de production, par les organisations portuaires spécialisées de Liverpool et de Manchester, par les magasins destinés à garder les stocks. Le développement d'une industrie puissante favorisait la spécialisation étroite des ateliers. On sait qu'elle fut poussée là jusqu'à sa limite extrême. Chaque usine ne fabriquait plus qu'un produit. L'intégration demeurait exceptionnelle, mais la division du travail n'en était pas moins portée à son degré ultime. Géographiquement, cela se manifestait par l'apparition de toute une série de petits secteurs homogènes à travers la grande région textile. Ici, le tissage dominait, là, c'était la filature. La commercialisation était aux mains de puissantes maisons spécialisées qui fournissaient le marché anglais et avaient prospecté systématiquement les marchés extérieurs ou adapté leurs produits aux goûts de la clientèle, ou réussi à imposer leurs goûts pour certains produits. On imagine quelle était la somme de toutes les économies externes qui pouvait résulter d'une telle concentration des activités. La naissance d'une région industrielle spécialisée homogène apparaît essentiellement comme la conséquence des économies qui naissaient des opérations commerciales communes — elle était donc liée à l'importance des infrastructures de service. Elle dépendait également de la

(21) La puissance des équipements commerciaux et de service n'avait pas échappé à l'observateur attentif qu'était Engels :

« Manchester abrite, en son centre, un quartier commercial assez étendu, long d'environ un demi-mille et large d'autant, composé presque uniquement de comptoirs et d'entrepôts *(warehouses).* » ENGELS (Friedrich), *Die Lage des arbeitenden Klasse in England.* Leipzig, Otto Wigand, 1845.

manière dont la main-d'œuvre avait été formée. Dans les industries du siècle passé, la mécanisation et l'automatisation des tâches demeuraient incomplètes. Les opérations pour lesquelles le coup de main, la sûreté d'appréciation de la main-d'œuvre comptaient réellement étaient plus nombreuses que celles pour lesquelles il existait des procédures scientifiques, parfaitement définies et qui pouvaient s'apprendre en se passant d'apprentissage au sens traditionnel du terme. Pour la plus grande partie des tâches, la main-d'œuvre se formait lentement, sur le tas. Il fallait plusieurs années pour acquérir les tours de main nécessaires. Comme pour tout ce qui demande l'acquisition de réflexes sûrs et rapides, l'avantage revenait à ceux qui avaient appris tôt. On comprend l'intérêt de bénéficier d'une main-d'œuvre habituée depuis longtemps au travail qu'on lui demandait. A l'heure actuelle encore, la qualité de la production des industries lainières dépend de la finesse du toucher des ouvriers qui trient la laine, en dix ou douze catégories! Un tel métier s'apprend jeune et la qualification se perd si l'on est obligé de changer de spécialité, si on perd la finesse de la peau qui permet de faire le travail. J'ai connu un réfugié espagnol de la zone d'industrie textile de la banlieue barcelonnaise qui avait trouvé en France à s'occuper comme bûcheron. Son nouveau métier lui plaisait, mais il éprouvait une certaine tristesse en regardant ses mains calleuses : jamais il ne pourrait retrouver un emploi comme celui qu'il avait quitté. Les économies externes que pouvait assurer l'emploi d'ouvriers aussi longs et aussi difficiles à former étaient considérables et elles expliquent en partie l'homogénéisation des fabrications dans certaines régions. On invoque fréquemment le rôle de l'atavisme de la population employée dans le succès des fabrications menées dans une région donnée. On met également souvent au premier plan le rôle de conditions physiques qui permettent de tirer le parti maximum de la main-d'œuvre experte et d'obtenir les produits de la plus grande qualité. Que n'a-t-on pas écrit sur les qualités des eaux et sur leur importance dans la localisation de l'industrie des aciers, pour la trempe, dans l'industrie de la laine, pour le nettoyage. On cite les localisations assez analogues de Verviers, de Mazamet, des villes anglaises de la laine, à la lisière de massifs anciens dont les eaux rapides et très pures constituent un avantage important. Pour les industries cotonnières, l'humidité de l'atmosphère permet d'effectuer dans de bonnes conditions les opérations de filature et de tissage. Le fil est alors moins cassant et les opérations mécaniques se déroulent plus facilement. Ces avantages, très réels, ne sont cependant pas suffisants pour expliquer les localisations. Si on a tant insisté sur eux, c'est que l'on avait le sentiment que les économies externes étaient un des facteurs essentiels des réussites industrielles.

Les régions déjà industrialisées depuis longtemps possédaient d'autres avantages. Les petites et moyennes entreprises représentaient le type le plus fréquent dans la plupart des branches de l'économie industrielle. Dans des entreprises de cette taille, de nombreuses opportunités se trouvaient offertes aux jeunes gens dynamiques de faire l'apprentissage du métier d'entrepreneur industriel. On apprenait dans les postes commerciaux la manière de prospecter la clientèle, on nouait des contacts qui se montraient par la suite fructueux et autorisaient l'écoulement facile des premières productions. On apprenait la manière dont se tient la comptabilité d'une entreprise, on voyait les éléments qui rendent efficaces les combinaisons économiques. Dans la mesure où les entreprises demeuraient de taille modeste, où les investissements nécessaires pour lancer les fabrications étaient limités à l'achat de quelques machines, l'entrée dans la branche demeurait relativement facile. On trouvait sans trop de difficulté des bailleurs de fonds prêts à soutenir une expérience. On assistait ainsi au départ fréquent des directeurs commerciaux, des directeurs de fabrication ou même simplement de contremaîtres ou d'ouvriers dynamiques qui tentaient leur chance en s'établissant à leur compte. Lorsque les procédés utilisés demandaient l'emploi de combustibles minéraux, ils s'installaient sur le même bassin houiller que leurs anciens patrons, contribuaient à accentuer la concentration industrielle, à accuser sa spécialisation. Ils bénéficiaient ainsi le plus possible des économies externes du secteur. Dans l'industrie textile, comme dans beaucoup d'autres fabrications légères, les conditions de localisation étaient beaucoup moins impérieuses que pour les industries du feu. Lorsqu'un entrepreneur avait réussi à lancer une fabrication nouvelle, son exemple suscitait souvent des imitateurs. D'anciens employés commençaient à rechercher dans l'environnement immédiat les lieux où l'on pouvait de la même façon tirer profit d'une main-d'œuvre abondante de conditions climatiques favorables aux fabrications, de cours d'eau utilisables pour la fourniture d'énergie. Les différentes entreprises restaient aussi près que possible les unes des autres; elles évitaient de se faire trop de concurrence pour l'embauche de la main-d'œuvre, elles étaient dispersées dans la mesure où l'énergie disponible était très limitée en un même point. Mais elles avaient intérêt à demeurer assez proches pour pouvoir bénéficier des infrastructures de commercialisation, de publicité qui assuraient la prospérité générale. Petit à petit, tous les sites favorables se trouvaient mis en valeur. A la longue, tout ce que l'on pouvait équiper dans un secteur géographique donné était utilisé. Toutes les chutes d'eau étaient équipées, toute la main-d'œuvre en excédent se trouvait employée. L'expansion géographique n'était plus possible, car au-delà de la région équipée, les conditions de peuplement, les sites utilisables sans trop de frais pour la production d'énergie hydraulique disparaissaient (22). On avait ainsi l'impression que les régions industrielles se moulaient dans les limites des ensembles naturels. On voit pourquoi. L'équilibre d'où résulte la fixation des limites de la région industrielle dépend de facteurs techniques, toujours soumis à des réévaluations et de facteurs démographiques. L'évolution historique a pu remettre en cause ces éléments, si bien que la coïncidence si frappante entre les limites des petits ensembles physiques et celles des régions industrielles n'était que de nature transitoire.

Le renforcement des caractères des régions industrielles homogènes apparaît ainsi lié à tout un complexe de causes, dont beaucoup ne sont que passagères. Ces régions sont liées à des marchés d'approvisionnement et de vente lointains et étendus. Comme pour les espaces agricoles, leur équilibre ne se comprend que dans le cadre d'ensembles territoriaux très grands. L'intégration à des unités de vastes dimensions suppose la mise en place de toute une infrastructure de services commerciaux et techniques, qui, même s'ils n'occupent que peu de monde, sont

(22) Dans *La France de l'Est*, Vidal de la Blache analyse la mise en place des structures industrielles. Lorsqu'il décrit le rôle des Mulhousiens dans la création du textile vosgien, il met en évidence la manière dont la zone industrialisée finit par coïncider, comme nous venons de le voir, avec un certain domaine naturel.

La présence du petit bassin houiller de Ronchamp a introduit, dans la partie méridionale des Vosges, certains traits différents. Le développement de l'industrie belfortaine ne peut se comprendre sans cela.

fondamentaux dans la formation de la zone industrielle homogène et dans son fonctionnement. Il est assez étonnant que l'on n'ait pas davantage insisté sur ces éléments dans la description de la vocation industrielle des régions grandes productrices au siècle dernier. Cela tient sans doute à ce que les équipements tertiaires étaient très concentrés. Le niveau de vie de la population ouvrière était faible, souvent misérable. Les besoins que les ouvriers pouvaient satisfaire étaient élémentaires : besoins alimentaires, besoins de logement (mais dans quelles conditions!), besoins de distractions et de loisirs — mais réduits à leurs formes les plus frustes par la médiocrité des revenus ouvriers, par la longueur de la journée de travail. Ceci ne pouvait faire vivre qu'un petit nombre de commerçants et de prestateurs de service. Lorsque le développement industriel s'était effectué dans des zones jusque-là désertes, les entrepreneurs avaient dû se charger d'assurer la satisfaction de ces besoins. Ils y trouvaient souvent des avantages, celui entre autres de pouvoir réduire de manière importante leur trésorerie, puisque les sommes versées comme salaires étaient presque immédiatement dépensées par les ménages ouvriers dans le magasin de l'entreprise. Ainsi, les régions industrielles apparaissent à la plupart des observateurs comme le type même de l'espace peu structuré par les activités de service. Il faut être attentif à l'apparition des services d'entreprise pour comprendre le rôle des infrastructures tertiaires dans la formation des zones industrielles au cours du XIXe siècle.

Le rôle évident de la houille dans la localisation d'un très grand nombre d'entreprises, l'héritage de vieilles spécialisations locales ont paru suffisants pour expliquer l'apparition de régions industrielles aux activités souvent monotones. On n'a pas senti à quel point une telle concentration était anormale. A la fin du XIXe siècle, l'apparition de nouveaux pays industriels rappelle que la localisation des activités dans quelques cantons de l'Europe du Nord-Ouest est un phénomène tout à fait étonnant — et en même temps transitoire. La diminution des frais de transport de l'énergie libère déjà l'industrie des bassins houillers. La fin du monopole technique de l'Europe permet à de nouveaux pays de se créer des équipements. Et l'on voit ainsi comment ce qui paraissait s'expliquer par des déterminismes physiques — ceux des gisements pour la métallurgie, ceux des climats humides ou des eaux pures pour le textile est simplement le résultat d'une certaine supériorité technique, servie par des équipements et entretenue et exploitée par des hommes qui tirent leur force de leur groupement.

L'évolution de la portée des biens et la région économique.

Dans cette évolution, l'économie régionale subit des atteintes très graves. A la fin du XVIIIe siècle, le nombre des éléments du circuit économique qui se refermaient à l'intérieur des régions historiques était élevé, ce qui donnait une indiscutable autonomie aux ensembles régionaux. Avec la révolution des transports, la région perd toute signification pour un très grand nombre de producteurs. Les activités primaires et secondaires tournées vers les marchés régionaux sont de moins en moins nombreuses. Elles correspondent à des secteurs souvent peu progressifs, fournissant des biens de peu de valeur et dont le poids dans l'économie d'ensemble a décru progressivement au cours du siècle dernier. Les besoins sont plus variés que par le passé, les produits fabriqués sont souvent plus élaborés, ce qui permet encore d'accroître leur portée.

L'allongement de la portée des biens fait perdre toute signification à la réalité régionale lorsque l'on analyse la production des biens au sens restreint du terme. Pour les autres éléments du circuit économique, la situation est un peu différente. Pour les divers facteurs qui concourent à la production, la mobilité générale s'accroît, si bien que le cadre régional se trouve souvent dépassé. Les économies traditionnelles connaissaient des mouvements de population. Ils prenaient souvent la forme de migrations saisonnières. Leur importance était limitée par la difficulté que l'on avait à s'installer dans des cellules sociales étrangères. C'est par des mesures politiques que l'on réussissait le plus souvent à attirer les colons nécessaires à la mise en valeur de certains territoires. On sait les efforts menés par le pouvoir autrichien pour attirer des colons sur les terres reprises lors de la lente reconquête menée sur l'Empire turc. On connaît également les principes mis en application à la même époque par les souverains prussiens. Les mouvements spontanés définitifs étaient souvent motivés par des causes politiques ou religieuses. En l'absence d'impulsions de ce type, les mouvements migratoires définitifs demeuraient limités. La difficulté que l'on éprouvait à trouver des candidats pour les aventures lointaines en apporte la preuve. La création de grands états modernes, les progrès de la législation ont incontestablement diminué les freins qui s'opposaient à la mobilité de la main-d'œuvre. Normalement, il n'existe plus de limite institutionnelle à la liberté d'installation des régionaux à l'extérieur ou inversement. Les seules exceptions importantes sont constituées par des pays qui souffrent de déséquilibres économiques et régionaux graves et qui veulent éviter que les mouvements migratoires ne contribuent à perturber leur croissance : jusqu'à une date récente, la mobilité de la main-d'œuvre a été ainsi artificiellement limitée en Italie. Il était plus facile de s'expatrier que de s'installer dans une grande ville du Nord si l'on n'y possédait pas d'amis et de relations susceptibles de fournir l'emploi nécessaire pour obtenir les autorisations administratives; dans l'ancienne Russie, les mouvements intérieurs étaient contrôlés et l'usage de passeport intérieur est demeuré constant. Il s'est maintenu sous le régime communiste. Il ne semble pas que l'on cherche à interdire la mobilité de la main-d'œuvre : on essaie d'éviter l'instabilité qui constitue une menace pour les politiques de développement à long terme. On cherche à diriger les mouvements en fonction des besoins de l'économie nationale.

Ainsi, l'immobilité de la main-d'œuvre a cessé d'être caractéristique de l'économie régionale. Tout ce qui subsiste, c'est une certaine viscosité qui freine les déplacements. Ses causes en sont sociologiques et selon les civilisations, la mobilité varie très largement. Les sociétés où les groupes, où les liens de parenté et de voisinage sont particulièrement forts résistent mieux à la sollicitation de la ville, à l'attrait de rémunérations supérieures. Ainsi, malgré une mobilité plus grande, de larges différences dans les taux de rémunération accordés au même travail ont subsisté. La tendance actuelle à l'égalisation des prix de la main-d'œuvre ne s'explique pas par les progrès de la mobilité interrégionale. Les études menées récemment par l'I. N. S. E. E. (23) ont ainsi révélé que la mobilité de la main-d'œuvre française était passée par un maximum au tournant du siècle. Il en est de même, pour d'autres raisons sans doute, aux États-Unis. Les

(23) Girard (Alain), Bastide (Henry), Pourcher (Guy), « Mobilité géographique en province et concentration urbaine », *op. cit.* — Pourcher (Guy), « Un essai d'analyse par cohorte de la mobilité géographique et professionnelle », *op. cit.*

populations urbaines, les groupes ouvriers en particulier, se montrent plus stables que ne le sont souvent les populations paysannes (24). L'égalisation des salaires est due pour la plus grande part au simple jeu d'une transparence devenue plus grande qu'autrefois. Ainsi, la révolution industrielle détruit en peu de temps une partie des conditions grâce auxquelles s'étaient fortifiées les régions historiques qui avaient éclos en Europe occidentale et dans certaines autres parties du monde. L'allongement des circuits économiques fait perdre au cadre régional une bonne partie de son intérêt : il est trop petit pour contenir toutes les étapes de la production. La mobilité croissante de la main-d'œuvre accélère la diffusion des idées, favorise l'uniformisation des comportements. Elle ne permet plus la lente élaboration d'équilibres semblables à ceux de la région traditionnelle, car celle-ci supposait un certain endémisme humain.

Ce qui paraît succéder à ces constructions lentement mûries, ce sont de grandes tâches homogènes correspondant aux différentes aires de production : celles qui correspondent aux activités agricoles sont jointives, alors que les zones de production industrielle se trouvent isolés les unes des autres et ne couvrent généralement qu'une petite partie de l'espace total. En Angleterre, les zones industrielles sont plus vastes que partout ailleurs, mais il n'est pas certain qu'elles couvrent une surface beaucoup plus vaste que les régions d'industrie diffuse qui s'étaient épanouies dans le bassin de Londres depuis la fin du moyen âge.

La diversité de la superficie des aires agricoles et des domaines industrialisés montre l'effacement des unités historiques traditionnelles, dont les dimensions étaient fixées par les tensions que la distance crée. Mais en même temps, le développement de l'économie d'échange renforce le rôle des centres commerciaux. Il faut vendre, il faut acheter. Les services que cela implique n'ont qu'une faible portée. Les petites villes se trouvent animées par tout ce négoce nouveau. Elles ne sont plus le lieu où les paysans échangent entre eux leurs récoltes, où ils trouvent les produits de l'artisanat urbain qui leur manque généralement. Elles sont des relais sur des circuits plus vastes. Certaines bénéficient plus que d'autres de cette transformation. La croissance de la popula-

(24) Cette constatation, assez surprenante à première vue, suffit à expliquer la diminution relative de la mobilité de la population depuis le début du siècle : les progrès de l'urbanisation en seraient responsables.

tion des villes est générale, mais elle se fait de telle manière que les plus dynamiques d'entre elles en viennent à dominer les autres. Elles organisent tout autour d'elles les étapes des mouvements des biens et des services. La région économique est née. Elle a hérité de la région historique l'armature des centres dans laquelle elle se moule.

III. — Les étapes de l'évolution contemporaine de la région.

A la fin de la première phase de la Révolution industrielle, c'est-à-dire dans l'Angleterre de 1830 ou dans la France de 1860, la région économique n'a pas encore pris vraiment les formes que nous lui connaissons. Les petites villes de province française ne sont pas complètement sorties de la civilisation traditionnelle, comme le montrent les romans de Balzac. La rupture des anciennes provinces a même provoqué des crises durables dans certains des centres qui étaient traditionnellement les plus actifs. Au lieu d'une hiérarchie plus ferme, plus complexe, il est des régions où l'on assiste à un véritable nivellement vers le bas.

En moins d'un demi-siècle, la situation se trouve complètement renversée. Alors que la révolution industrielle avait d'abord eu l'air de se produire contre la ville, hors de la ville traditionnelle, elle provoque, dans sa seconde période, la floraison des grands centres urbains, l'épanouissement de leurs régions d'influence et la formation de grandes régions économiques.

La région économique autonome.

Ces régions économiques sont grandes dans leurs dimensions — certaines se fragmenteront plus tard. Elles couvrent plusieurs dizaines de milliers de kilomètres carrés autour de villes qui sont d'énormes métropoles. Toutes n'atteignent pas cette superficie. Elles n'en méritent pas moins le qualificatif de grandes, par le poids qu'elles ont dans la vie économique, par leur pouvoir d'initiative et de direction.

Leur apparition est contemporaine de la mise en place des réseaux ferroviaires. Les trames de circulation traditionnelles étaient assez complexes. Les voies navigables possédaient des avantages essentiels et beaucoup des villes importantes leur devaient une partie de leur activité. Les voies terrestres n'offraient pas de très grandes inégalités pour l'usager. Elles étaient lentes. Leur profil n'avait pas la même importance que pour les chemins de fer. L'état de la surface avait longtemps entraîné des oppositions considérables de région à région. Mais l'art des Ponts et Chaussées avait fait de tels progrès que les différences s'étaient petit à petit estompées : le macadam et les revêtements similaires, la multiplication des tracés en lacets et des ouvrages d'art avaient fini par créer au début du XIXe siècle une transparence assez uniforme dans tout l'espace national.

Les voies ferrées ont bouleversé ces conditions (25). Très sensibles aux conditions topographiques, elles ne purent atteindre dans de bonnes conditions les régions de relief trop contrasté, trop peu ouvert. Lorsqu'elles le firent, c'est à grand prix ou en utilisant des tracés qui interdisent les liaisons rapides : ainsi, l'espace devint-il anisotrope. Certains itinéraires se révélèrent plus faciles que d'autres, plus économiques, plus rapides. Les points intermédiaires se trouvèrent le plus souvent désavantagés. La multiplication des chemins de fer économiques dans la seconde moitié du XIXe siècle ne modifia pas considérablement ces données : elle juxtaposa aux grands itinéraires rapides une trame plus menue, souvent mal raccordée (l'écartement n'étant pas le même) au réseau principal.

L'inégalité des chances des villes se trouva accusée. Les cités qui bénéficièrent de l'implantation des tracés principaux connurent un essor rapide, les autres stagnèrent : Le Mans dépassa définitivement Alençon, Orléans ne se remit pas d'avoir repoussé à quelques kilomètres le carrefour ferroviaire qui aurait pu en faire une grès grande cité, Besançon et Montpellier, victimes des conflits d'intérêt des grandes compagnies perdirent une partie de leur influence traditionnelle (26).

(25) Nous renvoyons sur ce point aux ouvrages classiques consacrés à la géographie et à l'histoire de la circulation sur les continents : BLANCHARD (M.), *Géographie des chemins de fer*. Coll. « Géographie humaine », Paris, Gallimard, 1942, 231 p. — CAPOT-REY (R.), *Géographie de la circulation sur les continents*. Coll. « Géographie humaine », Paris, Gallimard, 1946, 296 p. — CLOZIER (René), *Géographie de la circulation*. Coll. de Géographie économique et sociale, Paris, Génin, 1963, 404 p.

(26) On trouvera des analyses détaillées de ces épisodes de l'histoire ferroviaire et de ses conséquences dans GOUHIER (Jean), « Naissance d'une grande cité : Le Mans au milieu du XIXe siècle ». *Cahiers de la Fondation nationale des Sciences politiques*, n° 45, Paris, Armand Colin, 1953, 183 p. — DUGRAND (Raymond),

Ainsi, les bases mêmes de la hiérarchie des centres urbains se trouvèrent modifiées. Les villes bien placées servirent de relais pour les autres, multiplièrent leurs activités de gros ou de demi-gros, créèrent de grands marchés d'expédition et de redistribution. La région économique s'en trouva fortifiée — déformée, dans son tracé, comme nous aurons l'occasion de le voir plus longuement. Elle serait cependant restée encore relativement modeste si de nouvelles fonctions n'avaient assis la prédominance de certaines villes. C'est là un fait que l'on a longtemps sous-estimé. Il a fallu, en France, les analyses de M. Labasse (27) pour que l'on mesure le rôle des banques dans l'apparition des grandes régions économiques de la fin du siècle dernier. Vidal de la Blache avait déjà pris conscience de l'importance du fait vers la fin de sa vie : ses projets de division de la France en régions économiques apparaissent comme remarquablement modernes dans leurs grandes lignes, dans leurs conditions. Lorsqu'on ne lit que les deux articles (28) dans lesquels ils sont exposés, on peut avoir l'illusion que Vidal de la Blache se fait de la région économique la même image que nous, que lorsqu'il parle de nodalité, nous pensons centralité. Sans doute a-t-il vu clairement le rôle croissant des services dans les fonctions des grandes villes. Mais dans son analyse de la relativité des divisions régionales, on sent déjà que la nodalité évoque pour lui les effets de concentration dont nous rendons compte en parlant d'économies externes. Dans la France de l'Est (29), il décrit la mise en place de structures régionales modernes : il montre par exemple le rôle de l'entreprise mulhousienne dans la multiplication des ateliers de part et d'autre du massif vosgien. Il avait enseigné à Nancy peu après la guerre de 1870, alors que la ville gardait de son passé historique prestigieux certains caractères de ville de bourgeoisie de robe. Quarante ans plus tard, la situation est totalement différente. La mise en exploitation du bassin de Briey et de celui de Nancy a été en partie l'œuvre de nancéiens. On ne peut plus opposer Nancy, ville d'administration à Metz,

Villes et campagnes du Languedoc. Paris, P. U. F., 1963, XII, 636 p. — BLANCHARD (Marcel), « Une bataille de réseaux : Besançon, l'Est et le P. L. M. ». *Bulletin de la société languedocienne de géographie*, nouvelle série, vol. VIII, 1937, pp. 1-56.

(27) LABASSE (Jean), « Les capitaux et la région », *op. cit.*

(28) VIDAL DE LA BLACHE (Paul), « Les régions françaises », *op. cit.* — ID., *La relativité des divisions régionales, op. cit.*

(29) VIDAL DE LA BLACHE (Paul), *La France de l'Est, op. cit.*

ville commerçante. Nancy n'y est pas devenue une cité aussi animée que d'autres, elle n'a pas réussi à devenir un centre de services aussi fréquenté que Metz. Mais la ville est devenue une ville de banque, une ville de direction économique. L'industrie métallurgique n'est pas née d'initiatives qui en soient directement issues, mais très vite, la coordination des équipements, la poursuite des investissements ont été contrôlés depuis la cité ducale qui a consolidé l'unité régionale moderne.

L'exemple décrit par M. Labasse est plus instructif encore, car il n'y a pas de ville provinciale plus puissante dans la France de la fin du siècle dernier que Lyon. Lille a eu une fonction de direction dès les débuts de la révolution industrielle, Mulhouse a joué à certains moments un rôle analogue. Marseille, Bordeaux et les grands ports n'ont pas réussi à se lancer réellement dans le mouvement des grandes affaires industrielles. Lyon est un cas unique en France — il n'y a d'équivalent qu'à l'étranger, en Angleterre, dans l'Allemagne wilhelminienne, en Italie du Nord aussi. L'essor de la ville est lié, dès les années 1860, à la mise en place d'un réseau bancaire qui draine vers la ville l'épargne des campagnes du Sud-Est. Le rôle du Crédit Lyonnais est prépondérant dans le destin de la ville : la puissante banque de dépôt a vite fait de se tailler un réseau qui dépasse largement les limites de l'aire d'influence traditionnelle — avant de devenir nationale. L'établissement est lyonnais par son origine, mais il l'est aussi par son esprit, par son orientation, commerciale plus qu'industrielle. Il a réagi sur le destin de la cité dont il est originaire, et certains caractères des affaires lyonnaises s'en sont trouvés renforcés.

La ville possède un marché financier, comme d'autres places françaises. La puissance de ses banques lui donne de l'importance. Les titres qui y sont traités intéressent la région, au sens large, puisque les affaires de l'agglomération stéphanoise tiennent une grande place.

La région économique ainsi constituée apparaît réellement comme autonome. Elle est maîtresse de son équipement, elle entreprend les grands travaux qui sont nécessaires à son développement, elle favorise la multiplication des usines et des ateliers. Elle prend de plus en plus de poids, elle se peuple, ses villes s'accroissent tout autour de la métropole qui domine et ordonne l'ensemble. Mais la réussite de Lyon reste isolée en France. Ailleurs, on trouve des ébauches de créations analogues — à Lille, à Nancy, à Mulhouse, nous l'avons déjà dit — mais aussi à Toulouse, à Bordeaux, à Marseille, à Grenoble. Cependant, le mouvement est très inégal. Toutes les grandes villes n'y participent pas. Autour de Paris, il y a une couronne où l'initiative manque presque totalement — sinon à Rouen et au Havre.

A l'étranger, on constate le même phénomène : la région économique autonome animée par de grandes métropoles urbaines demeure souvent une création isolée. Il n'y a pas de réseau général de régions contiguës, gravitant autour de métropoles d'importance équivalente. La plupart des grands centres urbains demeurent cantonnés dans des activités de redistribution et ont de la peine à s'animer et à se développer rapidement. Seuls quelques-uns deviennent des grandes métropoles et créent des organismes que l'on a convenu d'appeler des régions économiques — quoiqu'ils soient souvent de très grandes dimensions.

Avec le temps, on aurait pu croire que les régions économiques autonomes allaient se multiplier (30). Il n'en fut rien. Les grandes banques qui avaient fait la fortune des métropoles en sont pour partie responsable. Les autorités nationales ont joué un grand rôle aussi dans cette transformation de l'évolution. Nous y reviendrons au chapitre suivant.

Les établissements de dépôts qui avaient organisé les réseaux de drainage de l'épargne rurale au profit des grandes villes et de leurs marchés de capitaux cherchaient à profiter des occasions les plus intéressantes, à pratiquer les placements les plus sûrs. Ils préféraient contrôler plus étroitement les affaires dans lesquelles ils intervenaient. Ils avaient intérêt à travailler sur les places où les possibilités étaient plus larges, les rémunérations plus élevées, les risques moins forts ou moins apparents. Ils ont opéré de plus en plus sur les grandes places nationales ou internationales. En France, par exemple, les grandes banques ont transféré peu à peu leurs sièges à Paris. Le cas du Crédit Lyonnais est symptomatique. Il devient une affaire nationale, crée des agences partout, ouvre des guichets sur tout le territoire. Il aide

(30) Cette idée est implicite dans la plupart des travaux inspirés directement par les études menées par Vidal de la Blache dans les dernières années de sa vie. Henri Hauser est persuadé que l'expérience de régionalisation de la direction de l'économie menée durant la guerre de 1914-1918 prépare la voie à un épanouissement rapide des économies régionales. HAUSER (Henri), *Le problème du régionalisme.* Histoire économique de la Guerre mondiale, Paris, P. U. F., 1924, XII, 176 p.

à concentrer les épargnes disponibles sur un marché national commun des capitaux. L'échelon régional perd presque toute signification. Après la plupart des autres circuits, celui du financement s'élargit hors des cadres de la région. Celle-ci perd l'autonomie qu'elle s'était recréée en quelques décennies.

L'attrait des grandes places n'a pas été le même dans tous les pays. Il était moins fort là où les emprunts d'État étaient moins importants. L'attraction de la place de Paris est liée à l'endettement du gouvernement, plus considérable que dans d'autres pays.

La concentration des marchés financiers a répondu dans une très large mesure à des mécanismes spontanés. Elle a été fortement accélérée par la volonté des gouvernements ou des banques centrales lors des crises monétaires ou bancaires de la fin du siècle dernier et du début de ce siècle (31).

Les régions économiques actuelles gardent les marques de cette période. L'influence de la métropole lyonnaise s'exerce, à la fin du XIXe siècle, sur une vaste zone. Le rayonnement de la ville a certainement diminué depuis que son rôle financier s'est amenuisé. Roanne ne vit plus sous l'influence de la métropole lyonnaise autant que lorsque toute son industrie cotonnière dépendait de ses banques. Grenoble et Saint-Étienne, la première surtout, regardent souvent plus volontiers vers Paris que vers la grande ville proche. Et pourtant la région l'emporte encore, par sa taille, par sa cohésion, par son organisation, sur presque toutes les autres régions françaises.

On a souvent gardé la nostalgie de cette époque. On s'étonne de voir le déclin relatif de l'influence de grands centres urbains comme Milan ou comme Manchester. Les grandes villes allemandes ont en partie échappé à cet affaiblissement et c'est à elles que l'on pense souvent lorsque l'on évoque le destin des grands centres régionaux. Leur histoire est singulière, au moins au cours des vingt dernières années, car la division de Berlin a privé le pays de son centre financier traditionnel. Les grandes places économiques apparues à la fin du siècle dernier, ou certains des grands centres urbains qui ne figuraient pas alors parmi les plus importants, en ont profité pour s'assurer un rôle finan-

(31) MORAZE (Charles), « L'organisation bancaire et le provincialisme français ». *Bulletin de l'Association des Géographes français*, nos 157-158, nov.-déc. 1943, pp. 98-103.

cier : il en a été ainsi de Hambourg, de Francfort, de Stuttgart, de Munich et de Düsseldorf. Un processus de concentration se dessine pourtant au profit des deux ou trois centres les plus dynamiques. Il n'est pas sûr que le retour à une politique de contrôle et d'austérité monétaire, rendu nécessaire par les menaces d'inflation, ne se traduise pas par une limitation plus sévère de l'initiative bancaire. Les grandes métropoles économiques sont donc souvent des créations d'une époque révolue. Les grandes villes qui se développent de nos jours ont une assise différente, des fonctions de direction souvent plus réduites.

On voit donc comment les constructions régionales se sont trouvées vidées de leur contenu dans le domaine de la production dès le début du siècle dernier à cause de la révolution des transports, comment le développement des marchés financiers a donné un temps, une unité aux circuits de financement régional, puis comment l'évolution ultérieure a dépouillé les grandes métropoles de leur liberté d'action, des pouvoirs qu'elles avaient réussi à se créer, mais qui correspondent davantage à des attributs de la nation qu'à des fonctions purement régionales. Dans cette évolution, tout semble se liguer pour réduire la cohésion de l'espace : la mobilité des biens, celle de la main-d'œuvre et du capital, moins complètes certes, mais très nettes cependant, semblent priver la région de toute base économique réelle.

L'évolution actuelle aboutit pourtant à renforcer le poids des structures régionales, et plus spécialement de celle qui ont une base urbaine. Durant le XIXe siècle, les espaces de production primaires et secondaires s'étaient ordonnés par grandes plages monotones. De nouvelles tendances se font jour. L'espace agricole devient plus varié, la région industrielle subit des influences dont les effets sont divers, mais elle perd de son caractère massif, exclusif et se trouve intégrée de plus en plus dans la trame normale de l'espace économique. La région économique s'en trouve renforcée.

Vers une diversification des activités agricoles au sein de la région.

Les progrès techniques contribuent à diminuer les contrastes qui justifiaient les différences régionales de spécialisation agricole. On a souvent signalé la confusion progressive qui s'ensuit entre petits pays voisins (32). Après avoir assisté au siècle dernier à une différenciation progressive de l'espace agricole, on assiste aujourd'hui à un reflux, un mouvement inverse. Certaines des contraintes physiques qui se révélaient autrefois les plus lourdes ont été levées par l'emploi de techniques nouvelles. Dans la délimitation des pays, les facteurs pédologiques jouaient un rôle essentiel. La fertilité des terres affectait les résultats obtenus par les exploitations, les sols convenaient mieux à certaines cultures qu'à d'autres. Les régions au sol acide, imperméable froid, se spécialisaient dans la production des céréales pauvres. Les sols plus riches en calcaires, plus chauds, recevaient le froment. La généralisation des amendements et l'emploi des engrais ont bouleversé ces conditions. Les terres à céréales pauvres portent maintenant de magnifiques champs de blé. Il arrive même qu'elles prennent mieux l'engrais que celles des régions autrefois plus fortunées, si bien que les contrastes traditionnels de fertilité se sont trouvés renversés. On a décrit un peu partout en France la révolution qui a fait des massifs anciens des zones d'agriculture riche, alors que, jusqu'alors, ils passaient à juste titre pour être de mauvais pays (33).

Le progrès technique a donc bouleversé les conditions traditionnelles du classement des terres. Il a diminué les oppositions jadis bien tranchées entre terroirs riches et terroirs pauvres. Ce qui compte maintenant, c'est la facilité avec laquelle les terres peuvent être travaillées à la machine et la manière dont elles prennent l'engrais. De nouveaux contrastes sont apparus. Les régions de collines, aux pentes trop fortes sont défavorisées, alors qu'elles avaient souvent été appréciées, dans les zones de climat humide, par la rapidité avec laquelle leurs terres se ressuyaient. Malgré ces nuances nouvelles, c'est à une uniformisation des aptitudes que l'on aboutit la plupart du temps. Dans la mesure où le rôle des façons et celui des amendements est toujours plus grand dans les rendements, les aptitudes brutes perdent de leur poids relatif. Ainsi, par exemple, les contrastes entre les terres

(32) C'est une idée qui a été exprimée avec une force particulière par BRUNET (Roger), *Les campagnes toulousaines*. Publications de la Faculté des Lettres de Toulouse, série B, tome I. Toulouse, Association des Publications de la Faculté des Lettres de Toulouse, 1965, 727 p.

(33) Le premier géographe qui ait mis en évidence cette révolution agricole des massifs anciens et le renversement qui en a résulté entre les aptitudes des régions voisines est sans doute MEYNIER (André), *Ségalas, Lévezou, Châtaigneraie*. Aurillac, U. S. H. A., 1931, XIX, 431 p.

franches et les terres fortes étaient importants tant que l'on avait recours à la traction animale. Ils suffisaient à introduire des contrastes, à créer des « pays » dans certaines parties du Sud-Ouest aquitain. Le tracteur permet de prendre les terres au bon moment et de profiter d'occasions moins parfaites qu'autrefois. La rapidité du travail est telle que les terres fortes ont cessé d'offrir de grandes difficultés; les contrastes traditionnels disparaissent (34).

La situation actuelle de l'agriculture est très différente de celle que l'on pouvait observer à la fin du XVIIIe siècle. La liberté de localisation plus grande que donne le progrès technique permet à de nombreuses activités agricoles de s'implanter avec de bonnes chances de succès dans des conditions climatiques et pédologiques très différentes. L'habilité avec laquelle l'exploitant est capable d'utiliser les techniques nouvelles dans le milieu où il s'est installé compte souvent autant que la fertilité des sols ou la clémence du climat dans les résultats financiers de son activité. Dans un même secteur régional, on voit des productions très différentes cohabiter sans que l'on assiste à la moindre tendance à l'uniformisation. A côté de grandes exploitations céréalières, on trouve des fermes d'élevage, des exploitations spécialisées dans la production de volailles, d'œufs dans l'engraissement des baby-bœufs, dans la production de viande de porc. Souvent la diversité n'est pas très étonnante, puisqu'un certain nombre de ces spéculations se passent au fond de terre, ne sont que des activités de transformation des produits de la terre. C'est vrai, mais les produits livrés par l'agriculture sont de plus en plus des produits nobles, élaborés, si bien qu'on ne doit pas négliger les formes modernes de la production lorsqu'on analyse une région. Elles représentent déjà une portion très importante du chiffre d'affaire global de l'agriculture. Les activités sans terre se regroupent parfois systématiquement dans certaines régions : les zones de surpopulation rurale de l'Ouest français pratiquent davantage ces activités de transformation que d'autres. Mais elles ne rencontrent pas que des succès. On sait, par exemple, les difficultés de l'aviculture bretonne : c'est que les affaires, en ce domaine, dépendent essentiellement

(34) M. le doyen Faucher insiste particulièrement sur ces conséquences de la mécanisation de l'agriculture. FAUCHER (Daniel), *Le paysan et la machine*. Coll. « L'Homme et la machine », Paris, Éditions de Minuit, 1954, 278 p.

du niveau technique des exploitants et des disponibilités en capital qui permettent de suivre un progrès au rythme rapide.

Une observation attentive montrerait d'ailleurs que la diversification a des causes plus profondes que celles que l'on vient d'indiquer. Ce n'est pas seulement le développement de branches nouvelles où le facteur terre se trouve moins contraignant qui explique l'évolution contemporaine. Dans les régions d'élevage qui avaient acquis le degré de spécialisation le plus absolu, dans les régions d'élevage laitier en particulier, on voit des évolutions diverses se manifester. En Franche-Comté, les producteurs laitiers demeurent nombreux. Mais leurs efforts ne sont pas toujours parallèles. Selon les techniques et les combinaisons qu'ils ont été conduits à adopter pour tirer le meilleur parti de leur terre et de leurs disponibilités en main-d'œuvre, ils choisissent des types de bâtiment différents, des races de bétail variées. Celui qui opte pour la stabulation libre recherche les bêtes douces et qui supportent bien la vie en demi-liberté. Ceux qui ont plus de main-d'œuvre et sont restés fidèles aux étables traditionnelles prennent des races plus fortes productrices. A côté, on voit apparaître des spécialistes de l'élevage de la monte. Certains essaient de tirer leurs revenus de la sélection rigoureuse qu'ils mènent et qui leur permet de vendre au prix fort des reproducteurs de choix. Ceux qui manquent le plus de main-d'œuvre optent pour d'autres formes de spéculation. Ils font de l'embouche, ou élèvent des moutons. Ainsi voit-on les régions traditionnellement uniformes se nuancer progressivement. Les signes en sont d'abord discrets. Le promeneur note l'apparition de bêtes aux robes insolites dans les pâtures, la construction de bâtiments d'exploitation nouveaux. On peut être tenté de se dire que l'on saisit là une mutation, le passage d'une forme de spécialisation à une autre. Mais rien ne permet de prévoir une évolution de ce genre. Depuis que les comptabilités d'exploitation ont permis de préciser dans bien des cas les conditions exactes de rentabilité, on s'est aperçu de la dispersion extraordinaire des revenus obtenus par des fermes apparemment spécialisées de la même manière et de la convergence souvent remarquable observée entre des fermes dont le responsable a un degré de formation technique analogue. Ainsi l'anarchie apparente du paysage actuel peut fort bien ne pas correspondre à une phase passagère de déséquilibre et de transformation.

Elle peut se prolonger au cours de longues périodes. L'instabilité technique, la variabilité des orientations seront peut-être beaucoup plus marquées dans le monde de demain que ce n'est le cas de nos jours. Il est possible que des mélanges réguliers de types d'exploitations différents se dégagent, ce qui permettra encore de présenter les régions agricoles comme des espaces homogènes. Mais ce n'est pas du tout certain, car ce qui caractérise la situation moderne, c'est l'intégration de plus en plus complète de la vie agricole dans le circuit économique général et le caractère fonctionnel des associations qui en découle.

Les structures fonctionnelles de services et l'organisation de l'espace agricole.

L'agriculteur ne se contente plus d'acheter des produits alimentaires, des objets manufacturés et des services destinés à ses besoins personnels de consommation. Son exploitation exige de plus en plus le recours à des fournisseurs spécialisés de matériel, d'amendements, de semences. Il était placé au point de départ d'un circuit économique qui ne se fermait apparemment pas et possédait ainsi une indépendance réelle. Ses achats se font de plus en plus nombreux et sa dépendance de plus en plus lourde. Il faut à l'agriculture une double infrastructure : celle qui permet d'acheter les produits intermédiaires et les instruments de production dont l'importance va croissant et celle qui achemine les récoltes vers les marchés de consommation. Aux installations purement commerciales s'ajoutent toutes celles qui assurent la transparence de l'espace agricole, accélèrent la diffusion des techniques modernes, prennent en charge les expériences d'acclimatation qui ne sont pas à la portée des petites exploitations. La mise en place de ces infrastructures a commencé il y a un demi-siècle dans les pays les plus avancés — un peu plus tôt même dans certains d'entre eux. Elle s'est renforcée à la suite des crises qui ont secoué la plupart des agricultures, en particulier, au moment de la Grande Crise. Le personnel employé dans ces services est aujourd'hui fort nombreux.

L'implantation de toute l'infrastructure nécessaire à l'agriculture actuelle dans les pays développés se fait dans des conditions assez analogues à celles de tous les services. Il s'agit d'atteindre dans les meilleures conditions une population dispersée. On ne peut songer à multiplier inconsidérément les organismes d'approvisionnement, de collecte, les services d'expérimentation et de vulgarisation. Dans un souci d'économie, on cherche à concentrer les efforts d'équipement dans les régions où les possibilités sont les meilleures, où la rentabilité est la plus forte. Ainsi se trouve limitée la tendance au foisonnement qui semble bien caractériser la plupart des espaces agricoles contemporains. Dans la plupart des cas, il est difficile d'établir une structure capable d'expérimenter, de diffuser, de concentrer et de traiter la production pour plus de deux ou trois produits dans un espace considéré. Plus les terres sont riches, meilleures sont évidemment les possibilités d'équipement. Ainsi la variété peut être plus grande, toutes choses égales d'ailleurs, dans les secteurs les plus favorisés par la nature et dans ceux qui se trouvent desservis à moindre frais parce qu'ils sont à proximité de grands axes de communication ou parce qu'il existe de grands centres proches (35).

Les efforts qui ont permis de modeler de la sorte les agricultures modernes sont très souvent le fruit d'une intervention résolue des pouvoirs publics. La multiplicité des petites entreprises limite singulièrement les possibilités de transformation technique spontanée. On sait depuis fort longtemps que seules les grandes exploitations sont capables de supporter les frais de la recherche. Elles le font dans les cas où les prix agricoles sont élevés et où elles peuvent espérer obtenir des profits importants. C'est ainsi qu'a commencé la révolution agricole en Angleterre. Lorsque les prix baissent, que les marges bénéficiaires sont rognées, la capacité d'innovation de la grande exploitation se trouve à son tour limitée. Elle ne se maintient que dans les très grandes affaires gérées selon des méthodes analogues à celles des entreprises du secteur industriel. Les conditions historiques de l'évolution de l'agriculture, les législations de défense sociale rendent exceptionnelles ces entreprises dans les pays d'économie développée. Elles ne sont nombreuses que sous la forme de plantations dans des pays tropicaux, où il a été possible de

(35) Ceci explique en partie le développement de formes très variées d'agriculture sans terre dans le bassin parisien (où la proximité de l'agglomération parisienne favorise la commercialisation) et le long de la vallée du Rhône où les possibilités d'expédition sont très bonnes.

concentrer des terres sans difficulté et de choisir des productions où les perspectives de profit sont fortes. Même dans ce cas d'ailleurs, les risques de la recherche sont souvent à la charge de services scientifiques publics. La dispersion trop grande des exploitations maintient dans ce secteur agricole des conditions assez proches de celles de la concurrence parfaite et les profits limités qui en résultent restreignent le dynamisme d'ensemble.

Les infrastructures nécessaires à la recherche et à la diffusion des résultats sont prises en charge, dans certains cas, par les groupes qui achètent, transforment et commercialisent la production. Ils jouissent sur les marchés agricoles d'une position forte, réalisent des bénéfices importants, et sont capables de se lancer dans des opérations de grande envergure. Dans ce cas, les implantations de centres de services obéissent aux mêmes règles de localisation que les entreprises commerciales privées. Très souvent aussi, les imperfections du marché se sont révélées à la longue si coûteuses que des organisations parallèles ont été mises en place pour assurer une justice plus grande. Coopératives, organismes para-publics de régularisation, d'assainissement, de transformation des produits agricoles se trouvent amenés à intervenir directement pour éviter la multiplication des difficultés à long terme.

Ainsi, les traits essentiels de l'organisation de l'espace agricole finissent par se trouver liés à la mise en place de toute une infrastructure de services spécialisés. Les contours des ensembles de production s'en trouvent affectés. La vocation d'une région continue à être dictée pour l'essentiel par les conditions physiques, mais il existe une certaine possibilité de choix, une marge d'indécision — dont nous avons dit qu'elle s'était accrue avec les progrès techniques (36). Cette marge, ce sont les infrastructures de service qui la réduisent plus ou moins selon les secteurs géographiques. Lorsqu'il y a monospéculation absolue, cela tient aux avantages que l'on peut tirer d'une culture particulière et qui proviennent plus de l'inégale facilité des opérations de vente, de conditionnement, d'expédition ou de lutte contre les maladies et les épizooties, qu'à une situation purement naturelle.

(36) Nous n'avons pas essayé de dresser un tableau complet des effets possibles des nouvelles techniques agricoles sur l'équilibre géographique des régions rurales. On verra un bon essai dans ce sens dans un article récent de la revue *Landscape*. Jackson (J. B.), « The New American Countrysoil. An Engineered Environment ». *Landscape*, vol. 16, n° 1, automne 1966, pp. 16-20.

La géographie se modèle donc sur les espaces de services nécessaires à la vie des exploitations, à la vie de la terre. Les régions

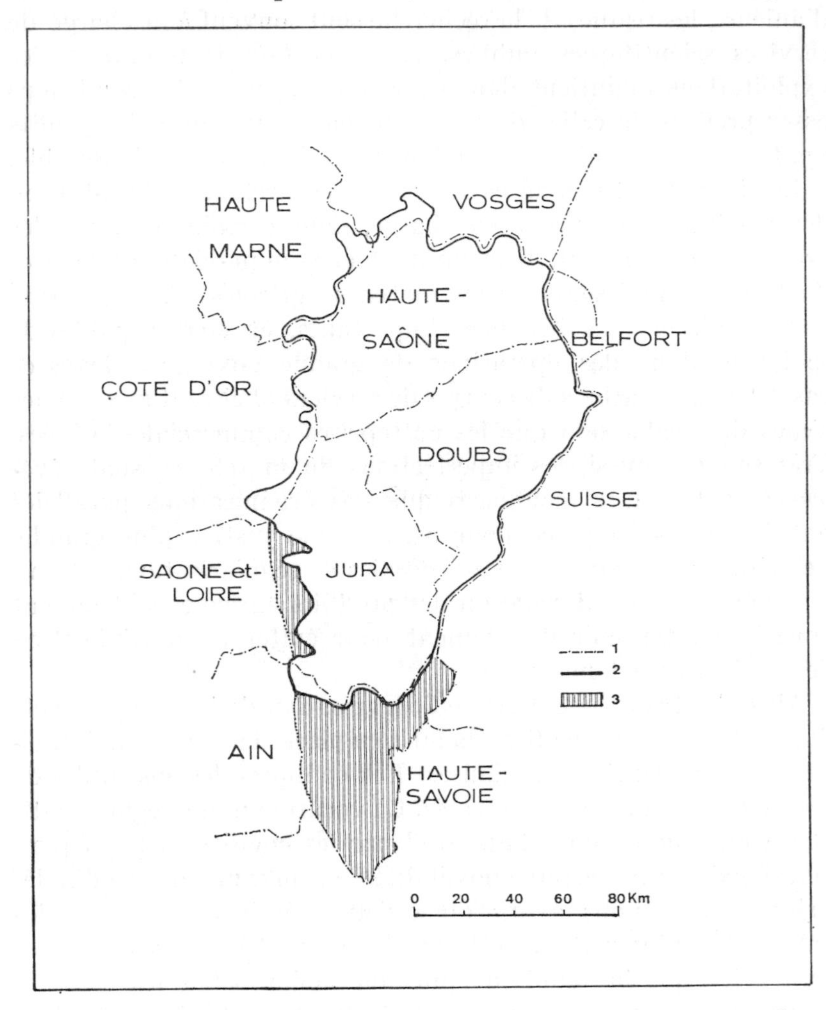

FIG. 8.3. — Un espace agricole homogène, le rôle des cadres administratifs.
L'exemple de l'économie laitière en Franche-Comté.
La zone d'appellation contrôlée du gruyère de Comté.
1. Limites administratives.
2. Limites de la zone d'appellation.
3. Revendications d'extension.
D'après Berthe Laude, *L'industrie fromagère en Franche-Comté*. Besançon, D. E. S., 1959.

agricoles cessent d'être réellement homogènes. Elles sont des espaces fonctionnels et leurs contours se trouvent souvent coïncider avec les contours des autres espaces de service. Parfois, les spécialisations agricoles se font dans la zone de rayonnement commercial d'une grande métropole. Ailleurs, elles s'organisent plus volontiers dans les cadres des subdivisions administratives qui modèlent l'espace. (Fig. 8.3) Là où les opérations de régularisation des marchés demeurent négligeables, ce sont les zones de mouvance commerciale qui se lisent le plus facilement. Il en va ainsi pour la plupart des zones où domine l'élevage des animaux de boucherie — c'est un domaine où les interventions publiques, importantes certes, ont laissé pourtant subsister l'essentiel de l'organisation privée traditionnelle. Les marchés laitiers se sont révélés beaucoup plus sensibles aux fluctuations. On a dû mettre en place, pour eux, une série d'organismes de régularisation. La part de la production qui se trouve concentrée par des organisations coopératives est très importante. Coopératives et organisations para-publiques se moulent davantage dans les cadres de l'organisation administrative officielle. De la même façon, la partie des opérations de diffusion et vulgarisation qui est prise en charge par les organisations professionnelles de producteurs se plie souvent aux mêmes limites que celles des services officiels qui les épaulent : Aussi ne doit-on pas s'étonner de voir les contours de certaines régions agricoles coïncider en bonne partie avec des limites administratives.

En pareil domaine, il faut se garder de schématiser à l'extrême. Les facteurs physiques demeurent souvent décisifs. Dans le cas de la région administrative comtoise, on voit par exemple les régions occidentales, plus basses, avec des sols plus riches, un climat plus sec et plus continental, demeurer fidèles à la culture. Elle n'occupe pourtant qu'une très faible partie de la superficie totale de la région, moins du cinquième. Pour tout le reste, ce qui domine, c'est l'élevage laitier destiné à la production du fromage. Il y a des nuances dans la manière de conduire les terres — c'est compréhensible, puisque le milieu est assez divers physiquement. Il y a des nuances également dans les spécialisations. Une tendance à la diversification est même manifeste. La monotonie de l'agriculture régionale est cependant réelle. Elle tient en partie à la diffusion d'un système d'élevage qui avait la faveur des organismes professionnels. Elle s'est moulée sur les limites départementales. L'espace agricole doit beaucoup, dans sa structure actuelle, à l'organisation officielle, à la division en départements. Son influence s'est accentuée avec la mise en place de tout le système de conservation et de vieillissement des fromages : jusqu'aux alentours de la Grande Crise, l'essentiel de l'affinage revenait à des commerçants, qui opéraient sans souci des limites administratives. Ils ont parfois abusé de leur position sur le marché, si bien que l'affinage a été pris en charge par les unions de coopératives. La construction de caves ne pouvait se justifier que pour des zones de forte production, si bien que les unions de coopératives se sont implantées dans les départements les plus forts producteurs : la concentration ultérieure de la production s'en est trouvée indiscutablement accélérée. On s'explique de la sorte que les systèmes de culture de l'Ain au Sud, de la Haute-Marne et des plateaux de la Côte-d'Or, à l'Ouest et au Nord-Ouest, après s'être longtemps modelés sur ceux des plateaux du Jura septentrional, s'en différencient de plus en plus : le rôle des limites administratives s'est accru depuis la fin du siècle dernier.

Allongement du circuit de production et diversification des industries.

L'évolution des régions industrielles est plus complexe que celle des régions agricoles. Au moment même où se précisaient les contours des zones industrielles si caractéristiques des équilibres industriels du siècle dernier, les rapports se modifiaient entre les unités productrices. Le circuit de fabrication s'allonge avec les progrès de la division du travail, avec l'apparition de machines et d'équipements qui permettent d'accélérer le rythme de production. Aussi ne faut-il pas s'étonner des caractères de plus en plus fonctionnels de l'espace industriel. Dans le Lancashire, par exemple, la division systématique des opérations menées par des entreprises différentes dans des établissements groupés en petites régions homogènes provoque une circulation des produits depuis les ports d'importations, puis les filatures jusqu'aux usines de teinture et d'apprêt. Petit à petit, le développement de la région nécessite des équipements plus importants, si bien que les fabrications mécaniques deviennent nécessaires. Bien des zones d'industrie mécanique sont nées de l'industrie textile : la région zurichoise est passée progressivement de la soie et du coton à la construction des machines. Ailleurs, ce sont les besoins de la teinture qui ont provoqué l'apparition de la chimie, comme à Lyon ou à Bâle. Les activités liées demeurent cependant relativement peu nombreuses au siècle dernier : la dépendance vis-à-vis des ressources énergétiques, de la houille en particulier, crée une liaison qui est commune à la grande généralité des entreprises, mais pour le reste, les procédés de fabrication demeurent le plus souvent assez simples. Ce qui donne de l'importance aux liaisons techniques, c'est qu'elles s'accompagnent alors volontiers de liaisons géographiques impérieuses. Les industriels du textile provoquent la naissance d'une industrie mécanique, car ils ont besoin de machines et de gens capables d'entretenir celles qu'ils achètent, de fournir les pièces de rechange, de se charger de l'entretien de l'équipement. Il a fallu près d'un demi-siècle pour que les fabricants de machines apprennent à constituer des dépôts de pièces, des services de dépannage, qui leur permettront de vendre au loin sans difficulté. Jusqu'à la fin du siècle dernier, dans la plupart des domaines, on a intérêt à se trouver près des fournisseurs de pièces et d'équipements. Pour les produits chimiques, il en va de même : il est plus facile de faire comprendre ses besoins exacts au fabricant de produits de teinture et d'apprêt s'il se trouve à proximité; ainsi, la liaison géographique des divers éléments qui entrent dans une fabrication complexe est généralement très étroite. Elle l'est encore plus lorsque les matières premières utilisées et les demi-produits sont pondéreux, ce qui est fréquemment le cas à une époque où beaucoup d'objets fabriqués demeurent relativement simples et peu élaborés. Ces facteurs conduisent à la concentration géographique de tout le cycle de fabrication. Ils favorisent une implantation dictée par les conditions d'accès aux matières premières et aux sources d'énergie, plutôt que par la proximité des marchés de vente. Ainsi est née l'idée que certaines régions industrielles se caractérisaient par des structures fonctionnelles marquant la dépendance technique des différentes étapes de la fabrication. L'espace industriel est le lieu dans lequel s'inscrit la part essentielle du circuit de transformation d'un produit ou d'un groupe de produits. On décrit des régions fonctionnelles, on met en évidence la complémentarité des opérations qui s'y déroulent : on met l'accent sur tout ce qui touche aux rapports d'entrée et de sortie des industries, pour reprendre les termes imaginés par la suite par Léontief. Les géographes et les économistes soviétiques conçoivent la régionalisation de l'économie surtout en fonction des liaisons de ce type.

La multiplicité des liaisons techniques s'est accrue au tournant du siècle lorsque la gamme des fabrications mécaniques s'est allongée, que l'industrie chimique s'est diversifiée. Dans une automobile, entrent plusieurs milliers de pièces. Aussi grande que soit l'intégration des entreprises, tout ne peut être fourni au même point par la même usine. La plupart des fabricants s'adressent à des sous-traitants qui vendent des pièces détachées ou fournissent des sous-ensembles, phares, carburateurs, par exemple. Les entreprises qui ont poussé le plus loin l'intégration, comme Ford aux États-Unis, se sont arrangées pour réduire la part des achats extérieurs. Mais l'effort d'intégration a plutôt porté sur l'élaboration des matières premières nécessaires que sur les multiples opérations nécessaires à la fourniture des pièces mécaniques : il peut être intéressant de produire l'acier, ou le caoutchouc pour se soustraire aux fluctuations de marchés souvent spéculatifs. La gestion d'ateliers de visserie et de boulonnerie est souvent moins rentable. Les avantages de la concentration sont médiocres car les outillages sont peu onéreux. Les exploitations sont souvent mieux menées lorsqu'elles sont aux mains de petits entrepreneurs qui s'ingénient à utiliser à plein leur capacité de production, en multipliant les marchés : ils conservent ainsi une certaine indépendance vis-à-vis de leurs clients, et abaissent leurs prix de revient. En cas de variation brutale de la demande, de changement de modèle, le constructeur peut prendre ses décisions plus librement : la responsabilité des adaptations et des mutations techniques nécessaires lui échappe. On comprend donc pourquoi l'apparition de firmes géantes de production d'articles mécaniques ne s'est pas accompagnée d'une concentration générale de la production : les petites entreprises sont restées sensiblement aussi nombreuses que dans le passé pour certaines opérations.

Dans l'industrie chimique, l'allongement de la production s'est manifestée de manière différente. Le développement moderne des industries est caractérisé par l'importance croissante de la production de produits organiques, alors que l'industrie chimique du siècle dernier demeurait dans une large mesure une industrie chimique minérale. Les opérations de synthèse se font à partir d'un petit nombre de combinaisons élémentaires, dont dépendent toutes les fabrications ultérieures. On arrive à les effectuer à partir de matières premières différentes, charbon ici, pétrole ou gaz naturel là. Et toute la chaîne des fabrications prend nécessairement appui sur les grandes usines dans lequelles sont effectuées les transformations de base. Ainsi, l'industrie des textiles de synthèse, celle des colorants, ou celle des produits pharmaceutiques se trouvent liées aux mêmes fournisseurs. Le souci de ne rien laisser perdre, d'utiliser la gamme de tous les sous-produits de fabrication, multiplie les liens techniques entre les usines.

Liaisons techniques et liberté d'implantation des entreprises industrielles.

De manière générale, l'évolution s'est faite dans les pays capitalistes plus encore qu'en U. R. S. S. de telle façon que le développement des solidarités techniques n'a pas provoqué une poussée parallèle des solidarités géographiques. Les produits fabriqués ont plus de valeur, ce qui réduit l'obstacle pur de la distance. Les techniques modernes des télécommunications, la facilité accrue des déplacements de personnes, en particulier des cadres, qui peuvent utiliser les trains rapides, les avions de ligne ou les avions d'affaires assure une meilleure transparence : or, une des raisons les plus fortes de liaison géographique entre les activités complémentaires tient justement au souci de bénéficier de la meilleure information réciproque possible et de la meilleure transmission possible des ordres. Aussi est-on souvent surpris de voir combien les liaisons géographiques des productions modernes se trouvent distendues. On l'a vu à propos de l'enquête menée par le District de la région parisienne (37) à propos des effets directs et indirects de la politique de décentralisation. L'idée admise était que le départ d'une usine mécanique devait favoriser l'essaimage dans le même secteur de toutes les fabrications liées, de toutes les entreprises de sous-traitance. L'enquête a révélé que cet effet était négligeable. La plupart des petites entreprises qui, dans l'agglomération parisienne, se sont spécialisées dans la fabrication de produits mécaniques intermédiaires, traitent avec plusieurs clients. Elles ne sont liées à

(37) « La sous-traitance de l'industrie des métaux ». *Cahier de l'Institut d'aménagement et d'urbanisme de la région parisienne*, vol. 2, juin 1965, pp. 1-68.

aucun de manière exclusive. Les frais de livraison demeurent pour elles le plus souvent négligeables. Ce qui les intéresse surtout, c'est de pouvoir suivre sans cesse l'évolution du marché, de savoir qu'aucune occasion intéressante ne sera perdue. Aussi les directeurs des petites entreprises sont-ils attachés à leur localisation traditionnelle. Les grands clients se déplacent, s'installent en province, mais le marché principal de sous-traitance reste le marché parisien. Le peu d'empressement manifesté par les fabricants de demi-produits à suivre leurs clients principaux témoigne de la faiblesse de la liaison géographique à caractère technique. La stabilité des rapports géographiques d'entrée et de sortie est faible. Une grande entreprise peut bouleverser totalement la carte de ses fournisseurs sans que cela affecte de manière appréciable ses coûts et réciproquement, les petits fabricants trouveront de nouveaux clients, souvent plus éloignés sans que leur situation se trouve affectée. Tout le décolletage français se trouve, ou presque, concentré dans la vallée de l'Arve, sans que cela gêne l'industrie française. De tels exemples pourraient être multipliés.

Le cas des petits industriels de la région parisienne, comme celui des décolleteurs et tourneurs de la vallée de l'Arve montre par ailleurs l'importance prépondérante des infrastructures de service dans l'équilibre des localisations. Il s'agit d'abord des infrastructures que l'on a vu se mettre en place dès le siècle dernier : celles qui tiennent à l'existence d'organismes commerciaux assurant les contacts avec les fournisseurs de matières premières, de demi-produits ou avec la clientèle. Mais le rôle de ces infrastructures se modifie. Il demeure décisif pour les petites entreprises, qui ne peuvent se doter de services suffisamment complets pour se suffire dans ce domaine. Les sous-traitants sont liés au marché qui leur permet de trouver sans difficulté de nouveaux contrats. Les grandes industries mécaniques l'abandonnent, alors qu'elles ont indiscutablement fait naître, sans que cela se traduise le moins du monde par des pertes ou une gêne. Pour certaines activités, le rôle de ces services professionnels dans la vie de l'entreprise demeure aussi important que par le passé, mais la transparence accrue de l'espace a tendance à délocaliser les marchés. Le contact direct avec les prestateurs de service se fait moins nécessaire. Ceux-ci demeurent la plupart du temps installés dans les centres où ils ont joué de tout temps un grand rôle, mais il n'est plus besoin pour eux de relations personnelles aussi étroites que par le passé avec les industriels qu'ils fournissent. Pour les services des marchés de matières premières, la diffusion des cours par journaux, télex, ou autres moyens, la passation des ordres par téléphone ou télégraphe assure souvent d'aussi bons résultats que des contacts directs. Lorsque ceux-ci demeurent nécessaires, ils se font souvent selon des modes nouveaux : l'entreprise garde ses établissements de fabrication dispersés dans les vieilles régions industrielles et même en milieu rural. Elle installe son siège social dans le grand centre de service. En pareil cas, c'est la plus grande fluidité dans la transmission des ordres à l'intérieur de l'entreprise qui rend possible la disjonction entre la direction fixée par un centre de service professionnel et les fabrications. Comme nous l'avons vu, le divorce de la direction et de l'exécution ne va pas sans gêne et sans difficulté. Il ne doit pas être trop accusé, car des contacts fréquents et étroits demeurent nécessaires entre les deux échelons. Le lien géographique est distendu, mais il subsiste. Les directeurs cherchent alors à créer les nouveaux établissements dans un rayon accessible en peu de temps. Au lieu d'une localisation étroite, au même lieu, de toute la fabrication, il existe maintenant autour du siège social une zone d'indétermination, une zone de liberté où les usines peuvent se disposer comme au hasard.

Ce relâchement des contraintes d'approvisionnement en services techniques, la baisse des coûts de transport, l'augmentation de valeur des produits fabriqués devraient se traduire par une liberté accrue dans le choix des localisations industrielles. Les théoriciens qui, à la fin du siècle dernier ou dans les premières années de ce siècle, avaient vu se dessiner les tendances nouvelles que nous signalons avaient prophétisé la fin des grandes concentrations, le mouvement de l'industrie des villes vers les campagnes. Kropotkine, suivi en cela par beaucoup de penseurs, annonçait ainsi la disparition à terme des régions industrielles. On a effectivement constaté un desserrement, mais la répartition régulière dans tout l'espace n'apparaît pas encore pour demain — elle n'apparaît même pas prévisible. En effet, les avantages de la concentration se sont accrus beaucoup plus qu'on ne le pensait. Les nouvelles formes d'énergie permettent une implantation beaucoup plus libre, mais les petits ateliers ne peuvent concurrencer les grands établissements. Un des effets les plus importants de l'évolution technique qui s'est poursuivie depuis un demi-siècle a été l'augmentation constante de la taille des entreprises industrielles. On définit une échelle optimale des établissements, au-delà de laquelle les frais de gestion et d'administration augmentent les coûts moyens : on ne peut plus alors bénéficier d'économie appréciable de mécanisation et d'automatisation, et la lourdeur croissante de la machine de production amenuise les avantages de la concentration. Les innovations ont permis d'imaginer sans cesse de nouvelles machines, de nouveaux procédés de fabrication qui ont élevé progressivement le niveau où la production bénéficie des économies les plus grandes. Les progrès dans les techniques de gestion, la révolution qui est en train d'affecter les activités tertiaires ont permis d'alléger considérablement les frais d'administration et de bénéficier des économies techniques pour les établissements de très grande dimension. L'unité de base dans le circuit industriel est plus importante que par le passé et l'évolution se poursuit rapidement depuis une quinzaine d'années, alors que l'on avait assisté à un ralentissement notable du courant de concentration dans la première moitié du XXe siècle. L'industrie voit donc se multiplier les très grandes unités.

Mais comment expliquer l'absence de dispersion de ces établissements, puisque les forces traditionnelles d'agglomération ont disparu, que les marchés de services professionnels ne procurent plus autant d'avantages? On pourrait très bien concevoir une industrie se présentant sous la forme d'un semis régulier de localités industrielles d'importance comparable (38). Or on voit se maintenir ou prospérer des zones assez concentrées. Tout ce qu'on y note, c'est que les fabrications qui les caractérisent sont beaucoup plus variées que par le passé. Il n'est plus guère de zones de mono-industrie et l'on cherche avec soin à favoriser dans chaque région une gamme de productions qui permette d'utiliser la totalité de la main-d'œuvre disponible.

Les transformations du marché du travail.

La diversification de l'activité s'explique en partie par le desserrement des liaisons techniques entre les diverses étapes

(38) C'est là une idée qui est exprimée par WICKHAM (Sylvain), *Concentration et dimensions*, *op. cit.*

du cycle de production, par le rôle moins grand des infrastructures de services intermédiaires de production. Elle provient également de la transformation du travail industriel. Les progrès de la technique, l'étude scientifique des tâches accomplies par les ouvriers et par les employés ont bouleversé les conditions traditionnelles. Le métier de l'ouvrier ne s'apprend plus par un long apprentissage. Pour des tâches mieux définies, plus limitées, il a été possible de fixer des normes précises, de préciser objectivement les meilleures façons de procéder. Pour la grande majorité de ceux qui servent des machines, l'apprentissage ne dure plus que quelques semaines, qu'ils soient manœuvres ou ouvriers spécialisées. L'accoutumance progressive ne constitue plus un gage de rendement plus élevé. Pour les tâches simples que l'on propose, ce qui importe surtout, c'est d'être jeune, d'avoir bonne vue pour certaines opérations et de garder des réflexes très rapides et très sûrs. Par la suite, ces qualités pourront être gardées, mais les réadaptations deviendront de plus en plus difficiles avec l'âge. Comme la vie des matériels est limitée, que les changements de poste sont inévitables au cours de la vie active, le sort des ouvriers âgés devient de plus en plus délicat.

A côté du personnel destiné à servir les machines — et dont les effectifs sont menacés à terme par le développement progressif de l'automation — les entreprises modernes emploient des équipes assez nombreuses de professionnels. A la différence de ce qui se passait autrefois, leur métier ne s'est pas assimilé à la suite d'un long apprentissage. Le personnel technique des entreprises possédant une haute qualification est formé de mécaniciens de précision, monteurs, ajusteurs, outilleurs, tourneurs, d'électriciens, de spécialistes de telles ou telles machines. Ils ont appris leur métier dans des écoles professionnelles et complètent leur formation grâce à des stages périodiques ou grâce à des cours du soir. Ils peuvent facilement passer d'une fabrication à une autre : pour l'entretien des machines, le personnel d'une usine chimique, celui d'une filature, ou celui d'une fabrique de matériel mécanique doivent posséder la même qualification.

Les marchés de main-d'œuvre sont beaucoup moins compartimentés que par le passé. Le phénomène est le même au niveau des responsables de la marche de l'usine. On ne se forme plus sur le tas, en occupant successivement tous les postes de la hiérarchie administrative et commerciale. Les grandes entreprises modernes embauchent un personnel possédant une qualification acquise dans des écoles spécialisées, ou dans l'enseignement supérieur. En France, on a longtemps recruté presque uniquement des ingénieurs formés dans les grandes écoles et qui occupaient tous les postes de responsabilité, techniques, commerciaux ou administratifs. Le système avait d'incontestables avantages, mais il présentait un certain nombre de faiblesses. Il était onéreux et les qualités qui font un bon technicien ne sont pas nécessairement celles qui assurent le succès dans les affaires. De nos jours, la formation des cadres est plus diverse, pour répondre aux besoins variés qui sont ceux des très grandes entreprises.

On comprend que les entreprises trouvent toujours avantage à se trouver implantées dans une région possédant une main-d'œuvre abondante et qualifiée. On comprend également pourquoi la proximité d'établissements du même type ne constitue plus un avantage appréciable. Pour certaines fabrications, on préfère même souvent utiliser une main-d'œuvre qui ne possède aucune formation antérieure dans la partie, afin de ne pas être gêné par de mauvaises habitudes. Les industries ont donc cessé de se grouper nécessairement par branches. Un assemblage de fabrications variées assure souvent plus d'avantages aux employeurs et aux employés. Les possibilités de recrutement d'une main-d'œuvre qualifiée sont presque aussi bonnes que dans une région de mono-industrie, pour les employeurs. La gamme des postes offerts est plus large, pour les ouvriers et les cadres. Le choix est plus ouvert. Il permet à chacun de se spécialiser en fonction de ses aptitudes réelles, il donne une plus grande liberté et la chose est appréciée par la plus grande partie des ouvriers. La présence d'un grand marché de main-d'œuvre continue donc à constituer un avantage pour l'industriel, mais ce marché n'est plus celui d'une spécialité étroite. Réciproquement, les ouvriers sont prêts à accepter de faire des déplacements plus longs tous les jours pour garder cette liberté, cette possibilité de changement qui constitue pour eux une garantie sociale des plus importantes. La dimension spatiale des marchés de main-d'œuvre s'est donc accrue sous la triple action du progrès des transports qui assurent des déplacements plus rapides, de l'évolution des qualifications qui donne à chacun des possibilités de tenter sa chance dans des secteurs plus variés et de la concentration des établissements, si importants qu'il n'est plus possible de loger tous les ouvriers à proximité immédiate.

Le rôle des infrastructures de service.

Dans tous les pays industrialisés, les conditions de vie se sont par ailleurs rapidement modifiées. Le niveau des rémunérations a augmenté cependant que les prix d'un certain nombre de produits a baissé. La longueur de la journée de travail a diminué, ce qui a stimulé la consommation par les familles d'ouvriers. Elle était autrefois doublement limitée par le niveau des salaires et par l'absence de temps libre. Les régions ouvrières sont devenues des zones où la consommation est active, où le commerce est florissant. Les habitudes sociales du groupe ouvrier ne sont pas celles des paysans. L'absence de responsabilité directe dans la direction économique rend moins nécessaire l'épargne, la pression du groupe social la condamne souvent. L'intégralité des sommes gagnées est consacrée à la consommation et les besoins de crédit sont considérables pour satisfaire les désirs de biens durables. On conçoit donc que les conditions soient radicalement différentes de celles qui régnaient au siècle dernier. Les régions industrielles doivent avoir une importante infrastructure de services destinés à la consommation finale; dans la mesure où les niveaux de rémunération ouvriers sont aujourd'hui supérieurs à ceux de la plupart des agriculteurs ou des petits employés d'administration, leurs besoins sont plus élevés. A côté des équipements commerciaux, les régions industrielles ont besoin de services sociaux, de groupes scolaires et d'établissements d'enseignement.

Parmi les facteurs qui influent ainsi de plus en plus sur les décisions d'implantation des entreprises se trouvent les dotations en organisations de service. Les vieilles régions industrielles qui ont connu un développement régulier ont réussi à se créer progressivement l'infrastructure de services de consommation qui leur manquaient au siècle dernier, leurs villages ou leurs petites villes se sont équipées et ont pris un aspect réellement urbain. Mais celles où les conditions de travail se sont tout juste maintenues, où il n'y a pas eu d'amélioration des salaires, où les industries sont en perte de vitesse et où le chômage est endémique, ont perdu tout pouvoir d'attraction, par suite de l'insuffisance de leurs infrastructures. C'est là un drame bien connu des régions minières. La baisse de l'activité s'y poursuit sans qu'apparemment apparaisse le moindre mécanisme de rééquilibre. Les industries dynamiques sont attirées par les régions bien équipées, vers les grandes villes, vers les secteurs dont la vocation touristique a favorisé l'équipement.

On comprend mieux dès lors pourquoi les industries modernes sont de plus en plus liées aux régions urbaines : la croissance des dimensions de l'entreprise en est responsable, mais aussi et surtout le souci de trouver sur place une main-d'œuvre abondante. Pour la recruter, l'attirer ou la garder, les équipements urbains, les charmes de la vie réels ou supposés comptent bien davantage que les différences de taux de rémunération. Les entrepreneurs qui ont tenté des expériences de décentralisation le savent bien : ce sont les femmes des employés qui font le succès ou l'échec de telles ou telles opérations et elles sont plus sensibles aux conditions offertes par les services de la localité choisie qu'aux menus écarts de rémunération.

Ainsi, les régions industrielles se transforment. Elles ont cessé d'être uniformes et homogènes, par suite des modifications du travail industriel, et de la délocalisation fréquente d'une partie des services nécessaires à l'industrie. Elles se moulent de plus en plus sur les réseaux urbains existants. Alors qu'au siècle dernier, c'était la localisation des matières premières et de la force motrice qui décidait en dernier ressort de la localisation des grands complexes industriels et qui donnaient naissance à de nouvelles régions urbaines, le processus s'est inversé. C'est la présence des équipements tertiaires généraux qui guide désormais une bonne partie des décisions d'implantation. On cherche à s'installer dans des centres assez importants pour que la vie soit facile, on préfère les localités qui sont également bien desservies par les voies de communication (39). On y trouve un marché du travail plus large, ce qui permet de faire des économies très réelles.

(39) *Ibid.*, cf. pp. 230-234.

Région industrielle et zone de peuplement industriel.

Qu'est-ce qui permet alors de dessiner sur une carte les contours de telles régions? Les usines n'ont pas la même spécialité, les rapports techniques qu'elles ont entre elles sont réduits au minimum. C'est finalement la présence d'un marché de recrutement commun, d'un bassin de main-d'œuvre où les zones de recrutement se chevauchent qui permet de définir une région (fig. 8.4). Elle n'apparaît plus comme une collection de districts tout entiers couverts d'usine et de cités ouvrières, comme c'était le cas au siècle dernier. Elle incorpore des espaces urbains, des zones demeurées rurales. Elle est une unité lorsqu'on la considère comme un champ de recrutement de main-d'œuvre, orienté par un ou plusieurs pôles. La région industrielle moderne est essentiellement une zone de peuplement industriel (40). Pour la connaître, il faut reconstituer cette solidarité qui naît des déplacements quotidiens de travailleurs, cartographier les migrations alternantes, suivre ainsi les salaires distribués qui animent toute la région. Les frontières n'ont plus la même netteté que celles qui s'inscrivaient dans le paysage de naguère. Au-delà de la zone où l'industrie se marque par la multiplication des hautes cheminées, des chevalements ou des grands bâtiments allongés, au-delà de la zone où la totalité de la population vit de l'industrie et s'entasse dans les cités monotones, s'étend une zone de transition où les paysages ne sont pas bouleversés par l'industrie, mais où toute la vie est cependant animée par elle. La dimension de ces aires de peuplement industriel est très variable. Elle s'étend plus largement dans certains pays, où les gens demeurent plus volontiers fixés dans leurs villages traditionnels, en Allemagne, en Belgique, en Suisse plus qu'en France. Elle atteint son rayon le plus large autour des grandes villes, où les migrations d'ouvriers se doublent de mouvements d'employés et animent toute une série de couronnes de banlieues de plus en plus lointaines.

Attirée par les marchés de services, par les masses de main-d'œuvre disponibles, l'industrie a cessé de se développer en

(40) Le terme est utilisé de manière officielle par l'I. N. S. E. E. Les zones ainsi mises en évidence ne sont malheureusement pas toujours définies en tenant compte des mouvements journaliers, qui permettent seuls de marquer les limites des divers bassins, de voir s'ils sont juxtaposés ou intégrés dans une seule et même unité.

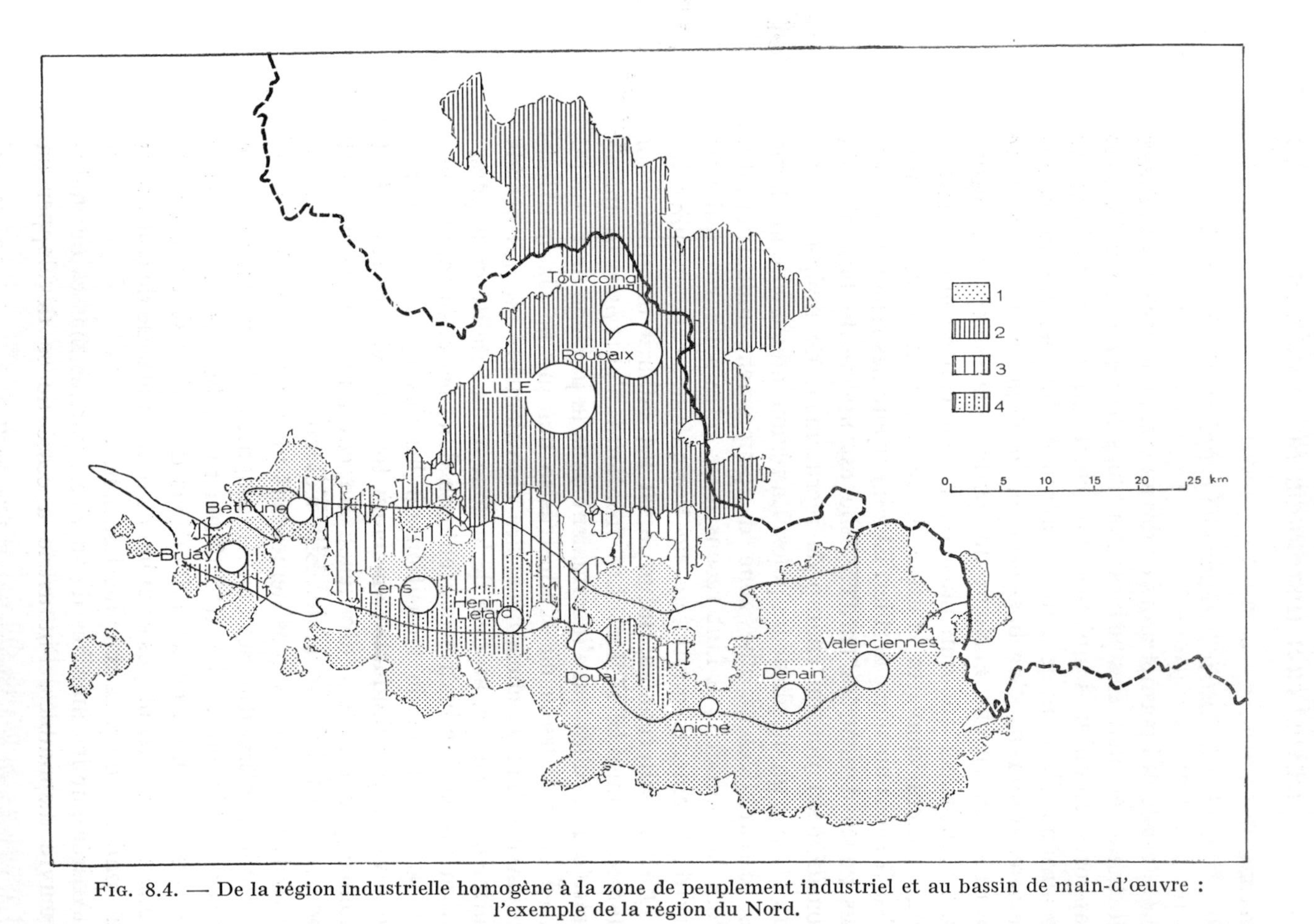

FIG. 8.4. — De la région industrielle homogène à la zone de peuplement industriel et au bassin de main-d'œuvre : l'exemple de la région du Nord.

L'analyse des migrations alternantes montre que l'espace industriel de la région du nord n'est plus fait de deux régions industrielles homogènes indépendantes — le bassin houiller et la conurbation de Lille-Roubaix-Tourcoing — mais de deux bassins de main-d'œuvre qui se chevauchent.

marge des villes, en créant des paysages où elle régnait de manière exclusive. Elle s'incorpore au tissu urbain, dilate la ville, complique sa structure. Elle y apparaît sous forme d'agrégats locaux, ou sous forme de semis irréguliers. Presque partout, elle tend à se diversifier, car les monospéculations multiplient les responsabilités des dirigeants. La région industrielle a cessé, beaucoup plus que ce n'est le cas de la région agricole, d'être une réalité géographique. Il y a désormais des bourgs, des villes, des agglomérations où l'emploi industriel est élevé. L'ensemble se trouve englobé dans le réseau hiérarchique général de la région économique, le déforme, mais ne le détruit pas. L'évolution contemporaine de l'industrie est pour partie responsable de l'importance croissante des régions économiques à base urbaine (41).

Les consommations de services et le renforcement de la structure des régions économiques.

L'évolution économique générale a permis le maintien et le développement des régions économiques. Au fur et à mesure que l'économie s'ouvre davantage et que les circuits économiques s'étalent sur des espaces plus vastes, les tâches de répartition deviennent plus complexes. La mobilité des biens s'accroît, mais il est nécessaire d'assurer l'alimentation de points de vente en nombre suffisant, d'utiliser une gamme sans cesse plus complexe de services de publicité, de diffusion de l'information économique, d'entretien des biens acquis. Le développement même de l'activité économique se traduit par la part toujours plus importante faite aux activités tertiaires du secteur commercial. Des tâches nombreuses ne peuvent être assurées par les entreprises privées, car elles ne sauraient être rémunérées convenablement en laissant jouer les mécanismes de marché : toutes les infrastructures de transport rentrent dans cette catégorie, de même que les charges de formation générale de la main-d'œuvre. Les dépenses administratives croissent donc nécessairement. Elles le font d'autant plus que l'augmentation générale du niveau de vie crée de nouveaux besoins. Les formules d'assurance sont de plus en plus nombreuses, qu'elles soient

(41) Nous reviendrons au chapitre X sur les conséquences géographiques de cette évolution.

à la charge des individus ou qu'elles soient gérées par des organisations publiques ou semi-publiques. L'élévation du niveau de vie entraîne en somme une modification générale des consommations : les besoins en produits alimentaires ou en objets fabriqués ne sont pas indéfiniment élastiques; lorsque l'aisance devient plus grande, c'est souvent de nouveaux services que l'on demande. Ainsi, la part des activités tertiaires va croissante dans la plupart des économies modernes.

Pour un très grand nombre de prestations de service, la portée se trouve étroitement limitée. Le service ne se stocke pas, il doit être consommé immédiatement. Il est souvent rendu personnellement, ce qui suppose le déplacement du client ou du prestateur. Certains services sont d'usage fréquent, si bien qu'il est nécessaire d'éviter les pertes de temps inutiles qu'ils pourraient occasionner. La portée des services est pour toutes ces raisons très limitée. Les progrès des moyens de communication modernes l'ont modifiée, mais moins profondément que la portée des biens.

La part de la population active qui trouve son emploi dans les activités de service est, dans les économies modernes, souvent supérieure à 40%, presque toujours voisine de 35. Elle est même voisine de 50% pour l'économie américaine. Tous les services n'ont pas la même portée. Certains échappent aux contraintes de liaison avec la clientèle, car ils peuvent être rendus à distance, grâce au téléphone et aux moyens de communications modernes. D'autres s'adressent à une clientèle si rare, si spécialisée, qu'ils ne peuvent s'épanouir qu'à l'échelle des très grandes unités, nationales ou internationales. Tous ne sont donc pas rendus dans le cadre régional. Mais la plus grande partie d'entre eux le sont effectivement. Les prix des services ont eu tendance à se maintenir à des niveaux relativement élevés. Ils n'ont pas connu la même baisse systématique de longue durée qui caractérise ceux de beaucoup de produits agricoles et industriels. L'écart entre les rémunérations du secteur tertiaire et celles pratiquées dans les autres secteurs de la vie économique est important. La part du revenu régional qui se trouve consacrée au paiement des prestations de service rendues sur place est importante. Elle correspond au quart, parfois même davantage, du revenu territorial. Ainsi se trouve maintenue une appréciable fermeture des circuits économiques. On comprend que les aires de distribution des services autour d'une place centrale urbaine présentent une spécificité économique appréciable. Leur degré de fermeture est élevé. On conçoit que l'on ait systématiquement confondu les unités de service et les unités économiques fondamentales. Parmi les divisions possibles de l'espace économique, celle qui se guide sur le dessin des aires de service est celle qui permet d'isoler les unités douées de la plus grande cohésion interne. C'est ce qui justifie le vocabulaire courant, dans lequel on confond de plus en plus les termes de région économique et de zone d'influence urbaine.

CHAPITRE IX

LE DYNAMISME DES ÉCONOMIES RÉGIONALES

La stabilité territoriale des constructions régionales a suscité et entretenu l'intérêt des travaux menés par les économistes et par les géographes. Cette stabilité est en partie une illusion, car les cadres spatiaux que l'on appelle régions ont changé de contenu avec l'évolution des techniques et des régimes économiques. Nous avons décrit les lignes générales de ces transformations, mais nous n'avons pas pour autant expliqué ce qui provoque l'évolution propre des économies régionales. Les échanges entretenus avec le monde extérieur sont toujours très importants, les éléments du circuit économique qui dépassent les limites de l'unité analysée sont nombreux. Dans de telles circonstances peut-on dire que la région forge son destin, qu'elle est maîtresse de l'évolution qui l'emporte, qu'elle peut modifier son cours? C'est là une question à laquelle il ne saurait y avoir de réponse absolue. L'économie régionale évolue sous l'effet de causes internes et sous l'effet de causes externes. Il faut les recenser, voir leur importance relative. On comprend mieux alors les ressorts profonds de l'histoire que nous avons retracée et on peut sans difficulté expliquer la répartition des grands types de constructions régionales que l'on trouve de par le monde.

I. — Le dynamisme des régions historiques dans les économies pré-industrielles.

Parmi les types que nous avons évoqués, il en est un qui mérite un traitement particulier : c'est celui de la région historique telle qu'elle s'est progressivement mise en place et développée dans certaines économies pré-industrielles. A la différence de tous les ensembles que l'on a pu mettre en évidence par la suite, la région historique se caractérise en effet par une économie assez complètement fermée.

Dans les régions qui apparaissent au XVIIIe siècle en France, en Angleterre, et dans certaines parties de l'Europe centrale, la plupart des échanges sont effectués sur le plan local. La part d'autoconsommation est forte dans toutes les campagnes et là où les productions alimentent un commerce, les distances parcourues sont faibles : il a fallu attendre le XVIe ou le XVIIe siècle pour que se développent par exemple des marchés régionaux de grain (1). Le nombre de circuits qui se trouvent exactement englobés dans le cadre de la région est réduit, les limites des aires de marché de dimension moyenne sont en partie indépendantes des frontières administratives.

Un des éléments du circuit économique dont l'entreprise spatiale se trouve alors la plus courte est celui de l'investissement. Dans la très grande majorité des cas, les investisseurs sont également des épargnants. Alors que les biens et les services s'échangent déjà sur de longues distances, les réserves que l'on a constituées ne sont engagées que dans les lieux facilement accessibles, pour que le contrôle des nouvelles entreprises soit plus aisé. Le plus souvent, l'épargne et l'investissement se font en nature.

L'économie locale ne se présente pas comme un bloc uni. Lorsque l'investissement dépend tout entier de l'initiative des particuliers, les conditions varient beaucoup dans le temps et dans l'espace. D'une année à l'autre, les surplus se trouvent brusquement modifiés dans les économies qui dépendent pour l'essentiel de l'agriculture. Lorsque la récolte est mauvaise, la possibilité d'épargne se trouve détruite. La situation devient difficile pour les agriculteurs; elle est critique pour la masse des manouvriers qui dépend pour sa subsistance des travaux enga-

(1) On trouvera des indications sur la taille des marchés de grains en Angleterre dans l'ouvrage déjà ancien de N. S. B. Gras. On pourra les comparer avec les conditions qui prévalaient en France à la même époque et qui ont été analysées par A. P. Usher. Il a fallu attendre le XVIe et le XVIIe siècle pour voir apparaître, autour de Londres et de Paris des aires de marché métropolitaines de grande dimension. GRAS (N. S. B.), *The evolution of the English corn market from the XIIth to the XVIIth century*. Cambridge, 1915. — USHER (A. P.), *The History of the grain trade in France, 1400-1710*. Cambridge (Mass.), 1913.

gés par les gros exploitants. Dans l'espace, on trouve une diversité presque aussi grande que dans le temps. Lorsque les exploitations sont trop menues, lorsque leur production suffit à peine à faire vivre les familles qui y sont installées, les possibilités d'investissement se trouvent réduites. Elles sont plus fortes dans les régions au sol riche, et dans celles où prédominent des exploitations de plus grande dimension.

On conçoit donc que le progrès de l'économie locale soient extrêmement irréguliers. Certaines parties se développent, d'autres stagnent, sans qu'il y ait la moindre interaction.

La situation qui caractérise ainsi l'économie de beaucoup de pays pré-industriels tient à ce que le circuit d'investissement est extra-monétaire. Le problème majeur, dans ces conditions, c'est de constituer une épargne-nature. Dans certains cas, la concentration des terres aux mains de grands propriétaires donne naissance à des unités assez larges pour que des progrès substanciels soient possibles. C'est ce qui s'est passé dans l'Angleterre du XVIIIe siècle, ainsi que dans une partie des régions de l'Europe occidentale et de l'Europe moyenne à la même époque. Dans les pays à demi arides, des travaux de petite hydraulique sont de la même façon possibles dans le cadre de la grande entreprise agricole. Dans la plupart des cas, pourtant, la mise en valeur de ces régions suppose de gigantesques travaux. Seul un pouvoir politique fort est capable de dégager un surplus permettant d'alimenter les travailleurs employés à l'aménagement et à l'entretien de tous les ouvrages d'intérêt collectif. Pour Karl Wittfogel (2), les civilisations du Moyen-Orient et de l'Extrême-Orient devaient, pour s'épanouir, tirer profit de la richesse latente des grandes plaines alluviales. Il fallait mobiliser une main-d'œuvre importante — ou si l'on parle en termes économiques, la mise en valeur supposait des investissements massifs qui ne pouvaient s'effectuer, en dehors de toute économie monétaire, que par le prélèvement d'un fond de subsistance permettant de nourrir la main-d'œuvre nécessaire aux travaux collectifs. Le problème était donc à la base un problème politique et un problème d'autorité. La ville disposait d'une force qui était la seule capable d'imposer la concentration du pouvoir nécessaire : le despotisme oriental est intimement lié à la maîtrise des eaux et il l'est également au

(2) WITTFOGEL (Karl A.), *Oriental Despotism, op. cit.*

réseau des villes qui se présentent à la fois comme des points forts, possédant une permanence qui manque aux unités territoriales plus modestes et comme des centres administratifs, réunissant le personnel d'experts nécessaire à la mise en place des politiques de développement. Le rôle de la ville apparaît fondamental au point de vue politique et économique : le lieu central est un nœud stratégique et un foyer de conception. C'est lui qui est capable d'exercer les pressions qui font apparaître le surplus nécessaire à la croissance économique du pays.

Gideon Sjoberg a abouti à des idées voisines sur l'origine et les fonctions des cités dans les civilisations préindustrielles (3). La ville comme de nos jours est un lieu central, mais ses fonctions sont différentes. Ses activités productives sont médiocres et même, dans bien des cas, ses activités commerciales. Ce sont les fonctions de direction, d'organisation et de conception qui semblent bien constituer l'essence de toutes les économies urbaines pré-industrielles, le dénominateur commun aux villes de l'Antiquité, comme à celle de l'Extrême-Orient. Le lieu central est nécessaire pour tout ce qui touche à l'organisation des relations à grande distance, les grands projets, aussi bien politiques qu'économiques. La ville pré-industrielle ne peut trouver sa substance dans un échange commercial équilibré, puisque les fonctions de direction qu'elle assume ne sont pas de celles que l'on paie. Elle se développe grâce aux prélèvements réalisés sur l'économie des régions rurales. Et pour Gideon Sjoberg, la puissance des villes, la civilisation urbaine dans son ensemble, dépendent très étroitement, dans toutes les situations pré-industrielles, de la puissance politique qui organise l'espace. Il y a sans doute quelque excès dans ces points de vue. Mais la construction théorique est claire et elle rend compte de bien des situations. Le développement des villes dépend de la fortune politique des États qu'elles dominent; elles croissent en armant les forces de grands empires, qui alimentent les prélèvements sans cesse plus importants. Le commerce qui se développe alors apparaît davantage comme une conséquence que comme une cause de la croissance de la ville.

Les bourgs et les cités, dans les civilisations préindustrielles,

(3) On trouvera une analyse systématique de la cité dans les sociétés préindustrielles dans Sjoberg (Gideon), *The Preindustrial City : Past and Present.* New York, Free Press of Glencoe, 1960.

doivent pourtant une partie de leur importance à leurs ateliers artisanaux. Mais les avantages économiques de la concentration sont trop limités pour suffire à expliquer l'apparition des villes. On connaît des civilisations parvenues à un assez haut degré de développement et qui se sont passées de toute installation urbaine fixe, comme ce fut longtemps le cas d'une bonne partie de la Berbérie (4). On trouve ailleurs la contre-épreuve : les villes du moyen âge devaient leur essor industriel à un certain nombre de traits juridiques; elles offraient plus de libertés aux artisans que ne le faisait une campagne encore trop marquée de féodalité. Le développement de l'industrie, sous des formes qui annoncent la grande manufacture moderne, se fait à partir de la fin du moyen âge en sens inverse. Les ateliers quittent les villes et des régions rurales entières se transforment au point de ne plus vivre alors que de l'échange industriel (5) : il en va ainsi en Flandre, dans l'Angleterre du Sud-Est, et peut-être plus encore dans une partie de l'Europe centrale, en Suisse en particulier, où l'on voit déjà la population dépendre pour l'essentiel de son industrie.

La vie de l'industrie au début de l'ère du mercantilisme n'est cependant pas indépendante de la répartition des grands centres urbains. Les campagnes sont intimement associées aux villes. Les villes assurent la commercialisation et le financement des opérations. Elles gardent la direction totale des activités qu'elles ont renoncé à abriter dans leurs murs.

Les nécessités de l'investissement collectif favorisent l'épanouissement d'une trame urbaine dans les économies de type

(4) Il paraît surprenant de voir des économies ouvertes sur l'extérieur ignorer à peu près complètement les marchés permanents. En Afrique du Nord, les échanges qui se font au sein de la population rurale se déroulent en dehors de toute agglomération. La ville se spécialise dans le commerce lointain, mais elle demeure étrangère à la campagne. Il y a là toute une série de traits originaux qu'on ne peut comprendre qu'en analysant les sociétés nord-africaines. Pour les marchés berbères, on trouvera des éléments d'interprétation dans Francisco Benet. L'opposition entre l'espace tribal et l'espace urbain est analysée par Yves Lacoste. Benet (Francisco), *Explosive Markets : the Berber Highlands, op. cit.* — Id., *The Ideology of Islamic Urbanization*, pp. 111-126 d'Ishwaran (K.) et Anderson (Nels), *Urbanism and Urbanization.* International Studies in Sociology and Social Anthropology, Leyde, E. J. Brill, 1964, X, 179 p. — Lacoste (Yves), *Ibn Khaldoun. Naissance de l'histoire. Passé du tiers monde.* Textes à l'appui, Paris, François Maspéro, 1966, 267 p.

(5) On trouvera des indications sur les caractères de la société traditionnelle en Europe et l'apparition des premières formes de capitalisme dans Mauro (Frédéric), *Le XVIe siècle européen. Aspects économiques.* Coll. « Nouvelle Clio », Paris, P. U. F., 1966, 387 p.

hydraulique. Ailleurs, le commerce et l'industrie sont fréquemment sous la dépendance des bourgs et des villes. Dans les deux cas, le rôle de la cité est décisif : il tient à la possibilité d'effectuer des épargnes et des investissements hors de portée des entrepreneurs et des exploitants individuels. Cela favorise l'apparition de ces organisations spatiales stables que nous avons appelées régions historiques et qui s'appuient presque toujours sur un réseau de lieux centraux.

Dans ces régions, une solidarité profonde unit les campagnes et la ville. Les premières dépendent de la seconde pour leur développement. Elles ne pourraient compter que sur les épargnes directes en nature qu'elles se trouvent à même de dégager. La ville permet de rassembler des moyens plus puissants, de faire porter les efforts sur des équipements collectifs. A la différence de ce qui se passe dans les économies les plus primitives, la région historique possède une certaine unité en ce qui concerne la croissance : il y a solidarité entre les diverses parties de l'espace.

Mais le système fonctionne de façon médiocre et la croissance est presque toujours discontinue. Entre les périodes d'innovation où l'agriculture est améliorée, les routes tracées, les infrastructures urbaines mises en place, les villes ne jouent guère qu'un rôle négatif. Elles sont toujours des centres administratifs ou religieux, mais elles se sont endormies, ont perdu leur imagination et leur pouvoir de création. Elles ne sont plus guère que des lieux de consommation. Les riches propriétaires fonciers y sont installés et y mènent une existence qu'ils jugent plus agréable que dans les régions rurales. La ville vit des rentes de situation et de fertilité qu'elle perçoit (6). Elle vit également et de plus en plus des services qu'elle rend à la campagne, des produits qu'elle manufacture et qu'elle écoule les jours de marché en échange des produits agricoles dont elle a besoin. La capacité d'épargne des agglomérations urbaines dépend donc dans une très large mesure de la situation de l'agriculture. Lorsque la récolte est mauvaise, les agriculteurs interrompent presque tota-

(6) Les géographes français insistent volontiers sur le caractère parasite des villes dans les régions d'économie traditionnelle, sur leur rôle de consommatrices plus que de productrices. Cette tendance est illustrée par les travaux de M. Dugrand. Il nous semble que cette vision est incomplète : la ville des économies traditionnelles a également un rôle d'administration, de direction et souvent d'impulsion. Elle ne le remplit qu'à certains moments, lorsque s'ouvrent des perspectives de croissance et de développement. DUGRAND (Raymond), *Villes et campagnes du Bas-Languedoc*. Paris, P. U. F., 1963, XII, 638 p.

lement leurs achats de produits manufacturés. Les prix des produits agricoles augmentent. Les artisans voient donc à la fois leurs revenus s'effondrer et les prix des denrées qu'ils consomment augmenter. Une mauvaise récolte déclenche une crise qui compromet toute l'économie urbaine. La situation n'est pas toujours meilleure pour les propriétaires fonciers. Lorsque leurs revenus correspondent à une part donnée de la récolte, dans les régions de métayage, ils se trouvent aussi gravement touchés que les autres. Il en est de même lorsque les fermages sont perçus en argent, puisqu'il y a hausse générale des prix. Lorsque les fermages sont payés en nature, la situation des propriétaires fonciers peut se trouver au contraire excellente, puisque la masse dont ils disposent est restée inchangée en volume, mais que sa valeur est multipliée par la hausse des prix. En pareil cas, la crise agricole peut donner un surcroît de pouvoir d'épargne à la bourgeoisie et à l'aristocratie urbaine. Les sommes accumulées pourraient favoriser l'investissement productif et le développement. Le contrôle des placements mobiliers est très difficile. Les perspectives de profits sont limitées, puisque les crises touchent particulièrement le secteur des ateliers artisanaux et des manufactures. Les restrictions apportées au prêt à intérêt rendent difficiles les opérations dans ce secteur, lorsqu'on ne désire pas s'engager directement dans la production. Les sommes épargnées servent donc presque uniquement à arrondir le patrimoine foncier de ceux qui tirent profit des crises. Il s'agit dans une certaine mesure d'un investissement productif. Les propriétaires prennent à leur charge toute une série de travaux qui permettent d'augmenter la valeur de leurs biens-fonds. Ils drainent, amendent, arrosent. Ils provoquent des défrichements. Ils rationalisent l'exploitation des terres et font disparaître les servitudes collectives qui entravent les progrès techniques. Mais les améliorations que l'on peut obtenir de la sorte sont souvent limitées. Il est plus facile d'acheter de nouvelles terres : l'épargne effectuée par les riches, qui résident bien souvent en ville, n'est pas la source d'investissements. Elle alimente des transferts, elle favorise une concentration de plus en plus poussée des terres au profit d'une minorité. C'est là une évolution qui caractérise à l'époque moderne l'économie d'une partie de la région parisienne ou des zones voisines des grandes villes en France. On la voit se développer à un rythme plus rapide encore en Angleterre. Ces conditions se retrouvent actuellement dans un grand nombre de pays sous-développés (7). La disparition des entraves qui frappaient le prêt à intérêt ou l'absence de tout préjugé à cet égard rendent souvent les conditions plus dures encore pour le paysan : il s'endette, ne peut se libérer, se trouve dépossédé et parfois réduit à un état de quasi-servage. On voit du coup comment la croissance d'ensemble de l'économie se trouve freinée. L'épargne privée n'alimente pas l'investissement. Elle est utilisée pour des prêts à la consommation ou des achats fonciers : dégagée en un point du circuit économique, elle est consommée en un autre, et l'investissement total est nul. En pareil cas, les structures de la société se trouvent figées, les productions sont limitées par l'absence de tout effort de progrès.

Dans les économies préindustrielles, on constate ainsi bien souvent des différences très grandes de dynamisme d'un point à un autre. L'unité dans la croissance et dans le dynamisme ne se manifeste que lorsque l'autorité politique prend en main la réalisation des améliorations et des constructions ou lorsqu'une aristocratie trouve intérêt à faire des investissements productifs. Ce sont là des cas assez rares, la croissance est un processus de durée limitée. De toute manière, le dynamisme régional dépend essentiellement de la capacité d'épargne interne et les rapports interrégionaux sont presque sans influence sur le développement des économies. La situation change lorsque commence à se généraliser l'usage de la monnaie dans toutes les étapes de la vie économique, lorsque l'on voit se former des économies de type industriel.

II. — La région comme économie ouverte : les interprétations mécaniques de la croissance.

La révolution des transports qui marque la fin des économies traditionnelles accroît si rapidement la portée des biens qu'en quelques décennies, la plupart des circuits débordent très largement des limites des vieilles régions historiques : nous avons

(7) Les mécanismes économiques qui permettent à des minorités urbaines de mettre la main sur les terres sont très brutaux aux Indes, comme il apparaît dans les analyses que M. Dupuis a consacrées à la région de Madras. Dupuis (Jacques), *Madras et le Nord du Coromandel. Études des conditions de la vie indienne dans un cadre géographique.* Paris, Adrien Maisonneuve, 1960, 590 p.

dit que cela avait entraîné durant une bonne partie du siècle passé un affaiblissement des structures régionales.

La région a cessé d'être un univers à peu près isolé, un univers que l'on peut étudier indépendamment du reste du monde. Sa croissance est liée à l'ensemble des espaces dans lesquels elle se trouve intégrée. Ses ressources sont appréciées par comparaison avec celles qui existent ailleurs, en fonction des besoins additionnés des économies qui se trouvent unies.

Cette transformation globale de l'économie régionale a été interprétée de manière très diverse par les économistes. Certains ont refusé de voir désormais dans la région une entité qui mérite analyse particulière. Assez curieusement, on les trouve nombreux parmi ceux qui s'intéressent aux problèmes du développement régional. Les géographes ont adopté, inconsciemment la plupart du temps, des points de vue analogues. La région apparaît alors comme une pièce dans un mécanisme global : son avenir est tout entier commandé par l'ensemble, elle ne peut pas jouer de rôle propre, elle ne peut pas changer le rôle qui lui est dévolu.

Cette manière de concevoir l'économie régionale est ancienne, car elle est en accord avec la plupart des postulats de base de l'économie classique. Elle a cédé la place, bien souvent, à des analyses plus nuancées. Cependant, lorsque l'on observe ce qui s'est passé à certaines périodes et, en particulier, au moment de la révolution industrielle ou lorsqu'on procède à des analyses de courte période, les mécanismes rigides de croissance permettent de rendre compte assez commodément des faits observés.

Les théories mécaniques présentent une différence fondamentale avec celles qui leur ont succédé. Dans la mesure où on ne tient pas compte de l'initiative locale, du poids des équipements passés, de l'altitude collective des entrepreneurs et des travailleurs, les résultats de l'évolution sont déterminés dès le départ : ce sont donc des théories qui n'ont pas besoin de la durée, qui sont anti-historiques, si l'on peut dire. Les géographes le savent bien : lorsqu'ils étudient des localisations, ils commencent par analyser toute une série de facteurs et de mécanismes qu'ils empruntent à l'arsenal des théories classiques. Ils n'arrivent pas, la plupart du temps, à tout expliquer. Il reste un résidu, pour lequel ils font appel aux facteurs historiques, ce qui, dans l'esprit de la plupart, revient à dire qu'il s'agit là d'une part d'irrationnel, d'injustifiable au plan scientifique.

Les théories modernes, qui donnent initiative et possibilité de jeu — dans des limites que nous préciserons — aux composants de l'économie globale, se situent dans le temps. Chaque étape dépend des précédentes et le résultat final n'est jamais totalement déterminé dès le départ : dans une telle optique il n'y a plus d'opposition entre l'historique et l'économique.

La croissance et la théorie des ressources naturelles.

La première théorie de la croissance des ensembles territoriaux ouverts entre lesquels n'existent aucune restriction à la mobilité de main-d'œuvre et du capital, c'est celle que l'on pourrait appeler la théorie de la dotation en ressources naturelles (8).

Les sujets économiques cherchent à maximiser leur utilité et leur revenu. Les entrepreneurs utilisent des ressources naturelles. Leur localisation est fonction de celle des gisement métalliques, des mines de houille, des plaines agricoles qui leur fournissent leurs matières premières dans les meilleures conditions. Une telle théorie suppose que l'action du marché est négligeable. C'est déjà là une faiblesse. Elle ne tient pas compte ni des économies d'échelle ni des économies externes : elle ignore à la fois la concentration des activités de production et les jeux des circuits bouclés qui créent précisément les ensembles régionaux dont elle prétend analyser l'activité et la croissance.

La théorie des ressources naturelles ne permet donc pas de comprendre toute l'évolution des économies régionales. Elle n'est pourtant pas sans intérêt. Lorsque les activités sont orientées vers les matières premières, et que la main-d'œuvre est mobile, la géographie tend, à la longue, à se modeler sur la répartition des ressources. C'est ce qui s'est produit, au moment de la première révolution industrielle en Angleterre. La main-d'œuvre s'est entassée sur les bassins houillers, si bien que les marchés ont fini par coïncider dans une large mesure avec les zones de fabrication : en étudiant les ressources, on rendait effectivement compte de l'ensemble de l'équilibre régional.

Lorsque l'on a affaire à un pays neuf, la dotation en ressources

(8) La théorie de la croissance que nous présentons est une forme naïve de la théorie de l'avantage absolu.

naturelles joue un rôle important — et a joué un rôle plus décisif encore au siècle passé. C'est ce que les économistes américains ont mis en évidence en étudiant leur pays (9). La croissance régionale y a été déterminée dans une très large mesure par les possibilités d'exploitation de ressources dont les débouchés pouvaient être très vastes, à l'échelle de l'espace américain ou à l'échelle du monde. Le Sud a été mis en valeur en totalité durant la première moitié du XIXe siècle pour fournir le monde en coton, l'Ouest a été exploité pour exporter des grains et du bétail, les Montagnes rocheuses ont fourni les minerais non ferreux dont l'essor de l'industrie moderne multipliait les besoins. La Californie a exporté son or, son argent, puis ses blés, avant de découvrir sa vocation véritable : elle possède une position privilégiée dans l'espace américain pour la production d'un grand nombre de fruits et de légumes méditerranéens ou subtropicaux. Les États du Nord-Ouest du Pacifique ont contribué à l'approvisionnement en métaux des pays industrialisés, mais ils ont bien vite tiré leurs revenus essentiels de leurs richesses forestières. La mise en valeur de l'Est y diminuait les quantités de bois exploitables, au moment où les besoins ne cessaient de s'accroître à l'intérieur comme à l'extérieur.

Ainsi, la conquête progressive de l'espace américain peut s'interpréter en retraçant l'histoire de la mise en valeur des ressources naturelles. Est-ce là une explication complète? Non, comme on s'en aperçoit aisément par l'exemple du Washington et de l'Oregon (10). Leur dotation en facteurs naturels n'a pas eu toujours la même signification. C'est la mise en culture des pays de l'Est qui a valorisé leurs ressources; il est donc difficile de ne pas tenir compte de la durée, de la succession et des enchaînements de croissance pour expliquer les économies régionales. Ce n'est pas simplement l'innovation technique qui

(9) PERLOFF (Harvey S.), DUNN (Edgar S.), LAMPARD (Eric E.), MUTH (Richard F.), *Regions, Resources and Economic Growth, op. cit.* — PERLOFF (Harvey S.), WINGO (Lowdon, Jr), *Natural Resource Endowment and Regional Economic Growth*, pp. 191-212 de SPENGLER (Joseph J.) (ed. by), *Natural Resource and Economic Growth.* Washington, Resource for the Future Incorporation, 1961. — NORTH (Douglass C.), « Location Theory and Regional Economic Growth ». *Journal of Political Economy*, vol. 63, 1955, pp. 243-258. Repris aux pp. 240-255 de FRIEDMANN (John), ALONSO (William) (ed. by), *Regional Development and Planning.* Cambridge (Mass.), The M. I. T., Press, 1964 XVII, 722 p.

(10) TIEBOUT (Charles M.), « Exports and Regional Economic Growth ». *Journal of Political Economy*, vol. 64, 1956, pp. 160-169. Reproduit aux pp. 256-261 de FRIEDMANN (John), ALONSO (William), *Regional..., op. cit.*

introduit une durée, en créant, valorisant ou dévalorisant les ressources. C'est l'histoire même de la mise en valeur des régions déjà peuplées qui conditionne la croissance des espaces neufs.

Une seconde remarque montrera qu'il existe d'autres limites à l'explication. Aux États-Unis, lorsque l'on va vers l'Ouest, on s'aperçoit qu'à ressources égales, le peuplement est de plus en plus faible — exception faite de la Californie. Les États du Sud sont pauvres, si l'on tient compte de la plupart des normes actuelles. Certains des États de l'Ouest intérieur ont des ressources considérables, mais se dépeuplent. L'Alaska n'a qu'une population très clairsemée, alors que ses ressources ne sont nullement négligeables. La croissance dépend donc du moment où la mise en valeur a eu lieu — et pas simplement parce que les hommes ont eu le temps de se multiplier ici plus que là : la présence des ressources naturelles justifie le peuplement initial, la mise en valeur d'espaces vierges. Elle ne rend pas compte du déroulement ultérieur de la croissance. Si l'Alaska n'a pas tiré le même profit que la Californie de certaines ressources communes — de l'or par exemple — cela tient à ce qu'il lui manque les aménités qui se sont révélées être des ressources de plus en plus importantes pour la croissance. Cela tient aussi qu'il n'a été atteint qu'à une époque où la mobilité des biens et des personnes était déjà telle que la mise en valeur d'espaces neufs n'entraînait pas, comme auparavant, la multiplication des activités domestiques qui permettent au mouvement initial de s'amplifier et de se développer.

Utile pour rendre compte de certains enchaînements à l'aube de l'époque industrielle ou pour expliquer la mise en valeur des pays neufs, la théorie des ressources n'a qu'une valeur partielle, exceptionnelle dirait-on même volontiers. Elle ne rend pas compte de la grande majorité des faits d'évolution régionale dans les économies modernes.

D'autres théories existent, dont les mécanismes sont mieux adaptés aux conditions de la vie moderne. Ce sont celles qui voient la croissance régionale déterminée par la composition des activités à un moment donné et par les variations de la demande globale. Plus modestes, puisqu'elles ne prétendent pas expliquer toute l'histoire, et se situent dans la courte période, ces théories sont utiles au planificateur.

Croissance régionale et évolution de la demande globale.

Sous sa forme la plus brutale, cette théorie réduit la croissance régionale à des mécanismes automatiques, aux ressorts assez simples. Le moteur de la croissance réside dans l'augmentation de la demande globale. Cette augmentation porte sur certains biens plutôt que sur d'autres. Comment va se répartir la demande additionnelle, quelles sont les régions qui vont bénéficier de cet essor? On suppose que ce sont celles qui fabriquent déjà les objets dont le besoin va croissant (11). Lorsqu'un territoire livre des produits agricoles comme la pomme de terre ou comme le blé, lorsqu'il fabrique des produits textiles ou des articles de cuir, dont la demande stagne ou décroît, son économie est en crise, son produit diminue. Lorsqu'il est spécialisé dans la fabrication des automobiles, des tracteurs, des appareils de radio, de télévision, de l'équipement ménager, le développement se fait sans heurt. La région se trouve alors accrochée à une locomotive qui la tire vigoureusement.

Lorsqu'on analyse ce qui se passe dans un pays moderne, on constate que les résultats de l'évolution des régions depuis une vingtaine d'années s'accordent assez bien avec ce postulat. Ainsi, le produit individuel élevé, le niveau de rémunération supérieur à celui des autres provinces françaises que connaît actuellement la Franche-Comté traduisent dans une large mesure le poids dans l'économie de la région de branches pour lesquelles la demande est très vive et augmente à un rythme régulier : l'automobile, la mécanique de précision. Inversement, le Nord souffre du marasme du marché charbonnier, de celui des textiles traditionnels. Le Sud-Est bénéficie de la demande de fruits et légumes de qualité, de la poussée des industries chimiques et électriques, alors que le Languedoc voisin souffre de la stagnation de la consommation du vin et de la part très importante des industries traditionnelles en déclin dans son potentiel de production.

Certaines des méthodes utilisées par les économistes actuels

(11) Les modèles d'input-output interrégionaux supposent qu'il y a constance dans les coefficients de liaison qu'ils mettent en évidence : ces coefficients sont à la fois technologiques et géographiques. On trouvera un exposé de ces problèmes dans Jouandet-Bernadat (R.), *Comptabilité économique et espace régionaux*, *op. cit.*, cf. pp. 197-211.

pour mesurer l'impact de modifications dans la demande globale adoptent ces hypothèses, en particulier pour montrer les conséquences de créations de grandes usines nouvelles sur les économies régionales. L'idée est commune à Léontief et à Walter Isard (12). Elle permet de faire des prévisions à court terme intéressantes, mais elle se révèle insuffisante pour les prévisions à long terme, car les bases sur lesquelles elle repose sont fragiles.

Tant que les capacités de production des usines existantes ne sont pas complètement utilisées, la demande supplémentaire sera satisfaite sans création nouvelle, sans investissement. Si les usines sont relativement semblables par leur taille, leurs techniques de production, si leurs prix de revient sont voisins, il y a des chances pour que la répartition de l'accroissement se fasse proportionnellement aux capacités existantes. Si la demande augmente lentement et régulièrement et que la technique de la branche permette de procéder à des investissements fractionnés, les entreprises existantes agrandiront leurs installations par adjonction de nouveaux bâtiments, de nouvelles machines. Si les concurrents sont suffisamment égaux, si leurs profits sont équivalents, il n'y a pas de raisons qu'ils ne se partagent pas d'une manière à peu près égale les nouvelles commandes.

Ces conditions sont en fait très rares. Dans la plupart des pays, il existe à côté d'entreprises modernes, bien outillées et qui travaillent en utilisant au maximum la capacité de leurs installations, des entreprises marginales qui utilisent un matériel amorti depuis longtemps et auquel on n'accorde que le minimum d'entretien. Ce matériel est utilisé en fonction des fluctuations de la demande. Il est mis en sommeil lorsqu'il y a stagnation, il ressert dès que le marché devient plus ferme. Ainsi, les fluctuations de la demande ne se traduisent plus de manière régulière dans les diverses entreprises et dans les diverses régions. Celles qui sont les moins favorisées ne bénéficient réellement de commandes importantes qu'en période de haute conjoncture, lorsque les prix sont très hauts.

Lorsque les variations de la demande sont rapides, lorsque l'on peut escompter un développement important de la produc-

(12) Isard (Walter), « Interregional and Regional input-output Analysis : A Model of a Space Economy », *op. cit.*
Nous renvoyons, pour plus de détail, aux notes 21 et 22 du chapitre V.

tion dans un avenir proche, on commence à construire de nouvelles installations. Il est plus intéressant de disposer d'ateliers neufs, d'utiliser les machines les plus modernes. Comme toujours, l'aménagement de tels ensembles peut se faire loin de toutes les installations existantes : la croissance ne se fait plus à l'identique, elle s'accompagne d'une déformation, d'une mutation dans la répartition des activités.

Les travaux de Dunn (13) ont permis de distinguer, parmi les composantes de la croissance régionale, celles qui sont dues au simple effet proportionnel et celles qui témoignent d'un changement dans la répartition des productions. Après avoir été utilisées aux États-Unis, les méthodes qu'il préconise ont été appliquées à l'économie française (14). On a ainsi mis en évidence les transformations subies par les vingt-deux régions de programme entre 1954 et 1962. Un procédé graphique simple permet de mettre en évidence celles qui sont conformes à la structure primitive de l'économie des régions et celles qui s'expliquent par l'apparition de nouvelles entreprises spécialisées dans des branches en expansion. En définitive, les effets de transformations des structures l'ont emporté dans la croissance sur l'accentuation de l'organisation traditionnelle. Pour des régions comme la Normandie, la Provence, la région Rhône-Alpes par exemple, la progression est due davantage à une adaptation aux nouvelles composantes de l'économie, qu'à un simple bourgeonnement par similitude.

Le problème des déterminants de la croissance régionale n'est donc simple que lorsque l'on a affaire à une économie éloignée de son point de saturation, sans secteurs attardés et lorsque l'on s'intéresse aux problèmes des transformations à très court terme. Ces conditions sont approximativement celles de l'économie américaine — on sait par exemple que la plupart des branches d'industrie y disposent d'équipements qui ne sont qu'incomplètement utilisés et qui assurent une grande élasticité à l'offre. Il en est de même de l'agriculture depuis que la surproduction chronique a fait naître la banque du sol, qui permet de conserver en réserve une capacité de production qui

(13) Dunn (E. S., Jr), « Une technique statistique et analytique d'analyse régionale : description et projection ». *Économie appliquée*, vol. XII, 1959, pp. 521 *sq.*

(14) Beaud (Michel), « Une analyse des disparités régionales : composante régionale et composante structurale de l'évolution de l'emploi régional en France ». *Revue économique*, vol. 17, 1966, pp. 55-91.

n'est nullement négligeable. Pour toutes les autres économies, pour celles d'Europe occidentale en particulier, il est difficile d'augmenter beaucoup la production sans mettre en place de nouveaux équipements.

L'influence de la région sur les caractères de la demande globale.

L'évolution de la demande globale est bien un des déterminants de la croissance régionale, mais les rapports entre les deux séries de phénomènes sont loin d'être univoques. Les variations de la demande globale ouvrent une série de possibilités aux régions et la manière dont elles les utilisent dépend moins des spécialisations passées que de tout un complexe de forces enchevêtrées. D'autre part, la région n'est pas sans agir dans certains cas sur l'évolution de la demande globale. Dans un monde devenu plus transparent, l'action se situe d'abord au niveau des effets de démonstration. Certaines régions jouissent d'un prestige particulier. Elles le doivent à des facteurs politiques, à leur fonction de direction économique. Elles profitent de la publicité que leur vaut la présence d'artistes, d'écrivains, de publicistes, de journalistes. La consommation de whisky dans le monde doit plus au prestige d'un certain genre de vie anglosaxon diffusé par les romans policiers ou par les romans d'aventure, qu'à l'action concertée des producteurs écossais, irlandais, américains ou canadiens. Un siècle plus tôt, les vignobles français bénéficiaient de débouchés qui leur étaient ouverts par un effet analogue. La consommation de champagne et celle de cognac ont ensuite été stimulées aux États-Unis par les écrivains de la génération perdue des années 20, qui étaient venus chercher à Montparnasse l'oubli et la distraction de la réalité américaine.

On conçoit que certaines habitudes régionales se diffusent, transforment les goûts, assurent à la région des débouchés nouveaux à l'échelle d'une nation. Les habitudes culinaires de la France évoluent en ce sens : on voit à la fois gagner certaines coutumes des pays où la consommation du beurre est forte et traditionnelle et celle des régions méditerranéennes, cuisinant à l'huile et utilisant une gamme de légumes plus diverse. Le genre de vie parisien, resté jusqu'au début de ce siècle calqué sur celui des pays du Bassin parisien, de l'Ouest ou du Centre de la France, se charge de plus en plus de parfums méridionaux.

L'arrivée des pieds-noirs a accentué une évolution que la diffusion du tourisme d'été, dans le Midi provençal d'abord, puis depuis une quinzaine d'années en Espagne et en Italie, avaient déjà bien amorcée. De telles transformations traduisent donc l'influence de telle ou telle région sur l'ensemble de la demande nationale.

On voit par ces exemples que les théories mécaniques du développement régional ne rendent compte que superficiellement des situations réelles : elles ignorent les inégalités entre les ensembles territoriaux et les effets d'entraînement qui constituent un des aspects les plus frappants de la vie économique actuelle.

L'analyse du dynamisme de l'économie régionale doit donc se faire selon d'autres voies : il faut voir comment se met en place l'investissement qui permet l'accroissement de la capacité productive. Ses conditions ne sont pas les mêmes selon que les circuits financiers sont bouclés ou non à l'intérieur du territoire analysé.

III. — La région dans le cas ou existe une autonomie du financement.

Lorsque les capitaux ne sont pas mobiles hors des limites de la région, les problèmes de la croissance sont relativement simples. Le développement peut procéder d'une amélioration de la productivité, sans modification des équipements. Dans la plupart des cas, il n'en va pas ainsi. La croissance par l'amélioration des techniques n'a qu'un temps. En agriculture elle est notable lorsque l'on introduit de nouvelles espèces, de nouvelles variétés, de nouveaux tours de main. Elle est importante lorsque cesse l'isolement des cellules traditionnelles. Les fromagers suisses apprennent aux éleveurs des montagnes françaises la manière dont on doit conduire la sélection, dont on doit mener les prairies, récupérer le purin, améliorer les étables. La Franche-Comté doit à cela une partie de l'avance technique qu'elle a gardée sur d'autres régions d'élevage françaises durant plus d'un demi-siècle. A la longue, les progrès que l'on peut obtenir de la sorte s'épuisent. La croissance demande l'utilisation de matériels et d'équipements nouveaux.

C'est vrai beaucoup plus dans le monde industriel que dans celui de la production agricole et de l'élevage. Au total, la progression des économies régionales est liée aux possibilités d'investissement, donc d'épargne. Celle-ci varie avec le comportement individuel, avec les traditions et les goûts des populations. Les facteurs sociologiques ou anthropologiques expliquent sans doute une bonne partie des évolutions divergentes que l'on a pu remarquer, entre régions voisines et également douées à d'autres points de vue. Il ne faut pas exagérer leur poids. L'épargne est assurée en grande partie par des groupes peu nombreux qui concentrent de hauts revenus ou par les entreprises : c'est dire qu'elle dépend de faits proprement économiques ou du comportement de petites minorités.

Pour l'essentiel, on s'aperçoit que la croissance se trouve liée aux profits des entrepreneurs. Elle est donc le résultat de l'équilibre intérieur, de la production de la distribution et de la consommation. Elle dépend dans une très large mesure des conditions dans lesquelles s'effectuent les échanges avec l'extérieur et des prix qu'il est possible de demander pour les produits exportés. Ce sont là des éléments qui seraient négligeables dans une économie de marché parfaite. En fait, la croissance suppose des inégalités techniques qui aboutissent nécessairement à conférer un pouvoir de négociation supérieur à certains des protagonistes. Avec le développement de l'économie, des formes d'effet global plus subtiles ont pu apparaître comme on le verra en analysant la situation qui régnait à la fin du siècle dernier.

Croissance régionale et prix des produits vendus à l'extérieur.

L'épargne dépend d'abord du prix des produits vendus à l'extérieur et de celui des articles importés : pour employer le vocabulaire de l'économie internationale, elle varie avec les termes de l'échange.

Au début de la révolution industrielle, les zones qui se lancèrent dans les nouvelles formes d'activité manufacturière étaient dans des conditions excellentes pour obtenir des profits élevés. Les produits qu'elles proposaient se substituaient à d'autres qui étaient normalement fournis par l'activité domestique ou l'artisanat. Il n'y avait pas encore de produits nouveaux. Dans la mesure où la productivité de la fabrique est plus grande que celle de l'atelier, les industriels éliminaient sans peine les concurrents anciens, puisqu'ils pouvaient baisser leurs prix, tout en conservant une marge bénéficiaire importante. Tant qu'il reste des marchés nouveaux à prospecter, la concurrence entre les manufacturiers n'est pas telle que l'on assiste à une diminution catastrophique des profits. Les progrès techniques permettent de les maintenir à un haut niveau alors même que les prix diminuent. On comprend dès lors comment la révolution industrielle en Angleterre a pu coïncider avec une période de stagnation ou de baisse longue des prix qui aurait pu compromettre tout le dynamisme de l'économie.

Le jeu différentiel des prix conduisit certaines régions, au début de la révolution industrielle, à s'enrichir en éliminant les concurrents extérieurs (15). Dans la mesure où l'élasticité de l'offre monétaire était encore faible, ce processus offrait d'autres avantages. La région qui s'industrialise échappe aux effets déflationnistes qui signalent d'habitude les efforts pour lancer la croissance : elle dispose d'une masse monétaire accrue par les excédents d'exportation.

Par la suite, le jeu est devenu plus complexe, à cause de l'évolution différentielle des prix des divers secteurs de production. Lorsqu'un pays a une structure régionale affirmée, que la centralisation des activités de service de niveau élevé dans la capitale y est faible, les limites de région économique sont ainsi tracées qu'elles suppriment les échanges de services entre régions voisines ou qu'elles annullent le solde des transactions qui ont lieu dans ce domaine. En effet, normalement, tous les besoins manifestés dans un ensemble régional donné sont

(15) *a)* Les conditions de la croissance ont été très différentes au début de la révolution industrielle et aux périodes ultérieures. Dans la mesure où les pays qui ont connu les premiers les techniques modernes de production ont pu profiter de marchés pratiquement indéfinis, ils ont réussi à maintenir assez longtemps des taux de profit élevés. Toute la théorie de l'impérialisme, stade suprême du capitalisme, repose sur cette constatation : on voit ce qui a permis aux pays industrialisés de maintenir leur prospérité, on n'imagine pas qu'ils puissent trouver d'autres méthodes de développement. Nous reviendrons sur ces problèmes au dernier chapitre.

b) Ce qui est vrai à l'échelle de la nation et de la région l'est aussi à l'échelle des villes, comme le montre FRED (Allen), « Industrialization. Initial Advantage and American Metropolitan Growth ». *The Geographical Review*, vol. LV, 1965, pp. 158-185.

satisfaits par les villes dont dépendent les résidents. Si la limite des aires d'influence n'est pas formée par une ligne simple, mais par une zone d'indécision, il suffit de choisir comme frontière la ligne qui correspond au partage par moitié de la clientèle entre les centres urbains voisins, pour que s'annulle la balance des échanges de service (16).

Dans de telles conditions, les chances de développement de la région prise dans son ensemble vont dépendre de l'évolution des relations avec l'extérieur, des prix des produits échangés (17) et des possibilités d'épargne des activités proprement régionales, c'est-à-dire, pour l'essentiel, des activités tertiaires (18).

On a constaté depuis le milieu du siècle dernier une tendance très générale à la diminution du prix des produits agricoles par rapport à celui des produits industriels dans la plupart des pays développés. Le phénomène n'apparaît pas toujours lorsque l'on analyse l'évolution des prix de deux catégories de biens demeurés qualitativement semblables à eux-mêmes. Lorsque l'on compare les courbes du prix du blé et celles de la fonte et de l'acier, les résultats peuvent induire en erreur. Les progrès de la métallurgie lourde ont permis une augmentation précoce de la productivité, suivie d'une période de stabilisation technique relative. Les progrès n'ont repris d'une manière rapide que depuis la Grande Crise économique et même, pour la plupart des pays producteurs, depuis la fin de la Seconde Guerre mondiale. Aussi, la baisse du prix de l'acier a été plus longtemps profonde que celle du prix du blé dans un grand nombre de pays. Mais ce que l'on consomme, ce n'est pas de l'acier brut, mais des produits fabriqués. Comme ils sont devenus de plus

(16) Nous donnons là, la définition comptable de la région : elle est implicite dans la plupart des travaux sur la région économique, mais nous ne l'avons jamais rencontrée sous une forme ramassée. On pourrait proposer par exemple comme résumé : la région économique est un espace de dimension moyenne dont les limites sont tracées de telle manière que les échanges de service avec l'extérieur sont annullés ou minimisés. Cet espace est généralement ordonné autour d'une métropole régionale.

(17) Nous retrouvons là, transposées au niveau de l'analyse régionale, les thèses que Raùl Prebisch a défendu depuis une quinzaine d'années.

(18) La plupart des théories de la croissance régionale demeurent sous l'emprise d'un certain mercantilisme, celui qui se trouve implicitement contenu dans la plupart des recherches sur la base économique, comme nous l'avons dit. On réagit maintenant contre cette vue un peu partielle des moteurs du développement, on insiste sur les mécanismes internes. On trouvera une réflexion très claire sur ce problème dans LEVEN (Charles L.), « Regional and Interregional Accounts in Perspective ». *Papers and Proceedings of the Regional Science Association*, vol. 13, 1964, pp. 127-144.

en plus complexes, les prix de l'ensemble des produits industriels ont augmenté relativement à ceux des produits agricoles. Les plaintes formulées par les agriculteurs dans un grand nombre de pays en témoignent. Ils sont inquiets, car leurs marges bénéficiaires s'amenuisent, les prix des produits qu'ils livrent stagnent ou diminuent, alors que ceux des produits qu'ils achètent augmentent.

Le jeu de la différenciation des prix a donc tendance à augmenter les possibilités de profit des régions industrielles, à diminuer celles des régions agricoles. Les progrès de la productivité, longtemps plus rapides dans le monde industriel que dans le monde agricole, permettaient d'ailleurs aux entrepreneurs de résister à une baisse des prix : ils gardaient une marge de profits suffisante pour procéder à des économies et à des investissements massifs. Depuis la fin de la Seconde Guerre mondiale en Europe, depuis les années 1920 aux États-Unis, on constate que les progrès de la productivité sont plus élevés en moyenne dans le secteur agricole que dans le secteur industriel. La motorisation a permis de réduire de manière massive les besoins de main-d'œuvre. Cet accroissement continu et rapide permet dans certains cas aux agriculteurs de maintenir des taux de profits assez élevés alors même que les prix diminuent. C'est le cas d'une partie des régions de grande culture de l'Europe occidentale, des zones de culture spécialisées du Centre-Ouest, ou du Sud-Ouest américain. Comme il s'agit d'un progrès de type récessif, comme la mise en œuvre des moyens modernes permet d'économiser de la main-d'œuvre plus qu'elle ne donne une impulsion à la production, le maintien d'une capacité d'investissement autonome importante de l'agriculture est liée à une évolution rapide des structures de l'exploitation, à une augmentation de ses dimensions moyennes, à une diminution du personnel qu'elle emploie. Lorsque les progrès de la productivité permettent à l'agriculture de conserver une marge notable de profits, un pouvoir d'épargne élevé et de procéder ainsi à des investissements réguliers et importants, l'exode rural qui apparaît comme une conséquence diminue le nombre des personnes vivant de l'agriculture; si elles ne trouvent pas à s'employer dans d'autres secteurs de l'économie régionale et sont contraintes d'émigrer, la croissance du revenu régional demeure fort modeste. Le produit global peut même diminuer, par suite de la baisse des prix agricoles. Comme cette baisse menace constamment les possibilités de profit de l'agriculteur, réduit à un niveau très faible le revenu de ceux qui ne se tiennent pas au courant de toutes les innovations, toute l'épargne disponible doit être utilisée par l'agriculture. On ne peut compter sur le transfert de l'épargne agricole vers les autres secteurs de l'économie régionale pour diversifier la production. Bien plus, les besoins d'équipement sont tels que l'agriculture recherche volontiers des capitaux d'origine extérieure.

La situation des régions industrielles qui fournissent des textiles traditionnels, des produits céramiques, des articles en fonte moulée n'est guère plus florissante que celle des zones à dominante agricole. Là aussi, les prix ont tendance à diminuer et les progrès de la productivité parviennent à peine à assurer le maintien des taux de profit antérieurs pour les entreprises les mieux gérées. Les autres sont progressivement éliminées. La gamme des activités risque de s'appauvrir, les entreprises de devenir moins nombreuses et la population de diminuer. Les possibilités d'investissement interne sont rognées par l'évolution des prix.

Ainsi, dans les économies régionales où les échanges de service sont équilibrés, les possibilités de croissance à partir de l'épargne intérieure dépendent dans une large mesure de la présence de branches d'activité dynamiques, disposant d'un pouvoir de marché assez grand pour s'assurer des profits importants et disposant de bonnes perspectives d'expansion. Dans de telles conditions, la croissance a tendance à se faire à l'identique, comme dans le schéma fourni par les économistes dans beaucoup de constructions économétriques. Chaque région continue à se développer dans les branches qui lui ont réussi et grâce à elles. Cependant, il peut arriver que des entrepreneurs avisés sentent venir le moment où la saturation de la demande intérieure, la concurrence plus vive sur le marché international, provoqueront une tension plus grande sur les prix, diminueront les profits. Ils cherchent alors de nouvelles voies; l'investissement régional permis par les gains obtenus dans une branche aboutit à une adaptation aux nouvelles conditions de vie, à l'apparition de nouvelles spécialisations. Dans ce cas, le meilleur pour l'équilibre régional, l'ensemble conserve son pouvoir de marché en glissant d'une activité à l'autre. De telles adaptations sont possibles dans un monde où la technologie n'est pas trop complexe, où les qualités acquises dans une branche peuvent servir utilement pour d'autres. Elles supposent que les dimensions optimales de la plupart des établissements soient voisines et assez faibles. Les reconversions et les adaptations deviennent plus difficiles pour les entreprises familiales, lorsque les avantages techniques de la concentration deviennent très grands. La souplesse nécessaire aux adaptations techniques n'existe plus qu'à l'intérieur de certaines branches de fabrication. Dans la petite mécanique, par exemple, les sous-traitants se livrent en permanence à la gymnastique qui leur permet d'explorer les meilleures possibilités de vente et de s'adapter sans arrêt aux fluctuations des marchés.

Au total, et tant que les investissements sont le résultat de l'épargne préalable des entreprises, les régions qui sont construites autour de centres industriels sont plus avantagées que les régions agricoles. Le jeu des mécanismes de marché y est moins parfait, par suite de la concentration plus poussée de l'activité, par suite du jeu de l'innovation qui permet sans arrêt de recréer des rentes. Les prix sont relativement élevés, ils résistent assez bien à la tendance à la baisse provoquée par l'amélioration de la productivité. Ainsi, les régions industrielles peuvent épargner et investir plus que les autres.

Le développement du secteur domestique et la croissance.

Pour ces régions dans lesquelles les échanges de service avec l'extérieur sont nulles, la croissance peut donc dépendre dans une large mesure des échanges de biens avec l'extérieur et de la palette des productions primaires et secondaires de l'économie régionale. Mais elle n'est pas toute entière liée aux activités tournées vers le reste du monde. Lorsque les habitudes de consommation de la population se modifient, qu'elle devient plus grande consommatrice de services, qu'elle se soigne mieux, attache plus de prix à l'instruction, demande des loisirs plus agréables, mieux organisés, tout l'édifice de la construction régionale doit se renforcer. L'évolution de la demande intérieure peut donc influer sur le dynamisme régional. En règle générale, la transformation des habitudes de consommation se fait mieux dans le cas où les revenus augmentent, que dans celui où ils restent stables. Dans le premier cas, la transformation peut s'effectuer sans que se trouve affecté l'équilibre de la balance des comptes régionaux, alors que dans le second, la transformation nécessite nécessairement un glissement de secteur à secteur et presque toujours une réduction de la demande tournée vers le reste du monde.

La mise en place des nouveaux équipements nécessaires à la satisfaction des services demande des investissements. Ceux-ci peuvent être fournis par les prestateurs de service où bien ils peuvent provenir d'un transfert des autres secteurs de l'économie. A l'intérieur de la région, l'importance du secteur tertiaire va croissante, les prix y demeurent stables, cependant que ceux des autres activités ont tendance à décroître relativement. L'amélioration de la productivité est restée médiocre pour les prestateurs de service jusqu'à ces toutes dernières années, si bien qu'une diminution des prix n'aurait pu être compensée par une réduction corrélative des coûts. Les conditions très imparfaites de la concurrence dans certains secteurs, comme celui du commerce de détail ou celui des professions libérales, maintiennent à la fois de nombreuses entreprises marginales et des taux de profit élevés. Cependant la capacité d'épargne du secteur n'est pas toujours aussi élevée qu'on pourrait le croire. Elle est limitée par la dispersion des entreprises. Elle est pourtant réelle et a tendance à s'accroître avec le temps.

L'épargne accumulée par les représentants du secteur tertiaire s'investit souvent dans le secteur et assure sa propre croissance. Les commerçants agrandissent leur affaire, en fondent de nouvelles pour placer leurs enfants. Les membres des professions libérales font de même. Mais la facilité d'entrée, les faibles capitaux nécessaires pour pratiquer certaines professions, les investissements limités requis tentent fortement les détenteurs d'épargnes moyennes qui appartiennent aux autres secteurs de l'économie. Il y a donc un glissement continu des capitaux de l'agriculture, voire de ceux de l'industrie vers le secteur commercial ou celui des services. Réciproquement, les commerçants qui ont bien réussi, les notaires, les médecins, les pharmaciens disposent d'épargnes qui sont sans commune mesure avec les possibilités d'investissement dans le secteur — dont la structure se plie assez difficilement à la création de grandes entreprises, à la fois par suite de contraintes juridiques et à cause de la dispersion géographique de la clientèle. Ils se tournent vers d'autres activités. Ils opèrent volontiers sur le marché immobilier qui leur assure des revenus importants. La crise de la construction traversée par beaucoup de pays occidentaux entre les deux guerres mondiales tient à ce que la dépréciation de la monnaie et le blocage des loyers avaient diminué ou annullé les revenus de tels investissements. Dans la mesure où les investisseurs désirent s'occuper personnellement de leurs affaires, le secteur agricole offre de bonnes possibilités et les transferts du secteur tertiaire vers l'agriculture sont souvent importants. Ils dépassent en valeur les transferts inverses, dans la plupart des économies modernes. Il est à peu près certain que la situation était différente il y a un demi-siècle de cela.

Les membres du secteur des services épargnent très souvent pour des raisons de sécurité. Ils désirent s'assurer des revenus pour le jour où ils se retireront. De là vient le succès du secteur immobilier, de là aussi celui des propriétés agricoles en période d'instabilité monétaire. Mais pour ceux qui désirent des placements plus faciles à gérer, les valeurs mobilières possèdent un grand attrait. Aussi, l'épargne du secteur tertiaire a-t-elle eu souvent tendance à glisser vers l'industrie ou vers les investissements publics.

Lorsque domine le goût des placements immobiliers fonciers, lorsque les commerçants ou les membres des professions libérales ont l'audace de participer à des affaires industrielles, l'investissement se fait pour l'essentiel à l'intérieur de la région. Le pouvoir dont dispose les prestateurs de service leur permet à la fois d'assurer le développement de leur secteur et de procéder à des transferts au bénéfice d'autres activités. Lorsque ces derniers sont importants, les liens entre les divers secteurs de l'économie régionale se trouvent renforcés. C'est ce que l'on observe dans les régions purement agricoles : là, bien souvent, le jeu des investissements d'origine urbaine crée, à côté de la trame des relations commerciales, une trame de liens de possession, des transferts de revenus, dont le bilan est difficile à établir, mais qui influent considérablement sur l'équilibre des économies urbaines et rurales.

Au total, la croissance tient davantage au jeu des relations avec l'extérieur, à la possibilité de créer ou de maintenir des

12. Une zone de contact.

L'accord, souvent remarquable entre les limites géologiques et les frontières des petites unités dont l'originalité est clairement perçue par les agriculteurs (texte p. 293).
Versants cristallins boisés, glacis et terrasses cultivés, fonds alluviaux humides en prairies.
Vosges, Alsace, région de Cernay.

(Cliché : *I. G. N.*)

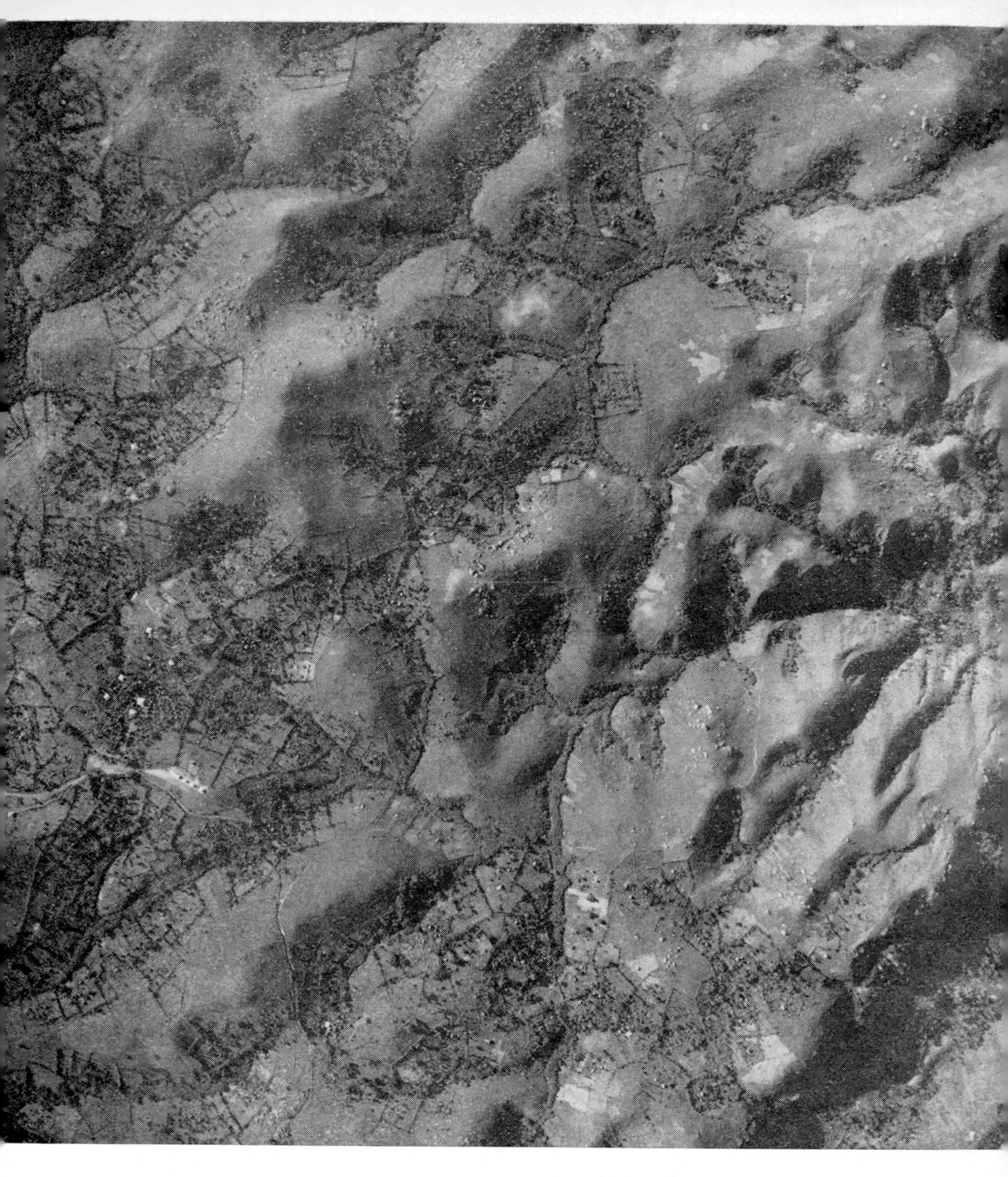

13. Une région physique homogène.
« Un ensemble de versants dont les profils et les pentes sont semblables ».
Une région agricole homogène : Bocage bamiléké, région du Tchang au Cameroun.
(Cliché : *I. G. N.*)

profits élevés, qu'à la complication croissante de l'économie régionale et à l'apparition de nouveaux éléments de circuits destinés à satisfaire les besoins nouvellement apparus. L'épargne dégagée dans le secteur tertiaire a tendance à promouvoir le progrès d'autres branches plus qu'à élargir les équipements de service.

Exportation de services et croissance.

La situation se modifie légèrement lorsque les échanges de services entre les régions ne s'équilibrent pas exactement. C'est le cas le plus fréquent dans la réalité concrète. La gamme des services que l'on peut trouver dans une métropole régionale correspond rarement à la série complète de tout ce que l'on doit parfois utiliser. Il manque toujours quelques types de négoces, quelques spécialistes rares, dont le niveau n'est pas encore national, mais qui ont de la peine à trouver une clientèle suffisante dans une région peu peuplée ou dont le niveau de vie se trouve inférieur à la moyenne. Dans la plupart des nations centralisées, une bonne partie des services administratifs se trouvent concentrés dans la métropole nationale. Le contrôle des institutions financières, des banques, favorise le rayonnement de la métropole économique souvent confondue avec la métropole politique. Les régions non métropolitaines ont donc un déficit systématique de la balance de leurs échanges avec la capitale. Entre elles, des déficits ou des excédents apparaissent en fonction des conditions de rayonnement des grandes villes. Certaines catégories de services sont soumises à des conditions de localisation originales : elles sont liées aux propriétés des lieux et du paysage, comme le tourisme, elles sont associées à la présence de grandes voies de communication. De plus en plus, les progrès des communications rendent libres certaines activités de niveau supérieur, qui n'ont pas de contact étroit avec leur clientèle. Tout ceci a tendance à déséquilibrer les balances des échanges de service. Alors que jusqu'à ces dernières décennies, les échanges extérieurs de la région portaient plutôt sur les biens que sur les services, on trouve de nos jours des situations différentes. Les grandes zones touristiques arrivent à concentrer des populations considérables, à leur assurer des niveaux de vie supérieurs à la moyenne alors même que les activités agricoles et industrielles demeurent faibles, comme le long de la Riviera lémanique ou sur une partie de la Côte d'Azur française. Le cas de régions dont l'essentiel des exportations est constitué par des services est devenu fréquent. Il ne s'agit plus d'étroites zones urbaines, mais de vastes zones vivifiées par le tourisme ou même, par les activités de recherche, par la banque, par l'assurance, par les activités politiques, comme c'est le cas dans une bonne partie de la Nouvelle-Angleterre, ou dans les régions les plus ouvertes de la Suisse.

Lorsque les balances d'échanges de service entre les régions sont déséquilibrées, l'évolution générale des prix que nous avons signalée introduit des déséquilibres dans la puissance d'expansion des économies régionales. La fermeté des prix des services, la baisse des prix agricoles et industriels favorise l'essor des partenaires qui ont une position forte dans le secteur tertiaire. La situation des régions purement rurales se trouve compromise, comme celle de beaucoup de régions industrielles. Les zones de haut revenu coïncident souvent avec les régions qui ont su attirer les services les plus importants. La capacité d'épargne se trouve ainsi augmenté au bénéfice des régions qui disposent de pouvoirs de marché étendus — pouvoir lié à une rente physique, pouvoir dû à une rente d'innovation et au renouvellement constant des formules de services assurés, dans le cas des régions de recherche et de plus en plus dans le cas des régions touristiques où les équipements jouent un rôle croissant dans le succès.

Le déséquilibre entre les pouvoirs d'épargne est moins accentué cependant que les écarts entre les revenus, car la propension à consommer des cadres et des employés est souvent plus forte que dans d'autres métiers. Ils habitent dans des zones où la gamme des services disponibles est plus large qu'ailleurs, et les effets de démonstration jouent beaucoup. Les revenus de leur travail sont souvent si élevés que les gains que peut procurer le placement du capital sont limités : le souci le plus grand n'est pas alors d'investir, mais de travailler davantage, quitte à devoir dépenser bien plus. Ainsi, la concentration des revenus aux mains des prestateurs de service tend à diminuer dans la plupart des nations occidentales le rythme d'expansion, dans la mesure même où la capacité d'épargne est amoindrie. C'est ce qu'ont noté les études menées par les sociologues et les économistes américains. Au fur et à mesure que les revenus s'élèvent, le niveau à partir duquel on se met à économiser se rehausse.

Alors que la bourgeoisie de jadis était une classe qui épargnait, par opposition à la classe ouvrière dont on stigmatisait l'imprévoyance et à laquelle on essayait d'inculquer les solides vertus de parcimonie et du placement judicieux des sommes mises de côté, la nouvelle élite consomme beaucoup, essaie de profiter de toutes les occasions de s'accomplir, de se développer. Elle cherche à s'instruire, à s'amuser, et à vivre dans la beauté. Tout ceci réduit un peu les contrastes régionaux dans la répartition des puissances d'épargne qui pourraient résulter de l'inégale répartition des activités tertiaires et des revenus auxquels elles donnent naissance.

Bien qu'atténué, le déséquilibre subsiste; il a même tendance à s'accentuer dans un certain nombre de pays où le gonflement des activités de service excède de beaucoup celui des activités industrielles.

Les transformations récentes du fonctionnement des services altère ces habitudes d'investissement. Dans le commerce la concentration fait partout des progrès rapides. Les grandes chaînes réinvestissent dans leur secteur beaucoup plus facilement que ne le faisaient autrefois les commerçants indépendants, qui ne pouvaient pas augmenter commodément la dimension de leurs établissements.

Le glissement qui se produisait souvent du commerce à l'agriculture, de la ville à la campagne et qui accélérait la modernisation des pratiques et des équipements dans toutes les zones proches des grandes agglomérations, devient moins général. Les grandes affaires commerciales se sentent moins attirées par l'agriculture que les riches particuliers. Elles n'ont pas le même souci de sécurité. Il leur arrive de s'intéresser aux affaires qui sont étroitement liés à leur activité. De distributrices, les voilà qui se transforment en productrices. Elles prêtent aux fournisseurs, quand elles ne se substituent pas purement et simplement à eux. Les épargnes réalisées dans le secteur tertiaire cessent de servir presque uniquement à l'amélioration du patrimoine immobilier et des exploitations agricoles. Elles permettent le développement de fabrications industrielles.

Jusqu'à ces dernières années, les membres des professions libérales, les commerçants qui économisaient et désiraient faire fructifier eux-mêmes leurs capitaux étaient les seuls à maintenir une fermeture relative de l'espace régional en ce qui concerne le circuit de financement. L'apparition de nouvelles formes de spécialisations tertiaires, de nouvelles entreprises plus puissantes, plus conformes au schéma habituel dans l'économie moderne achève de disloquer les solidarités locales ou régionales. La région a perdu toute autonomie au niveau de l'investissement.

Avant d'analyser les règles qui déterminent alors la croissance et les équilibres territoriaux, il faut essayer de voir comment la région autonome, au moment de son épanouissement, utilise les pouvoirs monétaires dont elle dispose.

Par le jeu du prix des produits, son dynamisme économique dépend donc en partie de la répartition actuelle des activités, mais pas de manière automatique et en quelque sorte passive.

L'investissement régional sans épargne préalable.

Le rôle de la composition actuelle des activités économiques dans les perspectives de croissance est plus considérable encore qu'il n'apparaît à première vue. Lorsque l'on a dans un ensemble régional des entrepreneurs dynamiques qui ont fait leurs preuves et qui ont accumulé les succès, ils trouvent des ouvertures nombreuses du côté des banques lorsqu'ils ont besoin de crédits. S'ils décident d'agrandir leurs usines, ils voient les marchés financiers accepter sans difficultés les nouveaux titres qu'ils émettent.

Toutes les régions ne se trouvent pas également bien placées. Il faut que les institutions financières et monétaires locales disposent d'une certaine puissance, il faut que la structure de l'économie régionale convienne à ce genre d'opérations. Pour la production agricole, le recours aux formes normales du crédit est pour ainsi dire impossible (19). Les capitaux tournent lentement et les taux de rémunération demandés sur le marché monétaire et financier sont prohibitifs pour la plupart des emprunteurs. Le départ entre le prêt d'équipement et le prêt à la consommation n'est pas toujours facile à établir. Les taux proposés aux exploitants isolés sont donc normalement beaucoup plus élevés que ceux qui sont offerts aux grandes exploitations. En dehors de prêts de courte durée correspondant à des opérations bien

(19) Un peu partout dans le monde, on a vu se mettre en place des institutions spécialisées dans les prêts au secteur agricole. Le modèle en a été fourni par les caisses Raffaisen qui se sont multipliées dans l'ensemble du monde germanique au cours du dernier quart du siècle passé.

connues et où les risques sont limités — comme les crédits de campagne couramment utilisés par les emboucheurs dans les régions du Centre-Est de la France — les banques se désintéressent des opérations menées par les agriculteurs. Ceux-ci n'ont pu obtenir de prêts que lorsqu'ils ont su organiser leurs propres réseaux de crédits mutuels — et lorsque, bien souvent aussi, l'État est intervenu pour leur donner les facilités qui leur manquaient.

L'industrie se prête beaucoup mieux à l'utilisation des formes nouvelles du crédit. Lorsqu'elle demeurait aux mains de vieilles familles jalouses de leur indépendance, les rapports qu'elle nourrissait avec la banque restaient rares. Avec l'apparition de la société anonyme, la situation change complètement.

Le financement met alors en jeu toute une série d'institutions dont les fonctions sont complémentaires : les banques de dépôts, les bourses de valeur. C'est leur création qui donna réellement à la région, nous l'avons vu, sa dimension moderne.

Jusqu'alors, il n'y avait pas en effet de marchés monétaires véritables dans les régions. Ceux-ci ne se développaient qu'en quelques points privilégiés à l'intérieur d'une nation : dans la capitale, dans les grands ports, et dans les villes spécialisées dans un commerce de redistribution ancien. Durant la première moitié du XIXe siècle encore, la Banque de France se montra très prudente dans la création de ses succursales : ce sont elles qui marquent l'apparition d'un marché monétaire véritable. Les possibilités qui s'offrirent alors aux hommes d'affaires furent très inégales : certains eurent de la peine à trouver les crédits nécessaires aux opérations courantes, d'autres se les virent accordés sans trop de difficultés. Vers 1850, cependant, la multiplication des succursales de la Banque montre que des progrès décisifs ont été réalisés (20).

L'étape essentielle a été franchie au même moment, lorsque l'on a vu se multiplier en Angleterre d'abord, dans les pays du continent ensuite les grandes banques de dépôt. En France et dans certaines autres nations, les banques, dans toutes les villes importantes, ont fleuri. Le meilleur fonctionnement du marché monétaire a facilité l'éclosion de marchés du capital.

Jusqu'alors, la mobilité des capitaux était pratiquement

(20) THUILLIER (Guy), « En Nivernais au XIXe siècle. Pour une histoire monétaire régionale ». *Annales, Économies, Sociétés, Civilisations*, vol. 18, 1963, pp. 437-458.

nulle sur le plan régional : les investisseurs ne pouvaient guère compter que sur leur épargne, ils devaient contrôler de près le fonctionnement de leurs affaires, ils se trouvaient presque toujours amenés à opérer là où ils se trouvaient installés. Les banques de dépôts ont modifié cette situation. Bien souvent, elles ont pratiqué une politique que l'on juge aujourd'hui téméraire. Elles ont engagé des dépôts effectués chez elles à court terme dans des opérations financières. Elles ont prêté directement aux grandes entreprises régionales. On connaît les multiples exemples d'association de ce genre. La construction des installations hydroélectriques de la région alpine a été facilitée par la hardiesse de la banque grenobloise (21). Les sociétés bancaires qui ont eu la vie la plus longue et l'existence la plus calme s'étaient montrées plus prudentes. Elles avaient refusé de s'engager à long terme et s'étaient contentées d'être les intermédiaires obligés entre l'épargnant local et le marché boursier sur lequel il opérait. De la sorte, un véritable marché des capitaux fonctionnait.

L'épargne régionale alimentait les investissements des entreprises cotées par la bourse régionale des valeurs. La fermeture du circuit financier permettait à l'économie régionale d'avoir une cohésion remarquable. Elle était maîtresse de son développement. C'est sa capacité d'épargne qui lui permettait de diriger sa croissance au mieux de ses intérêts. La région se confondait avec l'espace organisé par les banques de dépôts : toutes les vieilles régions historiques ne bénéficièrent pas au même titre de ces opérations. La hardiesse des petites banques de dépôts permit souvent à de petites villes de jouer un rôle important dans l'organisation de l'espace. Mais les bourses de valeur qui constituent le moyen normal de boucler les circuits financiers dans le cadre régional sont demeurées relativement rares. Elles ne pouvaient prospérer que dans des zones où apparaissaient de grandes entreprises organisées selon la formule nouvelle des sociétés anonymes. Les autres affaires ne pouvaient s'adresser au marché financier : elles devaient compter sur leur épargne propre ou sur les prêts accordés par les banques d'affaire — ou certaines banques de dépôts — prenant une participation dans l'entreprise. Ainsi, la fermeture des circuits financiers s'est trouvée mieux assurée dans les régions possédant une industrie déjà

(21) LABASSE (Jean), « Les capitaux et la région », *op. cit.*, cf. pp. 195-198.

concentrée et des affaires commerciales puissantes. En France, les bourses régionales n'ont joué un rôle important que dans les zones les plus dynamiques au point de vue technique, dans le Nord par exemple ou dans la région lyonnaise.

Cette phase n'a guère duré et un peu partout, on a assisté à un élargissement progressif de la taille des marchés de capitaux. Là où existaient des institutions bancaires aux attaches territoriales solides, l'évolution a été quelque peu freinée. Ainsi, en Suisse, les banques cantonales, créées au cours du siècle dernier pour remédier à l'insuffisance du réseau des banques privées ont gardé un rôle important dans la vie économique du pays (22). Le drainage de l'épargne sur un plan régional permet un contact plus étroit avec les investisseurs locaux, accroît leurs chances d'obtenir les crédits qu'ils sollicitent.

Les dangers d'inflation et de désordre monétaire qui provenaient de cette multiplication des centres bancaires indépendants se sont manifestés d'abord dans les pays où la situation était la plus anarchique. Aux États-Unis, l'absence de banque centrale laissait le champ libre aux banques locales. Elles se sont révélées incapables de résister aux diverses crises de la fin du siècle dernier. Le système des banques fédérales de réserve correspond à un effort pour limiter le désordre sans priver les États et les régions de la souplesse qui est nécessaire dans un espace aussi vaste. En fait, la centralisation est très poussée. Les solutions américaines de contrôle des banques ont été petit à petit adoptées par la plupart des pays de l'Europe occidentale. Il a fallu un demi-siècle pour que les autorités monétaires prennent conscience du danger que faisaient peser sur leur rôle de direction les circuits alimentés en monnaie scripturales par les banques. Dans la mesure où les banques régionales se lançaient dans des opérations où leurs fonds se trouvaient engagées à très long terme, la création de monnaie permettait de financer l'investissement sans épargne préalable. Cela aide à comprendre le dynamisme de certains ensembles territoriaux

(22) Le développement du crédit hypothécaire est intimement lié à celui des banques cantonales. On n'a pas toujours vu l'importance géographique de ce système : il permet une diffusion du crédit beaucoup plus large que ne le font la plupart des autres modes, il assure une facilité plus large à la décentralisation de l'initiative économique. Il permet de réaliser une offre très souple de crédits et de moyens monétaires. DUPRAZ (Ernest A.), *Système et technique bancaires suisses*, Lausanne, 1944. — WEIBEL (J.), *Der schweizerische Hypothekarcredit*. Winterthur, 1954.

dans les dernières décades du siècle dernier. Les grandes villes qui ont alors réussi à devenir des centres bancaires importants se sont trouvées nanties de pouvoirs que l'on ne voit plus de nos jours exercés qu'au niveau de la nation. Elles ont pu contraindre à l'épargne, par effet global, la région qu'elles organisaient, ou bien encore, par le jeu de l'inégale élasticité de l'offre monétaire, déplacer à leur profit l'épargne d'autres régions. Leur rayonnement déborde largement du cadre des anciennes régions historiques, il excède l'étendue des régions économiques normales. Milan joue un rôle moteur dans toute la vie économique de l'Italie du Nord et les banques y sont pour beaucoup. L'influence de la métropole lyonnaise s'exerce à la fin du XIXe siècle sur une vaste zone. L'influence de la ville a certainement diminué lorsque son rôle financier s'est amenuisé. Roanne ne vit plus sous la dépendance de la métropole lyonnaise autant que lorsque toute l'industrie cotonnière trouvait son financement sur la place de Lyon. Grenoble et Saint-Étienne dépendent à certains points de vue de Lyon. Mais les liens avec Paris ont souvent succédé aux attaches traditionnelles.

On a souvent gardé la nostalgie de cette époque. On s'étonne de voir le déclin relatif de l'influence des grands centres urbains. On essaie depuis peu de retrouver certains des avantages qui étaient liés à la situation de la fin du siècle dernier. On s'est aperçu que la centralisation excessive des marchés financiers avait des conséquences graves sur la répartition des investissements. De manière générale, les banquiers ont tendance à sous-estimer les avantages des opérations qui se situent dans les régions périphériques et à surestimer ceux des localisations proches du centre financier (23). Il y a là une source de déséquilibre permanent pour les nations. On a créé en France et dans certains autres pays des sociétés de financement régional qui ont pour but de renouer les liens anciens. Leur rôle n'est pas négligeable. Leurs moyens sont malheureusement presque toujours très limités. Leurs ressources ne sont pas très grandes tant que l'épargne locale est seule à les alimenter. Elles ne disposent de moyens importants que lorsqu'elles se trouvent secourues

(23) RODWIN (Lloyd), *La politique urbaine dans les régions en voie de développement*, pp. 227-240 d'ISARD (Walter), CUMBERLAND (John H.), *Planification économique régionale*, *op. cit.*

Lloyd Rodwin reprend une idée exprimée par HIRSCHMAN (Albert O.), *The Strategy of Economic Development*, *op. cit.*, cf. pp. 185-186.

par des fonds publics. Les conditions qui rendaient efficace la fermeture des espaces financiers à un niveau inférieur à celui de la nation ont cessé d'être, puisque les nouvelles institutions régionales de crédit ne trouvent de force qu'en s'adressant au marché national.

IV. — La région dans le cas ou n'existe plus d'autonomie de financement.

L'élargissement des marchés monétaires et des marchés financiers est donc un trait quasi général des économies modernes, malgré des différences notables d'un pays à l'autre et des efforts récents pour recréer des unités plus petites. On peut situer entre 1920 et 1940, en Europe, le moment où s'achève cette concentration.

A partir de ce moment-là, la croissance de l'économie régionale ne dépend plus de l'épargne locale ou de la possibilité de bénéficier d'investissements sur création locale de monnaie. Ce qui compte uniquement, c'est la confiance que les entrepreneurs peuvent avoir dans le succès de leur entreprise s'ils l'implantent dans telle ou telle région. Le dynamisme dépend dans une très large mesure de la transparence de la région, de la manière dont elle est connue dans les autres parties du pays. Les théoriciens de la firme ont beaucoup insisté sur ce qu'ils appellent le prestige de l'entreprise. Les grandes sociétés américaines engagent fréquemment des dépenses de publicité considérables pour créer, entretenir ou maintenir vivant ce prestige. Il n'est pas rare de voir sur une page luxueusement éditée de revue le nom d'une compagnie qui ne vend pas directement de produits au public, mais qui sait l'importance d'être connue.

Les anticipations de profit, la mobilité des capitaux et la croissance.

De la même façon, les chances qu'a une région de se développer dépendent du prestige qu'elle s'est acquis autant que de la nature de ses activités et des profits que l'on peut normalement attendre des installations nouvelles. On sait l'importance des préjugés dont sont victimes certaines zones. La réputation d'indolence, d'esprit frondeur, de mauvaise qualification technique que les populations du Midi ont pour beaucoup d'entrepreneurs français ne tient pas le plus souvent, devant l'examen objectif des résultats d'exploitation. Mais la stagnation industrielle de la France méridionale lui est due en partie. On trouve sous la plume de Lloyd Rodwin (24) une analyse très fine de la manière dont ces images se font et dont les appréciations perdent le contact avec le réel. Le succès initial de l'industrie dans une région est souvent dû à des causes fortuites, à la présence de gisements, de ressources naturelles, à l'action de quelques familles d'hommes intelligents et audacieux. La plus grande partie de la population a subi le démarrage de l'économie, plus qu'elle ne l'a voulu. Lorsque les succès se sont confirmés, que les industries se sont multipliées, on s'est mis à réécrire l'histoire, à adopter des comportements nouveaux. Désormais, tout le monde est conscient de la fortune de la région, les gens cherchent à collaborer à son essor. Les investissements réalisés sur le plan régional sont en partie nourris par une épargne régionale soucieuse de s'investir dans un secteur dont la richesse s'accroît de manière régulière. On finit par attribuer toute la réussite humaine de l'économie régionale aux qualités des habitants — au sérieux des ouvriers, à leur sens de la solidarité économique, à l'intégrité des entrepreneurs qui utilisent sans arrêt tout ce qu'ils peuvent amasser à la modernisation de leurs équipements, à la construction de nouvelles usines. Ici, pas de gaspillage, pas de fuite de l'argent vers la consommation ostentatoire dans les grandes zones de plaisir, pas d'investissements effectués à l'étranger. Le succès a donné naissance à une mentalité « protestante », pour reprendre l'expression de Lloyd Rodwin, mais ne provient pas d'elle.

Les calculs économiques des entrepreneurs sont marqués par toute une série de préjugés et d'habitudes qui rend nécessaire la connaissance précise de la sociologie de ces groupes si l'on veut comprendre la répartition des initiatives et la dynamique de la croissance dans un pays. De manière générale, on constate que les entrepreneurs surestiment les possibilités de succès des opérations menées dans le cadre qu'ils connaissent bien et sous-estiment celles qui peuvent résulter d'implantations lointaines.

(24) *Ibid.*

C'est encore Lloyd Rodwin qui souligne cette illusion commune (25). Elle joue en faveur des grandes villes, comme il le dit pour les pays sous-développés. Elle favorise également certaines métropoles et les grandes régions industrielles. Il y a une myopie fréquente des entrepreneurs et des hommes d'affaires. Mais le phénomène inverse existe. Il y a des formes de découragement qui sont générales. Lorsque l'on parle avec les gens de certaines régions du Sud-Ouest, on est frappé par un certain scepticisme pour tout ce qui touche les possibilités de développement industriel : et comment leur donner tort? L'histoire économique ne montre-t-elle pas l'appauvrissement continuel de la gamme des fabrications industrielles dans la plupart des zones rurales de la région. En dehors de Toulouse, ne voit-on pas s'endormir progressivement de petites villes jadis industrielles et dynamiques? Les échecs des opérations de décentralisation sont quelquefois criants et la plupart des entreprises qui ont échappé au rayonnement de Paris ont préféré s'installer dans d'autres parties de la France. Et pourtant, le pessimisme est sans doute exagéré. Il est des réussites remarquables, des villes qui ont été rénovées par l'implantation de fabrication de qualité (26). Les occasions de croissance sont sous-estimées par l'ensemble de la population. Il a fallu l'exemple donné par les pieds-noirs pour que les agriculteurs reprennent confiance en leur terre et se lancent dans des opérations modernes et productives. Il pourrait bien en aller de même pour l'industrie. En attendant, les capitaux existant vont s'employer ailleurs. Dans une région qui manque d'infrastructures économiques modernes et de capitaux abondants, on assiste à une exportation de l'épargne locale qui ne peut contribuer qu'à accélérer la décadence. L'agriculture de montagne a déjà presque totalement disparu dans une bonne partie de la chaîne pyrénéenne. De grandes zones de plaine se trouvent sous-exploitées. Le gaz de Lacq a été expédié à l'extérieur, car on a douté de la possibilité pour la région d'utiliser la production à un rythme suffisamment rapide.

Les erreurs d'appréciation peuvent donc contribuer à infléchir

(25) *Ibid.*

(26) L'industrie aéronautique a provoqué le rajeunissement et le développement de petites villes comme Figeac ou comme Ossun. L'industrie chimique et électrométallurgique a permis à Lannemezan de sortir de sa léthargie. Ces industries sont nées, pour une bonne part, d'initiatives extérieures à la région. Peut-être cela explique-t-il que la mentalité de découragement se soit maintenue.

le sens de la croissance, dans la mesure où elles provoquent le déclin du nombre des opérations nouvelles dans certaines régions et leur multiplication dans d'autres. Les fabrications industrielles sont devenues plus libres dans leur localisation. Elles dépendent d'une manière moins directe de la répartition des matières premières et des sources d'énergie. Cela revient à dire que les éléments subjectifs peuvent se donner plus libre cours dans les choix. Pour l'essentiel pourtant, le choix des nouvelles implantations pour les entreprises industrielles comme pour les bureaux continuent à dépendre des calculs économiques qui permettent d'apprécier les différences de rentabilité.

Les circuits régionaux et la croissance.

On commence à connaître les éléments qui sont pris le plus souvent en considération dans ces études préalables (27). Les problèmes de frais de transport, de facilité de desserte, de localisation sur la voie d'eau sont primordiaux pour tous les fabricants de produits lourds. Pour les autres, et ils sont beaucoup plus nombreux, les facteurs qui sont analysés sont très divers. On tient souvent davantage compte de la facilité et de la rapidité des relations ferroviaires et de la proximité d'un aérodrome bien desservi, de la qualité de tous les services de transport de voyageurs, que des prix du transport des marchandises. On se préoccupe de savoir comment la main-d'œuvre pourra être recrutée, de son niveau de qualification. On se renseigne sur l'état du marché du logement, sur les projets de construction de quartiers neufs et sur l'état d'avancement des opérations en cours. On tient compte de tout ce qui importe dans la vie du personnel employé et des familles. Les infrastructures commerciales doivent être suffisantes. La proximité des services bien installés, le nombre de médecins, de dentistes, de pharmaciens, de cliniques, le niveau des établissements scolaires, tout cela intervient de manière directe dans le choix de l'entrepreneur.

Dans tout ceci, il s'agit de maximiser le profit d'une entreprise isolée de tout le contexte économique. Les entrepreneurs

(27) La revue *Entreprise* a lancé des enquêtes auprès des industriels qui procédaient à une décentralisation ou cherchaient à créer un établissement nouveau. Les facteurs purement économiques, le prix du transport, le coût de la main-d'œuvre ont paru moins importants à beaucoup d'industriels que les éléments sociaux et les équipements de transport et de service.

paraissent plus libres que par le passé de leurs localisations, les modèles dont ils s'inspirent au moment du choix sont résolument micro-économiques et le résultat le plus clair, c'est que les structures macro-économiques sont renforcées, que la cohérence des organisations territoriales est plus grande que par le passé.

Les responsables de l'économie attachent un poids sans cesse croissant aux économies externes. Dans la liste des facteurs de décision que nous venons de présenter, la plupart jouent un rôle dans la mesure où ils représentent des avantages de ce type. Les économistes ne s'y sont pas trompés.

La théorie de la localisation reste moulée dans le cadre général qui avait été proposé au début de ce siècle, mais on en est venu à admettre que les éléments les plus importants n'étaient pas la distance et les frais de transports. L'équilibre spatial que l'on met en évidence est très différent de l'équilibre traditionnel. Pour Weber (28), la répartition d'une branche d'activité dépendait de la localisation des ressources, de la main-d'œuvre et du marché. Elle était indépendante de la série des autres activités, sinon par le biais de l'influence du marché. La situation actuelle est toute autre. Nous avons dit que le nombre des industries qui s'étaient libérées des contraintes étroites de la distance était allé croissant depuis le début de la seconde révolution industrielle. Le processus de production s'est allongé, multipliant les liens de dépendance technique, mais les liens géographiques se sont plutôt distendus. Une entreprise de sous-traitance qui fournit des produits incorporant beaucoup de travail et pesant peu, peut sans gêne se trouver à plusieurs centaines, voire à plusieurs milliers de kilomètres de ses clients. Les progrès de l'intégration ont donné moyen à beaucoup d'entreprises de se doter des services qu'elles acquéraient autrefois sur un marché. Lorsque celui-ci subsiste, il est généralement délocalisé, si bien que son influence sur les décisions d'implantation est faible.

Le déclin des liens géographiques dépendant du cycle de production est très important. Il explique les mécomptes de ceux qui ont trop insisté sur le rôle de la production industrielle dans le phénomène de la croissance polarisée (29). S'il y a inégalité

(28) WEBER (Alfred), *Uber den Standort der Industrien*, *op. cit.*

(29) Nous ne reviendrons pas ici sur ce que nous avons dit dans la première partie de la théorie de la polarisation : les inégalités dans les rythmes de croissance

entre les zones, entre les régions, entre les villes dans le taux des développements économiques, cela tient assez peu aux créations d'emplois entraînées par l'apparition d'activités industrielles liées. L'analyse des phénomènes de polarisation présente un vif intérêt : elle met en évidence le fait que les investissements ne sont pas aussi libres géographiquement que ne pourrait le laisser croire la diminution des contraintes de distance. Les investissements sont en fait liés les uns aux autres dans l'espace. Ils apparaissent effectivement souvent en grappes, en chaînes, en séquences. Le point faible du raisonnement de beaucoup, c'est d'avoir cherché le lien du côté de la production; les éléments de liaison et de solidarité qui existent de ce côté-là s'amenuisent sans cesse. Ce qui intervient, ce sont des économies externes, mais qui jouent cette fois bien plus entre branches d'activité différentes, qu'à l'intérieur d'une même branche. Elles proviennent essentiellement de ce que les circuits de service sont déjà organisés, que les investissements qui leur ont donné naissance sont largement amortis. L'entreprise n'a pas à prendre à sa charge les frais d'implantation qu'elle devrait supporter de bon ou de mauvais gré dans un pays vierge.

La croissance, le profit individuel et l'utilité sociale.

La théorie moderne de la localisation des activités isolées incorpore, par le biais de l'évaluation des économies externes, des éléments macro-économiques indiscutables. La différence essentielle qui subsiste entre l'analyse des localisations et l'approche macro-économique réside dans le choix des grandeurs que l'on cherche à maximiser (30). L'entrepreneur s'intéresse à son profit, soit dans l'immédiat, soit à moyen ou à long terme — car les diverses retouches apportées à la théorie de la firme depuis une génération conduisent à tenir compte de la différence de durée des anticipations des divers groupes intervenant

des ensembles territoriaux méritent d'être soulignées — mais on ne peut les attribuer autant qu'on l'a dit souvent au jeu des liaisons techniques au sein du secteur productif.

(30) Ce qui revient à dire que dans un cas il y a maximisation ou optimisation, dans le second sous-optimisation. L'exposé le plus systématique du problème de l'optimisation est fourni par LIPSEY (R. G.), LANCASTER (K.), « The General Theory of the Second Best ». *Review of Economic Studies*, vol. XXIV, 1956-1957, pp. 11-32.

sur un marché et des besoins de sécurité, qui trahissent le souci de maximiser les profits ou l'utilité pour la très longue période. Au niveau de l'unité territoriale, la valeur essentielle n'est plus le profit, mais le revenu global ou le revenu par tête. L'optique des entrepreneurs est très différente de celles des aménageurs. Leurs intérêts peuvent être divergents. C'est ainsi que les industriels ont souvent un avantage très grand à s'installer à proximité d'une grande ville. Les services qui y existent sont bien organisés et sont susceptibles de satisfaire aux besoins d'une clientèle bien plus considérable que celle pour laquelle ils ont été prévus, si celle-ci vient s'implanter dans la zone qui se trouve à portée. Ainsi, peut-on profiter de toute une infrastructure déjà en place et qui travaille à coût décroissant durant un certain temps pendant que le processus de concentration économique se poursuit.

Pour le planificateur, ou le responsable de l'économie régionale, le point de vue est souvent différent. La création de nouveaux emplois assure la distribution de nouveaux revenus, donne aux différentes municipalités des ressources plus élevées. Le produit territorial augmente. Est-ce pour autant la solution qui assure l'augmentation la plus élevée à long terme? Les entrepreneurs ne tiennent compte dans leurs calculs que de la part de frais qu'ils supportent directement. Ils éviteront sans doute d'avoir à mettre en place une infrastructure dispendieuse en s'installant dans une zone déjà équipée. Ils éviteront des frais directs et indirects, faciliteront le recrutement de leur main-d'œuvre. Ils contribueront cependant à développer la congestion de la zone qu'ils ont choisie. Pour les entrepreneurs, comme pour les commerçants, la situation sera avantageuse tant que la collectivité acceptera de prendre à sa charge les coûts de congestion. Si l'on se place à l'échelle de la région, certaines implantations ont des effets désastreux et risquent de compromettre à long terme le développement harmonieux. Les coûts de développement et de remodelage d'un espace mal utilisé au départ risquent de gêner par la suite tous les efforts que l'on peut effectuer. La situation ne sera avantageuse pour la collectivité territoriale locale que dans la mesure où elle réussira à faire prendre en charge les coûts de développement par une collectivité plus large, la nation par exemple. Le problème de l'optimisation se trouve alors repoussé à un niveau encore supérieur. Il existe des conflits entre les intérêts privés et ceux des collectivités territoriales locales. Il en surgit d'autres entre les collectivités locales et la collectivité englobante.

Ces conflits sont particulièrement graves dans certaines circonstances. Pour les autorités responsables de l'aménagement régional, les capitaux ne sont plus liés à la puissance de l'épargne locale. Il n'en va pas de même à l'échelon de la nation. Les projets des diverses unités territoriales risquent d'être hors de proportion avec les possibilités de l'économie nationale. Un exemple suffit à le montrer. En France, de gros efforts sont faits actuellement par beaucoup de municipalités pour provoquer la fixation d'industries. Un des moyens efficaces consiste à offrir aux industriels des terrains équipés et relativement bon marché. La création de zones industrielles a pris tant d'ampleur depuis une dizaine d'années que les superficies équipées dépassent largement la demande présente. Il y a donc à l'échelle de la nation une erreur dans la politique d'investissement. Les sommes englouties dans l'achat des terrains dans les travaux d'aménagement, dans les adductions d'eau, les lignes électriques, dans les raccords aux voies ferrées, sont en très grande partie inutiles. Elles compromettent par là même le taux de croissance général, puisqu'on aurait pu trouver à ces fonds des emplois immédiatement productifs.

Le développement économique montre que les investissements sont liés entre eux, et que la productivité d'une opération combinée n'est pas la même que celle d'une opération isolée. Les combinaisons qui permettent la croissance la plus rapide dépendent à la fois de la répartition de l'ensemble des opérations en cours et de la distribution antérieure des équipements de services. Le profit que permettra d'obtenir une industrie implantée dans une zone disposant d'équipements suffisants et bien adaptés sera plus fort que celui donné par une entreprise équivalente, mais qui ne bénéficierait pas des mêmes avantages. Réciproquement, les services et les infrastructures sont plus rapidement amortis si les utilisateurs sont assez nombreux. Dans l'analyse de la dynamique de la croissance, équipements collectifs et investissements productifs sont liés, de telle sorte qu'ils s'appuient mutuellement. La création d'industries nécessite et provoque des investissements sous la forme d'infrastructures de transports, d'équipements sociaux et culturels, de

14. Le Pays Noir.
La localisation de l'industrie est liée aux ressources du sous-sol.
L'étalement des constructions provoque la naissance d'une région industrielle.
(Cliché : *Vues aériennes, Alain Perceval.*)

15. Dunkerque. Sidérurgie sur l'eau.
(Cliché : *Vues aériennes, Alain Perceval.*)

Pl. XI.

16. Une cité industrielle du XIXe siècle.
Rhonda, au Pays de Galles méridional. La monotonie des « terraces » ouvrières.
Comme horizon, les terrils qui coiffent les collines qui dominent la ville.
(Cliché : *P. Claval.*)

17. Dans la région de Montbéliard.
La ville saute de place en place laissant entre les quartiers des espaces de friches inexploitées qui attendent que la spéculation les valorise et les absorbe à leur tour.
(Cliché : *A. Bailly.*)

constructions scolaires. Réciproquement, une zone bien équipée attire l'industrie.

Concentration urbaine et croissance régionale.

Le dynamisme des économies régionales dépend donc de plus en plus des perspectives de profit que donnent les opérations d'investissement groupées, seules susceptibles d'assurer la baisse des frais généraux et la maximisation des profits. Les régions qui disposent déjà d'équipements de service importants — celles qui ont une structure de région économique bien affirmée — bénéficient d'un avantage certain, puisqu'il est possible d'économiser largement grâce aux équipements sous-utilisés. Des économies externes existent entre les services, ce qui assure la croissance plus harmonieuse de ceux qui doivent apparaître. Ce secteur demande souvent un personnel de technicité élevée. On ne le trouve pas sans mal là où rien n'existe jusqu'alors. La création d'un centre vivant à partir d'une population récemment immigrée est difficile.

Les régions urbanisées présentent donc toute une série d'avantages pour les industriels en quête de lieux d'implantation. C'est ce que marque Sylvain Wickham lorsqu'il écrit que dans le monde actuel il n'y a que deux types d'unités territoriales qui possèdent une action efficace dans le domaine de la croissance économique : les nations et les grandes collectivités urbaines (31). La métropole d'une région demeurée rurale possède ainsi un potentiel économique considérable dans la mesure où les gains de productivité peuvent suffir à satisfaire tous les besoins durant une longue période. Wickham indique que ce facteur jouera en faveur de l'industrialisation des grandes villes de la France de l'Ouest et du Centre-Ouest. Les grandes cités industrielles, Saint-Étienne, Mulhouse ou Lille, ne disposent pas d'un tel potentiel. Leurs infrastructures de services sont déjà largement utilisées. Mais elles possèdent des ressources suffisantes pour pouvoir entreprendre de grandes opérations.

Il existe dans le domaine des investissements d'infrastructures des effets de seuil. Pour qu'un système de communications devienne réellement rentable, il faut qu'il soit suffisamment

(31) WICKHAM (Sylvain), *Concentration et dimensions*, *op. cit.*, cf. pp. 230-234.

étendu, qu'il ait pris la forme d'un réseau : construire une voie ferrée isolée n'est pas une opération rentable. On conçoit que pour des investissements de ce type, la puissance de financement joue un rôle considérable. Si l'ensemble des dépenses nécessaires pour la construction d'un chemin de fer métropolitain donnant accès aux divers quartiers d'une ville peut être effectué en un laps de temps relativement bref — disons, en quinze ans —, l'opération est intéressante. Si les possibilités de financement sont plus médiocres, il faudra trente ans peut-être pour que tous les avantages du réseau se trouvent réellement utilisés. Jusque-là, la rentabilité de l'opération demeurera douteuse. Le jeu des taux d'actualisation rendra irréalisable les travaux, car les perspectives de gains, lorsqu'elles sont trop éloignées dans le temps, se trouvent dépréciées (32). Dans de telles conditions, certains équipements ne peuvent se développer, dans les conditions de l'économie normale, que là où la masse de population, la richesse déjà accumulée permettent d'entreprendre des opérations combinées importantes.

Investissement public et initiative locale.

On voit donc que dans l'essor économique d'une région, la réussite est commandée par une certaine combinaison des équipements publics, des infrastructures de services et des entreprises industrielles ou commerciales. Dans cette combinaison, certains éléments dépendent des pouvoirs publics d'échelon supérieur — il en va ainsi dans presque tous les pays pour la mise en place des infrastructures de transports lourds et à longue distance; d'autres sont pris en charge par les autorités locales ou régionales, lorsque celles-ci existent; d'autres résultent de l'initiative privée. Les trois circuits de financement que nous venons d'évoquer ont une importance inégale. En valeur, les investissements effectués par les services nationaux et ceux qui reviennent à l'initiative privée dans les économies capitalistes sont les plus importants. Les opérations menées par les autorités locales peuvent cependant prendre une impor-

(32) Nous avons essayé de démonter le mécanisme des calculs d'actualisation et leurs incidences dans le cadre des programmes français de construction d'autoroutes. CLAVAL (Paul), « Les autoroutes et le taux d'actualisation ». *Revue géographique de l'Est*, vol. V, 1965, pp. 157-172.

tance particulière, si elles réussissent à infléchir les décisions qui fixent les investissements des deux autres types. Le développement d'une ville peut inciter les pouvoirs publics nationaux à revoir la politique qu'ils ont eue jusqu'alors à son égard. Ils acceptent de moderniser et de compléter des équipements de transports, ils créent de nouveaux services sociaux. L'essor de la ville, l'afflux d'une population jeune, la qualité des services et l'ambiance générale provoquent des créations ou des transferts d'industrie. Bien que l'investissement public d'origine locale soit relativement faible, il a suffi à lancer ou à précipiter le mouvement (33).

Le résultat de la politique d'entraînement qui est alors menée par les autorités locales n'est pas automatiquement assuré. Les investissements liés créent des conditions de rendement plus avantageuses : encore faut-il persuader les entrepreneurs de l'importance des résultats que l'on pourra obtenir, de la sécurité des profits. Le problème de la transparence du milieu reparaît ici : c'est à juste titre que Lloyd Rodwin signalait que c'est au sujet des économies externes que les erreurs d'appréciation sont les plus fréquentes. Au total, le succès ne dépendra pas seulement de facteurs économiques. Il tiendra pour beaucoup à l'ambiance sociale, aux milieux professionnels, aux groupes et aux représentations qu'ils se font des choses.

Dans l'état actuel des institutions, les autorités locales et régionales ne peuvent intervenir dans le processus de croissance que par le volume des investissements publics qu'elles peuvent faire. D'un pays à l'autre, leur puissance d'intervention varie considérablement. Les collectivités locales retirent presque toujours une partie de leurs ressources de la fiscalité territoriale. Cette part est très variable. Elle est élevée dans les nations où le pouvoir est très décentralisé, dans les États fédéraux par exemple. Elle est beaucoup plus faible dans les pays fortement centralisés, comme l'est la France. Les revenus réguliers fournis par la fiscalité permettent d'accéder au marché financier, ce qui donne aux autorités locales la possibilité de se lancer des opérations de grande envergure. La boucle épargne-investissement se referme à l'échelon national : les diverses autorités

(33) Il s'agit donc d'un effet multiplicateur sur lequel les économistes s'attardent peu, mais qui joue un rôle central dans la mécanique de la croissance urbaine et régionale.

territoriales y gagnent une certaine liberté de manœuvre. Lorsque les possibilités d'emprunt sont élevés et les taux d'intérêt assez faibles, leur puissance d'intervention dans la vie économique est maximum. La politique locale d'investissement n'est plus étroitement limitée par le rendement actuel des impôts. Les revenus fiscaux qui permettront d'assurer le service des emprunts sont précisément engendrés par la série d'investissements qu'entraînera en chaîne le programme de travaux publics (34).

Dans les pays fortement centralisés, lorsque les possibilités d'opérer sur le marché mobilier se trouvent menacées par l'étroitesse du marché, le taux d'intérêt trop élevé et le pessimisme général qui domine la vie économique, la liberté d'action des autorités régionales disparaît en principe. Elle subsiste en fait, mais ne se manifeste pas de la même manière. La répartition des crédits publics entre les régions ne dépend plus du dynamisme des entrepreneurs, de la confiance que l'on met dans la gestion des fonds publics par les hommes politiques locaux. La puissance de la région réside dans l'efficacité de ses organes de pression. En pareil cas, le succès tient plus à la présence au ministère d'un député de la région, qu'aux mérites purs des causes économiques soutenues. L'histoire économique française est trop pleine de faits de ce type pour qu'il soit nécessaire d'insister beaucoup. Tout ce que l'on peut signaler, c'est que le procédé conduit à une relative égalisation des chances entre les régions pauvres et les régions riches, qu'il donne au pouvoir central un moyen de contrôle extrêmement efficace sur l'économie des espaces périphériques. Mais l'absence de tout critère économique dans la répartition des investissements publics peut se traduire à la longue par de véritables gaspillages. Il n'est pas nécessaire, ici, de rappeler le rôle des chemins de fer électoraux, des subventions diverses dans les difficultés permanentes des finances françaises, comme dans la léthargie de certaines provinces qui ont réussi trop longtemps à se faire trop bien soutenir.

(34) Le jeu du multiplicateur de l'investissement public est mis ici pleinement en valeur : les revenus engendrés sont suffisants pour payer la charge des emprunts; une communauté où l'effet multiplicateur serait particulièrement élevé pourrait financer ses immobilisations par des emprunts successifs. A la limite, elle pourrait vivre sans ressources fiscales.

Croissance régionale et calcul économique.

Le problème du choix de la meilleure solution pour le développement des économies territoriales est délicat. Comme nous l'avons dit, c'est un problème de macro-économie, mais pour lequel les instruments forgés pour l'étude des réalités nationales ne donnent pas beaucoup de lumières. On sait les efforts effectués depuis une quinzaine d'années pour transposer sur le plan régional les techniques de l'analyse globale mises au point avant, pendant ou immédiatement après la Seconde Guerre mondiale dans le domaine de la comptabilité nationale. Le résultat des recherches menées est un peu décevant (35). Ses dénombrements fort difficiles que l'on est conduit à mener ne permettent pas une appréhension très ferme des réalités économiques de la région.

En fait, les conditions actuelles du développement régional sont très différentes des conditions que supposait la théorie keynésienne. Pour elle, le circuit de l'investissement est en principe clos, ou presque clos, à l'intérieur de l'unité étudiée. Dans le cas de la région, cette clôture est devenue exceptionnelle. L'originalité de l'économie régionale provient, au dire de tous les spécialistes, de sa perméabilité aux mouvements de capitaux. On a donc bâti des tableaux chiffrés pour retracer des flux interrégionaux. On s'est heurté à des difficultés sans nombre, faute de disposer de données statistiques sûres. Eût-on même disposé des données indispensables qu'on n'aurait pu utiliser leurs résultats à des fins prospectives. Les circuits des capitaux ne dépendent pas des résultats du commerce effectué par une région au cours des périodes écoulées. Ils s'orientent en fonction des prévisions de rentabilité groupée, telles qu'elles sont appréciées par les entrepreneurs et modelées par les responsables de l'économie. Jusqu'à présent, l'analyse systématique des investissements en chaîne est demeurée régionale. En France, la théorie de la polarisation a orienté les efforts de certains économistes sur une voie dont l'intérêt a sans doute été surestimé. La théorie économique ne peut d'ailleurs généralement fournir qu'une image très incomplète des conditions du développement, car elle ne donne d'indi-

(35) Nous avons essayé de dresser un bilan de ces analyses de la région : CLAVAL (Paul), « Chronique de géographie économique II. Les comptabilités territoriales », *op. cit.*

cations que pour les opérations à court terme. Les effets des investissements publics qui entraîneront des créations multiples par la suite, se prolongeront sur une très longue période. La faiblesse des méthodes de calcul utilisées dans la plupart des travaux de ce genre provient de ce qu'il est difficile d'assigner de manière précise les effets indirects des opérations menées. On n'imagine pas qu'ils puissent avoir des effets multiplicateurs à long terme. On néglige le poids des conséquences lointaines, en utilisant un taux d'actualisation et en oubliant d'affecter aux développements pressentis un taux d'intérêt composé, dont le jeu rétablirait l'équilibre entre le présent et le futur (36). On comprend que ce jeu soit trop dangereux pour tenter des entreprises privées. On demeure confondu de voir que les gouvernements faillissent à leur tâche de préparation du futur en se condamnant de la sorte à la myopie.

En l'absence de procédé de calcul satisfaisant, un pari peut se révéler plus intelligent qu'un choix appuyé sur un raisonnement mathématique douteux. La multiplicité des centres de décision peut constituer une garantie efficace contre les conséquences des fautes de calcul. La décentralisation des opérations d'investissement d'une part, le rôle donné à des organismes politiques responsables d'autre part, aident à réduire les risques d'erreur.

Au total, le dynamisme des économies régionales s'est totalement modifié depuis le début de la révolution industrielle. Durant les premières décennies qui ont suivi l'invention de la machine à vapeur, les chances de succès ont tenu presque exclusivement aux possibilités de profit offertes aux divers types d'entreprises. Les économies externes, comme celles qui sont liées à la concentration ne jouaient guère : le ressort essentiel de la croissance était bien alors micro-économique, ce qui se traduisit, sur le plan économique et géographique, comme nous l'avons dit, par un déclin net des constructions régionales traditionnelles.

(36) C'est la faiblesse commune à la plupart des analyses économiques qui utilisent des calculs d'actualisation. La dépréciation du futur est accentuée dans la mesure où l'on ne tient pas compte de l'effet cumulé des avantages prévisibles. La construction d'une autoroute permettra de réaliser une économie d'un milliard par an à partir de l'année n. Mais ce milliard, investi, donnera naissance, durant l'année $n + 1$, à de nouveaux revenus : si efficacité marginale de l'investissement est supérieure au taux d'actualisation, l'avantage actualisé sera plus grand pour l'année $n + 1$ que pour l'année n.

A première vue, la situation actuelle n'est pas très différente. Nous avons toujours des entreprises qui cherchent à maximiser leurs profits et la fortune des régions leur est plus ou moins directement liée. Mais ces entreprises ont cessé d'être étroitement localisées. Elles sont libres de se déplacer à leur gré ou plus précisément de créer leurs nouveaux établissements où bon leur semble. Pour ce faire, ells comparent les conditions aux divers points. Leurs méthodes sont apparemment les mêmes qu'il y a un siècle. Mais elles tiennent compte de plus en plus des économies externes qui modifient considérablement les perspectives de rentabilité. On voit ainsi se manifester l'influence des structures territoriales qui sont créées ou aménagées par les responsables de la région ou de la ville. L'initiative a cessé d'être en totalité aux mains des entrepreneurs. La concurrence pour la croissance n'est plus tellement une concurrence entre entreprises : c'est une concurrence entre régions, et comme de plus en plus celles-ci tendent à se confondre avec les villes qui les animent, une concurrence entre villes régionales.

V. — Les déséquilibres de croissance et le sous-développement régional.

Les ressorts du dynamisme régional n'ont pas cessé de se modifier depuis deux siècles. A chaque période, les chances qui étaient offertes à un territoire donné se modifiaient. On aurait pu croire qu'à la longue, toutes les régions finiraient par être animées par le même dynamisme, par avoir des évolutions parallèles. Ce n'est pas ce que l'on a constaté. Dès le départ, il y a eu des déséquilibres et si leur sens s'est modifié, leur existence n'a pas été menacée, leur importance a même augmenté dans bien des cas. Ceci n'a rien d'étonnant lorsqu'on réfléchit aux mécanismes de développement que l'on vient de passer rapidement en revue : ils supposent presque tous l'existence d'effets de blocage ou le développement d'inégalités.

Les déséquilibres régionaux de croissance.

Les déséquilibres régionaux de croissance sont particulièrement graves à l'époque de la révolution industrielle. Cela tient à la lenteur avec laquelle on a créé les institutions nécessaires au jeu de l'investissement monétaire. Le démarrage des économies régionales a dépendu longtemps de leurs relations avec l'extérieur et de la balance des échanges effectués. L'expansion relativement facile de certains territoires contraste avec les zones où la croissance est freinée, ou interdite, de manière totale par les difficutés monétaires. On peut en accepter pour preuve la complexité des combinaisons imaginées par les industriels anglais pour régler leurs difficultés de trésorerie. Pourtant, les zones dans lesquelles se sont installés de bonne heure des entrepreneurs dynamiques ont vite réussi à triompher des difficultés, à la fois par le jeu des relations avec l'extérieur et par la vertu des nouvelles techniques monétaires qu'elles contribuaient à rendre nécessaires. L'effet de blocage a été beaucoup plus grave pour les régions non industrielles : elles ont perdu une partie de leur masse monétaire, ont connu les difficultés des situations déflationnistes. Le démarrage en un point a donc provoqué des effets de blocage dans les régions voisines. Selon les cas, les zones ainsi condamnées par le jeu des économies en expansion se sont situées à l'intérieur ou à l'extérieur des territoires nationaux. Dans le cas des nations industrialisées le plus tôt, les marchés offerts par le reste du monde étaient si importants que les effets de limitation régionale de la croissance sont restées faibles. Même pour l'Angleterre, cependant, le développement de l'industrie nouvelle s'est payé par la crise qu'a traversée une bonne partie des zones agricoles et artisanales des plaines du Sud et de l'Est. En France, en Italie, et dans d'autres pays assez fortement protectionnistes au moment de leur démarrage, les blocages internes ont été importants.

Si les résultats totaux du commerce interrégional ou international ont eu un rôle stratégique dans le démarrage des économies, la situation a rapidement évolué. Les déséquilibres monétaires ont cessé d'avoir les mêmes effets d'inhibition et d'arrêt. Les chances des régions n'en sont pas pour autant redevenues égales. Le dynamisme dépendait des possibilités de profit, partant des prix : nous avons vu comment les exportateurs de produits industriels avaient longtemps bénéficié de conditions particulièrement favorables. Par la suite, l'évolution des termes de l'échange a constamment favorisé la croissance des ensembles qui prenaient les virages économiques les premières, qui se spécialisaient dans les activités dont la demande était croissante. C'est à dire qu'il y a eu, pour toute région, des périodes plus ou moins favorables, car les secteurs de pointe un jour sont souvent des zones de dépression plus tard. Cependant, les conditions d'inégalité ne se sont pas succédées partout au même rythme. Dans certaines régions industrielles nées au début du siècle dernier, on a vu une longue période de prospérité, suivie d'un déclin que rien ne vient interrompre. Ailleurs, des économies à base urbaine connaissent des périodes alternées de dépression et d'expansion. Au total, leur croissance est pourtant mieux assurée. Certaines régions agricoles n'arrivent pas à sortir du marasme durant toute la période contemporaine. Elles voient le niveau de vie de leur population se maintenir très au-dessous de celui des régions voisines et cela malgré le mouvement de migration qui les vide souvent d'une partie de leurs jeunes.

Au fur et à mesure que le temps passe, les chances les meilleures semblent revenir aux grands ensembles urbains. Ils doivent leur premier essor à la création des réseaux bancaires, car ils drainent à leur profit l'épargne des zones rurales ou industrielles voisines et, par le jeu de la spéculation, trouvent la possibilité de modeler à leur gré le niveau de l'épargne et de l'investissement dans la région. Par la suite, c'est le poids des équipements accumulés, la perfection des services assurés, qui sert de relais et permet aux villes, moins libres sur le plan économique, de rester les grandes bénéficiaires de la croissance.

Au cours de cette évolution, les mécanismes de rééquilibre que la théorie classique mettait en évidence n'ont jamais abouti à cette égalisation des chances que l'on aurait pu croire nécessaire.

L'inefficacité des mécanismes compensateurs et la transparence économique.

Tant que la géographie de la croissance est restée liée à celle de l'épargne intérieure de la région, les déséquilibres dans les taux d'investissement ont eu tendance à jouer toujours dans le même sens. Lorsque les marchés financiers se sont élargis, la situation est devenue bien plus grave. L'épargne des régions mal douées, ou mal parties dans la course à la croissance, est venue s'investir dans les régions riches, si bien que les rythmes de croissance se sont encore plus différenciés que par le passé.

A court terme, l'équilibre entre les régions à l'économie dynamique et celles qui stagnent est assuré en principe par le jeu de la spécialisation en fonction des coûts comparatifs. Les zones peu développées fournissent des produits qui incorporent beaucoup de main-d'œuvre et puisque la main-d'œuvre est abondante chez eux relativement au capital, sa rémunération est relativement faible. Cette situation peut, en théorie, être à l'origine d'un renversement de l'équilibre. Les fabrications qui demandent une main-d'œuvre relativement nombreuse et qui sont très sensibles à son prix, vont venir s'installer dans les zones peu développées. On connaît des évolutions de ce type. L'industrie textile s'est répandue dans toute la région vosgienne au cours du XIXe siècle par suite de l'abondance de la main-d'œuvre. Aux États-Unis, la Nouvelle-Angleterre a progressivement perdu le monopole puis la prépondérance dans les industries du coton, lorsque les industriels se sont rendus compte que les régions du Sud des Appalaches leur offraient des conditions plus avantageuses sur le plan des salaires (37). A la longue, les écarts initiaux de rémunération diminuent, puisque le capital devient moins rare et l'équilibre entre les taux de croissance se rétablit.

Les évolutions semblables à celles constatées dans le Sud des États-Unis sont demeurées très rares. Les causes en sont multiples. Durant tout le XIXe siècle, la mobilité interrégionale des capitaux est restée limitée dans la plupart des économies européennes. La situation américaine était assez différente, car la mise en valeur de l'Ouest avait conduit plus tôt les gens à investir au loin. Mais de part et d'autre de l'Atlantique, les fabrications susceptibles d'être attirées par une main-d'œuvre très bon marché étaient peu nombreuses. Le poids des matières premières et des sources d'énergie se révélait décisif dans les décisions d'implantation. Tout le Sud, par exemple, n'a pas profité de la venue des industries textiles. L'essor industriel a été limité à la région qui entoure les Appalaches, car on trouvait là des ressources houillères assez proches et de multiples sites qui pouvaient être équipés pour la production d'énergie hydraulique. La

(37) Les analyses relatives à la migration des industries textiles de Nouvelle-Angleterre vers le Sud sont nombreuses. Henri Baulig utilise dans son étude des États-Unis les travaux de J. H. Burgy et de B.-F. Lemert. BAULIG (Henri), *Les États-Unis*, deuxième partie de *L'Amérique septentrionale*, tome XIII de la *Géographie universelle*. Paris, Armand Colin, 1936, pp. 316-639.

réussite a tenu à la réunion de tout un faisceau de facteurs et non à la seule abondance de la main-d'œuvre.

Dans les économies modernes, la mobilité des capitaux est devenue générale, le poids des facteurs physiques s'est allégé dans le choix des implantations. Les conditions semblent donc être plus favorables au jeu des mécanismes de rééquilibre. La réalité est autre. Dans la plupart des cas, les perspectives d'économie externe dans les régions peu développées sont médiocres, ce qui limite les avantages escomptés. Les conditions sociales sont décourageantes, dans la mesure où ces sociétés qui ont vécu un peu à l'écart du monde industriel se plient moins bien à ses disciplines. Quelques sites attirent parfois les grandes affaires — nous l'avons vu — ceux qui sont bien équipés en commerces, en centres de services. Au total, les mécanismes de rééquilibre demeurent presque toujours insuffisants pour assurer des transferts massifs d'épargne d'une région développée, à une région sous-développée. L'attirance que procure une main-d'œuvre peu onéreuse a cessé bien souvent d'être ressentie par les industriels. Ceux-ci savent bien que les différences actuellement observées sont susceptibles de se trouver corrigées en peu de temps. Les syndicats chercheront à obtenir l'alignement des salaires sur ceux des vieilles régions industrialisées, si bien que la situation initiale ne durera pas. Dans les pays où la transparence de l'espace est bien assurée, l'uniformisation des prix de la main-d'œuvre commence à se manifester avant même que des entreprises nouvelles viennent s'installer (38).

Abandon et sous-développement régional : exemples français et étrangers.

Dans de telles circonstances, le rééquilibre devient impossible sous quelque forme que ce soit. La faible productivité locale du travail ruine successivement toutes les entreprises et

(38) Le problème des inégalités de salaires et de productivité est très important pour qui veut comprendre la mécanique des déséquilibres régionaux. Il arrive souvent que les différences dans la productivité moyenne du travail soient importantes dans une même nation. Les différences de salaires ont tendance, par suite des effets de démonstration, à être plus faibles que les différences de productivité. Les entrepreneurs n'ont aucun intérêt à s'installer dans les zones déprimées. LASUEN (Jose Raymon), « Regional Income Inequalities and the Problem of Growth in Spain ». *Papers and Proceedings of the Regional Science Association*, vol. VIII, 1962, pp. 169-188.

la région perd la plus grande partie de son potentiel économique. Les perspectives de profit sont si faibles que les détenteurs d'épargnes les placent à l'extérieur. La baisse de la production locale, la diminution du nombre des emplois offerts provoque un exode de population. A la limite, la région se trouve ainsi à peu près vidée de toute substance humaine. Il ne reste plus qu'un nombre de travailleurs très faible. Les ressources deviennent alors assez abondantes par rapport aux personnes présentes, si bien que la productivité peut se rétablir à un niveau analogue à celui des régions extérieures. Un nouvel équilibre est atteint, mais après une hémorragie humaine qui a souvent condamné l'ancienne organisation régionale, entraîné le déclin ou la disparition d'un bon nombre de villes et provoqué parfois une rétraction fort appréciable de l'œcumène. En pareil cas, la divergence entre les rythmes de croissance des diverses économies régionales se poursuit jusqu'au moment où la structure régionale des ensembles les moins doués ou les moins chanceux, s'effondre. Une partie de l'ancienne zone se trouve définitivement abandonnée, ou presque : les zones de sols maigres, les régions montagneuses que la vie pastorale peut seule valoriser sont ainsi victimes d'une véritable désertification. Les zones qui se dépeuplent mais demeurent vivantes sont rattachées à des espaces voisins, mieux développés et où de grandes agglomérations assurent une gamme de services complète. La France du Centre offre ainsi des exemples de zones à peu près complètement déprises — on songe à de grands secteurs des Causses, du Gévaudan, des Cévennes — et d'espaces ou l'humanité est devenue trop peu dense pour que puisse vivre une organisation régionale autonome — et on songe à l'ensemble des plateaux de l'Ouest du Massif, où la vie régionale, vivante il y a un siècle, et organisée autour de centres commerciaux et industriels importants a fini par s'étioler.

La transparence de l'espace a souvent été beaucoup plus faible que dans les cas que nous venons d'évoquer si bien que les types d'évolution sont différents. Très fréquemment, on assiste à la persistance des vieilles formes d'économie autarciques. On voit même, dans certains cas, le développement de l'économie moderne se traduire par le déclin de productions commerciales implantées depuis longtemps. On a noté le phénomène en France — dans certaines parties de la vallée et des coteaux de Garonne par exemple. Il est caractéristique de zones en quelque sorte étrangères à la nation dans laquelle elles se trouvent placées. De telles réactions sont fréquentes dans les zones de minorité linguistique, dans les régions où les confessions sont différentes de celles du reste du pays. En Alsace, le maintient de la très petite exploitation rurale, d'un morcellement extraordinairement poussé de la terre frappe le touriste le moins averti. Il y a là sans doute un résultat des conditions qu'a connues l'Alsace durant la période de l'annexion. La plus grande partie de la population alsacienne a refusé de suivre les mouvements qui se produisaient à l'extérieur, en France aussi bien qu'en Allemagne. La transparence de l'espace rural a été ici amoindrie volontairement, il y eut une fermeture développée plus ou moins consciemment. En Bretagne, les conditions sont particulièrement démonstratives, car les circonstances auraient pu apparemment provoquer une évolution assez semblable à celle que l'on note dans le Cotentin voisin : diminution de la population rurale, spécialisation dans un élevage demeuré longtemps extensif. La Bretagne voit au contraire les densités rurales croître jusqu'en plein XXe siècle et la production se développer parallèlement. Elle est en partie commercialisée — on voit s'épanouir des zones de cultures maraîchères savantes et spécialisées dans une bonne partie de la bordure littorale. La plus grande partie de la production est cependant consommée sur place. On connaît les traits que M. Le Lannou (39) décoche aux Bretons à ce sujet. Ceux-ci auraient en quelque sorte mangé leur richesse, utilisé tous les surplus de leur agriculture au développement de leur consommation propre et ainsi réduit à peu de choses l'effort d'investissement qui aurait pu provoquer la croissance économique des autres secteurs de l'économie régionale. La responsabilité des Bretons est-elle aussi directe? Ce qui frappe, c'est le développement de la culture, la conquête progressive de la lande, l'intensification réelle des façons dans la plus grande partie du pays à l'époque contemporaine. Mais ces progrès, qui ont nécessité de fortes immobilisations n'ont pas modifié les traits que pouvaient présenter les régions rurales il y a un siècle. Les bourgs n'ont connu qu'un développement très réduit jusqu'à la fin de la Seconde Guerre mondiale. Leur équipement commercial

(39) LE LANNOU (Maurice), *Géographie de la Bretagne.* Rennes, Plihon, 2 vol., 1950-1952.

est demeuré modeste, leur visage austère n'a pas été rajeuni par l'apparition de nouveaux quartiers. Cela traduit une évolution originale. La transformation de l'agriculture bretonne dans le courant du XIXe siècle, et au début du XXe siècle, s'est poursuivie selon des processus que nous avons déjà eu maintes fois l'occasion d'évoquer. L'épargne et l'investissement se sont effectués hors des circuits monétaires. L'enrichissement réel s'est fait en marge de l'économie de marché, ce qui explique la stagnation de l'équipement urbain dans la plus grande partie de la région. En fait, l'économie bretonne s'est trouvée de plus en plus isolée de l'économie nationale. Son développement purement rural a été possible dans la mesure où les Bretons optaient pour un genre de vie relativement simple, et ignoraient le développement de nouvelles habitudes de consommation. Leur niveau de vie s'est élevé, mais moins par suite de l'intégration dans un monde industrialisé que par mise en valeur plus complète du milieu. La transparence relativement bonne aux innovations techniques a suffi à transformer les données de base de l'économie rurale. L'effet de démonstration provoqué par la génération des genres de vie, des modes de pensée des grands centres urbains industriels est demeuré à peu près nul jusqu'au début de ce siècle. La Bretagne est restée fermée à certains comportements de la société française par suite de l'emprise d'une certaine forme de catholicisme, de l'obstacle de la langue demeuré important jusqu'au début de ce siècle en Basse-Bretagne et d'une méfiance créée plus tard par les aspirations politiques différentes. Ainsi la Bretagne a-t-elle vu son économie évoluer en marge de l'économie nationale. Elle a vu sa production augmenter tant que l'on a pu mettre en valeur de nouvelles portions de la lande et accroître les rendements en généralisant l'emploi des amendements ou des engrais marins. Elle est demeurée en marge de l'économie commerciale. Reprocher aux Bretons d'avoir consommé toute leur production et de n'avoir pas investi est injuste — car l'effort d'investissement réalisé en un siècle dans le domaine agricole a été supérieur à celui pratiqué à peu près partout en France. S'ils consomment tout ce qu'ils ont réussi à produire en supplément, c'est que leur agriculture s'est développée en marge du marché national. Ils se sont lancés dans la culture du blé au moment où la concurrence du blé d'Amérique faisait baisser les cours et ruinait les régions céréalicultrices traditionnelles du

Sud et de l'Est du Bassin parisien. Ils ont développé les cultures, au moment où le glissement vers l'élevage était partout marqué. Ils ont développé un élevage intensif, mais qui utilise les produits de la culture, si bien que les prix pratiqués sur les marchés nationaux ne sont pas rémunérateurs pour eux. On peut vanter leur réussite technique, montrer qu'ils ont su faire vivre plus de monde et produire davantage que les régions normandes voisines. On oublie le prix qu'ils ont dû payer pour cela. Dans les conditions économiques générales de la fin du XIXe siècle, leur effort allait contre ce qu'indiquait le marché, contre ce que dictait le bon sens économique. La baisse des prix entraînait un peu partout une extensification qui permettait d'augmenter la productivité du travail et sauvait en partie les revenus de ceux qui restaient à la terre. Les Bretons ont intensifié leur agriculture au même moment parce qu'ils restaient en dehors de l'économie de marché. Pour la plus grande partie de la région, la marge commercialisée correspondait à ce qui était nécessaire pour acheter les produits textiles que l'on avait renoncé à fabriquer. Mais commercialiser dans de telles conditions était en partie irrationnel. Le prix obtenu pour les produits vendus n'était pas rémunérateur, le comportement le plus sage du point de vue économique consistait à les consommer : de cette manière-là, on ne travaillait pas pour une vente aux résultats douteux, on tirait le parti le plus grand de son activité et on investissait directement en travail. Cette évolution en marge des circuits de l'économie nationale et demeurée possible jusqu'à la fin du XIXe siècle a été arrêté par plusieurs ordres de raisons. La mise en valeur des terres s'est trouvée alors à peu près complète, ce qui a réduit considérablement les occasions d'auto-investissement dans les fermes. Les progrès de la production ont été de plus en plus liés à l'emploi d'un équipement mécanique, d'instruments, d'engrais que l'on doit acheter au secteur industriel. La croissance de l'agriculture a cessé de pouvoir se poursuivre en dehors des circuits commerciaux. A ce moment-là, le spectacle de la vie économique devient paradoxal et alarmant. Les paysans bretons auraient besoin d'investir et, pour cela, d'épargner. Or, ils consomment systématiquement tout ce qu'ils produisent... On comprend l'origine du paradoxe : pour que la vente soit intéressante, il faudrait déjà avoir un équipement technique moderne. Le comportement des paysans bretons est donc logique. Ils ne peuvent évoluer dans le cadre qu'ils se sont créés et qu'ils ont maintenu jusque-là. Après la Première Guerre mondiale, l'ouverture plus grande sur le monde a favorisé la pénétration de goûts et de désirs nouveaux. La Bretagne s'est mise à évoluer comme la plupart des régions françaises par exode rural, permettant une diminution des densités et une productivité plus grande du travail. Le mouvement s'est prodigieusement accéléré depuis la fin de la Seconde Guerre mondiale.

Les économistes regrettent souvent que la situation de surpopulation rurale n'ait pas réussi à se maintenir une vingtaine ou une trentaine d'années de plus. Déjà, dans une bonne partie des régions mal douées de la Bretagne, la population a vieilli, les éléments les plus dynamiques sont partis. Les chances pour une brusque mutation des conditions économiques se sont trouvées compromises. Dans d'autres pays où la population était restée plus nombreuse, on a vu des évolutions analogues conduire à de brusques retournements de fortune au cours des dernières années. En Italie du Nord, la partie orientale de la plaine du Pô et la région des glacis vénètes appartient au type des régions agricoles depuis longtemps ouvertes sur les marchés extérieurs, mais que l'évolution économique de la fin du siècle dernier, a en partie ruinées et condamnées au repliement sur soi. Les destructions de la Première Guerre mondiale ont si durement touché le pays — en Frioul en particulier — qu'un mouvement d'émigration puissant se dessine alors. Mais il ne permet que de corriger en partie la pression démographique très lourde. Il provoque une dépopulation accélérée de certains secteurs mal doués de la montagne, mais ailleurs la charge humaine demeure considérable. A la suite de la Seconde Guerre mondiale, les industriels de la région milanaise en quête de main-d'œuvre ont découvert ces régions proches, assez bien équipées en services et où il était possible de s'implanter sans difficulté. Les hommes d'affaires locaux ont été capables de suivre le mouvement, si bien que l'on a vu se produire ici une accélération prodigieuse de la croissance : elle est due à la fois au transfert de capitaux venant de l'extérieur et à une utilisation plus efficace de l'épargne locale. La région est demeurée longtemps à l'écart de l'économie générale du pays. Mais gardant sa population, elle a justifié la mise en place d'une infrastructure de services publics considérable. L'économie régionale s'est trouvée bruquement réintégrée dans les circuits nationaux du jour où l'on a compris que les perspectives de réaliser des économies externes étaient bonnes dans un tel contexte. La présence d'une main-d'œuvre jeune et abondante a joué un rôle essentiel dans le bouleversement contemporain (40).

L'Italie fournit d'autres exemples de régions vivifiées un peu à la manière de la Vénétie et du Frioul. Ainsi, en va-t-il une partie de l'Émilie et des régions septentrionales et centrales de la Toscane. Des transformations analogues se sont effectuées dans certaines régions de la Suisse — dans le Fribourg, dans le Valais (41) — de l'Allemagne et de la Hollande. Le processus n'est pas automatique. Toutes les régions qui ont été de la sorte progressivement rejetées du réseau général des transactions commerciales et ont su garder leur population jusqu'à notre époque ne sont pas appelées au même essor. Le développement économique des campagnes surpeuplées de l'Italie du Nord se fait sans aide officielle ou presque. Il n'en va pas de même en Italie du Sud. Pour que les capitaux viennent vivifier une région longtemps oubliée, il ne suffit pas qu'il y ait des jeunes et des gens compétents. Les profits qui guident les entrepreneurs sont conditionnés par d'autres réalités, par d'autres sources d'économies externes. Nous avons analysé certaines d'entre elles, nous en retrouverons d'autres en abordant l'étude des réalités nationales et de l'organisation régionale des nations.

Les contrastes d'évolution que nous venons de mettre en évidence témoignent de la plasticité et de la multiplicité des caractères de la région. Faute d'avoir reconnu cette diversité, faute d'en avoir cherché l'explication dans la succession des phases de développement, les économistes et les géographes se sont trouvés souvent désarmés devant les problèmes qui s'offraient à eux. Ils ont proposé des modèles, les ont appliqués à la région, ont essayé de proposer des politiques en fonction de leurs raisonnements et des enchaînements qu'ils avaient privilégiés. Leurs idées n'ont pas été adoptées d'enthousiasme par les politiques, à la recherche pourtant de cadres logiques nécessaires

(40) Kayser (Bernard), *L'Italie. Géographie économique et humaine.* Paris, C. D. U., 1964, 132 p.

(41) Roh (Henri), *Fédéralisme politique et décentralisation économique et industrielle. L'exemple de la Suisse et du Valais.* Sion, Saint-Maurice, Impr. La Rhodanique, 1960, 430 p.

pour asseoir leurs interventions : elles ne réussissaient pas à rendre compte de tous les aspects de la réalité concrète.

On comprend mieux maintenant pourquoi les êtres régionaux, alors même qu'ils sont stables durant de longues périodes, ne peuvent s'expliquer en faisant appel à des théories statiques détachées de l'évolution réelle. Selon les moments, les forces à l'œuvre ont tendu à modeler des êtres de formes différentes, des équilibres nouveaux. Ces forces se sont exercées sur des territoires qui différaient largement au départ. De là résulte la variété des formes de régions dans la réalité concrète comme nous allons essayer de le montrer maintenant.

CHAPITRE X

LA CONFIGURATION DES TYPES DE RÉGIONS ET LEUR RÉPARTITION DANS LE MONDE

Les analyses régionales sont nées de la prise de conscience progressive, dans le courant du XIXe siècle, de l'existence de structures spatiales de moyenne dimension. Leurs types sont divers comme le sont les forces qui ont contribué à les modeler. Les équilibres spatiaux sont multiples et à chacun correspondent des configurations particulières : la répartition des villes, leurs rapports, la manière dont sont ordonnées les activités agricoles et industrielles traduisent dans le paysage le jeu des tensions et des contraintes qui caractérisent tel ou tcl type de région.

Il peut sembler curieux, dans un ouvrage de géographie, d'analyser longuement les régions sans commencer par les décrire. La démarche déductive ne s'impose pas *a priori* en pareille matière. Si nous l'avons adoptée, c'est pour la raison suivante : les configurations de régions diffèrent moins que les types économiques qu'elles traduisent. Il est possible en analysant, les circuits de la production, de la consommation, de l'investissement, de faire le départ entre des types économiques individualisés; mais il est difficile de faire apparaître, entre certaines étapes de l'évolution des régions concrètes autre chose que des différences de degré. Cela tient à ce que l'appréhension directe ne révèle pas la trame fonctionnelle sur laquelle se fondent les économies régionales : des organisations différentes peuvent utiliser les mêmes infrastructures. En géographie agraire, le paysage est souvent sans rapport direct avec les pratiques actuelles du monde économique (1). Beaucoup de traits des régions modernes

(1) C'est entre les deux guerres que les géographes français ont pris progressivement conscience du divorce entre les formes du paysage et les problèmes actuels

sont hérités et, sans cesser d'être fonctionnels, ils ne se reconstitueraient pas si l'on devait reconstruire la région à neuf, à partir de rien.

Sans une analyse historique complète, on ne peut comprendre la réalité actuelle. Nous allons nous en rendre compte de manière plus précise en suivant l'évolution des types spatiaux de régions et en montrant leur répartition actuelle.

I. — La répartition des régions dans le monde préindustriel et leur configuration.

Les régions humaines demeurent relativement rares dans le monde préindustriel — nous l'avons déjà souligné. Très souvent, en effet, les cadres de la vie sont tout entiers façonnés par des facteurs sociaux, ethniques, religieux et les forces qui unissent les groupes à la terre, ne se trouvent pas matérialisées par des constructions spatiales stables. L'organisation régionale n'apparaît vraiment que là où se tissent des liens durables entre les villes qui donnent aux espaces leur structure politique et les campagnes qui les entourent. La présence de villes est nécessaire, mais non suffisante, comme le montre l'analyse de la répartition des zones structurées en régions dans le monde traditionnel.

L'absence de régionalisation dans la plupart des économies préindustrielles.

Certaines sociétés préindustrielles n'ont jamais connu d'organisation régionale au sens moderne du terme. Il en va ainsi de la plupart des sociétés d'ethnologues, demeurées fragmentées en petites unités sociales et faiblement structurées. En Afrique occidentale, par exemple, les civilisations paléo-négritiques ont été rebelles aux formes d'organisation supérieure de l'espace, auxquelles ont accédé à partir du moyen âge un assez grand nombre de civilisations soudaniennes (2). Dans les sociétés illet-

de l'exploitation et de la vie rurale : c'est alors que l'on a commencé à opposer les analyses de structure et de géographie agraires et les études de géographie et d'économie rurales.

(2) Comme nous l'avons déjà indiqué, c'est dans les travaux de Richard-Molard que, pour la première fois, on trouve l'opposition entre ces deux grands types de

trées que l'on rencontre en Océanie et en Amérique, la situation est assez analogue.

Les bases d'une organisation régionale véritable manquent dans la plus grande partie de l'Afrique soudanienne et de l'Afrique du Nord, comme du Moyen-Orient. Les conditions n'y semblent pourtant pas mauvaises. Les constructions politiques qui s'y sont développées ont été très vigoureuses. Elles ont su dominer des espaces souvent démesurés. Elles n'ont pas réussi à créer des unités plus petites, celles que nous appellerions régions. Une telle situation apparaît à première vue comme paradoxale. Est-il possible que des créateurs d'Empire échouent lorsqu'il s'agit d'organiser des ensembles de quelques milliers de kilomètres carrés? Un livre récent de M. Yves Lacoste (3) fournit des éléments de réflexion intéressants sur ce problème. Il remarque que la civilisation nord-africaine telle que l'analyse Ibn Khaldoun à la fin du moyen âge est appuyée sur une trame de villes assez dense. Ces villes sont souvent entourées d'une frange étroite d'agriculture savante, où l'irrigation permet de produire l'essentiel de ce qui est nécessaire à l'alimentation de la cité. Mais le monde urbain demeure étranger au monde rural. Celui-ci reste prisonnier de son organisation tribale, les unités qui se développent se modèlent sur les liens du sang ou sur ceux que créent les sentiments religieux, toujours très vivants dans l'Islam nord-africain. Les villes organisent un grand commerce, elles trafiquent sur l'or, sur les esclaves, elles conduisent plus tard à leur profit la course en Méditerranée occidentale. Elles n'ont que très peu de liens avec les régions environnantes. M. Lacoste, qui d'après Ibn Khaldoun décrit cet état de choses, voit dans cette situation une des causes du sous-développement nord-africain. Il montre que la fragilité des constructions politiques tient à ce divorce entre les villes qui détiennent la richesse et les régions rurales, qui sont à l'origine de la puissance militaire. Une civilisation fortement marquée par l'empreinte urbaine

civilisation clairement exprimée. Tous les travaux modernes reprennent ces thèmes. Les analyses que M. Luc de Heusch a effectuées récemment dans la région des lacs ont permis de préciser les conditions dans lesquelles étaient nées les formes sociales supérieures dans les sociétés noires traditionnelles. Richard-Molard (Jacques), *Problèmes humains en Afrique occidentale, op. cit.* — Heusch (Luc de), *Le Rwanda et la civilisation interlacustre.* Bruxelles, Éditions de l'Institut de Sociologie de l'Université libre de Bruxelles, 1966, 471 p.

(3) Lacoste (Yves), *Ibn Khaldoun. Naissance de l'Histoire. Passé du Tiers Monde, op. cit.*

peut ainsi demeurer sans organisation régionale véritable. Les royaumes soudaniens présentent bien des traits communs avec l'Afrique du Nord. La situation au Moyen-Orient est différente. L'épanouissement urbain a été là plus complet et plus précoce qu'en Afrique. Les villes ont nourri à n'en point douter des rapports fructueux avec les campagnes voisines. Elles ont été de tout temps le siège d'organisations politiques suffisamment fortes pour que la mise en valeur des campagnes se poursuive, pour que l'irrigation se développe. Il a peut-être existé, à certaines périodes de l'Antiquité, des constructions régionales. L'Islam les a en partie mutilées. Son triomphe provoque une perte de puissance politique de la ville. Les cités cessent d'avoir la responsabilité de leur devenir. M. Xavier de Planhol (4) a attiré l'attention sur cet aspect essentiel de l'histoire économique des pays musulmans au moyen âge et au début de l'époque moderne. La ville s'est ainsi trouvée isolée du milieu qui l'environne, sans prise sur lui, à l'exception de petites zones d'oasis suburbaines. Les grands travaux d'hydraulique ont été petit à petit négligés et, lorsqu'ils ont été repris, ils ont souvent été dirigés par un pouvoir monarchique fort appuyé sur une organisation plus vaste que celle que contrôle l'espace urbain.

La répartition des régions de type historique dans le monde préindustriel.

Ainsi, le privilège des organisations de type régional en économie préindustrielle semble réservé à un petit nombre de pays. Les deltas et les plaines d'Extrême-Orient ont vu se développer des ensembles vigoureusement structurés dans toutes les zones où un pouvoir fort était nécessaire pour la mise en place d'une agriculture irriguée. Dans quelques cas, une savante organisation des campagnes est l'œuvre de civilisations demeurées purement rurales — on pense à une partie de l'Indonésie, aux Philippines, aux parties montagneuses de Luçon découpées en gradins par les tribus Igorots. Ce sont là des exceptions. L'avance de Java sur les autres îles des archipels tient à l'affermissement plus pré-

(4) PLANHOL (Xavier de), *Le monde islamique. Essai de géographie religieuse.* Paris, P. U. F., 1957, 146 p.

On trouverait des thèmes analogues dans BENET (Franco), *The Ideology of Islamic Urbanization*, pp. 111-126 d'ISHWARAN (K.), ANDERSON (Nels), *Urbanism and Urbanization, op. cit.*

coce de l'autorité de monarchies appuyées sur des créations de villes. Les mêmes constructions prédominent en Indochine et à plus forte raison dans les grandes zones agricoles de la Chine (5) et de l'Inde, de même que dans les plaines japonaises. L'organisation régionale n'englobe cependant pas dans ses mailles tout l'espace de ces pays (fig. 10.1). Elle a prise sur les plaines, mais ignore les zones forestières, les massifs montagneux. Aux marges Nord-Ouest de l'Inde, Ouest de la Chine, les grandes civilisations commerciales ont donné naissance à des chapelets de villes qui prolongent la trame des villes des régions agricoles, mais ne jouent pas le même rôle vis-à-vis des zones voisines. Elles ne sont pas organisatrices d'espaces au même titre que les centres de la plaine du Yang-tsé-kiang ou que ceux de la plaine indo-gangétique.

L'Europe apparaît comme la seconde grande zone d'espaces structurés en régions. Elle le doit au développement dès le moyen âge d'une économie relativement ouverte. Celle-ci n'aboutit pourtant pas à la création de constructions territoriales stables lorsque les relations à longue distance l'emportent de manière trop exclusive sur les relations proches. En Europe orientale, l'ossification des tissus que représente une véritable organisation régionale est demeurée incomplète. Elle s'est faite le plus souvent à la suite de la pénétration de populations allogènes de civilisation urbaine dans des milieux jusqu'alors purement ruraux. Elle ne s'est pas étendue à la totalité de l'espace, a négligé certaines zones peu pénétrables, marécageuses et pauvres, comme le sont les étendues solitaires qui ont longtemps marqué les marches de la Russie et de la Pologne. Les populations germaniques ont joué un rôle essentiel sur tout le pourtour de la Baltique, ainsi que dans une partie de la région danubienne. Mais les Polonais avaient su créer des organisations solides dans les zones centrales de leur royaume — autour de Cracovie par exemple — et ils avaient réussi à étendre cette organisation à une bonne partie des terres qui, vers l'Est sont peuplées de Ruthènes ou d'Ukrainiens.

C'est en Europe occidentale que la structure régionale a atteint

(5) Les analyses de Sen-Dou Chang montrent les étapes de la construction des unités régionales dans l'espace chinois. Dès le début de notre ère, la plus grande partie des plaines chinoises se trouve prise dans les mailles d'un réseau urbain régulier. — CHANG (Sen-Dou), « The Historical Trend of Chinese Urbanization ». *Annals of the Association of American Geographers*, vol. 53, 1963, pp. 109-143.

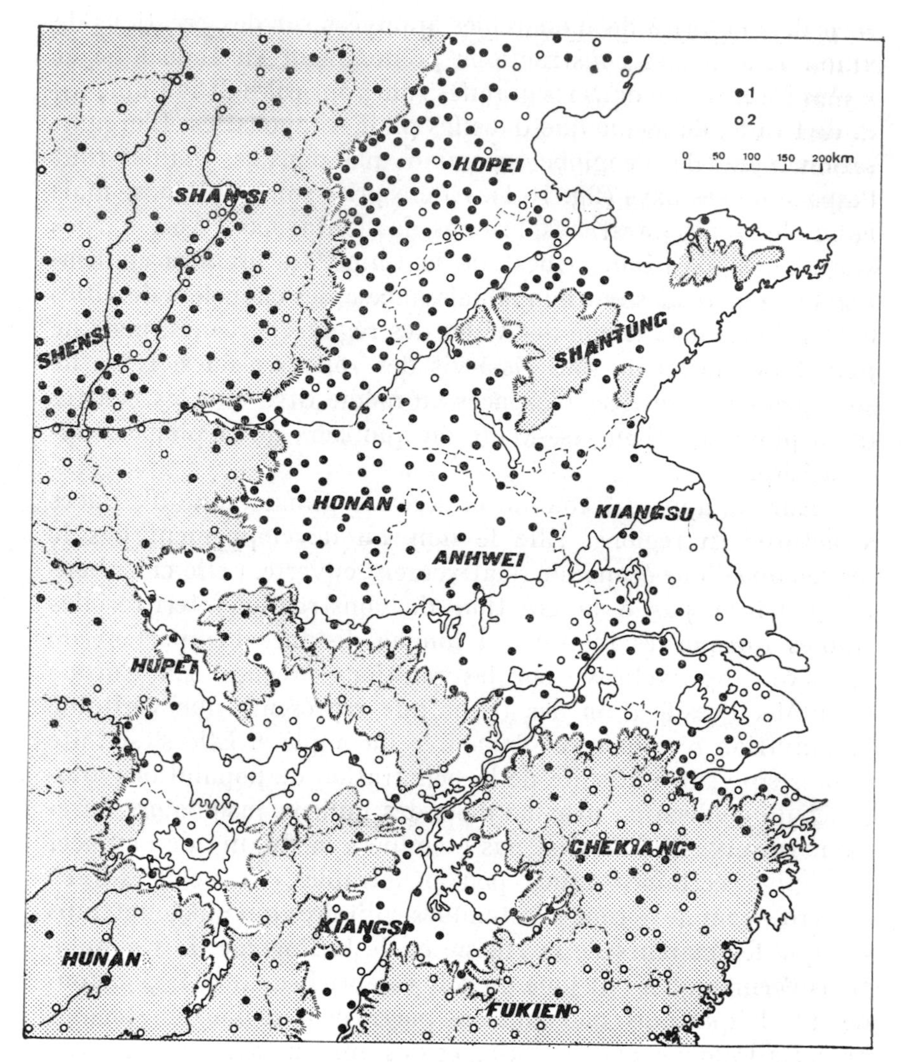

FIG. 10.1. — Réseau urbain et organisation régionale de la Chine traditionnelle.

A l'époque Han, la trame des centres urbains est en place dans toute la partie septentrionale. Dans la Chine centrale et méridionale, elle ne se développe bien que dans certains bassins.

On remarque la régularité de la trame urbaine dans la plaine.

1. Villes créées avant 221.
2. Villes créées entre 221 et 1644.

D'après Sen-Dou Chang, « The Historical Trend of Chinese Urbanization ». *Annals of the Association of American Geographers*, vol. 53, nº 2, juin 1963, pp. 109-143.

le plus vite son épanouissement. En Angleterre, en France, en Italie, en Espagne, on voit dès le moyen âge des organisations remarquables se développer. Certaines sont directement liées au développement des villes commerçantes (6). Mais elles étaient encore fragiles à la fin du moyen âge. En France, en Italie, le développement d'une bourgeoisie urbaine orientée vers les spéculations foncières et l'exploitation de la terre a confirmé la vocation régionale de certaines villes et resserré leurs liens économiques avec le plat pays. En Espagne, les rapports des villes et des campagnes sont restés moins riches que dans d'autres pays. Les achats de terres sont demeurés interdits à la bourgeoisie urbaine, dans la mesure où l'aristocratie foncière traditionnelle maintenait mieux ses positions. La stagnation de l'économie manufacturière limitait l'ouverture des cellules rurales aux grands courants économiques modernes. L'armature urbaine resta plus qu'ailleurs tournée vers les relations à longue distance, par suite de l'étroitesse des bases des économies locales. Ainsi s'explique la relative stagnation de l'organisation régionale de l'espace espagnol.

La colonisation européenne à l'époque moderne et la diffusion des structures régionales.

Les Européens, là où ils s'implantèrent, apportèrent avec eux leurs techniques et leurs modes d'organisation de l'espace. Dans bien des cas, leurs soucis étaient purement commerciaux. Ils créaient des ports, des postes de traite : les Portugais donnèrent l'exemple en Extrême-Orient et en Afrique, et les Hollandais, les Français, les Anglais les imitèrent. Les villes fondées alors ont souvent connu des destins remarquables. Mais elles demeurèrent isolées en lisières d'espaces totalement étrangers.

En Amérique du Sud, en Amérique centrale, dans les Antilles et sur les côtes orientales de l'Amérique du Nord, les conditions de l'implantation européenne furent différentes. Qu'elle se soit accompagnée ou non de mélanges avec une population indigène ou d'immigration forcée d'esclaves, la colonisation fut partout solide et mit en place des organisations de l'espace de type nouveau. Lorsque la pénétration restait limitée à une bande litto-

(6) CLAVAL (Paul), « Le réseau urbain de la Vénétie ». *Revue de Géographie de Lyon*, vol. 39, 1964, pp. 247-271, 7 fig.

rale présentant de nombreux sites de ports, comme c'était le cas de certaines parties des terres caraïbes et surtout de la

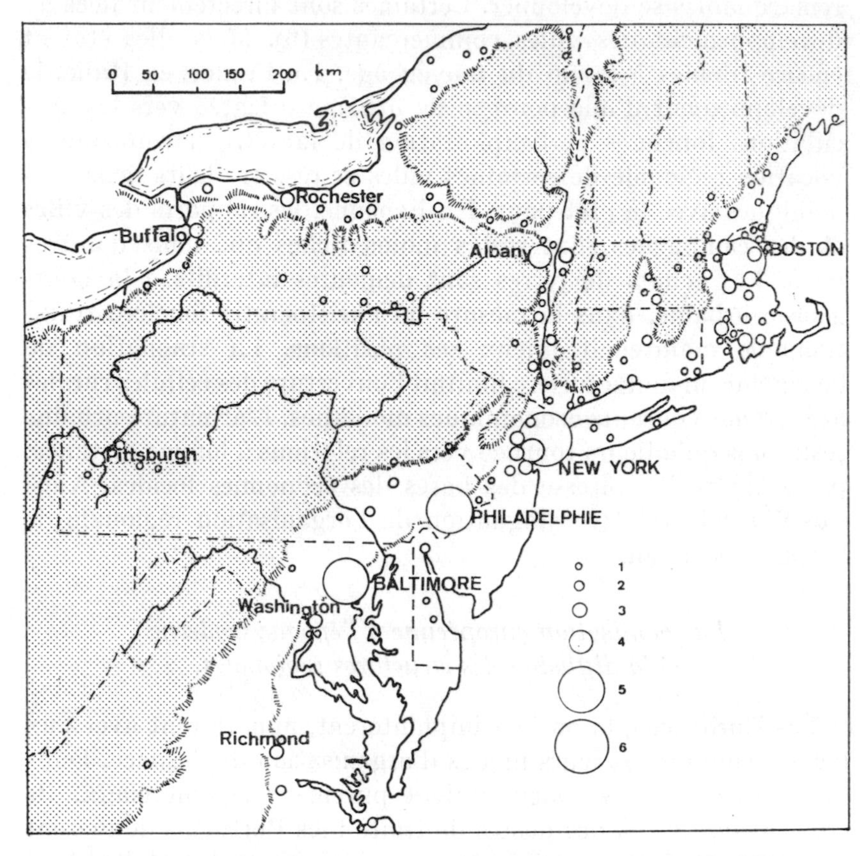

Fig. 10.2. — Le réseau urbain et l'organisation régionale du Nord-Est des U. S. A. en 1850.

1. De 5.000 à 10.000.
2. De 10.000 à 25.000.
3. De 25.000 à 50.000.
4. De 50.000 à 100.000.
5. De 100.000 à 500.000.
6. Plus de 500.000.

L'organisation est bien développée en Nouvelle-Angleterre, moins étalée dans les États atlantiques moyens, presque absente en Virginie. La mise en valeur de l'Ouest a permis de développer une trame urbaine dense, mais encore peu hiérarchisée, dans l'État de New York, le long de la voie naturelle qui mène aux Grands Lacs.

D'après Gottmann, *Megalopolis*, *op. cit.*, cf. p. 174.

région des grandes baies de l'Atlantique moyen en Amérique du Nord, la colonisation se fit sans mise en place de structures urbaines véritables (7). La colonisation française sur les rives du Saint-Laurent fut assez analogue. Mais sur les bases d'une agriculture bâtie à l'image de celle de l'Europe et d'une activité commerciale et manufacturière imitée de celle de la Grande-Bretagne, les colonies anglaises septentrionales donnèrent naissance à un réseau urbain vite très dense (fig. 10.2), dotant les diverses colonies d'une articulation régionale qui a manqué très longtemps aux États du Sud (8).

Les colonies agricoles de type tropical sont en effet dominées par les impératifs de la politique mercantiliste. On essaie d'éviter l'éclosion de centres artisanaux et commerciaux trop importants dans les régions ouvertes au peuplement. C'est limiter les possibilités de développement urbain. Les conditions varient cependant d'un point à un autre. Lorsque la colonisation s'étend assez loin en profondeur, elle nécessite la mise en place de toute une trame de centres d'expédition et de réception, qui attire une partie de l'aristocratie foncière. Ainsi peut apparaître un véritable réseau, annonçant la constitution à terme d'une trame régionale vivante. Cette évolution se dessine dans les colonies anglaises dans la seconde moitié du XVIIIe siècle. Elle était déjà bien marquée à Haïti, où la colonisation française avait réussi à faire vivre une société forte et bien structurée. Le cas le plus étonnant est celui des zones voisines de la ville de Bahia (9). Gagnée très tôt par les cultures exportatrices, consacrée à la canne à sucre qui assure des revenus stables dès le XVIe siècle, la zone qui entoure la baie de Tous-les-Saints, le Reconcavo, est vite mise en exploitation. Elle a le sentiment de son unité, de son originalité. Toute une trame de petits centres urbains assurent le relais de l'influence de Bahia autour de la baie et esquissent une armature solide que l'on voit progressivement revivifiée et remodelée par la croissance économique moderne (fig. 10.3).

Partout ailleurs, la colonisation européenne en Amérique se

(7) GOTTMANN (Jean), *Virginia at Mid-Century*. New York, Henry Holt and Co, 1955, VIII, 584 p.

(8) GOTTMANN (Jean), *Megalopolis. The Urbanized Northeastern Seaboard of the United States*. Cambridge (Mass.), the M. I. T. Press, 1961, XI, 810 p.

(9) SANTOS (Milton), « A rêde urbana do Recôncavo ». *Travalhos do laboratorio de geomorfologia e estudios regionais da Universidade da Bahia*, n° 10, 1960, 38 p. — ID., « Villes et région dans un pays non développé : l'exemple du Recôncavo de Bahia ». *Annales de Géographie*, vol. 74, 1965, pp. 678-694.

heurte à des espaces trop vastes pour que l'on puisse les maîtriser facilement. A une conquête méthodique, Français et Espagnols préfèrent une pénétration qui leur donne accès aux ressources

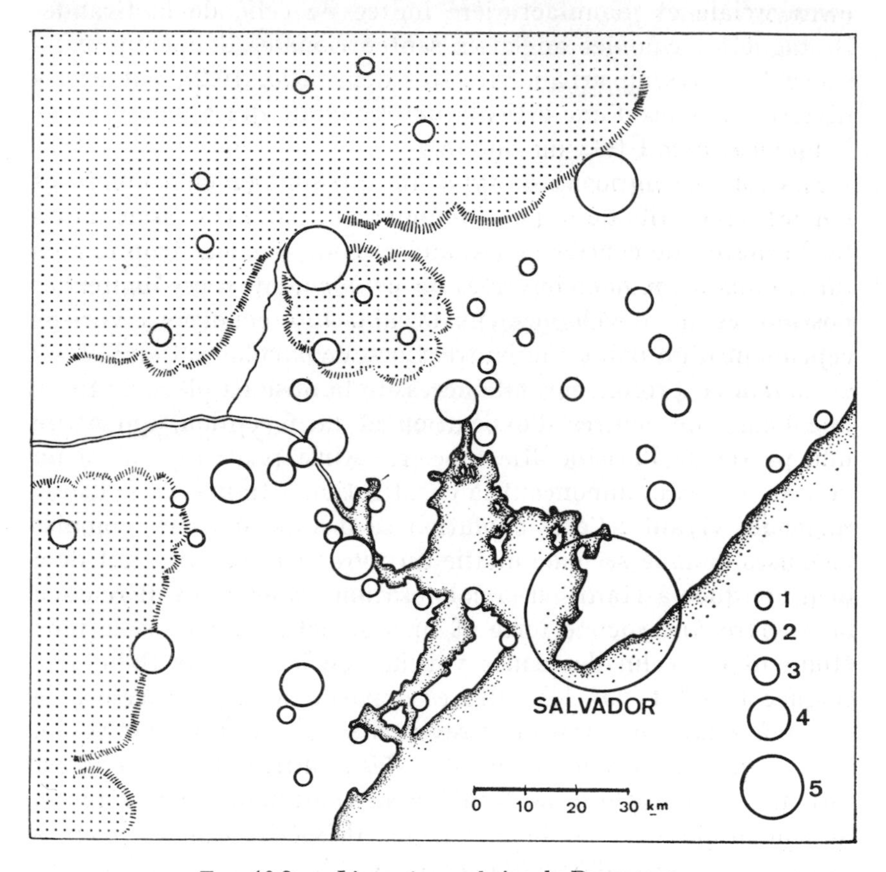

Fig. 10.3. — L'armature urbaine du Reconcavo.

1. Moins de 2.000 habitants.
2. De 2.000 à 5.000 habitants.
3. De 5.000 à 10.000 —
4. De 10.000 à 20.000 —
5. Plus de 40.000 habitants.

qui les intéressent le plus. Ils s'appuient sur une trame de points forts, de centres administratifs et sont comme autant de ports sur les grandes routes continentales. Ainsi, les villes fondées par les Français dans l'intérieur du Canada, ou dans la Louisiane, celles que les Espagnols multiplient dès les premières années du XVIe siècle partout où leur prépondérance s'affirme sont-elles plus tournées vers les relations lointaines que vers l'organisation de l'espace proche. L'Amérique latine est demeurée marquée dans son peuplement par cette organisation originale : quelques noyaux, séparés par des déserts humains plus ou moins complets.

La configuration de la région historique.

Le trait le plus original, et le plus important, des régions historiques est l'uniformité souvent remarquable de leur peuplement agricole. Il existe des nuances d'un point à un autre, en fonction des différences de fertilité : mais la prise de possession du sol est complète, les peuplements en petits groupes isolés qui caractérisent encore de nos jours l'Amérique latine et le monde africain tropical, ne forment pas des régions.

Lorsque la région est complètement épanouie, on en est au stade où l'on a appris à tirer partie de toutes les aptitudes d'un milieu. Selon les pays, selon les époques, cette évolution peut aboutir à la mise en place d'un peuplement continu et relativement homogène sur de très larges espaces, comme en Europe occidentale, ou bien encore se restreindre aux zones qui peuvent se plier aux techniques de mise en valeur dont on dispose — il en va ainsi des régions d'agriculture irriguée de l'Asie du Sud-Ouest, comme des plaines de delta de l'Asie du Sud-Est. Le peuplement de l'Europe occidentale ne s'est sans doute généralisé qu'à une époque relativement récente — la première moitié du moyen âge; les conditions à la fin de l'Antiquité ne devaient pas être très différentes de celles qui régnaient alors dans le Moyen-Orient : il coexistait des zones encore peu pénétrées et des secteurs complètement humanisés. C'est ce que semble suggérer le développement des régions historiques françaises (10).

(10) Ce sont là des thèmes que l'école géographique française a souvent développés. Les travaux sur les origines historiques des régions françaises sont nés indirectement des analyses réalisées par Auguste Longnon : il a montré quels étaient les cadres des *pagi* gallo-romains. Les premiers auteurs de grandes thèses régionales ont exploité ces éléments : Albert Demangeon à propos de la Picardie, A. Vacher pour le Berry montrèrent ainsi comment l'humanisation et la création des espaces qu'ils étudiaient avaient marché de pair et comment les régions étaient nées d'une clairière précocement mise en culture. Roger Dion a repris et systématisé cette démonstration. En dehors de la France, on trouvera des données facilement accessibles sur les progrès de la déforestation en Europe et, par conséquent, de l'humanisation, dans les analyses de H. C. Darby. DEMANGEON (Albert), *La plaine picarde : Picardie, Artois, Cambrésis, Beauvaisis. Étude de géographie sur les plaines de craie du Nord de la France, op. cit.* — VACHER (A.), *Le Berry, contri-*

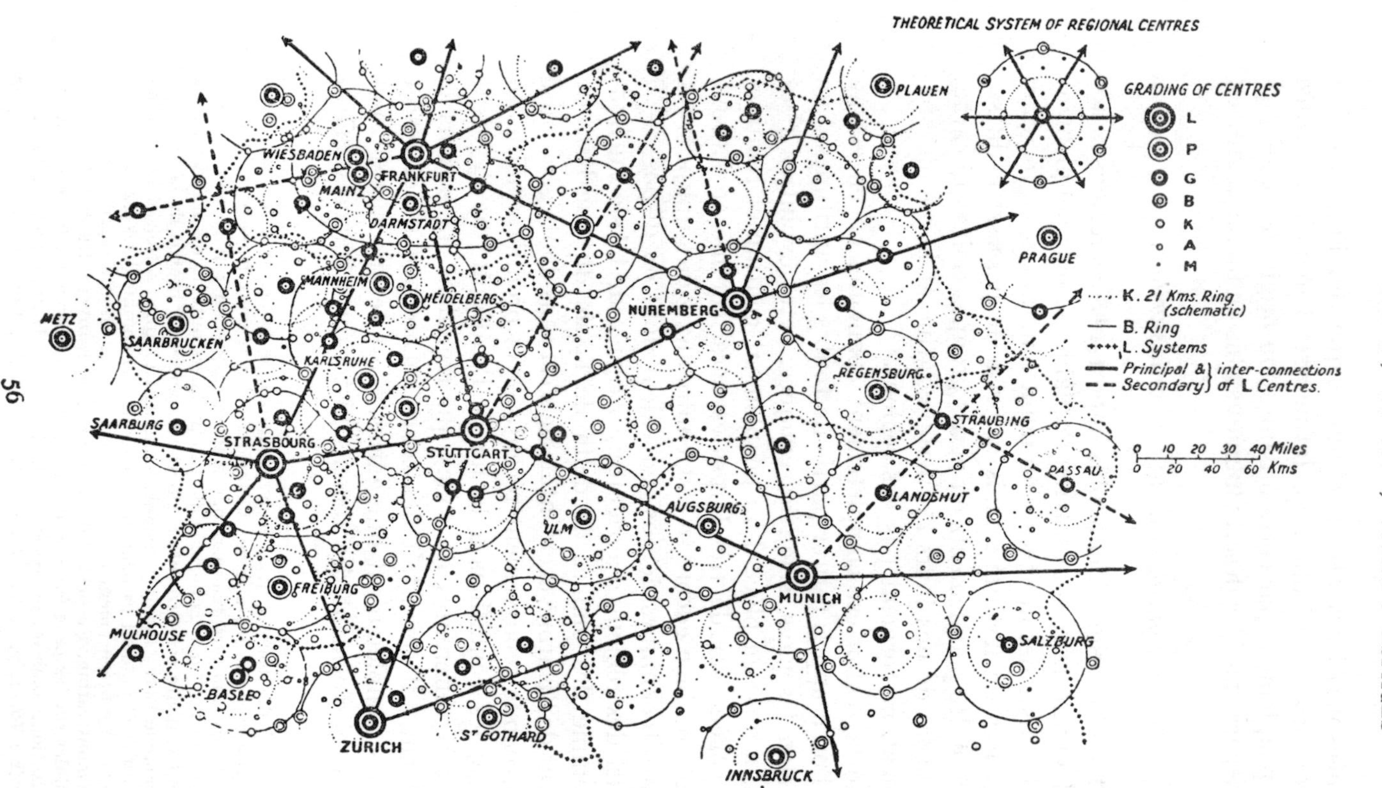

Fig. 10.4. — La distribution des centres de service dans l'Allemagne méridionale, d'après Christaller.
L. Landstadt. — P. Provinzstadt. — G. Gaustadt. — B. Bezirksstadt. — K. Kreisstadt. — A. Amstsort. — M. Marktort.

Les aires de services sont indiquées ainsi :
1° Les centres K sont entourés d'une aire schématique : 21 km de rayon.
2° Les centres B sont entourés de leur aire d'influence réelle, schématiquement, c'est 36 km.
3° Limites des systèmes L.
4° et 5° Interconnections principales et secondaires entre les centres L.

La Picardie, la Champagne, le Berry, se sont bâtis de manière identique autour d'une grande clairière précocement humanisée et mise en valeur.

L'uniformité du peuplement rural est un trait fondamental,

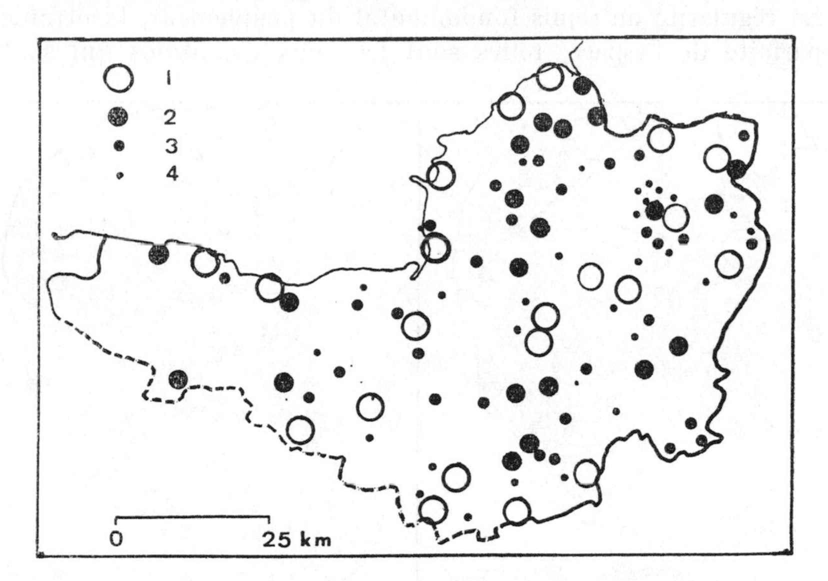

Fig. 10.5. — La hiérarchie des lieux centraux en Angleterre méridionale : l'exemple du Somerset.

1. Ville.
2. Village centre de 1er ordre.
3. Village centre de 2e ordre.
4. Village centre de 3e ordre.

D'après H. E. Bracey, *English Central Villages : Identification and Functions.* Lund Studies on Geography, Ser. B, *Human Geography,* nº 24, *op. cit.*, cf. pp. 172.

car elle explique la régularité de la trame des lieux centraux, là au moins où les contrastes locaux ne sont pas trop forts. Lorsque l'on regarde le semis des bourgs et des petites villes dans les campagnes de la France du Nord-Ouest, dans celles de l'Allemagne du Sud (fig. 10.4), ou dans la plaine anglaise (fig. 10.5), on est frappé par l'extrême régularité de l'ensemble. Dans ces zones, les différences d'aptitude ne sont pas suffisantes pour

bution à l'étude géographique d'une région française. Paris, Armand Colin, 1908. — Darby (H. C.), *The Clearing of the Woodland in Europe,* pp. 183-216 de Thomas (William L. Jr.), *Man's role in changing the face of the Earth.* Chicago, University of Chicago Press, 1956, XXXVIII, 1193 p. — Dion (Roger), *Les frontières de la France, op. cit.*

créer des économies locales à orientation différente. Les lieux centraux permettent des échanges entre artisans et agriculteurs, ou encore entre agriculteurs qui disposent d'excédents momentanés et agriculteurs qui sont au même moment dans la gêne. La régularité du semis fondamental du peuplement, l'isotropie parfaite de l'espace, telles sont les deux conditions qui sont

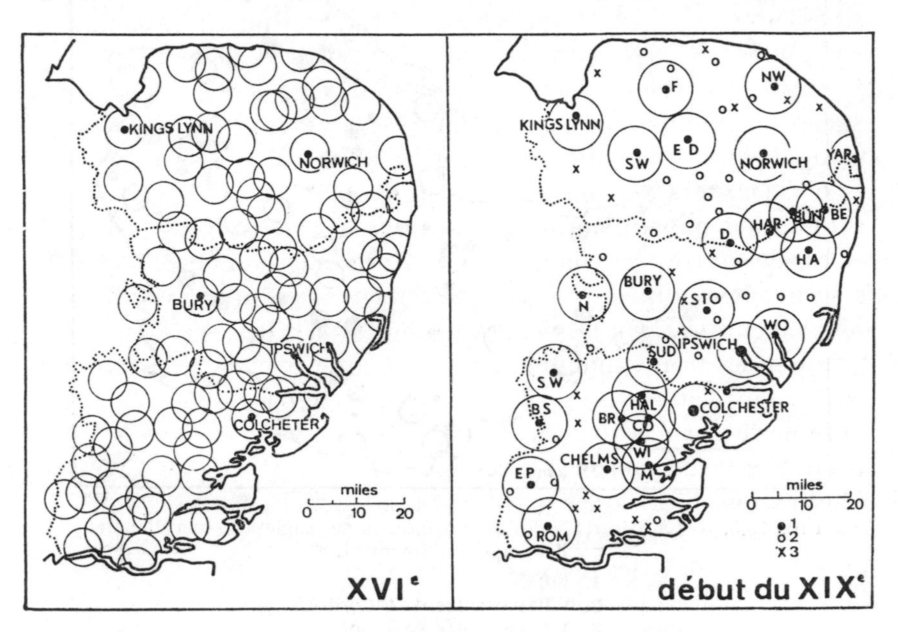

FIG. 10.6. — Les marchés de l'East Anglie au XVIe et au début du XIXe siècle. La répartition est dans les deux cas régulière, mais beaucoup de centres ont disparu entre les deux dates.

A : On a donné à chaque marché une aire arbitraire de 4 miles de rayon.

B : On a donné à chaque grand marché une aire de 6 miles de rayon.

1. Grands marchés.
2. Petits marchés.
3. Marchés en décadence.

Dickinson, *City, Region and Regionalism*, *op. cit.*, p. 81.

nécessaires pour que les lieux centraux s'ordonnent de manière régulière : elles se trouvent ici réunies.

Les analyses effectuées par Dickinson (11) ont montré, dans le cas de l'East Anglie, qu'il y avait eu, entre le moyen âge et

(11) DICKINSON (Robert E.), *City Region and Regionalism. A Geographical contribution to Human Ecology*. Londres, Routledge et Kegan Paul, 1947, XV, 327 p., cf. pp. 84-88.

l'époque contemporaine, une forte diminution du nombre des marchés (fig. 10.6). La régularité de l'ensemble ne s'en est d'ailleurs pas trouvée affectée : ceci montre simplement que les progrès de la mobilité ont permis des modifications assez sensibles des trames régionales. On a quelque peine à les imaginer aujourd'hui.

Les campagnes d'Extrême-Orient offrent des répartitions assez semblables de lieux centraux : là aussi, on note la modestie de la plupart des centres et leur répartition régulière sur de vastes espaces : la plaine indo-gangétique, les régions de la Chine du Nord et celles de la vallée du Yang-tsé-kiang offrent les exemples les plus parfaits de constructions de ce type.

Là où des milieux naturels très différents se trouvent proches les uns des autres, les conditions d'installation des lieux centraux se trouvent modifiées : ils se développent au contact des unités complémentaires. On les voit s'aligner au pied des escarpements de faille, des fronts montagneux, des lignes de côte. En prenant un peu de recul, on s'aperçoit d'ailleurs que ces secteurs privilégiés ne fixent pas tous les bourgs; les accidents de détail n'altèrent pas la géométrie d'ensemble.

Les régions historiques se trouvent particulièrement bien faites pour illustrer la répartition des centres élémentaires que laisse prévoir la théorie des lieux centraux. Pour les centres de dimensions supérieures, les conditions sont moins bonnes : pas de hiérarchie nette des fonctions, pas de régularité non plus. Là où il n'existe pas de stabilité administrative, on voit glisser les centres supérieurs d'un point en un autre — il n'en est pas d'exemples plus éclairants que ceux que fournissent la vallée du Rhin en Europe (12), et la plaine indo-gangétique en Extrême-Orient (13).

Régulière par sa trame de détail, la région historique est mal structurée au plan d'ensemble, si bien que sa forme est très variable, liée aux hasards de l'histoire politique plus qu'aux faits économiques. Les fonctions de relation à grande distance tiennent

(12) Nous avons déjà signalé, pour illustrer cette instabilité, les études de Gottfried Pfeifer. L'histoire de Besançon pourrait fournir une illustration des deux types de situation des villes : la stabilité lui a été assurée, à partir de la conquête française, par les fonctions administratives régionales. Auparavant, la ville avait connu des périodes alternées de grandeur et de déclin, comme les villes rhénanes auxquelles elle ressemblait alors. Cf. notes 11 et 12 du chapitre VIII.

(13) Rien n'illustre mieux cette instabilité que les sites successifs des villes qui ont précédé l'actuelle Delhi.

encore peu de place dans son équilibre intime, ce qui explique l'absence de hiérarchisation.

En Europe occidentale, dans les États atlantiques des États-Unis, la révolution industrielle a transformé une organisation à base de régions historiques.

II. — La région économique.

La région économique se développe dans le courant du XIXe siècle au fur et à mesure que se poursuivent les progrès de la civilisation industrielle. Elle se présente d'une manière régulière partout où les activités essentielles demeurent agricoles. Les foyers industriels, relativement peu étendus par rapport à la superficie totale des nations (sauf en Angleterre) apparaissent comme des noyaux tout à fait indifférents à la trame générale.

La hiérarchisation des fonctions et la théorie des lieux centraux.

L'allongement des circuits économiques donne une importance accrue à toute l'activité commerciale. Les agriculteurs expédient leurs produits au loin et reçoivent en échange des pays industriels les articles qu'ils commandaient autrefois aux artisans des villages ou qu'ils allaient acquérir dans les petites villes voisines. Petit à petit, les progrès du niveau de vie multiplient les consommations et font apparaître de nouveaux types de services finaux. La modernisation des techniques de production nécessite des prestations de services intermédiaires consommés par les entreprises.

La population à desservir demeure en grande partie rurale. Les densités, à la campagne, deviennent petit à petit moins régulières que dans la période qui précédait la révolution industrielle — en France, au moment des premiers recensements, elles étaient comprises dans la grande majorité des départements entre 50 et 80 habitants par kilomètre carré. Mais les modifications dues ici à l'exode rural, là à l'intensification du système de culture qui permet une augmentation de la densité, sont trop faibles pour introduire des perturbations sensibles à la base de la hiérarchie.

La multiplication des activités commerciales nécessite la mise en place d'une pyramide de services, qui explique la hiérarchisation des centres. Pour chaque établissement de niveau supérieur, on pourrait choisir un point d'implantation différent : on réussirait à éviter les déséquilibres de ville à ville, ou on les réduirait dans une large mesure. Dans la plus grande partie des cas, ce n'est pas la solution qui s'impose : en regroupant des activités de haut niveau en un même lieu central, on bénéficie d'économies externes sensibles (14). Ainsi, la construction du réseau urbain se complète d'une manière régulière. C'est dans l'Europe du XIXe siècle que l'on voit les organisations des siècles passés se compliquer et se hiérarchiser, jusqu'au point où la géométrie que laisse prévoir le schéma théorique est pleinement évidente. Les études concrètes menées dans des régions qui n'ont pas été trop brutalement affectées par l'industrialisation au cours de la première moitié du siècle passé révèlent cet accord entre le modèle théorique et le réel.

On voit sur quelle ambiguïté historique repose en fait cette conformité au schéma abstrait : le semis régulier de la population à desservir par les lieux centraux est hérité. Il serait moins parfait, sans doute, s'il avait été mis en place dans les conditions de l'économie du XIXe siècle, car les différences de fertilité auraient alors été mieux soulignées par les agriculteurs. Il ne peut y avoir régularité du semis fondamental dans une économie ouverte que là où le milieu physique est homogène — dans les grandes plaines mises en valeur par les colons européens en Amérique, au Canada, en Argentine ou en Australie. Là, et là seulement, les trames élémentaires nées à ce moment peuvent se conformer au schéma général.

A l'échelle des grands centres, la régularité est souvent remarquable et en accord avec la géométrie théorique. Il s'agit pourtant là aussi d'un héritage : les lieux centraux les plus importants ont pris leur essor en Europe occidentale, dès le XVIIIe siècle, au moment de la révolution des transports. Les voies de communication modernes ont été construites en fonction d'eux. Les chemins de fer ont été dessinés de manière à desservir de préférence

(14) Les exposés que l'on trouve généralement omettent, à propos de la théorie des lieux centraux, de mentionner certaines des conditions de validité de la construction théorique. On oublie de la sorte de parler de l'effet d'agglomération qui résulte du jeu des économies externes. On ne prend pas conscience de la variété des situations réelles, on ne voit plus dans quels cas il y a nécessairement regroupement des activités supérieures en un même point, dans quels cas il peut y avoir multiplication des localisations pour les services d'un certain degré hiérarchique.

les villes les plus importantes et qui devaient assurer les trafics les plus notables. Là où pour des raisons variées, ces règles n'ont pas été respectées, la géométrie est moins parfaite ou n'existe plus du tout — comme nous l'avons rappelé à propos de Montpellier et de Besançon. Si en Europe, ces irrégularités demeurent exceptionnelles, elles sont suffisamment nombreuses dans les régions peuplées ou mises en exploitation à ce moment pour mériter une analyse un peu plus détaillée (15).

L'anisotropie de l'espace et les déformations des aires régionales.

Alors que la région économique s'ordonne normalement comme une aire de marché autour du centre qui la domine, sous une forme grossièrement circulaire, on constate souvent dans les pays du nouveau monde des images tout à fait différentes, des aires allongées par exemple. Ces configurations proviennent de ce que les conditions réelles de départ sont très différentes de celles que l'on a retenues dans les schémas théoriques. Dans les économies traditionnelles, il n'existait pas de différence notable dans la vitesse et la commodité des déplacements; les itinéraires étaient également médiocres dans toutes les directions. Il n'en va pas plus de même aujourd'hui. Le chemin de fer n'a modifié la mobilité à faible distance que dans les grandes villes. Ailleurs, les courts déplacements ont continué à se faire à pied. A moyenne ou à grande distance, le chemin de fer a, en revanche, créé des conditions d'anisotropie. Lors même que le réseau est dense, il y a des lignes rapides et des relations lentes, si bien que selon les directions, la durée des déplacements varie considérablement. On a appris depuis longtemps à tracer autour des grandes villes les lignes isochrones qui expliquent bien des particularités du tracé de leurs zones d'influence. Lorsque les réseaux sont faits de lignes parallèles entre elles ou de lignes qui divergent faiblement, les zones d'influence s'allongent le long de ces axes et se rétrécissent dans la direction perpendiculaire. Dans l'Ouest des États-Unis (fig. 10.7), les grandes métropoles ont dû leur fortune aux relations ferroviaires. Elles

(15) La théorie des lieux centraux ne rend compte de la réalité géographique d'un grand nombre d'espaces qu'à la suite d'héritages et de rémanences. Si le réseau urbain était créé aujourd'hui, il se constituerait selon un mode tout à fait différent.

ont allongé leurs aires d'influence au fur et à mesure que les lignes pénétraient vers l'ouest. Leurs régions s'allongent moins vers l'est que vers l'ouest et elles se présentent sous la forme de bandes étroites. La diminution des densités de population en direction de l'ouest rend de plus en plus lâche l'implantation

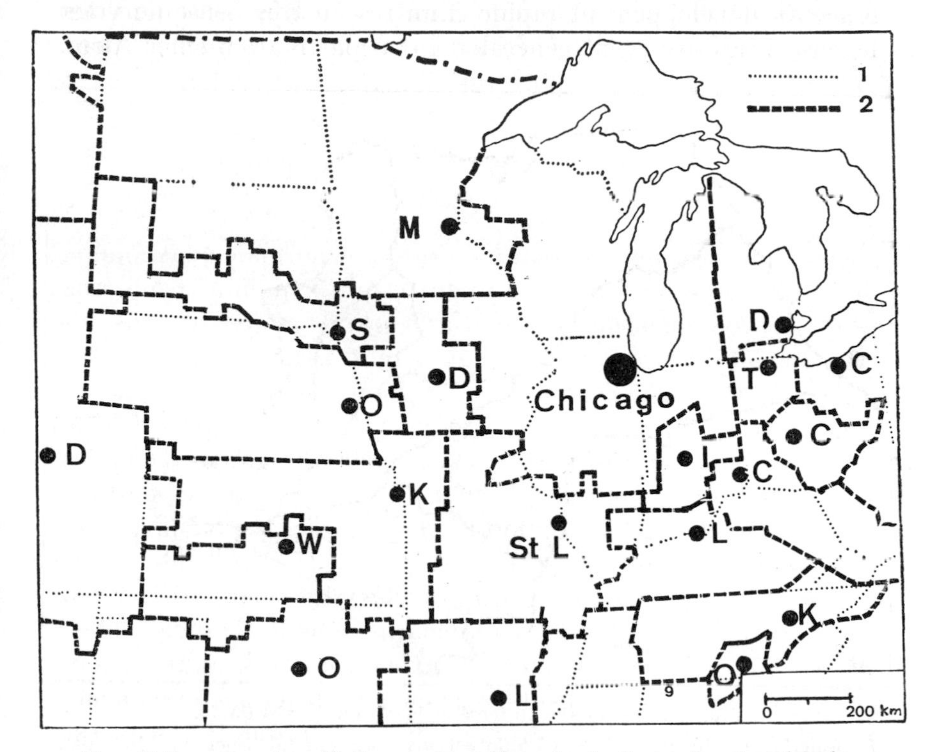

FIG. 10.7. — Les aires d'influence des métropoles du Centre-Ouest américain. On voit que le tracé est-ouest des principales voies de communication a favorisé l'allongement des aires, cependant que Chicago, située à un carrefour de voies rayonnantes, domine une région à peu près circulaire.

1. Limites d'États.
2. Limites des aires desservies par le commerce de gros.

D'après Robert E. Dickinson, *City Region and Regionalism*, *op. cit.*, p. 212.

de la trame des centres de services secondaires, ce qui a contribué dans une large mesure à la survivance de dispositions qui ne se justifient plus autant qu'il y a trois quarts de siècle.

Lorsque les réseaux sont rayonnants à partir d'un grand centre, la situation des villes moyennes situées à quelque distance est difficile. Leur aire d'influence se trouve réduite à un secteur de faible superficie, ce qui crée une inégalité dont elles ne peuvent triompher. Aux États-Unis, la région située dans la partie à l'ouest et au sud-ouest de Chicago ne comprend pas de centre urbain important (16). En Argentine, la mise en valeur de la Pampa à partir des années 1880 a été possible grâce au développement rapide d'un réseau très dense de voies ferrées. Elles divergent généralement à partir de Buenos Aires.

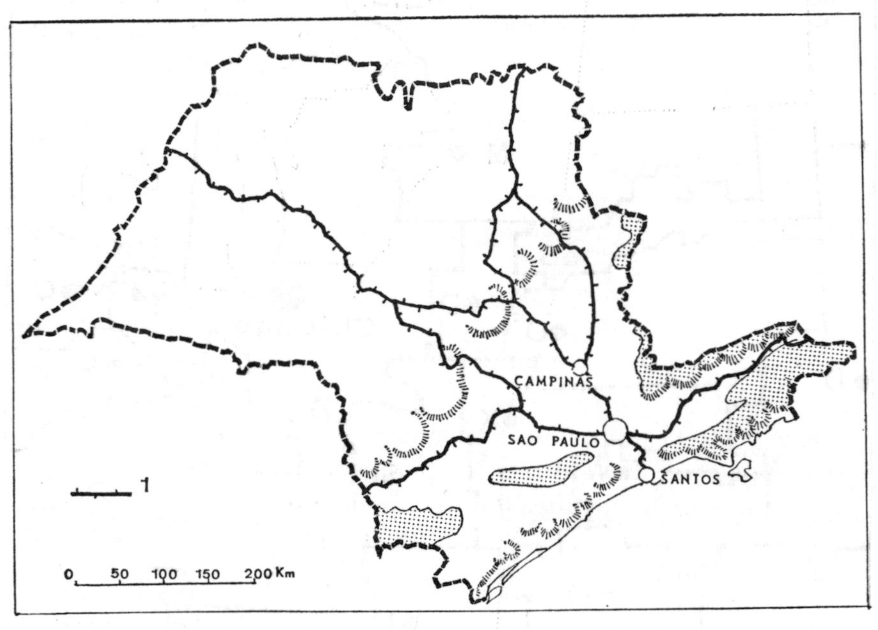

Fig. 10.8. — Le réseau ferré et la région de São Paulo.

La fonction de direction de São Paulo est favorisée par la disposition du relief, par la dépression qui suit le pied du massif ancien, et qui permet la divergence des voies ferrées. Malgré sa position remarquable dans cette dépression, une ville comme Campinas ou Sorocaba n'a pas connu de croissance rapide : São Paulo a tiré seule profit de la convergence générale du réseau des voies de communications.

1. Voie ferrée.

Leur organisation est assez anarchique, car les écartements ne sont pas les mêmes d'une voie à l'autre : les relations transversales ont été de la sorte à peu près rendues impossibles. On ne

(16) La structure des tarifs ferroviaires a, dans ce cas, renforcé l'effet dû à la concentration des voies en direction de Chicago. On trouvera l'exposé de ces dispositions tarifaires dans Fair (Marvin L.), Williams (Ernest W.), *Economics of Transportation*, *op. cit.*, cf. p. 392. — Alexander (J. W.), « Freight rates as a Geographic Factor in Illinois ». *Economic Geography*, vol. 20, 1944, pp. 25-30.

doit guère s'étonner de voir l'indigence du réseau urbain secondaire dans les régions centrales de la Pampa. Les quelques villes moyennes qui ont réussi à se développer appartiennent plutôt à la catégorie des villes satellites de Buenos Aires qu'à celle des métropoles régionales : que l'on songe par exemple à Mar del Plata!

Au Brésil, la région de São Paulo permet de mettre en évidence des effets d'un autre ordre. La dépression qui sépare le massif ancien des régions de plateaux sédimentaires et basaltiques de l'Ouest a permis la construction d'un réseau très largement divergent. São Paulo s'est développé sans qu'aucune ville-relais importante véritable apparaisse dans tout l'espace qu'elle contrôle (fig. 10.8). Et l'influence de la voie ferrée dans la structuration de l'espace est telle que le nom des régions qui se développent peu à peu se confond avec celui des compagnies ferroviaires qui ont constitué leur épine dorsale (17). Le centre de Campinas, situé dans la dépression même, aurait pu connaître une belle fortune. La bifurcation d'un grand nombre d'itinéraires s'effectue là et non pas à São Paulo. Une métropole aurait pu naître ici. Mais en pareil cas, l'organisation du réseau porte la marque des circonstances qui ont présidé à son développement. Les centres les premiers créés ont bénéficié de toute une série de facilités qui manquaient aux cités plus jeunes. Les économies externes jouent au moins autant par l'image que s'en font les investisseurs lorsqu'ils se lancent dans une affaire, que par les effets directs et réels qu'elles provoquent sur l'équilibre spatial des exploitations. Une fois la décision prise, les coûts de transfert sont si élevés que l'opération se révèle irréversible : que l'on le veuille ou non, il faut vivre là où l'on a décidé de s'installer. On comprend donc la nature des avantages qui sont quelquefois dévolus aux centres les plus anciens, les plus importants : ils sont connus et toute une série de forces sociologiques tend à favoriser leur puissance d'attraction sur les gens situés à l'extérieur. Les fonctions tertiaires de la ville ancienne se développent donc, alors même qu'elle n'est pas mieux située que d'autres pour les exercer. On trouve en France un exemple analogue à celui de São Paulo. Le réseau ferroviaire est régulièrement divergent autour de Paris, ce qui

(17) MONBEIG (Pierre), *Pionniers et planteurs de São Paulo*. Paris, Armand Colin, 1952, 376 p.

a incontestablement réduit les possibilités de croissance des villes de la région. Mais il existe une exception. La Compagnie du chemin de fer de Paris à Orléans a bâti un réseau qui éclate à partir d'Orléans. Cette ville se trouve donc située très favorablement pour attirer les clientèles de services pour une très large région située au Sud et au Sud-Ouest. Tours jouit d'une situation du même type. La médiocre réussite d'Orléans et de Tours, la perte des fonctions régionales qu'avait eu la première de ces villes, la longue stagnation du rayonnement de la seconde ne s'expliquent pas seulement par la mauvaise position des gares par rapport aux agglomérations, comme on le dit souvent. Elle n'est pas tout entière liée au déclin général de l'importance économique des espaces qu'elles auraient pu contrôler — il est même probable que ce déclin est en partie lié à leur incapacité de jouer le rôle organisateur des véritables métropoles. Il tient à la proximité du centre parisien, qui a bénéficié d'une priorité telle que la clientèle des services à longue distance s'est portée sur la capitale et non sur des villes plus proches.

Le développement des communications routières a rendu l'espace plus homogène qu'il ne l'était autrefois dans les régions rurales et augmenté la mobilité des personnes : tout l'équilibre de la répartition des centres de service secondaires s'en trouve affecté. Les analyses américaines signalent la disparition progressive d'un grand nombre de villages ou de petits bourgs, dans les grandes plaines nord-américaines (18). Les aires de service de la taille inférieure s'agrandissent très vite. Comme l'espace reste isotrope, la répartition des centres se modifie, mais reste régulière. Pour les communications à plus longue distance, ou pour celles qui se déroulent à l'intérieur des espaces urbanisés, il n'en va pas de même. Les grands axes bien tracés et de plus en plus les autoroutes prennent le relais des voies ferrées dans la canalisation des grands courants de circulation, avec des effets analogues sur la répartition des centres.

Les économies externes et la répartition des centres à fonction régionale.

Une seconde cause d'irrégularité dans la disposition des réseaux urbains provient du jeu inégal des économies externes, comme

(18) HODGE (Gerald), « The Prediction of Trade Center Viability in the Great

on l'a justement vu dans le cas de Campinas et de São Paulo, ou dans celui de Paris ou d'Orléans. Les services qui réclament des déplacements très fréquents de la clientèle sont ceux pour lesquels les économies externes sont les plus importantes. Toutes les ménagères apprécient de pouvoir faire leurs achats sans perdre de temps. Le succès contemporain des magasins organisés selon la formule des super-marchés tient en partie à cela. Pour les services d'ordre supérieur, le jeu des coûts de la distance et des économies d'agglomération, aboutit à un équilibre légèrement différent. C'est ce que l'on oublie trop souvent lorsqu'on utilise la théorie des lieux centraux pour expliquer la constitution des réseaux urbains. La liaison entre la localisation des clients et celle des centres de services est d'autant plus étroite que les services consommés sont d'usage plus fréquent, de nature plus banale : les clients tiennent alors grand compte des distances qu'ils ont à parcourir et apprécient la concentration des activités. Pour des services très spécialisés, la situation est différente. Pour beaucoup d'entre eux, les relations personnelles ne sont pas les seules. Beaucoup d'affaires se traitent par téléphone ou par lettre, ce qui fait que des différences de quelques kilomètres dans les distances ne sont guère ressenties comme déterminantes. La liberté de localisation des centres de service spécialisé ou rare est plus grande que celle des villes de classe inférieure.

Dans la mesure où les services sont très différenciés, où leur clientèle n'est pas la même, les économies externes auxquelles ils donnent naissance sont de nature moins décisive dans le succès des affaires. Aussi la règle de concentration en un même point des activités de même niveau hiérarchique peut souffrir des exceptions. Les fonctions de degré élevé se répartissent parfois entre plusieurs centres différents. On connaît depuis longtemps des situations de ce type au niveau des services les plus rares, ceux qui demandent une clientèle nationale. De nombreux pays possèdent des capitales différentes selon le type d'activité : que l'on songe à Washington, New York, aux États-Unis, à Rotterdam, Amsterdam et La Haye aux Pays-Bas. Au niveau de la région ou de constructions plus menues, on rencontre aussi des divisions de centres. Ainsi, en Lorraine, assiste-t-on à un partage des tâches entre Nancy et Metz. Dans la France de l'Ouest et

Plains ». *Papers and Proceedings of the Regional Science Association*, vol. 15, 1965, pp. 87-115.

du Centre-Ouest, il existe un certain nombre de spécialisations du même type, si bien que l'absence de grande métropole régionale et la multiplicité des centres moyens ne signifie pas nécessairement absence d'organisation régionale.

La liberté plus grande qui appartient aux activités de niveau supérieur dans leur localisation provoque l'apparition de nombreuses irrégularités dans les structures régionales. Il peut être avantageux, pour des fournisseurs de services de rang moyen, de s'installer à plusieurs dans un grand centre de rang supérieur et de desservir de là la totalité du marché, que de rechercher des localisations différentes, leur permettant de desservir chacun un marché indépendant : cela se produit lorsque les habitudes des consommateurs ou des utilisateurs de services sont telles qu'ils préfèrent trouver la gamme complète des services rares réunis au même point et qu'ils négligent les centres relais. Les centres les mieux équipés, ceux qui réussissent à atteindre une dimension très importante, ceux qui ont des équipements de très grande qualité bénéficient d'effets de ce type. En pareil cas, la gamme des centres urbains présente des irrégularités graves. On observe bien un réseau régulier de petits centres, mais il manque la plupart des échelons intermédiaires. Les grandes capitales nationales s'assurent de la sorte le contrôle direct d'espaces qui sont sans commune mesure avec celui organisé par les métropoles régionales dans le reste du pays. Le fait est net en France, ou la presque totalité du Bassin parisien se trouve ainsi dominée directement par Paris (19) (fig. 10.9). Il l'est également en Angleterre où l'on voit Londres dominer plus de la moitié des régions basses du Sud et de l'Est.

Les conditions dans lesquelles se sont développées les économies régionales, au XIXe siècle, sont telles que de multiples irrégularités se sont introduites dans leur dessin. Lorsqu'on se livre à un examen attentif, on s'aperçoit que les règles théoriques qui président à l'équilibre des lieux centraux se trouvent res-

(19) La plupart des analyses consacrées récemment à l'armature urbaine de la France ont contribué à souligner la faiblesse des structures régionales de la zone qui entoure Paris. CHABOT (Georges), *Carte des zones d'influence des grandes villes françaises.* Mémoires et documents, Centres de Documentation cartographique et géographique, t. VIII, 1961, pp. 139-141. — HAUTREUX (Jean), « Les principales villes attractives et leur ressort d'influence ». *Urbanisme*, 32e année, no 78, 1963, pp. 57-66. — HAUTREUX (Jean), ROCHEFORT (Michel), « Physionomie de l'armature urbaine française ». *Annales de Géographie*, vol. 74, 1965, pp. 660-677.

pectées. Mais il faut un œil exercé pour faire ainsi cette analyse et une documentation précise.

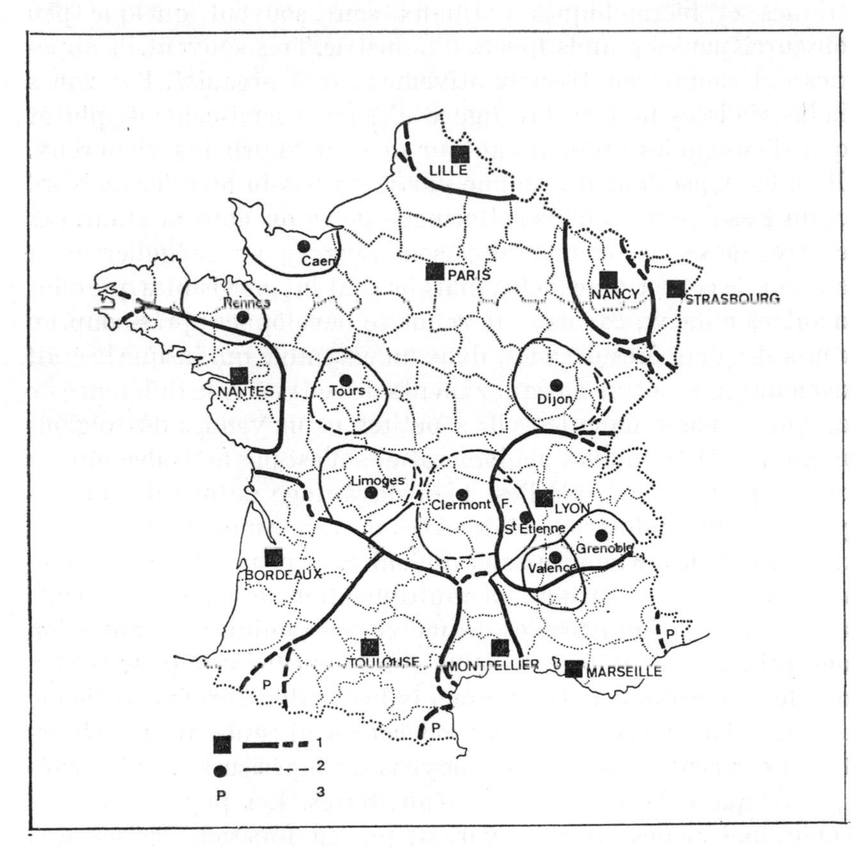

FIG. 10.9. — Les zones d'influence urbaine en France.

1. Villes attractives principales et limite de leurs ressorts d'influence.
2. Villes attractives secondaires et limite de leurs ressorts d'influence. Les traits discontinus ont été employés lorsque la délimitation des ressorts d'influence comporte une notable incertitude ainsi que dans les régions où s'exercent plusieurs attractions concurrentes.
3. Régions périphériques dans lesquelles resurgit concurremment l'influence parisienne.

D'après Jean Hautreux, « Les principales villes attractives et leur ressort d'influence ». *Urbanisme*, nº 78, p. 61.

Les zones industrielles.

Les zones industrialisées au XIXe siècle se traduisent encore dans les trames actuelles par des irrégularités majeures (fig. 10.10). La concentration de population urbaine y est bien supérieure à celle que l'on trouve ailleurs; les rapports géométriques et hiérarchiques normaux sont souvent quelque peu obscurcis par les grands foyers d'industrie. Très souvent, ils apparaissent comme un tissu relativement mal organisé. Les zones industrialisées font encore figure d'espaces semi-urbains, plutôt que d'ensembles ordonnés autour de centres urbains vigoureux. Il en est ainsi dans une bonne partie du bassin houiller du Nord et du Pas-de-Calais, dans le Borinage belge ou dans la Rhur. Les centres de service élémentaires sont répartis assez régulièrement au sein de cette trame lâche, mais ils sont moins visibles que dans d'autres milieux, car ils sont venus se développer après-coup, au cours des dernières décades, dans un ensemble qui jusque là était demeuré très pauvre en équipements de ce type. A la différence de ce qui se passe dans les villes petites et moyennes des régions normales, la trame des agglomérations n'est pas articulée autour des lieux centraux, elle l'est bien davantage autour des principaux noyaux industriels et des axes de communication qui permettent de les atteindre sans difficulté. Cependant, le desserrement des agglomérations, la multiplication des quartiers neufs dans les régions industrielles demeurées dynamiques se font selon des principes analogues à ceux des banlieues urbaines, si bien que les oppositions entre régions industrielles d'origine ancienne et ensembles métropolitains modernes s'amenuisent. La répartition des centres de services moyens ou supérieurs est plus irrégulière que celle des centres élémentaires. Les populations des communes et des villes ne varient pas en fonction des services qu'elle rendent. La taille des agglomérations dépend du poids des entreprises qui s'y sont installées. Une très grande usine peut donner naissance à une ville importante par son nombre, mais dépourvue de toute fonction de service. Cette situation ne dure pourtant pas toujours. Les grands foyers de production finissent par être dotés d'un équipement de services notable. Il en est ainsi de la série des grands centres qui marquent la partie méridionale du bassin de la Ruhr. Ils se sont développés dans les trente dernières années du siècle passé et ont attiré la plupart des industries lourdes de la région. Depuis, l'exploitation du bassin s'est développée vers le nord, en direction de la vallée de la Lippe, mais l'industrie n'a pas suivi ce mouvement. Les villes du Nord demeurent des agglomérats de cités minières, alors qu'Essen, Duisburg, Dortmund, Gelsenkirchen pour ne citer que quelques-uns, ont réussi à devenir des noyaux d'affaires importants. Il arrive que des villes industrielles aient réussi à se créer une fonction de direction régionale. C'est le cas en France de Saint-Étienne. En Angleterre, l'organisation régionale du Lancashire a été totalement bouleversée depuis le début du XVIIIe siècle. La vieille ville-marché de Lancaster s'est trouvée dépossédée de ses fonctions régionales par Manchester et à un moindre degré par Liverpool. Depuis, la situation s'est encore compliquée avec l'apparition d'agglomérations littorales, comme celles de Blackpool, si bien qu'il est à peu près impossible de reconnaître la trame primitive sous le dessin actuel. Dans les Middlands, la fortune de Birmingham a introduit une mutation analogue..

L'intégration des zones industrielles dans les structures régionales.

Les exemples de régions industrielles dont les métropoles sont des villes nées de l'exploitation des mines ou de la création des usines sont malgré tout assez rares. On ne les rencontre guère qu'en Angleterre, ou dans les plus vieux bassins houillers d'Europe occidentale. En Belgique, la métropole la plus vivante de la région houillère du Sud se trouve excentrée par rapport aux gisements. Liège a une importance régionale que ne justifie pas la richesse de ses ressources minières. Presque partout, comme là, les centres qui animent et dirigent les zones industrielles du XIXe siècle correspondent aux éléments essentiels de la trame des voies de communications mises en place par l'organisation traditionnelle de l'espace. De vieux marchés ruraux, de vieilles villes marchandes ont été intégrées au dessin de l'ensemble de la région et ont réussi à concentrer la plus grande partie des activités d'organisation. En Allemagne, les villes qui ont réussi à se structurer, au sud du bassin de la Ruhr, sont des centres souvent anciens, sur l'une des plus vieilles routes marchandes. En France, Douai et Valenciennes jouent vis-à-vis du bassin houiller un rôle de centres de service que ne justifie pas leur population. Parfois, aussi, les métropoles qui organisent à leur profit la prolifération des activités industrielles sont sises en dehors de la zone industrialisée. Cologne et Düsseldorf ont ainsi profité de l'essor de la Ruhr. Les deux villes sont inégalement distantes du cœur de la région industrielle. Les transformations qui ont suivi la Seconde Guerre mondiale ont avantagé Düsseldorf plus que Cologne. Düsseldorf est mieux placée par rapport à la Ruhr, mais la différence est faible et son influence sur la croissance s'est amenuisée avec les progrès des transports modernes. La fortune actuelle de Düsseldorf tient à ce que le partage des activités entre les deux villes laissait à Cologne les services de consommation, le rôle de métropole intellectuelle et commerciale. Düsseldorf, plus près du bassin, a attiré davantage les services intermédiaires. La division de l'Allemagne a contraint à rapprocher bien souvent les sièges sociaux des entreprises des établissements qu'elles contrôlent. Düsseldorf a été la grande bénéficiaire de cette transformation.

En France, la métropole du pays noir demeure Lille : c'est d'ailleurs là que le développement des industries de transformation liées à l'utilisation de la houille a été le plus important. Dans le Nord, mis en exploitation plus tôt, les industries sont implantées sur le carreau des mines. Pour le Pas-de-Calais, équipé à partir du milieu du siècle dernier, les transports par voie d'eau ou par chemin de fer étaient si faciles en direction de la région urbaine lilloise proche que les industriels n'ont pas recherché le voisinage de la mine. En Angleterre, la situation est un peu analogue pour les bassins houillers dont le développement a été le plus tardif, celui du Yorkshire par exemple. Aux États-Unis, le gisement d'anthracite de la Pennsylvanie orientale a été exploité assez tôt pour qu'une gamme d'industries complexe se développe sur le siège même des exploitations. Mais sur le versant occidental des Appalaches, la situation se présente différemment. Le bassin houiller n'a jamais fixé que des villages miniers, dont on connaît les difficultés, à la suite de la diminution de la consommation de charbon. Les grands centres industriels et les métropoles régionales se sont installés à proximité des gisements ou dans leurs limites, mais en fonction des grands axes de circulation : Pittsburgh avait un rôle commercial et stratégique suffisant pour que sa possession soit considérée comme la clef du problème de la colonisation des espaces intérieurs de l'Amérique du Nord, au moment de la rivalité coloniale franco-anglaise au XVIIIe siècle.

La disposition des centres de service est souvent assez singulière si on considère l'ensemble de la zone sur lesquels ils rayonnent : l'emprise des structures régionales traditionnelles a été presque toujours assez forte pour réduire les irrégularités nées de la poussée des industries de la houille au XIXe siècle. A l'heure actuelle, on voit souvent les métropoles extérieures attirer à elles une partie croissante des industries de la région qu'elles commandaient autrefois de l'extérieur. En France, une bonne partie de la main-d'œuvre du bassin houiller trouve ainsi un emploi dans la région lilloise. En Allemagne, la crise houillère qui a interrompu la croissance démographique de la Ruhr depuis quelques années ne se fait pas sentir dans les grandes villes rhénanes qui voient se multiplier les services tertiaires, les équipements industriels ou les laboratoires.

Les irrégularités introduites dans les trames régionales des pays développés par les régions industrielles liées à la civilisation de la houille sont moins importantes qu'il n'apparaît à première vue (20). En dehors du cas assez rare où les villes minières ont réussi à se développer jusqu'au niveau de métropoles régionales, l'épisode houiller apparaît comme un simple intermède; il a laissé des traces par le poids démographique donné aux régions qu'il a favorisées; elles se trouvent reprises dans une organisation qui leur est antérieure et dont les mailles répondent à des impératifs plus larges de la vie de relation.

Les régions économiques construites autour des lieux centraux ont fini par absorber, par digérer si l'on peut dire, les irrégularités qu'avaient introduites les premières implantations industrielles (21). Mais une certaine diversité s'est introduite dans les schémas d'ensemble — dont il nous faut maintenant tenir compte.

III. — La variété de la région économique.

Rien ne permet mieux de se rendre compte de cette variété actuelle qu'un regard jeté sur une carte de l'organisation du réseau urbain de la France (fig. 10.10).

(20) August Lösch faisait remarquer dans l'article sur la région économique qui résume l'essentiel de sa pensée en ce domaine, que tout l'espace ne se trouvait pas organisé en régions. Il en donnait comme exemple la Ruhr, ce qui nous apparaît aujourd'hui comme inexact : on voit à cela combien il a été difficile d'admettre que la région à base urbaine ne se moulait pas toujours dans la géométrie simple des modèles initiaux. Lösch (August), *The Nature of Economic Region*, *op. cit.*

(21) On trouvera une analyse de la structure actuelle des espaces nord-cana-

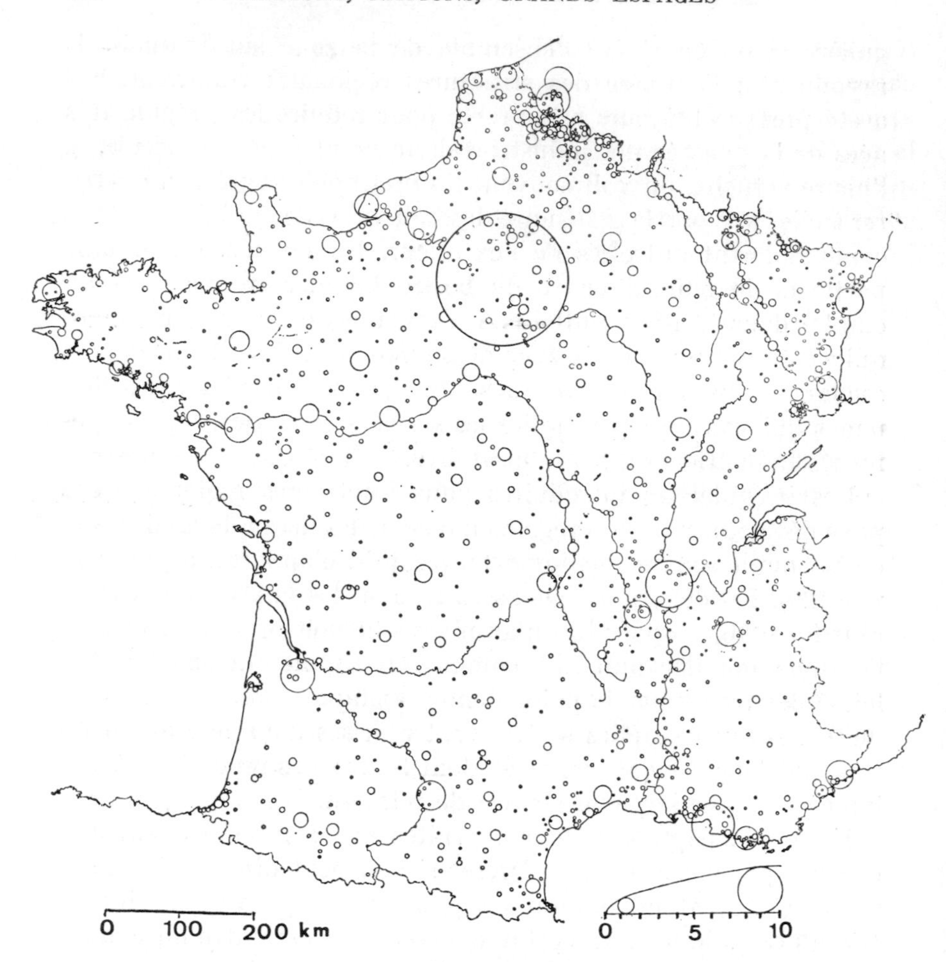

Fig. 10.10. — Le réseau urbain de la France.

Population des villes en centaines de milliers d'habitants.

Le rapport entre l'aire représentant les villes d'une taille donnée et la surface des pays est le même pour presque toutes les cartes de réseau urbain qui figurent dans ce chapitre et dans les chapitres suivants (en particulier celles du Québec, de la Grande-Bretagne, du Maroc, de la Hongrie et du Brésil central).

D'après le recensement de la France de 1962.

La trame régionale française.

Elle apparaît pleine de contrastes. Dans certaines régions, la hiérarchie est régulière : on trouve au-dessous de la métropole

diens dans la grande thèse de Biays (Pierre), *Les marges de l'œkoumène dans l'Est du Canada*. Québec, Les Presses de l'Université Laval, 1964, XXIX, 760 p.

régionale des centres moyens, puis des petites villes, des bourgades. La région toulousaine est construite à cette image. Elle apparaît pourtant un peu comme une exception. Ce qui détruit la régularité, ce sont évidemment les contraintes du milieu : dans le couloir rhodanien, en Languedoc, on sent très bien que la circulation se fait plus facilement le long d'un axe, si bien que l'image de toutes les répartitions se trouve déformée. Mais ce qui est plus frappant encore, c'est que les rapports des divers types d'agglomération entre eux sont très inégaux selon les régions. Dans certains cas, on est frappé par la quasi-absence de certaines catégories de villes. Autour de Bordeaux et de Paris, les villes moyennes sont rares. Dans la région du Nord, le nombre d'agglomérations et de villes dépasse de beaucoup celui que l'on trouve dans les autres régions françaises, mais on voit disparaître presque complètement la régularité dans la disposition générale. Ici, les villes moyennes sont extraordinairement nombreuses. Dans l'Ouest ainsi que dans la plus grande partie du Bassin parisien, les grandes métropoles sont rares et les villes qui dominent les divers éléments du réseau urbain sont relativement médiocres. Dans certaines zones, l'infrastructure urbaine disparaît presque. On ne trouve que quelques centres isolés, au milieu de très vastes zones dépourvues de vie urbaine : de pareils déserts apparaissent dans une partie des régions de campagnes pauvres de l'Est et du Sud-Est du Bassin parisien, de même dans les régions montagneuses du Massif Central et des Alpes du Sud.

Certaines de ces irrégularités ne nous étonnent guère : elles traduisent l'influence du relief, l'effet de subordination qu'entraînent certains dispositifs du réseau des voies de communications. Certains déséquilibres d'ensemble sont plus étonnants : ils traduisent le contraste entre espaces sous-développés ou dépeuplés et régions industrielles.

Les espaces sous-peuplés ou sous-développés des pays industrialisés.

La régularité générale des organisations régionales des pays développés n'exclue pas une certaine diversité de détail. Elle se manifeste moins par la géométrie de la répartition des centres que par la manière dont les fonctions se trouvent ordonnées, que par la forme de la pyramide des villes. Au bas de l'échelle, on trouve des ensembles demeurés essentiellement ruraux et qui ont du mal à lutter contre la concurrence de régions mieux placées ou contre celles des pays étrangers. Les centres urbains n'ont pas su attirer d'industries et vivent de leur rôle de marchés. Lorsque la région a été victime d'une dépopulation importante, l'ensemble de la vie de relation se trouve frappé par le déclin démographique. La trame régionale se desserre, certains vides apparaissent. Les noyaux urbains demeurés vivants possèdent des commerces nombreux pour leur taille, car ils desservent des aires souvent très vastes. Les campagnes dépeuplées du Sud et de l'Est du Bassin parisien offrent des exemples de ce type. Les petites villes sont nombreuses, elles sont plus coquettes, plus animées que dans des régions plus urbanisées, car elles disposent d'une clientèle nombreuse et dont le niveau de consommation est élevé. Mais l'ensemble de la construction régionale est grêle et les métropoles n'ont souvent pas une aire suffisante à desservir pour que s'épanouissent toutes les fonctions normales à ce niveau. Les régions peu peuplées des grandes plaines des États-Unis offrent des constructions assez analogues. Elles en diffèrent par le caractère allongé de la plupart des espaces régionaux. La diminution progressive d'une population rurale qui demeure aisée permet le maintien d'une infrastructure urbaine vivante, mais pas l'épanouissement complet de métropoles. Quelques exceptions existent, au profit de villes qui dominent alors de très vastes ensembles — que l'on songe par exemple à Denver, qui rayonne sur tout l'ensemble de l'Ouest intérieur.

Les zones demeurées agricoles et qui sont trop durement touchées par l'augmentation de la productivité du travail rural et la baisse des prix agricoles se replient sur elles-mêmes. Elles se présentent alors comme des zones sous-développées au sein des économies modernes, souffrant du mal qui fait l'unité des pays du Tiers Monde : elles sont rejetées du concert de l'économie moderne et ne peuvent entretenir avec lui que des relations déséquilibrées. Le réseau urbain qui ordonne la vie de ces ensembles souffre d'une telle situation. Les activités de collecte de redistribution effectuées par les centres sont réduites. Les différences qui existent avec les pays sous-développés sont cependant décisives. Les autorités centrales des pays développés procèdent à des opérations d'investissement dans toutes les parties de l'espace qu'elles contrôlent. Elles ont le souci de donner partout accès aux mêmes équipements fondamentaux. Elles créent des réseaux de circulation qui ne laissent de côté aucune des régions. Elles ont une politique sociale qui leur fait donner les mêmes avantages à tous, sur le plan des soins médicaux ou de l'instruction par exemple. A défaut d'une organisation commerciale vivante, le réseau urbain prend appui alors sur la distribution de toute la série des services publics. L'infrastructure régionale existe donc. Elle est sauvée par l'organisation administrative, qui permet aux ensembles frappés par le déclin de la vie d'échanges de rester intégrés aux trames générales de la vie des nations développées. L'avenir des ensembles sous-développés s'en trouve affecté. La diffusion générale des services tend à donner une grande transparence à l'espace, ce qui peut ou bien déclencher les crises d'émigration ou bien décider des industriels à venir s'installer, comme nous l'avons signalé pour certaines régions de l'Italie du Nord.

La structure régionale des zones à forte densité.

L'apparition de l'industrie moderne se traduit par un gonflement général du poids démographique de la région. Mais ce gonflement n'est pas uniformément réparti. Très souvent, dans les conditions actuelles, tout le bénéfice est dévolu à la métropole ou à la région qui est immédiatement proche. Ainsi s'ordonne une zone peu peuplée, surtout rurale ou touristique, autour d'une conurbation centrale. Celle-ci peut se développer autour d'un seul noyau démesurément élargi par la prolifération des banlieues. Elle peut correspondre à une métropole ancienne et à ses proches satellites, réunies par un tissu de zones résidentielles. Elle peut également juxtaposer plusieurs villes qui se partagent les fonctions métropolitaines. Nous avons déjà signalé que le jeu des économies externes qui justifie la concentration de toutes les activités de même niveau hiérarchique en un même point est moins décisif pour les services rares que pour ceux dont l'usage est fréquent. Il arrive fréquemment qu'un partage se produise entre des métropoles de régions voisines. Le réseau urbain de la France de l'Ouest offre des ébauches de spécialisations de ce type — entre des villes commerciales, comme Tours, des villes à fonction administrative plus marquée, comme Rennes, des centres religieux ou intellectuels. Le risque, c'est de voir les fonctions typiquement régionales reprises par des villes de niveau supérieur — c'est le cas de Denver, que nous citions plus haut ou celui des réseaux urbains du Bassin parisien ou du bassin de Londres. Les fonctions supérieures ne sont qu'à peine représentées dans les villes de ces vastes ensembles, car le jeu des économies externes a profité presque exclusivement aux capitales nationales. Dans les zones plus peuplées grâce à la prolifération des activités industrielles et des activités de service auxquelles elles donnent de nos jours naissance, le poids est suffisant pour que les fonctions régionales soient rendues sur place et qu'elles se répartissent entre des villes voisines. Dans le cas de la région rhéno-westphalienne, nous avons déjà signalé l'association complexe des métropoles externes que sont Düsseldorf et Cologne et des grandes villes du bassin, comme Essen ou Duisburg. En France, la région lorraine s'ordonne autour de deux villes, Metz et Nancy, dont les fonctions sont en partie rivales, en partie complémentaires. L'évolution actuelle tend à unir en un organe complexe, en une zone métropolitaine bipolaire, les deux villes jadis rivales. Les régions industrielles anglaises offrent également des exemples d'organisations où la division des fonctions métropolitaines est très poussée. Nous avons signalé celui du Lancashire. La région des Middlands est structurée d'une manière un peu différente. Birmingham domine incontestablement sa partie occidentale et organise l'espace jusque très loin dans certains domaines. Mais les villes traditionnelles des Middlands orientaux ont été ranimées par le développement de l'industrie moderne et elles partagent entre elles le rôle de direction dans la région de Coventry ou de Derby.

Les contrastes qui existaient entre les pays noirs, les régions industrielles et les zones restées plus longtemps rurales s'estompent donc. L'opposition majeure qui se dessine est désormais entre des espaces presque vidés de toute humanité et des zones très chargées où la géométrie traditionnelle de la région se perd quelque peu. On voit se dessiner des complexes urbanisés sur lesquels nous insisterons bientôt.

Si la théorie des lieux centraux ne peut rendre compte de toutes les formes de régions économiques, elle se révèle pourtant un instrument extraordinairement efficace pour démêler la genèse de la plupart des constructions spatiales actuelles et pour déceler l'origine des contrastes que l'on peut noter. Un exemple le montrera.

La trame régionale. Survivances et héritages. Un exemple canadien.

Il arrive qu'il soit facile de saisir les contrastes qui existent entre des constructions régionales qui se sont mises en place à des dates légèrement différentes et qui s'organisent en fonction d'une gamme d'activité dissemblables. Les réseaux urbains des deux provinces canadiennes de l'Ontario et du Québec en offrent une image (fig. 10.11). Il s'agit de deux ensembles bien articulés avec un taux d'urbanisation très élevé — il dépasse 80 % dans l'une et dans l'autre des provinces. Leur superficie est très vaste, mais la plus grande partie reste peu peuplée ou déserte. Les progrès de la mise en valeur des régions du Nord, ceux de la colonisation agricole d'abord, puis ceux de la mise en valeur des ressources minières se sont traduits par la création de centres urbains dans ces solitudes. Leur existence a longtemps été fragile, passagère, liée à la prospérité de la région immédiatement proche. La situation a quelque peu évolué. Les villes minières conservent souvent leur activité lorsque les mines qui leur ont donné vie s'épuisent : il s'organise un véritable réseau de centres de service dans ces grands espaces; il ne peut évidemment s'agir que d'un réseau très distendu, de centres peu hiérarchisés et qui dépendent étroitement des régions méridionales pour l'essentiel des besoins un peu délicats et pour la fourniture de la totalité des produits consommés et distribués. On ne voit pas encore poindre de construction régionale autonome, de métropole du Nord. On ne peut guère citer, comme ville qui puisse un jour revendiquer ce titre, que Sudbury, qui doit à l'importance de ses activités minières, à sa position aussi dans un secteur où la présence du lac Huron au Sud éloigne les bases régionales traditionnelles, un développement et un rayonnement plus grand que celui des autres centres. Pour l'essentiel, la vie urbaine demeure donc limitée aux franges méridionales relativement clémentes des deux provinces : plaines laurentiennes et cantons de l'Est pour le Québec, péninsule méridionale pour l'Ontario, entre les trois grands lacs, Ontario, Érié et Huron. En fait, la

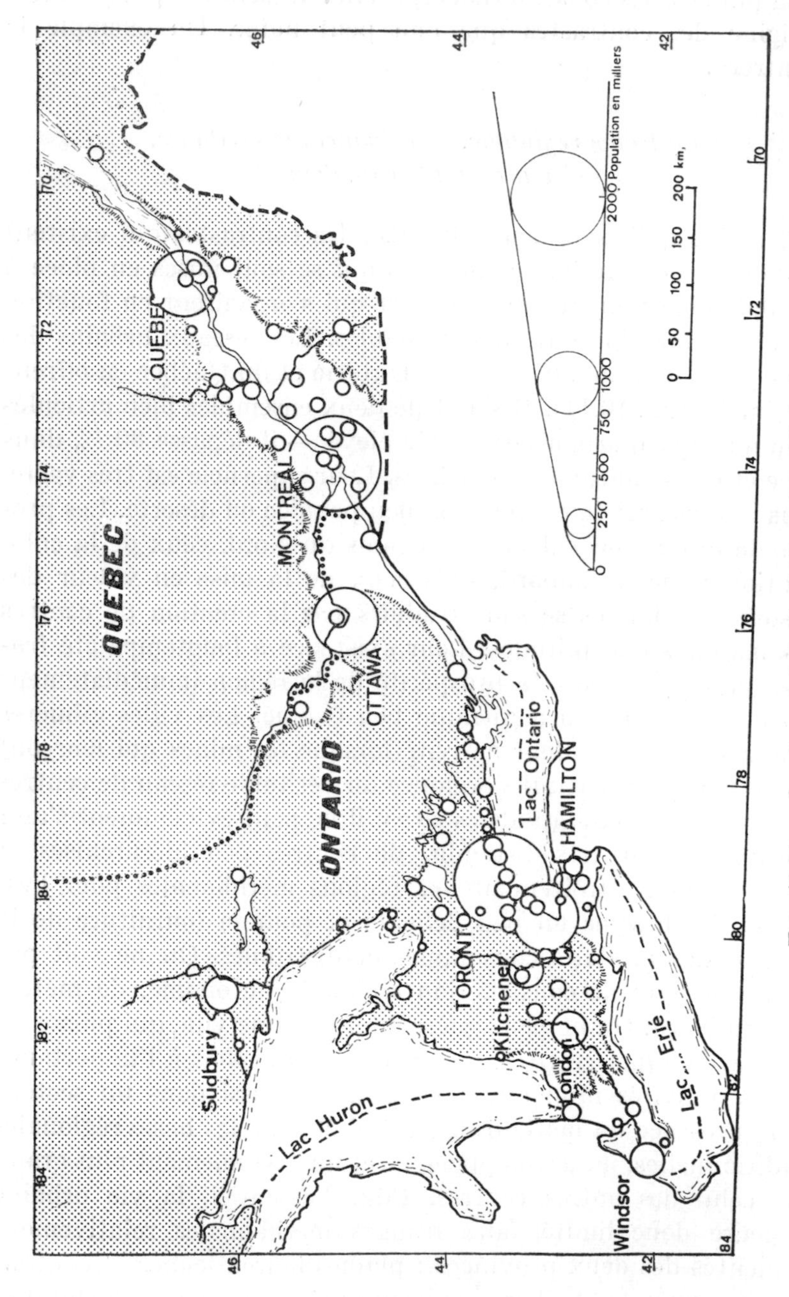

FIG. 10.11. — Le réseau urbain du Québec et de l'Ontario.

concentration s'effectue pour l'essentiel sur les rives du lac Érié, et sur celles de l'Ontario. Entre les deux zones habitées et peuplées existent des régions où l'œcoumène est plus réduit; la zone peuplée du Québec s'avance jusqu'au niveau de la rivière des Ottaouais, mais il subsiste une discontinuité du peuplement assez nette dans la partie supérieure de la vallée du Saint-Laurent.

Le réseau urbain de la province du Québec se caractérise tout d'abord par la régularité des implantations. On trouve un centre urbain tous les trente ou quarante kilomètres dans la zone riche de la province, sur les 300 kilomètres qui séparent Québec et Montréal. Il n'existe pas de secteurs très marqués de concentration, pas de lignes qui aient fixé les centres : le Saint-Laurent n'a pas réussi à attirer de concentration exceptionnelle. Tout ce que l'on peut noter, c'est une densité un peu plus forte dans la partie orientale, tout autour de Montréal. Par ailleurs, les éléments de ce réseau sont extrêmement contrastés dans leur dimension. Il n'existe guère de centres de dimension moyenne. Deux villes dominent l'ensemble : Montréal, dont les fonctions sont à bien des égards celles d'une métropole nationale, plus que celles d'un centre régional et Québec, qui organise à son profit la partie orientale de la zone laurentienne. Au-dessous, on rencontre comme villes moyennes Sherbrooke et Trois-Rivières, mais rien ne permet de leur attribuer des fonctions de métropoles régionales, au sens complet du terme. Les cantons de l'Est sont trop proches de Montréal pour qu'une construction régionale autonome, à l'image de celle de Québec, ait pu se réaliser.

Dans l'Ontario, la répartition des centres urbains est beaucoup moins régulière. Au lieu d'un semis uniforme, on trouve une concentration très marquée autour de la péninsule du Niagara et plus particulièrement sur les rives du lac Ontario. On reconnaît aussi un certain nombre d'axes particuliers, le long des rives des lacs ou de certaines rivières. La partie moyenne de l'État est peu urbanisée, mais on retrouve un second foyer plus structuré dans la partie occidentale, autour de la rivière et du lac Saint-Clair, face à Détroit.

La répartition des centres se caractérise également par un rapport assez différent de celui de la région de Québec en ce qui concerne l'importance relative des villes moyennes et des petits centres. La province d'Ontario est dominée par un centre urbain,

Toronto, qui ne le cède que de peu à Montréal en importance. Mais ici les agglomérations de grande taille sont assez nombreuses. Elles se tassent toutes dans le même secteur et leur rôle n'est pas celui de métropole régionale. Elles assurent parfois une fonction de relais, mais l'espace qu'elles organisent est très réduit. On compte quelques villes moyennes dont l'importance rappelle celle de Sherbrooke, comme c'est le cas pour London, au cœur de la région péninsulaire, dans un secteur par ailleurs faiblement urbanisé. Les centres de petite taille, lorsqu'ils existent, se pressent au voisinage des centres plus importants, à la différence de ce qui se passe dans la première partie du Québec.

Comment expliquer ces contrastes dans la répartition des centres et dans leurs rapports hiérarchiques? Les activités des deux provinces sont de nos jours assez similaires, leur poids démographique est analogue, leur contribution au produit national canadien également importante. Un léger avantage appartient à l'Ontario, mais il ne suffit pas à justifier la répartition actuelle des centres et la structure régionale. Il faut faire un retour en arrière pour expliquer les contrastes dans le semis urbain (22). Le Québec s'est peuplé progressivement dans le courant du XVIIIe siècle. Les cantons de l'Est ont été occupés par les loyalistes américains après l'indépendance des États-Unis. A l'aube du XIXe siècle, la plus grande partie des zones fertiles des régions basses du Saint-Laurent est déjà mise en valeur. Par la suite, le défrichement s'est poursuivi, des lacunes ont été colmatées, mais pour l'essentiel, la structure fondamentale du peuplement est déjà en place avant la révolution des transports. Les Canadiens français sont pour la plus grande partie des fermiers. L'agriculture est conçue comme une activité nourricière, elle assure le plus largement possible l'autosatisfaction des besoins de la famille. La fermeture de l'économie n'est pas rigoureuse. Des échanges sont nécessaires, mais ils ne portent

(22) Sur les problèmes d'ensemble de géographie canadienne, on pourra consulter : BAULIG (Henri), *L'Amérique septentrionale*. Volume I : *Généralités. Canada*, *op. cit.* — JUILLARD (Étienne), *L'économie du Canada*. Coll. « Que sais-je? », n° 1145, Paris, P. U. F., 1964, 128 p. — PUTNAM (D. F.), BROUILLETTE (B.). KERR (D. P.), ROBINSON (J. C.), *Canadian Regions : a Geography of Canada*, Londres, J. M. Dent and Sons, 1952, X, 601 p. — CAMU (Pierre), WEEKS (E. P.), SAMETZ (Z. W.), *Economic Geography of Canada*. Londres, Toronto, Macmillan, XVIII, 393 p. — WATSON (James Wreford), *North America. Its Countries and Regions*. Londres, Longmans, 1963, XXII, 854 p.

Sur le Canada français, on consultera en outre : BLANCHARD (Raoul), *Le Canada*

jamais que sur des quantités assez modestes. Ils se font d'abord à l'intérieur de la société canadienne : dans ces conditions, les centres sont des villes-marchés assez semblables à celles de la vieille Europe, des villages qui ont réussi à attirer dans leur orbite des zones assez vastes. Les conditions de la circulation locale expliquent davantage l'épanouissement des petits centres, que ne le fait la situation par rapport aux grands axes de circulation. Ainsi s'explique la régularité d'ensemble du dessin. Dans l'Ontario, la colonisation s'est mise en place au cours des dernières décades du XVIIIe siècle et au cours des premières du XIXe siècle. Les conditions de la vie économique générale sont différentes. Le peuplement d'origine anglo-saxonne, avec un fort contingent de loyalistes, a une conception de la vie économique très différente de celle qui caractérisait le vieux fonds paysan de la province de Québec. Les nouvelles exploitations agricoles sont destinées à alimenter une série de courants d'exportation. L'économie est d'emblée une économie ouverte sur l'extérieur. Les centres de service ne sont pas créés uniquement en fonction des conditions de circulation et d'échange locaux. La plupart ont été fondés pour devenir des villes : les villages promus à un développement progressif de bourgade et de foyer urbain sont rares. On sélectionne les sites de ville pour que les liaisons avec l'extérieur soient faciles. Au moment où se produit l'essentiel de la pénétration dans l'Ontario méridional, les communications à longue distance se font par voie d'eau, à la différence des échanges locaux, qui utilisent les pistes ou les routes. On ne s'étonne donc pas de voir les villes se grouper en chapelet le long des axes fluviaux, sur les rivages des lacs ou dans les zones que les canaux creusés au début du siècle dernier ont rattachées à la circulation générale. L'irrégularité du dessin général découle de ces conditions. On retrouve les mêmes causes à l'origine des dispositions rubanées des trames urbaines dans les plaines ouvertes mises en valeur dans la seconde moitié du XIXe siècle aux États-Unis, au Canada, en Argentine et en Australie. Les centres urbains se sont implantés en fonction de la voie ferrée. Le dessin en est plus régulier que dans le cas de l'Ontario car les réseaux ferrés ont des tracés beaucoup plus simples. Mais les causes générales de l'apparition de réseaux irréguliers sont les

français. Province de Québec. Paris, Fayard, 1960, 316 p. — ID., *Le Canada français.* Coll. « Que sais-je? », n° 1098, Paris, P. U. F., 1964, 128 p.

mêmes. On a ainsi noté en Australie (23) le contraste entre les régions mises en valeur les premières, lorsque la route constituait le seul moyen de communication et celles qui ont été atteintes après la mise en place du réseau ferré : l'opposition est un peu la même qu'au Canada; les régions mises en valeur les premières ont des organisations beaucoup plus régulières.

Le dessin de base du réseau s'explique par des conditions anciennes, alors que la population des centres reflète leurs occupations actuelles. Le Québec s'est industrialisé tardivement. Longtemps, la plaine laurentienne est demeurée purement agricole. Les centres de service y étaient médiocres, comme c'est normal pour une zone où les échanges sont peu actifs et les niveaux de vie bas. La structure des besoins demeurait peu différenciée, ce qui freinait l'apparition d'un réseau hiérarchisé. La partie orientale de la province se trouvait organisée un peu à la manière de certaines régions historiques de la vieille Europe à la même époque, avec une trame de petits centres peu différenciés et une capitale régionale dont les fonctions administratives, politiques, religieuses et culturelles l'emportent sur le rôle économique. Montréal avait un rôle d'une tout autre ampleur. En dehors de son rôle de métropole de la partie occidentale du pays laurentien, la ville est devenue le débouché de toute l'économie canadienne et s'est développée à un rythme rapide.

L'industrialisation de la province a commencé par la création de petites usines dispersées : sciage dans les régions où les rapides fournissaient la force motrice nécessaire et les voies d'eau, le moyen de s'approvisionner en matières premières, textiles dans la région des cantons de l'Est. Depuis le début du siècle, le mouvement s'est poursuivi avec l'apparition de grandes entreprises de traitement des ressources naturelles. Les usines de pâte à papier, celles de cellusose se sont multipliées. Elles demandent des investissements importants, mais ce ne sont pas des industries de main-d'œuvre, si bien qu'elles n'animent que de petits centres. Depuis la Seconde Guerre mondiale, les usines légères se sont multipliées dans la plaine de Montréal : industrie électronique, confection, matériel mécanique. Il s'agit presque toujours d'entreprises de taille assez médiocre. Ainsi, l'industria-

(23) Meinig (D. W.), *On the Margins of the Good Earth : the South Australian Wheat Frontier, 1869-1884.* Monograph, n° 2, Association of American Geographers, Chicago, Rand MacNally, XIV, 231 p.

lisation a pu se faire ici de manière dispersée. Pour la plupart des industries de la région en dehors de celles de l'agglomération de Montréal, les avantages que l'on retirerait du groupement seraient faibles ou nuls. Les industries de la région ne sont pas sensibles aux économies externes. L'industrialisation de l'Ontario s'est effectuée selon des conditions un peu différente. En dehors de l'énergie hydraulique, les ressources locales sont moins abondantes qu'au Québec. Mais la présence d'un noyau de population à haut niveau de vie, la possibilité de trouver une main-d'œuvre experte, ont multiplié les usines destinées à la fourniture du marché régional et du marché national canadien. Ce sont des industries complexes, demandant souvent des établissements de grande dimension et qui sont sensibles aux économies externes. Ceci explique la concentration industrielle très dense qui s'est réalisée autour de la corne occidentale du lac Ontario, autour de Toronto. Cela explique également le développement de villes industrielles importantes dans tout ce secteur. L'irrégularité du réseau urbain a été de la sorte accrue par la concentration progressive de la population dans un foyer industriel riche.

L'exemple des provinces orientales du Canada montre donc tout ce que les constructions régionales doivent à l'histoire. La leçon est ici claire, car l'évolution est assez courte pour que l'on puisse la retracer en totalité. Mais on retrouverait un peu partout des successions aussi complexes, rendant compte de la forme actuelle des régions et de leurs irrégularités. On voit que l'héritage des vieilles régions historiques est souvent essentiel dans l'apparition d'organisations régulières. Mais les constructions doivent souvent leurs particularités à la trame des implantations d'activités secondaires, qu'il faut examiner, si l'on veut comprendre le caractère des pyramides de villes.

L'évolution récente des agglomérations de Toronto et de Montréal fait apparaître des constructions d'un type nouveau. Elles ne peuvent se lire sur un croquis à très petite échelle. Elles sont pourtant fort différentes de celles que l'on rencontrait normalement il y a encore une génération dans les pays industrialisés. La ville s'étale, finit par devenir une région à elle toute seule. En même temps, ses rapports avec l'environnement se relâchent, ou se transforment. L'essentiel de la réalité économique de la région se trouve enfermé dans la zone métropolitaine.

IV. — Les villes régionales.

Cette transformation de la ville et de la région était annoncée par l'évolution des grandes capitales ou par celle de certaines villes américaines. A la lecture d'un ouvrage comme celui que Baulig consacrait à l'Amérique du Nord (24) quelques années avant la Seconde Guerre mondiale, on sentait déjà que les villes américaines avaient cessé d'être tout à fait comparables à celles que l'on trouvait alors en Europe. Elles étaient plus vastes et différentes, mais d'une manière qu'on ne parvenait pas encore à bien définir.

Les transformations de la ville.

On commence à bien connaître les forces qui ont entraîné une mutation complète de la géographie des espaces urbains. Pour en comprendre la portée, il faut se représenter exactement la manière dont est organisée la ville traditionnelle ou plutôt celle qui est née de la révolution industrielle.

Le centre ne saurait trop s'étaler, sous peine de perdre une partie de son utilité, de ses fonctions. La concurrence pour l'utilisation du sol crée des rentes de situation, fait augmenter le prix des terres (25). Ainsi se crée une répartition des prix de la terre qui permet d'ordonner les activités de la manière la plus rationnelle possible. Les commerces et les entreprises qui réalisent les profits les plus élevés peuvent payer les emplacements les plus chers. La concurrence rend bien vite prohibitifs les loyers exigés si bien qu'il n'est pas possible de continuer à se loger dans ces zones. Dans les quartiers résidentiels, les gens ont besoin d'acheter des produits banaux d'usage quotidien. Dès que la

(24) Baulig (Henri), *L'Amérique septentrionale*. Volume II : *Les États-Unis*, *op. cit.*

(25) La théorie de la ville telle qu'elle s'est précisée depuis une dizaine d'années fait intervenir à la fois la théorie des lieux centraux et celle de la valeur des terres. Cette dernière a fait des progrès rapides depuis quelque temps. Alonso (William), *Location and Land Use. Toward a General Theory of Land Rent*, *op. cit.*

Le fonctionnement du marché foncier et son rôle croissant au cours du XIXe siècle ont fait l'objet d'une étude pénétrante de Vance : on voit clairement les différences entre la cité industrielle, où le marché foncier joue un rôle régulateur et la cité préindustrielle où la pratique de la location n'est pas encore généralisée. Vance (James E. Jr.), « Housing the Worker : the Employment Linkage as a Force in Urban Structure ». *Economic Geography*, vol. 56, 1966, pp. 294-325.

taille de l'agglomération s'accroît, les petits commerçants qui luttent pour s'assurer le marché de ces produits ont intérêt à se rapprocher de leur clientèle. Ainsi apparaissent dans l'agglomération des quartiers d'affaires secondaires, dont la répartition est conditionnée par celle des ménages, laquelle résulte pour l'essentiel des forces nées du jeu du marché central. L'apparition de ces quartiers d'affaires secondaires ou de ces rues et de ces carrefours commerçants se répercute à son tour sur la géographie des prix de la terre (26). Ainsi, les activités tertiaires régionales conditionnent l'apparition du lieu central, lequel donne naissance à des quartiers de résidence qui ont des besoins de services que l'on doit satisfaire sur place. Les moyens de transports en commun, chemin de fer de banlieue, omnibus, tramway et plus tard autobus, ont donné à la ville une structure nouvelle. Certains axes se sont trouvés privilégiés. On a vu se développer un dispositif radio-concentrique.

Les progrès de la circulation automobile ont, au cours d'une première phase, contribué à élargir la zone dans laquelle le rayonnement d'un noyau urbain se fait sentir. Les banlieues se sont étendues. Les zones situées entre les grandes voies rayonnantes sont devenues plus accessibles, si bien que le dispositif radio-concentrique s'est dilaté, sans que le contraste entre les zones favorisées et les autres s'accentuent. Depuis une génération en Amérique, depuis une quinzaine d'années en Europe, l'évolution a pris un autre aspect. La diffusion des moyens de déplacement individuel a produit une saturation de toutes les voies de communication donnant accès au centre. Le parking devient difficile, les avantages de la concentration sont en partie annulés. Les

(26) La première application systématique de la théorie des lieux centraux à l'analyse de l'espace urbain remonte à 1958. BERRY (Brian J. L.), GARRISON (William L.), « The Functional Bases of the Central Place Hierarchy ». *Economic Geography*, vol. 34, 1958, pp. 145-154. — MARBLE (Duane F.), NYSTUEN (John D.), « Commercial Geography of Urban Areas and the Movement of Persons (abstract) ». *Annals of the Association of American Geographers*, vol. 48, 1958, p. 279. — CAROL (Hans), « Hierarchy of Central Functions within the City ». *Annals of Association of American Geographers*, vol. 50, 1960. — BERRY (Brian J. L.), « The Impact of Expanding Metropolitan Communities upon the Central Place Hierarchy ». *Annals of the Association of the American Geographers*, vol. 50, 1960, pp. 112-116. — ID., *Commercial Structure an Commercial Blight*. Chicago, Department of Geography, research paper n° 85, University ol Chicago, 1963.

Ces auteurs ont été amenés à modifier certains schémas habituels de la théorie (des lieux centraux pour tenir compte de l'anisotropie de l'espace urbain : BERRY Brian J. L.), « Ribbon Development in the Urban Business Pattern ». *Annals of the Association of American Geographers*, vol. 49, 1959, pp. 145-155.

mesures de police de la circulation que l'on prend un peu partout se révèlent insuffisantes à résoudre les problèmes. Les besoins de transport sont tels que lorsque l'on essaie de procéder à une rénovation totale des voies de circulation, les voies rapides et les parkings finissent par occuper tout l'espace, si bien que la vie du quartier central perd une partie de ses caractères. On s'aperçoit qu'il existe une limite aux avantages que l'on peut tirer de la centralité. Et l'on voit se multiplier les centres d'affaires périphériques qui déchargent progressivement le quartier central d'une partie de son trop plein. Le plus souvent, la décentralisation porte d'abord sur des services de centres secondaires ou de centres intermédiaires (fig. 10.12). L'espace urbain a cessé d'être caractérisé par la rareté, qui assurait la valeur des situations centrales. Jusqu'à l'apparition des moyens de communication modernes, la dimension des villes demeurait limitée à ce que l'on pouvait aisément parcourir en une heure ou deux au maximum. Le jeu du marché de la terre et la géographie des prix qui en résulte ne s'expliquent que par la rareté qui était ainsi créée. Dans le monde moderne, la mobilité individuelle est devenue telle que l'espace est pratiquement offert sans limitation pour les besoins urbains (27). Cela peut apparaître comme un paradoxe, lorsque l'on pense à la spéculation et à la hausse des prix de la terre. Le paradoxe n'est qu'apparent. Les facilités de circulation permettent à ceux qui ont besoin de terrains bon marché d'essaimer toujours plus loin de la ville. Mais en même temps, ce mouvement centrifuge stimule la spéculation et justifie la hausse générale et sa propagation jusqu'à une longue distance du centre.

La ville se transforme donc à un rythme rapide. Elle occupe une superficie sans cesse plus large. Elle ne se présente plus d'une

(27) Il est rare que l'on insiste suffisamment sur cette idée : la ville a cessé de manquer d'espace, elle a gagné une liberté qu'elle n'avait jamais eue. Nous avons trouvé une expression vigoureuse de ce point de vue dans un article de Claude Abrams : « For urban man there is no shortage of land. There are problems of effective use and organisation of his space, but essentially the urban space problems of metropolises arise not from actual shortages of land but from lack of planning, waste of space, and form the unnecessary despoliation of good environments. » ABRAMS (Claude), « The Uses of Land in Cities », *op. cit.*

La ville qui ne manque plus d'espace a tendance à s'élargir, à éclater, à se disperser : BLUMENFELD (Hans), « The Tidal Wave of Metropolitan Expansion ». *Journal of the American Institute of Planners*, vol. 20, nº 1, 1954, pp. 3-14. — BURTON (Ian), « A restatement of the Dispersed City Hypothesis ». *Annals of the Association of the American Geographers*, vol. 53, 1963, pp. 285-289.

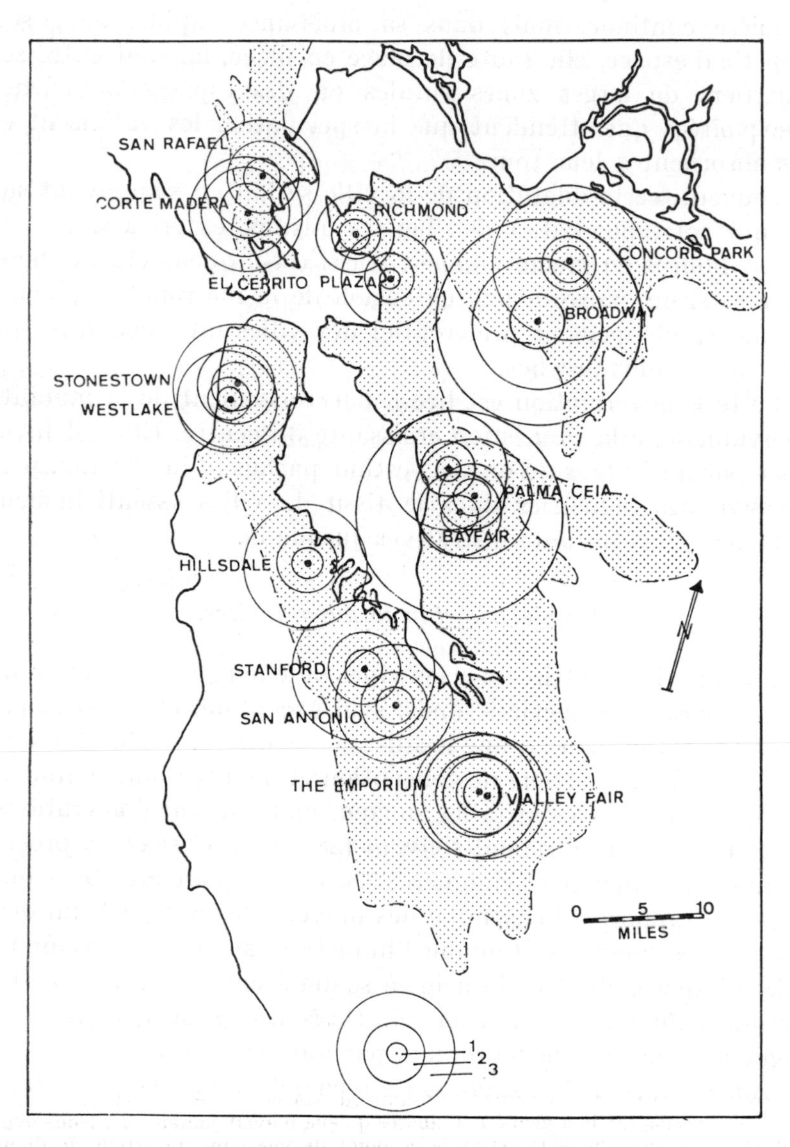

Fig. 10.12. — La structure de la ville régionale : la multiplication des centres. Exemple des centres commerciaux dans l'agglomération de la baie de San Francisco en 1959.
Autour de chaque centre, sont dessinés trois cercles dont les rayons sont ainsi choisis qu'ils correspondent à des zones comportant respectivement 25 %, 50 % et 75 % de la clientèle totale.

D'après James E. Vance, Jr., *Geography and Urban Evolution in the San Francisco Bay Area*, *op. cit.*, cf. p. 73.

manière continue, mais dans sa croissance rapide, dans son appétit d'espace, elle saute de place en place, laissant entre ses quartiers de larges zones rurales ou des espaces de friches inexploitées qui attendent que la spéculation les valorisent et les absorbent à leur tour.

Souvent, cette dilatation de la ville se fait en s'appuyant sur ce qui correspondait à des lieux centraux extérieurs, petites villes, bourgs ou même villages. Aussi est-il quelquefois difficile de dire si on assiste à une extension de la métropole régionale ou au développement préférentiel des villes intermédiaires qui en sont les plus proches.

Cette transformation est liée à l'accroissement de la mobilité individuelle, à la congestion croissante du centre. Elle est favorisée par un facteur qu'on sous-estime parfois : l'intégration progressive des industries dans le tissu de villes essentiellement commerçantes ou administratives jusque-là.

L'industrie et la forme des villes.

L'industrie est attirée par les villes où elle bénéficie de l'armature générale des services, mais, sauf exception, elle ne tire pas d'avantages spéciaux d'une localisation centrale. Seules des activités liées aux quartiers de conception et de direction, comme la mode, ont intérêt à s'installer au cœur même des agglomérations. Si les usines se localisaient souvent (28), au XIXe siècle, à proche distance des quartiers commerçants, c'était pour être bien placées par rapport à l'ensemble des moyens de transport qui desservait ces quartiers. Comme l'industrie est grosse consommatrice d'espace, elle a de la peine à se maintenir au cœur des aires urbaines du réseau traditionnel. Dans les grandes métropoles régionales, la ville ne s'ordonne pas autour d'usines géantes ou de zones industrielles. L'industrie recherche à la fois des terrains

(28) Les conditions de localisation de l'industrie au sein des agglomérations urbaines au XIXe siècle ne sont guère connues que par quelques études récentes, celles d'Allan Pred en particulier : PRED (Allan), « Manufacturing in the American Mercantile City : 1800-1840 ». *Annals of the American Association of Geographers* vol. 56, 1966, pp. 307-338.

Les conditions actuelles sont différentes : PRED (Allan), « The Intrametropolitan Location of American Manufacturing ». *Annals of the Association of American Geographers*, vol. 54, 1964, pp. 165-180. — LOGAN (M. I.), « Locational Behavior of Manufacturing Firms in Urban Areas ». *Annals of the Association of American Ge raphers*, vol. 56, 1966, pp. 451-466.

relativement bon marché, une bonne desserte ferroviaire et une position qui lui permette de bénéficier de toute l'infrastructure de transports de main-d'œuvre mise en place autour du noyau urbain central. Les usines s'installent donc le long des voies ferrées qui rayonnent à partir du centre. Les mouvements ouvriers se joignent à ceux des employés sur les itinéraires rayonnants. Mais alors que les employés se dirigent vers le centre aux heures d'entrée dans les bureaux et vers la banlieue le soir, les mouvements sont en sens divers pour les ouvriers. Certains ouvriers viennent de la zone de dégradation urbaine pour travailler dans des usines grosses consommatrices d'espace installées en grande banlieue. D'autres, qui logent dans des lotissements bon marché, ou dans de grands ensembles, vont s'occuper dans les petites usines traditionnelles demeurées en activité à proximité du centre ou encore dans les zones industrielles qui entourent souvent les gares en milieu urbain. L'effet de l'industrialisation sur le dessin de la ville et sur son économie est alors multiple. L'industrialisation favorise dans un premier temps le développement de structures radio-concentriques (fig. 10.13). Plus qu'aucune autre sorte d'activité, l'industrie est en effet liée aux grandes lignes modernes de communication (29). Dans la mesure où les mouvements ouvriers se font en sens inverse des mouvements d'employés, la gestion des transports en commun se trouve assise sur des bases plus rationnelles. Mais dans l'ensemble, la main-d'œuvre qui trouve un emploi industriel en se dirigeant vers le centre est importante. Aussi, l'intégration de l'industrie dans la trame urbaine des grandes métropoles hâte-t-elle le processus de congestion du centre.

Si les villes n'avaient que des fonctions industrielles, la disposition qui se prêterait le mieux à l'unification du marché de main-d'œuvre et à la circulation équilibrée et harmonieuse des biens et des personnes serait la construction linéaire. C'est là un thème qui revient souvent dans les théories des urbanistes modernes (30). Pour obtenir une ville adaptée aux circulations

(29) On trouvera des exemples de géographie industrielle des grandes métropoles dans les ouvrages de CHARDONNET (Jean), « Les grands types de complexes industriels ». *Cahiers de la Fondation nationale des Sciences politiques*, n° 39, Paris, Armand Colin, 1953, 196 p. — ID., « Métropoles économiques ». *Cahiers de la Fondation nationale des Sciences politiques*, n° 102, Paris, Armand Colin, 1959, 269 p. — ID., *Géographie industrielle*. Tome II : *L'industrie*. Coll. L'Économique, n° 2, Paris, Sirey, 1965, 461 p.

(30) La théorie de la ville longue aurait été imaginée par Soria y Matta en 1882.

intenses sans que les équipements ne dévorent tout l'espace, sans qu'ils restent inutilisés une partie de la journée, les spécialistes ont imaginé, à la suite de l'Espagnol Soria y Matta, des agglo-

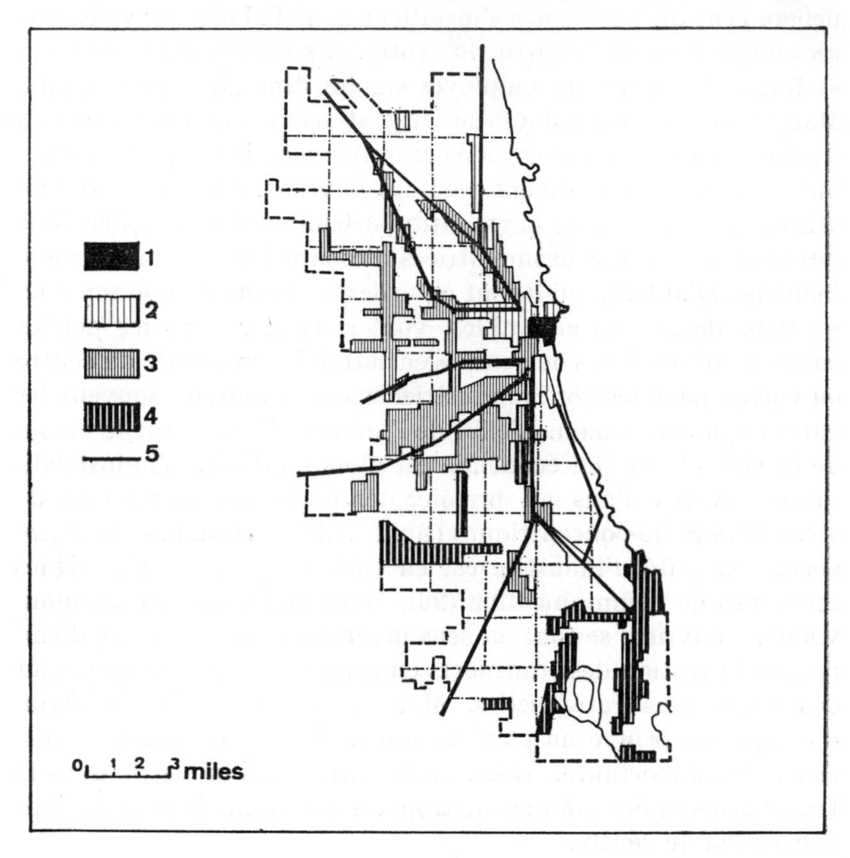

Fig. 10.13. — Un plan de ville à structure radio-concentrique. Chicago.

1. Centre commercial, cité.
2. Industries légères.
3. Industries légères et lourdes.
4. Industries lourdes.
5. Voies ferrées.

mérations dont l'armature est constituée d'une série de grandes voies rapides. Le long de ces voies sont disposées les usines,

Elle a été vulgarisée dans les pays de langue française par Le Corbusier. Nous en avons trouvé l'expression la plus ramassée dans le petit ouvrage publié en 1946 et qui constitue un bréviaire des idées du grand architecte sur les problèmes d'urbanisme. Le Corbusier, *Manière de penser l'urbanisme.* Paris, Éditions de l'Architecture d'Aujourd'hui, 1946. 2e éd., coll. Médiations, Paris, Gonthier, 1963, 203 p.

au-delà les zones d'habitation. De loin en loin, des centres de service viennent animer la trame urbaine. Le marché de travail de chaque usine est très grand, puisqu'il s'étend à l'ensemble de l'agglomération. Les mouvements de main-d'œuvre sont de sens opposés, si bien qu'ils sont relativement équilibrés. On connaît quelques exemples d'espaces urbains modelés selon ce principe. On cite volontiers celui de Stalingrad.

La ville longue plaît aux urbanistes, mais elle ne satisfait pas les industriels qui désirent s'implanter à proximité d'une grande ville pour que leur main-d'œuvre en tire les avantages qui lui sont liés. Ils ont préféré longtemps construire leurs usines le long des grands axes qui mènent au centre. La grande métropole apparaît alors comme la combinaison d'une agglomération à fonction centrale et de villes longues rayonnantes. La structure radio-concentrique permet une excellente intégration de l'industrie à l'espace urbain traditionnel.

Dans les pays où la mobilité croissante assurée par la diffusion des moyens de transport individuels élargit considérablement les dimensions de la ville, la combinaison des activités industrielles et de service impose des constructions d'un principe un peu différent. A partir du moment où le centre devient congestionné, on essaie de développer des circulations périphériques, pour éviter que le transit ne vienne surcharger les quartiers d'affaires. On construit des voies ferrées de ceinture, on équipe de grands anneaux d'autoroutes (fig. 10.14). Les quartiers d'affaires secondaires qui caractérisent l'agglomération polynucléaire qui se développe alors, s'implantent souvent à proximité des échangeurs de ces voies rapides. Ils profitent de la clientèle attirée par la circulation facile sur des itinéraires peu encombrés. Ils donnent ainsi naissance à des courants de circulation relativement équilibrés, à la différence de ce qui se passe dans les quartiers centraux. Le long de ces mêmes axes rapides, on voit se multiplier les établissements industriels. Ils bénéficient de tous les avantages que procurerait la ville linéaire : le ruban de ceinture n'est pas autre chose que le grand axe souhaité par les partisans de la ville longue et la multiplicité des centres d'activité qui s'égrènent tout au long permet de satisfaire tous les besoins élémentaires, de participer à un marché de main-d'œuvre très large. Mais le noyau central traditionnel, qui demeure le siège des entreprises et de beaucoup de services nécessaires au monde industriel est relativement facile à atteindre de partout. On voit les avantages de constructions de ce genre. Elles combinent les éléments positifs des systèmes linéaires et ceux des systèmes radiaux.

Très souvent, l'évolution se fait selon d'autres modes. L'industrie ne transforme pas la ville d'une manière aussi directe.

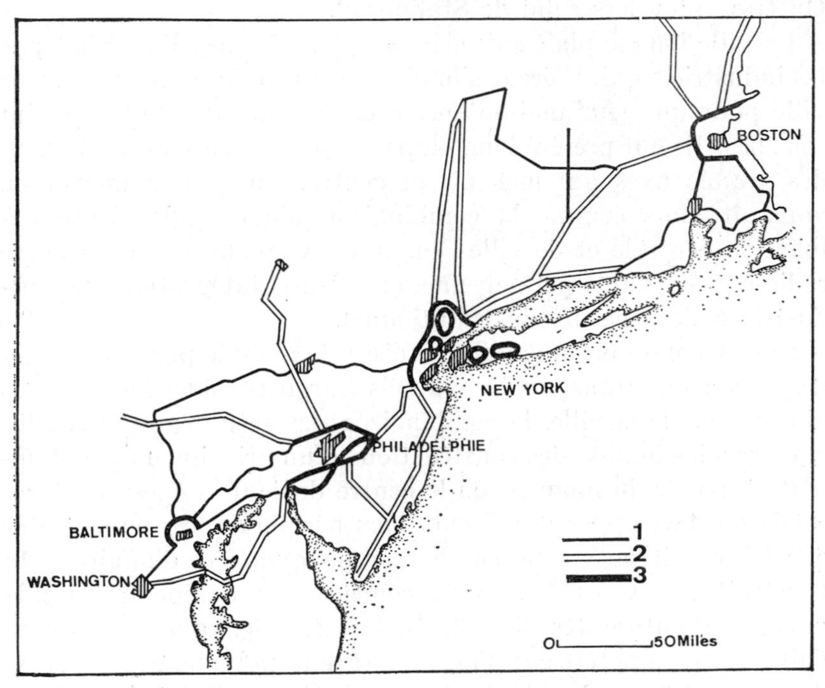

Fig. 10.14. — Les transformations des espaces métropolitains dans la région de Megalopolis : la mise en place des anneaux d'autoroutes de ceinture.

1. Routes secondaires.
2. Routes principales.
3. Autoroutes de ceinture.

D'après Gottmann, *Megalopolis...*, *op. cit.*, cf. p. 661.

Chassée du centre par la congestion et le prix des terrains, mal à l'aise dans les quartiers de la proche périphérie où les mêmes problèmes ne tardent pas à apparaître lorsque l'établissement est de grande taille, elle essaime hors de la métropole. Elle s'installe alors dans la couronne des petites villes qui entourent à quelque distance le grand centre (31). En France, par exemple,

(31) George (Pierre), « Les établissements Philips aux Pays-Bas : une politique

on voit certaines industries modernes pratiquer systématiquement ce genre d'implantation. Les firmes d'électronique qui ont décidé de s'établir en province ont construit deux nébuleuses, l'une autour d'Angers, l'autre autour de Dijon (32). Toutes les petites villes endormies qui se trouvent à une demi-heure de voiture se voient ranimées. Le recrutement de main-d'œuvre est plus facile que dans le grand centre voisin dont la proximité se fait sentir cependant par bien des aspects positifs. Ainsi, l'agglomération véritable tend à se dilater jusqu'à absorber ces centres anciens du réseau urbain général, à leur donner un dynamisme nouveau, à les opposer aux autres petites villes situées plus loin.

L'industrie est donc un des éléments qui accélèrent la transformation des espaces urbains modernes, qui leur donne une dimension nouvelle.

Ville régionale et région économique.

La mutation géographique à laquelle on assiste montre qu'il n'y a pas toujours parallélisme absolu entre l'évolution du contenu économique des unités territoriales et celle de leur structure spatiale. Lorsque l'on retrace l'évolution économique de la région, on a l'impression d'une continuité remarquable depuis le début du siècle dernier : au fur et à mesure que se renforce l'ouverture économique du monde, le poids des villes s'accroît, leur hiérarchie se confirme. Les industries, d'abord installées en dehors de la trame régulière, finissent par s'y trouver prises, intégrées. Il y a bien quelques épisodes qui viennent troubler la régularité de la ligne d'ensemble, qui aboutissent à privilégier certains centres, en laissant les autres dans un état de médiocrité très grand. Mais ce sont là des épisodes mineurs.

L'évolution de la trame spatiale des régions économiques s'est effectuée longtemps selon les mêmes rythmes, de la même manière progressive. La concentration urbaine s'accroît, la pyramide des services se complète, et accentue la stratification des centres. Ainsi, l'architecture des régions économiques se renforce.

de répartition géographique des usines ». *Bulletin de l'Association des Géographe français*, nov.-déc., 1961, pp. 198-205.

(32) On trouvera la description des opérations de décentralisation de Dijon et d'Angers dans Gravier (Jean-François), *L'aménagement du territoire et l'avenir des régions françaises*. Paris, Flammarion, 1964, 338 p.

La mutation actuelle traduit un double phénomène : un effet de seuil et une transformation dans les conditions de la mobilité à courte distance. Toute la théorie des lieux centraux suppose que l'on a une population uniformément répartie à desservir. C'est ce que l'on observait au moment de la révolution industrielle, comme nous l'avons dit. Au fur et à mesure que les techniques se sont améliorées dans les régions rurales et que l'on a vu s'ouvrir plus largement l'espace de relation, les situations se sont diversifiées. En quelques secteurs, rares dans l'ensemble, les besoins de main-d'œuvre agricole se sont accrus ou se sont maintenus. Presque partout ailleurs, ils ont diminué dans d'énormes proportions. La population active employée dans l'agriculture a baissé de 70 % du total à quelque 10 ou 15 % en l'espace d'un siècle et demi. Là où le chiffre actuel est plus élevé cela signifie souvent simplement que le niveau de vie des agriculteurs est plus faible que celui de la moyenne des gens : leur poids réel dans la vie commerciale est de manière très générale voisin de 10 %. C'est à peu près la part du revenu national qui leur revient.

A partir d'un certain niveau de dépopulation rurale et de concentration urbaine, la géométrie des implantations urbaines cesse d'être commandée par la présence des populations rurales à desservir. C'était sensible, au siècle dernier déjà, dans les centres industriels nés indépendamment de la trame antérieure des lieux centraux. Le rôle croissant des équipements tertiaires dans les décisions d'implantation des entrepreneurs a pu faire croire que l'on allait voir disparaître cette indifférence au substrat rural. Il n'en est rien. Les villes ont absorbé l'industrie, l'ont intégrée à leur tissu. Mais elles ont cessé à la même époque de dépendre réellement des campagnes voisines pour leur développement. Les marchés les plus importants qui s'offrent aux prestateurs de services qui y sont installés se trouvent à l'intérieur du périmètre de l'agglomération. Le rôle de la « tombée » est de plus en plus négligeable.

La transformation qui s'effectue sous nos yeux et qui dilate progressivement certaines métropoles régionales pour en faire des agglomérations énormes, paraît respecter la régularité des trames anciennes de lieux centraux : en fait, la localisation des grandes métropoles nouvelles ne dépend plus du semis fondamental de la population rurale. Là où n'existaient pas de trames régulières de lieux centraux, rien ne contraint les grandes agglomérations à se disposer régulièrement dans tout l'espace.

L'analyse du dynamisme régional nous avait montré l'importance des limites d'aires de service pour comprendre les transformations contemporaines de l'économie. Dans la mesure où la puissance de financement locale influait sur la croissance, la limite de la région d'influence urbaine, fixait l'aire pour laquelle les échanges de service avec l'extérieur s'annulaient ou étaient le plus faible possible. Elle constituait l'ensemble idéal pour analyser les effets des variations de prix des produits vendus ou achetés sur le dynamisme du développement. Si les parties périphériques de l'espace régional s'étiolent, se vident de leur contenu, le problème du tracé des limites des régions économiques perd de son intérêt. L'espace est fait de noyaux denses bien équipés en services, au milieu d'un tissu lâche, peu occupé, peu peuplé. Les frontières économiques les plus intéressantes, ce sont celles qui marquent la limite des noyaux de forte densité (33).

Tout se passe donc comme si la plus grande partie de l'espace

(33) Nous avons emprunté le terme de ville régionale à un ouvrage collectif édité par Derek Senior. A l'intérieur du livre, d'ailleurs, le vocabulaire n'est pas toujours fixé. Donald Foley fournit la définition la plus claire de ce que nous appelons ville régionale (mais il emploie l'expression de région urbaine) : « The urban region (more commonly termed " metropolitan region " in America) represents more than an enlarged scale of city or town, and more even than an amalgam of cities. It involves no less than a fundamental reorganisation of social and economic life, so that most of such life is centred on the metropolis. In much of the United States, for exemple, rural communities and small towns and formerly rather independent cities have either dried up, or have been caught up in a far flung web of metropolitan dominated relationships. » SENIOR (Derek) (ed. by), *The regional City. An Anglo-American discussion of Metropolitan Planning.* Londres, Longmans, 1966, XIII, 192 p.

Bien des études menées aux États-Unis depuis une génération sur le problème des aires métropolitaines pourraient illustrer ces développements sur la ville régionale — celles qui ont été effectuées pour la ville de New York en particulier. Jean Gottmann a dégagé, à propos de la région mégapolitaine, les caractères nouveaux des agglomérations. James E. Vance jr. a montré comment la structure de la région urbanisée de la baie de San Francisco ne rentrait pas dans le schéma classique de la classification des centres urbains. Comme il y a multiplicité des centres, en même temps que relations constantes entre les parties, il a proposé de parler de symbole. VERNON (Raymond), *Metropolis 1985 : an Interpretation of the Findings of the New York Metropolitan Region Study.* Cambridge (Mass.), Harvard University Press, 1960. — GOTTMANN (Jean), *Megalopolis..., op. cit.* — VANCE (James E. Jr), *Geography and Urban Evolution in the San Francisco Bay Area.* Berkeley, Institute of Governemental Studies, University of California, 1964, 89 p.

Le terme de conurbation, forgé par Patrick Geddes, indique la coalescence de villes originellement distinctes. Il n'implique pas qu'il y ait formation d'une communauté supérieure. L'usage général est de confondre région urbaine et région économique et de désigner ainsi un ensemble unissant une métropole et les régions rurales et les petits centres qu'elle domine. La région urbanisée correspond à une

avait perdu l'essentiel de son intérêt économique : dans les conditions actuelles, la plupart des pays seraient trop vastes, en somme, pour leur contenu économique, si bien que celui-ci, concentré en un ou plusieurs noyaux pourrait se disposer un peu au hasard. Nous verrons, en étudiant l'organisation régionale des nations, quelles sont les forces qui peuvent intervenir dans cette répartition générale. Contentons-nous pour l'instant de noter la fin de la géométrie classique de la région économique.

Entre la ville régionale, devenue au sens économique la région véritable, et l'espace qui l'entoure existent cependant des rapports qui ne sont pas sans importance si l'on veut comprendre l'organisation générale du monde contemporain.

La ville régionale et les espaces de détente.

L'image que présente ce qui était une région économique cesse d'être harmonieusement hiérarchisée. Elle est formée de la juxtaposition de deux ensembles aux caractères complémentaires : la zone urbanisée qui a concentré l'essentiel de l'activité et la zone de détente et de loisir (34). La localisation des deux ensembles peut se faire selon des modèles très divers. L'évolution historique fait généralement prédominer les modèles où la région urbanisée

zone submergée par les constructions. C'est une communauté de paysage, comme l'est la conurbation, qui n'en est qu'un cas particulier. Ce n'est pas nécessairement une communauté sociale et économique.

Nous avons par suite préféré utiliser l'expression de ville régionale : elle est peut-être un peu ambiguë : s'agit-il d'une ville qui a la dimension d'une région, les fonctions d'une région, la direction d'une région? Mais cette ambiguïté correspond à la réalité profonde de la situation que nous cherchons à saisir : la ville moderne est régionale de plusieurs manières, puisqu'elle couvre une large superficie, constituant ainsi une région urbanisée à elle toute seule, puisqu'elle englobe dans ses limites tout ce qui caractérisait, à l'époque précédente la totalité de l'espace régional, puisqu'elle est l'héritière de la région économique.

(34) La ville régionale s'entoure d'espaces que nous avons appelés, faute de mieux, espaces de détente et de loisir. Leurs fonctions sont en réalité très variées : ils servent évidemment à accueillir les citadins durant les week-ends ou les petites vacances. Ils se couvrent de terrains de sports, se trouvent reconquis par la forêt, utilisés et sur-utilisés pour la chasse, pour la pêche. Les résidences secondaires s'y multiplient. Mais ils ont d'autres fonctions plus importantes encore : ils servent en quelque sorte de poumon à la ville — permettent que la pollution de l'air n'atteigne de trop grandes valeurs dans la zone peuplée. Ils fournissent les eaux dont l'agglomération a sans cesse un besoin plus important. Ils accueillent certains équipements qui sont très gros consommateurs d'espace, comme ceux qui touchent aux transports aériens. Selon les fonctions, la liaison de l'espace extérieur et de la ville régionale doit être plus ou moins rapide, plus ou moins étroite. Ceci introduit une grande variété d'articulations entre la ville et le cadre extérieur.

est compacte et entourée d'une auréole de campagne libre. Mais d'autres formes de répartition sont possibles. La Randstadt hollandaise s'ordonne autour de la zone demeurée rurale et qui sert d'espace de détente et de loisir en concurrence avec les secteurs littoraux de l'agglomération et les zones qui s'étendent au Nord, en Hollande et au Sud en direction de la Zélande. En Angleterre, Londres a créé une ceinture verte qui s'interpose entre la métropole et les quartiers neufs. On peut imaginer assez aisément des situations dans lesquelles les espaces libres et les zones occupées seraient reparties à la manière d'une mosaïque. Dans un milieu physique hétérogène, de telles dispositions prévaudront sans doute. Elles apparaissent déjà dans les grandes métropoles développées en pays au relief heurté — Rio de Janeiro ou même Los Angeles, dont la poussée se fait en partie en dehors du cadre de plaine où la ville a pris naissance.

Les rapports entre la superficie de la zone urbanisée et ceux de la zone d'espaces verts sont à l'heure actuelle très variables. Dans certains cas, l'espace disponible est bien plus grand qu'il n'est nécessaire pour la satisfaction des besoins de la population agglomérée. Alors peuvent se multiplier les noyaux de peuplement dense formant des bandes continues sur de longues distances. Jean Gottman a analysé les rapports qui existent ainsi entre la série des métropoles littorales qui ont fini par constituer Mégalopolis et la zone d'expansion qui leur est en partie commune et qui correspond à la retombée orientale du système des Appalaches.

Tous les espaces n'ont pas la même valeur pour servir à la détente et aux besoins indirects d'espace des centres urbanisés. La plupart des grandes agglomérations du monde européen et du monde américain sont des villes de plaine développées dans des cadres de vieilles régions agricoles. Il est possible que les besoins d'espace dans des milieux de ce type soient plus importants, pour une ville d'importance donnée, qu'ils ne le seraient dans des pays au relief plus divers, dans les zones de collines ou de montagnes. Les sites littoraux ont une valeur particulière. Ils attirent les foules. La présence d'un littoral proche peut donc donner à une ville un avantage considérable dans la course actuelle au développement régional : on se rend compte de plus en plus du rôle de l'espace de détente dans la valeur des régions économiques; ces zones touristiques tendent à attirer de grands ensembles urbains à peuplement permanent, les industries et les bureaux.

Certaines dispositions géométriques du relief prennent ainsi une valeur nouvelle. Dans les situations économiques qui ont prévalu jusqu'à ces dernières années, la plupart des espaces périphétiques se sont trouvés défavorisés. Nous y reviendrons à propos de l'équilibre des espaces nationaux. Les péninsules, les îles se sont trouvées condamnées à la stagnation car leurs rapports avec le marché sont difficiles et onéreux. Les conditions se trouvent modifiées lorsque les sites littoraux sont utilisables par le tourisme et peuvent servir d'espace d'expansion durant une bonne partie de l'année à la population urbaine du secteur. L'épanouissement de l'agglomération de Stockholm, sa croissance rapide doit beaucoup à la multiplication des espaces d'eau et des îles qui offrent un espace d'expansion et de loisir au cœur même de l'agglomération. Les métropoles de la côte orientale des États-Unis bénéficient du découpage extraordinaire du littoral. On insiste sur les frais que le site de New York crée, car la circulation se trouve gênée par les bras de mer qui interrompent la ville. Mais on n'a jamais chiffré l'avantage dû au développement des rivages proches, des côtes de Long-Island, l'ensemble du Long-Island Sound, le long duquel s'est établie une des antennes les plus longues et les plus vigoureuses de la ville.

La situation des péninsules méditerranéennes, périphériques par rapport à l'espace économique européen, a longtemps été considéré comme un handicap pour le développement d'une industrie puissante. La situation est différente de nos jours et les zones qui s'y développent pourront sans doute atteindre des densités plus fortes que des pays au relief plus calme.

L'exemple suisse nous rappelle également que la multiplication des espaces urbanisés peut se trouver facilitée par la présence d'un relief vigoureux. Les noyaux s'ordonnent au pied de la chaîne montagneuse, finissent par se rejoindre presque, ce qui confère un avantage certain à l'organisation des voies de communication, permet, comme dans la ville longue des urbanistes, mais à une autre échelle, d'organiser des circulations intenses d'hommes, d'informations et de biens aux moindres frais, tout en conservant accès à un espace libre dont les vertus sont sans doute supérieures à celles des pays plats.

Au total, on peut se demander si les conditions actuelles de développement ne sont pas plus favorables aux économies dont les noyaux urbains se trouvent proches les uns des autres et alignés le long de voies de communication faciles, qu'aux pays de plaine régulière et de réseaux hiérarchisés (35). L'histoire connaît ainsi des retournements singuliers de la fortune. Ce qui longtemps a passé pour être la base de toute richesse se trouve dévalorisé par l'évolution technique. Dans le monde actuel, on assiste à un renversement rapide, dû à la brusque mutation dans la valeur relative des régions de plaine et de celles de montagnes, de littoral ou de collines. L'utilisation de l'espace pour la détente lui confère des qualités bien différentes de celles qui sont appréciées par les agriculteurs.

Au total, le poids des structures régionales va en grandissant dans les économies développées, mais au fur et à mesure que les techniques deviennent plus raffinées, les besoins de la population plus divers, les rapports qui existent entre les zones urbanisées et les zones rurales se modifient. Au lieu d'un appareil d'encadrement de l'agriculture, la structure régionale se présente de nos jours comme la juxtaposition d'aires de fortes densités et de zones de loisirs. La vie rurale perd son rôle dans l'organisation de l'espace. La géométrie de la construction régionale se trouve inversée.

On sent bien qu'il se précisera des rapports assez stables entre la ville régionale et la zone qui lui sert de support. Ils seront

(35) Megalopolis, telle que l'a définie Jean Gottmann est constituée par un assemblage de villes régionales, au sens que nous avons essayé de préciser plus haut. Plus que quiconque, Gottmann a été sensible à l'aspect social nouveau de ces communautés : « The Ancient philosopher of Alexandria, Philo Judaeus, taught that there is a great *city of ideas* that predetermines and commands the material world in which we live, and this greater city of ideas, Philo called *Megalopolis*. It seems, then, especially fitting to apply the same name to this extraordinary region, the present shape and style of which arose form the beliefs and searchings of those who settled there to bring a new order to their brethren on earth. » GOTTMANN (Jean), *Megalopolis...*, *op. cit.*, cf. p. 772.

Cette Megalopolis est l'exemple le plus gigantesque de ces nouvelles structures géographiques. Mais il s'agit d'un assemblage de villes régionales, de ces agglomérations qui constituent vraiment le type des nouvelles réalités spatiales. Comment une telle concentration d'êtres géants a-t-elle pu se réaliser entre Washington et Boston? Toute l'histoire de la mise en valeur et de l'organisation des États Unis, dirigée à partir de cette grande charnière continentale, doit être évoquée, pour expliquer la concentration actuelle. Elle n'aurait pu se réaliser dans d'aussi bonnes conditions si elle n'avait pris la forme d'une construction linéaire : les communications intérieures en ont été facilitées et l'utilisation des espaces de détente a pu se faire dans les meilleures conditions. Les difficultés qu'ont multipliées au début les nombreux bras de mer, les fleuves, la proximité des zones de relief élevé et des grands massifs forestiers, se sont révélées à la longue fécondes.

différents de ceux qui existaient à la période précédente, plus sensibles aux faits de géographie physique sans doute. La zone de détente et d'expansion de la ville peut prendre des formes multiples, sa position n'est pas fixée une fois pour toutes (36).

De ces incertitudes dans l'analyse des formes de la ville nou-

(36) Il ne fait pas de doute qu'une géométrie très irrégulière des zones urbanisées et des zones de détente peut constituer un avantage. STEINER (Rodney), « Reserved Lands and the Supply of Space for the Southern California Metropolis ». *The Geographical Review*, vol. LVI, 1966, pp. 344-362.

Au total, on a parfois l'impression que l'apparition de la ville régionale a supprimé toute géométrie dans le dessin des agglomérations et des zones qui en dépendent. C'est en partie vrai comme l'indique ULLMAN (Edward L.), « The Nature of Cities Reconsidered ». *Papers and Proceedings of the Regional Science Association*, vol. IX, 1962, pp. 7-24.

Une analyse plus précise montre que le désordre n'est pas total. La théorie des lieux centraux appartient à une famille plus générale de constructions théoriques — les théories des usages liés du sol. Elle correspond à une situation où la distance et la direction jouent un grand rôle. Dans la ville régionale actuelle, les faits de distance et de direction ont été en partie dévalorisés : il subsiste des relations entre les divers usages de la terre, mais elles portent plutôt sur les proportions relatives des différents types d'utilisation à l'intérieur d'une même unité, que sur leur disposition. Les études qui sont menées activement par les géographes, les urbanistes, les économistes et les sociologues aboutiront sans doute d'ici quelques années à une théorie des villes régionales : elle sera beaucoup moins géométrique, beaucoup moins simple, que celle des régions classiques.

L'apparition de la ville régionale ne marque donc pas une discontinuité totale dans l'évolution des êtres régionaux. Nous l'avons indiqué en soulignant qu'il n'y avait pas, au plan des fonctions régionales, de rupture entre la région urbaine et la ville régionale. Il y a passage d'un seuil, au-delà duquel les divers éléments spatiaux se disposent d'une nouvelle manière. On peut s'étonner de la présence d'un pareil seuil, puisque la réalité économique se transforme de manière continue : en réalité, la théorie économique de la région, et la théorie géographique ne s'inscrivent pas au même niveau et c'est ce qui explique les différences entre l'évolution des réalités économiques et celle des réalités spatiales. La théorie économique de la région, que nous avons présentée au cours des chapitres précédents, est une théorie macroéconomique. Les analyses géographiques s'inspirent presque toutes du modèle des lieux centraux, c'est-à-dire qu'elles s'appuient sur l'étude d'un secteur seulement de la vie économique, qu'elles sont microéconomiques.

On a pu ne retenir pour l'interprétation géographique de la situation globale que certaines des liaisons économiques, dans la mesure où elles sont beaucoup plus contraignantes que les autres, dans la mesure où l'élasticité des divers éléments de la situation économique n'est pas la même. Avec le temps, les facteurs négligés évoluent et leur action finit par devenir sensible au plan géographique : c'est ce qui s'est produit lorsque la densité des populations rurales a baissé au point de ne plus avoir de poids économique suffisant pour justifier l'ordonnance d'ensemble de la vie économique.

L'impression de discontinuité dans l'évolution géographique vient de ce que l'on a confondu à tort la théorie microéconomique des lieux centraux et la théorie de la région. La théorie de la région correspond à une analyse systématique des emplois liés des terres dans les circuits de petite ou de moyenne dimension. Par suite de l'inégale rigidité des facteurs, on peut effectivement simplifier et ne considérer, à certains moments, que les liaisons entre population rurale et population urbaine. Lorsque les conditions se modifient, les hypothèses qui rendaient légitime cette simplification cessent d'être réalisées. Il faut savoir alors reprendre l'analyse dans sa totalité, pour retrouver la continuité dans l'inspiration de la théorie géographique de la région.

velle et de son entourage provient sans doute la multiplicité des analyses proposées, ici de la mégalopole, là de la sympole, plus généralement de la ville régionale. Et les querelles de doctrine qui opposent tenants et adversaires de l'urbanisme traditionnel reflètent cette indécision dans l'interprétation. Ceci montre que les formes des constructions spatiales de demain sont encore dans une large mesure indéterminées.

Nous avons ainsi suivi l'évolution du cadre régional dans les pays où son évolution est complète. Là où l'industrialisation et l'ouverture de l'espace sont plus récentes, les formes se présentent de manière assez différentes : celles qui sont caractéristiques des régions de vieille civilisation industrielle sont en partie des héritages de l'époque préindustrielle ou du XIXe siècle. Il ne faut guère s'attendre à les retrouver là où l'on passe plus directement du monde traditionnel au monde moderne.

V. — La structure régionale de l' U. R. S. S.

Les pays socialistes offrent des contrastes assez vifs d'organisation régionale avec les pays développés que nous avons déjà analysés. Cela tient à leur histoire économique, au démarrage plus tardif de leur industrialisation. Cela résulte dans une large mesure du système socialiste. Dans les démocraties populaires où les structures régionales étaient déjà fortes à la veille de la Seconde Guerre mondiale, les héritages de la période capitaliste sont trop nets pour que l'on puisse mettre en évidence les traits les plus originaux des équilibres contemporains. L'U. R. S. S. se prête mieux à ce genre d'analyse. Par ses dimensions, elle offre cependant des conditions si différentes de celles que l'on trouve dans la plupart des autres pays européens que la comparaison s'en trouve un peu faussée. L'organisation des régions reflète à la fois le système socialiste et l'immensité des horizons, comme leur monotonie.

L'espace rural.

Le trait le plus frappant de l'agriculture russe, c'est l'apparition d'unités de très grande dimension. On en connaît l'histoire (37) :

(37) Chombart de Lauwe (Jean), *Les paysans soviétiques.* Paris, Le Seuil, 1961, 428 p.

mises en place au moment du premier quinquennat, leur étendue correspondait, dans la phase initiale, à celle des anciennes communautés villageoises traditionnelles. Une seconde phase de concentration a abouti à l'apparition d'unités de superficies vraiment très supérieures, dans les zones du Nord-Ouest en particulier, où l'habitat traditionnel était dispersé en hameaux et où les kolkhozes étaient demeurés petits.

Les leçons que l'on peut tirer de leur évolution sont difficilement transposables, car les unités n'ont pas toujours appliqué des solutions techniques très modernes. Pour beaucoup de productions, on a l'impression que la réforme de structure a devancé les réformes techniques. Les grandes unités de production se sont comportées comme des coopératives et ont continué à mettre en œuvre les méthodes de culture traditionnelle (38). Les avantages de la grande exploitation sont apparus plus tôt dans les régions de céréaliculture, car la mécanisation y est beaucoup plus facile. Au total, la part de la production destinée à la satisfaction des besoins propres de l'exploitation géante est demeurée considérable. Les besoins de service de cette agriculture sont demeurés médiocres sur le plan de la consommation des travailleurs, puisque la compression des niveaux de vie a réduit ce qu'ils recevaient des secteurs produisant des biens de consommation et que la masse mise en vente sur le marché était limitée par la forte autoconsommation de l'unité. C'est au plan des services techniques que les liaisons avec le monde extérieur se sont développées le plus rapidement. Toute une infrastructure de services a été mise en place qui n'est pas sans rappeler celle qui s'est créée en Occident. Les plus célèbres des institutions nouvelles ont été les stations de machines et tracteurs, dont le rôle de direction a progressivement disparu, mais qui ont laissé toute une infrastructure de centres de service utiles pour l'entretien de la cavalerie mécanique des exploitations. Les fermes d'État ont joué le rôle des stations d'essai et d'expérimentation dans d'autres pays. L'infrastructure des services techniques de l'agriculture s'est très largement étoffée. Les analogies sont multiples, avec ce que l'on observe dans les campagnes occidentales. La différence la plus notable provient de ce que les aires desservies par des unités qui se situent à un niveau donné sont généralement plus

(38) Dumont (René), *Sovkhoz, kolkhoz ou le problématique communisme*. Coll. Esprit « Frontière ouverte », Paris, Le Seuil, 1964, 361 p.

grandes dans les pays occidentaux. Mais au total la concentration de l'exploitation ne se traduit pas par un allègement appréciable de l'infrastructure de services nécessaires à la vie agricole : les forces qui modèlent l'espace agricole paraissent de même nature que dans les pays d'économie capitaliste.

La mise en place du système d'agriculture collective s'est traduit par la multiplication des très grandes unités. Leurs besoins de services se sont développés à un rythme rapide. Étant données leurs dimensions, et la méfiance affichée à l'égard de certaines formes traditionnelles de l'équipement urbain en services, on a préféré créer les équipements dans les villages plutôt que dans les villes. Ainsi sont apparues, de manière bien timide, ce que l'on a voulu appeler des agrovilles. On a dit qu'elles marquaient le souci d'effacer les différences entre le monde ouvrier et le monde paysan. A l'heure actuelle, on constate plutôt un divorce géographique plus total que presque partout ailleurs. Le monde rural dépend de ses propres centres tertiaires, cependant que le réseau urbain traditionnel se trouve privé, à la base, de ses fonctions de desserte des campagnes et souffre d'une crise profonde.

Les transformations de l'industrie ajoutent encore à l'originalité de l'organisation de l'espace.

L'espace industriel en U. R. S S.

Il est, beaucoup plus que l'espace agricole, une création du régime socialiste. Deux séries de traits nous paraissent originaux. Les premiers sur lesquels insistent beaucoup les géographes et les économistes socialistes, sont relatifs au souci de favoriser les groupements en fonction des complémentarités techniques. Les seconds, plus importants en fait, résultant du choix délibéré de construire de grandes unités de production partout où cela était possible.

Le désir de ne pas séparer ce qui est techniquement complémentaire se trouve exprimé de bien des façons, en particulier par le souci de concevoir les régions comme des « complexes de forces productives » (39). En fait, le régime fonctionne de telle façon que ces solidarités sont peut-être plus nécessaires qu'ailleurs.

(39) Saushkin (Julian C.), *Large areal complexes of productive forces in the Soviet Union, op. cit.*

Les liaisons de sous-traitance se développent mal. Cela tient à plusieurs raisons. L'ajustement entre l'activité d'entreprises qui dépendent de ministères différents, de directions techniques dispersées, est souvent marqué de crises, dues au manque de coordination. La manière dont les entreprises sont notées, dont les directeurs se voient attribuer des primes, gêne également certaines formes de coordination. Jusqu'à présent, les constructeurs ont eu tendance à prendre directement à leur charge une part plus grande des fabrications que ne le font leurs homologues dans le monde occidental. Il en résulte une concentration géographique plus nette des opérations s'intégrant dans un même cycle de fabrication. Lorsqu'une entreprise crée une filiale chargée de procéder à l'élaboration d'un sous-ensemble, ou de pièces détachées, l'expérience montre que la coordination se fait mieux si les deux établissements sont situés dans la même région administrative, souvent même dans la même ville (40).

Aussi grande que soit la concentration des opérations techniques, elle ne peut dépasser certaines limites dans les pays socialistes. Les fabrications de machines et de biens d'équipement sont assurés par des entreprises spécialisées. La liaison entre les zones produisant des matières premières et celles qui procèdent à la transformation est souvent très lointaine. Ainsi, les industries cotonnières demeurent dans une très large mesure concentrées dans la région centrale de la Russie d'Europe où elles avaient commencé à se développer dans les décades précédant la révolution d'Octobre. Les républiques d'Asie centrale fournissent l'essentiel de la matière première, elles disposent de nos jours d'une main-d'œuvre abondante et dont le niveau technique s'est assez considérablement élevé. Elles sont abondamment pourvues en ressources énergétiques. Et pourtant, les usines de coton ne fournissent qu'une toute petite partie de la production textile de l'U. R. S. S. Le grand complexe de Tachkent ne doit pas faire illusion : pour l'essentiel, on préfère procéder à des déplacements à longue distance de la matière première. Dans les économies de type capitaliste, le glissement de la production vers les zones cotonnières aurait sans doute été plus marqué pour profiter de l'avantage que donne une

(40) BERNARD (Philippe-J.), *Destin de la planification soviétique.* Paris, Économie et Humanisme et les Éditions ouvrières, 1963, 331 p., cf. pp. 158-171.

main-d'œuvre moins exigeante que celle des vieilles régions industrielles.

Lorsqu'il s'agit de coloniser et de développer une région jusqu'alors pratiquement déserte, il est vraiment nécessaire de dresser l'inventaire des forces productives, de manière à les lier dans un complexe. Le développement de l'industrie ne se justifie dans ce cas que s'il permet d'exploiter des ressources jusqu'ici négligées. Sans cela, il est plus avantageux de choisir comme lieu de production une zone déjà peuplée et où les frais de première installation sont plus réduits. La politique de mise en valeur des terres vierges s'appuie donc nécessairement sur un inventaire général de toutes les ressources naturelles exploitables. Lorsqu'on veut se faire une idée de l'intérêt qu'elles peuvent présenter pour l'économie dans son ensemble, il est bon de voir comment elles pourront se combiner, en donnant naissance à des industries de première transformation sur place. Les coûts liés de ces opérations globales sont plus faibles que ceux qui interviendraient dans le cas de travaux menés de manière isolée. La constitution de bases industrielles nouvelles dans les régions orientales ou septentrionales de l'U. R. S. S. est précédée de l'évaluation de toutes les ressources utilisables et de l'estimation des coûts d'équipement (41). Dans la première phase, la région nouvelle ne peut servir qu'à fournir des matières premières où des produits incorporant de grandes quantités de facteurs rares ailleurs (électricité par exemple, pour la production d'aluminium, ou terre, pour celle de tous les produits dérivés de la forêt). Ainsi, la régionalisation industrielle en U. R. S. S. comme celle des autres pays peu peuplés qui développent leur industrie est fondée sur l'aménagement de complexes de forces productives. Mais de telles opérations ne sont possibles que dans les secteurs marginaux de l'espace économique. Dans une région centrale, déjà peuplée et équipée, ces considérations ne

(41) Sur les problèmes du développement des bases économiques : BARANSK (N), *Géographie économique de l'U. R. S. S.* Moscou, Éditions en langues étrangères, 1956, 390 p. — CHAMBRE (Henri), « Kuzbass et troisième base sidérurgique ». *Cahiers du monde russe et soviétique*, juill.-déc. 1960. — ID. (sous la dir. de), « Le développement du Bassin du Kuznetsk ». *Cahiers de l'I. S. E. A.*, série G, Économie planifiée, n° 8, 1960, 376 p. — CHAMBRE (Henri), CAIRE (Guy), « Planification, régions et calcul économiques ». *Cahiers de l'I. S. E. A.*, série G, Économie planifiée, n° 16, 184 p. — CHAMBRE (Henri), BEAUCOURT (C.), MIKLASZ (C.). « Tiers Monde soviétique? Le Kazakhstan ». *Cahiers de l'I. S. E. A.*, série G., Économie planifiée, n° 17, 1962, 348 p.

sont plus déterminantes. Les fabrications entreprises portent souvent sur des produits très affinés, de grande valeur. L'espace ne joue guère pour limiter la liberté d'implantation des diverses phases du travail. Il est possible que les progrès des moyens de communication viennent même mettre un jour en cause les principes de la politique actuelle de constitution de bases de production dans les régions produisant les matières premières. C'est déjà chose faite pour les régions produisant du pétrole ou du gaz naturel. On a renoncé à édifier de grands complexes d'industries chimiques dans les zones productrices; on a préféré développer les installations des régions déjà peuplées et équipées. Les opérations combinées de développement régional des territoires de l'Est et du Nord ne se justifient plus que par la prédominance des transports terrestres dans ce vaste espace, ce qui rend plus difficiles les transports massifs de matières pondéreuses. Des considérations politiques et stratégiques interviennent également dans certaines des opérations menées depuis une quinzaine d'années : dès lors, les problèmes de rentabilité et d'efficacité ne se posent pas de la même manière.

Le choix fait par les planificateurs russes de construire le plus souvent possible des installations géantes (42), afin de bénéficier au maximum des économies d'échelle, distend par ailleurs les dimensions de tous les marchés industriels, ceux des matières premières, ceux des équipements, des produits intermédiaires ou des produits fabriqués. Les distances qui lient les centres

(42) Gardner Clark a mis en évidence ces caractères originaux des choix russes en analysant la construction des grands complexes sidérurgiques. François Perroux rend compte du débat en ces termes :

« ...à l'Est, deux traits spécifiques caractérisent l'originalité et les limites de l'expérience : ... Le premier concerne l' « option Alfred Weber ». Ce savant allemand a publié en 1909 *Über den Standort der Industrien*, analyse de la localisation, appliquée par Andréas Predöhl aux aciéries des États-Unis en 1928. Les deux œuvres, traduites en russe, respectivement en 1926 et en 1933 ont fait naître des controverses violentes et de conséquences très pratiques en Russie... Il faut choisir entre une solution comparativement modeste et courte, réduire les coûts de transport et exploiter des centres de consommation existants : c'est l'option A. Weber; et une solution ambitieuse et longue, créer des bases liées par de considérables investissements de transports... On voit, en étudiant le double complexe de production Oural-Kuznetz, pourquoi les Russes ont commencé avec enthousiasme par l'option anti-Weber, puis ont dû déchanter... » PERROUX (François), *La coexistence pacifique*. Tome II : *Pôles de développement ou Nations*, *op. cit.*, cf. pp. 360-361.

On consultera en outre : CLARK (Gardner), *The Economics of Soviet Steel*. Cambridge (Mass.), Harvard University Press, 1956, XV, 400 p., cf. pp. 213 *sq.* — CHAMBRE (Henri), *L'aménagement du Territoire en U. R. S. S.* Paris, La Haye, Mouton, 1959, 250 p.

qui se complètent dans un cycle productif sont à l'échelle d'un continent. Dès lors, parler de région à propos de ces ensembles peut prêter à confusion. Les conditions sont radicalement différentes de celles que l'on trouve ailleurs. Les grands combinats d'Asie centrale ou de Sibérie unissent des entreprises distantes souvent de plusieurs centaines de kilomètres, voire même de plusieurs milliers. A l'échelle de l'espace soviétique, il y a bien là des unités de dimension intermédiaire et qui demandent à être traitées comme telles. Elles ne correspondent pas aux dimensions, même étirées à l'échelle russe, de ce que nous appelons région. Elles constituent un échelon intermédiaire d'organisation qui est celui des grands espaces de complémentarité des industries : il apparaît en U. R. S. S, aux États-Unis ou au Canada comme un espace supérieur à la région. En dehors de ces espaces continentaux, cet échelon est à la dimension de la nation ou la dépasse comme en Europe occidentale. Nous aurons l'occasion de parler de ces espaces de complémentarité à la dimension des marchés de produits fabriqués, lorsque nous aborderons l'analyse des grands ensembles supranationaux.

L'organisation actuelle du pays est fortement marquée par les traits originaux des espaces agricoles et industriels. La trame des régions économiques n'a pas reçu le même développement qu'ailleurs à cause de cela.

La structure actuelle continue pourtant à porter les marques des équipements et des réalisations de l'époque prérévolutionnaire. Elle s'explique aussi par la rapidité avec laquelle les transformations ont eu lieu. On a essayé de brûler les étapes, de passer directement de l'espace local de l'économie traditionnelle à un immense espace national.

La marque du passé et de l'évolution accélérée.

L'organisation régionale de l'Empire des tsars était restée assez rudimentaire. Dans la plus grande partie du pays prédominait une économie rurale pratiquement autarcique, si bien que l'infrastructure des lieux centraux était réduite à peu de choses. Les villes avaient un rôle surtout administratif. Le développement d'une économie industrielle et d'une agriculture d'échange dans certains secteurs, Russie du Nord-Ouest autour de Saint-Pétersbourg, Russie centrale autour de Moscou,

Ukraine et Nouvelle Russie avaient créé là des organisations plus structurées. Ailleurs, dans les zones nouvellement rattachées à l'Empire russe, on n'avait pas encore affaire à des êtres régionaux. Les villes créées en assez grand nombre dominaient militairement et administrativement de vastes territoires, pour lesquels l'organisation des centres mineurs était à faire.

Depuis la révolution d'Octobre, les principes qui ont guidé les planificateurs ont varié à plusieurs reprises. On peut cependant indiquer que durant la quasi-totalité de la période qui nous intéresse, les efforts de développement se sont faits sans le moindre souci de fortifier les constructions régionales, officiellement ignorées. Tout l'effort a porté sur la création de capacités de production nouvelles dont l'ordonnancement spatial était décidé le plus souvent de Moscou. On a choisi de développer les installations industrielles les plus concentrées possible, puisque le marché intérieur est très vaste et que l'on peut de la sorte bénéficier au maximum des économies d'échelle (43). La part des circuits économiques qui se trouvent enfermés dans des cadres de petite dimension, se trouve ainsi réduite. Comme, pourtant, il était impossible de faire fonctionner immédiatement un marché de dimension nationale pour tous les produits, et pour satisfaire à tous les besoins, on a adopté un principe de division provisoire des fabrications. Le marché national a été organisé dès l'origine pour les équipements lourds, pour la production sidérurgique, mécanique, tout ce qui pouvait contribuer à augmenter rapidement la cadence de l'industrialisation. Dans le monde agricole, on a fait porter l'effort essentiel d'organisation de grands marchés sur les produits de base faciles à cultiver et à conserver, sur les céréales ainsi que sur les matières premières nécessaires à l'industrie. Pour le reste, on a laissé subsister de multiples entreprises de petite taille. Leur statut juridique est variable, mais leur fonction est la même partout : laisser subsister une économie menue, on pourrait presque dire domestique, là où le relais n'est pas encore

(43) On a souvent contesté la rationalité du choix de l'établissement géant dans un pays où les transports constituent un goulot d'étranglement presque permanent : c'est ce que font les auteurs cités à la note précédente, ainsi que Philippe-J. Bernard *(Destin de la planification soviétique, op. cit.)*.

Les insuffisances des moyens des transports ont donc freiné la constitution de très grands marchés, et allongé la durée de la période durant laquelle il est apparu nécessaire de maintenir des secteurs à débouchés très étroitement locaux.

assuré par les circuits généraux. Dans l'agriculture, les parcelles individuelles des kolkhoziens remplissent ce rôle, mais bien souvent aussi, les productions délicates se trouvent écoulées sur place lorsqu'elles proviennent du secteur collectif. Le lait, la viande, les produits maraîchers ou fruitiers ont échappé de la sorte plus ou moins complètement jusqu'à une date récente à l'ouverture de courants d'échanges généraux : les produits servaient au ravitaillement des villes proches. Il arrivait que les trafics étaient plus lointains. On a cité le cas des cultivateurs des républiques du Caucase : ils venaient apporter leurs fruits à Moscou et y trouvaient l'occasion de se procurer des revenus substantiels. Bien loin de montrer l'extension des marchés de produits agricoles, de tels faits témoignent de l'inorganisation profonde des échanges à longue distance dans certains domaines. Pour la fabrication des produits industriels, la situation était un peu la même. Les secteurs artisanaux qui ont subsisté dans bon nombre d'agglomérations jusqu'à une époque toute récente jouaient un rôle considérable dans la production des produits élémentaires. On sait que les réformes khrouchtcheviennes ont porté de rudes coups aux secteurs domestiques de l'économie rurale, à l'artisanat aussi. Les besoins de productions locales étaient pourtant si pressants que certaines entreprises socialistes ont pour but essentiel de les satisfaire (44). Ici, elles fournissent les ustensiles ménagers, là elles fabriquent du mobilier. Il est difficile de se faire une idée de l'importance exacte de ce secteur. La réforme des sovnarkhozes de 1957 laissait aux autorités locales la gestion des entreprises de ce type. Mais les fluctuations dans l'architecture administrative ont été trop rapides pour que l'on puisse se faire une idée précise et de l'importance des fabrications à caractère local et parmi elles de celles destinées à la consommation finale et de celles destinées à la fourniture de produits intermédiaires. Tout ce que l'on peut dire, c'est que pour beaucoup, le marché était très réduit, ce qui donne peu de place aux circuits de biens de taille régionale. On tolère des entreprises de peu d'importance desservant des marchés locaux, on ne pourrait souffrir de les voir s'étoffer au

(44) On trouvera de nombreux exemples d'entreprises chargées d'alimenter le marché local dans BERNARD (Philippe-J.), *Destin de la planification...*, *op. cit.*, pp. 149-181.

point de devenir capables de ravitailler un trop large secteur si elles ne sont pas socialisées.

Ainsi, les conditions ne sont pas plus favorables en économie socialiste qu'en économie capitaliste à l'épanouissement de marchés régionaux de biens. L'héritage de la période prérévolutionnaire aurait pu favoriser provisoirement l'apparition de circuits intermédiaires. Pour des raisons doctrinales et par suite de certaines options théoriques en matière de production et d'implantation des entreprises, les soviets ont choisi de passer directement de l'économie de subsistance à l'économie ouverte au niveau des échanges continentaux. Ils ont refusé de passer par le stade intermédiaire des régions qu'ont connu plus ou moins complètement certaines économies capitalistes.

L'indigence relative de certains circuits de services et la faiblesse des structures régionales.

Les conditions économiques sont défavorables au développement d'une infrastructure de services comparable à celle que l'on trouve dans les pays occidentaux. La plus grande partie de la production vise à augmenter l'équipement du pays et les produits livrés à la clientèle privée ont été longtemps réduits au minimum. Les infrastructures commerciales sont volontairement limitées. Le volume de la production livrée au commerce de détail l'explique en partie. Le désir de réduire le plus possible la population non directement productive a agi dans le même sens.

Les petites villes ont été souvent les premières victimes. Elles ont perdu une grande partie de leurs fonctions de centres de distribution. Les services de santé, d'éducation et d'administration se trouvent incorporés aux unités productives, ce qui tend à diffuser les prestateurs à l'intérieur des unités kolkhoziennes — en en diminuant l'efficacité (ce qui justifie la politique de regroupement que nous avons signalée). Les usines ont souvent une telle dimension que les petits bourgs et les villes provinciales modestes ne peuvent les accueillir sans investissements très lourds.

La décadence des centres de service de petite importance est corrélative de la multiplication des grands centres urbains. La hiérarchisation est moins marquée qu'ailleurs. Il y a deux ou trois dimensions de ville, plutôt qu'une gamme continue d'agglomérations organisées en une pyramide régulière dans une même région. Lorsque l'on compare les villes d'une même partie du pays, on voit souvent qu'elles ont toutes ou à peu près la même taille. Ainsi, le long de la vallée inférieure et moyenne de la Volga s'égrène tout un chapelet de grandes cités, dont la population est comprise entre 500.000 et 1.000.000 d'habitants. Dans l'Oural (fig. 10.15) existent deux échelons : celui des grandes métropoles, Perm, Sverdlovsk, Tcheliabinsk, Oufa, Magnitogorsk et au-dessous un second groupe de villes plus petites, mais apparemment tout aussi homogène. Rien ne ressemble à une métropole régionale qui viendrait coiffer l'ensemble des villes d'un même secteur territorial.

L'analyse des fonctions des centres donne une image quelque peu différente. La taille de la plupart des agglomérations s'explique par les dimensions des usines qu'elles abritent. S'il y a tant de villes entre un demi et un million d'habitants, c'est qu'elles abritent des fabrications pour lesquelles on a réalisé des unités géantes. Les villes moyennes de 100. 000 à 500. 000 habitants abritent de très grosses unités de production, mais une ou deux seulement. Ces traits sont surtout marqués dans les régions mises en valeur au point de vue industriel depuis la révolution d'Octobre. Dans la région moscovite ou celle de Leningrad, on trouve de nombreuses usines, textiles dans un cas, métallurgiques dans l'autre, de taille bien inférieure et qui animent des villes plus petites.

Les caractères des métropoles régionales.

Toutes les villes ne dépendent pas d'usines géantes. Certains grands centres se distinguent par la richesse de leurs fondations intellectuelles, par leurs écoles supérieures, leurs instituts de formation technique, leurs laboratoires spécialisés (45). Ces villes abritent souvent des entreprises industrielles plus nombreuses, plus variées, mais de dimension inférieure à la moyenne. Elles sont bien souvent de vieux centres d'Ancien Régime. Il en est ainsi évidemment de Moscou et de Leningrad, mais leur rôle

(45) Nous avons dégagé les caractères des constructions régionales de l'U. R. S. S. de la confrontation des principaux manuels qui décrivent le pays, ainsi que de certains articles qui nous ont permis de réaliser une cartographie plus précise des

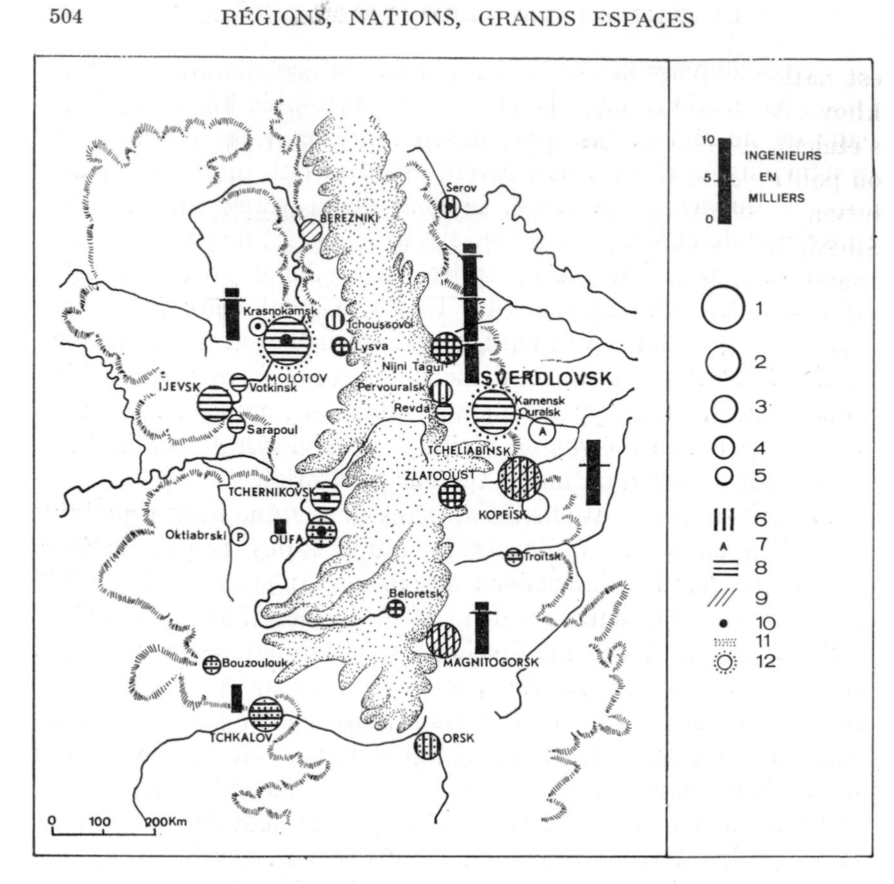

Fig. 10.15. — Le réseau urbain de l'Oural et les industries.

Le croquis montre que le réseau urbain est dans l'ensemble faiblement hiérarchisé : il y a peu de petites villes, pas de très grandes métropoles. Les centres se répartissent en deux classes : de 100.000 à 300.000 habitants, de 500.000 à 700.000 habitants (les chiffres correspondent à une évaluation de 1956). Cela pourrait signifier qu'il existe trois structures régionales dominées chacune par une métropole — en l'espèce, Perm (Molotov), Tcheliabinsk et Sverdlovsk. En fait, la dimension uniforme des villes s'explique par la dimension des ateliers industriels, et Sverdlovsk, avec une population à peine supérieure à celle de ses rivales, a un rôle organisateur infiniment supérieur, comme le prouve le nombre d'ingénieurs de la province.

1. Ville de 500.000 à 700.000 habitants.
2. — de 200.000 à 300.000 —
3. — de 100.000 à 200.000 —
4. — de 70.000 à 100.000 —
5. — de 50.000 à 70.000 —
6. Industries sidérurgiques.
7. Industrie de l'aluminium.
8. Constructions mécaniques. Machines.
9. Industries chimiques.
10. Industries du bois. Papier.
11. Industries alimentaires.
12. Industries variées.

est national. C'est le cas de Kiev, à un moindre degré de Karkhov, de Kouïbychev, de Kazan, de Perm. Certains centres s'étaient développés assez tard, mais leur fortune industrielle ou politique en avaient déjà fait des villes riches avant la Révolution : Sverdlovsk, Bakou entrent dans cette catégorie. En Sibérie, la plupart des villes à fonction régionale actuelle se sont épanouies après la création du transsibérien. C'est ce dernier qui a avantagé Irkoutsk par rapport à Iakoutsk, situé beaucoup plus au Nord, mais développé plus tôt sur la route que les Cosaques ont ouverte en direction du Pacifique.

Ces villes doivent leur essor à leurs fonctions de service, à leur rôle des métropoles régionales. Il en va ainsi par exemple de Novosibirsk pour la région industrielle développée autour du Kouzbass, de Sverdlovsk pour l'ensemble de la région de l'Oural — quoique Perm joue aussi un rôle de relais pour la partie occidentale, de Kouïbychev et de Kazan pour les pays de la Volga moyenne, de Kharkov et plus encore de Kiev en Ukraine, de Bakou en Caucasie orientale. Le développement de ces villes s'est fait de manière parfois moins spectaculaire que celui de rivales plus jeunes, nées des grandes aventures industrielles des plans quinquennaux. Mais la régularité de leur poussée ne s'est pas démentie. Elles ont su retrouver leur rôle lors même que la défaveur politique les a longuement isolées et appauvries — et on songe à Kiev, longtemps sacrifiée à Kharkov et aux villes du bassin du Donetz. Dans la conjoncture actuelle, on s'aperçoit qu'elles réussissent à attirer une bonne partie des créations

êtres régionaux. Outre l'ouvrage de N. Baranski déjà signalé, nous avons utilisé : Jorre (Georges), *L'U. R. S. S. La terre et les hommes*. Paris, Société d'Éditions, françaises et internationales, 1946, 403 p. — George (Pierre), *L'U. R. S. S.* Coll. Orbis, Paris, P. U. F., 2e éd., 1962, 499 p. — Lyndolph (Paul E.), *Geography of the U. S. S. R.* New York, Wiley and Sons, 1964, XII, 451 p. — Mellor (Roy Egerton), *Geography of the U. S. S. R.* Londres, Macmillan, 1964, XVI, 403 p. — Chambre (Henri), (sous la dir. de), *Le développement du bassin du Kuznetsk, op. cit.* — Id., *Tiers Monde soviétique. Le Kazakhstan, op. cit.* — Smotkine (Henri), « Les régions industrielles de l'U. R. S. S. ». *L'Information géographique*, vol. 25, 1961, pp. 185-209. — Labasse (Jean), « Le front pionnier de l'Angara, Baïkal ». *Revue de Géographie de Lyon*, vol. 40, 1965, pp. 263-275.

On trouvera une mise au point bibliographique sur les problèmes de la régionalisation en U. R. S. S. dans le grand ouvrage que M. Labasse vient récemment de consacrer à l'aménagement de l'espace. On le consultera avec profit pour l'analyse de tous les thèmes abordés dans ce chapitre : Labasse (Jean), *L'organisation de l'espace*. Paris, Hermann, 1966, 605 p.

Nous avons utilisé deux mises au point publiées dans les études documentaires: Blanchard (L.), « Le Kazakhstan ». *Études et conjonctures*, vol. 16, 1961, pp. 403-486. — Id., « L'ensemble économique de l'Oural ». *Études et conjonctures*, vol. 13, 1958, pp. 623-672.

nouvelles d'industries dynamiques. Elles sont plus richement dotées en services intermédiaires pour la production, mais aussi en services destinés à la consommation. Au total, elles ont réussi ces dernières années à se développer au même rythme que les métropoles des pays développés. Ainsi voit-on resurgir une organisation régionale après quarante ans d'une politique qui l'a systématiquement ignorée. Les régions diffèrent, malgré tout, du monde occidental par la dimension des unités, le caractère déséquilibré des agglomérations urbaines. Mais ce sont des caractères qui sont dus autant à l'étendue russe qu'à la société socialiste. On ne les retrouve pas de manière aussi frappante dans les pays de démocratie populaire. Par contre, ce qui est vraiment plus original, c'est la faible part des services destinés à la consommation dans la structuration générale, le manque de hiérarchisation qui en découle et la faiblesse des petits centres urbains. Ce sont là des traits qui ont frappé les géographes des pays socialistes, plus encore que ceux de l'U. R. S. S., car les organisations régionales qui y avaient pris naissance avant 1945 y étaient souvent très vigoureuses et articulées selon les mêmes principes qu'en Europe occidentale. On a déploré un peu partout la crise des petites villes, les difficultés à maintenir la vie dans un appareil qui se trouve délaissé par l'organisation actuelle des grands circuits de la vie de relation à l'intérieur du pays (46).

Jusqu'à présent, ces constructions régionales sont restées caractérisées par la faible tendance à l'étalement des zones urbanisées. Les villes russes sont très grandes, elles l'étaient déjà sous l'Ancien Régime, comme il se doit dans un pays de plaine ou l'espace est apparemment illimité, bon marché et où l'on construit des maisons de bois susceptibles de fournir un aliment de choix à de gigantesques incendies. Mais on n'a pas vu se produire l'étalement généralisé lié à l'augmentation de la mobilité individuelle. La méfiance des gouvernements socialistes vis-à-vis de l'automobile en est responsable. Le jeu de complémentarité entre les zones urbaines et les zones de détente et d'expansion est encore peu apparent. Il commence cependant à se dessiner

(46) Sur la crise des petites villes dans le monde socialiste, on pourra prendre comme exemple les problèmes qui se posent en Pologne : KOSINSKI (L.), « Problems of the Functional Structure of Polish Towns », *op. cit.* — DZIEWONSKI (Kazimierz), « Rozwoz problematyki badan geograficznych nac malym miastami » (Development of Geographical Research into Problems of Small Towns). *Polska Akademia Nauk*, Instytut Geografii, Prace Geograficzne, nº 9, 1957, pp. 19-36.

autour des agglomérations les plus importantes, autour de Moscou par exemple qui s'entoure d'une couronne de villes satellites. Il se signale également dans les métropoles régionales les plus réellement vivantes. On voit apparaître autour d'elles des villes de laboratoire, des villes universitaires, des usines expérimentales, comme on le signale par exemple pour Akademogorsk, qui marque l'accentuation du rôle organisateur de Novosibirsk. La politique actuelle tend à faire de cette ville un des centres majeurs des régions orientales et à lui donner un rôle qui n'est plus simplement régional.

Entre les pays développés capitalistes et les pays socialistes, les différences qui existent dans les structures régionales sont sensibles. Elles s'expriment nettement au plan des doctrines, puisque les économistes soviétiques essaient ou ont essayé longtemps, de limiter la part du secteur des services considéré comme parasite. L'évolution actuelle montre pourtant des similitudes, des convergences. Si l'on fait la part de décalages inévitables liés aux niveaux d'équipements collectifs ou individuels, on ne peut qu'être frappé par la permanence de régions économiques et de métropoles économiques assez semblables à celles des pays capitalistes, dans une bonne partie du territoire.

Les constructions régionales des pays sous-développés, là où elles existent, se montrent beaucoup plus franchement originales que celles des pays de l'Est.

VI. — Les régions dans les économies sous-développées.

Ce qui caractérise le Tiers Monde, au plan de l'organisation des espaces de moyenne dimension, c'est la multiplicité des formes en présence, leur hétérogénéité profonde. La première cause de contrastes tient à ce que, selon les cas, il y avait ou il n'y avait pas de structure régionale traditionnelle.

La permanence des structures régionales traditionnelles.

Les pays qui possédaient une trame de régions traditionnelles fortement structurées, comme ceux d'Extrême-Orient, ont été profondément affectés par l'ouverture au commerce et la concurrence des produits manufacturés importés. Dans l'Inde, par exemple, la population urbaine a diminué, en importance relative, dans le courant du XIXe siècle. Si l'on tient compte de l'apparition de villes neuves liées aux besoins administratifs et commerciaux de la colonisation, on conçoit que la décadence qui a frappé les réseaux anciens a pu être très forte. Elle n'a pourtant pas conduit à leur disparition (47).

Là où une organisation urbaine existait avant la pénétration des Européens, elle subsiste, mais son rôle s'est trouvé réduit. Elle sert de base à l'organisation administrative de la vie locale. Les vieilles villes ont alors été dédoublées, le quartier administratif moderne se juxtaposant à la ville traditionnelle. Elles gardent une activité commerciale, puisqu'elles concentrent les produits de traite exportés et redistribuent les produits importés. Leur position par rapport aux voies de communication crée des inégalités. Les villes desservies par la voie ferrée sont plus favorisées. La hiérarchie qui s'esquisse de la sorte demeure très mal marquée (fig. 10.16) (48). Elle ne s'exprime pas toujours nettement par le chiffre de population; souvent, les centres urbains attirent une masse flottante de gens dénués de ressources, sans travail, et qui pensent mieux subsister dans des centres plus grands, où les secours sociaux commencent à se trouver organisés.

La croissance est limitée par l'absence presque complète

(47) Nous prenons comme exemple celui du réseau urbain de l'Inde : les études se sont multipliées au cours des dernières années, si bien que l'on voit assez bien ce qui est survivance de la période précoloniale, et ce qui correspond à un développement colonial ou moderne. TURNER (Roy) (ed. by), *India Urban Future.* Bombay, Londres, Oxford University Press, 1962, XVI, 470 p. — MAYFIELD (Robert C.), « The Range of a Central Good in the Indian Punjab ». *Annals of the Association of the American Geographers,* vol. 53, 1963, pp. 38-49.

Ce dernier article donne une idée de ce que pourrait être la base économique et territoriale sur laquelle s'appuyait la ville indienne traditionnelle. On pourra le compléter par l'analyse que, dans l'ouvrage collectif précédent, Richard Ellefsen a consacré aux relations de la ville et de son arrière-pays. ELLEFSEN (Richard A.), *City-Hinterland Relationships in India,* pp. 94-116 de Roy Turner.

(48) Sur le poids des centres traditionnels, leur plus ou moins bonne adaptation à l'économie moderne, on pourra prendre l'exemple du Bengale : SEN (Amal Kumar), « Bankura. A Study of the Cultural Landscape of an Urban Area ». *Geographical Review of India,* vol. XVIII, sept. 1955, nº 3. — KAR (N. R.), *Urban Hierarchy and Central Functions around Calcutta in Lower West Bengal, India, and their Significance,* pp. 253-274 de NORBORG (Knut) (ed. by), « Proceedings of the IGU Symposium in Urban Geography. Lund 1960 ». *Lund Studies in Geography,* sér. B, nº 24, Lund C. W. K. Gleerup, 1962, XII, 602 p. — BOSE (Nirmal Kumar), « Calcutta : a premature Metropolis ». *Scientific American,* vol. 213, nº 3, sept. 1965, pp. 90-105. — MURPHEY (Rhoads), « The City in the Swamp : Aspects of the Site and Early Growth of Calcutta ». *The Geographical Journal,* vol. 130, 1964, pp. 241-255.

d'activités industrielles et par la demande très faible de services de type moderne : les niveaux de vie et de consommation sont très médiocres. La consommation de services est cependant

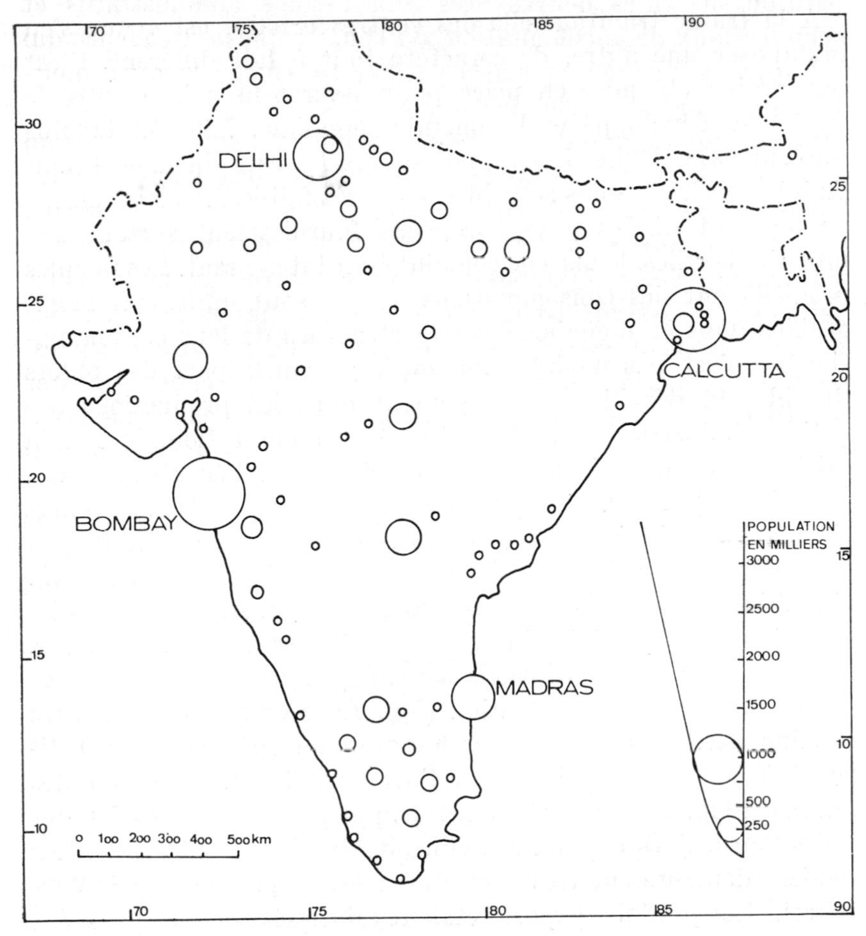

Fig. 10.16. — Le réseau urbain de l'Inde et l'absence de hiérarchisation. Villes de plus de 100.000 habitants d'après le Census of India, de 1960.

plus élevée qu'on ne le pense généralement. Mais il s'agit de services personnels. Par ailleurs, les prestateurs de service sont assez nombreux dans les villages traditionnels. Les villes ne fournissent qu'une petite partie de la gamme totale des activités tertiaires (49).

(49) Les villes indiennes ne fournissent guère, au plan de l'économie tradition-

L'économie coloniale et la mise en place de nouvelles structures régionales.

A la trame traditionnelle des centres urbains est venue s'en juxtaposer une autre, de caractère tout à fait différent. C'est celle qui a été mise en place pour assurer la liaison entre le pays sous-développé et l'économie mondiale. Elle est le plus souvent assez lâche. Les rapports avec le reste du monde sont limités, car les besoins solvables sont très faibles. Au XIXe siècle, au moment où les pays européens fournissaient surtout des produits textiles, le marché colonial était intéressant. Les peuples primitifs ont des consommations qui ne sont nullement négligeables dans ce domaine. Mais la structure de leur consommation ne s'est pas modifiée lorsque a grandi la part des objets durables et des biens d'équipement dans les productions des nations industrialisées. Par effet de démonstration, le besoin existe souvent, mais à l'état virtuel. Aussi, l'écoulement des produits importés ne demande-t-il pas d'infrastructure commerciale très lourde. Pour vendre des tissus, des outils simples, on peut utiliser les voies traditionnelles des courants commerciaux. En Afrique occidentale, les colporteurs ont substitué des articles européens aux produits indigènes qu'ils faisaient circuler. Les marchés ruraux traditionnels voient passer une grande part du commerce de redistribution (50). Là où une infrastructure urbaine existait déjà, les marchandises européennes se substituent à celles livrées jadis par l'artisanat local. Au début des années 1950, le contraste était frappant entre les souks des villes marocaines et ceux des villes d'Algérie ou de Tunisie. Les métiers demeuraient très vivants à Fès, et plus encore à Marrakech. Les produits exposés étaient fabriqués sous les yeux des

nelle, de services qu'aux villages les plus proches, comme il ressort des analyses d'Ellefsen (cf. *supra*, note 47) et de Kar (cf. *supra*, note 48).

(50) Peter Haggett signale deux travaux récents effectués dans des universités anglaises par des étudiants du Tiers Monde. Ils montrent la structure régulière des trames de lieux centraux traditionnels en Afrique occidentale (au Nigeria) et à Ceylan. HAGGETT (Peter), *Locational Analysis in Human Geography*. Londres, Arnold, 1965, XII, 339 p. — GUNAWARDENA (K. A.), *Service Centres in Southern Ceylon*. University of Cambridge, Ph. D. Thesis, 1964. — UKWU (U. I.), *Markets in Iboland, eastern Nigeria*. University of Cambridge, Ph. D. Thesis, 1965.

On trouvera une analyse de l'utilisation du réseau traditionnel par les circuits modernes dans : Université de Strasbourg, Centre de Géographie appliquée. *Étude géographique des problèmes de transports en Côte-d'Ivoire*. Paris, La Documentation française, 1963, 142 p.

touristes. A Tunis, le cadre subsistait, mais la fonction était déjà altérée.

Là où l'économie traditionnelle ne donnait que très peu de place aux échanges commerciaux, la mise en place de la colonisation se double de la création d'une série de points d'échanges. En Afrique occidentale, il s'agit des factoreries, qui procèdent aux opérations d'achat et de vente et initient les populations à l'économie monétaire. Dans une partie de l'Amérique du Sud tropicale, au Brésil en particulier, la pénétration se fait un peu selon les mêmes moyens. Les postes de traite demeurent très sommairement équipés. Ils attirent quelques indigènes, font figure de petits bourgs. Ils s'ouvrent le long de grands axes de pénétration, mais n'ont pas de position centrale par rapport aux zones qu'ils desservent. Leur semis est donc souvent très irrégulier. Ils constituent pourtant l'amorce d'un réseau urbain et peuvent aider, avec la fin du sous-développement, à la maturation de structures régionales. C'est la situation décrite par Pierre Monbeig dans la région pionnière de São Paulo (51). Les municipio dont il montre la multiplication le long des grandes voies ferrées de pénétration ont des fonctions plus complexes que celles de la plupart des factoreries installées en pays colonial, mais ils en sont proches parents. Le développement progressif de la vie économique finit par faire de chacune des grandes lignes ferroviaires l'axe d'une organisation régionale.

Réseaux de traite et espaces régionaux.

Ainsi, le passage de l'économie traditionnelle à l'économie de traite se traduit par la mise en place d'un réseau élémentaire de lieux centraux. Leur faible population, le rôle un peu marginal qu'ils jouent dans des économies faiblement ouvertes sur l'extérieur les empêchent d'animer vraiment l'espace qu'ils exploitent. Leur importance ne saurait être négligée. Lorsque les pays accèdent à l'indépendance, on voit souvent la trame administrative se mouler sur celle des anciens postes de traite. Mais les fonctions des centres demeurent élémentaires et peu hiérarchisées. Le long d'un même axe de pénétration, les postes sont les mêmes fonctions et dépendent tous d'un seul centre d'ordre

(51) MONBEIG (Pierre), *Pionniers et planteurs de São Paulo, op. cit.*

supérieur, sans intermédiaire, sans ville moyenne qui assure le relais. Ces villes directrices, ce sont généralement les ports nécessaires pour assurer le contact avec les nations développées. Il arrive que ce soient des points de transbordement, de rupture de charge. Les exemples les plus nets se trouvent en Afrique, où se sont développés des centres importants au terminus des grands axes de pénétration ferroviaire. Kano, Bamako, Ouagadougou jouent ainsi pour les régions intérieures un rôle analogue à celui tenu sur le littoral par Dakar, Abidjan et Lagos ou Port Harcourt (52). En Chine, à l'époque de la pénétration impérialiste, le relais vers l'intérieur des grands ports du littoral était assuré par les grandes villes du Yang-Tsé-kiang — de Nan-king à Tchoung-king, en passant par Han-kéou.

La distribution des grands centres qui commandent l'organisation de l'espace est donc très irrégulière en pays sous-développé. Ils animent des ensembles qui ne sont pas encore des régions et qui s'opposent souvent aux territoires des pays développés par leur allongement considérable le long des lignes de pénétration. A la différence des métropoles régionales européennes ou américaines, dont la richesse vient de la gamme de services offerts à la consommation finale, les grandes villes des pays sous-développés vivent essentiellement des services intermédiaires qu'elles offrent. Ce sont des ports, des points de transbordement. Ce sont des centres de commerce de gros. Les grandes maisons qui organisent la traite ont là leurs bureaux et leurs entrepôts. Elles assurent le service de tout l'intérieur, emballent, conditionnent les objets qu'elles ont collectés, répartissent leurs importations en fonction des demandes des postes de traite. Ceci donne parfois naissance à l'ébauche d'une fonction industrielle. Il est avantageux de traiter avant expédition certains des produits exportés. La puissance des maisons de commerce européennes vient souvent de cet aspect de leur travail. Les connaissances techniques qui permettent de se soumettre aux impératifs du marché extérieur ne pénètrent que lentement en milieu

(52) L'apparition des grandes villes coloniales est liée de manière très précise à la mise en place des grandes voies de désenclavement, comme le montre l'étude de Taaffe, Morrill et Gould. On voit également, à cet exemple, comment la situation se complique petit à petit, et se rapproche progressivement de celle que l'on connaît dans les pays développés : TAAFFE (E. J.), MORRILL (R. L.), GOULD (P. R.), « Transport expansion in underdeveloped countries : a comparative analysis ». *The Geographical Review*, vol. 53, 1963, pp. 503-529.

sous-développé et le rôle des intermédiaires s'en trouve accru. Les produits importés peuvent gagner également à subir des transformations de caractère industriel. Il faut mettre les boissons en bouteille, assurer le conditionnement de produits achetés en gros et revendus au détail.

Il est inutile d'allonger l'énumération des activités qui animent les grandes villes des pays sous-développés. Elles ne connaissent qu'une partie de celles des grandes métropoles européennes. Elles ne fournissent pas comme elles des services rares à une population dispersée. La trame spatiale n'a pas la régularité que lui donne, dans les économies développées, le jeu des aires de services directement consommés.

Dans beaucoup de pays sous-développés, on a assisté à la mise en place de structures duales. A côté du secteur traditionnel, mal intégré aux circuits du monde moderne, on voit apparaître des plantations, des mines, des usines dont les caractères sont très semblables à ceux des pays développés. Les rapports de ces ensembles et du monde développé sont plus sûrs que ceux qui unissent le monde traditionnel à l'extérieur. En effet, les produits indigènes incorporent généralement beaucoup de travail et peu de capital, par suite de la médiocrité technique des civilisations. Les progrès de la productivité dans les nations occidentales modernes peuvent toujours remettre en question la base des échanges avec les pays sous-développés. L'économie sous-développée se trouve rejetée hors du circuit normal des échanges. Le danger était faible au siècle dernier, car les différences de productivité entre les pays industriels et les autres demeuraient modestes. Il s'est précisé depuis une génération et on sait l'inquiétude de toutes les nations du Tiers Monde devant l'évolution du commerce mondial. La part des nations sous-développées a commencé à décroître inexorablement depuis la Seconde Guerre mondiale. Les seuls articles pour lesquels la situation se maintient sont ceux pour lesquels les conditions naturelles assurent un véritable monopole aux régions sous-développées : les fruits tropicaux, certaines céréales, les oléagineux, les excitants : thé, café, cacao.

Les structures régionales des secteurs d'économie moderne : les économies de plantation.

La situation du secteur d'économie moderne est toute différente. Là, on trouve des plantations (53) dont la gestion est souvent aussi scientifique que celle des grandes fermes des plaines de l'Europe du Nord-Ouest ou du Middle-West américain. Les usines et les mines utilisent le même matériel que celui des pays industrialisés. On n'en est plus au temps où les entrepreneurs jouaient sur le bon marché de la main-d'œuvre pour mener leurs exploitations outre-mer selon des principes différents de ceux adoptés dans leurs pays d'origine. On préfère les machines modernes aux équipes trop nombreuses d'autrefois. Les raisons en sont multiples. Elles tiennent aux conditions d'évolutions de la productivité du travail industriel. Il arrive un moment où une exploitation dans laquelle on substitue systématiquement du travail au capital ne peut obtenir des prix comparables à ceux des économies développées. On ne peut comprimer indéfiniment les salaires et la concurrence de la machine risque de rejeter hors du circuit mondial les entreprises qui se sont endormies sur l'exploitation de facteurs trop abondants. La formation technique du personnel utilisé sur la plupart des machines modernes peut être assurée rapidement. L'instabilité de la main-d'œuvre est par ailleurs souvent très grande en pays sous-développé, ce qui provoque des difficultés pour les entreprises qui emploient un personnel important.

Le secteur développé emploie des cadres de compétence élevée. Les grandes exploitations agricoles organisées sous la forme de plantation utilisent des agronomes, ont parfois leurs propres services de recherche. Les mines où les usines ont besoin d'agents techniques de plusieurs niveaux. Très souvent le personnel qualifié provient des pays développés. Il n'en est pas toujours ainsi. Les pays qui ont échappé à la colonisation offrent des

(53) Les études se sont multipliées récemment et permettent maintenant de bien connaître les traits les plus originaux des systèmes d'agriculture de plantation, qui représentent l'exemple le plus parfait d'organisation duale : Kayser (Bernard), *Économies et sociétés rurales dans le monde tropical.* Paris, C. D. U., 1961, 141 p. mutigraphiées. — Courtenay (P.-P.), *Plantation Agriculture.* Bell's advanced economic geographies. Londres, Bell, 1966. — Gregor (Howard F.), « The Changing Plantation ». *Annals of the Association of the American Geographers,* vol. 55, 1965, pp. 221-238.

exemples d'économie duale aussi frappants que les économies coloniales et emploient pourtant une main-d'œuvre qualifiée qui est presque uniquement autochtone. Il en va ainsi par exemple des États d'Amérique latine.

Le secteur moderne demande une trame de services intermédiaires assez complexe. Les grandes villes qui dirigent le commerce de traite sont souvent en état de les assurer. Il arrive que le développement d'une économie de plantation entraîne la création de centres spéciaux. Les villes côtières destinées aux relations avec l'extérieur se multiplient; les compagnies de commerce utilisent le port né des services d'une région de plantation, comme base de pénétration pour l'économie de traite et réciproquement. Dans la plupart des régions de plantation, la main-d'œuvre utilisée est d'origine locale et même là où on utilise un outillage moderne, son taux de rémunération demeure faible. Aussi, les consommations demeurent assez semblables à celles des régions d'économie de traite. Les produits importés sont un peu plus nombreux, un peu plus variés, mais pour l'essentiel, la structure des dépenses demeure semblable. La trame des lieux centraux n'est donc pas fondamentalement différente de celles que nous trouvons dans les secteurs traditionnels. Pour le personnel technique dont les exigences sont différentes, une trame de service se met en place. Elle est en partie installée au siège de l'exploitation. Les plus importantes d'entre elles ont leurs médecins, leur infirmerie. Le plus souvent pourtant, lorsque les plantations ne sont pas très vastes, on a recours aux petits bourgs locaux dont l'importance et l'organisation s'enrichit d'une gamme de services nouveaux. Les planteurs, le personnel technique très qualifié ont des revenus élevés et des habitudes de consommation calquées sur celles des pays développés. Ils ont souvent une grande mobilité. Ainsi n'hésitent-ils pas à s'adresser à des villes éloignées — le grand port par où se font les exportations, des centres plus lointains aussi. On s'y rend fréquemment, on y réside ou on y installe sa famille pour des séjours plus ou moins prolongés. Ainsi, là où existe une population de haut niveau de vie, les centres urbains les plus importants ajoutent à leurs fonctions de centres de services intermédiaires des fonctions de distribution des services de consommation. Le haut niveau de vie de la classe privilégiée fait que l'organisation y est aussi complète que dans les villes d'importance équivalante dans les pays développés. Mais le rayonnement du centre s'étend bien au-delà de ce que l'on trouve normalement dans les pays développés. Ainsi, dans les régions d'économie duale voit-on souvent se créer des organisations spatiales très déséquilibrées. Le réseau des centres élémentaires ne possède aucune hiérarchie véritable et demeure très fruste. Les grands centres les dominent beaucoup plus qu'ils ne le font dans les pays d'économie développée. Pas de villes moyennes, pas de centres intermédiaires. On passe, pour employer le vocabulaire consacré, du « bled » ou de la « brousse » à des agglomérations souvent plus agréables que celles qui animent les régions des pays développés. Cependant, l'ouverture de l'espace à une économie moderne n'a pas réussi à créer les bases d'une organisation régionale véritable (54).

Les structures régionales des secteurs agricoles et industriels modernes.

La situation est un peu différente là où le secteur d'économie moderne assure une distribution plus large des hauts revenus, là où les secteurs tertiaires modernes sont plus importants. Ainsi, dans les pays de colonisation blanche en Afrique, les zones mises en valeur étaient suffisamment peuplées par les colons pour qu'une trame dense de lieux centraux prenne naissance. En Afrique du Nord (55), les régions mises en valeur ont vu s'ordonner des

(54) C'est là un thème qui est maintenant fréquemment abordé par les auteurs qui se préoccupent des problèmes du sous-développement. Yves Lacoste l'a analysé rapidement, et annonce une publication plus importante sur le problème. Récemment, Blache, Kayser, en France, ont proposé des interprétations. C'est cependant dans le grand article d'Étienne Juillard que l'on trouve pour la première fois une explication économique de la faiblesse des organisations régionales dans le monde traditionnel. George (Pierre), Guglielmo (Raymond), Kayser (Bernard), Lacoste (Yves), *La géographie active.* Paris, P. U. F., 1964, 394 p. Cf. pour l'analyse de M. Lacoste sur les espaces régionaux en pays sous-développés les pages 118-126. — Nicolai (Henri), « Naissance d'une région en Afrique centrale : le Kwilu ». *Cahiers d'outre-mer,* vol. 17, 1964, pp. 292-313. — Kayser (Bernard), « Les divisions de l'espace géographique dans les pays sous-développés ». *Annales de Géographie,* vol. LXXV, 1966, pp. 686-697. — Blache (Jules), « Les problèmes géographiques du sous-développement. Essai d'analyse ». *Revue de Géographie de Lyon,* vol. 41, 1966, pp. 367-396. — Juillard (Étienne), « La région : essai de définition », *op. cit.*

(55) On trouvera de bonnes descriptions de la structure régionale de l'Afrique du Nord dans deux ouvrages et un article récents : Isnard (Hildebert), *Le Maghreb.* Coll. Magellan, nº 19, Paris, P. U. F., 1966, 269 p. — Despois (Jean), Raynal (René), *Géographie de l'Afrique du Nord-Ouest.* Paris, Payot, 1967, 570 p. — Noin (Daniel), « Aspects du sous-développement au Maroc ». *Annales de Géographie,* vol. LXXV, 1966, pp. 410-431.

Ces ouvrages viennent compléter des manuels plus anciens : Birot (Pierre) et

réseaux urbains plus ou moins denses selon les caractères de la culture pratiquée, mais qui ont donné naissance à une infrastructure vigoureusement ordonnée. Les centres sont demeurés assez distants dans les zones de céréaliculture de l'intérieur — hautes plaines constantinoises, régions de Tiaret dans l'Oranie, dorsale tunisienne, plaine intérieure de la Medjerda, partie orientale ou méridionale de la plaine de Fès au Maroc. Les centres sont plus nombreux dans les régions de vignobles, d'agrumiculture ou de cultures maraîchères, ainsi que l'on peut le constater dans la Mitidja, dans les plaines oranaises ou dans le Rharb marocain (56). La construction régionale est ici bien structurée. Certains traits portent pourtant la marque du sous-développement. Les zones d'agriculture indigène sont restées en marge de l'organisation régionale, elles apparaissent comme de véritables déserts urbains, lors même qu'elles portent des densités très élevées. Tizi-Ouzou est le seul centre urbain dans l'ensemble des Kabylies. Au Maroc, (fig. 10.17), moins touché par la colonisation rurale européenne, les conditions sont encore plus inégales dans la répartition des zones urbanisées. Autre marque du sous-développement, les réseaux urbains sont déséquilibrés. Peu de villes moyennes, on passe presque toujours directement de la petite agglomération à la métropole. Celle-ci est fréquemment une ville littorale.

Les régions minières présentent souvent des ébauches d'organisation régionale semblables à celles que l'on trouve dans les régions de pénétration agricole massive. Une mine isolée, très mécanisée et reliée par des moyens de transports modernes à un port d'exportation n'emploie bien souvent qu'un personnel très réduit. Que l'on songe par exemple à l'organisation qui a permis d'exploiter le fer mauritanien ou à celles que l'on a vu se multiplier de l'Iran au Sahara algérien pour la mise en valeur des réserves pétrolières! Une main-d'œuvre peu nombreuse très spécialisée, bien payée, encore presque toujours d'origine étrangère, vit en marge des pays où elle est installée. Là où l'exploitation demande un personnel plus abondant, où elle donne naissance à toute une chaîne de transformations, les conditions se

Dresch (Jean), *La Méditerranée et le Moyen-Orient.* Tome I : *La Méditerranée occidentale.* Coll. Orbis, Paris, P. U. F., 1953, 552 p., cf. pp. 391-525. — Despois (Jean), *L'Afrique du Nord.* Paris, P. U. F., 1949.

(56) Le Coz (Jean), *Le Rharb. Fellahs et colons. Étude de géographie régionale.* Rabat, Centre universitaire de la Recherche scientifique, 2 tomes, 1964, 1105 p.

trouvent réunies pour que l'on voit apparaître une trame de services bien diversifiée et bien organisée. Dans l'ex-Congo belge, la zone minière du Katanga était la seule à avoir accédé à une organisation régionale de type moderne. En pareil cas, les centres urbains développés autour des puits de mine ou des usines de transformation ne sont pas simplement des cités ouvrières. La

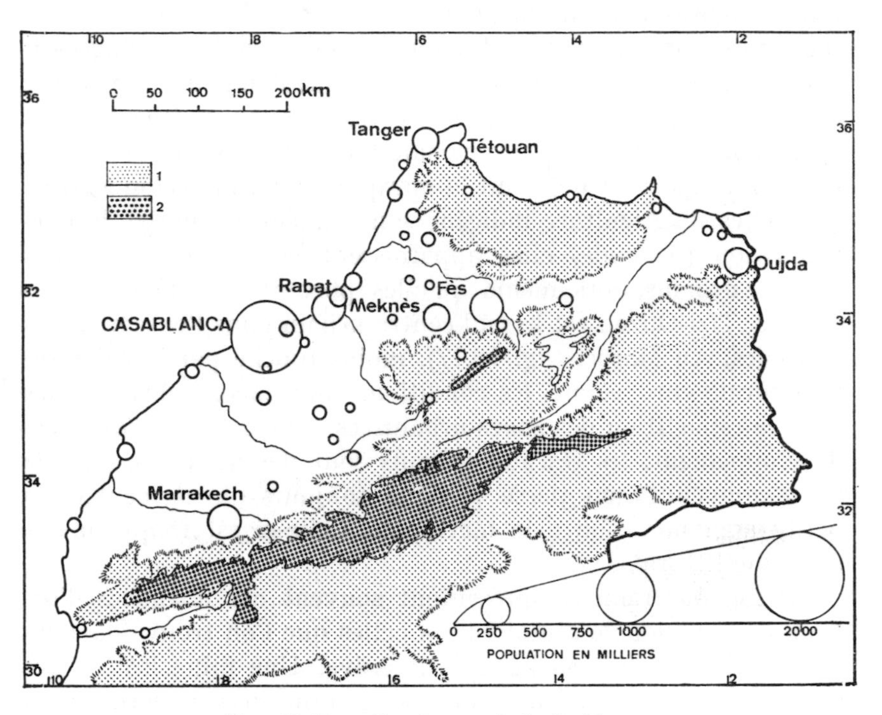

Fig. 10.17. — Le réseau urbain du Maroc.

1. Zone montagneuse.
2. Au-dessus de 2.000 mètres.

population a besoin de services, des quartiers commerçants importants se développent, des services sociaux sont dispensés. Entre les centres industriels, les espaces ruraux sont peu touchés par l'évolution économique si bien que la trame régionale, très irrégulière, est comme plaquée sur une économie qui lui est étrangère.

L'Afrique du Sud (fig. 10.18) offre sans doute le plus bel échantillonnage de formes d'organisations régionales que l'on peut trouver dans le monde des pays en voie de développement. Les réserves bantoues, qui occupent le septième environ du territoire, vivent en marge. Ailleurs, la terre appartient à des Blancs, dont le niveau de vie est élevé. La trame des centres est dense

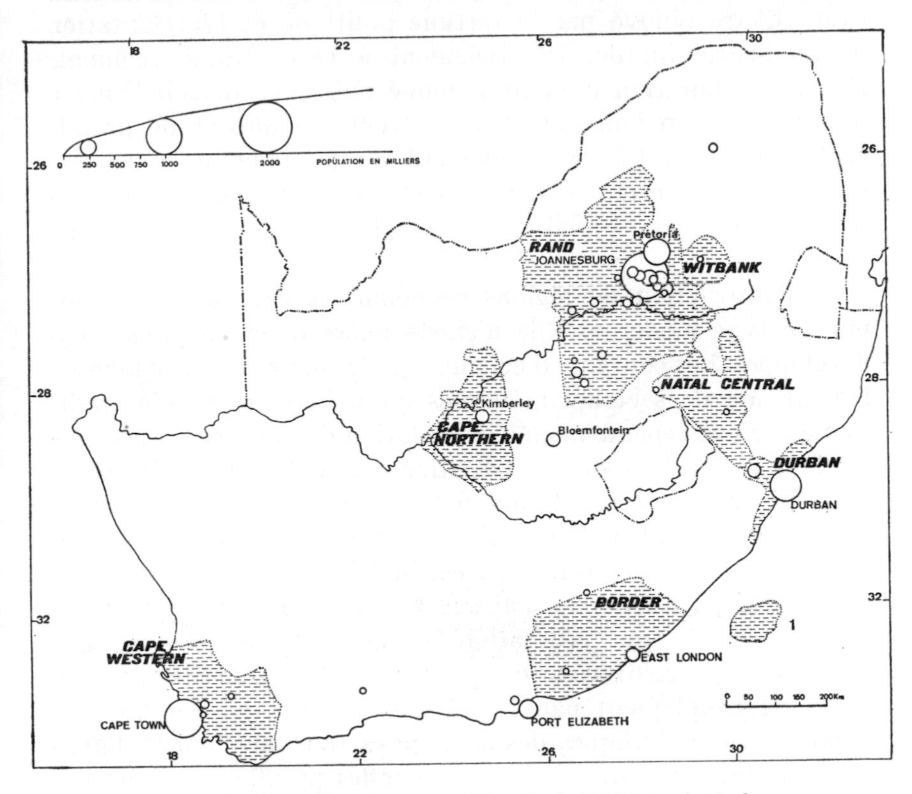

FIG. 10.18. — La structure régionale de l'Afrique du Sud.

1. Limites des zones de distribution d'électricité de l'Electricity Supply Commission.

La carte montre que le réseau urbain est très irrégulièrement réparti : les villes se groupent en quelques ensembles, dont le plus important est celui du Transvaal, dominé par l'agglomération du Witwatersrand. C'est dans ces régions que la distribution d'électricité est assurée à partir de grandes centrales : ailleurs, les fermes et les petites villes dépendent de groupes électrogènes. Ceci nous paraît un indice permettant d'opposer les parties de l'Union qui sont parvenues au niveau de l'organisation régionale, et celles qui lui échappent encore.

Les limites de réseaux de distribution sont empruntées à Monica Cole, *South Africa, op. cit.*, p. 391.

dans les régions d'agriculture intensive de la province du Cap ou du Natal. Elle est lâche dans les régions essentiellement pastorales. Comme cette organisation est dominée par le souci de valoriser la production par l'exportation, elle est ordonnée par rapport à des métropoles littorales, Le Cap, Port Elizabeth, East-London ou Durban. Dans l'intérieur, on trouve un certain nombre de centres relais. Prétoria appartenait à cette catégorie avant d'être rénové par la fortune politique et l'implantation de l'industrie lourde. Parallèlement à cette trame régionale lâche, l'exploitation minière a donné naissance dans le Rang à une puissante région industrielle structurée autour de grands centres urbains. Le développement d'une économie nationale complexe a entraîné le développement de rapports entre les régions qui nous conduisent déjà loin hors du monde sous-développé.

La construction de régions économiques est liée à l'économie de type moderne. Elle n'existe guère dans les pays sous-développés. Les courants d'échange qui les ouvrent sur le monde, l'apparition de secteurs modernes au milieu du monde traditionnel créent cependant une articulation de l'espace. Dans l'ensemble, la géométrie de la répartition des centres, leur hiérarchie sont très différentes de ce qu'on trouve dans les pays développés (57). Mais tout ne tient pas à la situation de sous-développement. Ce qui traduit celle-ci, c'est la faiblesse relative générale des populations urbaines, l'absence de secteur industriel important et, depuis une génération, la poussée désordonnée des grandes villes ceinturées ou pénétrées de bidonvilles ou de zones de peuplement pauvre. Les caractères qui semblent à première vue spécifiques des seuls pays sous-développés, l'articulation des territoires en longues bandes parallèles le long des voies de pénétration, on la retrouve dans les pays industrialisés nés avec la construction des réseaux ferrés des pays neufs.

Il ne faut donc pas attacher trop de poids à ce que l'on appelle souvent le déséquilibre des économies régionales en pays sous-développé. L'indigence des petits centres urbains, la croissance désordonnée de grandes métropoles n'est pas une anomalie. Là où

(57) Les déséquilibres du réseau régional des pays sous-développés a attiré à maintes reprises l'attention des géographes. LASSERRE (Guy), « Libreville, la ville et sa région ». *Cahiers de la Fondation des Sciences politiques*. Paris, Armand Colin, 1958. — ROCHEFORT (Michel), « L'organisation urbaine de l'Amazonie moyenne ». *Bulletin de l'Association des Géographes français*, n°s 282-283, mars-avril 1959, pp. 28-40. — DOLLFUS (O.), « Quelques remarques sur le poids de la capitale dans l'économie péruvienne ». Colloque C. N. R. S. : « Le problème des capitales en Amérique latine ». *Caravelle*, n° 3, 1964. — SANTOS (Milton), « Quelques problèmes des grandes villes dans les pays sous-développés ». *Revue de Géographie de Lyon*, vol. 36, 1961, pp. 197-218.

n'existaient pas de réseaux régionaux traditionnels, où la pénétration de l'économie commerciale s'est faite récemment et brutalement, tout se passe comme si l'on assistait à un raccourci de l'évolution rencontrée ailleurs : on accède directement de l'économie tribale à la ville régionale. Ceci ne va pas sans poser quelques problèmes, mais ne doit pas être interprété comme un phénomène pathologique. Il n'y a aucune raison pour que la croissance des économies sous-développées reproduise dans tous ses méandres celle des nations qui les ont devancées.

Tant que les constructions régionales demeuraient ordonnées régulièrement sur la trame continue des populations rurales qu'elles desservaient, on pouvait oublier qu'une bonne partie de leurs activités ne s'expliquait qu'en analysant les phénomènes à une échelle différente, celle de la nation ou du monde. Il fallait bien en tenir compte lorsqu'on essayait de comprendre les raisons des spécialisations agricoles, le pourquoi des localisations industrielles. On savait bien que la région ne fournissait qu'un cadre incomplet aux analyses économiques. Avec l'apparition des villes régionales, le problème se modifie. Les géographes ont distingué depuis longtemps, dans l'analyse des localisations urbaines, deux séries de conditions déterminantes : ils les étudient successivement en précisant la situation et le site. Si l'on transpose cette distinction dans le domaine de l'analyse économique générale, on pourra dire que la méthode régionale a permis de préciser les conditions du site. Mais il ne saurait être question de sous-estimer les conditions de situation, c'est-à-dire de replacer les équilibres dans un contexte plus vaste, celui de la nation la plupart du temps.

En s'affranchissant des liaisons qui existaient jusqu'ici avec le monde rural, les constructions régionales sont devenues plus libres de leurs localisations : les conditions de situation prennent sans doute plus de poids que par le passé dans l'explication de leur dynamisme.

CHAPITRE XI

LES NATIONS

Parmi les diverses sortes d'ensembles territoriaux, les nations occupent une place de choix. Leurs contours sont plus nets, leur rôle plus évident pour tous. La nation coïncide avec un espace politique, qui lui donne consistance, unité, et qui lui vaut des limites nettes, matérialisées par une frontière linéraire. L'importance de la nation dans la vie économique est telle que, longtemps, elle a été la seule unité spatiale qui ait retenu l'attention de l'économiste. Dans les pays de langue allemande, on confond encore volontiers économie politique, économie nationale et sciences économiques.

On pourrait, semble-t-il, utiliser aussi bien le terme d'État que celui de Nation dans les analyses économiques. Mais l'usage a fait préférer le second terme au premier. Le sens du mot s'est petit à petit précisé, si bien que la nation des économistes ne se confond pas avec celle des hommes politiques. L'État apparaît comme une forme vide, comme une volonté pure. La nation a une réalité concrète, elle est convergence d'une foule de volontés, elle a la consistance d'un espace géographique. Elle est plus proche de la race, du peuple, qu'elle ne l'est de l'État, mais elle est chargée d'éléments matériels qui manquent à ceux-là.

I. — La définition de la nation et l'évolution des réalités nationales.

La nation est une création récente (1) : on peut trouver dans l'Antiquité et au moyen âge des constructions qui préfigurent la

(1) Nous nous inspirons beaucoup, dans ce paragraphe, de l'important article de M. Mérigot. Les manuels traitant des problèmes de relations économiques inter-

nation, mais celle-ci est pour l'essentiel une création de l'époque moderne. En quatre ou cinq siècles d'histoire, ses caractères se sont considérablement modifiés. Peut-on ignorer ces transformations, proposer une définition satisfaisante pour l'époque actuelle, et négliger tout ce qui a précédé? A première vue, oui, car on simplifie de la sorte une situation confuse et difficile à appréhender. A la réflexion, non, car les réalités actuelles portent la marque des évolutions antérieures et, à trop simplifier, on perd toute possibilité d'analyser en profondeur les forces nationales.

Il est possible de dégager le dénominateur commun à l'ensemble des constructions qui se sont édifiées depuis la Renaissance, ou qui se mettent en place de nos jours. Pour aller au-delà il faut se pencher sur l'évolution historique des nations : les problèmes qui apparaissent alors permettent de bien comprendre quelle fut et quelle est leur finalité économique.

Les traits communs des nations.

Construction économique, la nation l'est comme la région. A la différence de l'État, de l'Empire, de groupes comme le peuple ou de communautés à base religieuse ou linguistiques et qui demandent à être analysées dans le cadre de la géographie sociale ou politique à partir des sciences humaines spécialisées qui s'attachent à ces domaines, la nation intéresse l'économiste. C'est à ce titre que, dans cet ouvrage de géographie économique générale, on est amené à parler de la nation alors qu'on laisse délibérément de côté toutes les constructions spatiales dont les ressorts ne sont pas uniquement économiques. Ce faisant, on restreint la portée de l'analyse, puisqu'elle n'est valable que pour les sociétés de type moderne, supportant une économie ouverte et diversifiée : de même que la géographie régionale, celle des nations ne s'intéresse qu'aux formes modernes de la vie. La géographie historique ne peut guère s'épauler sur ses méthodes ou sur ses concepts dès que l'on remonte au-delà de la Renaissance.

nationales accordent une large place à l'analyse des caractères de la nation, celui de M. Byé en particulier. MÉRIGOT (J.), « La nation dans la pensée économique ». *Économie contemporaine*, juin et sept. 1950. — BYÉ (Maurice), « Relations économiques internationales », *op. cit.*, cf. introduction : « La nation et les relations internationales », pp. 3-12.

La nation n'est pourtant pas une construction économique semblable à la région ou à certains ensembles territoriaux plurinationaux, en ce sens qu'elle n'est pas le résultat du jeu de forces purement économiques. La région s'ordonne en fonction de la dimension des éléments des circuits économiques qui lui donne sa spécificité, lui assure une certaine originalité de comportement. Elle naît sous l'action de « lois » indépendantes de la volonté consciente des individus. La nation est un ensemble territorial volontaire. C'est là son premier caractère, son trait le plus constant. La nation a pu bénéficier de certains courants de l'évolution économique, répondre à certains besoins, ce qui explique son épanouissement à l'époque contemporaine. Elle n'en demeure pas moins toujours une création politique. En ce sens, elle apparaît comme moins « naturelle » que ne l'est la région, puisqu'elle ne doit presque rien au jeu des lois de l'économie. Une première conséquence de cette nature volontaire de la nation, c'est que sa taille est très variable. Les villes libres du moyen âge faisaient figure de prototypes des nations modernes. A l'heure actuelle, il faut une dimension minimale pour qu'une économie nationale puisse réellement voir le jour. Les petits États politiques indépendants le sentent bien, qui s'unissent plus ou moins complètement à des voisins plus vastes, quitte à tirer de cette symbiose l'essentiel de leurs ressources, grâce aux avantages fiscaux ou juridiques que l'on accorde alors aux entreprises du pays voisin pour les attirer. Que l'on songe au Liechtenstein, à Monaco... A une échelle déjà supérieure, avec une économie fortement structurée, le Luxembourg a toujours évité de prendre en charge l'ensemble des responsabilités qui incombent à une économie nationale. L'évolution actuelle est rapide en ce domaine et la vitalité de beaucoup des petites nations semble menacée à terme.

La taille des nations n'est pas déterminée par le jeu des forces économiques. C'est une donnée exogène au système, alors que la région est une réalité modelée par les forces économiques endogènes. Celles-ci n'interviennent de manière décisive, au niveau des nations, que pour établir un seuil difficile à préciser à un moment donné et susceptible d'évoluer avec le temps.

Les caractères communs aux diverses nations s'arrêtent là (2).

(2) La plupart des définitions classiques de la nation s'accordent sur ces traits communs. Celle qui nous paraît la plus satisfaisante a été proposée par Marcel

Constructions volontaires, elles ne doivent pas leurs contours à l'action de forces économiques; elles apparaissent comme des formes propres aux civilisations supérieures : elles naissent lorsque des groupes humains cherchent à accentuer leur maîtrise sur l'économie, qu'ils cessent de s'abandonner aux caprices de forces supérieures pour prendre en main leur destin. La nation appartient en propre à ce type de société que les sociologues qualifient, à la suite de Gurvitch, de prométhéennes (3).

Toutes ces sociétés n'ont pas été capables d'accéder à ce niveau-là. Il ne suffit pas d'accéder à l'Histoire pour être une nation.

État et nation : les premières ébauches de nations.

Il faut faire un effort d'imagination pour bien se rendre compte de la chose. L'État est une construction politique déjà ancienne. Les exemples de civilisations qui n'ont jamais réalisé de constructions politiques supérieures à la communauté étroite de la tribu ou du village sont nombreux, mais ils sont surtout caractéristiques des sociétés primitives qui ignorent l'écriture et qui attirent l'attention des ethnologues. Dès l'Antiquité, on voit se fonder des États de dimension continentale. L'empire perse, celui d'Alexandre, celui de Rome ont rassemblé des millions de kilomètres carrés, ont uni sous la même autorité des millions de personnes. Ils n'ont pourtant pas constitué des nations au sens moderne du terme. Cela ne tient pas seulement à leur diversité ethnique — celle-ci n'empêche pas le développement de la nation économique comme le montre un certain nombre d'exemples modernes; leur unité était d'ailleurs réelle sur de larges espaces; elle tenait à la mise en place d'un réseau de villes au peuplement homogène, à la réalisation progressive de l'unité linguistique. Ce qui manquait pour faire une nation, c'est le sens

Mauss, et elle est citée par Louis Dumont : « Nous entendons par nation une société matériellement et moralement intégrée, à pouvoir central stable, permanent, à frontières déterminées, à relative unité morale, mentale et culturelle des habitants, qui adhèrent consciemment à l'État et à ses lois » (La nation. *L'Année sociologique*, 3e série, 1953-1954, pp. 7-68, cf. p. 20). Ce texte est cité en note par Louis Dumont, à la page 378 d'*Homo hierarchicus* (Paris, Gallimard, 1966, 445 p.).

(3) GURVITCH (Georges), « Continuité et discontinuité en histoire et sociologie ». *Annales, Économies, Sociétés, Civilisations*, vol. XII, 1957, pp. 73-84. — ID., *Les sociétés globales et les types de leurs structures*, pp. 217-235 du tome I du *Traité de Sociologie* publié sous la direction du même auteur. — CAZENEUVE (Jean), *Le concept de société archaïque*, pp. 424-433 du tome II du même traité.

du destin économique commun, la volonté de créer des solidarités à l'échelle d'un vaste espace. Les tentatives en ce sens n'ont pas manqué. Les monarchies hellénistiques et la Rome du Haut-Empire ont presque réussi à construire d'authentiques nations grâce à l'essor des échanges, au développement des relations à longue distance (4). Mais l'élargissement des circuits économiques aux dimensions d'espaces démesurés dépassait les possibilités techniques de l'époque. Le mouvement d'ensemble animé par la volonté politique, permit l'exploitation systématique de certains espaces agricoles — ceux de Sicile, d'Afrique et d'Égypte au bénéfice de Rome par exemple — et le développement de centres urbains qui ordonnent l'ensemble. Mais la volonté politique fut impuissante à donner une base stable à l'édifice économique ainsi imaginé. On connaît la crise qui frappa l'économie du monde romain dès la fin du IIe siècle. L'unité économique de l'Empire a disparu dès cette époque, précédant de plus de deux siècles la décadence politique.

Les unités territoriales dont les caractères sont les plus voisins de ceux de nos nations modernes correspondent dans l'Antiquité aux villes et aux campagnes proches qu'elles contrôlent (5). Ceci explique que l'on ait préféré depuis deux siècles parler de citoyens pour désigner les habitants d'une nation, que d'utiliser le terme de sujet, plus traditionnel et longtemps plus exact. Pour Athènes, pour Corinthe, la solidarité économique qui fait les nations modernes existe sans contestation possible. Les soucis politiques de ces agglomérations sont des soucis en grande partie économiques, comme nous le constations aussi dans les nations du monde moderne. Dès la fin du VIIe siècle, le développement du

(4) On a beaucoup insisté sur la modernité des monarchies hellénistiques. Les éléments qui permettent de se faire une idée du fonctionnement de la vie économique ont été réunis dans ROSTOVTSEV (Mikhaïl Ivanovich), *The Social and Economic History of the Hellenistic World.* Oxford, Clarendon Press, 1953, 3 vol., XXIV, 1780 p.

(5) La cité grecque a considérablement évolué au plan économique. Elle a d'abord été un centre rural, pour se tourner ensuite vers le négoce et l'artisanat. Il n'existe pas de synthèse analogue à celle que Rostovtsev a consacré au monde hellénistique : les histoires économiques n'isolent pas ce qui tient à la cité et ce qui relève d'autres formes d'organisation; les ouvrages sur la cité s'intéressent davantage aux aspects politiques ou sociaux qu'à l'économie. Ils apportent, en passant, des éléments qui permettent de mieux situer l'originalité de l'organisation de la vie de ses unités : si l'on se réfère à la définition que nous avons reproduite plus haut de la nation et qui correspond à l'analyse de Marcel Mauss, on s'aperçoit que la cité préfigure, à certains points de vue, la nation. GLOTZ (Gustave), *La cité grecque.* Nouvelle édition revue par P. Cloché, Paris, 1953. — KIRSTEN (E.), *Die Griechische Polis als historisch-geographisches Problem.* Bonn, F. Dümler, 1956, 154 p.

grand commerce permet de donner aux villes un poids qu'elles n'avaient jamais eu. Au lieu d'essaimer en colonies agricoles, le croît de population peut rester sur place. Il suffit de créer à l'extérieur des points d'appui, des colonies commerciales et des comptoirs. L'artisanat devient florissant, l'exploitation minière multiplie les ressources de certains territoires. Les produits agricoles voyagent sur de longues distances. La cité contrôle et ordonne en partie les courants. Elle favorise l'artisanat, le travail, contrôle par la force, si cela est nécessaire, les routes de son ravitaillement. La frappe d'une monnaie de bon aloi traduit le souci de donner des bases solides au développement du commerce que l'on estime nécessaire. Nous retrouvons ces problèmes, ces soins dans les nations modernes. Les grands empires qui s'épanouissent à partir de l'époque d'Alexandre sont bâtis sur la volonté de concilier deux traditions : celles des monarchies d'Orient, qui permet de donner une forte cohésion à de vastes espaces, celle des villes de Grèce, qui assure l'ouverture de la vie économique vers l'extérieur et donne une assise commerciale, agricole et industrielle aux espaces politiques. Malgré les succès des monarchies hellénistiques et de Rome, jamais on ne réussit tout à fait à élargir aux dimensions nouvelles l'économie commerciale qui avait enrichi les villes.

La fin de l'Antiquité est marquée par la décadence, indéniable en Occident, des constructions qui pouvaient annoncer par leur dimension et par leur rôle les nations modernes. Byzance et l'Empire arabe sont proches des modèles antiques. Comme dans le cas de Rome, la construction politique est trop vaste pour les moyens techniques de l'époque. Cela explique les vicissitudes de la vie politique dans tout l'Orient après la première vague de l'invasion arabe. En Chine, dans l'Inde, certaines constructions évoquent davantage les nations occidentales modernes. L'agriculture y est l'objet de soins constants de l'autorité politique. Il faut un centre de décision unique pour maîtriser les eaux et dicter la politique d'aménagement et de grands travaux (6). Le contrôle des eaux se double nécessairement de celui des réserves et des stocks, qui donnent le moyen de réaliser les investissements collectifs. Le pouvoir politique est donc amené à suivre de très près l'évolution des réalités économiques. On

(6) Nous retrouvons là le thème déjà signalé des civilisations hydrauliques : Wittfogel (Carl), *Oriental Despotism.*, *op. cit.*

connaît les conséquences remarquables de cet état de choses. Là où des voies faciles ouvrent le pays aux échanges lointains, on voit s'organiser des circuits économiques de grande dimension. Pour assurer leur fonctionnement régulier, des interventions nouvelles sont nécessaires. L'unification des marchés, les paiements lointains demandent qu'une monnaie commune soit imposée. Les États orientaux furent donc amenés à se créer des monnaies de type moderne; ainsi la dynastie mongole en Chine, comme le Japon des Tokugawa possédaient les instruments de crédit qui ont été nécessaires à l'épanouissement des nations occidentales (7).

Les grands états de l'Amérique précolombienne, celui des Incas en particulier, ont donné naissance à une organisation économique qui n'est pas sans évoquer celle des nations socialistes modernes (8).

Mais dans l'ensemble, les aspects déjà nationaux de l'organisation de la vie économique ne doivent pas faire oublier les différences énormes qui subsistent avec l'économie actuelle. La plupart du temps, les circuits économiques demeurent de petite dimension, là même où ils sont étroitement contrôlés par l'action des pouvoirs publics. Le monde agricole n'est que faiblement ouvert sur l'extérieur et l'organisation à grande échelle est comme plaquée sur un grand corps qui vit à un rythme lent, sans animation commandée par des mouvements d'échange à longue distance.

Dans l'Antiquité, ce sont les villes libres qui avaient accédé aux formes d'organisation les plus proches de celles que nous nommons aujourd'hui nationales. Il en sera de même au moyen âge. C'est dans les villes libres et commerçantes que les formes

(7) Les problèmes de la monnaie et du crédit dans les civilisations d'Extrême-Orient commencent à être bien connus : on n'a pas besoin de rappeler ici l'étonnement de Marco Polo découvrant l'usage du papier-monnaie dans la Chine de Koubilaï. Les procédés utilisés par les marchands japonais pour financer les acheminements de riz vers Yedo n'ont été analysés que plus tard. Ils ont incontestablement facilité le passage à une économie commerciale et capitaliste, au moment de l'ère Meiji. CRAWCOUR (E. S.), « The Development of a Credit System in the Seventeenth Century Japan ». *The Journal of Economic History*, vol. XXI, 1961, pp. 342-360.

(8) L'aspect socialiste de l'économie inca a frappé les Européens dès le moment de la pénétration en Amérique. On sait que *l'Utopie* de Thomas More, publiée en 1516, évoque par certains aspects la civilisation péruvienne. Au moment où elle a été écrite, le Pérou n'est pas encore directement connu : on s'est néanmoins demandé si More n'avait pas eu connaissance de l'architecture sociale de la civilisation inca par les récits récoltés par les premiers explorateurs espagnols de l'Amérique centrale.

politiques et les formes économiques de la vie se trouvent nécessairement et intimement mêlées (9). Dans les pays méditerranéens, les possibilités de développement agricole des petites plaines sont souvent si médiocres que les villes doivent nécessairement entretenir des relations lointaines pour leur ravitaillement quotidien. Les importations doivent être payées avec les revenus de la ville. Le problème qui se pose à toutes les autorités urbaines, c'est déjà celui de la balance des paiements, car il faut maintenir un équilibre constant avec l'extérieur; c'est également celui du bon aloi de la monnaie, qui doit inspirer confiance à l'extérieur. Ces problèmes familiers à tous ceux qui s'intéressent à la vie économique des nations actuelles, ont été résolus progressivement à l'échelle des villes à partir des XIIe et XIIIe siècles. En Italie, les républiques urbaines ont sans doute été à l'origine des formes modernes de l'État. Le passage à la nation s'est fait à la suite de la greffe de deux traditions : celle de l'autorité impériale qui permet de rassembler des terres nombreuses et celle de l'économie et de l'organisation politique urbaines, grâce à laquelle on s'est aperçu que la puissance naît du bon équilibre de la vie de relations.

La création de la nation.

On peut situer à l'époque de la Renaissance la création des premières nations modernes (10). Les rois d'Espagne, d'Angle-

(9) Ce qui, à l'époque médiévale évoque le plus directement, au plan de l'économie, la nation moderne, c'est la république urbaine. Mais dès le XIIIe siècle, le nationalisme commence à se dessiner dans les grands États en gestation. On se reportera, pour ces problèmes, à PIRENNE (Henri), *Les villes et les institutions urbaines.* Paris, Alcan, 2e éd., 1939, 2 vol. — ID., *Histoire économique et sociale de l'Occident médiéval.* Paris, Desclée de Brouwer, 1951, 668 p. — LESTOCQUOY (Chanoine Jean), *Aux origines de la bourgeoisie : les villes de Flandre et d'Italie sous le gouvernement des patriciens.* Paris, P. U. F., 1952, 249 p. — RENOUARD (Yves), *Les hommes d'affaires italiens du moyen âge.* Paris, Armand Colin, 1949, X, 262 p. — BRAUDEL (Fernand), *La Méditerranée et le monde méditerranéen à l'époque de Philippe II, op. cit.* — LOPEZ (Robert S.), *Naissance de l'Europe.* Coll. Destins du Monde, Paris, Armand Colin, 1962, 488 p., cf. pp. 317-363 : *Les nations adolescentes.*

(10) La formation de la nation économique se réalise si l'on suit l'interprétation des auteurs, au XVIe siècle. Il ne s'agit, en fait, que d'ébauches. Si l'on adopte le point de vue révolutionnaire de M. Chaunu, l'accès à la civilisation moderne ne se produirait pas avant l'époque classique : on pourrait soutenir de la même façon que les nations économiques ne prennent leur forme définitive que dans le courant du XVIIe siècle. HAUSER (Henri), *La modernité du XVIe siècle.* Paris, Alcan, 1930. — ZELLER (G.), « Aux origines de notre système douanier. Les premières taxes à l'importation ». *Mélanges 1945*, publiés par la Faculté des Lettres de Strasbourg, Études historiques, Strasbourg, 1947. — MAURO (Frédéric), *Le XVIe siècle européen.*

terre et de France rassemblent sous leur autorité des unités solides d'une espèce nouvelle en Europe. La politique de grandeur et de conquête de ces princes demande des ressources sans cesse croissantes. Ils se trouvent ainsi directement intéressés à la vie économique des territoires qu'ils contrôlent. Certaines institutions dont le rôle sera déterminant dans la vie des nations modernes sont mises en place : à l'imitation des États italiens, se généralisent les droits de douane perçus aux frontières au profit du pouvoir central. La conduite des guerres demande des ressources monétaires considérables à une époque où l'habitude s'est généralisée de recruter des mercenaires, à une époque aussi où le développement des armes à feu multiplie le prix des armements et, plus encore, celui des fortifications qui permettent de leur résister. Pour satisfaire ces besoins exceptionnels, le prince peut s'adresser à des prêteurs, mais il sait aussi l'importance que peut avoir la constitution d'un trésor de guerre. Pour le nourrir, il faut que les espèces précieuses soient assez nombreuses dans l'État pour que la perception des impôts ne soit pas gênée à terme par la contraction de la masse monétaire (11).

Les nations modernes se sont constituées progressivement au point de vue économique. La conjonction de faits d'ordre politique et de faits d'ordre économique qui fait l'originalité de la nation moderne s'est réalisée en partie sous l'aiguillon des intérêts du gouvernement. Mais celui-ci n'aurait pas pu se consolider s'il n'avait pris appui sur une vie économique plus ouverte dans laquelle des circuits économiques élargis ont progressivement animé l'ensemble du territoire. Au fur et à mesure que se développaient au cours des XVIe, XVIIe et XVIIIe siècles les nations modernes, les rapports entre l'autorité politique et les économies urbaines dynamiques se précisaient.

Les États qui essayaient alors de se moderniser sur les marges du continent européen cherchèrent à se transformer en nations : ce fut le cas de la Russie de Pierre le Grand ou de Catherine II. Les politiques de développement économique vont ainsi de pair

Aspects économiques, *op. cit.* — HECKSCHER (Eli F.), *Mercantilism.*, *op. cit.* — CHAUNU (Pierre), *La civilisation de l'Europe classique.* Les grandes civilisations, Paris, Arthaud, 1966, 706 p.

(11) Les politiques nationales diffèrent beaucoup dans ce domaine, comme le rappelle M. Mauro (cf. note précédente). La monarchie française finance la plus grande partie de ses dépenses par l'impôt, alors que les pays voisins ont recours plus volontiers aux ressources du crédit.

avec les efforts pour consolider le pouvoir politique. Il manque cependant à ces expériences certaines des conditions qui sont requises pour que l'on puisse vraiment parler de nation. L'aventure prussienne le montre : la conjonction de la politique et de l'économique ne suffit pas à faire d'un État une nation. La Prusse ne se transforme en nation qu'au XIXe siècle, lorsque l'unification de l'Allemagne lui procure l'adhésion de toute une société (12).

La nation est une réalité sociale, politique et économique qui est liée à l'apparition de la civilisation moderne (et de certaines civilisations extrême-orientales). Elle s'est épanouie d'abord dans l'Europe de l'Ouest. Son développement y apparaît un peu paradoxal. La naissance de l'économie moderne s'est accompagnée de l'élargissement des marchés grâce aux progrès de la navigation et des moyens de communication continentaux. Les premiers grands États modernes à avoir favorisé le développement des relations lointaines, ont été les premiers à faire figure de véritables nations — au XVIe siècle, le Portugal, l'Espagne, et, plus tard, l'Angleterre et la France (13). Mais la croissance généralisée de la dimension des marchés semble condamner à terme les nations à disparaître en tant que réalités économiques. D'ailleurs, la diversité même de la dimension des nations indique clairement que les aires de marché n'ont que peu de chances de coïncider spontanément avec les limites d'un espace national. Le jeu des droits de douane, des prohibitions, des monopoles et des subventions permet au pouvoir politique de modeler à son gré les zones d'achat ou de vente. Mais la limitation générale à la portée des biens qu'introduit la division du monde en nations constitue une entrave au développement d'une économie équilibrée. C'est là la thèse qui a animé les théoriciens de l'école classique et a donné son unité à un mouvement par ailleurs fort divers. Le signal de l'attaque des économistes contre la nation a été donné en France par les physiocrates, en Angleterre par Adam Smith : il fallait éviter de gêner en quoi que ce soit l'élargissement des circuits économiques; celui-ci était la condition de tout le progrès économique; l'utilisation des nouveaux procédés

(12) L'occupation napoléonienne a sans doute été le ferment le plus actif du développement du nationalisme politique. Celui-ci a permis aux États de se transformer en une nation germanique.

(13) Nous insisterons plus longuement dans la deuxième partie de ce chapitre sur la liaison qui a existé entre le développement de l'impérialisme et l'épanouissement économique des nations mercantilistes.

techniques n'était intéressante que si l'on pouvait compter sur des marchés illimités; en restreignant l'expansion des marchés, on ralentissait le progrès économique et on allait à l'encontre du but recherché, c'est-à-dire la réalisation du plus grand bien social.

La nation dans le monde libéral.

Au XIXe siècle, on a pu croire que les nations allaient disparaître presque aussitôt après leur apparition. Les transformations se firent dans le sens prévu par les économistes classiques. L'évolution technique favorisait les grands marchés et les frontières apparaissaient comme des obstacles à abattre. Les hommes d'affaires dynamiques souhaitaient leur disparition. Les économistes libéraux (14) se muèrent en politiciens, en ministres et après la longue période d'incertitude qui marque le début du XIXe siècle, ils précipitèrent l'évolution qui se déroula à un rythme beaucoup plus rapide qu'il n'aurait sans doute été nécessaire. La doctrine classique portait en elle l'idée de la décadence nécessaire de l'État. Ce ne sont par les marxistes ou les anarchistes qui sont à l'origine de ce mythe puissant; ils l'ont transposé du plan économique au plan politique, mais on le trouve déjà dans les auteurs du XVIIIe siècle et chez Saint-Simon, qui lui donna une force nouvelle.

Apparemment, aux alentours des années 1860-1870, la terre ne constitue plus qu'une grande nation. Toutes les parties du monde ne sont pas encore intégrées à l'espace des relations internationales, tous les marchés ne sont pas des marchés mondiaux, mais il semble que les seuls obstacles qui demeurent à vaincre sont ceux imposés par le milieu physique et par la distance. Les progrès des communications rapprochent à tel point des lieux que l'unification économique de la terre semble devoir se compléter en quelques décennies à peine.

L'affaiblissement de la nation que réclamaient les économistes

(14) Cette évolution est trop connue pour qu'il soit nécessaire de la rappeler avec beaucoup de détails : au début du XIXe siècle, des doutes sur la valeur du libéralisme se manifestent encore chez les économistes; Ricardo par exemple est un théoricien de la nation, lorsqu'il s'attache à décrire et à expliquer le commerce international. Les théoriciens libéraux anglais sont favorables au libre-échange, mais ils ne feront de celui-ci un point de leur programme politique qu'à partir de 1830. En France, la situation est un peu la même; le libre-échange ne devient militant qu'avec l'arrivée aux postes de responsabilité des saints-simoniens, de Michel Chevalier en particulier.

classiques se produit si brutalement que l'on sent très proche sa disparition définitive. La reconstruction de l'Europe, après la tourmente révolutionnaire, s'était faite sous le signe de la méfiance. L'unification économique des espaces nationaux est maintenue en France; en Angleterre, elle s'achève avec la suppression des péages et les progrès des moyens de communication. Partout ailleurs, les vieilles traditions ressurgissent, les frontières douanières intérieures sont plus nombreuses que jamais. On le sait pour la Suisse, où la statistique en a été dressée avec soin (15). Pour la plupart des Européens, le problème urgent, c'est celui de l'unification économique des territoires nationaux. Les progrès sont lents. Ils ne s'accélèrent que là où ils facilitent la réalisation de grands desseins politiques — en Allemagne, avec le Zollverein, par exemple.

Les déclarations en faveur du libre-échange émanent de tout petits groupes de doctrinaires français ou anglais. Qui prend au sérieux les Saint-Simoniens, qui prend au sérieux les grands industriels libéraux anglais? Personne, durant longtemps. La mode est aux barêmes mobiles, aux droits de douane. On n'est pas disposé à renouveler l'expérience du traité de commerce de 1786. Et voilà qu'en dix ans, tout change. L'Angleterre donne l'exemple : elle avait élargi son espace économique à la dimension de la terre, en conquérant de nouveaux marchés en Asie et en Amérique. Mais cet espace, elle le gardait jalousement. Et voilà qu'elle renonce aux droits qui assuraient la prospérité de son agriculture! En quelques années, tous les pays européens l'imitent. Les barrières s'effacent, le marché mondial s'unifie. On comprend l'enthousiasme des libéraux et leur foi en la disparition des nations économiques.

Le renforcement des structures nationales.

L'observateur attentif aurait dû noter que la suppression des prohibitions et le désarmement douanier général n'effaçaient pas les contours de la nation, ne lui enlevaient pas tout rôle écono-

(15) On sait ainsi qu'il existait sur le territoire de l'actuelle Confédération 330 taxes sur le trafic des marchandises avant l'unification réalisée par la France napoléonienne. En 1827, ces taxes ont été rétablies, d'autres ont été créées, si bien que leur nombre s'élève à 400, dont 13 pour la seule route du Saint-Gothard.

mique. L'exemple de l'Angleterre, sur lequel nous nous attarderons plus loin, est particulièrement éloquent.

Les libéraux avaient pourtant raison de souligner la portée des transformations que provoquait le libre-échange. Les nations renonçaient bel et bien à une partie de leurs prérogatives traditionnelles. Elles cessaient d'user de leurs armes les plus efficaces. Elles se désintéressaient de leur destin économique.

La généralisation du libre-échange n'alla pas sans soulever de difficultés. Les pays pauvres, ceux qui n'avaient pas profité de l'industrialisation, s'insurgèrent de multiples façons : directement parfois, en restant accrochés au protectionnisme; indirectement, le plus souvent, en essayant d'éluder les conséquences d'une situation inégale, en dévaluant leurs monnaies ou en refusant de payer leurs dettes. Mais ces manifestations de mauvaise humeur, qui annoncent les mouvements nationalistes du XXe siècle, sont le fait de pays qui ne sont pas encore des nations — ce qui justifie l'indifférence de la plupart des observateurs (16).

Toute autre est la signification du mouvement de réarmement douanier qui se manifeste à partir de 1880. Il a eu ses théoriciens avant même de se développer — List en Allemagne, Carey aux États-Unis. L'Empire allemand donne l'exemple (17), les nations européennes l'imitent les unes après les autres. Le déclin du libre-échange est lent, saccadé. Il prend un demi-siècle — de 1880 à 1930. Une première vague de nationalisme économique caractérise les années 1890. La Première Guerre mondiale néces-

(16) Les historiens et les hommes politiques reprochent souvent aux responsables de l'évolution de ces pays, dans le courant du XIXe siècle, de ne pas avoir pratiqué de politique nationale. C'est vrai, dans la mesure où ils n'eurent pas le souci de défendre leur patrimoine culturel et de créer ainsi les bases d'un sentiment national populaire. C'est faux au plan économique : des pays comme la Turquie, la Tunisie, le Maroc, la Chine défendirent leur indépendance en essayant de se soustraire aux conséquences des contrats inégaux que leur imposaient leurs partenaires commerciaux européens. Faute de moyens adéquats, ces tentatives échouèrent et ne firent que précipiter la mainmise de l'Europe sur les économies périphériques. Ces aspects de la politique européenne et des réactions des États extrême-orientaux sont analysés dans CHESNEAUX (Jean), *L'Asie orientale aux XIXe et XXe siècles : Chine, Japon, Inde, Sud-Est asiatique.* Coll. La Nouvelle Clio, Paris, P. U. F., 1966, 372 p.

(17) Les mesures de protection prises par Bismarck auraient sans doute rencontré une opposition plus vive si l'opinion publique allemande n'avait pas été influencée par les thèses de List. Mais le chancelier ne se souciait, en élevant des barrières douanières, que d'objectifs proprement politiques. Il avait besoin de l'appui des agrariens et des conservateurs, dont les revenus étaient menacés par la baisse des prix des produits agricoles importés. Il désirait se donner des ressources financières plus larges — le gouvernement impérial trouvait dans l'élévation des droits de douane le moyen de réaliser ses projets militaires sans se heurter aux oppositions des États peu enclins à emboîter le pas à la Prusse.

site des mesures d'exception pour sauvegarder l'équilibre économique des nations. La reconstruction qui suit le conflit cherche à être une restauration, c'est-à-dire, pour l'essentiel, un retour au libre-échange et à l'effacement des nations. En fait, les difficultés monétaires, le recours à l'étalon de change-or, marquent un renforcement des structures nationales. Celui-ci apparaît dans toute sa force au moment de la Grande Crise. Chaque pays s'isole et se crée un arsenal d'armes économiques qui lui donne une plus grande liberté de manœuvre (18).

Les efforts que l'on a multipliés depuis 1945 pour recréer l'unité économique du Monde ont un peu limité la liberté de manœuvre des nations. Elles demeurent pourtant plus vivantes que jamais.

Depuis la fin du XVIIIe siècle, le système d'organisation du monde en nations économiques s'est généralisé. Il a été popularisé par les idéologies qui ont fait des groupes ethniques et linguistiques, la base de toutes les constructions politiques du monde. La fin des grands empires coloniaux a permis, après la Seconde Guerre mondiale de multiplier les unités nationales politiques. Beaucoup de ces États nouveaux n'ont de nation que le nom : ils n'ont pas réussi à acquérir de puissance ni de stabilité politiques, ils n'ont pu se donner la cohésion économique nécessaire. Mais leur formation suffit à provoquer une mutation dans l'équilibre des organisations spatiales et de grandes villes se développent à un rythme extraordinairement rapide. Le rôle des nations dans la transformation des paysages et des relations se lit dans ces bouleversements contemporains. Le sens général de l'évolution territoriale se trouve déplacé avant même que la nation ait autre chose qu'une réalité diplomatique.

La généralisation de l'organisation du monde en nations explique que l'on trouve juxtaposées des créations d'âge très différent. Les plus jeunes ont quelques années, voire quelques mois, les autres sont déjà pluri-centenaires. On ne peut guère espérer trouver une identité totale entre elles. Il nous faut donc, pour voir quelles sont les fonctions de ces constructions dans la vie économique, suivre l'évolution de leurs rôles au fur et à mesure que se transforment les conditions historiques.

(18) Nous reviendrons sur ce point au paragraphe suivant.

II. — Les fonctions et le rôle des nations.

Les nations présentent toute une série d'ambiguïtés qui tiennent à leur nature et à leurs fonctions. Elles sont groupements volontaires, elles expriment la puissance de liens sociaux. Mais elles se manifestent essentiellement sur le plan économique. Ce qui oppose les nations modernes aux États qui les ont précédées, c'est que les problèmes économiques tiennent une place de premier plan dans les préoccupations des dirigeants. Dire que les nations du siècle dernier étaient de ce point de vue plus semblables aux États d'autrefois qu'à leurs héritières actuelles, c'est confondre l'action directe dans le domaine de l'économie, dont elles s'abstenaient d'une manière rigoureuse et les interventions dans tout ce qui a trait à l'organisation du marché, à la diffusion de l'information économique. Pour être plus discret, ce rôle n'en était pas moins décisif.

Les pays qui ont accédé les premiers aux formes supérieures de l'organisation nationale, ont été les promoteurs de la révolution industrielle. La coïncidence n'est pas parfaite, mais elle est suffisante pour orienter la recherche (19). L'Espagne, la France et l'Angleterre apparaissent à la fin du XVIe siècle et au début du XVIIe siècle au même niveau de développement national. L'Angleterre vit la première se produire de grandes transformations dans ses méthodes de production. La France la suivit d'assez près. L'Espagne resta en dehors du mouvement. Certains en concluent que croissance économique et développement national sont sans liens entre eux. Une analyse plus précise conduit à d'autres résultats. Le rôle de la nation a varié dans le temps, comme nous venons de le voir : à chaque moment, les construc-

(19) Des recherches comme celles que Max. Weber consacra à la mentalité protestante et à la naissance du capitalisme, ou celles que John U. Nef a conduites sur la pré-révolution industrielle montrent le poids des facteurs sociaux — et partant, des structures nationales dans le décollage. Mais la croissance résulte plus directement des politiques mercantilistes pratiquées par les grandes nations de l'époque, par leur exploitation impérialiste des terres extérieures, comme nous allons le voir avec plus de détail. Weber (Max.), *L'éthique protestante et l'esprit du capitalisme.* Trad. française de *Die protestantische Ethik und der Geist des Kapitalismus* (1905). Paris, Plon, 1964, 325 p. — Nef (John U.), *La naissance de la civilisation industrielle et le monde contemporain.* Paris, Armand Colin, 1954, 251 p. — Id., *Les fondements culturels de la civilisation contemporaine.* Paris, Payot, 1964, 230 p.

tions nationales ont tenu une place essentielle dans le processus de croissance; le passage d'une phase à l'autre n'est pas automatique, ce qui explique les discordances entre la naissance des nations et le développement de la puissance de production.

La nation et le démarrage de la croissance.

On a depuis longtemps remarqué que les premières phases de la croissance économique se trouvent les plus difficiles. La marche des économies demeure durant de longues périodes remarquablement lente et irrégulière. Les progrès se trouvent interrompus par des phases de stagnation ou de régression. On est surpris de constater que certains pays ont plusieurs fois été secoués par des vagues de modernisation, mais qu'ils sont toujours retombés dans leur léthargie : l'Égypte par exemple. Les premiers efforts pour modeler l'économie égyptienne à l'image de l'Europe remontent à Méhémet Ali. A ce moment-là, l'écart qui séparait les revenus et les techniques de production en Égypte et dans le reste du monde ne paraissait pas démesuré. Quelques décades d'effort semblaient devoir suffire pour assurer les bases d'un essor régulier. Les secousses politiques de la deuxième moitié du siècle dernier ont marqué un recul de la position internationale de l'Égypte, mais sous ses nouveaux maîtres, les efforts de modernisation ont été poursuivis. La construction du premier barrage d'Assouan a permis aux Anglais de provoquer une augmentation substantielle des surfaces cultivées, les cultures d'exportation se sont accrues de manière considérable. L'ouverture du canal de Suez a placé l'Égypte dans une position centrale par rapport aux grands courants de circulation de l'Ancien Monde. Elle n'a pas su tirer parti des conditions exceptionnelles qui lui étaient faites. La croissance du produit territorial est demeurée faible et les revenus individuels ont décru, par suite de la poussée démographique.

L'exemple de l'Égypte n'est pas isolé. Comment expliquer que dans certains cas, l'effet de stoppage, si fréquent, se trouve annulé. Rostow (20) a proposé de distinguer, dans le passage

(20) Rostow (W. W.), *The Stages of Economic Growth.* Cambridge at the University Press, 1960, XII, 179 p. Trad. française : *Les étapes de la croissance économique.* Paris, Le Seuil, 1962. — Id., *The Economic of Take-off into Sustained Growth.* Londres, MacMillan, 1963.

de l'économie traditionnelle à l'économie moderne, un certain nombre de phases. La première et bien souvent la plus longue, c'est la phase du démarrage, cette période d'incertitude au cours de laquelle les initiatives ne paraissent pas encore s'enchaîner mutuellement et où leurs résultats peuvent se trouver remis en question.

On voit bien ce qui donne aux premières étapes de la croissance son allure irrégulière. Dans les économies traditionnelles, les rapports entre l'investissement et la richesse créée étaient toujours étroits; l'expansion se poursuivait par bourgeonnement des sociétés rurales tant que toutes les ressources utilisables n'étaient pas encore employées. Le passage à l'économie commerciale moderne, qui est un des corollaires de l'industrialisation, crée un hiatus entre la consommation et la production ou l'investissement. Les débouchés ne sont pas automatiquement assurés, comme dans le cas précédent, par ceux-là mêmes qui ont intérêt à accroître les richesses et participent à la mise en place des nouveaux équipements : ils sont constitués par l'ensemble des populations que le marché embrasse. L'industriel n'a d'intérêt à poursuivre son effort d'équipement que dans la mesure où il peut accroître ses débouchés; il procède donc à des investissements tant que la partie du marché qu'il dessert effectivement n'atteint pas les limites extrêmes que la portée des biens assigne au rayonnement de ses installations. La croissance ne devient continue que lorsque les perspectives d'expansion des marchés deviennent illimitées.

Le démarrage et le commerce extérieur.

Dans une première phase, les industriels doivent être sûrs de pouvoir imposer leurs produits dans des territoires de plus en plus lointains, en ruinant les producteurs traditionnels et en se substituant à eux. C'est pour cela que les conditions favorables à l'apparition d'une industrie de type moderne sont exactement celles des économies mercantilistes : le pouvoir politique a créé les conditions pour qu'un très large marché se constitue; le déséquilibre des forces donne un rôle privilégié à la métropole des grands empires. Les « nababs » anglais ont (21) fait fortune,

(21) Les histoires modernes de la Révolution industrielle en Angleterre accordent une très large place aux transformations internes et négligent quelque peu l'ana-

au commencement du XVIIIe siècle, en important les étoffes indiennes. Ils ont par la suite utilisé leur capital pour promouvoir l'industrie nouvelle du coton en Grande-Bretagne, pour exploiter plus complètement le marché intérieur. Leurs perspectives d'expansion seraient demeurées limitées, s'ils n'avaient pu compter que sur le marché britannique. En fait, ils se trouvaient maîtres d'un marché beaucoup plus vaste. L'organisation commerciale britannique vivait en bonne partie de la redistribution en Europe des produits importés de l'Empire colonial. Les étoffes de coton britanniques commencèrent à pénétrer en Europe dans la seconde moitié du XVIIIe siècle. Cependant, la position vis-à-vis du marché européen n'était pas excellente. Les divers pays de l'Europe du Nord-Ouest étaient organisés en nations, un peu à la manière de l'Angleterre. Ils étaient décidés à protéger leur économie. Ils étaient prêts à imiter l'exemple de l'Angleterre, à participer aux avantages liés à l'apparition des nouvelles industries. Seuls, quelques pays moins heureusement gouvernés, et dont les institutions résistaient mal à l'usure du temps, s'ouvraient alors sans résistance au commerce anglais : le Portugal, par exemple. Aussi, le sentiment de marché illimité qui devait entretenir la croissance de la machine industrielle britannique au moment même du blocus continental n'est apparu qu'avec le renversement des courants traditionnels d'échange. Il s'installe lorsque les industriels britanniques commencent à exploiter les territoires coloniaux en pénétrant sur leurs marchés, en remplaçant les producteurs indigènes. De la sorte, ils voient s'ouvrir le marché immense des Indes et le marché nouveau que la rupture des liens coloniaux avec l'Espagne et avec le Portugal ouvre en Amérique du Sud.

Au début de l'époque moderne, la nation mercantiliste ne peut se maintenir que si le pouvoir politique vient consolider les positions économiques. L'Espagne, le Portugal, la France, l'Angleterre, les Pays-Bas eux-mêmes, n'ont pas beaucoup de produits à offrir en échange des épices, des parfums, des fines étoffes

lyse des relations avec l'extérieur, l'influence des courants d'exportation et des marchés. C'est le cas de l'ouvrage de T. S. Ashton, que nous avons déjà cité. Les ouvrages plus anciens, comme ceux de Paul Mantoux, insistaient davantage sur la liaison de l'expansion extérieure et de l'industrialisation. ASHTON (T. S.), *La révolution industrielle (1760-1830), op. cit.* — MANTOUX (Paul), *La révolution industrielle au XVIIIe siècle.* Paris, Société nouvelle de Librairie et d'Édition, 1905, 543 p. Nouvelle édition revue et augmentée, Paris, Éd. Génin, 1959.

dont ils éprouvent le désir. Entre le XVIe et le XVIIIe siècle, la situation a tendance à empirer, car la liste des importations européennes s'allonge sans cesse (22). Le tabac, le sucre, le café, le thé accroissent la dépendance des pays tempérés vis-à-vis des régions chaudes. Comment maintenir des courants aussi inégaux? Par la contrainte politique, qui permet d'utiliser les métaux précieux américains pour payer les importations d'Orient, ou qui permet par le pacte colonial, de maintenir les terres de plantation dans un état de dépendance.

Ce premier rôle de la nation ne favorise que le développement du commerce extérieur. Il peut nuire, même, à la production : une fortune politique trop grande peut inciter un pays à se fier davantage à ses armes qu'à son travail : on songe à l'Espagne. C'est pourquoi, souvent, l'apparition des nations n'a pas entraîné la croissance. Exceptionnellement, dans le cas de l'Angleterre, la maîtrise de grands marchés a permis de créer une industrie moderne.

La nation, dans le système mercantiliste, sert surtout à élargir le champ des relations avec l'extérieur, et dans ce domaine, les aspects politiques de son action sont décisifs. Mais elle est également soucieuse de maintenir un équilibre monétaire stable. Dans un état de civilisation où l'offre de monnaie est normalement rigide, la croissance de l'appareil productif est souvent gênée (23). Le démarrage de la croissance est donc le résultat de deux aspects complémentaires de la politique mercantiliste : la

(22) Il n'est pas question de passer en revue toute la littérature historique consacrée au problème de l'équilibre monétaire de l'Europe classique. Rappelons que les discussions actuelles prennent toutes comme point de départ l'analyse d'HAMILTON (Earl), « American Treasure and the Rise of Modern Capitalism ». *Economica*, nov. 1929, pp. 338-357.

(23) Nous avons déjà abordé ces problèmes dans la première partie. Eli Heckscher, dont l'étude sur le mercantilisme fait autorité, se demande si le souci de constituer des réserves de métaux précieux n'est pas lié aux problèmes économiques de l'époque. Il répond négativement à cette interrogation : « ... Une fois ce point clarifié, il ne nous est plus nécessaire de supposer l'existence d'une situation particulière, correspondant à la vision théorique des mercantilistes » (p. 199 du t. II). La démonstration fournie par Heckscher n'a pas séduit tous ses lecteurs : ils ont retenu la question, bien plutôt que la réfutation. John M. Keynes a ainsi essayé de montrer comment la politique monétaire des mercantilistes était une conséquence de la propension à épargner et de la faible inclination à investir. En appendice à la seconde édition anglaise de son ouvrage, Heckscher présente une longue réfutation du chapitre relatif au mercantilisme de *la Théorie générale*... Lorsqu'on analyse le détail des circuits de l'investissement, il nous semble que l'argument d'Heckscher perd une partie de sa valeur — le grand économiste suédois n'a pas vu les difficultés qui naissent de la généralisation des investissements sous forme monétaire.

conquête de marchés extérieurs privilégiés et l'accroissement des stocks monétaires nationaux.

Sans une construction politique capable de dominer un grand marché, les perspectives offertes aux entrepreneurs dynamiques ne sont pas suffisantes pour mettre en branle le mouvement d'innovations qui déclenche le progrès. La nation mercantiliste apparaît en ce sens comme un préalable à la modernisation des procédés de fabrication. La conquête d'un empire en suffit pas pour déclencher la révolution industrielle — mais c'en fut, au cours du XVIIIe siècle, une des conditions.

Le rôle de la nation dans le monde libre-échangiste.

A partir du moment où le marché existe et où il s'étend sans cesse, le mouvement peut se poursuivre sur sa propre lancée durant une longue période. Tant que de nouvelles portions de la zone ouverte aux marchands sont susceptibles d'absorber les produits industriels, la croissance se poursuit : durant cette phase, la protection n'est pas nécessaire. La supériorité du producteur qui a modernisé ses méthodes est telle qu'il parvient à étendre ses marchés sans avoir besoin de la contrainte politique qui régnait au moment de la mise en place des premières installations. La contrainte politique a permis l'essor du commerce extérieur le développement des nouveaux modes de production industrielle. Après la généralisation de ceux-ci dans les pays innovateurs, la contrainte devient inutile. Les économistes avaient tellement pris l'habitude de ne voir dans la nation que ce qu'y avaient mis les mercantilistes qu'ils clament sa décadence présente, annoncent sa disparition à terme.

En réalité, le libre-échange n'efface pas toutes les réalités nationales. Les circuits de production ne sont pas les seuls qui déterminent la vie économique. Leur élargissement progressif aux dimensions du monde pour un certain nombre de produits de base ne signifie pas que la tendance soit la même pour tous les éléments du circuit. De même que la spécificité de la réalité régionale tient à la fermeture de certaines boucles du circuit économique dans un espace limité, de même la spécificité de la nation tient à l'apparition de réactions globales originales, liées à la présence de boucles internes fermées. Mais alors que les boucles qui déterminent la réalité régionale dans le monde moderne appartiennent à une catégorie bien déterminée (les prestations de service), celles qui donnent à l'économie nationale sa consistance ne sont pas déterminées une fois pour toutes, ne sont pas les mêmes d'un pays à l'autre, d'un moment à l'autre.

A l'époque où l'Angleterre apparaît comme le centre d'un espace mondial où les barrières vont s'amenuisant, l'espace anglais est effectivement très largement ouvert sur l'extérieur dans tous les domaines de la production. Dans la seconde moitié du siècle, le pays renonce à défendre son agriculture et accepte de dépendre des produits importés pour la satisfaction de presque tous ses besoins alimentaires. Mais des secteurs entiers échappent partiellement ou totalement à l'ouverture sur le monde : dans une large mesure, les seuls services qui s'exportent alors sont ceux qui ont une très large portée. Le rôle des services ne suffirait cependant pas à introduire une cohérence à l'échelon de l'économie nationale : il suffirait tout juste à donner à l'espace anglais une structure régionale. La médiocrité des niveaux de vie d'une bonne partie de la population laborieuse anglaise jusqu'à la fin du siècle dernier limite de plus l'importance des infrastructures régionales dans l'organisation de l'époque.

La cohérence de l'économie nationale est due d'abord à la transparence de l'espace, aux progrès des télécommunications et de la presse qui assurent une circulation rapide de l'information. Mais elle tient plus encore à des faits sociologiques d'origine ancienne (24). L'Angleterre est une nation d'abord parce qu'elle est un peuple. Les polémistes ont insisté à l'envie sur les oppositions et les coupures sociales qui marquent la société anglaise de la révolution industrielle. Ils ont découvert là la lutte des classes. Ces antagonismes sont bien réels, mais ils ne doivent pas être dramatisés. L'évolution historique montre que le sens de l'intérêt collectif est demeuré vivant même à l'époque des tensions les plus vives. Cette cohésion a suffi bien souvent à orien-

(24) Les analyses contemporaines mettent volontiers en évidence le rôle des forces sociales, des forces culturelles dans la réalisation de la révolution industrielle. Grubb et Warner ont montré de la sorte le rôle des quakers et du méthodisme. Plus récemment, on a essayé de mettre en évidence l'unité profonde qui existe, malgré les apparences, entre les dissidents et les éléments de la société qui acceptent l'*Establishment*. Les tensions sociales existent, mais elles ne nuisent pas à l'unité profonde de la civilisation anglaise. Bien mieux, elles lui imposent des adaptations incessantes et la préparent à la croissance. GRUBB (Isabel), *Quakerism and Industry before 1800*. — WARNER (W. J.), *The Wesleyan Movement in the Industrial Revolution*. Londres, 1930.

ter les choix individuels des entrepreneurs dans le sens de la maximisation des revenus nationaux. Les responsables de la vie économique restent imprégnés de l'idée qu'ils servent un groupe plus vaste et que leur fortune est nécessairement liée à celle de la collectivité dans son ensemble.

La société anglaise est solidement cimentée par une éducation qui crée des attitudes et des comportements communs et permet de sentir plus concrètement les oppositions qui existent avec autrui. Cette société voit d'un œil favorable le développement des entreprises individuelles. Elle a le souci d'assurer à ses membres une éducation assez poussée. La transparence du milieu, favorisée par la communauté de langue et les habitudes religieuses, permet la diffusion rapide des techniques et des attitudes nouvelles. L'ouverture de l'espace économique sur l'extérieur permet en outre, par l'émigration massive, d'éviter que les tensions sociales ne se développent à l'extrême. Du coup, la diffusion de certaines mentalités se trouvent assurée à l'extérieur, et la poussée générale de la puissance commerciale facilitée sur les marchés peuplés d'émigrants anglais ou organisés par une poignée d'entre eux.

La fermeture des circuits financiers est moins complète que celle des circuits d'information et de diffusion technique. Elle est cependant considérable. L'Angleterre trouve son unité dans sa monnaie, dont la stabilité est maintenue malgré les perturbations de la fortune commerciale. Elle la trouve également dans l'organisation d'un marché financier qui assure des possibilités renouvelées d'investissement aux industriels anglais. Ceux-ci se sentent profondément solidaires pour soutenir la politique de réduction des prix des produits alimentaires qui leur permet de comprimer au maximum les charges salariales; ils s'accordent des avantages mutuels, qui renforcent la position concurrentielle de l'ensemble de l'industrie anglaise sur l'ensemble du marché mondial (25). On ne saurait enfin négliger l'influence du gouvernement britannique sur le développement de la puissance économique du pays. La création d'un nouvel empire colonial, la

(25) Ces pratiques se sont maintenues longtemps. Maurette les signale pour le marché du charbon, à l'issue de la Première Guerre mondiale. Après la Seconde Guerre mondiale, les producteurs d'acier anglais ont profité de la pénurie internationale pour imposer aux clients extérieurs des tarifs supérieurs de 25 % aux tarifs intérieurs. MAURETTE (Fernand), *Les grands marchés de matières premières.* Coll. Armand Colin, Paris, Armand Colin, 1921, 198 p.

multiplication des points d'appui et des bases navales donnent aux commerçants anglais une position privilégiée dans la plupart des grands marchés du monde.

Par ces mesures indirectes de soutien à l'industrie et au commerce, la politique anglaise favorise le maintien de taux de profits élevés. Les possibilités d'épargne demeurent très fortes. Les conditions pour que le financement de la croissance se produise facilement sont donc excellentes. Les capitaux sont abondants, l'autofinancement facile dans les branches peu concentrées, comme le sont les activités textiles. Pour les fabrications nouvelles, le marché financier fournit sans difficulté toutes les sommes nécessaires. L'abondance de l'offre des capitaux réduit le taux d'intérêt pratiqué sur le marché, ce qui constitue un avantage supplémentaire.

Les conditions qui règnent en Angleterre sont incontestablement favorables à la généralisation du progrès technique, à la mise en valeur de procédés de production nouveaux. La cohérence nationale accélère la diffusion des innovations, accroît la supériorité de l'Angleterre sur le reste du monde, multiplie les possibilités offertes aux hommes d'affaires britanniques. La croissance du revenu national en découle.

Le progrès ainsi amorcé doit-il se poursuivre indéfiniment? Il trouve son aliment dans la conquête de nouveaux marchés aux produits industriels. Le monde est grand, mais l'expansion du marché ne peut se prolonger très longtemps. Sans modifications dans la structure de l'économie dominante, sa position est menacée à long terme. Elle risque de voir les régions lointaines de son empire commercial se détacher d'elle. Les perspectives de profit finissent par inciter les producteurs locaux à copier les méthodes industrielles qui ont fait leur preuve. La structure de l'économie post-mercantiliste devrait se caractériser par une longue progression, par un élargissement de l'espace, animé par des échanges commerciaux équilibrés, portant sur des produits de nature différente, suivie d'une phase de rétraction, au cours de laquelle les pays périphériques se développeraient, provoquant le blocage de la croissance dans les régions centrales. La mise en place de structures industrielles semble donc de nature à favoriser la croissance durant un certain temps, mais sans phénomène de relais, la phase de démarrage et de croissance entretenue serait suivie par des phases de stagnation et de crise. C'est le schéma que les théoriciens classiques et plus spécialement Marx ont élaboré dans la première moitié du siècle passé (26). Mais les étapes de la croissance telles qu'elles sont retracées dans le modèle de Rostow sont différentes. Après la période incertaine du démarrage, la croissance s'affermit sans cesse. Il n'y a pas rupture à partir d'un certain niveau. Alors que la croissance apparaît pour les classiques comme un accident cyclique, elle se manifeste dans l'histoire contemporaine comme un phénomène irrégulier, mais continu et dont le rythme s'est sensiblement accéléré depuis les débuts de la révolution industrielle.

Comment s'explique cette discordance entre la théorie classique et les faits observés? Par le jeu de toute une série de mutations, que l'on n'avait pas pu ou pas su prévoir. Elles ont démenti les pronostics pessimistes. Elles expliquent le maintien de taux de croissance élevés dans les vieilles nations et, ce qui est plus paradoxal pour l'observateur superficiel, l'accélération du mouvement avec le temps.

Les modifications dans les structures économiques qui sont responsables de cette évolution dynamique sont de deux sortes. Les premières découlent naturellement de l'évolution économique des pays avancés au cours de la première moitié du XIXe siècle : elles aboutissent à la création de nations rentières, comme les observateurs de la fin du siècle l'ont parfaitement compris. Les secondes sont des conséquences plus profondes de la mise en place de l'industrie : elles résultent de l'apparition d'économies complexes. La seconde révolution industrielle précipite une évolution qui était déjà sensible.

Les nations rentières (27)

L'économie britannique, dont nous avons montré la cohérence profonde, est la première à s'être engagée sur la voie des investissements massifs à l'extérieur et à s'être assurée de la sorte des revenus d'un nouveau type.

(26) C'est là un des aspects essentiels du pessimisme des classiques. Nous l'examinerons plus en détail au dernier chapitre.

(27) Il est souvent difficile de préciser lequel, parmi les économistes libéraux de la fin du siècle dernier, est responsable des retouches qui permettent de rendre compte de l'influence des mouvements internationaux de capitaux sur l'équilibre général des échanges. Pour M. Byé, l'influence de Cairnes en Angleterre, plus tard de Rist en France aurait été décisive.

A partir des années 1860, les conditions dans lesquelles se développe l'Angleterre se transforment profondément. Les hommes d'affaires britanniques se rendent compte que la rentabilité de leurs opérations sont souvent supérieures s'ils investissent à l'extérieur. La fermeture des circuits financiers à l'intérieur du territoire britannique disparaît progressivement à partir de 1860, la part des capitaux exportés augmente sans arrêt. La cohérence de l'économie anglaise, son autonomie vis-à-vis du reste du monde se trouvent affectées par cette évolution. Les investissements intérieurs sont moins importants. L'avance technique qui avait assuré la prééminence britannique sur tous les marchés du monde est moins nette. Va-t-on assister à un ralentissement progressif de la croissance de la production anglaise? Non, car les revenus de la nation continuent à croître très rapidement. Les intérêts versés par les pays étrangers croissent sur un rythme exponentiel, car il s'agit, pour l'ensemble d'un pays qui réinvestit immédiatement ce qu'il gagne, d'intérêts composés.

La puissance britannique n'est pas diminuée par la transformation que nous évoquons. La richesse accumulée durant tout le siècle permet de compter sur une balance des paiements courants largement excédentaire. Le déséquilibre de la balance commerciale n'a aucune importance. Il ne gêne pas le développement du revenu territorial. La cohérence de la nation est, à ce stade, maintenue par l'action des marchés financiers et monétaires. Ce qui fait la nation économique anglaise à la fin du siècle passé, c'est la Cité, la livre sterling, les grandes banques et les marchés d'intérêt mondial (28). L'Angleterre conserve grâce à eux une fonction de direction de l'économie mondiale dont le pays tire bénéfice. Si toutes les matières premières du monde continuent à venir transiter par le port de Londres entre leur production et leur transformation, les industriels britanniques disposent des matières premières les meilleurs marchés du monde. La multiplication des grands marchés dans les ports de l'Europe du Nord-Ouest, et dans certains des centres de transformation européens — on pense au Havre, à Roubaix pour la France, à

(28) Nous renvoyons, pour tout ce qui touche à l'histoire de la Cité, aux ouvrages déjà cités de Dauphin-Meunier et de W. M. Clarke. Ce dernier nous paraît particulièrement intéressant pour notre propos. Il s'attache à l'analyse des problèmes contemporains, mais fournit une évaluation des revenus engendrés directement ou indirectement par la Cité : elle manque partout ailleurs. DAUPHIN-MEUNIER (L.), *La Cité de Londres et les grands marchés internationaux*, *op. cit.* — CLARKE (W. M.), *The City in the World Economy*, *op. cit.*

Anvers, à Amsterdam, à Hambourg — fait disparaître cet avantage vis-à-vis des concurrents européens, mais la situation demeure excellente pour dominer le marché du reste du monde et pour y placer les produits manufacturés du pays. Les occasions les plus favorables sont vite saisies dans un pays informé par le centre de diffusion et de concentration économique mondial que constitue la Cité. Les capitaux britanniques en tirent de grands profits. Ils ne sont pas employés sur place, mais de la manière qui assure les rémunérations les plus importantes dans l'immédiat. L'Angleterre n'a pas joué un rôle de premier plan dans la seconde révolution industrielle — l'Allemagne wilhelminienne, les États-Unis déjà et la France, ont su lancer plus vite la fabrication de produits mécaniques légers ou l'industrie chimique. Mais l'Angleterre profite du mouvement, en organisant le ravitaillement des nouvelles chaînes. La Cité pousse à l'extraction des minerais métalliques demandés en quantités croissantes. Elle organise la production de caoutchouc dans les possessions asiatiques de la couronne. Elle se lance dans l'exploitation du pétrole. Avant la Première Guerre mondiale, l'Angleterre est la seule puissance pétrolière importante sur le plan international. Les Américains n'interviendront de manière décisive en ce domaine qu'après.

Ainsi, la cohérence se trouve maintenue entre les divers éléments de la vie économique de l'Angleterre victorienne, alors même que les circuits se trouvent largement ouverts sur l'extérieur. L'Angleterre demeure maîtresse de son destin économique. Elle le doit à sa transparence économique intérieure, au rôle dominant que lui valent sa force navale, ses investissements à l'étranger, son empire colonial, ses marchés de matières premières et de capitaux. Le rôle du gouvernement britannique est discret, mais efficace. Comme on l'a souvent remarqué, l'Empire dispose en fait de plusieurs gouvernements et de plusieurs politiques. Celle du Colonial Office ou celle de l'Amirauté, pour n'être pas la politique officielle du pays, n'en sont pas moins essentielles pour comprendre le développement du rôle international de la Grande-Bretagne. D'autres nations se transforment, dans les dernières décades du XIXe siècle, les Pays-Bas, la Suisse, la France prêtent largement à l'étranger. Les capitaux allemands ne sont exportés que plus tard — à partir des premières années du XXe siècle. L'ensemble de l'Europe du Nord-Ouest, malgré des différences de comportement d'un pays à un autre, contribue à financer l'équipement du reste du monde.

Les nations qui voyaient ainsi leurs revenus s'accroître du rapport de leurs placements à l'extérieur étaient-elles des nations heureuses, sûres de leur puissance et de leur avenir? Le jeu des intérêts composés ne les assurait-elles pas du maintien de leurs positions commerciales et de l'augmentation sans cesse accélérée de leurs revenus? A les regarder agir, on peut en douter : le partage du monde, le triomphe des politiques impérialistes ne témoigne-t-il pas d'une inquiétude générale des nations riches? Et l'événement justifie cette angoisse diffuse : la guerre de 1914 suffit à ruiner toutes les bases extérieures de la prospérité européenne.

La transformation de la nation de productrice en prêteuse ne pouvait pas suffire à assurer l'accélération de la croissance. Celle-ci procède surtout de l'apparition d'économies complexes.

Les économies complexes : le renforcement du rôle de la nation.

On a de la peine à comprendre l'épanouissement des économies complexes lorsqu'on analyse la situation qui prévaut avant 1850. Tant que l'on se contentait de remplacer les vieux tissages de lin et de chanvre par des toiles de coton, la croissance demeurait incertaine. Dès le début du siècle passé, de nouveaux besoins apparaissaient, mais il s'agissait le plus souvent des biens d'équipements lourds destinés à la fabrication des textiles ou bien encore des matériels qui permettaient d'améliorer la circulation des biens. La gamme des produits consommés demeurait pourtant à peu près inchangée et le circuit économique s'élargissait dans l'espace, sans devenir sensiblement plus complexe qu'il ne l'était avant la révolution industrielle. Une transformation que les théoriciens classiques n'avaient pas prévue, c'est la formation d'une économie complexe, qui va se substituer aux systèmes simples du passé et qui va nouer des liens plus étroits entre la distribution des revenus, la demande et la croissance (29).

(29) La notion d'économie complexe a été définie par Lucien Brocard. L'idée féconde demande à être précisée. Peut-être faudra-t-il avoir recours à des moyens d'expression mathématique, ceux qu'offre la théorie des graphes par exemple, pour passer de l'appréhension intuitive à une expression quantifiable de ces caractères des économies modernes. BROCARD (Lucien), *Principes d'économie nationale et internationale, op. cit.*

Lorsqu'on lit les économistes de la fin du siècle dernier, on est frappé de voir combien les éléments de la vie économique qui nous semblent aujourd'hui liés sont pour eux dissociés. Le prix du travail leur semble en particulier une constante et cela traduit le fait que le niveau des salaires n'a pas suivi, bien au contraire, les progrès de la productivité dans la première moitié du XIXe siècle. Dans ces conditions, les perspectives d'accroissement global du marché apparaissent médiocres, puisque la masse des revenus distribués va devenir rapidement insuffisante pour permettre d'absorber la production. En fait, une lente amélioration des conditions de vie des ouvriers se manifeste progressivement dans les pays où la révolution industrielle s'est produite le plus tôt. Il est possible qu'elle ait déjà été sensible après 1830 en Angleterre (30). En France, on sait que le progrès s'est manifesté à partir du Second Empire (31). Les salaires demeurent bas, mais le pouvoir d'achat dont disposent les travailleurs commence à être plus élevé. La consommation se développe surtout au niveau des besoins les plus élémentaires — alimentation et vêtement. Les progrès de la consommation de viande, de celle de pain, du vin aussi et du sucre provoquent une demande accrue de produits agricoles. C'est au cours de ces décades que l'agriculture commerciale s'impose dans un certain nombre de milieux naturels. Avant les grandes crises de la fin du siècle, cela se traduit par une augmentation du revenu global de l'agriculture — sauf peut-être pour les céréales où les pressions du monde extra-européen sont déjà beaucoup plus marquées. La consom-

(30) Les historiens actuels insistent volontiers sur l'augmentation du niveau de vie qui a marqué la phase du décollage en Angleterre. T. S. Ashton porte à ce sujet des jugements très nuancés. Il signale que la hausse des prix des produits alimentaires et la détérioration des conditions de logement ont entraîné une diminution du niveau de vie réel dans certains secteurs de la population. Mais il estime que le mouvement n'a pas été général et que les éléments positifs ont été dans l'ensemble plus nombreux : le logement, le niveau de consommation ont généralement augmenté en Grande-Bretagne. Les exemples que l'on cite parfois de la misère de Manchester et de Liverpool ne doivent pas conduire à une fausse appréciation : les conditions de logement y étaient effroyables, mais elles tenaient en partie à l'afflux très rapide d'un sous-prolétariat irlandais qui ne parvenait pas à s'intégrer dans la vie industrielle.

(31) On sait qu'en France, l'élévation du niveau de vie est devenue sensible, dans les milieux populaires, au moment du Second Empire. C'est ce que nous ont appris les études menées par MM. Charles Morazé et Georges Duveau. Les habitudes alimentaires se transforment alors rapidement : la consommation de viande, celle de vin se démocratisent dans les grandes villes et dans les régions industrielles françaises. MORAZE (Charles), *La France bourgeoise*. Paris, Armand Colin, 1946. XVI, 220 p. — DUVEAU (Georges), *La vie ouvrière en France sous le Second Empire*. Paris, Gallimard, 1946, XIX, 605 p.

mation des tissus est favorisée par la baisse des prix. Ainsi voit-on se produire des effets d'entraînement : l'augmentation de la production se traduit par l'élévation du revenu réel de la plus grande partie de la population, par une demande plus ferme qui stimule les producteurs et ouvre de meilleures perspectives aux détenteurs de capitaux. Les préférences pour le futur sont plus marquées, puisqu'il se présente d'une manière plus plaisante que le présent. L'épargne se trouve de ce fait stimulée, ainsi que l'investissement.

Ainsi, à partir d'un certain moment, le mouvement de croissance n'est plus entretenu par une expansion centrifuge de la zone conquise par les producteurs pour écouler leurs articles manufacturés. Il se poursuit par approfondissement et complication du circuit commercial. A ce moment-là, un marché trop étendu en surface apparaît comme une limitation. Les effets d'entraînement sont trop dilués et les revenus augmentent lentement; la gamme des produits nouveaux susceptibles de trouver acquéreurs ne peut s'allonger que très peu. Le développement se trouve limité par la faible intégration de l'économie. La fermeture du marché apparaît alors comme un moyen de précipiter la mise en place de l'économie complexe. Les différentes industries se créent leurs marchés l'une à l'autre et la construction d'une pyramide complexe se trouve facilitée dans un espace relativement privilégié.

Les premières nations qui ont profité de ces effets de multiplication sont des nations libre-échangistes. La Grande-Bretagne aux environs de 1840, la France en 1860 accèdent au stade de la croissance entretenue, dans la mesure où leur marché intérieur commence à gonfler du fait de l'industrialisation. Les ventes sur les marchés extérieurs stimulent la production. La suppression du chômage virtuel qui sévissait dans les économies préindustrielles a contribué sans doute à l'augmentation du revenu intérieur et de la consommation. Celle-ci aurait pu cependant demeurer très faible. Il a fallu, pour que le revenu soit consommé plutôt qu'épargné, qu'il revienne en grande partie aux travailleurs. Si la loi d'airain des salaires avait joué, le démarrage aurait été impensable. Le jeu conjugué des tensions sociales et de la solidarité demeurée vive a donc puissamment contribué à assurer le démarrage de la croissance induite par les effets de revenus. Il est clair que ces effets induits, ils ne se manifestent qu'à l'intérieur du corps des grandes nations. Les dispositions législatives qui assurent la protection de l'ouvrier l'autorisent à lutter pour obtenir une plus juste rémunération et ont donné aux économies une cohérence qu'elles n'auraient pas atteinte sans cela. La part du produit national qui a été distribué aux travailleurs au sein des marchés intérieurs a été plus forte qu'il n'aurait été nécessaire sans cela. De la sorte, la puissance d'épargne des entrepreneurs a été apparemment réduite, mais le marché nouveau suscité par la distribution des revenus s'est trouvé à la longue alimenter la croissance générale et a contribué à l'élévation de revenu de l'entreprise.

Dans les pays développés, les forces sociales et politiques ont donc permis de réaliser le bouclage intérieur des effets qui assure le passage de l'économie monétaire statique, à l'économie dynamique. Il est évident cependant que la cohérence n'est pas totale tant que la production n'est absolument pas protégée contre la concurrence extérieure. Dans une économie libérale, la tentation est grande pour les détenteurs de capitaux de fuir les pays où les conditions de fonctionnement des entreprises sont devenues trop lourdes, pour aller s'installer dans ceux où la législation sociale moins évoluée permet des taux de profits plus élevés. On a vu effectivement, dans la seconde moitié du XIXe siècle, l'Europe occidentale de tradition libérale distribuer ses capitaux au reste du monde. Dans certains cas, l'expansion est justifiée par le fait que les installations en place sont si importantes que les opportunités d'investissement interne se trouvent réduites. Mais souvent, l'exportation des capitaux représente une fuite vers des zones où l'intégration sociale est moins bonne et où, dans des conditions techniques analogues, en utilisant des ressources également abondantes, on obtiendra une rémunération plus élevée des sommes engagées. Les pays libéraux sont de la sorte menacés de se voir rattrapés par d'autres. Certains secteurs demeurent en dehors du courant d'investissement, à l'intérieur, alors que des exportations très importantes de capitaux ont lieu (32).

(32) Cette désaffection de l'épargne française pour l'investissement national a eu de très graves conséquences. Le vieillissement des équipements, le manque d'efforts constructifs dans certains secteurs de la vie économique ont préparé la crise des années 1930, et nécessité, après la Deuxième Guerre mondiale, un double effort : la reconstruction s'est accompagnée d'une modernisation des équipements dans la plupart des branches de production.

Les États qui restreignent l'ouverture de leurs marchés se trouvent dans de bien meilleures conditions pour construire en peu de temps une économie complexe véritable. Ainsi s'explique le succès prodigieux de l'économie allemande et celui de l'économie américaine dans la seconde moitié du XIXe siècle. Les profits qu'ils retiraient de leurs fabrications ont été plus élevés que ceux obtenus par leurs concurrents libéraux, dans la mesure où ils disposaient d'un marché important dont ils étaient sûrs. Ils pouvaient utiliser celui-ci pour développer leurs fabrications jusqu'au point où les économies d'échelle leur permettaient de se défendre contre toute pénétration étrangère et facilitaient la conquête de nombreux débouchés à l'extérieur, avec ou sans recours aux procédés du dumping. Cette importance nouvelle du marché intérieur pour l'expansion du commerce extérieur et la poursuite de la croissance résulte des transformations techniques que l'on évoque lorsqu'on parle de deuxième révolution industrielle.

La seconde révolution industrielle et le renforcement de la nation (33).

La seconde révolution industrielle a modifié les conditions générales de la production. Elle est née en partie de la systématisation des progrès dans le domaine de métallurgie. Les nouveaux procédés de fabrication de l'acier inventés entre 1850 et 1870, provoquent une baisse considérable de son prix de revient. Le contrôle de la qualité des produits obtenus devient plus aisé. Désormais, l'essor de l'industrie mécanique est possible. Au cours de la première moitié du XIXe siècle, l'acier était destiné pour l'essentiel à la construction des machines textiles, des machines à vapeur, des locomotives et des bateaux. La baisse du prix de l'acier permet d'abord de le substituer à la fonte dans un certain nombre d'usages : les rails par exemple. Plus tard, on voit se multiplier les machines complexes destinées à la fabrication des produits de consommation courante. Au tournant du siècle, apparaissent les bicyclettes, puis les automobiles. Plus

(33) Nous avons analysé les différents aspects de l'influence du cadre national sur le fonctionnement des marchés de produits industriels dans notre *Géographie générale des marchés*. Nous reprenons dans ce paragraphe l'essentiel des développements que nous avions consacré au problème dans les deux derniers chapitres de cet ouvrage.

tard, le développement des équipements ménagers ouvrira de nouveaux domaines à l'industrie mécanique.

A la différence d'autres produits, l'objet fourni par l'industrie mécanique est fait d'un assemblage de pièces dont la vie n'est pas toujours de même durée. Il se détraque, il se répare, il nécescite l'utilisation de pièces détachées. Pour les machines utilisées par les industries, le problème existait déjà. Pour les objets destinés à la consommation courante, il est devenu beaucoup plus grave. La fabrication et la commercialisation se sont trouvées plus étroitement liées que par le passé et la vente d'un article mécanique nécessite le plus souvent la création d'une infrastructure de magasins et d'ateliers de réparation. On ne peut conquérir un marché d'un coup, sans engager de frais élevés pour faciliter l'écoulement du produit. Ainsi, les conditions d'entrée dans une branche de fabrication sont-elles devenues plus sévères. L'avantage des entreprises déjà installées est tel que les nouveaux concurrents sont étouffés avant d'avoir atteint une dimension suffisante pour que l'exploitation devienne rentable. Dans ces conditions, la protection à l'industrie naissante devient une nécessité. Le protectionnisme défendu par List et Carey, de nature provisoire, mais qui permet de lancer de nouvelles fabrications, se révèle de plus en plus nécessaire. L'existence de barrières douanières se trouve revalorisée. Au lieu d'apparaître comme une gêne pour le développement harmonieux de l'économie, elles soutiennent efficacement la croissance des secteurs modernes de la production. On s'aperçoit que le protectionnisme est nécessaire à assurer la diffusion internationale de beaucoup de fabrications pour lesquelles il existe des économies d'échelle considérables. Lui seul permet d'atteindre un niveau de production rentable. Un marché national limité est un cadre idéal pour le lancement des opérations combinées de production-commercialisation qui caractérisent les industries modernes.

La découverte de cette nécessité nouvelle de la protection ne s'est pas faite partout au même moment, ni de la même manière. Les industriels ont souvent essayé de réaliser par eux-mêmes, à leur échelle, la fermeture de l'espace nécessaire au progrès des fabrications. Ainsi, l'Angleterre a résisté longtemps à la standardisation des pièces détachées dans la plus grande partie des fabrications modernes. On a souvent noté l'incohérence extraordinaire de la politique britannique en cette matière (34). Après avoir montré l'exemple au monde, en diffusant un système de normes qui s'est révélé extraordinairement avantageux pour la mise en place des chemins de fer, en donnant ainsi au nouveau moyen de transport une puissance d'expansion et une souplesse qui ont beaucoup contribué à l'ouverture économique des espaces, on voit les industriels anglais se refuser de plus en plus à la normalisation et à la standardisation. L'explication de ce paradoxe est facile. Au moment où l'Angleterre diffuse le matériel ferroviaire, à partir de 1840, et jusqu'en 1870, elle possède un monopole à peu près absolu sur les marchés mondiaux pour tout ce qui touche aux produits mécaniques ou métallurgiques. Son intérêt est alors de créer les conditions de transparence technique les meilleures, de manière à ouvrir le marché le plus large possible et à l'exploiter de la manière la plus économique. Lorsque les nouvelles industries mécaniques se développent au tournant du siècle, les Anglais se trouvent placés dans une situation toute différente. Ils doivent lutter sur les marchés extérieurs contre les industriels des pays de l'Europe du Nord-Ouest. En Angleterre même, leur position risque de se trouver menacée. Leur parade est simple : en refusant de se soumettre aux normes qui sont adoptées par la plupart de leurs concurrents, ils rendent plus difficile la substitution des produits importés à leurs propres produits, ils compliquent la tâche pour les concurrents extérieurs désireux de prendre pied sur le marché britannique. Les industriels anglais assurent de cette façon à leur marché intérieur une protection qui est ailleurs établie par des droits de douane. Sur le marché des équipements ferroviaires, pour revenir à l'exemple classique, l'Angleterre, après avoir favorisé la normalisation jusque vers 1870, va multiplier les écartements dans les territoires nouvellement équipés en Asie, en Afrique, en Amérique, ou en Océanie. Lorsque l'on passe des écartements normaux aux voies étroites, il faut redessiner toutes les machines, toutes les pièces. On crée ainsi des marchés protégés. Et les incohérences des équipements ferroviaires dans les pays dont l'organisation politique était insuffisante pour accorder beaucoup d'attention aux

(34) L'incohérence de la politique anglaise de production industrielle éclate surtout dans le domaine des équipements électriques. La diversité des voltages, celle des normes de tous les éléments des appareils ont abouti à une pulvérisation du marché. Celle-ci n'a été interrompue que par la nationalisation de la production électrique.

problèmes de développement à long terme sont ainsi en partie une conséquence du libre-échange et des difficultés qu'il provoquait en Angleterre.

Les arguments techniques en faveur du renouveau des mesures de protection sont bons. Il est certain que le privilège des firmes installées depuis longtemps dans une branche peut interdire toute création nouvelle dans les zones dont le développement économique se dessine. Il peut ainsi se produire une distorsion géographique au profit des pays les plus anciennement industrialisés que ne justifie pas, sur le plan économique, la considération des prix de revient et le souci d'assurer la croissance la plus rapide du revenu global de l'humanité. Mais la protection présente des dangers. Elle fait coïncider pour l'essentiel, aire de vente et espace national. Tant qu'elle n'est pas générale, les nations qui la pratiquent ont à la fois l'avantage de disposer d'un débouché intérieur stable et de marchés extérieurs qui permettent à leurs entreprises d'atteindre leur dimension optimum. Mais avec la généralisation des barrières douanières et des systèmes protectionnistes, cette situation disparaît. A la limite, le commerce international des produits industriels disparaît. Ceci peut se révéler fort dommageable. Certains états sont trop petits pour que les usines qui les alimentent atteignent les dimensions où les coûts sont minimisés (35).

Le choix d'une politique protectionniste a donc été pleinement justifié pour les économies qui, comme celles de l'Allemagne wilhelminienne, étaient les premières à isoler leurs marchés intérieurs. Elles ont réussi à accroître leur production et à conquérir sur l'Angleterre et sur la France une bonne partie des marchés internationaux. Mais la généralisation du système devait à la longue montrer son vice profond. Il est probable que le renforcement des économies nationales n'aurait pas été aussi marqué s'il n'avait eu d'autres supports, en particulier la mise au point de nouvelles techniques monétaires.

Les problèmes monétaires et le renforcement des unités nationales.

Durant tout le XIXe siècle, la monnaie a été considérée par la plupart des théoriciens comme une marchandise, un peu spé-

(35) Nous reviendrons plus longuement sur ce point dans le paragraphe sui-

ciale il est vrai. Personne ne mettait en doute l'idée que la valeur de la monnaie provenait de celle des métaux précieux qui lui servaient de support. Aussi s'explique-t-on aisément les secousses qu'ont pu provoquer l'apparition de nouvelles théories, comme celle de G. F. Krapp qui montrait que la monnaie tenait sa valeur d'un consensus social, appuyé sur un acte d'autorité, sur un fait politique, ou comme celle de Knut Wicksell, considérant la monnaie comme un bien dont la valeur est liée aux conditions générales de l'offre et de la demande (36). Leurs théories parurent révolutionnaires, mais elles ne faisaient que traduire la transformation qui avait affecté progressivement toutes les bases de la pratique monétaire depuis le milieu du siècle dernier. Le point de départ de l'évolution moderne est marqué par l'acte de Peel. En imposant des conditions extrêmement sévères à l'émission de monnaie par la Banque d'Angleterre, le gouvernement anglais favorisa involontairement la généralisation de nouvelles techniques. Elles étaient connues depuis longtemps en principe. On eut recours de plus en plus aux ressources de la création de monnaie par le jeu des dépôts et des ouvertures de crédits dans les banques.

L'escompte et le réescompte par les banques centrales auraient pu amener de la même manière à la maîtrise à peu près parfaite de l'offre de monnaie dans une économie. Mais les nécessités du commerce international imposaient aux banques disposant du privilège d'émission une très grande prudence : elles ne devaient pas s'engager à long terme, ce qui leur imposait de n'accepter que le papier commercial; leur action sur la vie des nations demeurait limité. Le crédit fourni par les banques de dépôts et multiplié par l'usage des chèques se révéla beaucoup plus souple et efficace. Dans la mesure où il ne s'agissait que de semi-monnaie, son contrôle demeura longtemps très limité. Ainsi, la politique des banques put se libérer des vieilles règles de prudence. Ceci conduisit à un certain nombre d'excès, favorisa l'instabilité bancaire en temps de crise dans des pays comme les États-Unis. Au total pourtant, les moyens d'action sur les masses monétaires

vant. La spécialisation des nations dépend, dans le monde actuel, de leurs dimensions. Le sujet a attiré récemment l'attention des économistes : Robinson (Austin) (ed. by), *The Economic Consequences of the Size of Nations.* Proceedings of a Conference held by the International Economic Association. Londres, MacMillan, 1963, XXII, 447 p.

(36) Pour plus de détail, on se reportera aux chapitres III et VI.

se trouvèrent considérablement élargis. Du même coup, les gouvernements se virent contraints, pour surveiller des opérations menées par les banques privées, d'octroyer aux instituts d'émission des privilèges beaucoup plus larges que par le passé (37). Les moyens dont ils disposent désormais pour agir sur l'économie sont considérables. La liberté d'intervention n'est limitée que par le souci de garder à la monnaie une valeur suffisamment stable pour que les échanges extérieurs demeurent possibles. Ainsi, les progrès des techniques monétaires donnent de nouveaux moyens d'action sur le développement économique. Les interventions se trouvent étroitement liées à l'autorité politique qui garantit la valeur de la monnaie. Le destin économique des sociétés est désormais mieux maîtrisé et les instruments de cette nouvelle puissance se trouvent concentrés au niveau de la nation (38).

Le contrôle du commerce extérieur et l'action sur les moyens monétaires donnent désormais aux économies libérales une cohérence qu'elles n'avaient pas au siècle dernier. La liberté qu'elles s'assurent de la sorte n'est pas illimitée. Elles ne peuvent régler leur développement sans prendre en considération les conditions dans lesquelles se font les échanges avec l'extérieur. Une maîtrise

(37) La gamme des moyens d'intervention dont disposent les banques centrales a été mise au point dans les pays anglo-saxons. La Banque d'Angleterre a pratiqué systématiquement l'intervention sur le marché (politique d'*open-market*) depuis le second tiers du XIXe siècle. Depuis sa création, le Federal Reserve System se caractérise par l'institution de taux de couverture légaux — de valeur différente selon qu'il s'agit de dépôts à terme ou de dépôts à vue. La manipulation des taux légaux permet de faire varier à volonté la liquidité de l'économie et joue, pour la monnaie scripturale, un rôle analogue à la manipulation du taux de l'escompte pour la monnaie fiduciaire. En fait, il est plus simple et plus efficace d'agir indirectement sur le volume des effets publics qui peuvent constituer les réserves : les banques de réserve fédérales ont associé systématiquement la politique d'*open-market* à la direction de la monnaie par les couvertures légales obligatoires depuis qu'en 1922 une commission assure la coordination de l'action des membres du système. On peut dire qu'à cette date, tous les moyens d'intervention existent déjà. La multiplication des intermédiaires financiers a sans doute entraîné une diminution, depuis quelques années, du système de direction imaginé au siècle dernier.

(38) C'est à partir de 1920 que les moyens d'intervention des autorités monétaires se renforcent un peu partout. Mais il faut assez longtemps pour que les habitudes et les institutions se modifient. Les crises monétaires qui secouent la France entre 1920 et 1926 résultent en partie de la méconnaissance par le ministère des Finances et par la Banque de France des voies par lesquelles se produit la multiplication des moyens de paiement dans une économie moderne. Ce n'est guère qu'au moment de la Grande Crise que la nécessité impose aux différents pays de prendre effectivement en main la direction de la masse monétaire et le contrôle des changes. A ce moment, l'intervention sur l'ensemble de la vie économique devient consciente : la mise au point des méthodes de l'analyse macro-économique fournit un cadre de pensée aux responsables de la politique économique.

totale du destin économique national n'est possible que dans le cadre d'une autarcie complète. Celle-ci demeure irréalisable. La rupture économique du monde qui a suivi la crise économique de 1929 a montré le danger de telles aventures : pour essayer de combattre les effets de la crise, on a vu se multiplier les mesures protectionnistes et beaucoup de nations ont renoncé à accrocher leur monnaie à une unité internationale stable. Les changes flottants, les politiques de troc, les accords bilatéraux se sont révélés être des substituts très imparfaits du marché mondial classique. Les efforts conscients des organisations internationales nées au cours de la Seconde Guerre mondiale ont eu pour but de recréer les conditions d'un grand marché international. La liberté des nations se trouve de la sorte limitée par le souci de ne pas troubler le concert international, par le désir de bénéficier des courants d'échanges qui permettent une spécialisation efficace. Mais il est certain également que ce marché international ne ressemble en rien à celui du siècle dernier. Il ne s'accompagne pas d'un affaiblissement des structures nationales. Les protectionnismes se sont affaiblis depuis la Grande Crise — ceux des pays industrialisés surtout. Pour les autres, le démarrage demande souvent la mise en place de contrôles douaniers. Ils n'ont nulle part totalement disparu. Le souci de contrôler la vie économique se manifeste par la double intervention des pouvoirs publics dans le domaine monétaire et dans celui des relations économiques internationales : les fonctions économiques de la nation se trouvent puissamment élargies par l'évolution contemporaine.

La nation et le système socialiste.

Dans les pays socialistes, les transformations sont encore plus importantes. Le passage à une économie communiste doit s'accompagner théoriquement d'un dépérissement de l'État — ce qui au point de vue économique ne peut s'interpréter que par une réduction du rôle de la nation. On ne renonce pas à l'affirmation de ce vieil idéal issu du fond libéral du XIXe siècle. En fait, toute l'expérience des économies socialistes a été marquée par les conditions historiques dans lesquelles s'est effectué le développement de l'U. R. S. S. Pour celle-ci, la réalité nationale est devenue essentielle : la collectivisation des moyens de production et la planification de l'activité économique et de la croissance ont donné au gouvernement des moyens d'action qui sont bien plus puissants et bien plus efficaces que ceux dont on dispose dans les économies libérales (39). Cette puissance, on la mesure à l'importance du prélèvement effectué en vue de l'investissement. Le contrôle de l'appareil de production permet de pratiquer des taux d'épargne élevés, car on peut s'affranchir dans une large mesure des contraintes qu'impose la consommation privée. La liberté d'action du gouvernement soviétique a été d'autant plus grande que les dimensions continentales du pays permettent de vivre à peu près en autarcie. Les importations absolument nécessaires ne portent que sur quelques matières premières agricoles ou industrielles. Les efforts de prospection ont permis de réduire considérablement les besoins du second type, cependant que la création de régions d'agriculture spécialisée en Transcaucasie et en Asie centrale a suffi à assurer le ravitaillement en produit subtropicaux. La gamme des produits des régions chaudes nécessaires à l'industrie ou à la consommation a ultérieurement été diminuée par la découverte de produits de substitution, celle du caoutchouc de synthèse par exemple. Durant les premiers plans quinquennaux, les importations de machines spécialisées et de matériel de valeur s'est imposée pour assurer une promotion technique rapide et éviter de piétiner trop longtemps. L'exportation de matières premières abondantes permettait de payer ces importations sans trop de difficultés. Au total, le degré de fermeture de l'U. R. S. S. est demeuré beaucoup plus élevé que celui de la plupart des grands pays industrialisés. Le pouvoir n'a donc pas à composer au même point qu'ailleurs avec les nécessités de procéder à des échanges internationaux dans la stabilité et la confiance réciproque.

La conséquence la plus remarquable de la création de l'économie socialiste a été de faire disparaître toute base automatique aux processus de détermination des prix. Aussi, les échelles intétieures n'ont-elles aucun rapport avec celles qui sont pratiquées à l'extérieur. Cette situation ne présente aucune gravité pour

(39) La mise en place des institutions qui ont donné à l'État le contrôle effectif de tous les aspects de la vie économique en Union soviétique ne s'est pas faite en une seule étape. Elle est restée longtemps hésitante, irrégulière. Les premières mesures ont sans doute été imposées par les nécessités de l'économie de guerre. Après 1921, et la pacification intérieure et extérieure, il fallut huit ans pour que les responsables se décident à utiliser systématiquement des moyens de contrôle et de direction qu'ils avaient créés dans la période de tension.

un pays qui vit en autarcie à peu près complète et où le commerce extérieur se trouve être un monopole d'État. Dans la mesure où le système donne au gouvernement le pouvoir de fixer tous les prix, les possibilités de confrontation avec l'extérieur se trouvent considérablement réduite (40).

La finalité économique de la nation.

Nous voyons mieux maintenant d'où procède le rôle sans cesse croissant de la nation dans la vie moderne. Le progrès technique permet d'augmenter le volume de la production et de diversifier la gamme des biens et des services offerts pour la satisfaction des besoins. Il multiplie les possibilités qui s'offrent à l'homme, mais il ne devient effectif que lorsque les revenus se trouvent créés de telle manière que les besoins soient solvables. C'est dans cet ajustement des circuits économiques que la nation a joué un rôle essentiel. Les techniques monétaires nouvelles servent à la même fin que les contrôles et la direction traditionnellement exercés sur le commerce extérieur : à parfaire l'ajustement des différentes boucles du circuit économique, à en faciliter l'équilibre.

Au fur et à mesure que la gamme des besoins s'allonge, que les procédés de fabrication se perfectionnent, à l'intérieur d'un pays, les liens qui lient la vie économique au sol se distendent. La croissance dépend davantage de l'invention de nouvelles techniques, de l'action d'entrepreneurs énergiques, que de la dotation en facteurs de production. Ainsi, les chances deviennent de plus en plus inégales. Ceux qui ont déjà atteint un grand développement se trouvent bien mieux placés que les autres pour réaliser de nouveaux progrès. Le rôle des nations est positif, en ce sens qu'il accélère la marche du progrès : il demanderait des délais infiniment plus longs s'il prenait place directement sur un marché illimité. Mais du même coup, les ressorts du développement se trouvent ainsi tendus, que les inégalités ont tendance à s'accroître. Le rôle de la répartition des ressources naturelles et de la population est réduit à très peu de choses, à partir du moment où l'effet de seuil qui signale le passage à l'économie complexe s'est produit. Dans notre monde, les transformations essentielles de la vie économique proviennent de l'allongement progressif des

(40) Nous reviendrons sur ces problèmes au dernier chapitre.

18. Domaine des Buis, près de Montbéliard.
La concentration permet de faire des économies considérables d'infrastructure.
(Cliché : *S. A. Automobiles Peugeot.*)

19. Un coin de banlieue américaine (à El Paso).
Plate et monotone, articulée aux grands axes routiers, la banlieue américaine étend démesurément l'aire urbaine et transforme la cité en ville régionale.
(Cliché : *G. Sarda.*)

20. Une métropole régionale, une ville régionale aussi.
Dallas, aux États-Unis : la sky-line d'un centre d'affaires majeur et en delà et au-delà, la prolifération des quartiers de banlieue, semés irrégulièrement et séparés par des zones de parc.
(Cliché : *G. Sarda.*)

circuits de production, de leur multiplication, comme de l'enchevêtrement toujours plus grand des boucles de distribution des revenus et de dépense ou d'épargne. La consommation des biens simples dont on se contentait naguère n'aurait pu croître indéfiniment. Les hommes arrivent vite à la saturation, quand il s'agit de manger ou de se vêtir. Les possibilités de croissance, dans le monde traditionnel apparaissaient donc comme finies. C'est l'économie complexe, qui en fournissant aux hommes de nouveaux moyens, en leur faisant découvrir de nouveaux besoins, a rendu possible la croissance indéfinie. Ainsi, les nations ont joué un rôle éminent dans la promotion économique du monde moderne. Selon les moments, leur influence a pris des formes différentes. Le poids de l'organisation politique, militaire et économique de la nation mercantiliste a été très grand, au XVIIIe siècle, lorsque s'est produit le démarrage de l'économie industrielle moderne. Dans le courant du XIXe siècle, la nation a vu son rôle devenir plus discret. Elle s'est effacée un moment et les forces économiques ont semblé demeurer les seules à modeler le présent. En fait, les forces sociales et politiques qui restaient contenues à l'intérieur des nations ont permis de franchir le seuil du développement continu, en favorisant la fermeture d'un certain nombre de circuits économiques à l'intérieur de l'espace national et en faisant apparaître des économies complexes.

Il y a donc eu une sorte de contradiction entre les impératifs de la croissance : besoin d'espace illimité pour que les marchés s'étendent sans contrainte, besoin d'un espace limité, celui de la nation, pour que les marchés se diversifient et se multiplient. Nous avons analysé aux chapitres précédents l'évolution de la région : nous avons montré que son cadre est devenu trop vaste pour les besoins actuels en espace de l'économie et qu'une zone peuplée, servant d'exutoire aux citadins, entoure le noyau urbanisé dense; de la même façon on voit les nations d'économie développée entourées de vastes zones dont elles n'ont au fond pas besoin, sinon pour quelques matières premières rares; ces zones restent hors des circuits économiques qu'elles ont su organiser. Le développement se fait d'une manière de plus en plus localisée (41).

(41) Cela signifie évidemment que tous les États ne parviennent pas à s'organiser véritablement en nations. C'est là un des caractères communs aux pays sous-développés sur lequel nous reviendrons plus loin.

Cette tendance demeurera-t-elle? On a constaté, dans les espaces régionaux, que le mouvement centripète avait cessé d'être le seul caractéristique de l'économie moderne : si les zones périphériques se vident au profit du centre, celui-ci se distend au point d'occuper à lui seul tout une bonne partie de l'espace. Ne verra-t-on pas se dessiner un jour un mouvement centrifuge analogue, qui permettrait au progrès de s'étendre plus facilement hors des nations qu'il a jusqu'ici transformées? rien ne paraît jusqu'à présent l'indiquer, ce qui pose un des problèmes les plus graves aux responsables de la vie politique et économique de toutes les nations.

Dynamisme et préférences de structures. Un problème d'optimisation.

L'antinomie qui existe entre les choix économiques et les préférences de structures manifestées par les groupes sociaux nationaux peut mieux être appréciée maintenant que l'on a dégagé les éléments qui influent sur la croissance. Les préférences de structure manifestées par une nation peuvent faire obstacle au progrès. Dans les sociétés des pays sous-développés, les exemples ne manquent pas de systèmes de valeurs qui freinent l'implantation d'une économie dynamique. Mais la règle n'est pas générale et le désir de préserver un mode de vie original, de respecter certaines valeurs qui ne sont pas économiques a pu se révéler à long terme un stimulant de la croissance. Les nations les plus pauvres n'ont pas toujours les moyens de transformer leurs préférences en réalités. Elles doivent renoncer presque toujours à beaucoup. Au contraire, une société assez riche dispose de surplus qui lui donnent une liberté plus grande. Et la dynamique de la croissance a été ainsi renforcée et non minée, par les choix de caractère non économique qui font l'originalité des divers groupes sociaux. Ainsi, la volonté de développer la vie familiale dans une ambiance agréable, de vivre dans un cadre harmonieux, de sauver les bases de la vie des petites communautés, a pu limiter la concentration des ouvriers et des employés dans les quartiers denses du cœur des agglomérations. Il ne fait pas de doute que le choix pour des villes étendues, incorporant de vastes espaces verts, se traduit par une augmentation du coût direct de la vie urbaine. La concentration permet de faire des économies considérables d'infrastructure, de limiter les besoins de déplacement. Elle trouve aujourd'hui une limite physique par suite de la multiplication des automobiles, qui entraîne une augmentation considérable des besoins d'espace. Mais l'éclatement des agglomérations a précédé très largement la diffusion des moyens de transport individuels aux États-Unis, en Angleterre et dans une bonne partie de l'Europe du Nord. Le phénomène est dans son essence extra-économique. Les sociétés en question ont pu obéir de la sorte à leurs préférences parce qu'elles disposaient déjà d'une richesse considérable. Bien loin de ralentir leur développement, ce goût de la maison individuelle et de l'espace a suscité de nouveaux besoins et entretenu la croissance économique de l'ensemble. Il ne fait pas de doute que la construction de quartiers neufs a constitué un des éléments les plus importants dans le maintien de taux de croissance élevés dans des économies qui manifestaient par ailleurs, entre les deux guerres mondiales, une certaine tendance à l'essoufflement.

La contradiction apparente entre les deux aspects de l'action de la nation se résout ainsi de manière heureuse dans bien des cas. Mais il en est d'autres où les tendances sociales et les impératifs économiques restent en conflit. La nature extra-économique de la nation se rappelle ainsi à notre attention. Dans le monde moderne, la vie économique n'est pas tout entière déterminée par des calculs menés à la manière des classiques et dans lesquels les considérations de profit et de sécurité entrent seules en ligne de compte. Dans bien des cas, le souci du prestige, le goût de la puissance et de la gloire sont des ressorts autrement efficaces de l'action. C'est ce que Schumpeter avait su montrer en analysant les grandes entreprises qui ont donné au monde moderne l'essentiel de son dynamisme. C'est ce que montre également l'analyse des réalités globales (42). Dans un monde où les forces

(42) Nous sommes là en présence d'un problème de contradiction apparente entre les objectifs choisis. Les économistes classiques pensaient qu'il fallait faire tous les efforts pour que soit obtenue la croissance la plus rapide : tous les objectifs extra-économiques leur semblaient aller à l'encontre de cela. De la même façon, dans le domaine de l'économie d'entreprise, l'apparition d'entreprises géantes, disposant d'un pouvoir de marché, leur paraissait aller contre la réalisation de l'optimum économique. Schumpeter a montré comment le capitalisme moderne, malgré son irrationalité apparente, permettait une croissance plus rapide que ne l'aurait fait un système plus orthodoxe. La situation est la même au plan de la nation. Pour obtenir la satisfaction de besoins qui leur sont propres et qui ne sont pas nécessaires à la croissance, les nations s'imposent parfois des sacrifices qui accélèrent en définitive le développement.

sociales ne se mêleraient pas constamment aux forces économiques, la dualité d'approche que Keynes a fait découvrir aux sciences économiques, l'opposition entre les réalités élémentaires et les réalités d'ensemble ne se justifieraient pas. En utilisant l'une ou l'autre des voies, on devrait parvenir à éclairer de la même manière l'ensemble des faits de répartition. A partir du moment où des faits individuels ou collectifs d'ordre extra-économiques entrent en jeu, le dualisme prend toute sa justification. La région demeure, dans la plupart des cas, une réalité sans poids sociologique. On peut arriver à l'étudier aussi bien par des méthodes de micro — que par des méthodes de macro-économie — le jeu des économies externes permettant de faire intervenir dans l'analyse des décisions individuelles les enchaînements qui sont proprement l'objet des analyses globales. Les nations sont à ce point modelées par les vouloirs collectifs que l'analyse micro-économique ne peut en rendre compte pleinement. Les économistes ont parfaitement raison, lorsqu'ils considèrent que la seule unité spatiale qui doit nécessairement être prise en considération, comme telle, dans leurs analyses, est la nation. Ils ont le tort de ne pas expliciter suffisamment leur choix et de ne pas montrer les origines extra-économiques de la nation dont ils font l'objet de leurs études. Du coup, ils oublient tout ce qu'elle a de contingent, de variable. Ils méconnaissent la diversité des organisations nationales. Il a fallu attendre le lendemain de la Seconde Guerre mondiale pour que l'on prenne soudain conscience de cette multiplicité des types de nation.

Le rôle des forces historiques et politiques de la nation n'est pas demeuré constant au cours de l'évolution du monde industrialisé. C'est une des sources de la diversité des combinaisons actuelles. Une autre provient de l'attitude prise par les groupes territoriaux vis-à-vis de l'extérieur. La fermeture de l'espace national, le développement de circuits économiques tout entiers inscrits à l'intérieur du territoire national évitent toutes les fuites dans le circuit économique et hâtent l'apparition de l'économie complexe. Les préférences nationales peuvent se donner plus librement cours dans des espaces fermés que dans des économies ouvertes sur l'extérieur. Plus les relations avec les nations étrangères sont réduites, plus le pays se trouve en position pour modeler à son gré son système de prix et marquer de la sorte les objectifs qui lui semblent prioritaires. Dans les économies socialistes, par exemple, les nations sont très fortement isolées du monde extérieur et se sont choisies des objectifs de développement qui diffèrent fortement, par certains aspects, de ceux du monde capitaliste. Dans ce dernier, la priorité revient aux objectifs qui permettent d'accroître la consommation solvable. Dans les pays de l'Est, on met plus volontiers l'accent sur certains aspects culturels du développement.

Malheureusement, la fermeture de l'économie comporte aussi des risques. Elle peut se traduire par une diminution de la transparence internationale et ralentir la diffusion de techniques nouvelles. L'U. R. S. S. s'est ainsi isolée, à bien des points de vue, durant une génération, du reste du monde occidental. Tant que l'isolement se traduit simplement par l'ignorance des mouvements de la mode et des habitudes littéraires, le mal est limité. Mais au-delà du retard dans le domaine des formes et des habitudes sociales, la fermeture sur l'extérieur risque de retarder l'évolution de tout le système économique. Les dirigeants soviétiques connaissaient ce risque; ils ont essayé de le minimiser en maintenant le plus possible les échanges scientifiques avec le monde extérieur. Il n'est pas certain qu'ils soient parvenus à éviter certaines erreurs : ainsi, le choix délibéré de la houille et de la houille blanche, dans le développement des sources d'énergie, a contribué à faire peser d'un poids plus lourd les charges de capital et à ralentir la croissance de l'économie nationale. Il a fallu attendre les environs de 1955 pour que l'on comprenne réellement l'avantage qu'il y avait à développer des sources d'énergie nécessitant des immobilisations moins lourdes (43).

Les progrès de l'économie complexe sont caractérisés par la multiplication des procédés de substitution industrielle. Les besoins de matières premières et de sources d'énergie ne sont plus aussi rigides que par le passé. Aussi, l'autarcie est-elle un objectif moins définitivement impossible, même pour les nations d'étendue moyenne, qu'elle ne l'était au début de l'ère moderne de développement industriel. Mais les substitutions ont un coût. Il est souvent plus intéressant d'avoir recours aux importations

(43) Les objectifs poursuivis par les dirigeants russes n'ont pas toujours été bien choisis. Faute de tenir compte des charges d'amortissement du capital, on a opté souvent pour les voies les plus lourdes, les plus difficiles. On pourra se reporter à BERNARD (Philippe), *Destin de la planification soviétique*, *op. cit.* Cf. pp. 235-279, *L'équilibre économique et la recherche de l'optimum.*

qu'à la production nationale. Les savants allemands avaient mis au point des procédés de fabrication d'essence synthétique. Il apparaît aujourd'hui plus avantageux de ne pas les utiliser et de s'adresser aux grands fournisseurs internationaux de pétrole brut. Ainsi, le souci de promouvoir la croissance la plus rapide impose une limite à la fermeture de l'espace économique. Il existe une proportion optimale des échanges qui assure à la fois le développement le plus rapide possible de la pyramide complexe des fabrications et évite l'apparition des charges que fait naître l'autarcie totale.

Le problème de la clôture et de l'ouverture des espaces nationaux apparaît de la sorte comme un problème d'optimation. La solution la meilleure se situe quelque part entre les deux extrêmes. Puisque l'échange avec le reste du monde est nécessaire, les responsables des politiques économiques doivent faire face aux difficultés qui naissent des déséquilibres possibles de la balance des paiements. Un pays ne peut vivre isolé, il doit échanger, mais il ne peut le faire sans précautions.

Les relations extérieures échappent en partie au vouloir de la nation. Celle-ci peut adapter ses offres et ses demandes aux conditions du marché international, elle ne peut transformer les données du reste du monde. Son devenir se trouve donc, dans une large mesure, sous la dépendance des réactions venues de l'extérieur. Malgré tous les efforts faits depuis une génération pour mieux contrôler la marche des économies internes, pour les protéger, la croissance, pour la plupart des nations, ne résulte pas du seul jeu des forces internes. Alors même que les relations extérieures entretenues par une nation sont relativement modestes par rapport à l'ensemble de ses relations internes, leurs répercussions sur le niveau général d'activité se manifestent avec violence. La machine économique des pays complexes se comporte comme un mécanisme qui amplifie les oscillations transmises de l'extérieur, à moins d'une vigilance constante, à moins que l'on ne prenne grand soin de pratiquer une politique économique de rééquilibre (44).

Diversité historique des actions de l'État, poids variable des

(44) Les liaisons internationales et les tensions qui en résultent expliquent en partie le choix par les États de leur spécialisation. Il nous fallait montrer leur rôle dès maintenant, pour pouvoir expliquer les motifs de la diversification des économies nationales. Mais nous retrouverons le problème lorsque nous étudierons les espaces internationaux.

relations avec l'extérieur, efficacité plus ou moins grande des politiques économiques, ce sont là des éléments qui, en se combinant, donnent aux pays une grande variété de visages pour l'économiste comme pour le géographe. Au milieu de la multiplicité des combinaisons particulières, il est possible de considérer un certain nombre de catégories qui éclairent l'analyse et font comprendre les problèmes d'ensemble.

III. — Les différents types de nation.

La nation est un produit de la civilisation industrielle moderne. Son histoire le montre, comme son fonctionnement. Aussi le monde actuel ne se présente-t-il pas comme un réseau universel d'espaces nationaux. Des territoires coloniaux subsistent encore. La situation a cependant beaucoup changé depuis le début de la Seconde Guerre mondiale. Le mouvement de décolonisation a abouti à une prolifération de jeunes États dont le rôle va grandissant sur la scène politique du monde. Ils appuient leur existence sur des mouvements nationalistes, essaient de prendre en main leurs destinées économiques comme l'ont fait avant eux les pays d'Europe occidentale ou d'Amérique du Nord. Mais dans l'immense majorité des cas, les formes extérieures de la nation demeurent dépourvues, dans le Tiers Monde, de la chair qui leur donne vigueur et signification.

La situation qui caractérise la plus grande partie du monde préindustriel est l'absence d'intégration économique des corps politiques. Même lorsque leurs dirigeants ont su imposer une forte centralisation du pouvoir et organiser des circuits de prélèvements lointains qui assurent leur puissance — comme c'était le cas dans une bonne partie de l'Asie orientale au moment du démarrage de la croissance en Occident — l'unité économique demeure imparfaite. La plus grande partie de la vie économique reste enclose dans des circuits relativement limités et les échanges à longue distance, favorisés par le jeu politique, ne portent que sur une petite quantité de produits.

Les pays traditionnels et le choc de l'économie industrielle : la genèse du sous-développement.

A bien des points de vue, les pays du Tiers Monde actuel se présentent sous des traits analogues, à ceux des régions préindustrielles. Dans un cas comme dans l'autre, la plus grande partie de la population (45) se consacre à la production des denrées alimentaires et les activités de transformation et de service ne font vivre qu'un petit nombre de personnes — 10 à 25 % pour fixer un ordre de grandeur. Mais de sensibles différences existent entre les situations du XVIIIe siècle et les situations actuelles. Même si les sociétés sont demeurées étrangères aux habitudes et aux mentalités que façonne la civilisation moderne, elles se sont transformées en partie au contact des pays avancés. Elles sont donc différentes de ce qu'étaient les formations dont elles sont les héritières. Les ébranlements provoqués par le développement des circuits économiques ont été inégalement ressentis, ce qui introduit une certaine variété de types. Certaines situations ont été transitoires — comme celle des pays neufs. A l'heure actuelle, on peut ramener les situations observées à deux grands types, pour lesquelles nous utiliserons les catégories aujourd'hui classiques : pays sous-développés, pays en voie de développement.

Le pays sous-développé réagit encore passivement à l'action des forces que le monde extérieur exerce sur lui. Il est entamé. Mais son économie demeure obstinément statique. Le pays sous-développé se caractérise par la coexistence de deux écono-

(45) Les analyses de la répartition de la population active se sont multipliées à la suite des travaux de Colin Clark et de Georges Fourastié. Les ouvrages et les articles consacrés aux problèmes du sous-développement abondent en données sur ces problèmes.

La répartition de la population active s'explique en partie par les conditions de la productivité du travail. Colin Clark vient de consacrer une étude importante à ce problème : en se penchant sur les problèmes de l'économie agricole de subsistance, il a abordé le problème du sous-développement sous un angle nouveau. CLARK (Colin), *The Conditions of Economic Progress*. Londres, MacMillan, 1940; 2e éd., 1951. Trad. française, P. U. F., 1960. — FOURASTIÉ (Jean), *Le grand espoir du XXe siècle*. Paris P. U. F., 1re éd., 1947; 3e éd., 1952, XXVIII, 247 p.

Parmi les ouvrages qui consacrent une large place à l'analyse de la répartition de la population active en établissant le diagnostic du sous-développement : LACOSTE (Yves), *Géographie du sous-développement, op. cit.*, cf. pp. 41-72. — LEBRET (L.-J.), *Suicide ou survie de l'Occident, op. cit.* — BHAGWATI (Jagdish), *L'économie des pays sous-développés*. L'Univers des Connaissances, Paris, Hachette, 1965, 253 p. — DELIVANIS (Dimitrios), *L'économie sous-développée*. Paris, Génin, 1964, 312 p.

L'analyse de l'économie de subsistance a été publiée récemment : CLARK (Colin), HASWELL (Margaret), *The Economics of Subsistance Agriculture*. Londres, Saint-Martin, 1964, 218 p.

L'analyse que nous menons se place dans une perspective historique. On pourra se rapporter à une analyse économique récente de l'histoire du sous-développement : GERSCHENKRON (A), *Economic Backwardness in Historical Perspective*. Londres, Oxford University Press, 1962.

mies, deux systèmes et par l'effet d'inhibition et de blocage qui en est la conséquence (46). Le secteur d'économie traditionnelle est le plus important par les effectifs employés. Il diffère peu de ce qu'il était au siècle dernier. Certaines transformations se sont cependant produites, qui ont eu pour effet de réduire le poids déjà bien faible des activités de transformation. Les artisans qui dans l'économie primitive fournissaient aux consommateurs leurs tissus, leurs poteries, leurs vanneries, leurs instruments agricoles ont été peu à peu vaincus par la concurrence des produits industriels. Il ne subsiste plus que des corps de métier dont les spécialités répondent à des besoins tout à fait spécifiques et ne présentent pas un marché suffisant pour susciter l'apparition de types de production industriel : on pense aux objets en papier et en bambou, par exemple dans certains pays d'Extrême-Orient. Le recul de l'artisanat a sans doute contribué à accentuer le caractère rural de la vie dans beaucoup de régions : la société indienne a connu une ruralisation progressive dans le courant du siècle passé, au fur et à mesure que la concurrence de la Grande-Bretagne ouvrait de nouvelles brèches dans le systèmes de production domestique ou artisanal (47).

L'économie de ces pays s'ouvre donc dans la mesure où pénètrent les produits manufacturés. Une partie de l'activité agricole se trouve du même coup détournée, pour payer les nouvelles importations. Souvent, les autorités prennent la direction de ce mouvement. Le prélèvement d'impôts fonciers élevés est à la fois une nécessité dans un monde où la source de toute richesse demeure la terre et un moyen puissant pour donner aux habitants des régions d'économies traditionnelles de nouvelles habitudes (48).

(46) Les économistes accordent plus ou moins de place à l'analyse des effets du dualisme. En français, l'auteur qui accorde le plus de place à ces faits est sans doute M. Gannagé. La théorie du dualisme est due, dans sa forme originelle, sociologique, pourrait-on dire, au Hollandais J. H. Bœke, qui l'a développée dans une série de publications échelonnées entre 1914 et 1953. On en trouvera un bon résumé dans Higgins. GANNAGE (Élias), *Économie du développement*. Coll. Theoria, Paris, P. U. F., 1962, XI, 352 p. — HIGGINS (Benjamin), *Economic Development*, cf. pp. 274-313.

(47) Les auteurs indiens insistent volontiers sur ce déclin des villes traditionnelles. Leur position est logique, mais les statistiques sur lesquelles ils s'appuient ne sont peut-être pas irréprochables.

(48) Les puissances coloniales voyaient dans l'impôt le moyen le plus efficace pour faire adopter des formes d'économie monétaire. Les pays demeurés indépendants au XIXe siècle ont dû appuyer leur fiscalité sur l'impôt foncier pour d'autres raisons : la terre représentait la seule richesse importante, le seul secteur suscep-

Le passage de l'économie traditionnelle à l'économie sous-développée s'est produit plus ou moins tôt : dès la première moitié du XIXe siècle pour les zones qui ont été les plus rapidement touchées par l'essor du grand commerce : l'Europe méridionale, l'Amérique du Sud, et l'Inde, beaucoup plus tard pour la plus grande partie de l'Afrique. Alors que les conditions de vie ont été rapidement altérées dans les régions littorales qui se prêtaient bien à l'essor de cultures commerciales, les zones intérieures demeuraient fidèles aux genres de vie traditionnels et ne subissaient guère l'influence de la pénétration des puissances coloniales. Celle-ci ne se manifestait que par la suppression des troubles et de l'insécurité et par l'explosion démographique qui en résulte. En Afrique du Nord, même, des sociétés de type préindustriel se sont maintenues presque intactes dans une bonne partie du Maroc jusqu'à la fin de la Seconde Guerre mondiale.

Le dualisme économique et les pays sous-développés.

L'ouverture sur l'extérieur, le déplacement au profit de l'étranger de certaines productions ne modifient pas l'essentiel : les techniques demeurent semblables à ce qu'elles étaient dans le monde préindustriel. L'argent ne sert que pour les transactions sur biens de consommation. Il n'est pas encore employé pour l'investissement. La croissance du secteur traditionnel est nécessairement limitée à l'agriculture, puisque l'industrie des grandes nations a ruiné les entreprises indigènes. Elle se fait par conquête progressive de nouveaux terroirs grâce à l'investissement-travail. Les pays sous-développés ont réusssi dans certains cas à obtenir un taux de croissance du produit national qui est assez élevé. Tant qu'il demeure des terres vierges, la pression démographique permet la poursuite de la conquête de l'espace agricole. Ainsi voit-on les terroirs d'Afrique noire s'étendre et se stabiliser. Au bout d'une assez longue période, la situation finit par se dégrader, car les meilleures terres sont déjà occupées. La croissance n'est plus possible selon les principes traditionnels. La situation du groupe humain se détériore. Il utilise des techniques

tible de donner naissance à une épargne quelconque. Le développement économique du Japon a été payé de la sorte par la paysannerie du pays. Celui de la Russie l'a été de la même manière, comme le rappelle J. Chombart de Lauwe. Quel que soit le régime, les résultats ont donc été les mêmes. CHOMBART DE LAUWE (Jean), *Les paysans soviétiques, op. cit.*

inchangées pour mettre en valeur des terroirs moins fertiles, ou bien encore il accroît la dépense de travail par unité cultivée sans changer d'équipement. La productivité du travail fléchit dans les deux cas.

A côté de ce secteur traditionnel s'est développé presque toujours un secteur qui utilise les techniques les plus modernes. Mais les rapports entre les deux mondes qu'ils représentent sont souvent fort réduits. Ils se traduisent surtout par le blocage du secteur développé; les entreprises modernes ne peuvent dépasser un certain volume et leur croissance se trouve paralysée et limitée par la stagnation du secteur traditionnel (49).

Les entreprises modernes sont de deux types : elles destinent leurs productions à l'exportation ou bien au contraire au marché intérieur. Les entreprises du premier type (mines-plantations) sont la plupart du temps plus puissantes que celles du second, si bien que l'on a tendance à ne parler que d'elles. Mais les autres sont aussi anciennes et présentent un cas intéressant pour l'analyste. Leur stagnation est même plus instructive pour celui qui recherche les causes profondes du sous-développement.

Les entreprises exportatrices n'exercent d'influence sur l'économie du pays que par les salaires qu'elles distribuent et par leur poids dans la balance commerciale. Les sociétés qui produisent pour le marché intérieur agissent par les salaires distribués, par l'effet de revenu réel que procure la vente de produits fabriqués à bas prix et par la réduction des importations si le produit fabriqué sur place se substitue à un article importé. Les perspectives qui s'offrent à ces deux types d'entreprises sont très variées. Celles qui travaillent pour le marché mondial peuvent avoir affaire à un marché de grandes dimensions en expansion et capable d'absorber des exportations croissantes. Le volume total de la production peut donc se développer assez vite. Mais cela ne réussit à transformer l'économie traditionnelle que dans des cas tout à fait exceptionnels. En effet, le travail industriel effectué sur place est toujours très limité. Il y a intérêt à placer

(49) Nous présentons ainsi la théorie du dualisme économique. Elle a été étudiée en détail dans l'ouvrage de M. Gannagé que nous indiquions plus haut à la note 46. Elle a été formulée de manière particulièrement claire par Myint (Hla), « An Interpretation of Economic Backwardness ». *Oxford Economic Papers*, vol. VI, nº 2, juin 1954. — Id., *The Economics of the Developing Countries*. Londres, Hutchinson University Library, 1964, 192 p.

Ces théories, et celles d'autres auteurs comme Solow et Hagen, sont analysées dans Higgins (Benjamin), *Economic Development*, *op. cit.*, cf. pp. 314-344.

les derniers stades de fabrication, ceux qui incorporent le plus de main-d'œuvre à proximité des marchés de consommation. Aussi, les effectifs utilisés sont-ils généralement faibles. Les techniques de production des matières premières se transforment si vite et la productivité augmente si rapidement que les producteurs qui comptent sur l'abondance et le bon marché de la main-d'œuvre se trouvent à long terme éliminés du marché international. Pour le producteur conscient, il n'y a aucun intérêt à substituer le travail au capital (50). Les salaires distribués peuvent être relativement élevés, mais la masse de main-d'œuvre employée est si peu nombreuse qu'elle n'offre pas un marché capable de susciter l'apparition de nouvelles fabrications pour le marché intérieur. La plus grande partie des salaires distribués se trouve ainsi dépensée en produits importés. Au total, l'effet de l'injection de salaires provenant de l'exportation peut se révéler tout à fait négatif. Les revenus distribués sont à peu près totalement utilisés à l'achat de biens importés consommés. L'effet de démonstration suscite chez les populations non employées des besoins nouveaux, accroît la pression sur l'importation, sans justifier, dans l'immédiat, la création de fabrications indigènes (51). On comprend les raisons qui ont pu justifier les politiques de bas salaires pratiquées avec le consentement des gouvernements responsables par des entreprises installées en pays sous-développé.

Dans le secteur industriel destiné au marché intérieur, des possibilités existent au départ. Mais ce marché se trouve très limité et sans expansion possible. Les activités industrielles susceptibles de trouver un débouché sur le marché intérieur sont peu nombreuses. Même si les techniques utilisées sont relativement peu progressives et si la main-d'œuvre est plus importante que celle que l'on trouverait dans un État moderne, les salariés ne représentent qu'une petite portion de la population active.

(50) Toute la théorie du dualisme économique repose sur le fait qu'il est impossible de substituer de manière continue un facteur de production aux autres : c'est ce que montrent clairement les analyses de ECKAUS (Richard S.), « The Factor Proportions Problem in Underdeveloped Areas ». *American Economic Review*, vol. 45, sept. 1955.

(51) Nous reviendrons plus loin sur les cercles vicieux engendrés par les effets de démonstration. Le mécanisme des actions d'entraînement psychologiques qui sont à l'origine des comportements pernicieux de la machine économique ont été analysés et expliqués par DUESENBERRY (J.), *Income, Saving and the Theory of Consummer Behaviour, op. cit.*

Élever leurs salaires ne permet pas d'élever substantiellement le pouvoir d'achat de la nation et risque de provoquer une augmentation du prix de revient qui supprime sur un front les avantages gagnés sur l'autre. L'effet d'économie complexe ne peut se déclencher. Pour les entrepreneurs, une fois le marché intérieur saturé, les occasions les plus intéressantes de placement se trouvent fournies par d'autres secteurs d'activité : les profits que l'on peut retirer des prêts à la consommation ou de la construction immobilière sont plus élevés que ceux que l'on retire de la création d'usines nouvelles. L'épargne est ainsi détournée de ses emplois productifs et tout l'effort de production ne sert qu'à provoquer un remaniement général de la structure de la propriété (52).

On voit donc comment s'expliquent les situations de sous-développement. L'économie industrielle reste sans prise sur la situation de ces pays, dans la mesure où ils présentent une économie duale. Les Néerlandais qui ont les premiers senti l'importance du phénomène dans l'Insulinde y virent un effet des aptitudes différentes des sociétés à participer à l'aventure industrielle. Le jugement moderne est plus nuancé : les mentalités ne sont pas seules en cause, il y a tout un enchaînement de faits sociaux et économiques qui contribuent à la naissance et au maintien du dualisme. La pression démographique constitue souvent un frein, de même que la répugnance des agriculteurs à modifier leurs techniques ou leur incapacité à s'équiper en outils modernes. Les forces sociales jouent pourtant un rôle essentiel. Le refus du monde moderne freine l'évolution ou la rend impossible chez beaucoup de groupes. La structure duale ou plurale de la société explique l'échec de la transformation de l'économie, la stagnation à un niveau inférieur au seuil de la croissance entretenue. La dualité des groupes sociaux est une des caractéristiques des pays coloniaux, mais elle se rencontre aussi dans certains pays indépendants. Malthus avait déjà montré les conséquences

(52) La fuite devant l'investissement productif constitue un des traits de toutes les économies à croissance retardée : elle s'explique par des enchaînements complexes dont le mécanisme a été démonté par M. Ragnar Nurkse. On trouvera des exemples de ces comportements dans la plupart des études consacrées aux pays sous-développés. Nous avons été frappés par certains des exemples rapportés par M. Jacques Dupuis pour la région de Madras. NURKSE (Ragnar), *Problems of Capital Formation in Underdeveloped Countries*, *op. cit.* — DUPUIS (Jacques), *Madras et le Nord du Coromandel. Études des conditions de la vie indienne dans un cadre géographique*, *op. cit.*

néfastes de cette situation sur la richesse des pays de l'Amérique latine (53). Les sociétés où la pluralité culturelle est de règle se trouvent souvent moins bien placées que d'autres pour triompher de ces difficultés. Dans le cas d'un pays comme l'Inde, le démarrage de l'économie se trouve sans doute puissamment entravé par ce manque de solidarité du corps social.

Les pays en voie de développement et l'apparition d'institutions nationales.

L'expérience prouve que les situations de sous-développement pur ne durent pas indéfiniment. Le contact de civilisations différentes, de formes de production dont l'efficacité est par trop dissemblable provoque toute une série de transformations des sociétés en présence. Le dualisme social, qui double ou arme la scission de l'économie en secteurs indépendants finit par être rompu. Il semble que les obstacles à la croissance se trouvent de la sorte levés. Les nations commencent à se modeler, toute une partie de l'élite prend conscience des nécessités de la vie moderne. Les gouvernements veulent sortir du sous-développement. Ils cherchent à imiter les pays qui ont réussi à franchir le seuil de la croissance entretenue. Qu'ils s'inspirent des précédents libéraux ou de ceux de l'économie collectiviste, ils estiment toujours que la solution réside dans le développement d'une économie nationale.

Ces pays en voie de développement se révèlent cependant dans l'incapacité de réaliser rapidement la mutation qui leur assurera la prospérité. Les formules éprouvées il y a deux ou trois générations semblent être devenues inefficaces, au moment même où les procédés d'intervention dans la vie économique se sont multipliés. Les banques centrales sont beaucoup plus conscientes de leurs responsabilités que par le passé, elles contribuent plus efficacement à assurer la cohésion des économies territoriales. Elles agissent dans le but de favoriser l'investissement. Leur action

(53) Benjamin Higgins a montré comment les principes d'économie politique publiés par Malthus en 1820 contenaient une théorie de la stagnation économique qui est en fait une théorie du sous-développement : elle se trouve exposée au début du livre II, consacré au progrès de la richesse. Son analyse est appuyée sur l'étude des conditions qui prévalent alors en Amérique latine. HIGGINS (Benjamin), *Economic Development, op. cit.*, cf. pp. 99-106. — MALTHUS (Thomas Robert), *Principles of Political Economy, Considered with a View to their Practical Application.* Londres, 1re éd., 1820.

est doublée par un contrôle des changes très précis, ce qui aide à limiter les contacts avec l'extérieur aux secteurs où ils sont le plus nécessaires. Dans le cas où l'on a opté pour le collectivisme, on se trouve mieux placé encore pour pratiquer une politique générale cohérente, pour dépasser les fameux seuils qui décident de tout l'avenir.

Dans les pays d'Amérique latine, la mise en place des institutions bancaires est déjà ancienne. Les experts internationaux, inspirés par les idées de l'Américain Kemmerer ont créé là, à partir des années 1920, des Instituts d'émission dont le principe et les armes étaient supérieurs à ceux de la plupart des pays développés. Par la suite, les financiers prêtés par l'Allemagne nazie, ou chassés après la Seconde Guerre mondiale, ont appris à contrôler de plus près les transactions extérieures et ont appliqué les techniques les plus modernes. Les pays d'Amérique du Sud sont passés maîtres dans la manipulation des taux de changes. Là où ces procédés sont insuffisants, on n'hésite pas à s'attaquer plus directement aux sources du dualisme économique. Les exemples de nationalisation sont nombreux, depuis les expériences déjà anciennes du Mexique, jusqu'à celles plus récentes de certains États andins d'Amérique du Sud.

Il y a ainsi plus d'un demi-siècle que les pays sud-américains prennent conscience de leur sous-développement et font les efforts nécessaires pour en sortir. Il semblerait que la période de démarrage soit pour eux proche de se terminer : elle n'a pas duré plus d'une trentaine d'années dans certaines des économies les plus dynamiques du monde — en Allemagne, ou au Japon, par exemple. Mais à la différence de ce qui s'était alors produit, la situation des pays d'Amérique latine ne semble pas s'améliorer. Les procédés d'intervention qui semblaient suffisants il y a un demi-siècle ne le sont apparemment plus et après avoir joué un rôle important dans l'expansion économique du monde à la fin du XIXe siècle, les pays neufs d'Amérique du Sud, l'Argentine surtout, mais également l'Uruguay, le Chili et le Brésil prennent conscience de la fragilité de leur économie : tout paraît se passer comme si le fameux seuil dont le passage était considéré jusqu'ici comme irréversible, perdait toute signification pour ces pays, comme si leur économie menaçait d'être désarticulée alors qu'elle a déjà atteint une certaine complexité (54).

(54) La situation économique de l'Amérique latine est bien connue. Elle a fait

Depuis la fin de la Seconde Guerre mondiale, l'accession à l'indépendance de la plus grande partie des territoires colonisés de l'Afrique et de l'Asie du Sud-Est a précipité la prise de conscience du sous-développement et provoqué des efforts accrus pour accéder au progrès. En l'espace d'une vingtaine d'années, les économies arriérées ont définitivement disparu, les économies sous-développées se sont trouvées secouées par des efforts profonds de rénovation et les pays en voie de développement représentent l'essentiel du Tiers Monde. Mais l'expérience de l'Amérique du Sud se répète à l'échelle de la planète. Partout, les efforts de développement se révèlent infructueux et semblent aller à l'encontre des désirs formulés. Les effets cumulatifs qui permettent de franchir le seuil de croissance se font attendre et toute une série d'accidents se manifestent qui semblent repousser indéfiniment le décollage.

Pour comprendre la genèse de ces situations, il est bon de se tourner vers les économistes spécialistes de ces pays. La prise de conscience des problèmes des pays arriérés a été en partie le résultat de la révolution qu'a connu la pensée économique au moment de la Grande Crise et qui, paradoxalement, a fait passer le centre de l'intérêt de la recherche de l'analyse des fluctuations économiques à l'analyse des conditions de la croissance à long terme. En ce sens, Keynes est un des responsables de l'orientation actuelle — et Schumpeter, et certains Scandinaves, Gunnar Myrdal en particulier. Ce sont les élèves de ces maîtres qui ont multiplié les travaux au cours des vingt dernières années et qui ont fourni les schémas appliqués par les experts qui travaillent à peu près partout aux problèmes des économies sous-développées. Ils ont inspiré les attitudes des organisations internationales qui se penchent sur ces problèmes. Alors que leurs conclusions semblaient difficiles à appliquer dans le cadre de l'économie néo-libérale, ils ont trouvé dans certains pays socialistes un champ d'application à leurs idées. Ainsi, Ragnar Nurkse (55), après avoir montré les difficultés et les cercles

l'objet de rapports très détaillés de la part des organismes internationaux qui essaient de résorber le sous-développement.

Parmi ces rapports, celui qui a eu le plus de retentissement est sans aucun doute celui de PREBISCH (Raùl), *The Economic Development of Latin America and its Principal Problems, op. cit.*

(55) NURKSE (Ragnar), *Problems of Capital Formation in Underdeveloped Countries, op. cit.*

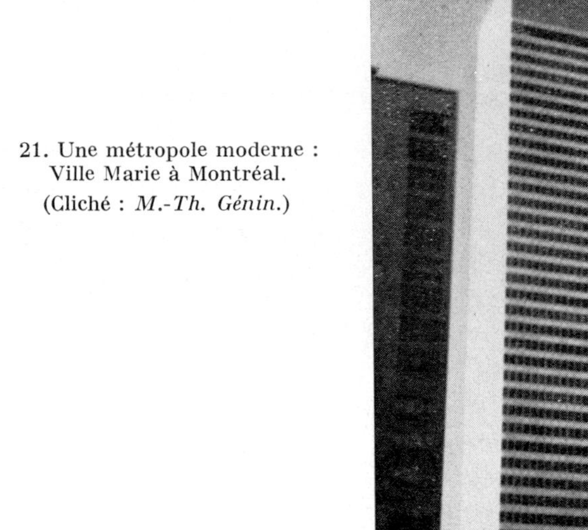

21. Une métropole moderne : Ville Marie à Montréal.
(Cliché : *M.-Th. Génin.*)

22. Une ville traditionaliste : Québec.
Une demeure du XVIIIe siècle dans la basse ville.
(Cliché : *M.-Th. Génin.*)

23. Le Forum de Jerash en Jordanie.
Les vicissitudes qui ont, à certaines époques, donné la supériorité militaire aux groupes nomades ont pu ruiner des civilisations déjà fortement enracinées.
(Cliché : *M.-Th. Génin.*)

vicieux qui naissent toujours de la dualité économique, après avoir montré que la difficulté essentielle était de procéder à une épargne et un investissement dans une économie ainsi désarticulée, si l'on adoptait les procédés de l'économie monétaire qui caractérisent les pays évolués, proposait de revenir à des méthodes plus primitives, en restaurant un circuit d'épargne en nature, et d'investissement en travail, semblable à ceux qui ont permis jusqu'au début de l'ère moderne d'étendre sans cesse l'étendue des terres cultivées. Tout se passe comme si Ragnar Nurkse avait soufflé aux marxistes chinois la théorie de la mobilisation des masses rurales sous-employées pour la réalisation du grand bond en avant de l'économie. Mais les résultats de l'opération sont décevants. Si la mobilisation du travail peut permettre d'étendre le domaine de l'économie traditionnelle et si elle peut faciliter le démarrage de l'industrialisation, en assurant un meilleur ravitaillement, en libérant le pays de l'obligation d'importer de grandes masses de produits alimentaires, son efficacité totale s'est révélée très limitée : lorsqu'on essaie de mettre en place une infrastructure industrielle par ces mêmes procédés, on s'aperçoit que le manque de formation technique de la main-d'œuvre et l'absence d'outillage rendent le prix de l'équipement prohibitif. Bien loin de permettre l'accès direct à l'économie industrielle, la mobilisation du travail impose de telles dépenses de labeur, une telle tension de tout le corps politique et social que le résultat n'est pas à la mesure de l'effort déployé. C'est là la grande leçon de l'expérience chinoise. Pour des pays où les ressources agricoles se trouvent aussi complètement utilisées qu'en Chine ou aux Indes, l'expansion économique ne peut être facilitée que dans une très faible mesure par le recours à la mobilisation des masses : l'efficacité de cette dernière est politique, elle aide à prendre conscience de l'unité et de la solidarité de toutes les parties d'un pays, elle favorise la liquidation du dualisme ou du pluralisme social; sur le plan de l'efficacité pratique, le recours aux masses sous-employées est condamné par le principe même qui est responsable du dualisme économique, à savoir que les facteurs de production ne peuvent être substitués dans n'importe quelle proportion et que le travail ne peut suppléer au manque de capital.

Les techniques proposées pour sortir du sous-développement par les experts des pays d'Europe occidentale et d'Amérique se sont montrées incapables de résoudre le problème essentiel, celui du démarrage, au moment même où l'accroissement des moyens techniques permettait apparemment de raccourcir le chemin du progrès.

Le blocage externe des économies en voie de développement.

Peut-être n'a-t-on pas assez prêté attention aux réactions des pays intéressés, à la manière dont ils ont senti les problèmes. Pour la plupart des théoriciens en la matière, les nuances que l'on établit entre les diverses économies non industrialisées sont secondaires. Le monde non développé présente partout les mêmes problèmes et les différents mécanismes de dualisme ou les différents types de cercles vicieux si complaisamment accumulés dans les analyses font du phénomène observé un tout complexe où il est difficile de reconnaître des nuances et des degrés inégaux. La manière de présenter le problème a contribué très largement à le brouiller : beaucoup d'études (56) commencent par une longue description de la situation du monde non industrialisé, par l'énumération de tous les critères par lequel il diffère des sociétés occidentales. On aboutit ainsi à une vision globale qui masque les différences structurelles significatives. Il est certain que pour les sociétés sous-développées, le dualisme interne est la source essentielle de toutes les difficultés, que c'est lui qui explique l'évolution divergente de pays qui ont reçu de manière à peu près identique techniciens et capitaux européens à la fin du siècle dernier. Mais le désir de progrès caractérise un grand nombre de sociétés contemporaines, qui ne parviennent pas à le matérialiser, alors même qu'elles appliquent consciencieusement les leçons que les économistes ont dégagé de l'histoire des pays de l'Europe du Nord-Ouest, des États-Unis ou de la Russie. Ils ont pris la forme nationale qui est nécessaire pour assurer le démarrage : Gunnar Myrdal voit ainsi dans le nationalisme une des nécessités de la dynamique de développement; pour la plupart des auteurs, il permet seul de liquider le dualisme ou le pluralisme social qui gênent les solidarités nécessaires à

(56) Parmi les ouvrages qui adoptent une démarche « inductive » pour analyser le sous-développement, citons : LACOSTE (Yves), *Géographie du sous-développement, op. cit.* — LEBRET (L.-J.), *Suicide ou survie de l'Occident, op. cit.* — ID., *Dynamique concrète du développement.* Paris, Économie et Humanisme et les Éditions ouvrières, 1961, 550 p. — GANNAGE (Élias), *Économie du développement, op. cit.*

l'épanouissement d'une économie complexe. De ce point de vue, les experts ont certainement raison. Mais les nouvelles nations ainsi constituées ne peuvent pas profiter pleinement des effets de bouclage qui permirent naguère aux pays occidentaux de créer la société industrielle.

Au lendemain de la Seconde Guerre mondiale, un économiste chilien a acquis la notoriété internationale et contribué très largement à la prise de conscience par les Nations-Unies des problèmes du sous-développement en présentant un rapport célèbre (57) sur les effets de blocage dus aux conditions inégales de l'échange international et à l'influence de la détérioration des termes de l'échange dans les pays sous-développés. Depuis une quinzaine d'années, les études économétriques se sont multipliées, pour essayer de voir dans quelle mesure la position de Raùl Prébisch se trouvait confirmée par les faits (58). Les résultats obtenus ont été divers. L'évolution des prix des matières premières n'a pas été constante au cours de la période étudiée si bien que certains ont mis en doute la valeur des arguments présentés par Prébisch. Nous avons déjà indiqué que c'est à l'intérieur des économies nationales, dans l'analyse des rapports entre les régions, que ces effets de prix jouaient sans doute le rôle essentiel. Ce que l'on a retenu unanimement, c'est que les fluctuations brutales et répétées des cours des matières premières avaient un effet nocif; l'organisation des marchés de ces produits est depuis envisagée sous un jour nouveau.

Le raisonnement de Prébisch est sans doute trop schématique et le blocage actuel des économies qui cherchent à se développer

(57) PREBISCH (Raùl), *The Economic Development of Latin America and its Principal Problems*, *op. cit.*

(58) Les thèses de Prebisch et celles, très voisines, de Singer, ont suscité de très nombreuses recherches : on a essayé de montrer qu'il n'y avait pas eu détérioration générale des termes de l'échange. Parmi les travaux relatifs à ces questions, citons : ELLSWORTH (P. T.), « The Terms of Trade Between Primary Producters and Industrial Countries ». *Inter American Economic Affairs*, vol. X, été 1956, nº 1, pp. 47-65. — MORGAN (Theodore), « The Long-Run Terms of Trade between Agriculture and Manufacturing ». *Economic Development and Cultural Change*, vol. 8, oct. 1959, pp. 1-23. — LEWIS (W. A.), « World Production, Prices and Trade 1870-1960 ». *The Manchester School of Economic and Social Studies*, vol. XIX, 1962. — MORGAN (Theodore), *Trends in Terms of Trade, and Their Repercussions on Primary Producers*, pp. 52-91, d'HARROD (Roy), HAGUE (Douglas C.) (ed. by), *International Trade Theory in a Developing World. Proceedings of a Conference Held By the International Economic Association*. Londres, MacMillan, 1964, XV, 571 p. — JOHNSON (Harry G.), *Effects of Changes in Comparative Costs as Influenced by Technical Changes*, pp. 96-112 du même ouvrage. — LACHARRIÈRE (Guy de), *Commerce extérieur et sous-développement*. Coll. Pragma, Paris, P. U. F., 1964, 279 p.

ne dépend pas tout entier du jeu des marchés internationaux de matières premières. Mais ce que Raùl Prébisch avait senti, c'est que le sort des pays en voie de développement ne dépend pas que d'eux-mêmes et que, pour toute une série de raisons, le passage à l'économie de croissance régulière leur est impossible.

Blocage et transparence.

La plupart des effets d'inhibition et d'arrêt qui caractérisent les économies en voie de développement sont explicables par l'inégale transparence et l'inégale fluidité de l'espace selon les aspects de la vie économique. Les progrès des techniques de diffusion de l'information sont devenus tels que les nouvelles économiques circulent librement, dans le monde développé comme dans le monde sous-développé. Les aspects de la consommation des pays développés sont immédiatement perçus et appréciés. Apprendre ce que consomment et ce que font les gens dans les pays industriels ne coûte presque rien : la radio, le transistor font pénétrer ces informations partout et dans les villes, le cinéma est à la portée de chacun qui étale à l'envie les modèles les plus frappants de modes de vie d'abondance. Les mouvements de population, les séjours de travailleurs dans les pays développés et le passage des touristes contribuent encore à favoriser ces confrontations. Dans les pays colonisés, les fonctionnaires et planteurs d'origine étrangère ont propagé volontairement, mais plus encore inconsciemment des modèles nouveaux de conception de la vie. Il fut un temps où les habitudes de dissociation du corps social permettaient aux deux mondes de se côtoyer sans qu'il y ait vraiment d'influence de l'un sur l'autre. Mais à la longue et souvent à la suite du développement de l'instruction dans les sociétés indigènes, on a vu une mutation de mentalités se produire. Les pauves, ceux qui étaient jusqu'alors résignés à leur condition ont commencé à se demander s'ils ne pourraient pas accéder un jour, eux aussi, à la civilisation qu'ils voyaient s'étaler devant eux sans perdre pour cela leurs âmes, sans renoncer aux valeurs de leur société traditionnelle, en pratiquant une synthèse hardie, comme le Japon en a donné l'exemple il y a maintenant près d'un siècle.

La perméabilité de l'espace à la circulation des informations est inégale, si bien que cela se traduit par des rythmes différents de propagation pour tout ce qui touche à la consommation et qui est immédiatement saisi par tous et tout ce qui touche à la production et qui est par contre coûteux, long et pénible à intérioriser. L'instruction est nécessaire pour diffuser les nouveaux procédés de production — mais elle est souvent dangereuse, car elle se montre plus apte à répandre les modèles de consommation que les modèles de production (59).

Parmi les techniques mises au point par la science moderne, celles de protection de la vie sont sans doute les plus efficaces et dans bien des cas, les meilleurs marchés. Les pays développés ont presque tous des idéologies humanitaires qui les ont poussé à intervenir très largement dans le Tiers Monde pour assurer la diffusion des techniques modernes de lutte contre les grandes épidémies. Ils ont réussi à améliorer grandement les conditions de vie dans certains pays subtropicaux dès avant la Seconde Guerre mondiale. Depuis, la mise au point des insecticides modernes et des antibiotiques a provoqué une véritable révolution dans la géographie de la mort. Il s'est produit un décalage entre le moment où les progrès contre la maladie ont allongé l'espérance de vie presque à l'image des pays occidentaux et le moment où les attitudes globables vis-à-vis de l'existence sont repensées en fonction des nouvelles conditions de vie. Les taux de natalité ont gardé le même niveau que précédemment ou ont augmenté puisque le nombre de jeunes femmes enlevées prématurément diminuait. Un déséquilibre démographique fondamental est devenu la caractéristique commune de tous les pays en voie de développement (60) — alors que les pays arriérés ou les pays sous-développés ne connaissaient souvent qu'une croissance démographique relativement lente.

Les forces qui arrêtent la croissance économique ne tiennent plus, comme dans le cas précédent, exclusivement au dualisme économique de la société. Dans la plupart des pays actuellement en voie de développement, l'instruction se généralise, les idéaux

(59) C'est là l'aspect le plus connu de l'effet de démonstration ou effet Duesenberry. Cf. note 53 pour la référence à l'ouvrage classique de cet auteur.

(60) L'explosion démographique donne à la situation présente du Tiers Monde son caractère dramatique. Elle ne nous paraît pas être aussi importante, sur le plan de l'explication, que ne le veulent certains auteurs, M. Yves Lacoste en particulier. Nous adoptons une position analogue à celle de Benjamin Higgins : nous y voyons un des aspects essentiels des effets de démonstration; c'est l'analyse de ces derniers qui doit permettre, en dernière analyse de bien comprendre les enchaînements explicatifs.

d'inspiration démocratique ou nationaliste jouent un rôle important, le désir de progrès est général et sincère. Ce qui repousse sans cesse le moment où le décollage peut se réaliser, c'est l'apparition de déséquilibres au niveau des quantités globales : les pays en voie de développement se trouvent atteints par les maladies propres au fonctionnement des économies nationales avant même d'avoir pu profiter des avantages que ces économies peuvent procurer (61). On voit clairement les raisons de ces tensions : la demande se trouve stimulée à la fois par l'effet de démonstration, qui fait naître sans cesse de nouveaux besoins et par la croissance démographique. Elle est si vive, qu'elle compromet dangereusement les possibilités d'épargne et d'investissement intérieur, qu'elle menace sans cesse de ruiner l'équilibre de la balance commerciale. Les exportations de produits primaires doivent payer à la fois les biens d'équipement nécessaires et les produits de consommation dont la fabrication ne peut être encore entreprise par suite de la faible dimension du marché. Les menaces qui pèsent sur l'équilibre de la balance commerciale sont multiples : elles sont en dernière analyse dues essentiellement à l'action du monde extérieur sur le milieu national. La baisse des prix des matières premières n'intervient pas seule; elle n'est pas constante et certains pays sous-développés y ont toujours échappé, sans se trouver de nos jours dans une situation meilleure que les autres. Certaines économies développées ont par contre vécu dans ces conditions d'instabilité et de détérioration sans s'en porter plus mal — nous y reviendrons. Le monde extérieur intervient surtout par la pression qu'il exerce sur la société et les comportements internes et compromet le développement futur. Les pays en voie de développement ne réussissent pas à accéder au seuil de croissance entretenue dans la mesure où ils sont pressés de consommer; le modèle des pays développés agit de telle manière que les préférences pour le présent sont trop fortes.

Entre la situation de sous-développement et la situation de passage au développement, il se produit donc un véritable ren-

(61) Il nous semble utile de montrer comment se trouvent liés les effets de démonstration et les troubles internes (inflation) ou externes (crises de change) que connaissent si fréquemment les pays en voie de développement.

Nous reprenons l'exposé d'un des cercles vicieux dont le mécanisme a été mis en évidence avec le plus de vigueur. Nous essayons de replacer l'analyse économique dans un contexte historique qui permet de mieux comprendre la diversité des situations et leur succession dans le temps.

versement dans les causes du blocage économique : dans le premier cas, c'est au niveau des incitations internes que se trouve le frein de l'évolution. Le secteur sous-développé demeure enfermé en lui-même dans la mesure où il ne manifeste pas de besoins nouveaux et il condamne de la sorte à la stagnation le secteur d'économie moderne qui se trouve plaqué dessus. Les industriels ne peuvent avoir l'espoir d'augmenter leurs affaires, puisque leurs marchés sont définitivement bornés. Leurs réserves sont utilisées à d'autres besognes qu'à l'investissement — et la stagnation se trouve entretenue. Dans le cas où le pays cherche à sortir du marasme, le moment où les circuits se boucleront sur eux-mêmes semble constamment assez proche — le marché est susceptible de s'accroître facilement — mais dans la pratique, les préférences de la population pour les biens de consommation sont si marquées que les possibilités d'investissement et de croissance se trouvent réduites à néant. Le pays ne souffre plus d'une désarticulation sociale incurable : il souffre de ne pouvoir réduire les tensions qui sont les marques de toute économie monétaire moderne et qui traduisent la soif de consommer et la difficulté de financer la croissance.

Le blocage économique des pays en voie de développement s'explique en partie par des mécanismes qui leur échappent et dont l'indépendance nationale ne leur permet pas de s'affranchir. En parlant des économies sous-développées, nous avons mis au premier plan le jeu de forces sociologiques internes pour expliquer que l'écart entre les taux de croissance des divers pays ne se comble pas, comme l'espéraient les libéraux; pour les pays en voie de développement, nous mettons l'accent sur le rôle des contraintes de la vie internationale et sur les effets de démonstration qu'ils provoquent. Ce double aspect de l'explication est peut-être un peu schématique, mais il permet de comprendre comment des pays dont l'attitude vis-à-vis de la richesse et de la croissance est devenue très différente se trouvent logés à la même enseigne et souffrent de la même médiocrité prolongée. On peut cependant se demander, lorsqu'on regarde la répartition des zones insuffisamment développées si les mécanismes purement sociaux et économiques que nous avons invoqués sont suffisants pour expliquer que le sous-développement soit une maladie tropicale et que la plus grande partie du monde tempéré y échappe de nos jours.

Sous-développement et déterminisme physique.

Il y a une génération, la situation était quelque peu différente. Les zones tempérées de l'Ancien continent comportaient de vastes espaces qui n'avaient pas réussi à atteindre le seuil du démarrage. Il en allait ainsi d'une bonne partie de l'U. R. S. S. et de l'Europe orientale. En dehors de la Bohème, qui devait son équipement au rôle qu'elle avait joué dans l'Ancien Empire austro-hongrois, les efforts faits par les nouveaux États semblaient sans efficacité réelle et le sous-développement demeurait le lot de la campagne polonaise, des montagnes slovaques et de tous les États danubiens et balkaniques, à l'exception de quelques taches menues autour des capitales, de Budapest en particulier.

Le monde développé ne se présentait pas d'une manière trop fortement zonale. Les grandes économies étaient certes situées dans la zone tempérée. Au début du siècle, on se plaisait à faire remarquer que la bande de développement maximum se situait au niveau du 50e parallèle. Un quart de siècle plus tard, la poussée industrielle du Japon, celle des États-Unis, dont le centre de gravité se situe aux environs du 40e parallèle conduisait à modifier quelque peu cette image des régions favorisées par le progrès. Mais tout se passait comme si la richesse avait rayonné autour de quelques nations et la disposition générale des pays industriels laissait apparaître des foyers plutôt que des zones.

La situation actuelle est plus simple. Parmi les nations qui ont réussi à franchir les seuils du sous-développement depuis la fin de la Seconde Guerre mondiale, on ne peut guère citer que des pays tempérés : ceux de l'Europe méridionale et orientale (62). En dehors de la Chine, dont la masse est d'ailleurs plus subtropicale que tempérée et dont les provinces du Nord-Est, l'an-

(62) Pour avoir un état des progrès réalisés depuis le début de ce siècle par les pays sous-développés, on se reportera au tableau d'évolution qui vient d'être dressé par Bairoch (Paul), *Diagnostic de l'évolution économique du Tiers Monde, 1900-1960*. Coll. Techniques économiques modernes, série Histoire et Pensée économiques, nº 2, Paris, Gauthier-Villard, 1967, 228 p.

En dehors des régions tempérées, un certain nombre de pays semblent proches de franchir le seuil de la croissance soutenue. On peut citer comme exemples le Mexique (mais c'est un pays en partie tempéré et ce sont les régions septentrionales et centrales qui ont surtout bénéficié des transformations récentes) et certains pays des tropiques humides (Formose, Malaisie, Côte-d'Ivoire). Nous reviendrons plus loin sur leurs problèmes.

cienne Mandchourie, sont déjà équipées à l'image de la plupart des autres pays du monde tempéré, toutes les nations dont le corps se trouve situé aux latitudes tempérées dans l'hémisphère nord, participent au mouvement général de la croissance. Dans l'hémisphère sud, il en va de même de l'Australie, de la Nouvelle-Zélande et dans une moindre mesure de l'Afrique du Sud, de l'Argentine et du Chili, dont le corps est largement engagé dans la zone subtropicale. La Turquie se trouve dans une position supérieure à celle de la plupart des pays du monde sous-développé, aussi bien par l'importance des équipements industriels, des infrastructures de service, que par le niveau de consommation alimentaire de sa population. L'Afrique du Nord apparaît comme le premier ensemble qui entre dans la catégorie des pays à croissance lente.

Tout se passe donc comme si la puissance accrue des techniques de production, la liberté sans cesse plus large des localisations vis-à-vis des répartitions de matières premières, ne se traduisaient pour le monde tropical que par des désavantages. A l'époque où le charbon était la base de toute production industrielle, les régions tropicales se trouvaient défavorisées. Aujourd'hui, une bonne partie de l'approvisionnement énergétique du monde provient du Tiers Monde — c'est là sans doute le domaine où la dépendance des économies développées se trouve la plus marquée. La richesse tirée de l'exploitation du pétrole n'a permis aux pays du Moyen-Orient qu'une promotion partielle. En dehors de ceux dont la population est réduite à très peu de choses, comme l'émirat de Koweït, les possibilités ouvertes par la mise en exploitation des gisements ne sont pas telles que l'on puisse résorber le sous-développement en un court laps de temps (63). Le Venezuela dont l'histoire pétrolière est plus longue que celle de tous les pays du Moyen-Orient — Iran excepté — et qui possède à la fois une population peu nombreuse et des ressources minérales variées en dehors des gisements pétroliers, n'a pas réussi à franchir définitivement les barrières de la croissance. C'est un pays en voie de développement, un de ceux dont le modernisme est le plus frappant à bien des égards, un de ceux qui disposent des atouts les plus sûrs : mais il n'est pas parvenu

(63) Et pourtant, en dehors de l'Égypte, les problèmes démographiques se présentent ici avec moins de gravité que dans d'autres régions du monde. Les possibilités qu'offre le développement de l'agriculture irriguée sont encore considérables.

à triompher complètement du dualisme économique, le secteur moderne n'occupe et ne fait vivre qu'une fraction de la population totale et les effets de blocage interne ont largement contribué à retarder l'équipement de certaines de ses ressources (64). Le contact avec la société nord-américaine rend particulièrement aigu l'effet de démonstration et tend à ronger la puissance d'investissement interne.

En dehors des ressources pétrolières, qui sont surtout importantes dans les régions arides de l'Ancien Monde et dans une partie de l'Amérique du Sud, les régions sous-développées disposent de ressources hydroélectriques qui sont mal distribuées, comme celles de pétrole, mais sont suffisamment abondantes pour fixer des usines de transformation de l'aluminium — en Afrique occidentale en particulier. Enfin les perspectives de développement de l'énergie atomique devraient permettre aux parties du monde tropical qui manquent de toute ressource énergétique de se libérer un jour de leur vieille faiblesse.

Comment expliquer alors la stagnation générale? Le manque d'eau? Cela peut jouer un rôle dans la partie aride et sub-aride du monde intertropical. Les pays tempérés humides commencent à souffrir du manque d'eau, tant la consommation se trouve accrue par l'augmentation conjointe du niveau de vie et des emplois industriels. Cela ne constitue cependant pas un obstacle suffisant pour expliquer la stagnation : les régions les plus dynamiques des États-Unis sont celles du Sud-Ouest aride, malgré la pénurie d'eau qui est ici plus grave qu'en aucune partie du monde, tant la consommation s'est élevée au cours des dernières décennies.

Alors? M. Gourou (65), passant en revue les diverses régions du monde tropical ne trouve guère de raisons d'espérer, devant cette médiocrité si générale. Dans sa quête, il ne trouve que

(64) La stagnation de la production agricole et du niveau de vie des paysans vénézuéliens constitue un des problèmes les plus graves qui se posent à ce pays. On pourra se reporter pour une analyse des problèmes du sous-développement en Amérique latine et pour une bibliographie détaillée à LAMBERT (J.), *L'Amérique latine*. Coll. Thémis, Paris P. U. F., 1963, 448 p. — CUNILL (Pedro), *L'Amérique andine*. Coll. Magellan, Paris, P. U. F., 1966, 308 p. — GOZARD (Gilles), *Demain, l'Amérique latine*. Paris, P. U. F., 1964, 250 p.

(65) Nous suivons ici deux publications de GOUROU (Pierre), *Les pays tropicaux*. Coll. Colonies et Empires. Paris, P. U. F., 1947, VIII, 197 p. — ID., « Civilisations et malchance géographique ». *Annales, Économies, Sociétés, Civilisations*, 4e année 1949, pp. 445-450. — ID., « Hawaï 1960 ». *Les Cahiers d'outre-mer*, t. XVI, 1963, pp. 241-252.

quelques exemples de régions ayant échappé au sort général : il s'agit bien de régions et non de nations et M. Gourou en tire une raison supplémentaire de désespérer de la croissance de l'économie tropicale. Il prend en effet comme exemple de réussite et de développement dans la zone tropicale : le Nord-Est australien, la région du Queensland où une culture spéculative de la canne à sucre assure à un peuplement blanc un niveau de vie qui est assez semblable à celui des autres parties du Commonwealth. Mais la faible population de cet immense espace et le protectionnisme extérieur pratiqué par les Australiens expliquent que M. Gourou considère cet exemple comme mal venu. Les îles Hawaï offrent un champ bien meilleur à une étude comparative. Elles ont un peuplement composite qui se prêterait particulièrement bien à l'apparition d'une société duale ou plurale. La civilisation américaine a montré ailleurs qu'elle secrétait de telles oppositions avec facilité. L'éloignement, l'absence de toute ressource permettant le développement de l'industrie devraient encore contribuer à accroître les difficultés de cet archipel. On s'attendrait à trouver ici des îles à sucre, comme on en trouve des Antilles à l'océan Indien, de Cuba, de la Martinique, de la Jamaïque, de Porto Rico ou de la Gouadeloupe, à l'île Maurice et à la Réunion en passant par les îles Fidji. On a bien une économie de plantation, des spéculations semblables à celles des autres îles subtropicales ou tropicales : et pourtant la société et l'économie ne sont pas celles du sous-développement. Les îles Hawaï constituent le seul État américain où les problèmes de ségrégation ne se posent apparemment pas et où la multiplicité ethnique n'empêche pas le développement d'une société fortement intégrée. Les niveaux de vie sont à peu près analogues à ceux des États-Unis. D'où provient ce miracle hawaïen? Au terme de son analyse, M. Gourou qui en démonte le mécanisme, montre qu'il ne s'agit pas d'un miracle, d'une solution apportée au problème général du sous-développement, mais d'une combinaison qui ne peut être reproduite ailleurs. Le succès de l'île provient de son intégration dans un espace national où les zones de climat proprement tropical manquent. Ainsi, des possibilités de culture spéculatives assez rares s'offrent dans les îles Hawaï : le sucre d'une part, l'ananas de l'autre, peuvent s'écouler sur un marché pratiquement illimité, et qui est fortement protégé. D'autre part, les îles présentent une telle importance stratégique pour les États-

Unis qu'elles sont devenues une gigantesque base navale et aérienne, que le gouvernement fédéral est le plus gros employeur et exerce une action puissante sur le niveau général des rémunérations. En somme, pour M. Gourou, les îles Hawaï offrent l'exemple de la réussite, mais celle-ci s'explique davantage par la puissance de l'économie américaine, que par les vertus propres de l'organisation de la production dans l'archipel hawaïien. Et on sent très bien que M. Gourou se demande si la solution hawaïenne n'est pas trop onéreuse pour être employée dans des régions plus vastes.

L'analyse de M. Gourou est peut-être un peu trop pessimiste : les îles Hawaï constituent la seule partie franchement tropicale des États-Unis, mais le Sud offre beaucoup de similitudes avec les régions tropicales. A la veille de la crise économique, il faisait même figure de pays colonial, de pays d'exploitation et la crise qui le frappa plus tôt et plus fort que les autres parties du monde agricole américain révéla son sous-développement. En l'espace d'une génération, l'économie de cette région s'est trouvée rénovée, le sous-développement extirpé d'une bonne partie de ce vaste territoire et des régions comme la Floride se sont placées à la pointe de la prospérité américaine (66). Dans la mer des Antilles, Porto Rico (67) n'est pas intégrée dans l'économie américaine au même point que l'archipel Hawaïien. L'île garde une personnalité politique plus indépendante et ses liens avec les États-Unis sont surtout étroits au plan économique. La situation était particulièrement grave il y a une dizaine d'années. A la suite d'une action énergique, d'un effort sans précédent pour réduire la croissance démographique galopante d'une part et pour exploiter ses ressources touristiques, pour créer les bases d'une industrie capable d'absorber la main-d'œuvre, on est sorti en partie du sous-développement et la croissance semble maintenant avoir atteint le seuil à partir duquel la paupérisation n'est plus à craindre.

Tout se passe donc comme si les seules économies tropicales qui aient réussi à sortir du sous-développement depuis une géné-

(66) Erikson (Franklin C.), « The Broken Cotton Belt ». *Economic Geography*, vol. 24, oct. 1948, pp. 229-241. — Prunty (M.), « Land Occupance in the South East : Landmarks and Forecasts ». *Geographical Review*, vol. 42, 1962, pp. 439-461.

(67) Jaffe (A. J.), *People, Jobs and Economic Development : a Case History of Puerto Rico Supplemented by Mexican Experiences.* Glencoe, The Free Press of Glencoe, 1959, XIX, 381 p.

ration étaient des économies régionales intégrées dans un espace économique national plus vaste et industrialisé. Le remède n'est sans doute pas infaillible, car les îles des Antilles françaises ou britanniques se trouvent apparemment dans la même situation et prennent tout juste conscience de leur sous-développement, sans concevoir encore la méthode par lequel elles pourront en sortir.

Les causes internes du blocage : le poids de l'agriculture tropicale.

D'un côté donc, les pays à croissance retardée appartiennent presque tous maintenant au monde tropical, de l'autre l'analyse des quelques secteurs qui ont échappé à cette évolution montre que leur intégration dans un espace économique plus vaste a joué un rôle prépondérant. Que penser de cela? Ne doit-on pas admettre un certain déterminisme physique, dont l'évolution contemporaine ne ferait que révéler plus nettement les contours et le jeu? Beaucoup se le demandent et M. Orlando Ribeiro, dans une étude très dense sur l'explication en géographie humaine (68), rejoint dans son pessimisme M. Gourou. Les faits leur donnent raison, mais ils doivent être interprétés avec prudence. Ce n'est pas l'absence de sources d'énergie qui peut expliquer à lui seul le sous-développement tropical — il peut être invoqué pour le XIXe siècle, mais la situation s'est renversée aujourd'hui. Les causes sociales ont joué dans d'autres milieux, sous d'autres climats, pour engendrer le dualisme des structures et des circuits économiques — la Mandchourie ne présentait pas, sur ce point, des conditions différentes de celles de la Chine subtropicale. Et pourtant, les pays tempérés, Mandchourie comprise, ont effectué leur révolution industrielle. L'inertie économique et sociale du monde tropical ne tient pas sans doute uniquement aux systèmes de valeurs admis par les groupes, à leur résistance obstinée à la pression du monde extérieur. Le passage contemporain à la situation de pays en voie de développement le montre clairement. La pesanteur du monde tropical, la lenteur avec laquelle il s'adapte à la civilisation industrielle tiennent à la résistance de ses structures socio-économiques les plus profondes, à la faible

(68) Ribeiro (Orlando), *Atitude e explicaçao em geografia humana*. Porto, Galaica, 1960, 70 p. Trad. française : *Conception et interprétation en géographie humaine. Cahiers de Géographie de Québec*, oct. 1961-mars 1962, pp. 5-37.

plasticité de son économie rurale — et c'est en cela que l'on peut parler de déterminisme du progrès. Le monde tropical est un monde où la médiocrité du sol et les difficultés du climat ont limité la productivité du travail agricole dans des proportions bien plus grandes que dans le monde tempéré (69). Il n'y a pas eu, jusqu'à ces dernières décades de révolution agricole en pays tropical. L'économie de plantation est une économie savante, mais qui montre, par les efforts qu'elle fait et soutient dans le domaine de la recherche agronomique, qu'il n'est pas de solution facile pour augmenter les rendements, pour éviter la ruine des sols. Les grandes plantations gérées selon des méthodes scientifiques qui se sont multipliées en Extrême-Orient et plus particulièrement en Malaisie et à Sumatra à la suite de la poussée de la demande de caoutchouc ont ainsi posé les bases d'une utilisation scientifique du sol sous les tropiques humides : la mécanisation, l'augmentation rapide de la productivité du travail ne semblent guère possibles à la lumière de ces expériences (70). Les analyses multipliées par les agronomes, les ethnologues et les géographes dans une bonne partie de l'Afrique tropicale (71) et au Brésil ont montré que l'agriculture itinérante primitive était plus productive que les formes plus savantes de mise en valeur, si bien que chaque fois que la pression sur la terre se relâche, on assiste à un retour à des formes plus rudimentaires de culture : ainsi font les peuples paléo-nigritiques lorsqu'ils profitent de la paix européenne pour sortir de leurs montagnes-

(69) Sur les problèmes d'ensemble de l'agriculture tropicale, on pourra se reporter à l'ouvrage de M. Pierre Gourou (cf. note 65) et à certains de ses articles : Gourou (Pierre), *The Quality of Land Use of Tropical Cultivation*, pp. 336-349, de Thomas (William L.) (ed. by), *Man's role in Changing the Face of the Earth*. Chicago University of Chicago Press, 1956.

(70) Les problèmes qui ont retenu par priorité l'attention des agronomes sont ceux qui ont trait à l'équilibre du milieu au maintien de la fertilité. Dans la plupart des pays tropicaux, la main-d'œuvre était bon marché. La mécanisation ne s'imposait pas. Elle n'est pas impossible. Elle a été réalisée de manière complète pour certaines cultures menées dans des pays développés subtropicaux : il en va ainsi pour la culture du riz, totalement transformée par les techniciens américains, ou pour celle du coton, où la mécanisation a été poussée à l'extrême dans les très grandes exploitations du Sud-Ouest aride et de la Californie méridionale. L'absence de mécanisation est plus explicable pour certaines cultures où les opérations de cueillette ou de ramassage se révèlent délicates : fruits tropicaux, café, ...

(71) L'analyse a été menée dans certains cas de manière très précise. On connaît les résultats obtenus par le géographe belge Hubert Béguin à partir des données fournies par des stations d'essai installées au Congo ex-belge. — Béguin (Hubert), « Espoirs, bilan et leçons d'un « paysannat » au Congo ». *Tiers Monde*, vol. VI, 1965, pp. 891-913.

refuges (72) ou de leurs marais. Ainsi font les anciens esclaves ou les pauvres blancs sur les zones laissées libres par la grande culture spéculative. Ainsi font aussi les jardiniers japonais transplantés dans l'immensité sud-américaine (73).

La différence entre la productivité du travail de l'agriculture itinérante tropicale et celle de l'agriculture sédentaire intensive n'est pas très élevée; la première est gaspilleuse d'espace : elle ne permet de faire vivre qu'une population très clairsemée et se montre incapable de dégager les ressources nécessaires à la vie d'un groupe tant soit peu nombreux. L'extensification des cultures par la conquête rapide de l'espace ne saurait donc être un moyen efficace de provoquer l'apparition du surplus qui permet à la fois de libérer la population nécessaire aux nouvelles activités industrielles et commerciales et de la nourrir. Il est probable que cette résistance du milieu physique tropical a fortement contribué à accroître les difficultés de passage à l'économie développée. On a maintes fois signalé que les efforts faits pour propager une économie commerciale dans les régions tropicales s'étaient traduits par une diminution des masses alimentaires mises à la disposition des populations. Dans les régions tempérées, la réaction avait été différente et le passage aux cultures commerciales avait été suivi d'une augmentation de la production des produits alimentaires disponibles sur place, lorsque la pression sur la terre n'était pas trop forte ou bien par l'utilisation du surplus de revenus que donne l'échange pour l'achat de produits alimentaires venant d'autres régions. En Afrique tropicale, le passage à l'économie commerciale ne permet pas toujours de se procurer des revenus qui permettent d'importer une masse alimentaire très supérieure à celle qui serait produite sur place en économie autarcique traditionnelle. Ainsi, l'ouverture de

(72) On se reportera aux analyses déjà citées des groupes paléo-nigritiques africains, cf. chap. VI, note 33.

(73) Les géographes insistent volontiers sur l'uniformité qui caractérise les exploitations vivrières d'autosubsistance qui se développent au Brésil partout où les liens commerciaux avec le monde extérieur se relâchent. Les cultures du *caboclo* sont un peu partout les mêmes, de même que les pratiques extensives, le gaspillage du sol. Cette évolution frappe même les colonies venues d'Europe centrale ou septentrionale. Elle est sensible chez les colons allemands du Sud : MONBEIG (Pierre), *Le Brésil*. Coll. « Que sais-je? », nº 628, Paris, P. U. F., 1954, 128 p. — LE LANNOU (Maurice), *Le Brésil*. Coll. Armand Colin, Paris, Armand Colin, 1955, 224 p. — WAIBEL (Léo), « European Colonization in Southern Brazil ». *Geographical Review*, vol. XL, 1950, pp. 529-547. — GOUROU (Pierre), *Les pays tropicaux*, *op. cit.*, cf. pp. 141-144.

l'économie agricole n'a pas eu les effets multiplicateurs que l'on pouvait escompter, en se basant sur l'expérience des régions tempérées. Dans ces conditions, le passage à l'économie moderne s'est trouvé pratiquement sans intérêt immédiat : les structures traditionnelles de la société s'en sont trouvées renforcées. Puisque l'avantage tiré de l'intégration au monde moderne était faible ou nul, on avait tendance à considérer la transformation comme un caprice des occupants coloniaux ou de la puissance commerciale dominante et on lui résistait sourdement.

On comprend donc pourquoi une partie seulement des sociétés des pays tempérés était demeurée en dehors du cycle du développement alors que les sociétés du monde tropical étaient toutes au rang des sociétés sous-développées, même quand elles étaient d'origine européenne, peuplées en tout ou en partie d'Européens — la situation du Costa Rica a-t-elle été, malgré son peuplement blanc pour plus de 90 %, différente de celle des autres républiques centre-américaines? Au moment où les mécanismes de blocage par pression extérieure se trouvent plus forts qu'ils ne l'étaient dans le passé, les pays du monde tropical se sont trouvés frappés d'un double désavantage — celui qui tient à la faible productivité et à la faible plasticité des techniques de production agricoles et de la société qui en vit, celui qui tient à la restriction des échanges entre le monde développé et le monde sous-développé, alors même que l'exemple des sociétés avancées provoque des révolutions dans les mentalités et dans les besoins.

La phase au cours de laquelle les économies ouvertes au commerce occidental se sont réparties en économies sous-développées et économies dynamiques, se situe à la fin du XIXe siècle et l'absence d'innovations transposables dans le domaine de l'agriculture tropicale a imposé le tracé de la ligne de démarcation entre les deux types d'évolution. Depuis, la situation a quelque peu changé. Dans les régions subtropicales humides — celles des marges orientales des continents — on a réussi depuis une génération à faire faire suffisamment de progrès à l'élevage pour rompre le cercle des contraintes qui paralysaient le développement : on a amélioré les races en multipliant les croisements, on a appris à cultiver des légumineuses ou des graminées adaptées aux conditions du climat (74). De la même façon, les progrès

(74) Les solutions qui ont été imaginées de la sorte ne s'appliquent qu'à des régions au climat humide.

dans les techniques d'irrigation ont permis de faire grandir le périmètre utilisable dans les régions arides (75). A des latitudes plus basses, dans des zones sèches, on s'est aperçu — en Australie septentrionale par exemple — que l'utilisation d'oligoéléments qui manquent au sol et l'emploi d'engrais permettaient de rénover complètement la flore naturelle et d'asseoir l'élevage sur de meilleures bases (76).

Dans les régions tropicales humides, on commence également à s'apercevoir que certaines formes d'économie de plantations assurent des progrès étonnamment rapides. A la différence de l'agriculture des régions de savane où les progrès de la productivité sont demeurés très limités, on a assisté ici à des améliorations substantielles qui tiennent à la fois à l'utilisation du matériel moderne pour l'exploitation forestière, et à la mise au point de variétés de plantes à grand rendement. On voit déjà un certain nombre de pays de ces zones heureuses sortir de l'économie de pénurie et se transformer très vite : que l'on songe à la Malaisie en Extrême-Orient ou à la Côte-d'Ivoire en Afrique (77). Il y a là des régions qui pourront se libérer avant d'autres des freins qui entravent leur essor. De toute manière, de telles évolutions ne sont possibles que là où la charge humaine qui pèse sur la terre n'est pas trop forte. Elle est possible dans les deux États que nous venons de citer, mais ne paraît guère transposable dans l'Indonésie gênée par la surpopulation, ou dans la Chine ou le Viêt-nam. On voit donc à quel point la structure des sociétés rurales traditionnelles, elle-même liée aux techniques utilisées, peut influer sur le cours de la croissance. Les pays européens ont eu la chance de posséder une agriculture dans laquelle une

(75) Le développement des surfaces irriguées, assez rapide avant la guerre de 1914, avec la mise en service des grands équipements américains, égyptiens, indiens, avait été assez rapide. Il s'est un peu ralenti entre les deux guerres mondiales, mais il a repris depuis, et les superficies atteintes sont aujourd'hui importantes dans des zones qui ignoraient l'irrigation il y a encore quelques années seulement.

(76) Les territoires du Nord australien appartiennent à la catégorie la plus ingrate des terroirs tropicaux : les précipitations y sont assez abondantes, mais elles sont si mal réparties que le pays souffre de la sécheresse de manière régulière. Les sols, issus de la transformation d'un vieux socle, sont infertiles et considérablement appauvris. La distance joint un obstacle qui explique que la région soit restée très sous-exploitée jusqu'à présent. On commence à concevoir de nouvelles possibilités d'exploitation, dont on trouvera un exposé dans un article récent de la revue *Landscape*.

(77) Sur le développement de l'économie éburnéenne, on pourra se reporter à Rougerie (Gabriel), *La Côte-d'Ivoire*. Coll. « Que sais-je? », n° 1137, Paris, P. U. F., 1964, 128 p.

partie importante des terres était consacrée à l'élevage. Celui-ci réalise une combinaison bien moins peuplante que la culture pure des agricultures tropicales, puisque l'intermédiaire animal gaspille une bonne partie des calories végétales. L'élevage constituait donc une réserve qui permettait aux pays apparemment surpeuplés de garder une marge de progrès assez facile à réaliser : le jour où une meilleure intégration de la culture et de l'élevage se produisit, la productivité générale du système se trouva élevée à la fois par unité de surface et par unité de travail : les économies tropicales ont été privées de cette possibilité de dégager des surplus.

Les pays qui accèdent au développement depuis une vingtaine d'années ont été surtout ceux des régions jusque là demeurées marginales dans le monde tempéré : Europe de l'Est et Europe méditerranéenne. Dans les premiers, le modèle de croissance s'est directement inspiré des méthodes russes et a reproduit par certains traits l'évolution qu'avaient connue les pays d'Europe occidentale un siècle plus tôt : comme l'Allemagne, comme les États-Unis, comme le Japon, ou comme l'U. R. S. S. les démocraties populaires ont fondé leur politique d'expansion sur une fermeture systématique de l'espace national. Le prix qu'il a fallu payer pour édifier les bases de l'équipement nécessaire pour le démarrage économique est très élevé et les dirigeants en ont convenu, puisque le recours à l'échange international est en train de se généraliser dans toute cette partie du monde. Les pays d'Europe méditerranéenne ont suivi d'autres voies. Ils ont renoncé aux procédés qui caractérisent normalement des politiques nationales de développement : c'est dans la mesure où leur espace s'est trouvé associé et, à certains points de vue, incorporé dans les espaces économiques voisins, qu'ils ont réussi à se créer les bases d'une promotion moderne; ils ont misé sur le tourisme, sur le travail des nationaux à l'étranger, pour se créer une infrastructure (78). Le contact avec le monde extérieur a facilité les mutations qui closent l'ère du dualisme et du sous-développement. Et les résultats sont là pour montrer qu'une nation peut se construire en s'intégrant dans un espace plus vaste, un peu à la manière d'une région dans un espace national.

(78) Les exemples les plus caractéristiques sont ceux de l'Espagne et de la Grèce. Le Portugal est resté plus longtemps à l'écart des mouvements qui secouent le reste des pays méditerranéens. L'Italie est sortie depuis longtemps du sous-développement.

Et c'est bien la même évolution qui explique le succès de certains territoires tropicaux, ceux que M. Gourou analyse : le Nord-Est australien et les îles Hawaii sont les seules régions tropicales développées, car elles sont intégrées à des espaces nationaux. Elles peuvent de la sorte éviter les actions de freinage extérieur qui caractérisent l'économie internationale contemporaine et ne pas se trouver chargées de sociétés agricoles à faible productivité, qui entraveraient la croissance de l'ensemble.

Une preuve *a contrario* de l'action de freinage du secteur agricole est fournie par Hong-kong. Parmi les espaces économiques du monde, c'est un des plus petits, un de ceux qui se prêtent apparemment le moins bien à la formation d'une grande société moderne. Or, en moins de vingt ans, la petite colonie s'est dotée d'une des industries de transformation les plus puissantes du monde tropical. La réussite tient à la fois à la qualification de la population de réfugiés reçue de Chine — et à l'absence d'agriculture, qui, bien loin de constituer un frein, a permis de se cantonner dans les activités qui sont suffisamment indépendantes du milieu naturel pour pouvoir se développer aussi bien sous les tropiques que dans une région tempérée.

La structure des nations développées.

Malgré son étendue, et sa population (plus de la moitié du monde, même si l'on adopte les critères de délimitation les moins sévères), malgré également les nuances que nous avons essayé de souligner et qui permettent d'opposer différents niveaux dans la constellation des pays à croissance lente, on est bien forcé d'avouer que l'ensemble apparaît comme mal structuré, mal organisé. Pour le géographe qui s'intéresse aux problèmes de l'économie nationale et de l'économie régionale, c'est là un terrain encore peu différencié, un peu monotone. Les combinaisons de formes et de structures réalisées dans le monde développé sont plus riches : l'analyse de l'économie globale du pays rejoint, dans ce domaine, l'étude de l'organisation régionale que nous mènerons plus loin.

Certains traits tendent cependant à se ressembler de plus en plus. Alors que la structure de la population active des pays en voie de développement varie beaucoup, celle des pays développés qui présentait encore des sensibles différences voici une vingtaine d'années, est de plus en plus constante (tableau XI-2). La part du secteur secondaire, et celle du secteur tertiaire étaient partout élevées, mais leurs rapports présentaient des différences assez nettes — l'agriculture était quelquefois réduite à presque rien, alors qu'elle employait ailleurs plus du tiers de la population active. Depuis la fin de la Seconde Guerre mondiale, ces divergences tendent à s'atténuer. Les pays qui avaient sacrifié leur agriculture pour mieux se spécialiser dans l'industrie, comme l'Angleterre n'ont plus une situation très différente de nations qui comptent très largement sur leurs ressources agricoles pour assurer la totalité de leurs besoins intérieurs et pour réaliser la base d'exportations qui paraît nécessaire à leur développement. La population active agricole aux États-Unis, par exemple, n'est que deux fois plus forte en pourcentage que celle de l'Angleterre.

Cette uniformisation traduit au premier chef l'égalisation progressive des productivités dans le monde développé. Il y a une génération, les différences notées dans le taux de l'emploi agricole traduisaient à la fois l'inégale importance de la production agricole et l'inégale productivité du travail d'un pays à un autre (79). L'égalisation récente tient essentiellement aux progrès réalisés grâce à la mécanisation des travaux dans la plus grande partie du monde tempéré. Le mouvement n'est plus exclusivement caractéristique des grandes campagnes céréalières de l'Ancien et du Nouveau Monde, comme c'était le cas avant la Seconde Guerre mondiale. Il n'est plus réservé aux seules économies de tradition européenne. Au Japon, l'emploi systématique du petit outillage a permis des progrès presque aussi importants que ceux obtenus en Occident — et une réduction appréciable de la population active agricole, tout en obtenant une production accrue.

La diminution générale de l'emploi dans l'agriculture est due pour l'essentiel à la diffusion des techniques modernes dans le monde tempéré. La répartition du reste de la population active entre les deux autres secteurs de l'économie répond à des impératifs différents. Les parts relatives du secteur secondaire et du secteur tertiaire dépendent des activités qui alimentent les rela-

(79) Ces inégalités provenaient de ce que la mécanisation et la modernisation des activités agricoles ont marché d'un pas très inégal suivant les secteurs et les produits. Jusqu'à la Seconde Guerre mondiale, et pour un grand nombre de cultures, le passage à la mécanisation entraînait une diminution de la productivité physique de la terre : c'est là quelque chose que l'on ne pouvait accepter dans un grand nombre de cas.

tions extérieures de la nation. Les services ne jouent la plupart du temps qu'un rôle modeste. La base économique de la nation, ses exportations, sont constituées, selon les cas, de produits agricoles ou de produits industriels. On devrait donc s'attendre à trouver des différences très grandes entre des nations comme la Grande-Bretagne, l'Allemagne d'une part et l'Australie, la Nouvelle-Zélande, l'Argentine et à un moindre degré, le Danemark de l'autre. Les taux d'emploi sont en fait assez voisins. Nous l'avons déjà dit pour l'agriculture. On pourrait le répéter de la même manière pour l'industrie. Et cela traduit la nature complexe de toutes les économies nationales actuelles. Elles peuvent choisir d'appuyer leur rôle internatioal sur telle ou telle catégorie, de produits — mais elles assurent toujours une gamme très variée de productions dans tous les domaines, celui de l'industrie légère en particulier. Et le rapport entre le nombre des personnes employées dans l'industrie et dans les services dépend davantage du niveau de développement que de l'orientation économique du pays. L'emploi tertiaire peut être plus faible dans un pays qui vit de la vente de ses services — sous forme touristique — comme l'Espagne depuis dix ans, qu'il ne l'est dans une nation qui ne jouit dans ce domaine d'aucune spécialisation — comme c'est le cas de la Suède.

L'économie, en devenant complexe, crée un système d'emploi dont les divers éléments sont à peu près dans le même rapport. Il y a bien uniformisation, mais, à la différence de ce qui se passe dans le monde sous-développé, celle-ci se précise au fur et à mesure que la structuration de l'économie est plus achevée. Et cet équilibre général dans la répartition de la population par secteurs d'activité, vers lequel tendent de plus en plus les pays développés, ne doit pas masquer les différences qualitatives très réelles qui existent d'un pays à l'autre; pour réaliser le taux de croissance le plus rapide possible, les nations modernes ont besoin des échanges internationaux. Elles doivent se spécialiser, abandonner certaines fabrications. Elles ont toutes des paysans, des ouvriers, des commerçants, des fonctionnaires — c'est pour elles une garantie de croissance harmonieuse — mais elles renoncent à l'autarcie complète et choisissent dans chaque domaine des secteurs qui leur conviennent.

Les économies développées spécialisées dans l'exportation de produits primaires.

Comment s'effectue cette spécialisation par laquelle diffèrent aujourd'hui essentiellement les économies développées? Selon les cas, les nations prennent comme base de leurs échanges la production et la vente de matières premières ou celles de produits manufacturés ou de services. Quels principes les guident? La répartition des ressources naturelles? Elle joue évidemment un rôle, dans le premier cas en particulier, mais ne saurait constituer un principe suffisant. On sait les constatations surprenantes que les analyses de Léontief (80) ont permis d'effectuer; malgré l'importance des exportations de produits agricoles, les États-Unis vendent surtout des produits incorporant beaucoup de main-d'œuvre et de capital. On connaît également l'interprétation qu'il faut donner de ce paradoxe apparent — les États-Unis vendent bien, conformément à la théorie, les articles qui incorporent les ressources dont ils sont le plus abondamment dotés — mais les ressources sont créées par le choix des politiques et l'activité des nations, beaucoup plus qu'elles ne dépendent d'une donne faite une fois pour toutes. La théorie de la spécialisation internationale est donc capable de répondre à toute la diversité des situations observées — mais elle ne les explique pas, au sens profond du mot, puisqu'elle ne permet pas de comprendre pourquoi on a choisi de se donner telles ou telles ressources. Les activités exportatrices d'une nation peuvent correspondre à des secteurs où les dotations naturelles sont particulièrement bonnes, mais elles résultent bien plus souvent de l'accumulation et de la volonté de s'imposer dans un domaine. Pour que la base extérieure d'une économie nationale soit ferme, il est nécessaire qu'on puisse s'adapter sans mal aux variations de la conjoncture, éviter les secousses provoquées par les fluctuations brutales de la demande et des prix.

Il est clair que les matières premières et les sources d'énergie n'offrent que des garanties inférieures à celles que peuvent fournir les biens manufacturés et les services, puisque leurs prix se trouvent affectés souvent par une baisse continue. Une nation

(80) Nous voilà ramenés au paradoxe de Léontief. On trouvera des indications bibliographiques aux notes 28 et 29 du chapitre V.

ne pourra donc compter sur ses exportations de matières non travaillées pour assurer ses échanges que dans certaines circonstances : tant que l'offre nationale du produit demeure très élastique, que l'on peut faire varier rapidement le niveau de production, les adaptations demeurent possibles. L'existence de réserves incomplètement exploitées constitue une garantie contre une baisse éventuelle des prix, dans la mesure où elle permet d'augmenter le volume produit, et de maintenir les revenus à leur niveau initial. Mais le revenu brut n'est qu'un des éléments qui entrent en jeu. L'exportation ne peut se maintenir si le prix baisse trop, car tout profit disparaît et la nation entière se trouve obligée de travailler à perte, si elle veut maintenir ses relations avec le monde extérieur. La situation ne peut être maintenue que s'il est possible de faire des efforts constants pour améliorer la productivité du travail. La baisse des prix sur le marché international cesse alors d'affecter gravement la nation. En augmentant les quantités offertes, celle-ci peut maintenir le niveau antérieur de ses exportations. Par les progrès constants de la productivité, les prix de revient baissent et la situation des exportateurs se trouve bonne malgré la chute des prix.

Dans la pratique, cela impose deux conditions à l'économie nationale : qu'un effort de recherche constant soit effectué en vue d'améliorer les conditions d'exploitation, que l'on acquière rapidement les matériels nouveaux mis au point à l'étranger, que l'on se porte acquéreur des brevets et des licences qui sont susceptibles de modifier les conditions de l'exploitation, que l'on dispose d'une économie assez souple pour absorber le cas échéant la main-d'œuvre libérée par les progrès de la productivité dans le secteur de base. Le souci d'améliorer sans arrêt les procédés d'extraction, dans le cas de minerais, ou les méthodes culturales, dans celui de produits agricoles modifie et renforce l'avantage né de la dotation initiale : la nation exportatrice peut lutter sur le marché mondial à la fois parce qu'elle dispose de bonnes conditions naturelles et parce qu'elle utilise les techniques qui en permettent la meilleure mise en valeur. La souplesse qu'assure l'existence d'une économie complexe est nécessaire pour que les adaptations soient effectuées sans retard. Dans un pays sous-développé, l'utilisation de techniques nouvelles peut amener une détérioration sensible de la situation économique intérieure. La substitution de capital au travail entraîne une diminution de l'emploi et accuse la césure entre le secteur d'économie domestique et le secteur tourné vers l'extérieur. L'intégration économique de l'ensemble de la vie nationale se trouve compromise, alors qu'elle était très faible. Lorsque l'ensemble de l'économie se développe d'un mouvement propre, avec création renouvelée de postes dans l'industrie et les services, les adaptations aux conditions du commerce extérieur n'ont pas le même effet intérieur.

Pour choisir de vivre de l'exportation de produits agricoles ou de matières premières minérales, il faut donc que la pression sur les ressources physiques ne soit pas trop forte, ce qui suppose que l'économie est déjà fort complexe; l'importance vis-à-vis du marché mondial des diverses catégories de ressources mises en vente doit être assez élevée. Sans cela, les possibilités d'action sur le marché se trouvent très réduites; il faut renoncer à réaliser sur place les recherches qui assurent le progrès de la productivité et la dépendance vis-à-vis des puissantes sociétés internationales qui sont détentrices des brevets se trouve accrue. On conçoit que les nations développées hésitent souvent à vivre de l'exportation de produits bruts. Elles trouvent plus avantageux à développer des spécialités industrielles. Certaines réussissent cependant à se maintenir dans une très bonne position tout en se spécialisant de la sorte. La taille de l'économie nationale n'intervient guère dans ce domaine (81). Le seuil à partir duquel il est possible de rester à la pointe de la productivité apparaît assez vite dans certains domaines. Pour l'exploitation minière, la concentration actuelle nécessite toujours la présence de très grosses unités, si bien que les petites nations se trouvent dans l'incapacité de jouer un rôle décisif. Si elles font porter leur effort sur l'agriculture, elles se trouvent en meilleure position. Là, les frais de recherche peuvent être engagés en ordre dispersé, pour permettre de multiples adaptations de détail. La valeur technique de l'ensemble du secteur dépend moins de l'activité d'un ou deux grands laboratoires, que de la vulgarisation des résultats

(81) Le problème de la taille des nations et de leur spécialisation a fait l'objet de recherches récentes de la part de pays occidentaux, comme de la part des pays de l'Est. ROBINSON (Austin) (ed. by), *The Economic Consequences of the Size of Nations, op. cit.* — Conseil d'entraide économique, « Les principes fondamentaux de la division internationale du travail socialiste ». *Économie et politique*, janv. 1963, nº 102, pp. 9-23. — NOIROT (P.), *Progrès, difficultés et perspectives de la division du travail dans le système socialiste mondial, ibid.*, pp. 24-35. — LAVALLÉE (L.), *Économie socialiste mondiale et division internationale du travail socialiste, ibid.*, pp. 48-71.

obtenus et de l'encadrement technique qui assure aux agriculteurs une compétence sérieuse.

On a vu un certain nombre de petits pays assurer leur croissance en rendant presque exclusivement, durant de longues périodes, des produits agricoles : il en a été ainsi de la Hollande, du Danemark en Europe, de la Nouvelle-Zélande, de l'Uruguay et de l'Argentine dans l'hémisphère sud. La situation de l'Australie est un peu différente, car ses exportations de matières premières minérales ont toujours été importantes. Les petites nations qui ont compté exclusivement sur des matières premières purement industrielles sont plus rares, car là l'effet de dimension joue à plein. La Suède a pourtant appuyé tout son mouvement d'industrialisation sur la vente du bois provenant des forêts du Nord du pays et des produits qui en dérivent directement et sur l'exportation du minerai de fer des régions lapones. Elle bénéficiait toutefois, dans ces deux domaines, de ressources si importantes qu'elle pouvait tenir tête aux pays plus peuplés et réaliser pour l'exploitation de ses richesses un effort comparable à celui mené par le Canada et auparavant par les États-Unis.

Les nations exportatrices de demi-produits : leurs problèmes.

Il est rare cependant que la base exportatrice demeure toujours constituée de produits bruts. Il est avantageux de transformer le plus possible les matières premières sur place, puisqu'on réussit à exporter de la sorte plus de travail. Si la répartition des frais de transport et des charges de transformation n'y fait pas obstacle, les pays industrialisés procèdent eux-mêmes dans une large mesure à la première phase de l'élaboration de leur produit. Les pays riches en charbon et en minerai de fer livrent des aciers ou des fontes, ceux qui disposent de minerais métalliques, les grillent, les réduisent, les affinent. Les produits agricoles sont conditionnés, mis en conserve, congelés. Il fut un temps où l'exportation de demi-produits constituait une spécialité importante pour les zones de vieille industrialisation et cela surtout lorsque les dimensions de l'économie nationale étaient réduites. Le Luxembourg, la Belgique et la France ont dominé durant près d'un demi-siècle le marché des aciers et Anvers est demeuré jusqu'à nos jours le premier centre de commercialisation et d'expédition des produits bruts ou semi-ouvrés. Un peu plus tôt, l'économie anglaise était passée par une phase analogue. Les chemins de fer d'une bonne partie du monde extra-européen ont été équipés de rails venant de Grande-Bretagne, avant que les produits belges ou luxembourgeois se taillent une part importante du marché.

Les pays industriels plus puissants ont généralement moins compté sur la vente des demi-produits pour assurer leur base exportatrice. Leurs marchés intérieurs étaient assez vastes pour que les activités de transformation absorbent une gamme très diverse d'articles ou de matériaux semi-bruts; les coûts de recherche et de mise au point des produits finis pouvaient être couverts par la vente à l'intérieur, ce qui permettait de se présenter bien armés sur les marchés internationaux.

Les petites nations qui s'étaient spécialisées dans la vente de demi-produits connaissent à l'heure actuelle de nombreuses difficultés. La multiplication des industries lourdes dans le monde moderne réduit la dimension du marché international. Le fait est très net pour l'acier, par exemple (82). Petit à petit, on voit se multiplier les entreprises nationales de production sidérurgique. Leur dimension est médiocre, leur rentabilité faible, mais elles permettent de se libérer des importations et peuvent avoir un effet favorable sur la croissance alors même qu'elles nécessitent des dépenses élevées. Par ailleurs, la tendance est à l'élargissement de la taille des usines intégrées livrant la gamme complète des demi-produits sidérurgiques. Il apparaît désormais difficile à des nations comme le Luxembourg ou comme la Belgique de se créer des usines de pointe, car les dimensions des ressources qu'elles exploitent ne sont plus suffisantes pour la construction de ces géants modernes. La concurrence de nations plus puissantes se conjugue donc avec celle des nations en voie de développement pour réduire le marché, amener une détérioration des prix et affaiblir la position des vendeurs traditionnels. Ainsi, la spécialisation des petites nations dans l'exportation de demi-produits appartient pour l'essentiel au passé : la stagnation relative de l'économie belge tient en partie à cela. Le pays n'a pas su à temps moderniser ses fabrications, s'orienter vers des

(82) Le marché mondial de l'acier est en pleine mutation. Les exportateurs traditionnels sont distancés. La première place sur le marché mondial revient désormais au Japon, qui a exporté en 1966 plus de 10 millions de tonnes.

fabrications mieux adaptées à ses dimensions. A la différence des Pays-Bas voisins, la spécialisation dans la fabrication d'objets d'équipement d'une part, et dans la recherche d'autre part, ne s'est pas effectuée au bon moment, au cours des années 1920.

Les petites nations et la fourniture de biens d'équipements.

A l'heure actuelle, on assiste à une division du travail qui permet d'opposer trois types de nations, en fonction essentiellement des dimensions de leurs marchés intérieurs. Les plus petites ne peuvent soutenir la concurrence des plus grandes dans le domaine de la fabrication des demi-produits. Elles peuvent tirer de bons profits de la vente de matières premières, plus particulièrement lorsqu'elles sont d'origine agricole, mais la dégradation lente des termes de l'échange dans ce secteur les incite à trouver d'autres bases à leurs échanges. Elles ne peuvent se lancer normalement dans la fabrication en grande série des biens de consommation : il leur manque le marché intérieur qui paie les frais fixes et assure un volant de sécurité. Pour les plus légers de ces biens, l'expérience est possible, mais dès que l'on a affaire à des fabrications d'objets de consommation durable, pour lesquelles la standardisation parfaite suffit à assurer une qualité excellente, les petites nations se trouvent placées en situation d'infériorité. Les Suisses ont fondé leurs exportations, au XIXe siècle, sur la vente de leurs textiles et de leurs montres. L'exportation des textiles s'est effondrée, car il s'agit d'une fabrication légère, de plus en plus pratiquée dans les pays en voie de développement. Par contre, les ventes de produits horlogers continuent à soutenir d'une manière très ferme le commerce extérieur du pays. Fabriquant des produits de qualité, la Suisse domine le marché mondial. La transformation technique de l'horlogerie, la mécanisation et l'automation des tâches ont modifié depuis dix ans les conditions générales d'équilibre de la production et fait subir à la Suisse une concurrence d'un type nouveau. Les grandes nations industrielles qui constituaient le plus large marché de la montre suisse, se ferment petit à petit — et, fait plus grave, se trouvent en état de concurrencer directement la production suisse dans le Tiers Monde. Les efforts des horlogers suisses n'ont pas été suffisants pour garder la tête dans le mouvement de modernisation. La vente de brevets et de licences ne permet donc pas de transformer en revenus tertiaires ce qui était jusqu'ici revenu industriel, à la différence de ce qui s'est produit en Suisse même pour d'autres fabrications — alimentaires, avec Nestlé, ou chimiques ou mécaniques. La Hollande offre un exemple d'adaptation mieux réussie, dans ce domaine de la fabrication des biens de consommation durable. Le succès de la société de fabrication de produits électroniques Philips est lié à l'effort de recherche qui ne s'est jamais interrompu depuis le début de ce siècle. La fermeture des marchés nationaux des pays industrialisés a été tournée par la constitution de filiales, qui emploient les brevets et les méthodes mises au point, pour l'essentiel, à Eindhoven.

On voit donc que les petites nations se trouvent bien souvent obligées de renoncer à la fabrication des biens de consommation, comme elles ont dû renoncer à celles des demi-produits lourds. Que leur reste-t-il pour asseoir leurs exportations? La gamme des productions qui ignorent les économies d'échelle qu'assure la grande série : la fabrication des biens d'équipement (83). Dans ce domaine, la situation des petites nations est aussi bonne que celle des concurrents les plus puissants. En se spécialisant dans un ou deux types de fabrications, on parvient à se créer les économies externes de concentration et d'accumulation capitalistique qui sont décisives en pareil domaine. Les petites nations qui sont les plus conscientes de leur devenir économique ont pris des orientations très fermes et se sont bâties une puissance exportatrice en choisissant des « niches », comme diraient les écologistes, pour lesquelles ils n'ont à craindre aucune infériorité du fait de leur dimension. La Suisse, les Pays-Bas, le Danemark, la Suède offrent les exemples les plus démonstratifs de cette politique. Dans ce dernier pays par exemple (84), la gamme des produits livrés à l'exportation est relativement réduite. Les

(83) La fabrication en série des biens d'équipements est exceptionnelle. Elle n'a guère été menée qu'au cours des périodes de guerre, pour les navires en particulier. Les progrès de la machine productive russe peuvent être accélérés par la production en série de certains équipements, mais on ne connaît pas encore de secteurs où les projets formulés à plusieurs reprises aient abouti à des réalisations pratiques.

(84) La spécialisation de l'économie suédoise est voulue, comme en témoignent les communiqués et les articles de vulgarisation qui ont été multipliés par les services du commerce extérieur. Les journaux à grande diffusion, comme *Paris-Match*, ont plusieurs fois ouvert leurs colonnes à ces services. On y voit des industriels suédois expliquer comment ils orientent leur production de manière à se tailler une place de choix sur certains marchés internationaux.

ventes essentielles sont celles de bateaux, de machines pour l'agriculture, de sous-ensembles mécaniques (roulements à bille par exemple) et de machines destinées à l'emballage ou au conditionnement automatiques; dans ces domaines, l'effort de recherches entrepris est très grand. Il permet par exemple aux Suédois de soutenir la concurrence des chantiers navals japonais : quoique les conditions sociales soient très différentes et, partant, les charges de main-d'œuvre. Le Danemark offre l'image d'une spécialisation analogue dans son principe, mais moins poussée. La construction navale, la vente de moteurs diesel, celle d'équipements mécaniques spécialisés divers ne constitue qu'une des bases de la puissance économique extérieure du pays — l'autre restant évidemment la vente des produits agricoles.

Les nations moyennes et des exportations de biens de consommation durables.

Un deuxième type de nation est constitué par celles qui disposent d'un marché intérieur de dimension moyenne et d'un équipement déjà important — Grande-Bretagne, Italie, France, par exemple. Ces nations ont trouvé, dans le monde actuel, particulièrement avantageux de se spécialiser dans la vente des produits de consommation durable fabriqués en grande série. Ils n'ont à craindre, en ce domaine, que la concurrence des nations plus puissantes, échappent par contre à celle des petits pays qui leur offrent leurs marchés intérieurs. Les automobiles, les équipements ménagers électriques ou électroniques modernes sont devenus caractéristiques des exportations effectuées par les pays moyens depuis la Seconde Guerre mondiale. Ils ont réussi à éliminer en partie les concurrents plus grands, le jour où leurs marchés intérieurs ont connu un essor suffisant pour absorber les produits fabriqués et amortir les chaînes.

Les bases de cette spécialisation seront peut-être remises en cause dans un proche avenir. Les pays de dimension industrielle moyenne deviennent plus nombreux, à la fois par suite de l'augmentation du niveau de vie dans les pays les plus développés et par la promotion de nations jusque-là peu équipées. En Europe, on voit l'industrie automobile essaimer peu à peu dans les pays naguère peu développés — en Espagne, qui s'équipe rapidement dans ce domaine par exemple — et dans les petites nations les plus riches et les plus cohérentes, comme la Suède. Hors d'Europe, des concurrents nouveaux apparaissent, aussi bien en Amérique du Sud, Argentine, Brésil, qu'en Afrique du Sud et en Australie. Jusqu'à présent, le danger que fait peser sur le marché mondial ces nouveaux concurrents sont minimes, car ils ne disposent pas toujours des techniciens et des états-majors susceptibles de réaliser sur place la mise en place des équipements. Dans une première phase, les fabrications se font à partir de pièces détachées importées. Plus tard, des chaînes de fabrication sont installées dans le pays. Tout ceci permet donc de maintenir ouverts les marchés — mais on voit bien qu'ils se transforment dans leur nature. Ce que vendent les pays moyens, ce ne sont plus des produits fabriqués de consommation durable, mais des équipements et des brevets et des licences. Et dans ce domaine, la situation est plus tendue que dans d'autres, car il s'agit d'un des secteurs où les moyennes et les grandes nations entrent en compétition sur les marchés extérieurs. Elles disposent de moyens de recherche très inégaux, si bien que leurs possibilités d'expansion sont de grandeurs dissemblables. L'automobile de fabrication européenne a éliminé l'automobile américaine d'une bonne partie du marché international — mais l'industrie européenne est de plus en plus largement intégrée à l'industrie américaine, qui fournit les capitaux nécessaires à son expansion, lui vend une partie des équipements les plus modernes dont elle a besoin et surtout un nombre toujours plus considérable de brevets et de licences.

La liberté de choix des grandes nations.

La situation sur le marché international des grandes puissances est très diverse. Leur assise tient essentiellement à la dimension de leur marché intérieur, leur croissance dépend bien moins que dans tous les autres cas des ventes à l'extérieur. La taille de l'économie permet de vendre dans de bonnes conditions toutes les catégories de produits — matières premières, biens de consommation ou biens d'équipements. Les moyens de recherche et d'investissement autorisent le lancement d'opérations combinées de très vaste ampleur. Les grands pays ne sont pas mieux placés que les petits ou les moyens pour concevoir et écouler tel ou tel équipement particulier, mais ils peuvent mieux que tous les autres se lancer dans des manœuvres de grande envergure. En Amérique, les efforts faits dans le domaine de l'équipement nucléaire, puis dans celui de la recherche spatiale ont imposé des dépenses considérables; ils n'ont pas directement influé sur la structure de la production et de l'exportation. A long terme, cet effort tend à remodeler l'économie américaine, à asseoir sa prééminence internationale en lui donnant une avance technique considérable dans tous les secteurs de pointe. En dehors des États-Unis et de l'U. R. S. S., les deux seules puissances qui disposent à l'heure actuelle d'une vocation économique de grande nation, sont l'Allemagne occidentale et le Japon. Elles excèdent un peu la dimension des économies moyennes que nous avons analysées plus haut et l'importance des fabrications de biens d'équipements les rapprochent des grands.

On voit de quelle manière s'ordonnent les nations du monde industriel. La structure interne de leur économie tend à se modeler sur le même modèle, dans la mesure où elles se construisent toutes un circuit économique complexe. Lors même que le pays se trouve largement ouvert sur l'extérieur, comme c'est le cas pour les plus petits, il participe plus ou moins directement à toutes les étapes du circuit économique total. A niveau de développement égal, la diversité ne vient pas de la structure de l'économie interne, mais de l'orientation prise par les activités destinées à l'échange international. Jusqu'à une date toute récente, certains pays ont pu considérer que le commerce extérieur était destiné à écouler les excédents occasionnels d'une production tout entière conçue pour le marché intérieur — c'était le cas, il y a peu d'années encore pour la France. La concurrence accrue que se font les pays industrialisés a conduit les gouvernements à s'intéresser de plus près à la structure des relations avec l'étranger, puisque tout l'équilibre de la croissance se trouve conditionné par résultats de l'échange avec le reste du monde. L'action concertée des autorités politiques est venue renforcer l'orientation que les contraintes de l'économie étrangère imposaient aux industriels qui vendaient au dehors. On a vu se dessiner une division internationale du travail consciente, volontaire, entre pays développés. Le critère essentiel d'orientation est devenu la dimension du marché intérieur et des pays aussi divers par les conditions du milieu que les Pays-Bas et la Suisse peuvent présenter un profil économique identique. La croissance des relations internationales entre les pays développés est une conséquence directe de cette nouvelle répartition des tâches.

L'évolution des spécialisations nationales.

L'équilibre qui se trouve ainsi obtenu entre nations de dimension différente se trouve sans arrêt modifié. A la fin du XIXe siècle, les perspectives qui s'ouvraient aux pays petits et moyens étaient assez semblables; le progrès technique a imposé depuis une reconversion plus profonde aux petits. Ceux-ci en ont tiré des avantages : ils se présentent souvent, à l'heure actuelle, avec des caractères de modernisme plus accentués. Mais à la longue, les bases sur lesquelles s'appuient leurs réussites présentes peuvent s'effriter. Les charges sans cesse plus lourdes de la recherche tendent déjà à donner aux économies de dimension continentale une avance dans le domaine des productions électroniques ou nucléaires. Les pays de dimension moyenne s'imposent des efforts considérables pour suivre le train du progrès — on connaît les sacrifices que la France effectue dans ce domaine et les conséquences négatives à court terme de cette volonté de se tenir au niveau des plus grands. Il peut sembler plus sage, pour les moyens, de se spécialiser un peu à la manière dont se sont spécialisés les petits il y a une génération. Un doute subsiste cependant : dans quelle mesure cette spécialisation n'est-elle pas le prélude à un appauvrissement dangereux de l'économie nationale? L'histoire des relations économiques internationales depuis un siècle nous montre l'instabilité constante des prix, les variations rapides de la demande, l'apparition de fabrications nouvelles. La situation des nations les plus exiguës est périlleuse : pour vivre, elles doivent être en tête dans le domaine qu'elles se sont choisies et sont conduites à effectuer de larges investissements de recherche et d'équipement. Elles ne peuvent maintenir cet effort que dans une gamme très étroite de fabrication. Les options prises aujourd'hui ne seront-elles pas remises en cause d'une manière si complète d'ici une génération que l'ensemble de l'économie se trouvera dans l'incapacité de s'adapter aux conditions nouvelles?

C'est là un danger qui n'échappe pas aux responsables de la vie économique des petites nations. L'effet de dimension peut jouer contre eux, comme il peut jouer contre les nations moyennes. Cela repose tout le problème de l'organisation de la vie économique moderne : pour beaucoup, la nation apparaît comme une forme trop étroite, trop rigide pour permettre le développement de tous les groupes humains. Elle convient pour les groupes les plus puissants, les plus étendus, mais ne saurait s'adapter aux plus petits. La prospérité actuelle des petits espaces est assise sur des bases incertaines (85). Depuis une vingtaine d'années, un large mouvement se dessine pour organiser la vie économique sur des bases pluri-nationales. Nous y reviendrons dans le dernier chapitre, où nous essaierons de voir les principes selon lesquels s'ordonne la construction de ces grands ensembles économiques. Mais ce qui est d'ores et déjà certain, c'est que la nation, en tant qu'unité économique territoriale dotée d'autonomie, ne peut se survivre sans se modifier profondément. L'histoire de la nation économique, quoique courte, est faite de bouleversements incessants. En tant que groupe social et politique, la nation apparaît comme une entité stable : les contours des pays de l'Europe occidentale sont maintenant fixés dans leurs grandes lignes depuis plus de cinq siècles. Les économistes sont quelque peu prisonniers du terme qu'ils ont choisi pour parler des unités territoriales dont ils s'occupent. Nous avons dit ce qui justifiait l'emploi du mot de nation en économie : les forces sociales et politiques sont intimement mêlées aux faits de production et de consommation. Mais la nation de l'économiste n'a pas la même continuité, la même stabilité que celle du sociologue : elle n'a de commun avec elle que la volonté de maîtriser en commun un destin, que d'être une manifestation des civilisations prométhéennes. Elle en diffère par ses incessantes transformations et adaptations. Et l'ambiguïté de la langue de l'économiste vient de là : il parle tantôt d'une réalité historique mouvante, tantôt d'un type, d'un modèle dont les caractères sont tranchés. Lorsqu'il raisonne en théoricien, l'économiste enferme l'espace national à l'intérieur de barrières douanières, interdit les déplacements de main-d'œuvre et de capitaux, ou en restreint considérablement l'ampleur. Il dote le gouvernement d'institutions qui lui permettent d'imposer une direction ferme à l'économie, tant à l'intérieur qu'à l'extérieur; il se réfère à une nation qui n'a existé que dans le second quart du XXe siècle, mais qui présente quelques analo-

(85) N'y a-t-il pas, dans cette affirmation une part de préjugé? La capacité d'adaptation des petits ensembles peut nous réserver bien des surprises.

gies avec la nation mercantiliste de l'économie pré-classique. Lorsque l'économiste donne plus de place aux démarches inductives, il est conduit à analyser les conséquences sur l'économie nationale des mouvements internationaux de main-d'œuvre et de capital. L'économie qu'il étudie alors est plus proche de la région telle que les théoriciens l'envisagent, que de la nation qu'ils ont définie dans l'abstrait.

Et c'est bien à cela en définitive que conduit l'analyse des formes territoriales concrètes d'organisation de l'espace : les types purs de la théorie ne se superposent pas exactement aux constructions pratiques qui portent le même nom. A la fin du XIXe siècle, la région soutenue par des banques puissantes qui battent monnaie n'est pas sans évoquer par certains de ces caractères la nation du théoricien. De nos jours, la nation ouverte largement à tous les mouvements de capitaux et de main-d'œuvre telle qu'on la voit évoluer en Europe en dehors même des pays touchés par l'unification en grands marchés, est proche par beaucoup de traits de la région théorique.

Tout se passe comme si la nation en partie autarcique avait correspondu à une étape nécessaire dans la dialectique du progrès économique : en assurant la fermeture des circuits économiques, en favorisant les effets multiplicateurs, elle a permis aux pays qui, comme l'Angleterre, la France, l'Allemagne ou les États-Unis, avaient créé des équipements industriels, de se constituer des marchés plus vastes à l'intérieur, elle a hâté la prolifération des circuits complexes. La plupart des pays qui n'ont pas réussi à se placer jusqu'ici dans le peloton des pays à croissance rapide prennent modèle sur l'Europe occidentale. Les difficultés qu'ils rencontrent alors même que les structures sociales qui les avaient longtemps gênés ont disparu, conduisent à s'interroger : l'ère de la nation classique n'est-elle pas close? La croissance ne devra-t-elle pas être réalisée, dans les décennies qui viennent, en s'adaptant à d'autres cadres que l'apparition des marchés communs et des zones de libre-échange permet déjà de préciser?

CHAPITRE XII

L'ORGANISATION RÉGIONALE DES NATIONS

Les économies nationales sont très diverses. Elles s'opposent en particulier par leur inégal développement, leur inégale intégration. Certaines sont si largement ouvertes sur le monde extérieur que les liens internes semblent ténus. D'autres constituent de véritables mondes fermés. Parmi celles qui entretiennent des relations importantes avec l'extérieur, certaines se sont spécialisées dans la production et dans l'exportation de matières premières, d'autres ont choisi l'exportation de produits manufacturés, d'autres enfin ont bâti leur équilibre économique sur la prestation de services internationaux, navigation en Norvège, tourisme en Suisse et maintenant en Espagne ou en Grèce. Les combinaisons nationales sont si diverses que les organisations régionales qu'elles ont engendrées sont très variables. Les rapports des diverses parties de la nation entre elles et leurs relations avec l'extérieur ne sont cependant pas si hétérogènes qu'ils ne puissent se ramener à quelques grands principes qu'il nous faut analyser, avant de montrer par des exemples la manière dont ils se trouvent appliqués.

La langue des géographes prête un peu à confusion. Division régionale — organisation régionale, ce sont des expressions si voisines que l'on a tendance à les confondre. Elles correspondent pourtant à des phases bien distinctes de l'analyse géographique La division régionale met en évidence des unités territoriales de moyenne dimension présentant une forte personnalité ou une spécificité remarquable. L'organisation régionale résulte des rapports que les divers ensembles nourrissent entre eux au sein d'une économie territoriale plus vaste. Si l'on voulait éviter toute confusion, il faudrait parler d'organisation économique des territoires nationaux. Mais certaines expressions sont consacrées par l'usage. Il suffit de les définir clairement.

Nous nous sommes intéressés jusqu'à présent à l'étude de la division régionale des ensembles territoriaux. Nous avons vu que les aires de service jouaient un rôle essentiel dans la définition de la région économique. Nous avons également étudié les régions industrielles et agricoles. Nous avons essayé de voir quels étaient leurs rapports avec les espaces de service : après avoir été longtemps médiocres, ils se développent et tous les ensembles s'ordonnent de plus en plus dans les mêmes cadres de moyenne dimension, autour des mêmes centres de service. Mais nous n'avons abordé qu'un des aspects de leur formation : les espaces de production ne sont, à l'échelle régionale, que les parties d'un tout plus vaste qui possède seul une autonomie; ils ne s'expliquent donc qu'en fonction du cadre national lorsque celui-ci est suffisamment fermé ou d'un cadre plus large lorsque la nation s'ouvre sur l'extérieur. Parler d'organisation régionale, c'est mettre en évidence les facteurs qui expliquent ces spécialisations régionales et les échanges qui se développent à l'intérieur comme à l'extérieur.

I. — La répartition des infrastructures et des activités de niveau national.

Les nations ont, sur leur destin et donc sur leur organisation interne, des possibilités d'action considérables. Nous avons essayé de mettre en évidence les moyens qui s'offraient aux responsables pour infléchir les évolutions, pour atteindre tels ou tels objectifs. Tous montrent que la nation est un organisme dont les parties sont liées et se conditionnent mutuellement. Leurs rapports sont facilités par toute une organisation de la vie sociale, par toute une gamme d'infrastructures.

La transparence sociale et la nation.

Les nations sont conscientes de leur unité. C'est là ce qui fait leur originalité fondamentale, ce qui justifie leur rôle économique. Toutes les organisations territoriales qui se sont constituées sous la forme d'État ne sont pas arrivées au même degré d'organisation sociale. Une première opposition se dessine entre les pays où toute la population est intégrée dans la vie sociale globale et ceux où deux sociétés sont en présence : une société traditionnelle et une société encadrante représentée le plus souvent par les groupes de citadins (1).

Les pays qui possèdent de la sorte deux types de groupes sociaux sont bien connus des sociologues, des anthropologues. Redfield, à la suite de recherches consacrées il y a maintenant plus de quarante ans aux Indiens de la région du Yucatan, a popularisé, pour définir les groupes laissés à l'écart, le terme de société de type folk (2). Il a vu là l'association curieuse de campagnes demeurées hors de l'histoire et de villes vivant au rythme de l'ensemble du Mexique. On a élevé certaines critiques à l'égard de sa vision des rapports des groupes ruraux traditionnels et des sociétés urbaines. Les villes actuelles du Mexique contiennent de larges secteurs qui demeurent en dehors des grands mouvements, en marge de la société encadrante (3). Bien loin de constituer une critique fondamentale de la notion de « société de type folk », ceci nous paraît fournir un enrichissement : dans les pays en voie de développement, le mouvement d'urbanisation contemporain aboutit au transfert brutal dans les grandes villes de populations qui ne parviennent pas à s'insérer harmonieusement dans le cadre citadin. Le contraste entre société encadrante et société de type folk n'est pas seulement un contraste entre ville et campagne, c'est un contraste entre les niveaux d'intégration culturelle et les rythmes de vie généraux. On comprend que de telles nuances, avec toutes leurs implications n'aient pas échappé aux historiens : elles expliquent pour eux les différences de rythme qui caractérisent, dans bien des cas, l'histoire, et qui font apparaître l'histoire visible, celle de la société encadrante, comme un simple voile derrière lequel se joue une histoire plus profonde,

(1) Nous retrouvons ici le thème du dualisme des économies sous-développées. Nous l'avons abordé aux chapitres précédents d'un point de vue purement économique. Nous l'étudions ici dans une optique plus franchement sociologique.

(2) REDFIELD (Robert), *Tepotzlan, A Mexican Village*. Chicago, University of Chicago Press, 1930. — ID., *The Folk Culture of Yucatan*. Chicago, University of Chicago Press, 1941. — ID., « The Folk Society ». *American Journal of Sociology*, vol. 52, 1947, pp. 293-308. — ID., *The Primitive World and its Transformations*. Ithaca (New York), Cornell University Press, 1953.

(3) LEWIS (Oscar), « Tepotzlan Restudied : a critique of the Folk-Urban Conceptualization of Social Change ». *Rural Sociology*, vol. 18, 1953, pp. 121-134. — ID., « Urbanization without Breakdown. A base Study ». *The Scientific Monthly*, vol. LXXV, 1952, pp. 36-37.

mais qui est encore mal comprise — ou bien encore, qui cache un milieu qui ne s'est pas encore ouvert à l'histoire, qui vit dans une durée sans profondeur et n'a pas conscience des transformations qu'il subit (4).

Les groupes de type folk sont en quelque sorte étrangers aux nations qui les abritent. Ils jouent bien sûr un rôle important dans leur vie, constituent des marchés potentiels pour la vente des produits, comme pour le recrutement des manœuvres industriels. Ils sont utiles à la puissance et à la grandeur militaire des États, auxquels ils fournissent des soldats en grand nombre. Mais ils sont si peu intégrés à la vie réelle des nations qui les encadrent qu'ils peuvent être de race, de religion différentes sans que cela constitue une difficulté et sans que l'on ait à se préoccuper de réaliser une construction pluraliste, pour permettre aux divers groupes culturels de s'épanouir. On s'explique pourquoi les difficultés politiques internes apparaissent, dans les États dont la plus grande partie est peuplée de sociétés villageoises traditionnelles, au moment où l'instruction plus large, le progrès des communications et des échanges aspirent dans le circuit général des groupes demeurés jusqu'alors étrangers à l'histoire. Ainsi, l'Autriche-Hongrie s'est trouvée affaiblie par le progrès économique qu'elle réussit à accélérer à partir de 1850. Au fur et à mesure que le pays s'ouvre à l'économie moderne, on voit naître de nouvelles consciences collectives. Les sociétés encadrantes, d'abord de civilisation germanique, doivent céder dès le milieu du siècle, une partie de leurs prérogatives, à l'aristocratie magyare. Faute de suivre l'évolution générale, ces deux groupes se trouvent progressivement mis en porte-à-faux par le développement de la société moderne, en pays tchèque d'abord, puis un peu partout.

Les nations s'opposent donc d'abord par leur degré d'intégration culturelle. Elles ne méritent tout à fait ce nom que lorsqu'elles réalisent des constructions à base sociale très large, que lorsque le contraste entre des masses amorphes et des groupes d'encadrement peu nombreux s'estompe. C'est dire, dès l'abord, combien se trouvent fragiles toutes les constructions récentes

(4) Gurvitch (Georges), « Continuité et discontinuité en histoire et sociologie ». *Annales, Économies, Sociétés, Civilisation,* vol. 12, 1957, pp. 73-84. — Braudel (Fernand), « Histoire et sciences sociales : la longue durée ». *Annales, Économies, Sociétés, Civilisation,* vol. 13, 1958, pp. 725-753.

issues du mouvement de décolonisation : dans la plupart des cas, le mouvement social ne touche qu'une très faible partie de la population.

Qu'est-ce qui fait donc, de ces traits purement sociaux, des facteurs aussi importants sur le plan économique? C'est qu'ils constituent le préalable au développement d'une économie d'échanges. Les sociétés traditionnelles, de type folk, peuvent se soustraire au mouvement général, dans la mesure où elles vivent dans des conditions d'autarcie relative. Elles peuvent se passer de relations régulières avec le reste du corps social, dans la mesure où elles réussissent à vivre de peu, sans avoir de besoins matériels bien considérables. Les structures locales pourvoient à tout ce qui est désiré. Ceci explique que l'on puisse voir se maintenir des populations de type folk dans des secteurs d'économie moderne — dans les pays de plantation en particulier. Les coolies, les manœuvres acceptent des salaires très bas, ils se contentent souvent de ce que peuvent leur fournir les lopins qui leur sont donnés pour le jardinage individuel. Ils vivent entre eux, en marge du monde des employeurs. Ils apparaissent donc comme des producteurs, au sein de l'économie moderne, mais pas comme des consommateurs. La situation ainsi créée peut être très avantageuse pour les planteurs, qui n'ont évidemment aucun intérêt individuel à la voir disparaître. Elle est pernicieuse pour l'ensemble des pays, car elle est à la base de ce dualisme économique, dont nous avons déjà longuement parlé et qui interdit l'apparition des effets d'entraînement nécessaires à la généralisation du progrès et de la croissance. En règle générale, le développement de l'économie moderne demande une très large transparence du milieu économique. Il faut que les nouvelles, que les informations économiques, que les modes puissent se propager rapidement, sans rencontrer d'obstacles insurmontables. Les groupes sociaux de type folk constituent des noyaux durs contre lesquels se brisent les courants généraux d'information et d'organisation.

Les recherches menées depuis une trentaine d'années par les spécialistes des petits groupes et de la discussion en groupe ont montré qu'il n'y a de dialogue possible et d'échanges de vue fructueux qu'à partir du moment où il existe un terrain d'entente, une attitude commune vis-à-vis de certains problèmes. C'est là une idée que l'on pourrait transposer au domaine des groupes de très grande dimension que sont les nations : elles n'ont d'efficacité, au plan économique, que dans la mesure où elles réalisent une mise en condition préalable de ceux qui les composent : nous avons déjà dit le rôle de ces accords fondamentaux dans le cas de la société anglaise au moment de la révolution industrielle et au cours de la période de libéralisme économique de la seconde moitié du siècle dernier. Mais ceci est vrai de la plupart des autres constructions politiques : le patriotisme peut être l'élément moteur et évident de la réalisation de ces harmonies préalables. Mais il n'est pas nécessaire : la mise en condition qu'opère la nation est la plupart du temps plus discrète; les valeurs qui sont inculquées par l'enseignement, par le service militaire sont très variées et une bonne partie n'en est pas consciemment désirée et recherchée par les responsables politiques; certains sociologues américains (5) considèrent par exemple qu'une des originalités fondamentales du système français de socialisation est l'apprentissage que chacun reçoit dès l'enfance dans ce qu'ils appellent les « communautés délictuelles » — celles qui s'opposent sourdement à l'autorité, sous quelque forme qu'elle se présente : c'est ainsi que la cohérence du groupe, sa mise en communion, son adhésion à certains idéaux communs est préparée par l'initiation au chahut, dès les plus petites classes, puis par toutes les formes de débrouillardise, de fraudes mineures et de système D qui constituent pour nos compatriotes un des charmes de l'existence. A certains points de vue, de tels comportements sont antiéconomiques, puisqu'ils rendent plus incertaine l'emprise de l'autorité lorsqu'elle désire promouvoir le progrès. Au total, pourtant, les avantages collectifs l'emportent certainement sur les désavantages, puisque la conscience collective des Français est très fortement marquée et renforcée par ces expériences partagées.

L'organisation de la transparence de l'espace social est une des premières tâches qui s'impose à toute nation. On peut y parvenir comme nous venons de le voir par des voies détournées. Mais l'essentiel demeure au départ le développement des systèmes d'éducation. La tâche est évidemment plus facile lorsque

(5) Pitts (Jesse R.), *Continuité et changement au sein de la France bourgeoise*, pp. 265-344 d'Hoffman (Stanley), Kindleberger (Charles D.), Wylie (Laurence), Pitts (Jesse R.) Duroselle (Jean-Baptiste), Goguel (François), *A la recherche de la France*. Paris, Le Seuil, 1963, 460 p. Traduit d'*In Search of France*. Cambridge (Mass.), Harvard University Press, 1963.

le milieu est déjà homogène par la langue et par la religion. Elle demeure possible lorsque les conditions sont plus complexes; l'exemple suisse le montre. Mais les frais occasionnés par les besoins constants de traduction, d'adaptation sont considérables. De petits États, comme la Suisse, peuvent s'offrir ce luxe, dans la mesure où leur économie est très développée. Ailleurs, le coût nécessaire pour assurer la transparence peut paraître prohibitif. C'est vrai en particulier pour beaucoup de pays qui ne sont pas encore sortis du sous-développement et qui ont grand besoin de débloquer rapidement leurs frontières sociales intérieures. Songeons à l'Inde.

La nation et l'organisation des circuits d'information.

Dans la nation moderne, les circuits d'information sont innombrables. Ils permettent de diffuser des nouvelles politiques et économiques. Ils donnent la possibilité aux différents partenaires du jeu économique de prendre leurs décisions en connaissance de cause. Les renseignements que chacun demande ne sont pas neutres; aussi risquent-ils de se trouver déformés, falsifiés, de manière à favoriser les intérêts de certains. Pour éviter la diffusion de fausses nouvelles et que les perspectives qui s'ouvrent sur le futur ne soient systématiquement infléchies par quelques groupes particuliers, certaines précautions sont nécessaires. Elles sont du ressort de l'État, qui peut seul protéger les citoyens contre ce risque et prendre à sa charge l'acheminement de l'information lorsqu'il le juge nécessaire.

A l'échelle des ensembles territoriaux qui constituent les États modernes, dans le cadre d'économies extrêmement différenciées, la première condition pour agir, c'est de connaître la situation des diverses parties. L'action économique demande à la fois que l'on soit renseigné sur ce qui se passe dans toutes parties du grand corps et que l'on ait prise sur elles. La vie économique de la nation s'appuie donc sur toute une infrastructure administrative, qui permet de prendre sans arrêt la température des extrémités et de transmettre les nouvelles à des organismes centralisateurs. Cette même armature administrative sert, en sens inverse, à acheminer les ordres et les directives du gouvernement. La confusion des deux éléments du circuit n'est guère satisfaisante, car elle peut nuire à l'efficacité du système. L'objectivité de l'information n'est pas certaine lorsqu'elle est collectée par des organismes dont les mérites sont jugés en fonction de son contenu. Une des supériorités des régimes démocratiques provient de ce que les organismes qui collectent l'information sont en grande partie indépendants de ceux qui transmettent les décisions économiques. Dans les pays d'économie centralisée, en U. R. S. S. en particulier, on a signalé depuis longtemps le rôle correctif important joué par les journaux : c'est dans le courrier des lecteurs que se manifestent les mécontentements et les tensions qui démentent souvent les résultats chiffrés de la production.

L'État est donc un consommateur d'information et se doit d'organiser les circuits dont le fonctionnement est délicat. L'action de l'État ne se borne pas à assurer l'instruction, à diffuser l'usage d'une ou de plusieurs langues de civilisation ou d'affaires. Elle se traduit par une législation qui garantit l'exactitude de l'information économique. Des organismes privés se chargent souvent de la collecte et de la publication des faits, mais la caution de l'autorité publique est nécessaire pour le développement harmonieux des transactions commerciales, surtout lorsqu'elles se trouvent conclues à distance. De plus, dans toutes les économies où la monnaie a cessé d'être une marchandise, l'autorité politique est garante de sa valeur et permet de l'utiliser sans difficulté.

Tout ceci permet d'assurer la transparence nécessaire au fonctionnement des divers marchés à l'intérieur de l'espace national. Le bon fonctionnement du système est sanctionné par l'unité des prix, qui dépendent les uns des autres lorsque l'on se déplace d'un point à un autre du territoire. Les moyens actuels de diffusion de l'information, presse, téléphone, radio, télévision, ont fait accomplir des progrès considérables à la transparence instantanée des espaces nationaux.

Dans la pratique des affaires, il ne suffit pas de connaître le présent. Les décisions actuelles modèlent l'avenir et sont prises en fonction de ce que l'on imagine qu'il sera; les marchés des économies libérales se révèlent souvent incapables d'assurer l'ouverture vers le futur des horizons économiques des participants. L'exploration et l'appréciation de l'avenir coûtent cher, si bien qu'elles ne sont à la portée que des secteurs d'activité où dominent les entreprises concentrées. Le capitalisme de groupes se trouve mieux armé pour la prospective que celui des petites entreprises familiales qui s'était maintenu très vivant dans une bonne partie de l'Europe occidentale jusqu'à la Seconde Guerre mondiale. Le dynamisme économique de l'Angleterre, de la France et de la Belgique s'en est sans doute trouvé diminué.

La connaissance de certaines portions du futur échappent à cause de l'ampleur des moyens dont elle exige la mise en œuvre à l'entreprise privée. C'est pour cela que l'on s'efforce, dans certaines économies jadis libérales, de réaliser cette transparence nécessaire du futur par une planification souple. L'Angleterre, la Hollande et la France se sont engagées plus loin dans cette voie que la plupart des autres pays occidentaux, sans doute parce que les structures compartimentées de leur société industrielle se montraient plus impuissantes que d'autres à faire ce travail de projection. Dans les économies socialistes, la transparence repose tout entière sur l'autorité centrale. Celle-ci met en place comme partout les supports culturels de l'échange, entretient et développe les infrastructures de communication et de rassemblement de l'information. Mais c'est elle qui a la responsabilité de ventiler les ressources en fonction des besoins de l'économie prise dans son ensemble et des désirs des consommateurs.

La nation et les circuits financiers.

Toutes les nations dignes de ce nom apparaissent comme des milieux dont la transparence élevée est structurée et utilisée par les circuits et les infrastructures nécessaires à l'échange des nouvelles et des ordres. La nation est un lieu de circulation privilégiée dans d'autres domaines; mais les solutions sont souvent plus diverses d'un pays à l'autre. Dans le domaine de l'organisation monétaire et des marchés de capitaux, on trouve encore une certaine homogénéité. Les contrastes naissent de ce que les circuits de capitaux ne se referment pas toujours dans les limites de la nation.

La part du revenu national soustraite à la consommation et qui sert à l'entretien et à l'amélioration du capital national dépend de forces sociologiques et de toute une série de mesures législatives. L'épargne d'une nation dépend de son revenu total, mais aussi de la manière dont il se trouve distribué dans les diverses classes de la société et des avantages que l'on peut avoir à effectuer des placements. Dans les sociétés où l'on attache un très grand poids au présent, où les habitudes sont de dépenser le plus possible, la dépréciation subjective de tout ce qui se trouve dans le futur est forte, si bien que l'épargne est réduite et que le loyer de l'argent se trouve augmenté. Lorsque les goûts pour la consommation sont plus réduits, les conditions d'ensemble d'affectation du revenu national sont différentes. Dans une société où les revenus sont distribués d'une manière inégale, on augmente souvent les possibilités d'épargne comme le montre l'exemple des sociétés européennes au cours de la révolution industrielle. Enfin, la mise en place d'institutions monétaires modernes et de marchés de capitaux facilite la tâche des entrepreneurs, leur donne l'occasion d'utiliser des sommes qu'ils n'ont pas accumulées et qui ne correspondent pas toujours à une épargne préalable. Le niveau total de l'investissement réalisé dans une société nationale dépend donc du comportement et des goûts de l'ensemble des citoyens. Il est fonction des inégalités de fortune; il dépend largement de la politique des institutions spécialisées dans le commerce de l'argent. Le poids de l'État s'est appesanti dans toutes les sociétés occidentales. Les entreprises paient toutes des impôts forts lourds. Leur puissance d'épargne et leur taux d'auto-investissement dépendent des dispositions fiscales en vigueur. Lorsque les impôts frappent le revenu brut de l'exploitation, l'épargne se trouve découragée. Les pays aux industries dynamiques s'en sont avisés depuis fort longtemps : pour ne pas gêner leur développement, on y a pris l'habitude de soustraire du revenu brut, les sommes nécessaires à l'entretien du capital. Le calcul de l'amortissement ne se fait pas partout de la même façon. Là où on autorise un amortissement très rapide, on favorise la modernisation incessante des installations, le remplacement des machines au fur et à mesure qu'elles sont frappées d'obsolescence. On permet aux entrepreneurs de pratiquer des investissements plus élevés que ceux des pays concurrents (6).

La solidarité qui existe entre les éléments financiers du circuit économique des nations traduit en partie le jeu de forces sociologiques, de comportements individuels, de mentalités plus ou moins prévoyantes. Elle est le fruit aussi d'une action cons-

(6) On a signalé maintes fois les différences qui existent entre les législations françaises, allemandes et américaines en pareil domaine dans ces deux derniers pays, l'investissement se trouve systématiquement encouragé et la modernisation des équipements favorisée par le régime général des impôts qui frappent les entreprises.

ciente des gouvernements, responsables de l'élaboration de la législation et dépositaires de l'autorité qui assure aux hommes d'action la possibilité de choisir entre le présent et le futur, sans que les risques encourus ne soient trop élevés. Dans certains cas, les opérations financières se déroulent dans les limites du pays, dans d'autres, elles se dénouent à l'extérieur. De toute façon, les conditions propres à la nation jouent un rôle déterminant dans le volume des opérations et dans le taux de croissance, de l'économie territoriale (7).

La nation et l'organisation des marchés de biens et de services.

La nation imprime souvent des caractères originaux aux circuits portant sur l'échange des biens. Nous avons dit que dans ce domaine, il existait une très large gamme de solutions, depuis celles adoptées par les pays rigoureusement fermés sur eux-mêmes, jusqu'à celles recommandées par les États fidèles aux principes de libre-échange et qui acceptent de s'ouvrir largement sur l'étranger. A la limite, dans ce dernier cas, l'espace national cesse d'avoir toute individualité, les frontières perdent leur rôle et les limites des aires de marché sont indépendantes de leur tracé. Le plus souvent, la nation se caractérise par une ouverture de l'économie bien plus réduite que celle de la région; que l'on se rappelle les chiffres fournis à cet égard par M. J. R. Boudeville (8). La différence résulte de facteurs sociaux et politiques : l'État a le souci de garder un pouvoir d'intervention suffisant pour diriger efficacement le cours de l'évolution. Dans une économie totalement ouverte, les possibilités d'action de l'autorité centrale se trouvent réduites à très peu de chose.

Les boucles qui demeurent le plus souvent refermées sur le marché intérieur sont celles qui intéressent les biens dont la

(7) Les différences sont déjà sensibles au niveau du marché officiel de l'argent ou des capitaux. Les mouvements internationaux, les opérations d'arbitrage les contiennent cependant dans d'étroites limites. Lorsqu'on analyse les conditions réelles du prêt à la consommation ou à la petite entreprise, les différences apparaissent beaucoup plus grandes : on passe des sociétés anglo-saxonnes, où le loyer de l'argent demeure modéré dans tous les secteurs, aux pays sous-développés, dans lesquels les prêts à la consommation se font à deux taux usuraires : les analyses précises de Jacques Dupuis dans le Sud-Est de l'Inde permettent de se faire une idée des taux demandés et de l'importance économique générale de ces habitudes. DUPUIS (Jacques), *Madras et le Nord du Coromandel*, *op. cit.*

(8) BOUDEVILLE (Jacques-R.), *Les programmes économiques*, *op. cit.*, cf. p. 73.

portée est la plus réduite ou qui sont le moins dépendantes de la répartition des ressources naturelles : c'est dans le domaine des activités de service et dans celui des fabrications de produits destinés à la consommation finale, que l'on peut le plus facilement borner les échanges aux frontières de l'État. Dans un certain nombre de secteurs, les prix dépendent étroitement de ceux pratiqués sur le marché international; dans d'autres, ils peuvent se trouver isolés de ce marché : ainsi voit-on apparaître des systèmes de prix caractéristiques des économies nationales. Lorsqu'on dresse le vecteur prix représentant l'état du marché dans différentes nations, on s'aperçoit que d'un vecteur à l'autre, certains éléments sont identiques, alors que pour d'autres, les différences sont très grandes. L'organisation de la nation permet donc d'exprimer certaines préférences du corps social. Ici, on est particulièrement sensible à la satisfaction de certains besoins de service et on accepte de faire baisser artificiellement leur prix. Là, au contraire, une demande particulière dans un secteur se traduit par un prix élevé au-dessus de la normale. L'ouverture du circuit sur l'espace international permettrait d'abaisser les prix, mais léserait gravement certaines catégories de producteurs. Dans les économies de la plupart des pays industrialisés, les mesures destinées à protéger l'agriculture sont nombreuses et elles permettent de maintenir un niveau de revenu assez élevé dans ce secteur (9).

A l'intérieur du territoire national, l'unification du marché des biens et des services est généralement totale : nous avons déjà indiqué la manière dont était assurée la transparence de l'espace qui en est une des conditions nécessaires; les déplacements de biens et de services en sont le résultat. Ils supposent l'existence de réseaux de communication bien équipés. La vie de la nation entraîne donc la mise en place d'infrastructures très diverses.

(9) En Europe occidentale, la protection de l'agriculture est très généralement pratiquée. Elle est particulièrement importante en Suisse et en Allemagne occidentale, où elle prend la forme d'une politique de soutien des prix intérieurs. La Hollande et la Grande-Bretagne ont choisi des voies différentes : la première a essayé de se spécialiser dans les domaines où elle peut vendre au cours mondial sans difficulté, la seconde a préféré systématiser les subventions à la culture que le soutien des prix. Le résultat, au plan de l'équilibre général de l'agriculture est à peu près le même que dans le cas de la protection, mais les niveaux généraux des prix demeurent sensiblement plus bas.

Les infrastructures nécessaires
à l'épanouissement de la nation.

Où se lit l'action de la nation? Comment se répartissent les équipements qui lui sont nécessaires? La réponse n'est pas simple. Le point d'impact des différentes opérations qui créent la solidarité économique et sociale est variable. Pour informer, éduquer, brasser la masse de la population, il faut être présent partout à la fois, jusque dans les villages les plus reculés. Des infrastructures et des équipements de services diffus, éparpillés, autorisent donc le développement de la vie de relation; celle-ci utilise des voies de communications, donc des infractructures linéaires. Pour coordonner les mouvements divers du grand corps social, pour prévoir, harmoniser sa croissance, il faut être informé : il y a donc une dernière catégorie, très concentrée géographiquement, d'équipements.

Les États qui se sont développés avant la révolution industrielle n'avaient pas grande difficulté à créer les infrastructures générales nécessaires à leur fonctionnement. Ils avaient à implanter une série de relais administratifs assurant la diffusion de l'information et celle des ordres venant d'en haut. Dans la plupart des cas, il était possible de laisser une très grande liberté aux administrations locales traditionnelles, que le pouvoir central se contentait d'encadrer. Pour assurer le fonctionnement de la machine publique, il fallait entretenir des agents chargés de collecter les impôts, mais ils n'étaient qu'un tout petit nombre. L'organisation militaire générale était également très légère. Dans les États modernes, la situation est très différente. Les gouvernements se sentent obligés d'offrir à tous les citoyens, du simple fait qu'ils sont membres du corps social, un certain nombre de services. Partout, il faut que l'on puisse faire instruire les enfants, que l'on ait accès facilement au reste du pays, qu'on lui soit relié en permanence. L'école, comme la poste doivent être présentes dans la moindre des communautés. L'ordre est assuré par des forces de police qui ne sont généralement pas très nombreuses, mais qui doivent être dispersées — que l'on pense par exemple à la gendarmerie dans les régions rurales françaises... Des services médicaux sont évidemment nécessaires. Cela impose à la collectivité un certain nombre d'investissements, sous la forme de dispensaires, de cliniques, d'hôpitaux, d'hospices, de maisons de repos. Une bonne partie peut être prise en charge par le secteur privé, mais tout ne peut être supporté par lui. Pour certains équipements d'usage général, il faut prévoir une intervention des collectivités locales ou régionales.

Les services que l'on met ainsi en place dans les diverses parties d'une communauté nationale sont devenus très nombreux. Certains sont présents à l'échelon du groupe le plus étroit, d'autres rayonnent sur des zones plus vastes. Dans le second cas, la mise en place des infrastructures nécessaires à l'épanouissement de la vie nationale se traduit par un renforcement de la trame générale de bourgs et de villes qui arment les régions. Nous avons déjà signalé le fait : il explique l'opposition entre les espaces sous-développés des pays du Tiers Monde et les zones mal intégrées dans les courants de l'économie moderne des nations industrialisées; dans le premier cas, la région n'existe pas; dans le second, elle est créée par des forces qui lui sont supérieures et en quelque sorte étrangères : elles résultent de l'action politique de la nation.

Les équipements diffus que nous venons d'évoquer acquièrent leur pleine efficacité si les conditions faites aux transports, à la circulation des personnes et au cheminement des informations sont bonnes : leur création va de pair avec la mise en place d'un réseau de voies qui assure transparence et fluidité de l'espace régional. Ces systèmes de routes ou de voies ferrées ne modifient pas l'équilibre d'ensemble de la nation, ne pèsent pas directement sur son articulation. Les administrations publiques le marquent bien, qui distinguent soigneusement des voies d'intérêt local et des voies d'intérêt plus général, départemental, régional ou national. Le rôle de l'État dans la mise en place des infrastructures élémentaires est très important : dans certains cas, il ne fait apparemment aucun effort d'uniformisation en ce domaine; il accepte de voir subsister des zones peu perméables, mal desservies sur le plan local. Ailleurs, au contraire, il impose la standardisation générale des équipements. La France, depuis la monarchie de Juillet, se range dans la seconde catégorie. La plupart des pays développés y appartiennent également. Mais la création d'infrastructures générales et diffuses de circulation coûte cher. Elle est hors de la portée des régions peu développées et peu peuplées. Les moyens financiers de l'État ne lui permettent de subventionner les dépenses locales qu'à partir d'un certain niveau économique général.

Il existe toujours, pour les services de niveau supérieur, une certaine latitude en ce qui concerne le rayon optimal de desserte et la densité des implantations : certaines fonctions peuvent être rendues par des administrations dispersées en un grand nombre de villes ou l'être par un seul centre. Il est des pays où l'on a systématiquement préféré la première solution — ils ont une trame régionale plus forte — et d'autres où tout ce qui est important s'est vu attribué à une capitale unique. De tels choix résultent de partis politiques différents. Ils se lisent souvent très clairement dans le plan général des voies de communication, car les impératifs de la diffusion, ou ceux de la concentration retentissent nécessairement sur tous les aspects de la vie économique. Dans une nation qui a choisi la centralisation absolue de toutes les fonctions de rang élevé, il est très difficile de changer de politique et de mettre en place des infrastructures dispersées. Dans l'orientation des grandes voies de transport, on a en effet très souvent délibérément sacrifié la trame régionale à la trame nationale, si bien qu'il n'est plus possible, sans léser d'intérêts et sans multiplier les frais, de créer des noyaux vivants en dehors des parties centrales de la nation.

Il y a longtemps que l'on a montré les relations qui existent de la sorte entre les volontés nationales, les impératifs de la vie économique et des échanges et l'agencement des grands réseaux de communication. On sait très bien que le dessin des réseaux n'est pas le résultat de considérations uniquement économiques : il porte la marque de choix qui sont sociaux, politiques ou idéologiques. La configuration générale des voies de communication est souvent durable, car les infrastructures de transport demandent de tels investissements qu'elles ne peuvent être modifiées à volonté. Dans la mesure où les routes enrichissent les secteurs qu'elles traversent, le déplacement ou l'élargissement de leurs emprises se trouvent rendus de plus en plus difficiles, car lc prix des terres qu'elles vivifient devient sans cesse plus élevé. Ainsi, les réorganisations dans les trames générales des transports ne peuvent guère se faire qu'au moment où l'on crée de nouvelles voies de communication. Les nations qui ont connu des mésaventures politiques se trouvent souvent dans l'incapacité d'adapter leurs infrastructures de transport à leur nouveau territoire : après 1918, les États d'Europe orientale ont mis près d'une génération à modeler leur réseau de voies de communications en fonction de leurs nouvelles frontières; les conditions générales étaient profondément différentes de celles qui régnaient au moment de l'Empire austro-hongrois; en Tchécoslovaquie, par exemple, les transports avaient été conçus pour relier la Bohême à la métropole autrichienne et la Slovaquie à la région de Budapest : il n'y avait pas de grande ligne qui unisse les deux régions. En Pologne, la situation était beaucoup plus grave encore, puisque les trois réseaux qui se trouvaient unis dans le nouvel État avaient été créés pour permettre les liaisons avec trois métropoles extérieures. Il fallut créer de toutes pièces une liaison entre la Haute-Silésie et le littoral baltique, à Gdynia, pour donner à la région industrielle et minière une orientation nationale, pour lui permettre d'échapper aux courants qui la faisaient traditionnellement tomber vers le Nord-Ouest et vers les provinces allemandes (10).

Les rapports qui existent entre les trames régionales et le dessin général des voies de communication sont multiples, car selon les pays les conditions historiques de développement ont été différentes. En France, et dans la plupart des pays d'Europe occidentale, les grandes régions étaient déjà dessinées avant que ne se mettent en place les systèmes modernes de communication à grande distance. Les provinces historiques étaient souvent, à l'origine, de petits États, qui avaient équipé leur territoire de voies satisfaisant les besoins locaux du commerce. Certaines unités politiques étaient nées du contrôle d'un itinéraire particulièrement important dans l'économie traditionnelle et s'étaient ainsi ordonnées autour d'un grand axe de communication. Le Poitou, le Languedoc, la Bourgogne rentrent dans ce type, comme aussi l'État piémontais-savoyard (11). Dans ce cas, le réseau de circulation générale et le réseau régional sont déjà

(10) Par son tracé et par son rôle, la liaison directe Silésie-Baltique réalisée de 1926 à 1929 a plutôt le rôle d'une voie de dégagement en pays de colonisation. La ligne directe est le résultat du raccord de lignes préexistantes grâce à la construction des deux tronçons Kalety-Podzamecze (114 km, 1926-1927) et Bydgosz-Gdynia (1927-1929).

(11) On trouvera un essai de classification des anciennes provinces françaises au point de vue géographique dans la géographie de la France de Jean Brunhes et Pierre Deffontaines. Elle n'est pas totalement satisfaisante, mais elle a le mérite de montrer la diversité des principes d'organisation de ces unités traditionnelles. Brunhes (Jean), Deffontaines Pierre), *Géographie humaine de la France*. Coll. de l' « Histoire de la Nation française », Paris, Plon, 1920, 1926, 495, 652 p.

intégrés. Mais dans la plupart des régions, le problème essentiel qui s'est posé lors de la construction des voies de communication modernes, c'est celui du respect des organisations antérieures : les grandes routes, les voies ferrées ont parfois été créées d'abord pour assurer plus facilement le contrôle de la métropole régionale sur l'espace qu'elle commandait, puis ensuite, et on pourrait même dire, accessoirement, pour assurer les liaisons de province à province. Le réseau se présente alors sous la forme d'une série d'étoiles locales, reliées les unes aux autres par des itinéraires généraux. Il n'existe pas de centre d'où toutes les voies divergent : on a affaire à un réseau maillé. Ce type d'organisation se rencontre plus fréquemment pour les réseaux routiers que pour les réseaux ferroviaires. Mais dans la plupart des cas, le dessin d'ensemble des voies à grande distance ne s'est pas fait avec le souci de sauvegarder les structures préexistantes sur le plan local. On a cherché à souder des zones beaucoup plus vastes et l'on a sacrifié les intérêts locaux ou régionaux. Dans des pays à structure politique très décentralisée, comme la Suisse, les différents cantons ont eu plus de facilité pour se défendre. Le réseau s'est mieux adapté à l'organisation régionale antérieure. Ainsi, la ville et le canton de Fribourg ont réussi à obtenir qu'une des grandes voies ferrées longitudinales du plateau les desserve; le problème se repose un peu dans les mêmes termes pour la mise en place des infrastructures autoroutières et des grandes voies rapides : pour les mêmes raisons, les projets primitifs ont été modifiés de manière à ne pas défavoriser ce canton mal placé par rapport aux grands itinéraires actuels.

La trame générale des voies de communication révèle une vision d'ensemble des problèmes d'organisation de l'espace. Dans certains cas, les grands axes ont été dessinés avant tout pour consolider le corps politique. Ce fut le cas des réseaux routiers et ferroviaires mis en place successivement aux XVIIIe et XIXe siècles en France et conçus pour favoriser la concentration du pouvoir à Paris. Ailleurs, le dessin général traduit surtout des soucis économiques. Lorsqu'il s'agissait d'ouvrir un espace au grand commerce international, on s'est contenté parfois de tracer une série de grands axes de pénétration parallèles (fig. 12.1). La cohérence interne des pays ainsi équipés est faible. Le passage d'une organisation à voies parallèles, peu favorable à l'épanouissement d'une vie nationale équilibrée, à une organisation plus intégrée des voies de communication, est presque toujours liée à des transformations profondes. La croissance du niveau de vie dans les zones qui sont aspirées par l'économie internationale multiplie les importations de produits de valeur. Pour la distribution de ceux-ci, il est nécessaire de mettre en place toute une infrastructure commerciale qui fonctionne mieux si elle s'appuie sur une structure régionale plus forte (12). Ainsi, s'est constituée

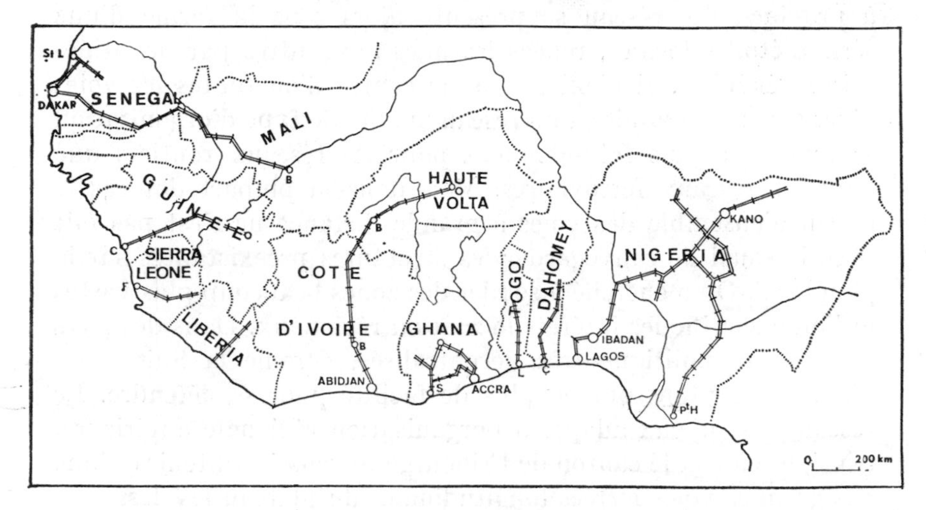

Fig. 12.1. — Les voies ferrées de l'Afrique de l'Ouest.

autour de Buenos Aires en Argentine (fig. 12.2) une étoile de voies de communications très fortement hiérarchisées : le temps des axes parallèles est vite révolu lorsque les niveaux de consommation s'élèvent.

Dans ces cas, la structure régionale redevient importante pour la compréhension de l'équilibre générale du réseau, mais il s'agit d'une structure qui n'est pas préexistante aux grands axes; elle s'est créée par eux, en fonction d'eux. Nous avons déjà signalé les conséquences que cela avait eu sur l'organisation des trames régionales dans l'Ouest des États-Unis. L'allongement et la dissymétrie générale des aires desservies continue à marquer, à un siècle de distance, l'influence des infrastructures originelles.

Dans la mesure où la part des produits d'équipement ou de consommation fournis par l'industrie locale va croissant, les

(12) La transformation est perceptible, dans les pays neufs, dès la fin du xxe siècle.

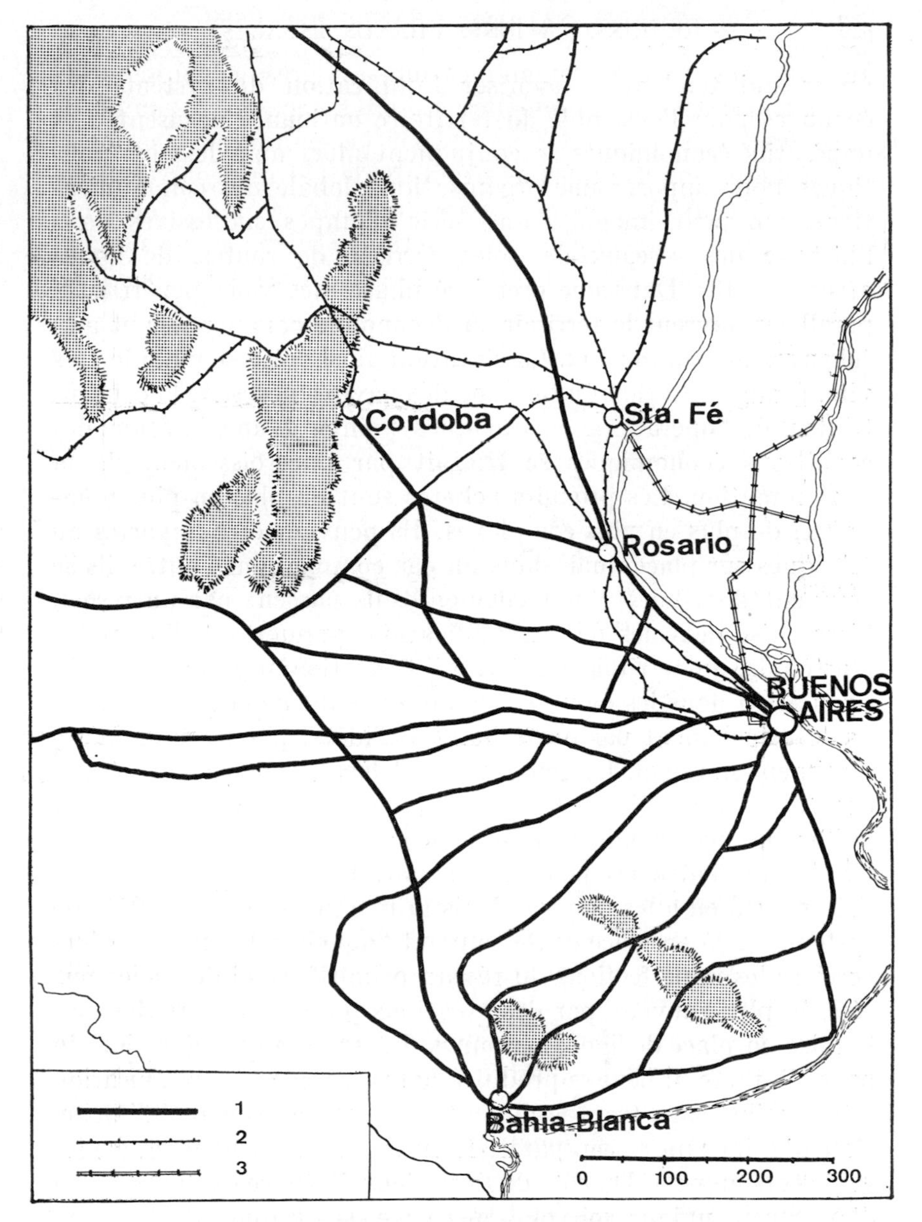

Fig. 12.2. — Le réseau ferré de la République argentine.

1. Chemin de fer à voie large.
2. Chemin de fer à voie étroite.
3. Chemin de fer à voie moyenne.

Le dessin des voies est simple : elles rayonnent à partir de Bahia Blanca au Sud, de Rosario et Santa Fé au Nord, et surtout de Buenos Aires au Centre. Mais il n'y a pas unité du réseau, comme le montre, au Nord et au Nord-Est de Buenos Aires, la multiplicité des écartements : ceci renforce évidemment l'influence du point de concentration le plus important, c'est-à-dire, celle de Buenos Aires.

forces qui tendent à favoriser l'unification du système des échanges pour l'ensemble du territoire national s'accusent. Les impératifs économiques se conjuguent alors aux desseins politiques pour imposer une organisation globale des communications. On peut imaginer une série d'étapes successives dans l'histoire des réseaux de voies ferrées, de routes, de lignes aériennes (13). Dans une première phase, des voies pénétrantes parallèles ouvrent le territoire à l'économie commerciale et aux échanges internationaux. La situation ainsi créée se modifie très vite. L'augmentation du tonnage des navires nécessite la concentration des opérations en quelques points. L'amélioration des conditions économiques se traduit par l'accroissement de la consommation. Les produits achetés sont de plus en plus nombreux, de plus en plus complexes. Ils peuvent être importés ou fabriqués sur place, mais dans un cas comme dans l'autre, ils se trouvent distribués plus facilement s'ils passent par un réseau hiérarchisé de voies de communication, permettant d'un point d'atteindre le territoire entier. L'intégration progressive de la population dans les circuits économiques du monde moderne se traduit également par des échanges d'idées, par les progrès du sentiment national. Le gouvernement local, fraîchement dégagé des entraves de l'ère coloniale, déploie toute son énergie pour unifier son système de communications. Comment y parvient-il? En créant, entre les pénétrantes parallèles, des bretelles, des liaisons, s'il en a les moyens. Mais la réorganisation complète de systèmes déjà en place coûte souvent trop cher. On préfère alors corriger les imperfections du réseau primitif, celui des voies ferrées, le plus souvent, par des créations nouvelles de routes, par la mise en place de lignes aériennes. Lorsque la configuration du pays s'y prête, il peut se produire pourtant que la réorganisation soit possible sans trop de difficulté. Ce qui est surtout difficile, c'est d'unifier un réseau parallèle en faisant converger toutes les voies vers un port. Du côté de l'intérieur, il arrive que la création d'un centre unique soit plus aisée : c'est ce que l'on a vu en Afrique du Sud. Les voies de pénétration ont fini par se souder sur les plateaux de l'Orange et du Transvaal, dans le secteur où les mines ont entraîné la concentration des équipements produc-

(13) Taaffe (Edward J.), Morrill (Richard L.), Gould (Peter R.), « Transport Expansion in Underdeveloped Countries ». *Geographical Review*, vol. 53, 1963, pp. 158-185.

tifs les plus importants. Les États-Unis, le Brésil, ont réussi totalement ou en partie à réorganiser aussi des trames de communications au départ peu favorables à la vie nationale.

Les pays coloniaux ont eu à réorganiser ainsi des systèmes d'échanges qui se prêtaient mal à leur développement harmonieux. Les nations européennes ont échappé à ces sujétions. Mais on s'aperçoit, à les analyser, que le tracé de voies conçues dans l'intérêt de l'ensemble n'est pas toujours suffisant pour créer la cohérence souhaitée. L'Italie a fait un très gros effort pour unir les régions du Nord et du Sud. Le relief est tel que les frais ont été considérables. Les résultats seraient restés négligeables si l'on n'avait pas choisi des tarifs adaptés à la forme du pays : la distance entre les provinces est en effet si grande que les relations entre les régions extrêmes se trouveraient normalement découragées. C'est en appliquant des barêmes très dégressifs que les Italiens ont su créer un système unique d'échange (14).

Aux infrastructures linéaires dont nous venons de voir le rôle dans la vie de la nation, s'ajoutent toutes celles qui sont nécessaires pour que s'exercent les fonctions centralisées à caractère général. La liste peut en être plus ou moins longue, car il existe une certaine élasticité des rayons des aires pour les services de niveau supérieur. Les tailles des nations étant très inégales, les possibilités de centralisation le sont aussi. Ce qui est de niveau national, dans un pays comme la Belgique ou comme la Suisse, peut très bien se trouver partagé entre plusieurs centres régionaux aux États-Unis.

Au fur et à mesure que la cohérence sociale et politique augmente, que la vie de relations prend plus de place, le nombre des fonctions de direction, de conception et de coordination qui doivent appartenir au niveau le plus élevé s'accroît. Des secteurs entiers, qui semblaient pouvoir échapper à la compétence de la nation, comme celui des banques et des marchés financiers, se trouvent de plus en plus étroitement contrôlés, et de ce fait, de plus en plus contraints à la centralisation. On peut dire, sans crainte d'erreur, que le nombre des personnes employées pour rendre des services à l'échelon national, a été multiplié par

(14) Nous reprendrons plus longuement le problème de la tarification dans le cas des États-Unis au paragraphe V de ce chapitre. On trouvera des indications dans FAIR (Marvin L.), WILLIAMS (Ernest W.), *Economics of Transportation*, *op. cit.* — ALEXANDER (J. W.), « Feright rates as a Geographic Factor in Ilinois ». *op. cit.*

plus de quatre dans tous les pays évolués depuis le début de notre siècle.

Les fonctions de service ne sont pas les seules qui couvrent tout l'espace national. La plupart des activités agricoles et industrielles sont tournées aujourd'hui vers la satisfaction du marché intérieur tout entier. L'orientation de toute la vie économique se trouve donc conditionnée par les dimensions du marché national, par la localisation et le niveau des consommations. Ceux qui vendent à l'étranger restent souvent tributaires eux aussi du marché national pour assurer la régularisation de leurs ventes. Au total, l'analyse de tout ce qui fonctionne dans l'espace national global apparaît comme infiniment complexe : il y a interférence de toute une série de forces, si bien qu'il ne nous paraît pas possible de les décrire sans montrer en même temps le jeu complet des interactions qui favorisent ici la concentration, là l'éclatement et expliquent ainsi la localisation des activités et des hommes.

II. — La place des économies régionales dans l'ensemble national.

La théorie de l'équilibre spatial des firmes industrielles ou des exploitations agricoles paraît susceptible de fournir une réponse à la question que nous nous posons : ne se propose-t-elle pas de montrer comment l'entrepreneur doit agir pour se trouver dans les meilleures conditions pour desservir le marché qu'il convoite? Sans doute, mais le calcul ainsi mené est injustement simplifié, nous l'avons dit : il ne tient pas compte des interactions locales ou régionales des circuits économiques, ou il le fait implicitement en introduisant dans le raisonnement la considération des économies externes. Pour comprendre réellement l'équilibre des localisations dans le cadre de la nation, il est peut-être plus simple de ne pas négliger ces réalités globales, ces forces structurantes que constituent les régions économiques. Nous allons essayer de mener notre analyse de la répartition des activités de niveau national ou plus que national en partant de l'étude de l'intégration générale des régions dans la vie nationale. Ceci peut se faire en plusieurs étapes : on met en évidence, d'abord, la part relative des relations qui se nouent à l'intérieur de la région, ou à l'extérieur; on est alors en mesure de décrire géographiquement les relations et de montrer sur quels éléments elles portent généralement.

Régions d'économie traditionnelle,
régions spécialisées, régions complexes.

Les régions vivent à l'origine, sans grande relation avec le monde extérieur, puis, au moment de la révolution industrielle, leur situation se trouve souvent considérablement transformée, au point que leur originalité la plus grande tient à leur très large ouverture; il est possible de préciser quelque peu ces oppositions, en utilisant des distinctions proposées il y a maintenant plus d'une génération par Lucien Brocard (15).

Les régions des économies préindustrielles se caractérisaient par la faible part de la production destinée aux circuits commerciaux internes ou externes. Une part importante de leur population devait compter, pour la satisfaction de ses besoins, sur la production locale. Le développement de la vie moderne n'a pas fait disparaître partout ce type d'organisation. Nous avons parlé des économies régionales sous-développées qui n'arrivent pas, malgré leurs efforts, à s'intégrer aux circuits les plus généraux : on trouve, un siècle et demi après la révolution industrielle, des mondes clos ou demi-clos au sein de pays comme la France ou comme l'Angleterre. Dans l'ensemble du Royaume-Uni, les zones qui ont résisté aux progrès de l'économie générale sont plus réduites qu'en France. Elles se limitent à des secteurs étroits des hautes terres de l'Ouest et du Nord — à certaines parties du pays de Galles et à la frange occidentale des hautes terres écossaises, avec leurs terroirs étroits cultivés par des crofters au fond des firths, le long des baies, ou sur les côtes de l'archipel des Hébrides. En France, la situation est très différente : tout se passe comme s'il y avait en deux grandes phases dans l'histoire des transformations des économies régionales (16). La première

(15) Brocard (Lucien), *Principes d'économie nationale et internationale, op. cit.*

(16) Dans les développements qui suivent, nous reprenons une idée exprimée par Vidal de la Blache dans sa France de l'Est et exploitée par U. M. Goblet : celle de l'opposition en France, dans la première moitié du xxe siècle, de deux types de constructions régionales, inégalement intégrées à la vie économique. Vidal de la Blache (Paul), *La France de l'Est, op. cit.* — Goblet (Y.-M.), *La formation des régions. Introduction à une géographie économique de la France.* Paris, Librairie générale de droit et de jurisprudence, 1942, 260 p.

se situe entre 1850 et 1890. Elle se marque par le développement des grandes régions industrielles modernes, la mise en place des industries lourdes sur les bassins houillers du Nord et du Pas-de-Calais, la création d'une sidérurgie en Lorraine, la spéciali-

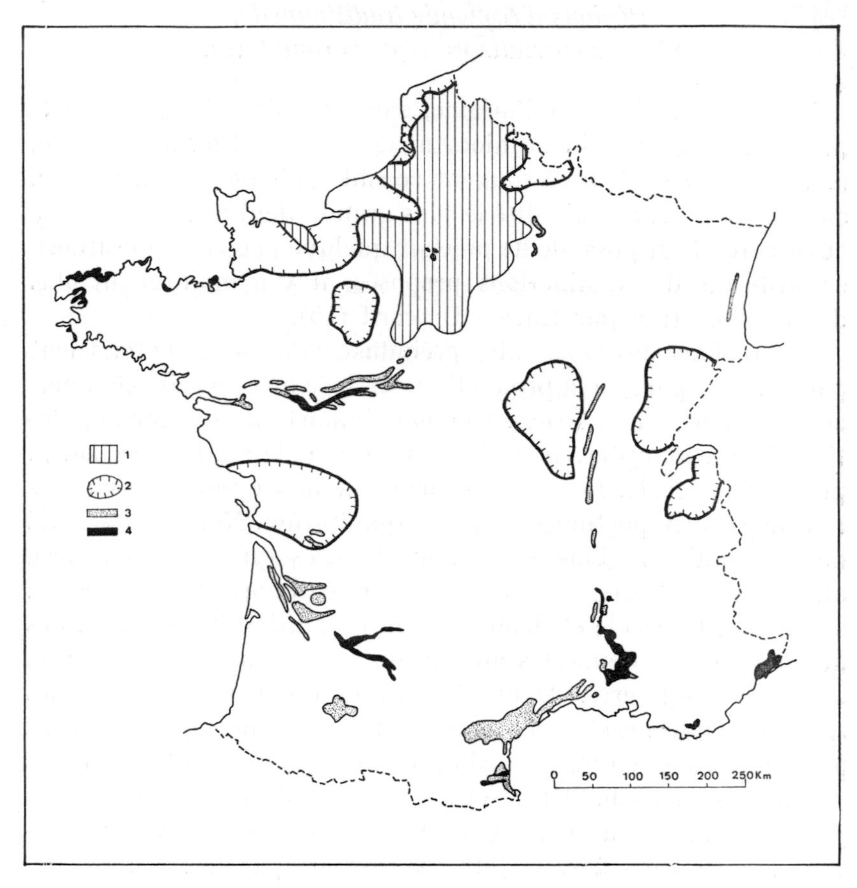

Fig. 12.3. — Les régions d'agriculture commerciale spécialisées en France, vers 1940.

1. Zone de grande culture, blé, betterave.
2. Zone d'élevage spécialisé.
3. Grands vignobles.
4. Zones de cultures fruitières, maraîchères ou florales.

sation des centres plus anciens du Massif central, la fin des industries textiles traditionnelles et le développement des centres cotonniers et lainiers de l'Est, du Nord, de la Normandie. Au plan agricole (fig. 12.3), cette période voit, dans certaines parties du pays, le début du grand mouvement d'intégration à la vie économique générale : le Nord et le centre du Bassin parisien mettent au point un système de grande culture où l'association des céréales, de l'élevage et de la betterave sucrière permet de résister à la baisse continue des prix agricoles. Aux vignobles de qualité s'ajoutent des vignobles de masse — celui de l'Ouest d'abord, puis celui du Midi languedocien, qui affirme sa supériorité après la crise phylloxérique. L'élevage devient la ressource essentielle de toute une série de régions, depuis la Normandie jusqu'au Nord-Est du Massif central et du Jura. Les spécialisations agricoles qui permettent aux différentes régions que nous évoquons de s'insérer dans le monde des échanges sont quelquefois un simple prolongement des orientations traditionnellles — on pense au Bassin parisien — elles résultent parfois de l'accentuation d'une vocation ancienne — et l'on pense ici aussi bien au vignoble languedocien, qu'aux pays d'élevage. Elles ont nécessité dans certains cas des révisions déchirantes : le Poitou et les Charentes deviennent une grande région d'élevage, après avoir constitué le premier vignoble de masse français. Les plaines du Bas-Rhône inventent l'agriculture primeuriste lorsqu'elles se trouvent ruinées par la mévente de leurs produits traditionnels.

On voit donc toutes les transformations positives remarquables de l'économie régionale de cette période. Mais toutes les parties de la France ne réussissent pas à bénéficier de la même manière de l'ouverture aux grands courants d'échanges. Les zones qui sont dominées par la céréaliculture et ne parviennent pas à se reconvertir sont frappées très durement par les diverses crises de la fin du siècle dernier. Dans le Bassin parisien méridional ou oriental en particulier, l'ouverture économique était assez forte et les habitudes d'autarcie s'étaient déjà perdues, si bien que les baisses provoquées par la concurrence des blés de Russie ou d'Amérique furent durement ressenties (17). Ailleurs les secteurs de viticulture furent particulièrement touchés : la difficulté du transport des vins avait permis à un grand nombre de petites régions de se tailler des marchés où elles écoulaient des vins de

(17) On trouvera des indications sur le développement précoce de l'économie céréalière moderne dans le Centre-Ouest dans WOLKOWITSCH (M.), *L'économie régionale des transports dans le Centre et le Centre-Ouest de la France.* Paris, Sédès, 1960, 534 p.

faible valeur. Elles ne purent supporter la période d'attente postérieure à la crise phylloxérique et les frais considérables de reconstitution du vignoble.

Dans l'ensemble, cependant, les transformations subies par les régions agricoles furent relativement limitées. La plupart des régions françaises, à l'exception du Bassin parisien, de la région méditerranéenne et d'une partie du Centre-Ouest échappèrent aux deux types d'évolution que nous venons de noter — celui qui conduisait à des spécialisations totales et celui qui ruinait certaines orientations traditionnelles. Les modifications furent partout notables, mais elles n'eurent pas l'ampleur et les caractères que l'on a signalés dans les zones précédentes. Le mouvement de dépopulation fut général dans la mesure où le développement des industries mécaniques ruinait l'artisanat traditionnel. L'exode toucha plus les ouvriers agricoles et ceux qui pratiquaient de petits métiers que les vrais agriculteurs. La plupart des exploitations réussirent en effet à garder leur équilibre en réalisant un minimum d'adaptations. Elles renoncèrent à certains travaux annexes. Elles essayèrent de vendre suffisamment pour payer les produits désormais achetés en ville. L'ouverture de l'économie resta cependant limitée : dans plus de la moitié de la campagne française, toujours dominée par l'économie de subsistance. Ainsi, la transformation de l'espace économique provoquée par la généralisation des progrès liés à la première révolution industrielle n'est pas totale. Une bonne partie des campagnes y échappe. On note le même phénomène dans la plupart des pays de l'Ouest de l'Europe : ils conservent jusque très avant dans le xxe siècle des secteurs d'agriculture marginale mal intégrés à la vie moderne.

La seconde vague de transformation des économies régionales est beaucoup plus récente. Elle a commencé au moment de la Grance Crise économique, et s'est accélérée considérablement depuis la Seconde Guerre mondiale. Dans les nations où l'évolution antérieure était demeurée incomplète, en France et plus encore, dans les pays méditerranéens, l'Italie d'abord, mais aussi l'Espagne, le Portugal, le mouvement s'est prodigieusement accéléré. Il a pris une allure révolutionnaire. Comment s'explique-t-il, comment se traduit-il? Les zones qui avaient échappé à l'ouverture étaient demeurées agricoles. Les exploitations rurales pouvaient subsister en marge des grands courants de la vie moderne dans la mesure où la production ne nécessitait pour ainsi dire pas d'achats de matériels extérieurs au secteur agricole. Tant que l'utilisation des engrais est demeurée un luxe, tant que les instruments de culture mécanique n'ont pas été parfaitement au point, les avantages que l'on pouvait retirer de la spécialisation et de l'ouverture totale sur les circuits commerciaux étaient souvent réduits. Ils ne devenaient importants que pour les secteurs bénéficiant de fortes positions de marché qui les protégeaient contre les aléas normaux de l'économie commerciale : c'était le cas des zones de climat méditerranéen, ou de certains secteurs littoraux de l'Ouest. Partout ailleurs, les risques que l'on prenait en renonçant totalement à l'autoconsommation étaient considérables. L'ouverture restait prudente, partielle, souvent très faible. La transformation actuelle doit sa brutalité à l'emploi généralisé des engrais et des machines agricoles, qui impose la multiplication des achats et donc des ventes. Elle tient aussi aux effets sociaux d'entraînement qui touchent les campagnes : il apparaît à tous nécessaire de bénéficier de niveaux et de types de consommation aussi élevés que ceux que l'on rencontre dans les grandes agglomérations.

On voit donc comment s'explique la persistance, puis la résorption au sein de pays industrialisés depuis longtemps, des zones mal intégrées aux courants de la circulation générale. Il y a des différences notables entre les secteurs d'économie traditionnelle des pays sous-développés et les régions d'économie dc subsistance des pays évolués. Nous avons essayé de souligner les plus importantes : elles tiennent à la diffusion précoce de certaines techniques qui allègent considérablement la peine des hommes et permettent d'augmenter les rendements de la terre (c'est ce que l'on analyse, en Europe occidentale, sous le nom de révolution agricole); elles résultent plus encore de la transparence qu'assure, au plan social, la diffusion générale de l'instruction et la généralisation des mouvements de migration.

Les parties du pays qui ont été intégrées plus vite et plus complètement à la vie d'échanges se présentent-elles partout de la même manière? Non, et c'est plus particulièrement dans ce domaine que les distinctions proposées par Lucien Brocard se révèlent fécondes. Il propose en effet d'opposer les secteurs d'économie spécialisée et les zones d'économie complexe. Les premiers correspondent à des zones homogènes, qui ont mis toutes leurs chances dans le développement de l'activité pour laquelle elles possèdent le plus grand avantage comparatif ou absolu. Ces régions spécialisées, on en rencontrait parfois dans le monde traditionnel : elles tiraient alors parti d'un monopole, d'une situation particulièrement favorable. Elles étaient ces zones de viticulture dans les pays déjà froids de l'Europe moyenne ou ces zones minières dans une économie qui arrivait à peine à fournir ce qui lui était nécessaire : les vignobles suburbains des pays rhodaniens ou rhénans et les régions minières de l'Europe hercynienne, de la Suède centrale ou de l'Oural entraient dans une même grande catégorie économique. Avec la révolution industrielle, le développement des spécialisations s'accélère. Il s'explique de plusieurs manières. Dans la mesure où les frais de transport diminuent considérablement, il devient moins nécessaire de viser à l'autarcie locale. Les cultures ou les industries qui ne se maintenaient que grâce au protectionnisme géographique naturel sont condamnées. Chaque pays a intérêt à développer ce pourquoi il est naturellement le plus doué, de manière à élargir le plus possible la base de ses échanges. Aux avantages qui naissent de la dotation en facteurs naturels s'ajoutent ceux qui résultent de la formation de milieux sociaux où les individus compétents sont plus nombreux et ceux qui apparaissent avec la multiplication des équipements mécaniques et des économies d'échelle.

L'image classique des régions spécialisées, on la trouve, au plan industriel, dans les zones qui se sont développées autour des bassins miniers ou des centres textiles au siècle dernier : c'est celle des pays noirs de l'Angleterre et de l'Europe du Nord-Ouest. Nous avons dit le rôle des facteurs économiques et sociaux dans la concentration géographique de ces activités. Nous avons expliqué de la sorte la formation de régions très étroites, desservant des marchés très larges, nationaux ou internationaux. Les campagnes happées complètement par les courants économiques généraux s'orientent alors de la même manière vers la spécialisation. On les trouve, rappelons-le, dans certaines parties de l'Europe de l'Ouest, dans la plaine anglaise, dans le Bassin parisien, dans les zones d'élevage de la France moyenne ou de la France de l'Ouest, dans les plaines méditerranéennes de France et, dans une moindre mesure, d'Italie et d'Espagne. Mais c'est dans les pays du Nouveau Monde que ce type d'organisation économique se développe le plus largement (18). Il n'a pas à composer avec des systèmes plus anciens et pourtant vivaces, comme c'était le cas en Europe — et dans les pays tropicaux de vieille civilisation. Les terres neuves s'ouvrent tout de suite aux nouvelles spéculations. Leur orientation change parfois avec l'ouverture de nouveaux espaces productifs, mieux placés pour l'exportation — ainsi, les campagnes de climat méditerranéen du Chili, dans l'hémisphère Sud et de la Californie, dans l'hémisphère Nord, ne réussissent pas à garder leur place sur le marché du blé au-delà de 1870, car elles sont incapables de lutter contre les grandes zones de prairies qui se trouvent alors ouvertes à la culture. Cela n'empêche pas que la règle de la spécialisation soit presque toujours respectée. Dans toute l'Amérique du Nord (cf. fig. 8-1.), les seules régions qui échappent en partie à cette évolution coïncident avec des secteurs dont la mise en valeur s'était faite plus tôt, comme par exemple la Nouvelle-Angleterre, les plaines laurentiennes (19) ou la région montagneuse des Appalaches. Seule cette dernière zone a conservé jusqu'à aujourd'hui ses caractères d'archaïsme et d'isolement. Ailleurs, la reconversion des exploitations s'est faite partout assez vite et a abouti à la généralisation de l'élevage laitier en fonction des débouchés proches de la zone urbaine littorale.

(18) L'analyse des espaces spécialisés s'est précisé, entre 1920 et 1930. Jusqu'à cette date, les notions que nous avions de l'uniformité de la production étaient assez vagues. C'est à de Geer et à Baker que l'on doit la délimitation précise des divers *belts* américains : BAKER (Oliver E.), « Agricultural Regions of North America. I : *The Basis of Classification* ». *Economic Geography*, vol. 2, 1926, pp. 459-493.

Baker utilisa les principes mis en évidence dans ce premier article et réalisa une étude détaillée des grandes régions agricoles américaines : il publia dans la même revue à la suite de ce premier article une série de dix analyses régionales, échelonnées entre 1926 et 1933. C'est l'analyse la plus classique d'une organisation en régions spécialisées de GEER (Sten), « The American Manufacturing Belt ». *Geografiska Annaler*, vol. 9, 1927, pp. 233-259. — HARTSHORNE (Richard). « A New Map of the Manufacturing Belt of North America ». *Economic Geography*, vol. 12, 1936, pp. 45-53.

A la même époque, des analyses de ce type sont assez fréquentes, on en trouvera une recension dans BERRY (Brian J.L.), HANKINS (Thomas D.), *A bibliographic Guide to the Economic Regions of the United States*. Department of Geography, Research Paper nº 87, Chicago, The University of Chicago, 1963, XVIII, 101 p.

(19) En Nouvelle-Angleterre, comme dans les plaines laurentiennes, l'ouverture du système agricole a été dès le début assez notable. Les perturbations liées à la concurrence des nouvelles régions de l'Ouest ont entraîné des réadaptations périodiques du système de culture. La taille limitée des exploitations a limité la liberté d'innovation, si bien que les fermes ont trouvé dans le maintien d'un secteur de subsistance un élément de stabilité. Le fait est particulièrement notable au Canada français, au moment de la crise de la culture du blé, au début du siècle dernier.

Pour tous les économistes de la fin du siècle passé et pour la plupart des géographes, le développement de régions spécialisées constituait le terme logique de l'évolution (20). Leur production était destinée à la satisfaction des besoins propres à la nation; souvent aussi, elle était exportée : les théoriciens de la fin du siècle dernier n'insistaient guère sur la différence entre ces deux solutions. Elles leur paraissaient équivalentes, tant ils reconnaissaient peu d'importance à la réalité nationale.

Depuis une trentaine d'années, on s'est aperçu que l'évolution économique prenait d'autres directions. La spécialisation des diverses unités régionales a souvent tendance à décroître. L'ouverture générale de l'économie régionale ne s'en trouve pas affectée. La part de la production qui se trouve consommée sur place demeure stable. Elle est presque toujours assez peu supérieure à ce qui est nécessaire, dans le domaine des activités à faible portée, à la satisfaction de la population locale, à ce qui correspond, dans l'économie urbaine, au secteur domestique de production. Ce qui s'est modifié, c'est la gamme des exportations régionales, bien plutôt que leur volume relatif. Les zones qui ne vendent que des produits agricoles existent encore, mais ces produits sont plus divers. Ils sont parfois transformés, ce qui contribue à les différencier. Ils sont également valorisés dans le cadre de l'exploitation. Les céréales, en dehors du blé, échappent ainsi de manière de plus en plus générale au marché; elles ont données aux bêtes; la gamme des possibilités de la région s'enrichit; une région qui cultive du maïs commercialise ainsi à la fois des porcs, de la volaille, des jeunes veaux, du bétail engraissé. Elle fournit, à titre de sous-produit, une quantité appréciable de produits laitiers. La base économique de la région se trouve diversifiée. On ne peut plus parler de spécialisation absolue.

Aux exportations de produits agricoles s'en ajoutent presque toujours d'autres. L'industrie est devenue beaucoup plus diverse

(20) L'idée que le développement régional se fait en fonction de la dotation en facteurs et en ressources permettant une spécialisation poussée est très nette dans un certain nombre de publications américaines récentes : Perloff (Harvey S.), Dunn (Edgar S.), Lampard (Eric E.), Muth (Richard F.), *Regions, Resources and Economic Growth, op. cit.* — Perloff (Harvey S.), Wingo (Lowdon, Jr). — *Natural Resource Endowment and Regional Economic Growth, op. cit.* — North (Douglass C.), « Location Theory and Regional Economic Growth », *op. cit.* — Id., *The Economic Growth of The United States, 1790-1860.* Englewood Cliff (New Jersey), Prentice Hall, 1961.

et les grandes villes régionales abritent une gamme d'usines qui leur permettent de vendre sur un large marché. Aux États-Unis, par exemple, les villes du Centre-Ouest ont réussi à attirer, à côté des fabrications alimentaires ou de la construction de machines agricoles, des usines de pièces ou d'ensembles mécaniques, des industries électroniques ou électriques. Dans le Sud-Ouest, ce sont les activités liées à la chimie du pétrole qui jouent le rôle le plus visible, mais d'autres exportations industrielles sont notables, comme par exemple celles qui sont nourries par le développement des industries de la mode et de la confection dans l'agglomération de Dallas.

La plupart des experts en matière de développement régional prônent aujourd'hui l'économie complexe (21). Ils estiment en effet qu'elle aboutit à des constructions beaucoup plus harmonieuses. La gamme des emplois de chaque région est plus variée. Les migrations liées aux déséquilibres de l'offre de travail qualifié sont moins importantes. Les échelles de rémunération sont plus diverses, la pression que les employés exercent sur leurs salaires est plus efficace (ce n'est pas certain). Les risques qui peuvent résulter d'une récession se trouvent minimisés, exactement comme ils se trouvent minimisés au sein de l'exploitation agricole qui a choisi la polyculture. Les taux de profit sont également plus divers. La baisse séculaire des prix et des profits dans un secteur présente moins de gravité à long terme, puisque le niveau général de l'épargne est moins affecté.

Tout dans ces arguments n'est pas d'égale valeur. Il est évident que les conditions sociales sont plus harmonieuses là où la diversité des emplois est plus grande. Les traumatismes liés aux crises sont également moins violents. Mais le développement continuera-t-il, comme par le passé à être lié aux taux de profits réalisés dans l'ensemble régional à un moment donné? Non, nous l'avons vu en montrant l'élargissement progressif des marchés de capitaux. Sur le plan économique, les avantages de la complexité sont essentiellement ceux qui résultent d'une meilleure utilisation des potentialités de la main-d'œuvre et ceux qui proviennent d'une meilleure utilisation de certains équipements collectifs. Ils

(21) L'idée d'économie complexe est souvent associée à celle de développement harmonieux ou de croissance harmonisée. C'est là un thème cher aux économistes du groupe « Economie et Humanisme »; on consultera en particulier les articles de J. M. Albertini, et le n° 27 (1960) d' *Economie et Humanisme :* il est consacré à l'étude de l'aménagement régional et de la démocratie économique.

se confondent donc avec les économies externes, ces économies qui naissent précisément de l'épanouissement des structures régionales, comme nous l'avons vu, ou nationales, comme on le dira plus loin. Les régions à économie complexe sont plus nombreuses que par le passé, mais il existe de très notables écarts d'un pays à l'autre. A l'intérieur d'une même nation, la France par exemple, on voit subsister des oppositions très nettes. A côté de secteurs dont la production est diversifiée, la région parisienne par exemple, ou la région lyonnaise et certaines grandes villes, on voit des zones qui n'arrivent pas à rompre avec leurs circuits fermés traditionnels ou à s'affranchir de leurs vieilles monospéculations, alors même qu'elles effectuent des efforts considérables dans ce sens : la Bretagne tout entière se débat contre le sous-développement des activités de transformation, les vieilles régions industrielles du Nord et de l'Est s'aperçoivent qu'elles n'ont pas réussi à attirer les activités dynamiques qui permettent d'ailleurs d'absorber sans la moindre difficulté les excédents de main-d'œuvre. Ceci doit amener à un peu de prudence dans l'interprétation. L'opposition entre les régions d'économie spécialisée et les régions d'économie complexe n'est pas tout entière la traduction de stades inégaux de développement. Elle est d'ailleurs ancienne. A l'époque où les théoriciens ne voulaient voir que des zones spécialisées, il existait des ensembles dont les exportations étaient diverses. Il en allait ainsi des grandes métropoles d'Europe occidentale : Londres, Paris, Bruxelles, par exemple, ont depuis longtemps joint à des activités tertiaires de niveau national ou international toute une gamme de fabrications allant de la mode et de l'ameublement à la chimie ou à la mécanique. A côté des régions de spécialisation industrielle totale, comme l'étaient le Lancashire, le district des Poteries ou la région du Northumberland, il existait des zones differenciées, comme celle de Birmingham. Les termes employés sont quelquefois trompeurs : les fabrications mécaniques aboutissent à des produits beaucoup plus divers, destinés à satisfaire des besoins beaucoup plus nombreux que les usines et ateliers du textile.

Ce n'est pas sans quelque abus que l'on caractérisait la situation des ensembles régionaux du début de ce siècle par leur spécialisation. Réciproquement, la complexité contemporaine a des limites. La structure des économies régionales ne dépend pas seulement du niveau de développement, du stade de l'histoire économique, elle résulte de l'équilibre général des localisations. Pour le montrer, il faut aller plus loin dans l'analyse de la place de la région au sein de la nation ou de l'espace dans lequel celle-ci s'intègre.

Les degrés de l'intégration de la région dans l'économie nationale.

Il ne suffit pas de savoir si la région est fermée sur elle-même ou ouverte sur le monde extérieur pour comprendre le choix des activités qu'elle pratique. Selon les cas, son rôle se trouve limité à la satisfaction de besoins nationaux ou bien élargi par la vente sur les marchés extérieurs de toute une gamme de produits : il existe une grande diversité de situations. Prenons par exemple une zone qui est résolument tournée vers le marché international : faut-il prendre en considération les données relatives au marché mondial et négliger les problèmes nationaux? Oui parfois, non souvent. Il arrive très fréquemment que le produit des exportations soit tout entier destiné à assurer l'équilibre général de la balance nationale, comme il peut se faire aussi que la région fasse cavalier seul et ne soit pour ainsi dire pas liée au reste du pays auquel elle appartient. Ce sont ces conditions qu'il nous faut préciser maintenant.

Les zones où l'autosubsistance demeure de règle gardent vivantes des habitudes de consommation qui ont pris naissance il y a fort longtemps. Leurs habitants essaient progressivement, pourtant, d'avoir accès aux produits qui semblent caractéristiques de la civilisation du groupe national. Nous avons parlé plusieurs fois du jeu de ces effets de démonstration. Ils sont si forts qu'ils finissent par secouer les vieux secteurs endormis et déchaînent des courants d'émigration accélérés. La nation est une réalité sociale si contraignante que les types de consommation que l'on rencontre dans ses diverses parties ont tendance à devenir de plus en plus semblables. La publicité favorise cette uniformisation. Les originalités locales s'estompent, celles qui subsistent tiennent à certaines inégalités naturelles — les dépenses pour le chauffage dépendent évidemment des conditions climatiques locales — et à la structure sociale de la population. Il y a, d'une classe à l'autre, des différences de nature, qui s'amenuisent, des différences de niveau, qui demeurent sensibles. Au total, la consommation de chaque région tend de plus à se conformer au modèle national (22). Ceci permet aux producteurs agricoles et industriels de travailler pour un marché plus large, sans avoir à modifier leurs produits. La régularité des habitudes de consommation est un des grands traits des économies nationales modernes : dans les pays sous-développés, les régions sont mal intégrées les unes aux autres, diffèrent souvent par leurs habitudes et ne créent pas un espace de consommation uni. Chaque centre commercial est tributaire d'un fournisseur différent, garde des goûts opposés : les relations de la région se font, à l'exportation, comme à l'importation, avec le reste du monde. Dans les économies développées, la répartition des achats de produits de consommation finale effectués par les provinces est à peu près constante : ce sont les mêmes articles que l'on utilise partout. On conçoit donc que par le biais de ces habitudes de consommation, les conditions de l'intégration économique générale varient beaucoup avec le niveau de développement.

A la base de l'échelle, nous trouvons des régions qui sont comme étrangères aux territoires qui leur sont les plus voisins. Elles n'entretiennent pour ainsi dire pas de relations avec eux. Dans les conditions qui prévalaient au XIXe siècle, et au début du XXe siècle, les rapports réciproques des différents secteurs des pays sous-développés et des pays neufs étaient pour ainsi dire nuls : on ne s'expliquerait pas autrement la multiplicité des politiques ferroviaires dans les territoires de l'actuelle Australie! Il n'existait même aucun lien financier entre les provinces de la même nation : dans la mesure où l'étalon or et les monnaies des pays développés étaient admis partout, dans la mesure où il n'y avait pas de politique monétaire nationale, les déséquilibres régionaux ne pouvaient se compenser. L'unité économique fondamentale, la seule qui existait vraiment, c'est celle qui naissait

(22) Les études de sociologie économique qui montrent cette uniformisation des habitudes de consommation ont surtout été réalisées aux États-Unis. On peut voir dans les recherches de Thorstein Veblen le point de départ de tout cet aspect de la réflexion américaine. De nos jours, Vance Packard a développé abondamment ces thèmes. VEBLEN (Thorstein), *The Theory of the Leisure Class*. New York, 1899. L'ouvrage a été réédité plusieurs fois. Nous avons utilisé l'édition de 1934; New York, The Moderne Library, 1934, XVIII, 404 p. — PACKARD (Vance O.) *The Status Seekers, an Exploration of Class Behaviour in America*. Londres, Longmans, 1960, VIII, 376 p. — ID., *The hidden Persuaders*. New York, David McKay, 1960, VIII, 276 p. — ID., *The Waste Makers*. New York, David McKay, 1961, XII, 340 p.

des grands axes de communication qui drainaient les produits d'exportation et assuraient l'approvisionnement en biens de consommation durable (23).

La situation des régions de pays d'économie très ouverte, comme la Grande-Bretagne (24) était en apparence analogue : là aussi, les échanges se faisaient surtout avec l'extérieur. Deux éléments interviennent pourtant, dès le XIXe siècle, pour différencier les nations véritables des autres. En Angleterre, l'intégration des régions est réalisée par le jeu des forces sociales qui uniformisent les habitudes de consommation et favorisent le développement d'un marché national de produits fabriqués. Celui-ci demeure étroit jusqu'au début du XXe siècle, par suite de la médiocrité du niveau de vie de la population ouvrière et de l'abandon des activités agricoles. Mais il joue déjà un rôle sensible dans le domaine des biens d'équipement. Par ailleurs, les régions de l'espace britannique sont soudées entre elles par un marché financier qui fonctionne de manière efficace : les épargnes disponibles sont drainées par un réseau de banques; elles servent alors à alimenter les investissements qui paraissent le plus nécessaire au développement de l'économie nationale ou ceux qui facilitent le contrôle des productions de matières premières, des moyens de communications ou des réseaux de distribution, en un mot assurent la main-mise anglaise sur un certain nombre de colonies ou d'États indépendants.

On trouve dans beaucoup de pays des régions qui ne sont guère plus intégrées aux circuits généraux que ne l'étaient les grandes régions industrielles anglaises au début de ce siècle. Elles continuent à nouer l'essentiel de leurs relations avec l'extérieur. En Suède, les vastes espaces du Norrland vivent de l'extraction du minerai de fer, de la production de bois et de sa transformation en pâte à papier, de la production enfin d'énergie hydroélectrique. Ces produits ne sont pas destinés au marché intérieur, ne sont absorbés par lui que pour une très faible partie. Ils sont

(23) Le fait est signalé par Monbeig : les noms de région, dans l'État de São Paulo, se confondent avec ceux des compagnies ferroviaires. En Argentine, la convergence du réseau ferré vers Buenos Aires ne doit pas faire illusion. Il n'y a pas organisation régionale de l'espace autour de métropoles hiérarchisées; chaque ligne ferroviaire est indépendante des voisines : la seule métropole, c'est Buenos Aires. L'absence de toute structuration autre que celle donnée par les voies de pénétration est parfaitement illustrée par la multiplicité des écartements au départ de Buenos Aires. MONBEIG (Pierre), *Pionniers et planteurs de São Paulo, op. cit.* — DENIS (Pierre), *La République argentine.* Paris, Armand Colin, 1920, 303 p.

(24) On trouvera une analyse plus détaillée au dernier paragraphe de ce chapitre.

exportés vers les pays d'Europe occidentale, l'Allemagne et l'Angleterre plus particulièrement. L'économie suédoise n'est pas en état d'utiliser plus de 10 ou 15 % de la production indigène de bois ou de minerai de fer et les ressources qui existent dans ce domaine dans les régions de Suède centrale ou méridionale ne sont pas négligeables. Le Norrland ne vend guère que son courant électrique sur le marché intérieur. Les produits de consommation proviennent par contre de la Suède méridionale et de la Suède centrale : les habitudes de consommation sont les mêmes que dans le reste du pays. Le Norrland nous offre donc un exemple de territoire partiellement intégré aux circuits économiques de la nation : pour les produits de consommation, la situation est celle d'une assimilation complète, pour les exportations, d'une indépendance à peu près totale. L'excédent des exportations régionales est extrêmement important pour l'ensemble de la Suède. L'équilibre général, sur le marché mondial, de l'économie nationale, ne se concevrait pas dans les ressources que l'inclusion du Norrland dans les circuits monétaires assure. Au moment du démarrage de l'économie suédoise et jusqu'aux environs de la Grande Crise, la part jouée par les exportations de matières premières a été beaucoup plus grande encore (25).

On trouverait de multiples exemples de régions intégrées de cette manière et de cette manière seulement, aux économies développées. La côte septentrionale de la Colombie britannique a vu ainsi s'édifier, il y a peu de temps, le gigantesque complexe de fabrication d'aluminium de Kittimat : il s'agit de valoriser une ressource locale par l'exportation : l'électricité d'origine hydraulique ne pouvant s'expédier au loin, on l'utilise pour le traitement de l'aluminium. Les importations de bauxite, les exportations d'aluminium n'intéressent pas le reste du territoire canadien — qui produit, ailleurs, dans l'Est, et plus près des centres de consommation traditionnels, des quantités de métal qui satisfont à tous les besoins. Dans ces conditions, le rôle économique de Kittimat dans l'ensemble national est purement financier (26).

(25) Les études modernes mettent volontiers en évidence le rôle des exportations de matières premières dans le démarrage de l'économie suédoise. L'effet d'entraînement de ces exportations s'est fait directement sentir sur les régions centrales, sur celle de Göteborg, en particulier, car une bonne partie des ventes s'est effectuée au début par ce port. PRED (Allan), *The External Relations of Cities During « Industrial Revolution »*. Department of Geography, Research Paper n° 76, Chicago, The University of Chicago, 1962, 124 p.

(26) Les pays sous-développés offrent beaucoup d'exemples d'implantation sem-

Les pays industrialisés d'Europe occidentale possèdent tous des industries portuaires dont le schéma de fonctionnement est analogue dans son principe à celui de Kittimat : on importe les matières premières, on revend des produits fabriqués à l'étranger. Lorsque les fabrications se font dans une zone franche, le cas est particulièrement flagrant : l'intégration de la région à l'ensemble national se fait par l'intermédiaire des circuits financiers et par l'intermédiaire des circuits de consommation.

La plupart des grandes régions modernes se trouvent cependant plus profondément soudées dans l'espace national dont elles font partie. Elles lui vendent une partie ou la totalité de leur production. Cela ne les empêche pas d'avoir des liens avec les économies extérieures : ils peuvent se situer en aval de la production — si une partie en est exportée. Ils se situent très souvent en amont — dans la mesure où il est nécessaire de faire appel à des matières premières ou à des facteurs de production venant de l'étranger. La localisation des activités productives s'expliquent en pareil cas par le poids comparé des forces qui lient aux sources extérieures de matières premières ou de facteurs de production, de celles qui résultent de la présence de ressources locales et de celles qui trahissent le pouvoir d'attraction de la consommation et des autres secteurs de la vie industrielle. La part des circuits qui se trouve bouclée à l'intérieur de la nation peut varier dans de très larges limites. De manière générale, l'organisation des espaces de consommation se fait davantage dans les cadres d'un pays que celle des espaces de production; si les articles demandés viennent de l'extérieur, ils transitent presque par des marchés nationaux et se trouvent de la sorte intégrés au courant général de circulation de la nation. Une exception importante existe cependant : il arrive que l'on achète à l'étranger un facteur de production, en l'espèce, le travail; lorsque la main-d'œuvre employée est frontalière (27), le circuit de production se trouve plus intimement

blables dans leur principe à celle de Kittimat : on songe par exemple, pour le traitement de l'aluminium, à Édéa au Cameroun, à Fria en Guinée. Les grandes régions minières fonctionnement aussi de la même manière. Mais l'intégration est moins forte qu'au Canada, car les produits de consommation sont beaucoup plus fréquemment importés.

(27) Nous avons là l'explication économique de ces frontières « peuplantes », dont on a signalé depuis longtemps l'originalité. On trouve un exposé de ces mécanismes dans l'analyse que Raoul Blanchard consacrait à la région lilloise dans sa thèse. BLANCHARD (Raoul), *La Flandre. Étude géographique de la plaine flamande en France, Belgique et Hollande.* Lille, Danel, 1906, 530 p. Cf. pp. 398-399.

intégré à l'ensemble de la vie nationale, que le circuit de consommation engendré par les salaires distribués : ceux-ci sont dépensés dans un autre pays.

L'analyse que nous venons de mener débouche sur l'étude des conditions générales de l'équilibre des constructions économiques nationales : elle va nous permettre de classer les nations selon leur architecture et d'aboutir à une explication générale de leur équilibre.

III. — L'ÉQUILIBRE GÉNÉRAL ET L'ORGANISATION RÉGIONALE DES NATIONS.

On est maintenant mieux placé pour mesurer l'avantage que les différents ensembles régionaux retirent de l'échange extérieur. On connaît la part qu'ils font à la nation, celle qu'ils font à l'étranger; on sait que les circuits économiques sout souvent fort complexes. Les rapports triangulaires sont fréquents : la région vend sur le marché mondial ce qui lui permet d'acheter sur le marché national l'essentiel de ce dont elle a besoin — il arrive que le circuit fonctionne dans l'autre sens, mais le cas est beaucoup plus rare. Le problème des orientations de la production n'est pas simple. On peut lui appliquer les méthodes de l'analyse micro-économique : on comprend alors pourquoi telle région possède un avantage dans tel domaine sur le plan intérieur, ou dans tel autre sur le plan international; on ne voit pas pour autant pourquoi ici on choisit de vendre sur le marché national, alors que là on se lance sur le marché international. La réponse, c'est en se plaçant au niveau de la nation qu'on peut la trouver : pour assurer son développement économique, l'ensemble territorial a intérêt à s'ouvrir dans une certaine mesure sur le monde. Le choix entre l'une ou l'autre des possibilités offertes aux producteurs n'est pas compréhensible à l'échelle de la région : il s'éclaire lorsque l'on pose le problème dans son ensemble, que l'on fait l'inventaire des possibilités qui existent à un moment donné dans un pays et que l'on analyse leur répartition régionale.

Nous avons signalé la persistance tout au long du XIXe siècle et jusque fort avant dans le nôtre, de zones d'économie de subsistance au sein des pays industrialisés. A première vue, les activités régionales ne dépendent en pareil cas que des conditions locales.

En menant l'analyse plus loin, on s'aperçoit que les productions des ensembles d'économie fermée sont ce qu'elles sont parce qu'il n'y a pas eu de possibilité pour elles de s'intégrer aux courants généraux de circulation : l'équilibre est déterminé par les conditions qui ordonnent l'ensemble de la vie nationale; les forces locales sont en position subordonnée — bien qu'elles soient plus évidentes que les autres.

Dans un pays comme la France, les zones qui sont demeurées fidèles à l'agriculture de subsistance se répartissent inégalement : nous avons montré que les régions touchées par les transformations et intégrées dans le système de circulation générale constituaient deux grands ensembles : celui des régions méditerranéennes, celui des pays du Bassin parisien central et septentrional, de ses annexes, campagnes du Centre-Ouest, Normandie, Nord-Est du Massif cental. En dehors de ces deux ensembles à peu près continus, il existe des tâches dynamiques, dans les plaines de la Saône, dans le Jura par exemple, mais elles ne recouvrent pas l'ensemble d'un pays. De manière générale, les régions qui ont échappé au mouvement se trouvent prendre en écharpe la France depuis la frontière alpine jusqu'au rivage de l'Atlantique, en passant par le Massif central et par l'Aquitaine. La Bretagne et la plus grande partie de ses marges appartiennent à ce même secteur d'économie peu intégrée à la vie moderne. Des facteurs sociaux ont pu jouer au rôle : les zones les moins développées sont celles où le faire-valoir direct et le métayage sont les plus développés. Mais il faut se garder de voir là une explication générale : les cas de non-conformité sont nombreux et la persistance du faire-valoir direct ou du métayage peut apparaître aussi bien comme une conséquence que comme une cause de la faible intégration dans les circuits du monde moderne. En regardant la carte climatique d'ensemble, on note que les zones les plus défavorisées sont celles qui ont eu longtemps une grande réputation de richesse et de fertilité, que leur valait la juxtaposition de terroirs et de climats locaux variés. Les zones qui ont réussi pleinement à placer leurs produits sur les marchés sont au contraire marquées par des aptitudes très franches, une originalité très nette dans l'ensemble français : zones favorables à la grande culture au Nord, zone méditerranéenne. C'est que la spécialisation agricole s'est faite en fonction d'un marché, qui fut, pour la plupart des produits agricoles à l'exception des céréales, réduit à la dimension de la nation et de son annexe économique nord-africaine : dans cet espace, les zones à aptitudes mal définies n'ont pas eu la possibilité de tenir un rôle analogue à celles dont la spécialisation était plus claire. Pour les produits qui étaient écoulés sur un marché plus vaste que le marché national, c'est par rapport à des ensembles internationaux qu'il faut se placer pour comprendre les vocations : il ne fait pas de doute que les campagnes calcaires de l'Est et du Sud du Bassin parisien sont bien placées, au sein de l'espace français, pour produire des céréales. Il en allait de même des collines intérieures de l'Aquitaine. Devant la concurrence internationale, la position de ces zones était intenable, ce qui s'est traduit soit par un exode très poussé, une désertion presque totale (Bassin parisien) soit par un repli sur soi-même (Sud-Ouest lauraguais).

L'inégale réaction devant une même conjoncture indique que les aptitudes naturelles ne sont pas les seuls guides de l'orientation économique des espaces régionaux. Les différences qui opposent l'évolution dans le Berry et en basse-Bourgogne et celle que l'on note dans la région toulousaine proviennent des perspectives qui s'offraient à ceux qui quittaient la terre (28) : là où des villes et des régions industrielles proches pouvaient absorber la main-d'œuvre libérée, la transformation pouvait être beaucoup plus profonde qu'ailleurs, le repli sur les activités de subsistance ne s'accompagnait pas du maintien d'une aussi forte densité rurale.

L'orientation traditionnelle de la production agricole se fait en fonction de la répartition des ressources et plus particulièrement de cette ressource essentielle qu'est le climat. Elle dépend également de l'ambiance économique générale de la région. La présence de grandes villes, d'industries dynamiques, peut appeler l'intensification du système de cultures. Elle facilite surtout les réadaptations que nécessite toute économie de marché et donne donc de meilleures chances d'intégration à l'ensemble des circuits de la vie économique.

Ces exemples français montrent la complexité des raisons qui

(28) Nous évoquions plus haut le rôle des structures de l'exploitation, de la propriété et de la société rurale comme facteurs d'inégale évolution des campagnes françaises. On voit à quel niveau il peut se situer. Les décisions d'abandon, d'exode ou de repliement sont en partie conditionnées par l'organisation de la société rurale, en partie par les possibilités d'adaptation à la société urbaine, en partie, on l'a déjà dit, par les images collectives qui font préférer tel ou tel mode d'existence.

déterminent la vocation régionale dans les pays agricoles. Les régions industrielles pourraient s'analyser un peu de la même manière : on verrait l'importance des dotations en facteurs naturels, mais aussi le jeu subtil des comparaisons avec le marché intérieur et le marché international.

On mesure la complexité de la mécanique délicate du corps national. Celle-ci devient de plus en plus évidente dans le monde contemporain. Les activités agricoles se diversifient au sein des ensembles naturels au fur et à mesure que les procédés techniques autorisent une maîtrise plus complète du milieu et que les contraintes sociales se font moins déterminantes. Dans le domaine industriel, les activités libres sont encore plus nombreuses : elles représentent en valeur l'essentiel de la production dans les pays les plus avancés. Ce qui compte alors pour régler les implantations, ce sont les avantages que créent les rapports mutuels au sein des régions ou de la nation; nous cernons là le problème essentiel de toute l'étude de la localisation dans l'État moderne; celui du groupement optimal des activités que l'on peut qualifier de libres, en fonction des contraintes qu'impose la localisation obligatoire des fabrications liées au milieu physique ou au monde extérieur. Pour en voir toutes les composantes, il nous semble utile de commencer l'analyse de l'équilibre général des localisations par une description de l'architecture régionale des nations : nous verrons mieux alors les facteurs prépondérants.

L'architecture régionale des nations et les grandes tendances de son évolution.

Nous pouvons reprendre, pour classer les nations, l'échelle que nous avons adoptée pour mettre en évidence l'intégration plus ou moins grande des régions. A la base, nous trouverons des espaces qui n'ont de national que le nom. Ils sont faits d'un ensemble de territoires qui demeurent parfaitement étrangers les uns aux autres dans la vie économique. Ce type d'organisation se rencontrait très généralement dans les pays sous-développés à l'époque de la colonisation. Les États d'Amérique du Sud et la plupart des nations asiatiques qui ont échappé à la mainmise européenne à l'époque moderne sont également passés par ce stade. Cependant, dans la mesure où des pays comme la Chine, l'Inde, la Birmanie ou la Thaïlande possédaient déjà une organisation sociale et politique forte, l'ouverture sur le monde moderne n'a pas provoqué une désintégration générale des constructions régionales. Les pays neufs du siècle dernier étaient organisés selon les mêmes principes, nous l'avons dit.

Les conditions actuelles sont différentes dans la plupart des pays du Tiers Monde. L'accession à l'indépendance politique favorise la prise de conscience des intérêts communs, l'unification des habitudes du corps social. Le nouvel État dispose de pouvoirs qui lui permettent de faire progresser l'intégration générale de la vie économique. Il ne lui est pas possible de se lancer dans des programmes d'industrialisation pour satisfaire tous les besoins en produits de consommation, mais les importations se trouvent dans toute la mesure du possible contrôlées et contenues dans des limites raisonnables. Le jeune gouvernement essaie de limiter les sorties de devises étrangères. Il recherche l'implantation des usines nécessaires à la présentation, au conditionnement, à l'adaptation aux besoins locaux des produits importés. L'intégration financière et celle des circuits de consommation font d'énormes progrès en peu de temps. Les nouvelles activités sont presque toujours liées aux grands centres de consommation; ceux-ci sont en même temps, bien souvent, les points d'entrée des matières premières. C'est là, aussi, parfois que se trouve placée la capitale nationale. Le territoire demeure faiblement organisé, mais on y distingue deux types d'espaces : les zones extérieures ou périphériques, qui vendent l'essentiel de leur production commerciale sur les marchés internationaux et les régions à fonctions nationales, qui importent et redistribuent pour l'ensemble du territoire (29). Entre ces deux types d'espace,

(29) L'idée d'opposer les régions centrales et la périphérie des ensembles géographiques est latente dans beaucoup de travaux. L'accent mis par un bon nombre de géographes de la fin du siècle dernier sur ces problèmes est bien connu : à l'imitation de Ritter, Ratzel insiste sur les notions de position, de situation. En Angleterre, Halford Mackinder familiarisa les géographes avec les notions de pivot, de cœur, de noyau; le vocabulaire qu'il utilise pour ses analyses géopolitiques est repris dans d'autres domaines : Vidal de la Blache lui emprunte la notion de nodalité. Les spécialistes de géographie économique prennent progressivement conscience de l'existence de zones à fonction centrale : ils parlent, eux aussi, de *core*, de *heartland*. Aux États-Unis, en particulier, ils s'aperçoivent que le *manufacturing belt* analysé dès 1927 par Sten de Geer n'appartient pas à la catégorie des espaces spécialisés : ils considèrent souvent ce secteur industriel comme le cœur, comme le noyau économique ou comme la région centrale de l'espace américain. Les conceptions, en ce domaine, ont été précisées par les publications d'Allan Philbrick. On trouve, à l'origine de sa recherche, dont l'intérêt est très considérable, un mélange très spécifiquement américain d'emprunts à l'anthropologie culturelle (dont les méthodes servent à définir les aires, les foyers, les noyaux de l'espace) et à l'écologie humaine

les zones qui ne sont pas encore sorties de l'économie de subsistance traditionnelle occupent des aires très inégales : elles correspondent parfois, dans les pays surpeuplés du Sud-Ouest asiatique, à l'essentiel en superficie ou en population. Ailleurs, en Amérique du Sud, par exemple, elles pèsent moins à tous les points de vue.

La concentration des fonctions à caractère national dans une seule région portuaire (30) est favorisée par la structure des prix de transformation et des tarifs de transport : les frais d'acheminement par réseau terrestre ne sont pas prohibitifs pour des biens de valeur relativement élevée; les expéditions peuvent se faire par la route, lors même que l'infrastructure n'est pas excellente. Pour les exportations, qui portent essentiellement sur des produits de faible valeur, les conditions sont différentes. On ne peut allonger indûment les parcours : les ports spécialisés dans l'exportation des produits bruts sont plus nombreux que ceux qui pratiquent l'importation et la redistribution. Ce sont là des conditions assez différentes de celles qui prévalaient à la fin du siècle dernier. Elles expliquent la concentration des fonctions urbaines et industrielles dans quelques grands centres. Au Maroc, les ports d'Agadir, de Safi, de Kenitra, de Nador ne voient guère passer que des exportations, alors que Casablanca est l'intermédiaire obligé des importations. En Côte-d'Ivoire, la création d'une grande métropole à Abidjan, s'accompagne d'une concentration presque absolue des exportations. Les importations sont plus diversées, elles passent volontiers par les stations à peine aménagées de l'Ouest.

L'opposition entre une région tournée vers la satisfaction des besoins internes et des zones qui sont plutôt orientées vers les exportations, annonce déjà les types d'organisation caractéris-

(qui conduit à analyser les constructions sociales comme si elles étaient tout entières sous la dépendance de forces de gravitation, de dominance, d'attraction). MACKINDER (Halford J.), « The Geographical Pivot of History ». *The Geographical Journal*, vol. 23, 1904, pp. 421-437. — PHILBRICK (Allan K.), « Areal Functional Organisation in Regional Geography ». *Papers and proceedings of the Regional Science Association*, vol. 3, 1957, pp. 87-98. — ID., « Principes of Areal Functional organization in Regional Human Geography ». *Economic Geography*, vol. 33, 1957, pp. 299-336. — ID., *This Human World*. New York, John Wiley and Sons, 1963, 500 p.

(30) Nous avons déjà évoqué cet épisode fréquent de l'histoire de l'organisation économique des nations en analysant la mise en place du réseau des voies de communication : cf. note 13, TAAFFE (Edward J.), MORRILL (Richard L.), GIULD (Peter R.). *Transport Expansion*...

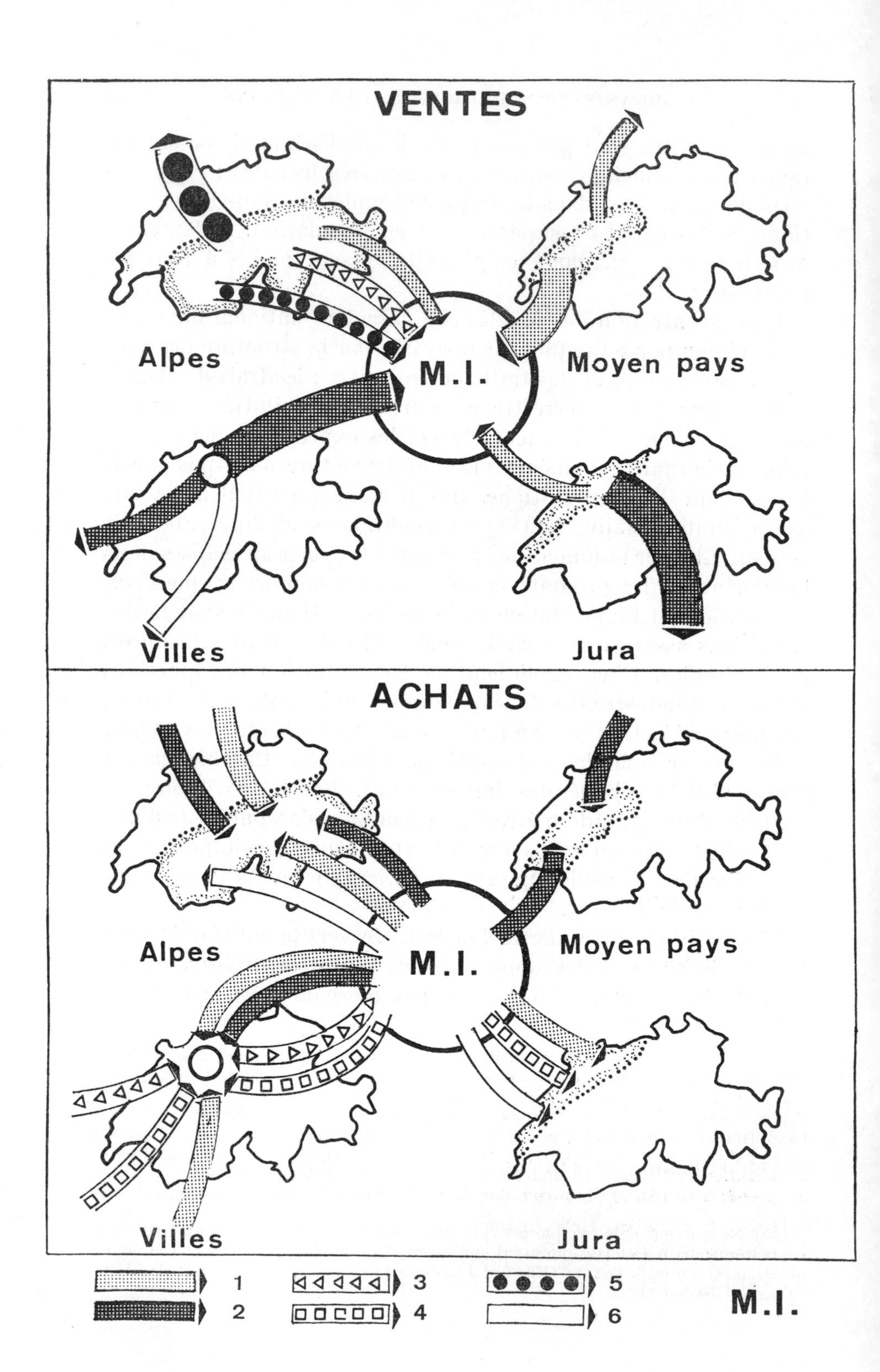
VENTES
Alpes
M.I.
Moyen pays
Villes
Jura
ACHATS
Alpes
M.I.
Moyen pays
Villes
Jura
1
2
3
4
5
6
M.I.

FIG. 12.4. — L'architecture régionale de la Suisse et les courants d'échanges intérieurs et extérieurs.

Mouvements de :

1. Produits agricoles.
2. Produits manufacturés.
3. Matières premières.
4. Services touristiques.
5. Autres services.

M. I. représente, sur les deux figures, le marché intérieur.

Les croquis mettent en évidence l'inégale intégration des régions dans l'économie nationale. Le Jura ne vend que très peu à l'intérieur de la Confédération; de ce point de vue, l'intégration n'existe que par le jeu des circuits monétaires que nous n'avons pas représentés; à la différence de ce qui se passe dans le Tiers Monde, les achats de produits alimentaires et d'objets manufacturés nécessaires à la vie de la montagne jurassienne s'effectuent pour une large part sur le marché intérieur. L'intégration des régions agricoles de l'Ouest et du Centre du moyen pays est plus complète, puisque la plupart des ventes se font sur le marché intérieur, et que les achats en proviennent également. La situation des Alpes et celle des grandes villes industrielles de la Suisse du Nord-Est sont intermédiaires.

tiques des économies développées. Il en existe diverses variétés en fonction de l'inégale ouverture sur le monde extérieur. La première est représentée par l'économie anglaise de la fin du siècle dernier : il n'y a pas alors d'orientation systématique vers le marché national, les diverses régions sont ouvertes sur l'extérieur, où elles vendent l'essentiel de leurs productions et d'où elles font venir directement leurs produits de consommation, pour une partie tout au moins. Londres joue un rôle coordinateur, au plan social et financier, semblable à celui des régions à fonction nationale des pays sous-développés. Mais ce rôle a plus de relief et la cohésion nationale plus de force.

Dans la plupart des économies actuelles, les relations économiques avec l'extérieur n'apparaissent que comme le complément d'activités tournées vers le marché intérieur. La situation varie avec la taille du pays. Pour les très grandes nations, comme les États-Unis, le marché international représente rarement plus de 10 % du volume total de la production d'une branche — sauf pour quelques fabrications très spécialisées. L'orientation générale de l'activité se fait en tenant surtout compte des données propres aux espaces intérieurs. Pour des nations de taille moyenne, comme la France, l'Angleterre, l'Allemagne, la situation est différente. La production dépend des importations de matières premières. Les ventes se font concurremment sur les deux marchés et il n'est pas rare, pour certaines industries, que le marché étranger représente la moitié ou plus du total. Au Japon, la proportion est même plus forte. Pour les petits pays qui ont choisi de se lancer dans la fabrication de produits d'équipement de très haute valeur ou de très grande technicité, le marché essentiel est hors de la nation, si bien qu'une partie importante des régions productrices va se trouver tournée vers le monde extérieur.

Très souvent, les zones qui vendent ou achètent beaucoup à l'étranger se trouvent à la périphérie de l'espace national, au bord de la mer. Mais la règle n'est pas absolue. En Suisse par exemple (fig. 12.4), on peut considérer que le Jura d'une part, et les Alpes d'autre part sont dans une large mesure, des régions tournées vers l'extérieur : le Jura exporte les neuf dixièmes des montres qu'il fabrique et les Alpes constituent la grande base du tourisme étranger. On voit qu'il s'agit d'espaces continentaux. Les Alpes sont de plus intérieures, sans contact direct avec les pays d'Europe du Nord ou du Nord-Ouest d'où vient la plus grande partie de leur clientèle. Le Jura touche à la France, mais ne lui vend qu'une très faible partie de sa production.

Les secteurs qui se trouvent orientés en tout ou en partie vers l'extérieur appartiennent assez rarement au type des espaces spécialisés : ils sont la plupart du temps complexes. Les zones exportatrices à économie spécialisée se contentent souvent de vendre des produits primaires, des matières premières ou des denrées alimentaires. La structure des espaces tournés vers le marché intérieur est d'ailleurs analogue : les zones qui demeurent rebelles à la multiplication des spécialisations sont celles qui fabriquent les produits les plus simples : il s'agit de provinces agricoles, de zones minières ou de vieilles régions industrialisées qui n'ont pas su enrichir leur gamme depuis la fin du siècle dernier. Elles ne sont pas disposées partout de la même manière, mais elles se trouvent souvent situées à la périphérie des espaces nationaux. Ceci aide évidemment à préciser le problème de l'équilibre général des localisations au sein des espaces nationaux. Les liens économiques avec l'extérieur imposent certains types d'architecture géographique à la nation. Les activités tournées vers le marché intérieur et qui n'ont pas grande attache au sol vont se trouver fixées là où les économies externes, les avantages de localisation pour la desserte du marché seront les plus grands. L'organisation de l'espace traduit un équilibre entre des forces qui orientent la nation vers le monde extérieur et d'autres qui tendent au contraire à la refermer sur elles-mêmes. Ceci nous conduit à aborder l'étude des avantages qui découlent de la centralité.

Les fonctions de capitale et l'équilibre de la nation.

La majorité des branches de la production est orientée vers la satisfaction de besoins nationaux ou internationaux. En ce sens, toutes les localités qui abritent des activités de ce genre remplissent une fonction nationale ou internationale. Elles n'en méritent pas pour autant le nom de capitale : pour que l'on puisse les qualifier ainsi, il faut qu'elles soient autre chose que de simples centres de fabrication. Si à la production d'un article à très large débouché, une agglomération joint la direction de marché et des activités de recherche et de conception, elle remplit un rôle de capitale dans l'organisation de l'espace.

L'analyse des fonctions supérieures d'impulsion et de régulation est essentielle pour qui veut comprendre la localisation des complexes productifs. A partir du moment où ils se trouvent libérés de la tyrannie des ressources, ils se voient attirés par les zones qui permettent de bénéficier d'économies externes. Le centre qui, dans un domaine particulier, se trouve au cœur de toutes les combinaisons présentes et futures du marché est générateur de telles économies. Il peut donc servir de point de cristallisation aux industries. Il peut, à l'inverse, se trouver fixé par la répartition des centres industriels traditionnels — c'est le cas à Manchester, la fonction tertiaire est née là des fonctions secondaires.

Comme le fonctionnement des centres de décision est facilité par leur réunion en un même point, les activités de direction se trouvent souvent happées par de grandes villes qui assument un rôle grandissant dans le contrôle de l'activité de plusieurs secteurs et font figure de métropoles à fonction nationale. Il peut arriver que toutes les fonctions de direction se trouvent regroupées dans une même ville ou dans les centres d'une même région urbanisée. Aux avantages qui naissent alors de la proximité des centres de décision, peuvent s'ajouter, pour les industriels, ceux qui résultent de la proximité de l'important marché de consommation que constitue la région urbaine. Si celle-ci se trouve bien placée par rapport aux autres parties de la nation, la localisation dans la capitale minimise les frais d'approche de la clientèle : en pareil cas, tous les avantages possibles s'accumulent (31). Lorsqu'il n'y a pas coïncidence entre les villes à fonction de capitale et les zones de centralité maximale, les entreprises indépendantes des ressources se trouvent tiraillées entre deux solutions; si les déséconomies que la concentration excessive fait peser sur l'industriel sont trop considérables, il cherche à se placer à l'extérieur. Il le fait d'autant plus volontiers que les informations et les rapports entre les divers points de l'espace économique circulent plus facilement. A la limite, dans un espace animé par des transports rapides et où les télécommunications seraient assez parfaitement assurées pour permettre de régler la plupart des questions à distance, la concentration des fonctions supérieures cesserait de présenter un grand intérêt. Déjà, d'ailleurs, on voit certaines activités moins liées que d'autres aux contacts fréquents, se disperser assez largement. Il en va ainsi des centres de recherche scientifique et technique dans un grand nombre de pays et plus particulièrement aux États-Unis et en U. R. S. S.

L'équilibre d'ensemble des constructions nationales est donc chose complexe; il dépend d'un certain nombre de données que l'on pourrait qualifier d'extérieures au système : ce sont celles qui reflètent l'inégale répartition des ressources à l'intérieur de l'espace analysé, son inégale fluidité, donc tout ce qui tient à la géographie naturelle, ou aux équipements hérités; ce sont celles qui reflètent les liaisons avec l'extérieur, nécessaires à la vie harmonieuse de l'ensemble; ce sont celles enfin, qui tiennent au choix de la ville qui va dominer le système politique. Il existe des cas de dédoublement des fonctions politiques. Ils étaient assez fréquents dans les monarchies traditionnelles, tant que l'appareil administratif du pouvoir était relativement modeste. Ils sont devenus très rares. L'Union sud-africaine,

(31) Nous résumons là les actions qui jouent en faveur de la croissance dans les centres ou les régions centrales. Nous élargirons plus loin la discussion. Le problème général est abordé, au plan de la théorie économique par von Böventer. Il est illustré, dans le cas des États-Unis par les recherches d'Ullman et de Chauncy D. Harris. Böventer (Edwin von), « Towards a United Theory of Spatial Economic Structure ». *op. cit.* — Ullman (Edward L.), « Regional Development and the Geography of Concentration ». *Papers and Proceedings of the Regional Science Association*, vol. IV, 1958, pp. 179-198. — Harris (Chauncy D.), « The Market as a Factor in the Localization Industry in the United States ». *Annals, Association of the American Geographers*, vol. 44, 1954, pp. 315-348.

dont le parlement siège au Cap et le gouvernement est installé à Prétoria apparaît comme un cas exceptionnel. Partout ailleurs, ou presque, la règle est la concentration en un même point des fonctions politiques. Le choix de la capitale politique résulte de multiples forces (32). Il s'explique parfois par la recherche de la centralité — ou bien la centralité actuelle résulte d'une expansion territoriale poursuivie dans toutes les directions à partir d'un noyau politique initial — c'est le cas de Paris, par exemple, et de beaucoup des capitales des États qui se sont formés lentement, depuis le moyen âge, en Europe. Les considérations stratégiques et économiques s'opposent souvent à cette recherche de la centralité. Lorsqu'une frontière est l'objet d'une pression incessante, il est utile de se placer à proximité. L'exemple en est connu depuis longtemps. L'Empire romain, menacé, se voit contraint de la sorte d'implanter ses nouvelles capitales sur les grandes rocades du Limes, à Trèves et à Milan. Les situations de ce genre sont multiples : Pékin garde la seule frontière par laquelle la Chine se trouve facilement envahie. Le Pakistan, soucieux de développer son organisation politique sur un modèle plus harmonieux que celui qu'il a pris en charge au moment de la scission, crée Rawalpundi dans une situation stratégique par rapport aux zones exposées du Pendjab et du Cachemire.

Bien souvent, ce n'est pas le désir de se défendre qui fait dédaigner les positions centrales, mais bien plutôt le souci de rentrer en contact plus facilement avec le monde extérieur. Lorsque Pierre le Grand crée Saint-Pétersbourg, il cherche par là à ouvrir la Russie sur l'Europe, à l'occidentaliser. De la même manière, les révolutionnaires chinois essaient, après la chute de l'Empire, de se placer plus près des grands centres de contact avec l'extérieur : ils évitent Chang-hai, contrôlée par les puissances étrangères, mais s'installent à Nan-king, qui fait figure de métropole maritime.

La localisation des capitales est bien souvent le résultat d'un épisode de colonisation : les nouveaux maîtres du pays créent des centres d'où il leur est facile de contrôler tout l'intérieur, en restant en contact avec la mère patrie : les pays africains et asiatiques ne sont pas les seuls à devoir leur capitale à des aven-

(32) Le problème des localisations de capitale a été analysé depuis fort longtemps. Nous renvoyons par exemple à : BRUNHES (Jean), VALLAUX (Camille), *La géographie de l'Histoire*. Paris, Alcan, 1921, 716 p. Cf. chapitre IX : « Les trois problèmes fondamentaux de la géographie politique. C. L'État et la capitale », cf. pp. 365-392

tures de ce genre : Londres pour l'Angleterre et Dublin pour l'Irlande doivent leur affirmation à une domination étrangère. Les forces politiques se trouvent d'ailleurs souvent inséparables des forces économiques dans le choix des grands ports comme métropoles.

De nos jours, les avantages que l'on pouvait tirer des localisations périphériques sur le plan des rapports avec l'extérieur, sur le plan des contacts de civilisation, ont disparu ou à peu près : les moyens de transports continentaux rapides, puis les lignes aériennes ont permis de pénétrer facilement au cœur des espaces les plus vastes. La presse, les télécommunications donnent également le pouvoir de se tenir au courant de ce qui se passe à l'extérieur sans renoncer à être bien situé par rapport à l'intérieur. Un certain nombre de grands pays en sont revenus à des organisations à métropole centrale, après avoir eu un temps leur capitale à la périphérie : aux Indes, les Anglais ont abandonné dès le dernier quart du siècle dernier Calcutta pour la vieille cité impériale de Delhi. En Russie, les soviets ont rendu à Moscou son rang. Le Brésil, nous y reviendrons, essaie de se continentaliser en menant une opération du même genre. Au total, pourtant, les frais de déménagement d'une métropole politique sont tels que l'on hésite de nos jours à les engager à la légère. Aussi, la disposition des capitales politiques demeure-t-elle très irrégulière vis-à-vis des espaces qu'elles contrôlent.

Si la concentration des fonctions politiques en un seul centre est la règle à peu près absolue, la conjonction des fonctions politiques et des fonctions économiques est moins fréquente. La superposition des centres des aires de service, pour les fonctions de niveau supérieur, est loin d'être générale et automatique. Il arrive que la métropole de la vie économique soit très éloignée de la capitale politique. En Italie, Milan continue à dominer toute la partie septentrionale du pays et exerce son influence sur toute la péninsule dans bon nombre de secteurs économiques. Les progrès récents de Rome n'ont pas entamé sérieusement son rôle économique. En Espagne, Barcelone ne représente pas un pôle aussi discuté, mais son rayonnement est notable. En Allemagne, les fonctions de direction économique ont de tout temps été réparties entre plusieurs villes. Berlin jouait un rôle essentiel, mais l'influence de Hambourg, de Leipzig, de Francfort, de Cologne, de Düsseldorf et de Munich était loin d'être négligeable. Ailleurs, en Italie par exemple, avec Turin, en Angleterre avec Manchester et Birmingham, en France avec Lyon, il existe des cités qui assurent la direction technique et commerciale de quelques branches de l'activité nationale sans disposer d'influence politique et sans avoir, dans les autres domaines, autre chose qu'un rayonnement régional.

Lorsqu'on évoque le divorce des centres de décision économique et des capitales politiques, c'est cependant à d'autres pays que l'on pense généralement : les Pays-Bas, parmi les petites nations et les États-Unis, parmi les grandes, offrent des cas de séparation consciente et systématique. Il n'y a pas de concurrence entre La Haye et Amsterdam, entre Washington et New York. Les fonctions de chacune sont clairement définies. Elles se partagent le rôle de conception et de direction — mais laissent la place, dans certains domaines, à d'autres villes — Rotterdam aux Pays-Bas, Boston, Philadelphie, Detroit, Chicago, Los Angeles, San Francisco en Amérique. A l'heure actuelle, on peut cependant se demander si la répartition des activités, la division du travail de direction entre les différents centres, est aussi nette, aussi convainquante qu'on veut bien le dire : les centres essentiels de la Hollande sont soudés dans la Randstad Holland, qui groupe en demi-cercle près du quart de la population totale du pays sur moins de 3 000 km² (33). Les grandes villes du Nord-Est américain se trouvent de plus en plus étroitement soudées au sein de cette gigantesque conurbation que constitue Mégalopolis (34). Ce que l'on voit se développer, ce n'est bien sûr pas une ville à fonction de capitale, mais une grande agglomération — et la situation n'est en fin de compte pas très différente de celle que l'on rencontre en France, en Angleterre, ou au Japon où la croissance de la métropole nationale l'a transformée en ville régionale, étalée sur plusieurs milliers de km² (35).

(33) Sur la Randstad Holland, on pourra se reporter à HALL (Peter), *Les villes mondiales*. L'Univers des Connaissances, Paris, Hachette, 1966, 256 p., cf. pp. 95-121. — GEORGE (Pierre), « La Haye, Rotterdam, Amsterdam. Essai de géographie urbaine ». Ministère de l'Éducation nationale, Comité des Travaux historiques et scientifiques, *Bulletin de la Section de Géographie*, vol. LXXIII, 1960, pp. 47-142. — GEORGE (Pierre), SEVRIN (Robert), *Belgique, Pays-Bas, Luxembourg*. Coll. Magellan, n° 10. Paris, Presses Universitaires de France, 1967, 284 p. — STEIGENGA (W.), « L'urbanisation des Pays-Bas ». *Annales de Géographie*, vol. 72, 1963, pp. 303-314.

(34) GOTTMANN (Jean), *Megalopolis...*, *op. cit.*

(35) On trouvera une étude comparative des villes régionales à fonction de capitale dans l'ouvrage signalé ci-dessus de Peter Hall (note 33).

Les capitales nationales ne se trouvent que rarement installées au centre géométrique du pays qu'elles organisent, nous l'avons dit. La valeur économique de ce centre géométrique n'est d'ailleurs pas toujours très grande, car les diverses parties d'une nation n'ont pas le même poids. Ce qui attire davantage les entrepreneurs, c'est le centre de gravité d'un espace donné : il est en effet possible, à partir de ce point, de minimiser les frais de desserte d'un grand marché. Le centre de gravité est évidemment attiré par les secteurs les plus actifs, les plus dynamiques, les plus peuplés. Lorsque le pays est très vaste, les clients proches pèsent plus que ceux qui sont installés au loin. On ne recherche plus le centre de gravité, mais les nœuds d'un champ de gravitation qui pondère l'attraction de la clientèle (36). Les cartes établies par William Warntz aux États-Unis permettent de voir quels sont les marchés potentiels que l'on peut desservir à partir de chacun des points du territoire américain. On s'aperçoit que la centralité la plus forte est limitée aux secteurs les plus peuplées de la Côte atlantique et du Centre-Ouest d'une part, de la Côte pacifique de l'autre. Les irrégularités dans la répartition du peuplement aboutissent à une localisation en apparence paradoxale des secteurs bien placés vis-à-vis des marchés. Les recherches de Warntz sont menées sur la base de modèles que l'on peut récuser (37), mais elles sont intéressantes, car elles aident à saisir un fait essentiel : la superposition très générale des centres de la vie politique et économique d'un pays et des zones les mieux placées pour la desserte du marché national. Elles montrent comment il y a réalisation progressive, autour des centres de direction de la vie économique, d'un espace qui prend valeur centrale au point de vue économique, même s'il se trouve situé sur une des bordures du territoire national (38).

(36) On trouvera un exposé des modèles de Stewart et de Warntz dans STEWART (John Q.), WARNTZ (William), « Macrogeography and Social Secture ». *Geographical Review*, vol. 48, 1958, pp. 167-184. — ID., « Physics of Population Distribution ». *Journal of Regional Science*, vol. 1, 1958, pp. 99-123. — WARNTZ (William), « A New Map of the Surface of Population Potentials for the United States, *1960* ». *Geographical Review*, vol. 54, 1964, pp. 170-184.

(37) Le modèle construit par Stewart et par Warntz est empirique. Il ne part pas d'une analyse préalable des conditions d'attraction des activités commerciales ou productives par la population, il cherche à coller à la réalité sans passer par une explication préalable des relations qui le sous-tendent. On peut évidemment toujours critiquer les modèles enpiriques de ce type. L'interprétation des résultats qu'ils permettent d'obtenir est très délicate.

(38) Les études de gravitation montrent la voie dans laquelle on doit s'engager

La croissance de la population des régions métropolitaines est un phénomène récent; au XIXe siècle, Londres et Paris constituent les agglomérations les plus importantes des deux pays, mais il faut attendre les années 1870-1880 pour que l'industrialisation croissante et l'unification des marchés nationaux leur donne un rôle prépondérant dans tous les domaines de la vie nationale. A partir de 1900, les avantages que l'on retire de la localisation à proximité de la capitale deviennent déterminants dans certaines industries, celles qui demandent beaucoup d'initiative, qui sont liées à des milieux scientifiques ou techniques très dynamiques, ou bien celles qui ont besoin d'un contact incessant avec les organes de direction du marché. C'est donc une évolution assez récente qui a donné aux régions métropolitaines leur poids actuel : la multiplication des fabrications libres de leur localisation semble être à l'origine de cette concentration croissante. Il faut essayer de l'analyser avec plus de détail (39).

L'équilibre général des espaces nationaux.

Dans les économies qui sont nées de la révolution industrielle, les forces qui sont décisives dans la répartition des capacités de

si l'on veut comprendre les mécanismes qui sont à l'origine de l'accumulation des activités économiques dans les régions qui pratiquent la direction politique ou économique. Le danger, à partir de là, est de se laisser tenter par des théories purement physiques ou écologiques, au sens américain, comme cela nous paraît être le cas aux États-Unis de Philbrick (cf. *supra*, note 29) et en France de ceux qui parlent avec dilection des effets de polarisation.

(39) Les études que l'on a menées sur la croissance démographique des grandes métropoles permettent de suivre les progrès de la concentration économique dans les régions centrales. Elles sont difficilement comparables, car il y a maintenant un assez grand nombre de cas dans lesquels les fonctions centrales se partagent entre les villes d'une région urbanisée complexe. Des analyses statistiques utilisables, on peut dégager quelques idées : les taux de croissance des plus grandes agglomérations urbaines sont généralement un peu inférieurs à ceux des villes de dimension plus faible dans les grandes nations industrielles. Dans les pays sous-développés, et dont l'urbanisation n'est pas encore très marquée, c'est souvent au contraire, dans les grandes villes, que se manifeste la croissance la plus rapide. Il est difficile de généraliser, car les conditions varient considérablement d'un pays à l'autre, ainsi que l'a montré Brian J. L. Berry en analysant les pyramides de la hiérarchie urbaine dans un certain nombre de pays. *Id.*, « City Size Distribution and Economic Developpement ». *EconomicDeveloppement and Cultural Change*, vol. 9, juill. 1961.

Si les forces tendant à la concentration dans les grandes villes étaient seules à jouer, on devrait voir se généraliser la formation de cités primatiales, pour reprendre l'expression de Mark Jefferson, aux dépens des pyramides régulières : JEFFERSON (Mark), « The Law of the Primate City ». *Geographical Review*, vol. 29, 1939, pp. 226-232.

production sont indépendantes de la configuration des espaces nationaux. Ce qui compte, c'est d'abord la répartition des ressources. Ce qui intervient ensuite, c'est la position par rapport aux marchés qu'il est possible de desservir. Ceux-ci coïncident rarement avec la nation. Le développement des industries jeunes n'est possible que par la conquête sans cesse renouvelée de nouveaux débouchés : il faut voir là le secret du succès des industriels anglais. Sans cet élargissement constant des zones de demande, la machine s'arrêterait rapidement (40). La croissance par approfondissement du marché national n'est devenue possible que plus tard, avec l'augmentation du niveau de vie et des besoins des populations. Les possibilités d'exportation jouent donc un grand rôle dans le développement des premières économies industrielles. Ce sont les régions littorales qui se trouvent bien placées pour conquérir de nouveaux marchés. La nation a une croissance irrégulière, elle voit alors ses centres rejetés vers la périphérie. Les secteurs les plus peuplés sont situés sur les marges du territoire national, ce qui modifie la localisation du centre économique de la nation (41). Les pays jeunes, qui reçoivent de l'extérieur une bonne partie des équipements et des biens de consommation dont ils ont besoin se bâtissent un peu de la même manière, autour des régions littorales qui servent de charnière entre le marché international et l'espace national qui se constituent lentement : l'analyse menée par M. Jean Gottmann des fonctions de la Mégalopolis américaine est particulièrement significative à cet égard (42).

Les conditions générales de l'équilibre des localisations au sein de la nation sont profondément modifiées par la seconde révolution industrielle et le renouveau du nationalisme économique : les circuits d'échange des biens de consommation et

(40) Nous avons parlé de la croissance entretenue par l'expansion impérialiste des marchés aux chapitres précédents. Nous reprendrons la question dans le cadre de l'analyse des équilibres internationaux, au dernier chapitre.

(41) Certains économistes ou géographes considèrent que dans les nations développées dans une ambiance de relations internationales très larges, la situation normale est celle de la ville primatiale concentrant l'essentiel des activités en situation périphérique; c'est cette opinion qu'illustre, dans le cas de l'Australie, ROSE (James A.), « Dissent from Down Under : Metropolitan Primacy as the Normal State ». *Pacific Viewpoint*, vol. 7, 1966, pp. 1-27.

(42) GOTTMAN (Jean), *Megalopolis...*, *op. cit.*, cf. pp. 102-165, *The Continent Economic Hinge*.

Le thème de la région charnière était déjà développé dans GOTTMANN (Jean), « La région charnière de l'économie américaine ». *Revue de la Porte océane*, mars-avril 1951.

des biens durables se multiplient et ils sont pour partie ou pour l'essentiel, des circuits intérieurs. Les fabrications nouvelles ne sont plus liées aux ressources naturelles : elles ont intérêt à rechercher les positions centrales, celles qui assurent la meilleure desserte du marché national. Les secteurs continentaux qui avaient eu quelque peine à accomplir une croissance régulière se trouvent valorisés : nous en trouverons des exemples en analysant l'histoire de l'articulation intérieure des États-Unis et de la Grande-Bretagne. Les avantages que l'on retire de la présence de centres de décision, de recherche ou de commercialisation proches sont tels que les industries nouvelles s'agglomèrent à proximité des villes à fonction de capitale. Elle les transforment ou contribuent à les transformer en villes régionales. Elles accroissent leur centralité. Au terme de l'évolution, tout se passe comme si une grande partie des activités tertiaires et secondaires de la nation pouvait se concentrer dans une seule grande région, ou même, dans une grande ville régionale. Ne resteraient dispersées que les activités liées à la répartition des ressources — agriculture ou exploitation minière ou métallurgie lourde pour prendre les exemples les plus caractéristiques. Dans certains secteurs, les ressources sont si importantes que leur exploitation fixe une population abondante et permet le développement harmonieux de constructions régionales. Avec le temps, cependant, ces régions voient leur population s'agglutiner autour des centres les plus importants — elles se transforment en villes régionales entourées de zones peu peuplées. Là où les ressources sont moins nombreuses, la situation est plus grave. La population a tendance à s'amenuiser, puisque les progrès de la productivité permettent de diminuer sans cesse la part de la population totale d'une nation employée dans la production primaire ou dans les activités secondaires de base. Il arrive un moment où la densité est trop faible pour permettre au réseau urbain traditionnel de se maintenir. Les fonctions importantes se trouvent regroupées sur quelques centres, la dimension des aires de marché de service se trouve agrandie. Ainsi, les espaces périphériques perdent-ils l'organisation régionale qui les avaient caractérisés longtemps. La nation est formée d'un cœur urbanisé, d'une région totalement humanisée, qui concentre la plus grande partie des activités libres; tout autour se développent en auréoles de plus en plus vides les espaces d'exploitation (43). La concentration de certaines catégories de la population active dans la zone centrale de l'espace national peut-être à peu près totale. Les études d'Ullman l'ont montré pour les États-Unis (44). La plus grande partie du personnel de haute qualification scientifique et technique américain réside dans les deux zones qui bénificient de la centralité la plus forte et jouissent des avantages que crée la concentration des fonctions supérieures : il s'agit de la Californie et de la grande zone industrielle et urbaine qui va de la Nouvelle-Angleterre et des États de l'Atlantique moyen à la région des Grands Lacs. Le sort des régions les plus extérieures est particulièrement inconfortable (45).

Où se situent donc les secteurs qui attirent de la sorte une part croissante des activités nationales? Dans ces zones centrales dont nous avons déjà vu qu'il était difficile de fixer la localisation une fois pour toutes. Au début du siècle, les métropoles et les régions métropolitaines continentales ont connu une période particulièrement brillante : on songe à la poussée urbaine de Chicago, à la rénovation industrielle des Midlands britanniques. Depuis, les forces en œuvre se sont diversifiées. Les économies nationales se sont ouvertes davantage sur le monde extérieur. La plupart des industries lourdes se sont vues attirées par les localisations maritimes, car les transports de masse par bateaux spécialisés ont permis de diminuer dans d'énormes proportions le coût de la distance. Des possibilités assez équivalentes s'offrent donc aux zones bien situées pour desservir un marché continental à partir de son centre et à celles qui assurent le meil-

(43) Sur le principe général de différenciation, Böventer (Edwin von), « Towards a United Theory of Spatial Economic Structure », op. cit.

La théorie de la croissance rapide du centre et de la stagnation de la périphérie est exposée dans le recueil de textes d'Alonso et Friedman. Elle est à la base de la construction générale de la deuxième partie de l'ouvrage mais elle est prise ici dans un sens un peu abstrait : la périphérie ressemble à la marge des économistes classiques. Les auteurs écrivent, p. 209 : « The Centerperiphery theory is presented here with great force. More than a description of geographic position, center and periphery refer to a set of structural relations that hold the periphery in nearly, permanent subordination to the urban industrial heartland of Europe. » Friedmann (John), Alonso (William), *Regional Development and Planning, op. it.* — Id. *Problems of Development and Location in Europe. Economic Survey of Europe*, 1954. United Nations, Department of Economic and Social Affairs, reproduit aux pp. 405-439 de l'ouvrage précédent.

(44) Ullman (Eward K.), *Regional Development and the Geography of Concentration, op. cit.*

(45) En France, on a insisté souvent sur les désavantages qui naissaient, pour la Bretagne et pour la Corse, de leur situation périphérique.

leur contact avec l'extérieur : il n'y a plus de modèle unique de localisation des foyers de l'économie nationale. L'héritage des périodes passées peut fort bien rendre avantageuse la division des fonctions centrales entre deux séries de régions ou deux régions — une, située à la charnière maritime de l'économie nationale, l'autre, bien placée pour la desserte de marchés intérieurs. C'est ce qui se passe aux États-Unis avec le couple de la région des Grands Lacs et de la région urbaine de Mégalopolis (46).

L'accumulation des activités dans la zone centrale peut trouver une limite dans l'apparition de coûts de congestion, générateurs de déséconomies (47). Ceci peut conduire à l'élargissement de la zone à fonction centrale. Ceci peut également permettre l'apparition de nouveaux centres dans des régions différentes. Entre 1920 et 1950, cependant, la concentration en un seul secteur progressivement dilaté a été presque générale. Aux États-Unis pourtant, on a vu se développer, sur la côte ouest, une région dont les fonctions de direction sont de caractère pluri-régional, voire national. La dimension de l'espace américain était sans doute pour beaucoup dans cette évolution : il y avait, au cours de la période considérée, un seuil au-dessus duquel la concentration absolue cessait d'être un bien (48); une

(46) Il est intéressant, au point de vue de l'interprétation théorique, de considérer la zone économique centrale des États-Unis comme étant composée de deux noyaux, l'un maritime et l'autre continental. On peut mieux mettre en évidence les forces qui agissent sur l'équilibre général des localisations, dans la nation, on peut montrer comment, au sein de l'aire centrale, certains secteurs se trouvent favorisés à un moment, puis défavorisés plus tard. On mesurera l'importance relative des localisations maritimes pour une industrie lourde et leur effet possible sur les fonctions centrales qu'elle peut engendrer, en lisant : ALEXANDERSSON (Gunnar), « Changes in the Location Pattern of the Anglo-American Steel Industry », *op. cit.*

(47) Nous ne nous étendons pas sur le problème des coûts de congestion. Il est obscurci par toute une série d'imprécisions qui gênent les études empiriques. Il est très vraisemblable que le niveau à partir duquel les coûts de congestion apparaissent a considérablement varié depuis une ou deux générations, mais on a tendance à ne pas tenir compte de ces transformations historiques incessantes. Le désaccord sur les niveaux optima de développement urbain tient en partie à cela. Il tient aussi à la condamnation morale par beaucoup de ceux qui travaillent sur ces problèmes de la grande ville et de ses modes de vie.

(48) La dualité des centres à rayonnement national peut résulter aussi des conditions spéciales du peuplement américain : tout se passe comme s'il y avait eu deux zones à partir desquelles le peuplement s'est mis en place et par rapport auxquelles il s'ordonne comme dans un champ de gravitation : on pourrait expliquer ainsi la multiplicité des centres dominants. On retrouve le même raisonnement dans l'analyse de ROSE (James A.), « Dissent from Down Under : Metropolitan Primacy as the Normal State », *op. cit.*

pluralité de régions centrales était économiquement avantageuse. L'U. R. S. S. offrait un exemple assez semblable : le transfert de la capitale politique à Moscou n'a pas empêché Leningrad de voir son influence économique se maintenir dans la région du Nord-Ouest et même au-delà; dans les régions lointaines, on a vu apparaître des agglomérations dont le rôle est celui d'une zone métropolitaine dans un petit pays — Tachkent en Asie centrale ou Novosibirsk à la charnière de la Sibérie occidentale et de la Sibérie centrale.

Depuis une quinzaine d'années, les forces en œuvres semblent se modifier. Les déséconomies de concentration deviennent plus visibles, plus gênantes (49). Les échanges de services sont plus faciles, la mobilité à longue distance s'est accrue grâce à la mise en service des voies aériennes régulières. Les économies externes que procurait la concentration de toutes les activités tertiaires de niveau élevé dans un même secteur s'en trouvent légèrement diminuées. Certaines fonctions de direction sont désormais dévolues à des centres jusqu'alors considérés comme périphériques. La poussée urbaine des régions arides du Sud-Ouest américain, celle qui touche à l'heure actuelle aussi la Floride, peuvent, si elles se poursuivent, aboutir à une répartition plus harmonieuse des fonctions supérieures (50). La nation cessera d'être formée d'une grosse tête et d'un corps exsangue. Il y aura une répartition plus régulière des villes régionales, au milieu de leur espace d'expansion et de loisir.

On peut essayer maintenant de présenter d'une manière plus parlante cette analyse de l'organisation géographique des espaces nationaux, en prenant quelques exemples historiques, qui nous serviront de types. Lorsque la consistance de l'économie natio-

(49) Les déséconomies accrues tiennent à la généralisation de l'emploi de l'automobile et à la gravité sans cesse accrue des pollutions physiques. Les deux phénomènes sont d'ailleurs liés — la pollution physique résultant en partie des gaz rejetés par les moteurs à combustion interne.

(50) Les économistes mettent en évidence la valeur économique du soleil, de l'air pur, des rivages accidentés, des zones montagneuses; ils expliquent ainsi le mouvement de déconcentration avec le même modèle général que le mouvement de concentration qui l'a précédé. C'est particulièrement net dans l'étude d'Edwin von Böventer que nous avons déjà signalée (Towards a United Theory of Spatial Economic Structure). Les géographes, comme Ullman, parlent de l'apparition de nouveaux motifs de détermination. Les uns et les autres oublient généralement d'insister suffisamment sur les conditions qui autorisent la décentralisation, c'est-à-dire sur les progrès de la fluidité et de la transparence, qui permet de renoncer aux avantages de la concentration. ULLMAN (Edward L.), « Amenities as a Factor in Regional Growth ». *Geographical Review*, vol. 44, 1954, pp. 119-132.

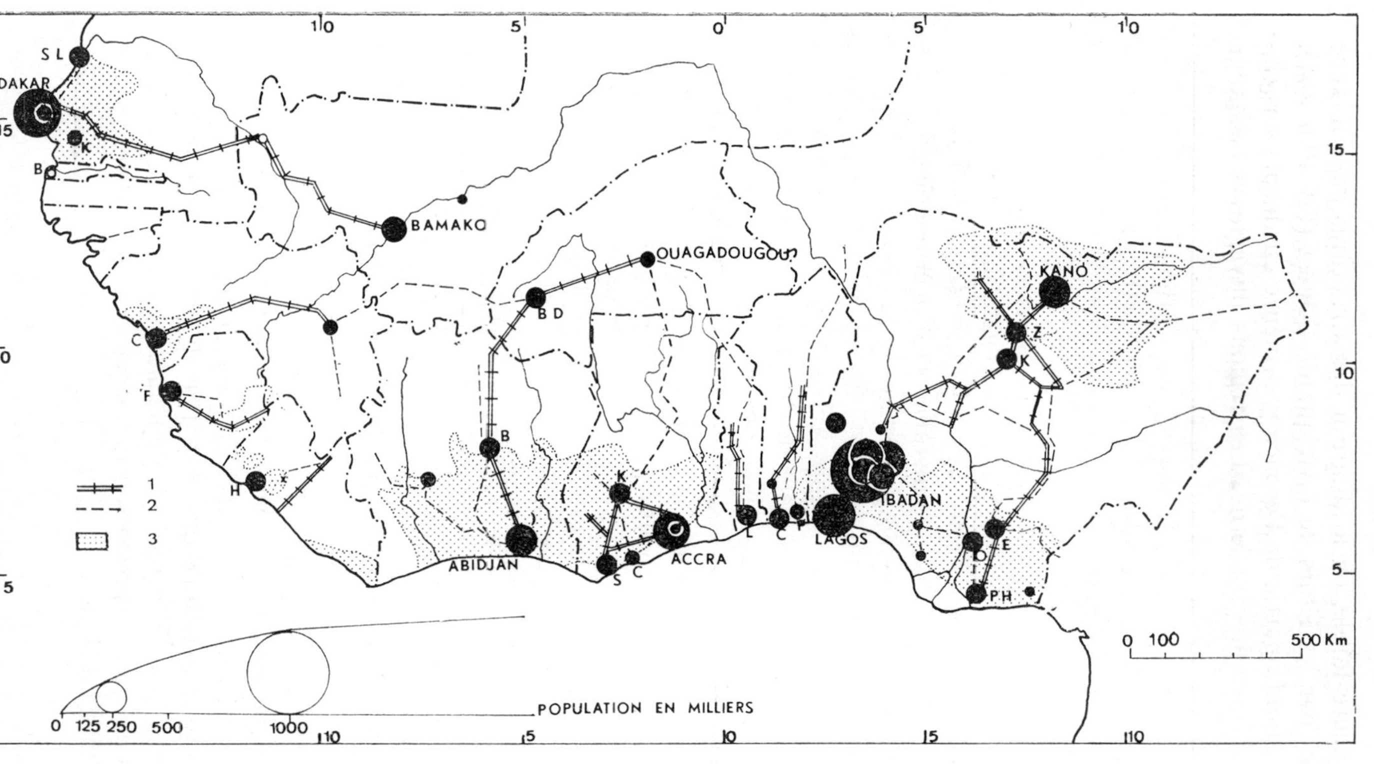

Fig. 12.5. — L'organisation régionale de l'Afrique de l'Ouest.

1. Voies ferrées. — 2. Routes. — 3. Zones de cultures commerciales.

On note la concentration des activités dans les zones littorales et le long de quelques voies de pénétration. Il n'y a pas de solidarité économique entre les diverses parties des nations de l'Afrique de l'Ouest.

nale demeure faible, on a affaire à des structures dont le type est fourni par les États de l'Afrique de l'Ouest (fig. 12.5) (51). La plus grande partie de l'espace y demeure en dehors des circuits de l'économie moderne. Les régions ouvertes à l'échange

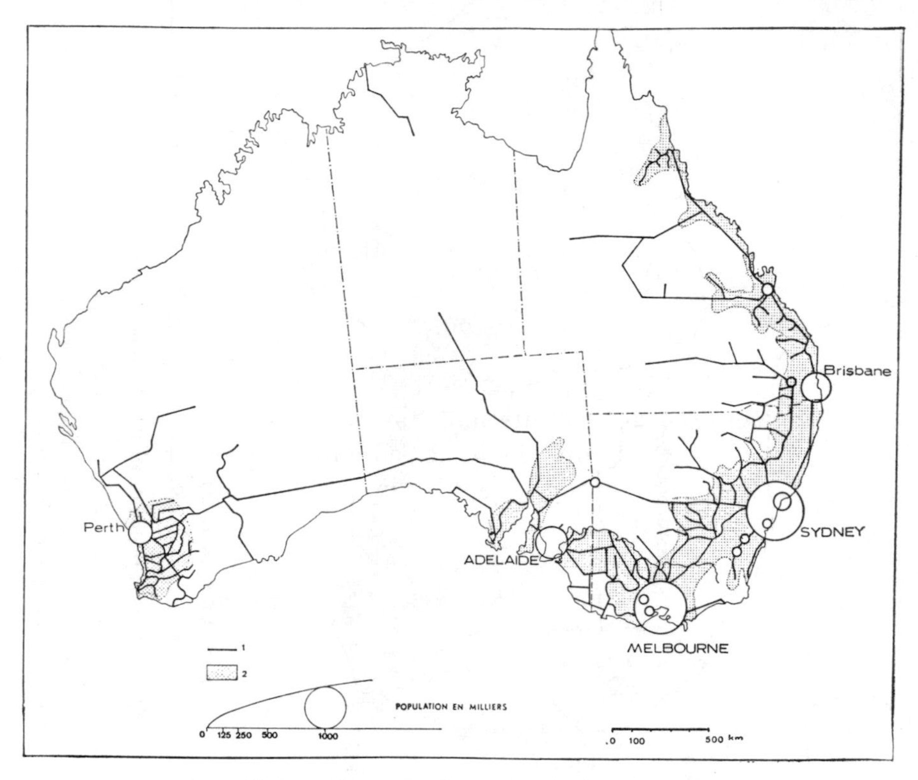

FIG. 12.6. — L'organisation régionale de l'Australie.
1. Voies ferrées.
2. Densité de population supérieure à 1 habitant au km².

sont littorales, au débouché des différentes voies de pénétration. Le développement des jeunes nations se traduit par une certaine concentration des activités d'importation, par l'apparition de foyers littoraux qui, à partir de la fonction de pivot d'économies peu intégrées et dépendantes, organisent à leur profit les circuits de prestation des services et de redistribution des produits fabriqués.

(51) C'est l'exemple analysé au plan de l'économie des transports par Edward Taaffe, Richard Morrill et Peter Gould (cf. note 13).

On trouve des constructions territoriales dont la consistance ne manque pas de présenter quelques analogies avec celles des pays africains : mais les similitudes géométriques masquent les différences profondes qui naissent du niveau de développement économique. Lorsque les conditions physiques sont telles que l'intérieur du territoire national ne présente aucune possibilité de développement, lorsqu'il est difficilement accessible, les zones centrales, au sens géométrique, n'ont aucun attrait. Les hommes et les activités productrices s'installent à la périphérie, comme dans le cas précédent. L'exemple le plus parfait est certainement fourni par l'Australie (52) (fig. 12. 6). Les pays organisés sur le principe de l'économie australienne ont une intégration beaucoup plus profonde que ceux de l'Ouest africain. Au moment où ils faisaient figure de pays jeunes, dans la seconde moitié du siècle passé, leur situation était, à peu près analogue, ce qui explique la multiplication de centres littoraux indépendants. Mais l'intégration des circuits monétaires et financiers est déjà effective depuis longtemps. Celle des circuits de production fait de grands progrès. Elle va jusqu'à la fabrication de demi-produits lourds. Un des exemples les plus symptomatiques est fourni par l'industrie sidérurgique australienne. Elle s'est développée à partir des ressources nationales en minerai et en houille, mais elle a pris dès l'abord l'aspect d'une sidérurgie sur l'eau : il n'est guère possible, dans le pays, d'envisager un autre moyen de relations pour des produits lourds. Les Australiens en ont retiré des avantages considérables : ils ont eu longtemps l'acier le meilleur marché du monde.

Pour les produits destinés à la consommation finale, l'organisation de type australien est moins favorable. Dans le Commonwealth, la partie sud-est constitue un marché relativement bien groupé et que l'on peut avantageusement desservir à partir de Sydney ou de Melbourne. Mais le développement des industries de transformation est handicapé par la dispersion du marché : la voie maritime n'est qu'un instrument imparfait pour le commerce intérieur.

Le cas opposé à celui de la géographie australienne est cons-

(52) Encore que pour des théoriciens comme James Rose (cf. *supra*, notes 41 et 48), l'organisation régionale paradoxale de l'État australien s'explique davantage par des raisons économiques et historiques que par le poids des contraintes physiques.

titué par celui des nations fortement intégrées et où les fonctions centrales ont été implantées dans un secteur continental, à plus

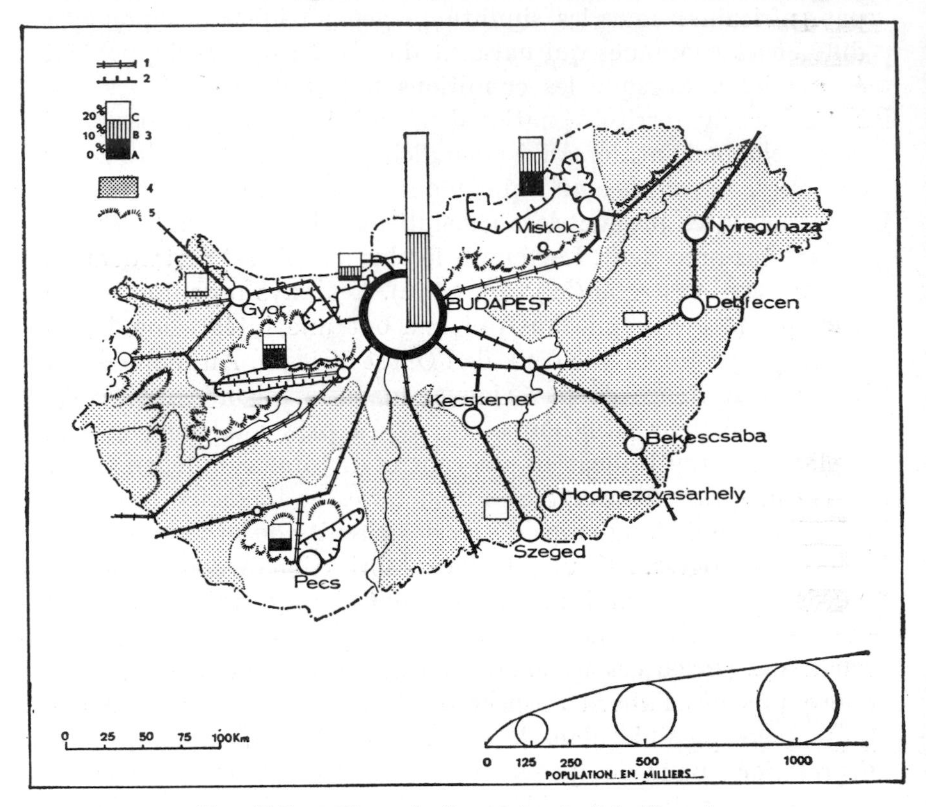

Fig. 12.7. — L'organisation régionale de la Hongrie.

1. Voies ferrées principales.
2. Régions industrielles.
3. Pourcentage de la main-d'œuvre industrielle dans chaque région économique par rapport à la main-d'œuvre industrielle totale :
   a) mines;
   b) métallurgie, mécanique;
   c) industries variées.
4. Zones dans lesquelles plus de 50 % de la population est agricole.
5. Limites des régions montagneuses.

Carte établie d'après des documents publiés dans *Applied Geography in Hungary*. Akadomiari Kiado, Budapest, 1964.

ou moins grande distance du centre géométrique. La France, l'U. R. S. S., dans une certaine mesure et beaucoup de petits États comme la Hongrie, appartiennent à ce type (fig. 12.7) (53).

(53) La géométrie de l'organisation hongroise est presque parfaite. Elle a été

Mais les cas où les régions à fonction centrale sont situées à la périphérie sont au moins aussi nombreux : que l'on songe aux Pays-Bas, dont l'organisation contraste avec celle de la Belgique voisine, que l'on songe au Danemark, à l'Argentine, au Brésil.

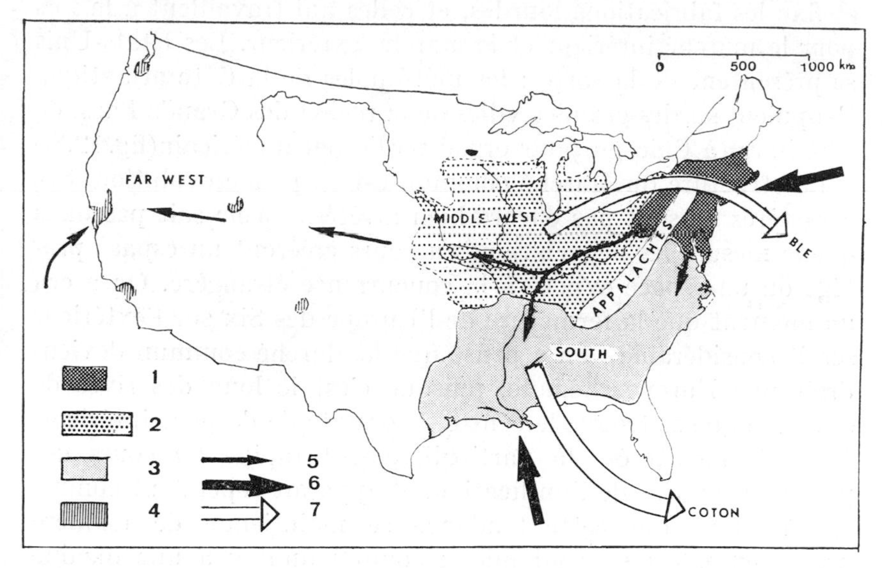

Fig. 12.8. — L'organisation régionale des États-Unis au milieu du XIXe siècle.

1. Région centrale, industrielle et commerçante.
2. Le Middle-West agricole, en voie d'extension.
3. Le Sud cotonnier.
4. Les oasis du Far West.
5. Courants de produits manufacturés en provenance de la région à fonction centrale de l'Est.
6. Importations de produits manufacturés européens.
7. Courants d'exportation de produits agricoles vers l'Europe.

Dès le milieu du XIXe siècle, la division du travail entre les diverses parties des États-Unis se lit clairement, mais l'intégration de l'ensemble est incomplète : le Sud échappe en partie au système de l'économie nationale.

Les grandes nations modernes sont organisées selon un double principe : le fonctionnement du marché de consommation se trouve mieux assis sur un espace continental, certaines fabri-

favorisée par les services de planification. La création de l'usine sidérurgique de Dunauvaros, au centre exact du pays est un exemple de cette accentuation volontaire durant les premières années d'après-guerre. Budapest domine la vie industrielle et commerciale de tout le pays. Malgré le développement des migrations du travail, la capitale ne fait pas encore figure de ville régionale; cela tient à la faible diffusion des moyens de transports individuels qui limite l'extension des zones métropolitaines, comme dans tous les pays de l'Est.

cations, plus à l'aise à la limite des espaces maritimes. On assiste de la sorte à un dédoublement des secteurs à croissance rapide : une zone interne assure la desserte du marché intérieur, une partie de la frange littorale assure les liaisons avec l'extérieur et fixe les fabrications lourdes, et celles qui travaillent à la fois pour le marché intérieur et le marché extérieur. Les États-Unis se présentent de la sorte : les métropoles de la Côte atlantique s'appuient sur les grandes villes de la région des Grands Lacs, de Pittsburgh à Chicago, pour organiser l'espace américain (fig. 12.8.)

La structure du Marché commun est en pleine évolution. Ses caractères ne sont pas encore bien arrêtés. On ne sait pas dans quelle mesure les négociations en cours créeront un espace protégé ou un espace exposé à la concurrence étrangère. On a cru un moment que la fermeture de l'Europe des Six sur l'extérieur serait considérable : on a pensé que le Marché commun deviendrait une Europe rhénane, puisque c'est le long des rives de ce fleuve que se trouve le centre de gravité de l'espace intérieur. La croissance a été là particulièrement rapide au cours des premières années de l'unification. Il apparaît cependant comme très douteux que cette tendance se maintienne de manière permanente. On se rend mieux compte qu'il y a une dizaine d'années de ce que les industries lourdes de l'Europe moyenne sont mal placés pour affronter la concurrence des centres littoraux. La Lorraine voit se resserrer dangereusement la zone de vente de ses minerais, mais aussi celle de ses produits fabriqués. La Ruhr est mieux placée, puisque le Rhin offre une voie de pénétration commode. Mais les conditions actuelles sont telles que les nouveaux centres métallurgiques comme Dunkerque, Gand ou Cornegliano en Italie travaillent à meilleur compte. Le développement économique des régions intérieures s'en trouve ralenti. Pour l'instant, le relais se trouve en bonne partie assuré par les secteurs littoraux de la mer du Nord dont la situation n'est pas sans rappeler celle de Mégalopolis, vis-à-vis de la région des Grands Lacs. On constate également la croissance rapide de centres isolés, autour de grandes villes, aussi bien en Allemagne du Sud qu'en Italie du Nord ou qu'en France. On peut se demander si l'on verra se former à la longue un espace national économique à région directrice unique — sur le Rhin ou sur les rives de la mer du Nord — ou si l'on verra au contraire se développer plusieurs centres directeurs. Les conditions techniques actuelles sont en faveur de la localisation périphérique d'une partie des forces productives nouvelles et les forces politiques à l'œuvre dans une construction peu centralisée favoriseront sans doute la floraison de centres multiples (54).

(54) Les analyses relatives à l'équilibre des localisations dans le Marché commun, et à leur modification éventuelle sont maintenant nombreuses. La plus classique demeure en France est celle de Bourguinat. On trouve dans les travaux de Sylvain Wickham des ouvertures originales. BOURGUINAT (Henri), « Espace économique et intégration européenne », *op. cit.* — WICKHAM (Sylvain), *Concentration et dimensions, op. cit.* — ID., « Espace économique français et libre-échange européen ». *Le Monde*, 15-16 mai 1966, pp. 11 et 14.

Cet article nous paraît fondamental, car il présente à la fois un exposé très clair de l'opposition centre-périphérie, et une analyse des conditions qui peuvent éviter la concentration totale dans ce sens :

« Le traité de Rome a expressément assigné à la politique régionale commune et à la Banque européenne d'investissement, la mission de prévenir l'accumulation des futurs investissements productifs dans la partie centrale du territoire communautaire (le Nord et l'Est en France). Cette zone « lotharingienne » (Flandre et pays rhénans) se trouvait privilégiée à l'ouverture de la C. E. C. A., puis du Marché commun, en 1958 : plus peuplée, plus riche en ressources naturelles (charbon et fer) et en industries avancées; position géométrique la meilleure pour rayonner au moindre coût de distribution sur tout l'espace communautaire.

« Or, il n'apparaît plus certain aujourd'hui que les accélérations communautaires doivent renforcer l'avance relative de ces régions anciennement industrialisées et consolider le sous-développement des zones périphériques (Italie du Sud, Ouest en France, extrême Nord de l'Allemagne).

« La dévalorisation (précédant l'épuisement physique) des ressources minières situées au centre de l'espace communautaire s'est récemment accélérée. La compétitivité du minerai de fer lorrain par rapport aux minerais riches importés par mer est fortement entamée; le coût relatif du charbon communautaire augmente d'autre part, non seulement par rapport aux matières énergétiques nouvelles (pétrole, gaz naturel), mais encore par rapport au charbon importé des U. S. A., où les conditions naturelles facilitent l'exploitation hautement mécanisée... Le triangle lotharingien Ruhr-Lorraine-pays de Charleroi, entre les pôles duquel s'effectuaient traditionnellement de gros trafics (ferroviaires ou fluviaux) de produits lourds complémentaires tend dès maintenant vers une désintégration progressive : chacun des trois bassins se tourne vers les centres portuaires les plus proches.

« Les choix d'infrastructures portuaires apparaissent donc fondamentaux pour l'intégration européenne la meilleure de l'espace économique français... Les deux seuls complexes portuaires français à la dimension internationale, Marseille-Berre et Rouen-Le Havre, feront à long terme des Bouches-du-Rhône et de la Basse-Seine des zones d'accueil privilégiées pour l'industrie lourde... L'emploi local dans les zones portuaires privilégiées ne sera pour autant largement stimulé, comme on le voit actuellement en de nombreux pays en voie de développement où des centres portuaires d'industries lourdes prospères diffusent faiblement sur l'activité environnante.

« Mais d'autres ports français moins importants, s'ils ne pourront accueillir les grands minéraliers ou pétroliers, verront s'accroître leur pouvoir d'attraction sur la grande industrie de transformation...

« ... Aussi bien le caractère périphérique ou central d'une zone donnée est-il économiquement contingent au dessin et à la hauteur des barrières douanières qui l'encadrent. Paris était géographiquement au centre des opérations dans la France seule. Le Nord et l'Est (avec l'ensemble des pays rhénans) font figure de zone centrale privilégiée dans un espace communautaire fermé à la périphérie. Si le protectionnisme communautaire (actuellement poussé au maximum dans le domaine agricole) devait se réduire progressivement dans l'avenir suivant la direction ouverte

On voit donc quels sont les grands types d'organisation régionale des nations que l'on pourrait retenir : on parlerait de géographie africaine pour les pays sous-développés, de géographie australienne pour les nations développées que les contraintes physiques articulent autour d'une zone centrale désertique, de géographie hongroise, au contraire, pour les pays dont le développement est résolument ordonné autour d'une ville ou d'une région dominante à situation centrale. L'évolution actuelle multiplie, semble-t-il, les organisations de type américain, où les fonctions centrales se trouvent partagées entre les localisations centrales et des localisations périphériques. Là où l'histoire a imposé d'incessants remaniements à la nation, comme c'est le cas pour l'Allemagne par exemple, le territoire a une articulation plus nuancée. Dans les nations où les particularismes politiques locaux ont gardé plus de vigueur, l'image d'ensemble peut se trouver également modifiée. La Suisse en constitue le meilleur exemple, puisqu'on y trouve aux moins cinq villes qui, à des titres divers, font figure de métropoles de taille nationale. A l'heure actuelle, la concentration du peuplement est telle dans toute la partie nord orientale du plateau, et autour du lac Léman, que l'on peut considérer l'ensemble national comme animé par deux régions à fonction directrice, une qui est dominée par Genève et Lausanne et l'autre qui s'étend de Bâle à Berne et Zürich.

Comment résumer de manière simple l'influence de l'organisation en espaces nationaux de la vie économique moderne? Comment caractériser les transformations qu'elle impose au paysage géographique? En montrant d'abord qu'elle est à la fois génératrice de continuité et de brusques contrastes : les infrastructures collectives diffuses, les habitudes sociales communes donnent à chaque nation une consistance propre (fig. 12.9). Les frontières politiques séparent des ensembles qui diffèrent par leur densité, leur niveau de vie, l'utilisation du sol, la transparence et la fluidité de l'espace. L'action de la nation est devenue de plus en plus efficace depuis une cinquantaine d'années : jusqu'alors, les vraies frontières, c'étaient celles qui

par le *Kennedy round*, il en résulterait assurément des bouleversements sectoriels considérables dont certains nocifs.

« Mais les effets géographiques iraient du moins dans le sens du rééquilibre souhaité : les portes atlantiques de la façade maritime française se trouveraient stimulées dans le sens même recherché actuellement par nos pouvoirs publics. »

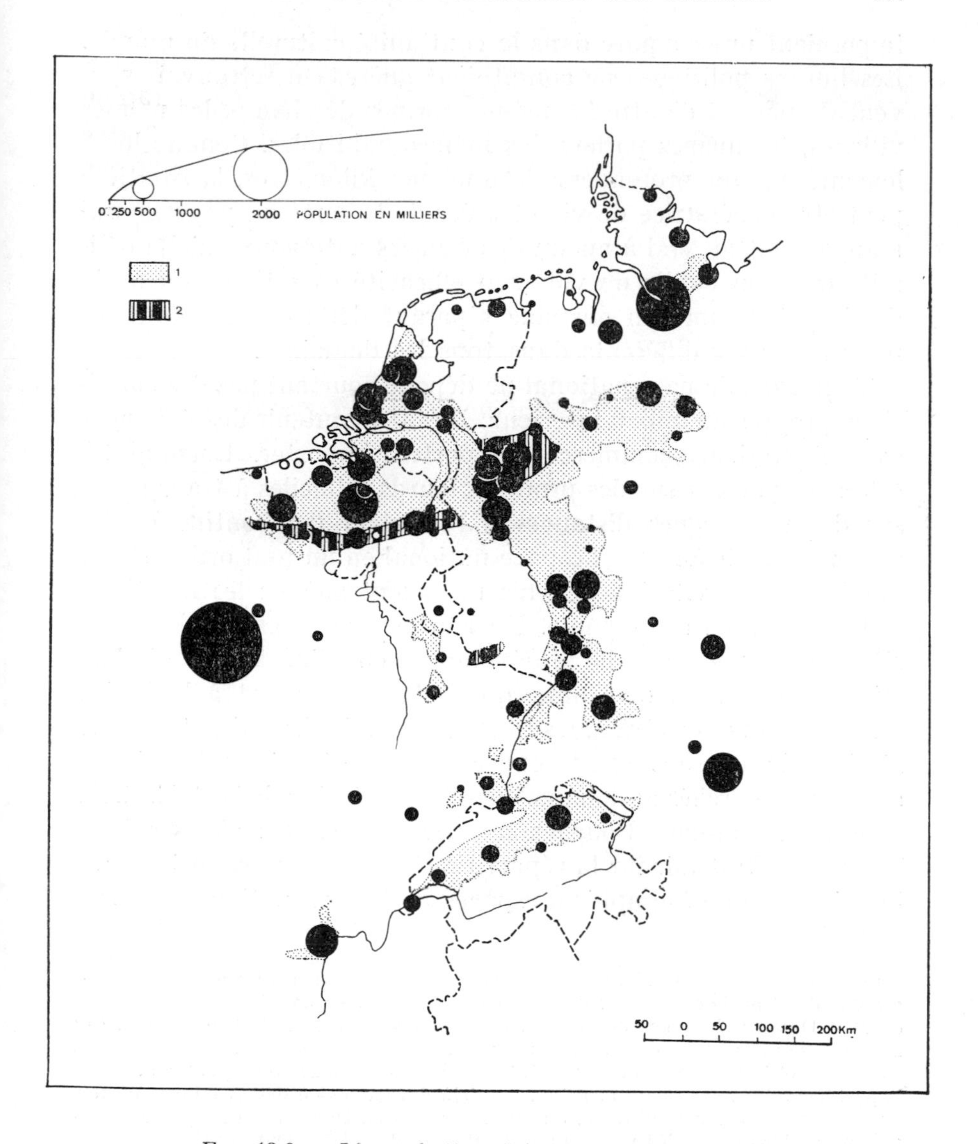

FIG. 12.9. — L'organisation régionale de l'Europe de l'Ouest.

1. Densité de population supérieure à 150 habitants au km².
2. Bassins houillers.

Le croquis montre qu'il existe des groupements dessinés en fonction de la totalité de l'espace de l'Europe du Nord et de l'Ouest : la vallée du Rhin, la plaine rhéno-westphalienne et ses prolongements le long de la façade maritime de la Mer du Nord, les bassins houillers donnent naissance à des groupements indifférents au tracé des frontières. Les secteurs de forte concentration sont du nombre de deux : un noyau continental en position centrale (la région rhénane); une zone littorale qui s'étend de Dunkerque à Amsterdam.

imposaient une coupure dans la continuité culturelle du monde. Les limites politiques ne comptaient guère. On retrouvait souvent de part et d'autre les mêmes formes de champ, les mêmes villages, les mêmes parlers, les mêmes habitudes. Comme localement, sur une profondeur de quelques kilomètres, la frontière peut être génératrice de vie et créer de la sorte un paysage qui n'appartient au vrai à aucun des espaces nationaux qu'elle délimite (55), on oublie de voir son efficacité essentielle, on ne la décrit pas comme un obstacle séparant deux espaces dont les potentiels sont différents dans tous les domaines.

Tout dans l'espace national ne dépend pourtant pas des conditions propres au milieu intérieur. Il faut maintenir des échanges avec l'extérieur, commercer, exporter, importer. Lorsque les échanges portent sur des produits lourds, difficiles à transporter sur de très longues distances à l'intérieur des continents, les forces qui transforment l'espace national en un tout ordonné par des lois de gravitation propres ne jouent guère : les frontières se lisent peu en ce domaine. En Europe, par exemple, les frontières n'ont pas empêché le développement d'un triangle industriel lourd étendu de Dunkerque à la Lorraine et à la Ruhr. Mais les hauts fourneaux, les forges, les laminoirs qui se trouvent ainsi implantés sans égard apparent pour le tracé des frontières, ont eu des marchés nationaux jusqu'à la création de la C. E. C. A. — et même au-delà. Pour les activités légères, pour les services, les forces qui dominent la répartition sont presque exclusivement intérieures. La géographie d'espaces divisés en nations est donc

(55) Nous avons déjà signalé quelques-uns des travaux classiques sur la géographie des frontières — ceux de Raoul Blanchard, à propos de la Flandre, ceux de Mlle Daveau, à propos de la frontière franco-suisse, ceux de Roger Dion. Ces analyses montrent l'originalité de la zone frontière. Ils expliquent sa genèse par les avantages qu'apportent les rapports internationaux. Ils n'arrivent pas tous à poser le problème dans sa vraie dimension. Au-delà des trafics ou des avantages parfois douteux de la région frontalière, on oublie l'essentiel. Roger Dion l'indiquait clairement : « Une leçon dès maintenant se dégage des événements contemporains : c'est que les hommes, en fait, sont divisés par les conceptions sociales dont ils se réclament, par ce que nous appelons, d'un mot, les idéologies, beaucoup plus que par la diversité des genres de vie. » DION (Roger), *Les frontières de la France, op. cit.*, cf. p. 105.

La continuité géographique de l'espace international dans le domaine des industries lourdes apparaissait très clairement dans le texte que nous avons reproduit ci-dessus (WICKHAM (Sylvain), *op. cit.*). On le voit se manifester dans des expressions comme celle de triangle lotharingien, Europe lotharingienne, etc. On en trouvera une expression plus économique dans VERBURG (Marinus C.), « Location Analysis of the Common Frontier Zones in the European Economic Community ». *Papers and Proceedings of the Regional Science Association*, vol. XII, 1963, pp. 62-78.

faite d'ensembles qui diffèrent par leurs caractères généraux et sont séparés comme par des marches d'escalier. Les activités les plus lourdes, les plus grosses consommatrices de ressources naturelles sont assez indifférentes, en apparence au tracé des frontières et rétablissent une continuité partielle d'un pays à l'autre. Mais la plus grande partie de la population active se trouve tournée vers la satisfaction des besoins nationaux, et se répartit en fonction de forces de concentration et de dispersion, dont l'effet est variable selon le temps : dans les conditions, qui prévalent généralement à l'heure actuelle, les tendances centripètes prédominent, si bien que la nation introduit, en dehors des marches d'escalier qui correspondent aux discontinuités essentielles de la vie économique, des structures en nébuleuse, des grandes agglomérations très différentes dans leur morphologie de celles qui pouvaient naître autrefois de la répartition inégale des ressources.

L'analyse de quelques exemples nationaux permettra de mieux comprendre l'évolution des organisations régionales et la genèse des inégalités et des concentrations qui semblent si générales de nos jours.

IV. — Quelques exemples d'évolution d'organisation régionale des nations.

Le Brésil.

La division du monde en pays stimulés par la révolution industrielle et en pays sous-développés s'est figée dans les premières décennies du siècle passé. Jusque là, on avait assisté à un élargissement progressif de la sphère des pays industriels. D'Angleterre, les innovations s'étaient propagées entre 1830 et 1870 dans toute l'Europe du Nord-Ouest. Au-delà de cette date, l'Europe du Nord et une partie de l'Europe méridionale se trouvent à leur tour happées par le mouvement. Hors d'Europe, le tournant décisif pour l'économie américaine coïncide à peu de choses près avec la guerre de Sécession et l'industrialisation forcée à laquelle elle donne naissance dans la région du Nord-Est. Au Japon, la révolution de 1868 commence à porter ses fruits dans les dernières années du siècle : les activités nouvelles ont été jusqu'alors portées à bout de bras par l'État, mais elles peuvent désormais compter sur un milieu formé à l'occidentale, pour assurer la relève et amplifier progressivement le mouvement de rénovation. A la fin du siècle, quelques États sont encore trop jeunes, ou trop changeants, pour que l'on puisse prévoir l'allure de leur développement. Il en va ainsi du Canada et des autres pays de colonisation blanche de l'Empire britannique. Depuis 1900, les transformations ont paru se ralentir, et les limites des terres développées ont peu varié. La révolution de 1917 a confirmé le passage de l'ancienne Russie dans le camp des pays à économie moderne. Les dominions ont profité des guerres pour accroître leurs équipements industriels. Les cas de nations qui ont réussi sous nos yeux à se transformer en fonction des données de la vie moderne n'en sont que plus intéressants.

L'organisation régionale du Brésil : le poids de l'économie coloniale.

Le Brésil offre le spectacle attachant d'un pays de transition (56) (fig. 12.10). Par ses immensités mal exploitées, celles de l'Amazonie comme celles du Matto Grosso, par ses terres de colonisation ancienne des provinces du Nord-Est, le Brésil appartient encore incontestablement au monde sous-développé. Partout, d'ailleurs, les mouvements de population se font au rythme des pays pris par la fièvre démographique qui caractérise maintenant le Tiers Monde. Mais les États de la région atlantique moyenne, autour de Rio de Janeiro et de São Paulo, ceux de la partie méridionale se sont créés les bases d'une économie moderne et toute l'organisation spatiale du pays s'en trouve affectée.

Le vieux Brésil colonial avait une structure que l'on pourrait comparer à celle de l'Afrique occidentale actuelle. L'exploitation en était menée à partir de la côte. Le relief se prête mal à

(56) Pour l'ensemble de l'étude de l'organisation régionale du Brésil, nous nous sommes appuyés sur les grands manuels classiques : MONBEIG (Pierre), *Pionniers et planteurs de São Paulo, op. cit.* — ID., *Le Brésil, op. cit.* — LE LANNOU (Maurice), *Le Brésil, op. cit.* — JAMES (Preston), *Latin America.* New York, Odyssey Press, 3e éd., 1959, 942 p. — DENIS (Pierre), *L'Amérique du Sud,* vol. I, 2e partie. *Géographie universelle,* t. XV. Paris, Armand Colin, 1927, 210 p. — ID., *Le Brésil au XXe siècle.* Paris, Armand Colin, 1908. — MONBEIG (Pierre et Juliette), *Le Brésil,* pp. 277-304 de la *Géographie universelle Larousse,* t. III (publié sous la direction de Pierre Deffontaines, Paris, Larousse, 1960).

la concentration des débouchés : les hautes terres qui bordent de manière presque continue la partie centrale et méridionale

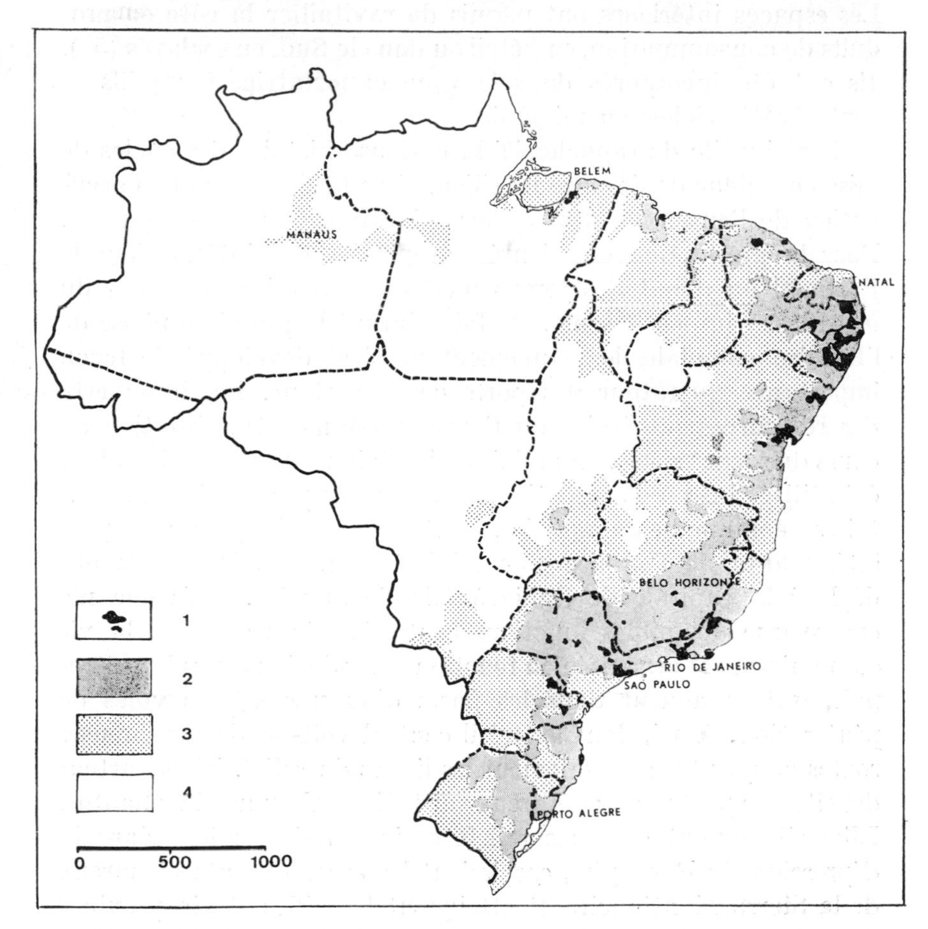

Fig. 12.10. — Le Brésil : densité de population et organisation d'ensemble.

La carte de la densité de la population du Brésil (les chiffres sont ici ceux de 1940) montre bien les caractères de cette nation qui se cherche : les noyaux de densités sont égrenés le long de la côte orientale, le reste est trop peu peuplé pour pouvoir accéder aux formes supérieures de l'organisation de l'espace. Sur la façade atlantique trois ensembles s'individualisent, celui du Nord-Est, plus littoral, celui du Sud, le moins important, celui des États de la région centrale qui ont une masse et une cohésion suffisante pour donner naissance à des structures régionales, et par combinaison de celles-ci, à une organisation nationale.

du littoral, l'aridité des régions intérieures du Nord-Est ne favorisent guère le développement d'organisations profondes de l'espace. La mise en valeur s'est faite à partir d'un grand nombre de ports. Elle a été relativement intensive dans les régions littorales ou sublittorales susceptibles de participer à l'exportation. Les espaces intérieurs ont permis de ravitailler la côte en produits de consommation, en bétail ou dans le Sud, en esclaves (57). Ils ont été incorporés dans la zone exportatrice lorsqu'ils se sont révélés riches en minerais.

Il est inutile de rappeler ici la curieuse histoire des cycles de mise en valeur de l'espace brésilien. Il suffit de noter que l'occupation de l'ensemble des régions atlantiques en est le résultat. Pour la production des denrées tropicales qui intéressaient le Portugal au début des temps modernes, la mise en valeur du Nord-Est s'imposait seule. De fait, durant la première phase de l'histoire coloniale, le peuplement ne s'est développé de façon importante qu'autour des ports de ce secteur. La découverte des ressources minérales du Centre modifia cette situation au cours du XVIIIe siècle. Les relais de la région centrale, qui avaient été utilisés jusque-là essentiellement comme points d'appui militaires, comme bases navales, sont devenus la partie la plus intéressante de l'empire colonial brésilien. Les Portugais ont déplacé la capitale de Bahia à Rio de Janeiro. Mais elle n'a encore que de faibles fonctions centralisatrices et toute la vie économique est organisée en fonction des relations vers la métropole, qui se nouent dans les ports d'où partent les voies de pénétration. Ainsi, dans le Brésil central voit-on de nombreuses routes couper transversalement les lignes du relief. Elles partent des sites de ports très nombreux sur le littoral au nord de Santos. Elles s'insinuent dans les reliefs côtiers, redescendent dans la dépression du Parahyba, escaladent les escarpements vigoureux de la Sierra Mantiqueira et atteignent les villes de la province des mines générales d'où l'on extrait l'or et le diamant. Plus au sud, la route issue de Santos gagne Saint-Paul, puis la dépression subséquente qui court au pied des grandes cuestas et des grandes mesas basaltiques qui marquent le début de la couverture sédimentaire du massif littoral.

L'accession à l'indépendance n'a pas transformé les conditions de la vie économique de l'ensemble des terres brésiliennes. L'intégration des diverses régions n'a pas progressé. Ce qui a changé, c'est le nom des partenaires directs avec lesquels se

(57) C'est ce qui a fait la fortune originelle de São Paulo, dont les Bandeirantes pénétrèrent le Sud entier à la recherche d'esclaves.

font les échanges des différentes parties du pays. Le Portugal a cessé de jouer le rôle d'intermédiaire obligatoire et les échanges se sont faits directement avec l'Angleterre, la France ou les États-Unis.

Le cycle du café et les progrès de l'intégration nationale (fig. 12.11).

Le cycle du café se situe apparemment dans la grande tradition de l'histoire économique brésilienne (58). Exploitation destructrice, brutale, la culture nouvelle anime un front pionnier, qui se déplace progressivement depuis la moitié du siècle passé. Parti de la région de Rio de Janeiro, de l'État de Guanabara et de celui d'Espirito-Santo, la culture prospère vite dans la dépression intérieure du Parahyba, gagne par elle les hautes terres orientales de São Paulo, puis se déplace vers l'ouest à travers tout l'État, jusqu'à la vallée du Parana et jusque dans les États voisins. Derrière le front pionnier, la terre est ruinée et le peuplement s'étiole. Va-t-on voir se produire la même rétractation que dans l'État de Minas Gerães, lorsque les exploitations minières se sont fermées avec l'épuisement des gites de métaux précieux? Les pays gagnés à la colonisation sont-ils condamnés, après une courte période d'économie commerciale brillante, à retourner à la médiocrité qu'assure une agriculture de subsistance mal équilibrée et presque aussi gaspilleuse de terre que la culture spéculative? Apparemment, oui, et les campagnes orientales des États du Brésil central se sont assoupies après le passage des pionniers (59). En réalité, non, car les conditions économiques générales sont très différentes de ce qu'elles étaient au cours du XVIIIe siècle. Le développement prodigieux de la demande de café a alimenté une prospérité que les crises de surproduction ne doivent pas faire oublier. La région s'est enrichie. Les zones agricoles n'en ont pas retenu le bénéfice. Les sommes gagnées et concentrées aux mains des grands proprié-

(58) Sur le cycle du café, nous suivons essentiellement MONBEIG (Pierre), *Pionniers et planteurs de São Paulo, op. cit.*

(59) Sur la persistance de zones d'économie traditionnelle dans le Brésil méridional, PAPY (Louis), « En marge de l'empire du café. La façade atlantique de São-Paulo ». *Cahiers d'Outre-Mer*, vol. 5, 1952, pp. 357-398.

Pierre Monbeig décrit par ailleurs longuement les zones ruinées laissées par la progression des fronts pionniers.

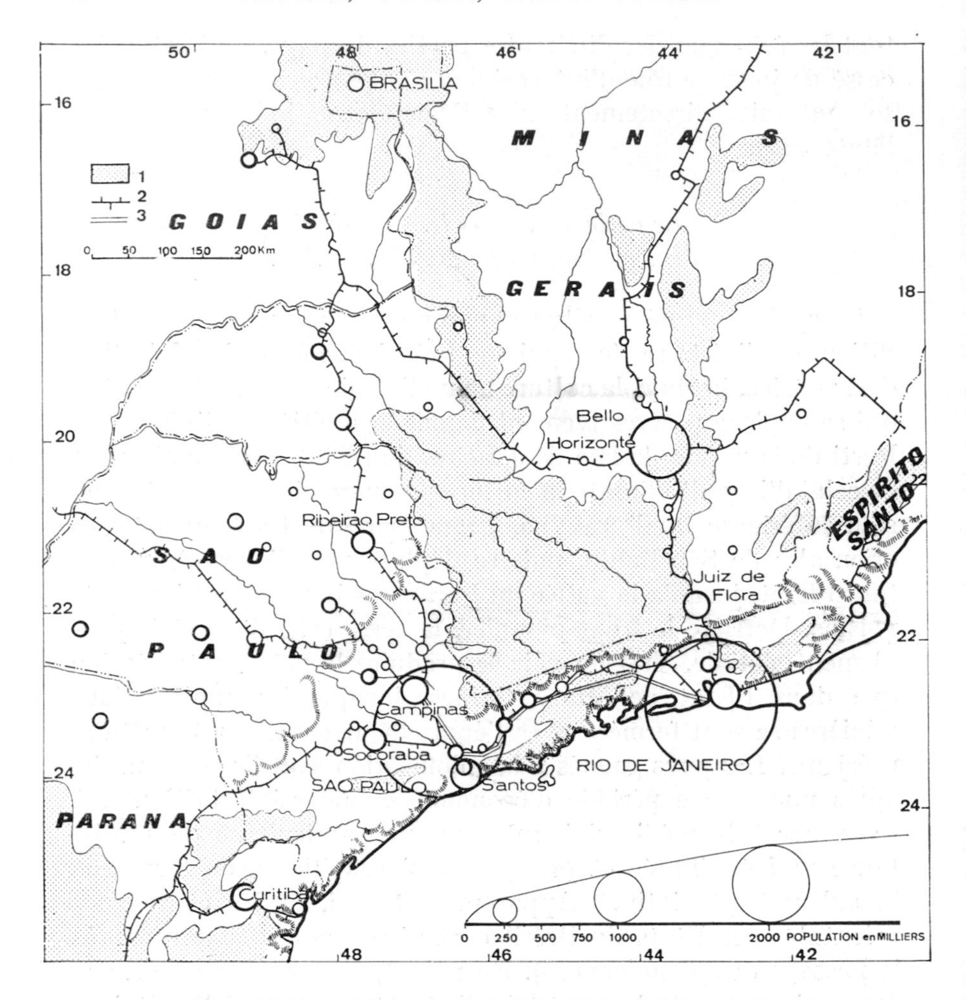

Fig. 12.11. — L'organisation régionale du Brésil central.

1. Zones montagneuses.
2. Voies ferrées principales.
3. Grandes routes modernes.

La trame des voies de communications met en évidence la forte organisation régionale de São Paulo, et, dans une moindre mesure, celle de la région de Rio et du Minas Gerães. La disposition en coulisse du relief dans la région du Rio Paraiba a favorisé l'intégration de ces ensembles en une construction cohérente et qui est déjà à l'échelle d'une nation de grande dimension.

taires de fazendas ou des intermédiaires du commerce ont été bien souvent dépensées dans les villes littorales à São Paulo ou à l'étranger, à Paris, sans rien laisser de durable. Mais elles ont également permis de mettre en place toute une infrastructure de services, toute une série de voies de communications dont le rôle va s'affirmer au cours de la période suivante. De Rio de Janeiro à São Paulo, de Santos à São Paulo, et de là aux nouvelles régions de cultures, les communications sont maintenant faciles. Un marché intérieur organisé se constitue de la sorte. Le commerce de distribution y trouve de nouvelles facilités. L'industrie bénéficie des circonstances favorables que crée l'augmentation du niveau de consommation d'une partie de la population et l'accroissement de l'étendue territoriale du pays. Dès le début du siècle, l'équipement des ressources hydroélectriques de l'escarpement côtier donne à São Paulo les bases énergétiques nécessaires à l'épanouissement des industries légères. Les deux guerres mondiales ont permis de se lancer dans de nouvelles fabrications sans craindre la concurrence des pays développés. Les réajustements qui ont suivi ont été souvent douloureux, mais la gamme des activités industrielles s'est incontestablement diversifiée.

On a pu croire un temps que cette activité nouvelle, que ce démarrage de la croissance dû au succès d'une grande culture exportatrice ne toucheraient guère que l'État de São Paulo. Rio de Janeiro participait à l'expansion, mais pour des raisons différentes, par suite de l'importance de son rôle d'importateur et de redistributeur — ce qui indique un certain degré d'intégration territoriale — et par suite de l'expansion de ses fonctions à caractère politique et administratif. La situation s'est bien modifiée. Au lieu d'un grand centre isolé et d'une métropole régionale quelque peu gonflée, c'est à tout un système cohérent d'organisation régionale que l'on a aujourd'hui affaire. Les spécialisations régionales sont demeurées assez semblables à ce qu'elles étaient, mais l'ensemble est animé de mouvements généraux de circulation. Depuis une génération, les progrès de cultures nouvelles et l'organisation scientifique de l'élevage ont permis de rénover les zones jadis saccagées par les cultures d'exportation. Elles ne connaissent certes pas une richesse analogue à celle des terres neuves, mais elles ont réussi à sortir de l'économie de subsistance à laquelle elles semblaient condamnées. Elles fournissent désormais de la viande, du lait, des légumes, des fruits aux grandes villes, dont la croissance a permis le développement d'une agriculture commerciale tournée vers le marché intérieur (60). La vallée du Parahyba, les hautes terres de São Paulo ont été touchées, le Minas Gerães également et le mouvement s'est étendu plus loin vers l'ouest, jusqu'au Goias et au Mato Grosso. Ceci peut surprendre un peu, mais le démarrage de l'économie de l'État de Minas Gerães est l'un des traits les plus significatifs de l'histoire récente de la vie économique brésilienne. La population de cet ensemble de hautes terres est élevée : c'est l'héritage de la période passée de prospérité. A une époque où la localisation des ressources physiques compte moins que par le passé, ce poids humain peut être un des éléments favorables à la croissance. Aux métaux précieux, le monde moderne a substitué un besoin grandissant de minerais métalliques vulgaires et les ressources de la région sont considérables. L'isolement de l'État a pris fin. A l'époque des chemins de fer, la barrière montagneuse qui le sépare des régions maritimes avait gêné l'extension du réseau. Les vieilles voies muletières ne pouvaient suffire aux besoins d'une économie moderne. A la longue, l'équipement ferroviaire s'est amélioré et la mise en place d'un réseau de routes neuves a facilité les relations avec la région côtière ou avec celle de São Paulo. Du coup, les fonctions de relation de cet ensemble régional se sont prodigieusement élargies. En effet, si le pays tourne le dos à la mer, il communique facilement avec une partie des hautes terres du Brésil central, avec les régions intérieures dans lesquelles on vient d'implanter Brasilia. La mise en valeur de ces vastes espaces est à peine esquissée, ce qui limite le commerce destiné à cette direction. Mais vers le Brésil du Nord-Est, peuplé et qui constitue un marché notable malgré son sous-développement, la voie la plus normale depuis São Paulo ou depuis Rio de Janeiro est celle qui suit la vallée du São Francisco. Le développement des villes du Minas, de Belo Horizonte en particulier, témoigne de ces perspectives nouvelles.

(60) On a décrit en détail cette évolution. Pierre Monbeig l'étudie dans sa thèse. Preston James l'analyse dans un cadre plus général. James (Preston E.), « Trends in Brazilian Agricultural Development ». *Geographical Review*, vol. 43, 1953, pp. 301-328.

La signification économique générale de ces transformations n'a peut-être pas été assez soulignée. On n'a pas montré à quel point cela indiquait le passage à une économie nationale. Sur la construction d'ensemble de ce foyer national, les analyses sont plus explicites, comme celles qui soulignent la valeur de la voie du Rio Paraïba moyen pour l'ensemble de l'équilibre national. Long (Roberto G.), « Ovale do Medio Paraïba ». *Revista Brasileira de Geografia*, vol. XV, 1953, pp. 385-471.

Au début de ce siècle, São Paulo avait su utiliser les dispositions du relief pour installer un réseau divergent qui ouvrait toute la partie centrale et occidentale des plateaux du Brésil atlantique. Au cours de la dernière génération, on a vu se constituer un réseau en quelque sorte symétrique et qui irrigue à partir de Rio de Janeiro, la partie septentrionale de ces mêmes plateaux. On voit ainsi comment deux métropoles nées d'une fonction de charnière entre l'économie locale et les marchés internationaux organisent à leur profit la centralité dans un espace aussi vaste. Les deux réseaux sont mis en relation par les voies qui unissent São Paulo et Rio de Janeiro. La vallée du Parahyba, que les routes ont longtemps traversée plus que suivie, est devenue un des axes essentiels de l'articulation des communications. Une autoroute la suit désormais. Au croisement de la vallée et des voies qui viennent du Minas se trouvent quelques-uns des sites dont la centralité est la plus élevée dans l'espace brésilien. La création, il y a maintenant vingt ans, du complexe sidérurgique de Volta Redonda marque bien la volonté d'exploiter au maximum cet avantage de position.

La réalisation d'une économie nationale
autour du noyau du Brésil atlantique moyen.

Au total, tout le Brésil central se trouve maintenant intégré dans un même espace. Les activités qui l'animent sont davantage tournées vers la satisfaction des besoins intérieurs, que vers l'exportation. Le café fait évidemment exception, ainsi que dans une certaine mesure les minerais. L'économie devenue complexe du Brésil central est fondée sur une agriculture capable de satisfaire les besoins d'une bonne partie de la population, sur une industrie légère qui peut concurrencer efficacement les produits étrangers. C'est autour de ce noyau que l'intégration économique de l'ensemble national s'est faite jusqu'à ces toutes dernières années.

Comme dans la plupart des états sud-américains, la Grande Crise a entraîné des difficultés telles que les fondements de la politique monétaire et financière ont été bouleversés. L'institution d'un contrôle des changes a garanti efficacement la fermeture des circuits de l'argent et du capital à l'intérieur de l'espace national. Les Brésiliens ont le sentiment que cette fermeture est le plus sûr gage de leur indépendance économique. Malheureusement, le prix qu'ils paient pour cette indépendance est assez lourd, car elle les prive du bénéfice des mouvements internationaux de capitaux. Or, comme nous l'avons déjà indiqué, la cohérence nationale ne peut être assurée par la fermeture des circuits financiers que si le solde de la balance des paiements courants est positif. A ce moment, la nation dispose, par le biais de ses réserves en devises extérieures, d'une possibilité d'agir, en important ce qui est nécessaire pour l'équipement. Si cette situation n'existe pas, la fermeture des circuits financiers ne donne pas d'indépendance réelle (61).

Au Brésil, les progrès de la construction nationale sont en définitive davantage liés à l'intégration des circuits de production qu'à la fermeture assez illusoire des circuits financiers. La nation se constitue autour d'un cœur animé par deux grandes métropoles aux fonctions dissemblables et complémentaires. A l'échelle de la nation, São Paulo fait figure de métropole économique et Rio de Janeiro de métropole administrative. Les deux villes fixent l'essentiel des fonctions tertiaires de direction et également une bonne partie des industries de transformation qui travaillent pour le territoire national. Pour la distribution des produits, les voies intérieures jouent un rôle capital. Mais tout le territoire ne rentrait pas, jusqu'à ces toutes dernières années, à l'intérieur du réseau des grandes liaisons terrestres. La décision du président Kubitschek de transformer la capitale fédérale sur les hauts plateaux du Goias correspond à une volonté de transformation géographique. C'est l'organisation de l'ensemble du territoire national qui est recherchée. Il s'agit d'intégrer les régions périphériques du Mato Grosso et de l'Amazonie et de renouveler les chances de développement d'une partie du Nord-Est. Étant donné l'articulation actuelle de l'espace national, l'opération ne peut aboutir, semble-t-il, au déplacement massif

(61) L'histoire du Brésil se rapproche, sur ce point, de celle des autres pays d'Amérique latine. Les techniques du contrôle des changes y sont souvent très subtiles. Elles n'empêchent pas le développement de l'inflation intérieure, les déséquilibres permanents de la balance des paiements. Elles ont sans doute contribué à décourager les investissements étrangers, mais ont restreint l'évasion du capital, un des points faibles de l'économie de tous ces pays. KAFKA (A.), « The Brazilian Exchange Auction System ». *Review of Economics and Statistics*, august 1956. — BERTRAND (R.), « Les techniques sud-américaines de contrôle des changes ». *Revue économique*, vol. 10, 1959, pp. 414-439. — LAMBERT (Jacques), *Amérique latine, op. cit.*

des entreprises et des services à fonction nationale déjà solidement implantées au bord de l'Atlantique. Tout ce que l'on peut espérer, c'est le dédoublement des noyaux à fonction nationale. Et la mise en place d'un réseau de voies de communications rayonnant à partir de Brasilia (62) assurera une ouverture de plus aux industriels de la région altantique centrale : Brasilia jouera alors le même rôle que Belo Horizonte a tenu dans l'organisation d'un espace plus proche. Kubitschek a certainement rêvé de faire de Brasilia le nœud d'une nouvelle région à fonction nationale, un peu comme Chicago relaie l'influence de New York et de Washington pour les espaces continentaux américains. Mais les circonstances sont différentes de celles qui ont fait le succès de Chicago. La grande voie navigable qui rapproche économiquement Chicago de la Côte orientale a favorisé la concentration des activités productrices dans la ville.

Pour assurer une meilleure pénétration dans l'ensemble du marché intérieur, la création de Brasilia se révélera sans doute à la longue comme un élément favorable. Mais les activités essentielles se trouvent plutôt attirées vers des localisations périphériques. Cela tient à la médiocrité des ressources d'une bonne partie des espaces continentaux du Brésil. Les usines lourdes se placent plus volontiers sur les marges d'un espace qui demeure cher pour les transports de masse : la création de Volta Redonda est symptomatique. C'est pour utiliser la houille du Rio Grande do Sul que l'on a créé l'usine à proximité du littoral. Une localisation sur l'eau aurait même sans doute donné à l'usine une plus grande souplesse d'adaptation, lui aurait permis de mieux s'adapter aux fluctuations de la conjoncture. C'est par mer que continuent à se développer les transports pondéreux à l'intérieur de l'économie brésilienne.

Les traits de la construction nationale que l'on voit se dessiner ne sont pas sans analogie avec ceux que l'on trouve aux États-Unis : les régions à fonction centrale demeurent à l'emplacement des vieux ports charnières de l'économie coloniale. La créa-

(62) Sur la signification de la construction de Brasilia, JAMES (Preston E.), FAISSOL (Speridião), « The Problems of Brazil's Capital City ». *Geographical Review*, vol. 46, 1956, pp. 301-317. — SNYDER (David E.), « Alternate Perspectives on Brasilia ». *Economic Geography*, vol. 40, 1964, pp. 34-45.

Sur le développement des infrastructures de transports continentaux, LELOUP (Y.) « Routes et transports routiers au Brésil ». *Information géographique*, vol. 27, 1963, pp. 187-195.

tion d'un marché intérieur favorise le développement d'un réseau de circulation continentale, mais malgré la volonté de renverser l'équilibre traditionnel de la nation, on ne peut guère espérer voir la région des plateaux du Goias connaître un épanouissement comparable à celui de la Côte atlantique. On s'achemine donc vers une dualité, les centres du littoral dominant largement les autres.

Dans l'état actuel de l'évolution, certaines régions demeurent très mal intégrées, tant à cause de leur sous-développement que de leur éloignement. Il en va ainsi de certaines portions du littoral, mêmes proches des grands centres modernes : la zone de culture du cacao, autour du Rio Doce, demeure par bien des égards encore de caractère colonial. La pénétration des produits nationaux a cependant modifié la situation au cours de ces dernières décades (63).

V. — L'organisation régionale des États-Unis.

Les États-Unis offrent un exemple beaucoup plus achevé de construction nationale. Les dimensions du pays confèrent à son organisation certains traits particuliers. Il ne fait pas de doute que la multiplication des centres à rayonnement national ou pluri-régional en est la conséquence. Les traits généraux de l'évolution sont cependant assez représentatifs de la situation moyenne de beaucoup de nations (64).

(63) Les transformations de l'économie des régions mal intégrées dans l'ensemble de la vie nationale a été notée par nombre de géographes : Stevens (Rayfred L.), Reboucas Brandao (Paulo), « Diversification of the Economy of the Cacao Coast of Bahia, Brazil ». *Economic Geography*, vol. 37, 1961, pp. 231-253. — Santos (Milton), « Villes et régions dans un pays sous-développé : l'exemple du Reconcavo de Bahia », *op. cit.*

(64) Ajoutons que l'histoire et l'économie sont beaucoup mieux étudiées que dans les autres pays, ce qui permet de suivre avec plus de précision l'évolution de la construction régionale.

Au point de vue géographique, nous avons utilisé les ouvrages suivants : Baulig (Henri), *L'Amérique septentrionale*, vol. I et II, *op. cit.* — Gottmann (Jean), *L'Amérique.* Paris, Hachette, 1949, 470 p. — White (Langdon C.), *Regional Geography of Anglo-America.* Englewood Cliffs, N. J., Prentice Hall, 1943, 898 p. — Wright (Alfred J.), *United States and Canada : an Economic Geography.* New York, Appelton-Century Crofts, 1948, 490 p. — Miller (George J.), Parkins (Almon E.), Hudgins (Bent), *Geography of North America.* New York, John Wiley, 3e éd., 1954 (1re, 1928), XIII, 664 p. — Shaw (Earl B.), *Anglo-America : A Regional Geography.* New York, John Wiley, 1959, 480 p. — Parker (W. W.) *Anglo-America. A systematic Regional Geography.* Londres, University of London Press, 1962, 404 p. — Griffin (Paul), Young (Robert N.), Chatham

Les colonies anglaises de la Côte altantique se sont développées un peu comme toutes les terres neuves, sous la forme d'un chapelet de centres plus directement reliés à la mère patrie qu'ils ne l'étaient entre eux (65). Les conditions du relief, comme au Brésil, se montrèrent favorables à ce morcellement initial de l'espace. Les fleuves atlantiques sont courts et la plaine littorale est étroite. Au-delà du piémont appalachien, les chaînons montagneux bornent les horizons et limitent les possibilités d'expansion. Au-delà des montagnes primaires s'ouvrent de larges espaces, mais ils ne furent réellement connus qu'au début du XVIIIe siècle. Leur accès était malaisé. La vallée de l'Hudson semblait mieux faite pour ouvrir un passage vers les plaines laurentiennes que vers la région des Grands Lacs, et son rôle stratégique n'apparut qu'assez tard. C'est dans la seconde moitié du XVIIIe siècle que l'on comprit que la clef de toutes les plaines de l'Ouest se trouvaient peut-être, pour les jeunes États américains au niveau de la vallée supérieure de l'Ohio.

Les spécialisations productives à l'époque coloniale.

La ressemblance entre les colonies anglaises et les colonies portugaises ne doit pas masquer les différences. Au Sud, à partir de la baie de Chesapeake — et peut-être déjà de celle de la Delaware — la chaleur des étés permet de pratiquer des cultures complémentaires de celles de l'Europe du Nord-Ouest. La multiplicité des sites portuaires facilite les exportations et les liaisons avec l'extérieur. C'est donc là que les caractères coloniaux ont été les plus affirmés et que les structures régionales ont été les plus longues à se dessiner. La Virginie (66), malgré la richesse de ses plantations, est restée plus rurale que les zones plus rudes des États de Nouvelle-Angleterre. Ceux-ci se prêtaient mal au développement d'une économie coloniale bâtie sur le modèle classique. Les ressources étaient celles de la forêt : les pelleteries et les bois étaient recherchés et permettaient de

(Ronald L.), *Anglo-America.* San Francisco, Feanon, 1962, 552 p. — WATSON (James Wreford), *North-America. Its Countries and Regions, op. cit.*

(65) Cela se manifeste par la difficulté à faire naître un État, même fédéral, par l'impossibilité de lui trouver un nom. Chaque colonie est réellement indépendante des autres au plan de l'économie. Des regroupements s'esquissent, une division du travail apparaît vite possible, mais les principes de différentiation régionale tiennent surtout aux oppositions entre les dominantes culturelles des divers groupes.

(66) GOTTMANN (Jean), *Virginia at Mid-Century, op. cit.*

nourrir des exportations. Mais l'agriculture ne pouvait fournir que des produits rivaux de ceux de l'Europe et dans un environnement défavorable, il était vain d'en attendre des revenus considérables. Il n'y a guère qu'en Pennsylvanie, ou dans le New Jersey que la culture des grains pouvait donner des bénéfices. Ailleurs, l'exploitation du pays ne devenait profitable que si l'on renonçait à vivre uniquement de la terre. La Nouvelle-Angleterre fut dès les origines une région de marins, de commerçants et de fabricants. La mer était poissonneuse, la forêt voisine permettait de construire tous les vaisseaux dont on avait besoin. Les colons de la région créèrent vite une économie commerciale et urbaine à l'image de celle des pays de l'Europe du Nord-Ouest (fig. 10.11). Leurs circuits triangulaires les enrichissaient et la modestie de la population des centres d'où ils rayonnaient — aucune ville ne dépassait, au moment de la Révolution américaine, 40.000 habitants — ne doit pas faire oublier leur puissance réelle (67).

Au moment où s'organise la jeune nation, dans les dernières années du XVIIIe siècle, il y a deux ensembles en présence : les États du Sud vivent de leurs plantations et en symbiose étroite avec l'économie des pays de l'Europe du Nord-Ouest. Les États de l'Atlantique moyen et plus encore ceux de la Nouvelle-Angleterre se présentent comme des puissances déjà semblables par bien des points à celles de l'Ancien Continent. La structure très décentralisée mise en place par les Constituants américains reflète cette diversité d'intérêts, qui semblait faire obstacle à la constitution d'un territoire national vraiment uni. On sait que les premières années de la vie politique du jeune État furent

(67) Les différences de mentalité et les aptitudes agricoles inégales ont amené très tôt les Américains à prendre conscience de l'originalité des trois ensembles de la bordure atlantique. On peut suivre l'évolution du sentiment régional dans l'étude de Fulmer Mood : dès l'époque de Jedidiah Morse, les géographes américains opposaient les trois sections fondamentales de cet ensemble. L'analyse des systèmes économiques de chacun des trois secteurs est classique. On la trouvera dans les ouvrages d'histoire économique, comme ceux de Faulkner ou de Kemmerer et Jones. MOOD (Fulmer), *The Origin, Evolution and Application of the Sectional Concept 1750-1900*, pp. 5-99 de JENSEN (Merrill) (sous la dir. de), *Regionalism in America*. Madison, The University of Wisconsin Press, XVI, 425 p. — WEBB (Walter Prescott), « Geographical Historical Concepts in American History ». *Annals, Associations of the American Geographers*, vol. 50, 1960, pp. 85-93. — FAULKNER (Harold U.), *American Economic History*. New York, Harper and Brothers, 1949. Trad. française : *Histoire économique des États-Unis*. Paris, P. U. F., 2 vol., 1958, 754 p. — KEMMERER (Donald L.), JONES (Clyde C.), *American Economic History*. New York, Mc Graw Hill, 1959, XVI, 680 p.

marquées par l'opposition entre les tenants d'une Amérique rurale, solidement attachée à la terre et ceux qui auraient déjà voulu accentuer son caractère de puissance commerçante et industrielle. Les premiers se groupaient autour de Jefferson, qui modela le paysage américain par les idées qu'il légua à la postérité : la terre devait être distribuée de telle manière que le pays deviennent une solide démocratie à base terrienne. Les seconds se réclamaient plutôt de Hamilton, qui représentait les intérêts de la bourgeoisie commerçante des grandes villes de l'époque (68).

La mise en valeur de l'Ouest.

Une tension grave aurait pu apparaître dès cette époque entre les deux courants — semblable à celle qui devait amener trois quarts de siècle plus tard la guerre de sécession. L'ouverture des territoires de l'Ouest permit d'éviter les heurts. Dans les zones nouvellement pénétrables, on mit en application les idées de Jefferson. La mise en valeur de ces nouveaux espaces nécessitait une organisation commerciale sans cesse élargie, ce qui permit aux États du littoral atlantique d'assurer leur contrôle sur les régions en voie de développement. La colonisation se fit à partir de plusieurs points, et la constitution politique et l'organisation du relief empêchèrent la concentration des nouvelles fonctions de pivot dans un seul secteur. Les villes de la partie moyenne de la Côte atlantique se trouvaient mieux placées que d'autres, mais aucune ne disposait d'avantage décisif (69). New York contrôlait, par le couloir de l'Hudson, et par la vallée de la Mohawk,

(68) L'opposition entre les deux conceptions de la vie économique de l'Amérique est exposée en détail dans les histoires économiques que nous venons de citer : le débat entre les deux écoles a dominé la vie du pays durant les premières années de son existence.

(69) Il ne faudrait pas pour autant négliger le rôle des itinéraires partant des régions plus méridionales : c'est par la Virginie que sont passés une bonne partie des colons qui ont peuplé le Centre-Ouest. Cela se traduit encore dans nos jours dans la toponymie, dans les variétés dialectales de l'Américain, dans les types de constructions des maisons rurales. La zone qui a été ainsi directement peuplée par les courants provenant de la Nouvelle-Angleterre ou de l'État de New York ne correspond qu'à une étroite frange littorale le long des Grands Lacs. La facilité que l'on avait d'atteindre la vallée de l'Ohio à partir de la Pennsylvanie et la Grande Vallée à partir de la Virginie expliquent le rôle stratégique de ces deux États dans la mise en valeur de l'intérieur. La construction de la National Road facilita la poussée vers l'ouest et permit à la colonisation de progresser dans la zone qui s'étend au nord de la vallée de l'Ohio. On connaît les descriptions laissées par

une voie plus facile, mais elle était plus longue. Philadelphie et Baltimore étaient à la tête de voies de pénétration plus directes, mais plus difficiles. Les premières années du XIXe siècle furent marquées par d'âpres rivalités. New York réussit à gagner la première place, dans la mesure où elle offrait les meilleures possibilités de développement portuaire et où l'accès des régions de l'Ouest lui était plus facile. La construction du canal Érié marqua le point crucial de cette politique de développement poursuivie systématiquement au détriment des villes voisines. Mais celles-ci réagirent. Elles multiplièrent à leur tour les canaux pour diminuer le prix des acheminements en direction de l'Ouest et elles utilisèrent très vite le chemin de fer pour assurer les liaisons sur les itinéraires que la voie d'eau ne pouvait ouvrir (70).

Les ports du littoral sud se trouvaient dans une moins bonne position dans cette compétition. La forme du continent limite le rayonnement des ports de Caroline ou de Géorgie. Savannah et Charleston se heurtent assez vite, à l'Ouest, à la rivalité de la Mobile et de la Nouvelle-Orléans. De toutes les villes engagées dans la lutte pour le contrôle de l'intérieur américain, cette dernière se trouvait apparemment être, avec Montréal, la mieux placée pour servir de débouché aux vastes espaces intérieurs. La colonisation française en Amérique du Nord s'était appuyée sur ces deux points de pénétration et avait réussi à organiser, de manière bien fragile il est vrai, un espace démesuré. Au XIXe siècle, Montréal est handicapé par la frontière entre les possessions britanniques et les États-Unis. Le rôle de la ville du Saint-Laurent comme débouché de l'Ouest intérieur demeura médiocre. La situation de la Nouvelle-Orléans se présentait sous un meilleur jour. Le port faisait partie de la construction politique américaine, ne souffrait d'aucune exclusive. Il pouvait attirer tous les produits que les territoires de la vallée du Mississipi offrait à l'Europe. Il drainait l'essentiel des récoltes

Michel de cet itinéraire. La croissance de Saint-Louis, son rôle comme porte de l'Ouest, proviennent en partie de cette réalisation.

Tout se passe comme si les États de la région moyenne, Virginie et Pennsylvanie avaient été mieux placés pour nourrir le mouvement de colonisation, grâce à la rapidité de la route qu'ils détenaient et si New York avait au contraire pu jouer sur l'acheminement facile de marchandises en grande quantité par la voie fluviale et le canal. On comprend dans ces conditions qu'aucun des secteurs n'ait réussi à s'assurer un avantage massif au cours de la période.

(70) Sur les aspects de cette compétition, on pourra voir par exemple : GOTTMANN (Jean), *Megalopolis*, *op. cit.*, chap. 3. — FAIR (Marvin L.), WILLIAMS (Ernest W.), *Economics of Transportation*, *op. cit.*

de la partie inférieure du fleuve et favorisait la diffusion des cultures subtropicales plus loin vers le Nord que partout ailleurs : la limite entre les États esclavagistes et les autres avait traditionnellement été fixée à la ligne du 36° 30' de latitude nord, mais le Missouri échappa à la règle et constitua une enclave dans ce que les États du Nord considéraient comme leur aire d'expansion naturelle. La force de la Nouvelle-Orléans reposait presque exclusivement sur l'utilisation du Mississipi. Celui-ci est irrégulier et l'instabilité des courants rend difficile la remontée. La position de la Nouvelle-Orléans était excellente comme port exportateur, elle l'était moins comme port importateur et centre de redistribution. Ceci permit aux ports de la région Atlantique de créer une organisation plus puissante et le moment venu de déplacer la ligne majeure d'ouverture de l'Ouest intérieur à leur profit. Jusqu'au milieu du siècle, il était difficile de prévoir quelles régions l'emporteraient définitivement dans cette course à l'organisation de l'espace intérieur du continent. Les villes du Sud sont moins nombreuses, mais des ports comme Charleston et Savannah participent au grand effort pour atteindre l'Ouest par fer.

Une organisation territoriale basée sur la spécialisation des régions.

Dans les premières années du XIXe siècle, les Américains commencent à être conscients de l'organisation régionale que prend leur territoire. Une véritable charte de division et d'organisation territoriale se trouve enfermée dans le système américain d'Henry Clay (71). Pour la première fois se trouve exprimé

(71) La conscience de l'opposition entre les régions était déjà claire aux États-Unis dans le dernier quart du XVIIIe siècle, comme le montre l'étude de Fulmer Mood (note 67). L'originalité de l'Ouest s'accentue au plan humain au tournant du XVIIIe siècle, comme le montre l'évolution des conceptions régionales de Jedidiah Morse. Mais la définition des rôles économiques qui devaient échoir aux diverses parties n'était pas nette. Comment l'Ouest devait-il s'intégrer à la construction nouvelle? Dans le Sud, il constitua un simple prolongement des États côtiers, ne réussit pas à acquérir une personnalité propre sur le plan psychologique, ni à choisir des voies nouvelles au plan économique. Dans le Nord au contraire, un problème se posait, car l'économie maritime et commerçante des États de Nouvelle-Angleterre et de l'Atlantique moyen ne pouvait servir de modèle. On aurait pu croire que l'Ouest allait se souder avec le Sud, gros consommateur de produits alimentaires. L'originalité du « système américain » d'Henry Clay, c'est d'aller contre cela et de proposer une association qui paraissait moins inscrite dans la nature, mais qui

clairement le principe de la division triangulaire de l'espace américain. Les États du Sud contribuent à la vie de la Confédération en exportant les matières premières agricoles que leur climat permet de fournir aux industriels de l'Europe du Nord-Ouest. On commence à les concevoir comme formant une ceinture de cultures spécialisées, le fameux Cotton Belt, qui prend ses dimensions aux alentours du milieu du siècle. Les régions, États ou territoires de l'Ouest contribuent à la vie américaine en exportant des produits agricoles tempérés vers les nouveaux marchés qu'assurent l'industrialisation de l'Europe. Ces régions contribuent également à l'approvisionnement en produits alimentaires des régions du Sud du Nord-Est. Ces dernières vivent à la fois de leur rôle d'intermédiaire commercial, de leur fonction de pivot de la vie économique américaine et des activités de transformation industrielles destinées à assurer la couverture des besoins des régions nouvellement ouvertes.

Au moment où Henry Clay formule sa doctrine, elle n'est qu'un programme et ne définit pas exactement les rapports réels des différents constituants du corps national : les fonctions de pivot sont partagées entre les ports de la région atlantique et ceux du Sud, la Nouvelle-Orléans en particulier. Le débouché des plaines intérieures vers l'extérieur peut très bien se déplacer vers cette dernière; la vocation industrielle des États du Nord-Est risque de se trouver compromise. Aux alentours du milieu du siècle, la pénétration dans les territoires de l'Ouest se fait surtout à partir de Saint Louis : cette ville est reliée par chemin de fer aux villes de l'Atlantique, mais elle est au départ d'une active navigation fluviale (fig. 12.12).

Les études d'histoire économique montrent que le tournant décisif dans l'industrialisation américaine se situe assez tard, après 1840 en tout cas (72), plus de dix ans après la déclaration d'Henry Clay. Jusque-là, les détenteurs de capitaux des grandes villes de l'Est préféraient placer leur argent dans le commerce

permettait aux zones du Nord, aussi bien au bord de l'Atlantique qu'à l'intérieur, de manifester leur dynamisme.

On trouvera dans les histoires économiques que nous avons signalées plus haut l'exposé des débats sur l'établissement des tarifs douaniers à propos desquels Clay imagina son système.

(72) On trouvera une discussion du problème du *take-off* dans FOHLEN (Claude), *L'Amérique anglo-saxonne de 1815 à nos jours.* La Nouvelle Clio. Paris, Presses Universitaires de France, 1965, 374 p.

que dans la construction d'usines et d'ateliers (73). Les profits que l'on pouvait en retirer étaient beaucoup plus considérables. A défaut de placements commerciaux, la spéculation foncière ouvrait une voie plus facile que la constitution d'empires industriels. La croissance déjà sensible des zones industrielles de la Nouvelle-Angleterre ou des régions intérieures de l'État de New

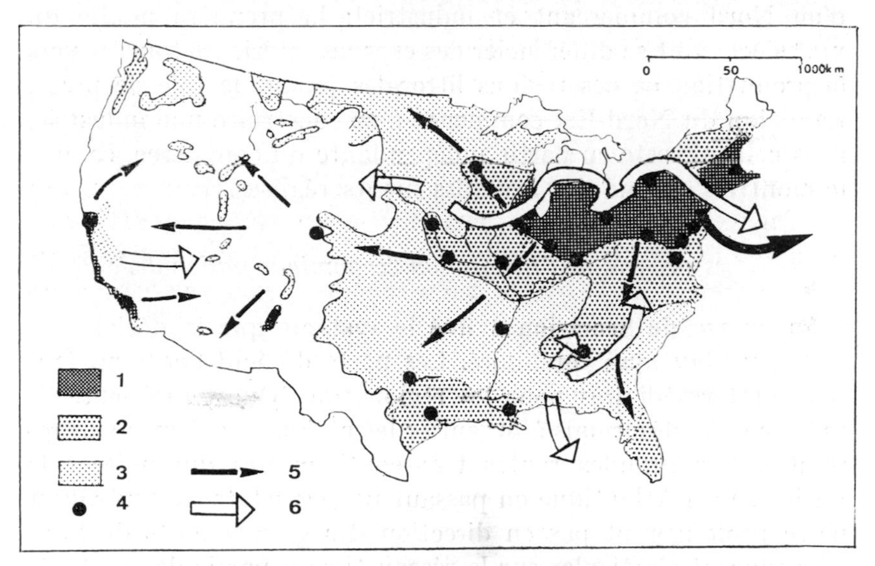

Fig. 12.12. — L'organisation régionale des États-Unis au xxe siècle.

Les grands ensembles dessinés dès la première moitié du siècle dernier sont encore visibles, mais l'image est compliquée par l'apparition de nouvelles zones à fonction centrale sur la côte pacifique; l'intégration de l'ensemble a fait de grands progrès, et il n'existe plus de régions tournées vers le monde extérieur pour la satisfaction de leurs besoins en produits manufacturés ou en services. Les régions spécialisées sont plus rares.

1. Régions à fonctions centrales.
2. Régions d'économie complexe.
3. Régions purement agricoles ou minières.
4. Principaux centres de services.
5. Courants de produits manufacturés.
6. Courants de produits agricoles.

Inspiré d'Allen K. Philbrick, *This Human World*, op. cit, p. 306.

York et de la Pennsylvanie se fait indépendamment des grands centres. La localisation de détail en est fixée par les sites de chutes d'eau ou par l'exploitation des mines de houille. Les forces mécaniques utilisées dans les régions minières de l'État

(73) Nous suivons là Pred (Allan), « Manufacturing in the American Mercantile Cyti 1800-1840 », *op. cit.*

de Pennsylvanie excédaient en 1840 toutes celles que l'on avait jusqu'alors créées dans tous les grands centres portuaires réunis.

On a donc l'impression qu'il y a au début du XIXe siècle, substitution d'un système d'organisation bipolaire à un autre, bien plutôt qu'apparition d'un système tripolaire : l'époque coloniale avait vu s'affirmer l'opposition d'un Sud agricole et d'un Nord commerçant et industriel; la première moitié du XIXe siècle voit se différencier des espaces intérieurs tournés vers la production et des régions littorales jouant le rôle de pivot. La région du Nord-Est commence à se construire une industrie, mais celle-ci reste en partie indépendante du commerce, comme le montre l'origine des investissements réalisés.

Les progrès de l'intégration économique nationale.

La guerre de Sécession a fixé le système que la déclaration d'Henry Clay avait préfiguré. Les ports du Sud perdirent leur rôle d'intermédiaires pour les régions de l'Ouest intérieur. Ils se bornèrent désormais à organiser les régions à cultures subtropicales. Les grandes routes transcontinentales qui unirent le Pacifique à l'Atlantique en passant par les États du Sud-Ouest ne se prolongèrent pas en direction des grands ports du Sud; elles vinrent s'articuler sur le réseau tissé à partir des ports de l'Atlantique moyen ou septentrional. Saint Louis avait fait figure de métropole de l'Ouest, Chicago la supplante. Les lignes divergent en étoile à partir de la nouvelle métropole de l'Ouest. Pour les expéditions de produits pondéreux, on préfère désormais la voie des Grands Lacs à celle de la vallée du Mississipi.

La demande d'équipements pour la mise en valeur de l'Ouest, voies ferrées ou machines agricoles, adaptées aux conditions de travail dans de grandes plaines, les besoins d'une masse de population qui croît très vite aussi bien dans les grandes régions de la Côte atlantique que dans l'Ouest intérieur favorisent l'essor d'une industrie puissante, que les hostilités de la guerre de Sécession ont stimulé au moment critique du démarrage.

La division tripartite de l'espace américain est désormais assurée. Les divers ensembles sont inégalement intégrés. Le Sud ne l'est à l'origine que par le biais des circuits financiers, c'est-à-dire fort peu (74). Exportateur de matières premières à des-

(74) Mais cette intégration essentiellement financière est très importante pour

tination de l'Europe occidentale et, en particulier de l'Angleterre, il reçoit de cette dernière la plus grande partie des produits manufacturés qu'il consomme. La guerre de Sécession révèle les dangers de cette insuffisante intégration économique. Au cours de la période de reconstruction, il semble un temps que l'on retourne à ces errements. Le Sud redevient un grand exportateur de matières premières à destination de l'Europe et continue de faire venir directement des pays acheteurs une partie des produits qui lui sont nécessaires. Mais l'organisation de ce trafic n'est plus entre les mains des grandes villes du Sud. L'initiative dans le domaine des affaires est passée au Nord-Est. Les grandes sociétés commerciales et industrielles y ont leur siège. La situation des ensembles méridionaux finit par être un peu analogue à celle des États de l'Ouest, les uns comme les autres contribuent à la vie nationale en assurant la base d'exportations nécessaire à une économie dont l'expansion dépend encore largement de l'extérieur. De plus en plus, les produits qu'ils consomment sont fabriqués dans les régions industrielles du Nord-Est.

L'intégration de l'ensemble de la vie nationale n'aurait pas été réalisée sans une action vigoureuse des régions du Nord-Est pour s'assurer un monopole collectif des activités industrielles et des activités de direction. On connaît assez bien les étapes de cette organisation de l'espace et les formes qu'elle prit. Elle se traduisit d'abord par le maintien d'une législation protectrice : les producteurs nationaux se trouvaient mieux placés que leurs concurrents étrangers dans tous les ports du pays (75). Ceci n'aurait pas suffi à assurer leur triomphe. Pour l'organisation d'un marché continental, les voies de communications terrestres jouent un rôle prépondérant. Il fallait éviter que les commerçants locaux ou des industriels étrangers s'avisent d'installer dans les ports du Sud ou de l'Ouest des ateliers de fabrication : ils auraient pu se tailler dans le marché américain des zones de clientèle assez vastes pour que leur entreprise se révèle

l'équilibre d'ensemble de la vie américaine. En 1860, encore, au moment où va s'ouvrir la guerre de Sécession, les exportations de coton du Sud représentent plus de la moitié des ventes totales du pays.

(75) Le protectionnisme américain est ancien : il remonte à la guerre anglo-américaine de 1812 : c'est à partir de ce moment que les tarifs obtenus avec l'appui du Sud à la faveur de la rancœur contre l'Angleterre, protègent efficacement les centres du Nord-Est.

intéressante. C'est par le biais des tarifications ferroviaires que l'on s'est prémuni contre cette menace (76). Les barèmes appliqués à l'expédition des produits manufacturés à partir des régions périphériques ont été systématiquement maintenus à un niveau supérieur à ceux utilisés pour les expéditions effectuées en sens inverse. Dans les régions lointaines du littoral pacifique, ce système, suffisant pour le Sud ne se serait pas montré efficace : la voie maritime, même allongée par l'immense détour du Cap Horn, aurait permis d'éliminer du marché les marchandises expédiées par voie continentale. Le développement industriel des ports de la Côte occidentale se serait trouvé à terme stimulé. Les grandes compagnies ferroviaires qui ouvraient alors le continent résolurent la difficulté en mettant au point un système qui compensait les désavantages de l'éloignement. Pour les produits expédiés de la Côte ouest, les tarifs étaient très fortement dégressifs et les plages de tarifs uniformes étaient très vastes; cela favorisa les progrès des productions californiennes de fruits et de légumes. Dans le sens inverse, les tarifs furent calqués sur ceux qu'auraient pu assurer les concurrents maritimes, c'est-à-dire que l'on choisit comme points de base, avec des prix de transports minima, les points les plus éloignés, Los Angeles, San Francisco et Seattle. De la sorte, les produits manufacturés dans l'Est pouvaient sans mal être écoulés dans le vaste espace nouvellement ouvert. Une solution différente aurait laissé quelques chances aux ports de la Côte atlantique moyenne, qui aurait bénéficié dans les villes de l'Ouest à la fois de la protection douanière et des transports maritimes. Elle aurait appelé plus vite les activités de transformation dans ces terres lointaines. Mais elle aurait gêné le développement industriel de la région des Grands Lacs.

Il est probable que les différentes pièces de ce système de tarification ferroviaire, qui a si admirablement consolidé la structure de la nation américaine, n'ont pas été concertées. Elles allaient trop dans le sens du développement maximal des transports à longue distance pour que les compagnies ferroviaires

(76) Les traités d'économie des transports américains signalent tout le jeu de la tarification dans la fermeture de l'espace américain, dans la domination de l'industrie du Nord-Est et dans la répartition des tâches de direction entre les différentes villes de la région atlantique. Nous avons essayé de résumer ces indications dans notre géographie des marchés. Claval (Paul), *Géographie générale des marchés.* Paris, Les Belles-Lettres, 1963, 363 p., cf. pp. 202-220.

n'aient pas été d'elles-mêmes portées à les mettre en pratique. Le résultat fut clair : il consacra l'apparition d'une solidarité étroite entre les grands ensembles régionaux. Les trois blocs dessinés dès l'époque de Clay prennent une consistance nouvelle. Le Sud se trouve de mieux en mieux intégré, dans la mesure où ses consommations sont de plus en plus originaires des autres parties du territoire national. Il continue à trouver des débouchés à l'extérieur, à alimenter le marché mondial du coton, mais le développement de l'industrie textile américaine referme progressivement une partie du circuit au sein du pays. Les terres de l'Ouest augmentent prodigieusement leurs fournitures de blés, de viande et de minerais. Elles nourrissent l'Europe, et les régions manufacturières de l'Est. Celles-ci s'étendent de plus en plus. Elles ne coïncident plus simplement avec le littoral atlantique et avec les vallées minières de la région pennsylvanienne. L'industrie s'installe progressivement sur les rives des Grands Lacs. C'est là que la métallurgie lourde américaine réussit à prendre ses véritables dimensions, grâce à la combinaison de la houille extraite au Sud-Est ou au Sud et des minerais à haute teneur que l'on achemine des rives du Lac Supérieur. Dès les dernières années du siècle passé, la province industrielle s'étale jusqu'à Chicago. Ainsi, la structure de l'organisation nationale apparaît très simple. Il semble que l'évolution commencée doive se poursuivre. La progression des régions industrielles en direction de l'intérieur leur permettrait de mieux desservir l'énorme marché américain, les fonctions centrales à caractère national que Chicago possède déjà se verraient progressivement affirmées. On aboutirait à une spécialisation à l'échelle continentale, autour d'une zone centrale industrielle, recevant ses matières premières de zones périphériques à l'économie spécialisée.

L'image de cette organisation régionale était si claire qu'elle a passé durant quelques décennies aux yeux de la plupart des théoriciens de l'organisation économique comme le prototype dont il fallait s'inspirer. Il ne fait pas de doute, par exemple, que les planificateurs soviétiques ont été frappés par l'avantage que constituait un marché continental pour de très grandes entreprises : ils ont considéré que l'économie spécialisée était la forme normale de développement. Ils ont organisé un système qui n'est pas sans analogie avec celui des État-Unis au début de ce siècle. L'Asie centrale est devenue un nouveau Cotton belt, cependant que les terres riches des provinces méridionales devenaient de nouveaux wheat belts.

Les transformations de l'organisation régionale américaine : l'économie complexe.

Les transformations récentes de l'économie américaine ont montré que les principes de division du travail qui avaient prévalu à la fin du siècle dernier au sein du territoire américain n'étaient pas les plus adaptés à un développement harmonieux. On se plaisait à dire que les régions trouvaient des chances égales dans leur spécialisation respective. C'était mettre sur le même plan des activités douées d'un dynamisme différent. Déjà, au moment même de la conquête de terres riches du Middle West, la compression des prix de vente des produits agricoles avait été telle que les fermiers avaient de la peine à rembourser leurs emprunts qu'ils se voyaient privés de tout pouvoir d'épargne, au profit des compagnies de transport, des intermédiaires et des régions industrielles qui tiraient parti de la diminution des prix des matières agricoles pour limiter les hausses de salaires. Les mouvements d'agitation sociale qui ont signalé les dures années de la croissance accélérée, entre 1870 et 1880, montrent que cette inégalité a été durement ressentie par ceux qui ont été les principales victimes (77).

La zone du Nord-Est n'est pas une région spécialisée, à la différence des autres. Elle a renoncé en bonne partie à vivre des produits tirés de son sol, elle a développé ses fonctions manufacturières. Mais celles-ci ne constituent qu'une des bases de la vie du pays. Les grandes villes des États atlantiques et certains grands centres de l'intérieur proche vivent pour l'essentiel de leurs rôles de charnières de l'économie américaine (78). Les expor-

(77) Les mécontentements qui se multiplient après la fin de la reconstruction n'ont pas tous la même origine. Le premier mouvement d'opposition est lié au mécontentement de l'Ouest : c'est celui des *Grangers;* il se développe à partir de 1868. Les partisans de l'inflation, les *Greenbackers* se recrutent souvent dans les régions de l'Ouest où l'on souffre de l'endettement général. A partir de 1873, le mouvement réclame aussi la reprise de la frappe de l'argent.

Le mécontentement est également urbain, mais le mouvement ne se manifeste dans ce domaine qu'un peu plus tard, et il ne traduit plus les mêmes tensions géographiques.

(78) Le partage des rôles traduit un équilibre subtil entre les divers centres. Il s'explique en partie par les conditions géographiques, par l'inégal accès à l'intérieur,

tations et les importations passent toujours par cette portion limitée du territoire national. Les marchés financiers, les sièges de nombreuses sociétés s'y trouvent concentrés. De ce point de vue là, le glissement vers l'intérieur du continent est moins net qu'en d'autres domaines. Les usines textiles de Nouvelle-Angleterre commencent à essaimer dans les États du Sud à partir de 1890, mais la Nouvelle-Angleterre ne perd pas son rôle financier et son rôle de direction technique. La métallurgie s'installe sur les rives des Grands Lacs, mais les directions des grandes entreprises recherchent toujours le voisinage de New York et de Philadelphie.

La région du Nord-Est des États-Unis constitue un espace complexe dès la fin du siècle dernier. Dans ce grand ensemble, le littoral atlantique où la part des activités tertiaires est plus grande, s'oppose à l'intérieur, où la gamme des industries pèse plus. En dehors de ce bloc, les régions complexes sont peu nombreuses. On ne peut guère ranger dans cette catégorie que la Côte ouest. Son ouverture sur le Pacifique a permis la croissance de grands ports et le jeu des tarifications ferroviaires fait de ces ports les centres de pénétration exclusifs de toute la partie occidentale du pays. Le réseau urbain de l'intérieur demeure incomplet. Les grandes villes du Pacifique se voient attribuer, par le système des transports, le rôle de centres à fonctions pluri-régionales — ou à fonction nationale. San Francisco grandit comme porte de l'Union sur le Pacifique, cependant que Seattle au Nord et Los Angeles au Sud doivent aux voies ferrées de devenir les centres de direction de très larges portions du continent américain (79).

La fragilité du système développé à la fin du XIXe siècle est apparue éclatante au moment de la crise économique. Celle-ci a eu des répercussions régionales très inégales. Au moment où le chômage s'est étendu le plus, les zones industrielles ont pu faire figure de victimes. Les secours à verser à des fermiers touchés par la mévente ne sont pas aussi élevés que ceux nécessaires à des ouvriers sans travail. Mais dès que la tourmente se fut un

mais il résulte dans une bien plus large mesure de la politique d'égalisation des chances que la tarification des transports réalise (voir note 76).

(79) La puissance des grandes banques de l'Ouest est une manifestation de l'importance des fonctions de direction et d'organisation à l'échelle de la nation ou de la très grande région. San Francisco est en particulier le siège de la très célèbre Bank of America.

peu écartée, on s'aperçut que les régions qui avaient été le plus affectées étaient des secteurs de production spécialisée, dont on avait longtemps vanté la prospérité et que l'on avait essayé d'imiter ailleurs. Les zones qui avaient échappé aux effets déprimant à long terme étaient celles dont l'économie était déjà complexe. La moitié occidentale des Plaines et les Rocheuses ne réussirent pas à supporter facilement les conséquences de la crise (80). La Californie et le Nord-Ouest diversifièrent par contre leur économie, comme le firent, dans une certaine mesure les régions du Sud. Ainsi, l'image de l'économie américaine s'est trouvée considérablement modifiée.

Les États-Unis apparaissent bâtis autour d'un certain nombre de noyaux à fonction centrale nationale ou pluri-régionale (fig.12.8). Le plus important demeure celui du Nord-Est. Il joue un rôle essentiel dans tout ce qui touche aux activités de conception et de direction. Il s'était progressivement étalé vers l'Ouest dans les dernières décennies du siècle dernier. Ce mouvement d'expansion et de glissement s'est interrompu. Les limites de la région industrialisée sont à peu près les mêmes maintenant qu'il y a un demi-siècle et par une espèce de mouvement de reflux, le poids des régions littorales dans les activités de direction s'est consolidé. Les villes de l'intérieur ont souvent orienté leurs activités vers un secteur technique particulier, comme Pittsburgh ou comme Detroit, ou bien encore se sont consacrées plutôt à des fonctions pluri-régionales qu'à des fonctions nationales.

En dehors de ce grand foyer traditionnel, on a vu se consolider celui de la Côte pacifique. C'est le seul qui ait jusqu'à présent réellement réussi à faire équilibre à la région orientale. On

(80) Il est inutile de rappeler ici les drames nés de l'exploitation destructrice, ceux qui se développèrent en particulier dans le « Dust Bowl » de l'Oklahoma.

Sur le problème plus général de la diversification des productions, WEAVER (John C.), « Changing Patterns of Cropland in the Middle West ». *Economic Geography*, vol. 30, 1954, pp. 1-47. — RODGERS (Allan), « Some aspects of Industrial Diversification in the United States ». *Economic Geography*, vol. 33, 1957, pp. 16-30. — HAYSTEAD (Ladd), FITE (Gilbert C.), *The Agricultural Regions of the United States*. Norman, The University of Oklahoma Press, 1955, XX, 288 p. — HIGBEE (Edward), *American Agriculture, Geography, Resources, Conservation*. New York, John Wiley, 1958, X, 399 p. — ERIKSON (Franklin C.), « The Broken Cotton Belt », *op. cit.* — PARSONS (James J.), « California Manufacturing ». *Geographical Review*, vol. 39, 1949, pp. 229-241. — ID., « Recent Industrial Development in the Gulf South ». *Geographical Review*, vol. 40, 1950, pp. 67-68. — WRIGHT (Alfred), « Recent Changes in the Concentration of Manufacturing ». *Annals, Association of the American Geographers*, vol. 35, 1945, pp. 144-166. — FUCHS (Victor R.), « Changes in the Location of U. S. Manufacturing since 1929 ». *Journal of Regional Science*, vol. 1, Spring, 1959, pp. 1-18.

voit pourtant de nouvelles zones se détacher et jouer à leur tour un rôle national. Les progrès dans les moyens de communication donnent de nouvelles chances à des métropoles périphériques, celles du Sud, du Texas en particulier, ou encore celles de l'Ouest intérieur, depuis Denver, jusqu'aux grandes villes champignons du Nouveau-Mexique et de l'Arizona. Entre ces noyaux à économie complexe et dont le dynamisme est évident, le tissu interstitiel utilisé pour les productions primaires et secondaires, spécialisées, perd de son poids (81).

Les États-Unis demeurent organisés autour d'une région à fonction centrale majeure. Comme dans le cas du Brésil, ou des États d'Europe occidentale, la continentalisation des foyers se trouve à l'heure actuelle arrêtée et les régions littorales trouvent de nouveaux principes de croissance. Mais ce qui est plus intéressant, en ce sens que cela préfigure peut-être la géographie future d'autres pays, c'est l'apparition de nouveaux noyaux. Le mouvement de concentration des activités autour des centres de développement complexe que constituent les régions centrales connaîtra-t-il de la sorte un terme? La dimension des États-Unis a sans doute joué un rôle dans l'évolution récente, mais une espèce de reconquête des espaces périphériques ne paraît pas aussi improbable qu'il y a quelques années. Les besoins d'espace complémentaires des agglomérations modernes sont tels que l'essaimage des centres se révélera peut-être plus économique que le mouvement de concentration qui a prévalu jusqu'ici.

La construction régionale de l'économie américaine n'en a pas moins connu une stabilité assez remarquable. On comprend l'hommage passionné que Jean Gottmann rend dans son ouvrage aux pionniers qui ont créé les villes de l'actuelle Mégalopolis (82); car on voit bien que le succès des terres où ils s'étaient installés n'est guère dû à leur valeur intrinsèque, mais qu'il est né de leurs

(81) Sur le problème de la concentration des activités supérieures dans les zones centrales et celui du déclin des régions périphériques, on pourra consulter, en dehors de l'article d'Ullman déjà cité, NORTHAM (Ray H.), « Declining Urban Centers in the United States 1940-1960 ». *Annals, Association of the American Geographers*, vol. 53, 1963, pp. 50-69. — PRED (Allan), « The Concentration of High-Value Added Manufacturing ». *Economic Geography*, vol. 41, 1965, pp. 108-132.
On mesurera le degré de concentration des affaires en se reportant à GOODWIN (William), « The Management center in the United States ». *The Geographical Review*, vol. 55, 1965, pp. 1-16.

(82) Nous avons cité ce passage à la note 35 du chapitre X.

options fondamentales : la construction des États-Unis à partir de la région atlantique s'explique davantage par le triomphe d'une certaine philosophie de la vie, d'une certaine civilisation, d'une certaine intelligence que par des avantages naturels. Et l'éclatement actuel des centres correspond à l'apparition de nouveaux foyers de direction intellectuelle, bâtis sur le même modèle que celui de la région mégapolitaine et profitant de la nouvelle transparence de l'espace pour féconder des terres plus clémentes.

La continuité de l'évolution américaine tient à la volonté et à la hardiesse des banquiers et des hommes d'affaire de la Côte est. Elle résulte également de certaines constantes dans la structure des relations de la nation américaine et du monde extérieur. Les États-Unis ne se sont jamais isolés du marché mondial, ils continuent à y participer largement à la fois par leurs ventes de produits agricoles et de produits manufacturés et par les achats de matières premières. Mais depuis plus d'un siècle et demi, leur attitude protectionniste ne s'est pas modifiée sur le plan industriel. Et la stabilité de l'organisation régionale est un peu le résultat de ce choix délibéré (83). L'Angleterre offre l'exemple opposé d'un pays dont la construction régionale s'est moulée aux fluctuations de la vie nationale, au point de provoquer des bouleversements totaux, au cours de périodes assez brèves.

VI. — Les organisations régionales de l'espace économique anglais.

L'époque préindustrielle.

L'organisation régionale, jusqu'au XVIIIe siècle, était dominée en Angleterre par les régions de plaine du Sud-Est. Dès la fin du moyen âge, on peut noter l'apparition d'un espace économique unifié autour de Londres (84). Il n'englobe pas les zones périphé-

(83) Délibéré, puisque le « système américain » d'Henry Clay a été conçu dans le cadre d'un débat sur la politique douanière, et qu'il se proposait expressément de mieux souder l'Ouest et le Nord-Est. La construction régionale américaine apparaît comme la conséquence de ces choix originels.

(84) Nous avons suivi, pour l'analyse de l'évolution de la construction régionale de la vie anglaise, les grands ouvrages classiques : DEMANGEON (Albert), *Les*

riques de l'Angleterre montagneuse, mais il anime toute la plaine et permet, par les transports de grain, les exportations de laine ou le travail industriel, de faire vivre une humanité nombreuse (fig. 12.13).

L'ouverture des espaces maritimes provoque une première expansion de la vie commerciale britannique. Les ports du littoral occidental jouent un rôle décisif dans les aventures coloniales de la période classique. C'est de Bristol que sont partis les Cabot. Plus tard, Liverpool assied sa fortune naissante sur le négoce triangulaire et Glasgow se spécialise dans certains commerces coloniaux, celui du tabac par exemple. De la sorte, de nouveaux espaces se trouvent gagnés à l'économie d'échange. L'influence de ces ports s'exerce en partie dans l'Angleterre des plaines, en concurrence avec celle de Londres — c'est le cas de Bristol. Elle ouvre surtout les petites plaines intercalées dans les massifs anciens, aux nouveaux modes de vie. La construction régionale de l'économie anglaise apparaît déjà comme complexe. Il y a bien au XVIIIe siècle un centre national prépondérant, qui organise à son profit une bonne part de l'espace économique. Mais dès avant la révolution industrielle, le développement des relations internationales multiplie les foyers de la vie de relations et paraît compromettre la réalisation d'un système national. Les villes commerçantes apprennent vite à faire venir des pays lointains leurs approvisionnements ou leurs matières premières. Leurs intérêts sont souvent en contradiction avec ceux des régions du

Iles Britanniques. T. I de la *Géographie universelle*. Paris, Armand Colin, 1927, VIII, 320 p. — SMITH (Wilfred), *An Economic Geography of Great Britain*, *op. cit.* — DURY (G.), *The British Isles. A systematic and Regional Geography*. Londres, Heinemann, 1961, XIV, 503 p. — BEAUJEU-GARNIER (Jacqueline), GUILCHER (André), *Les îles Britanniques*. T. III de *L'Europe du Nord et du Nord-Ouest*. Coll. Orbis, Paris, P. U. F., 1963, 560 p. — CHALINE (Claude), *L'économie britannique*. Coll. « Que sais-je? », nº 1085, Paris, P. U. F., 127 p. — ID., *Géographie des îles Britanniques*. Coll. « Que sais-je? », nº 1127, Paris, P. U. F., 1964, 128 p. — STEERS (J. A.) (sous la dir. de), *Field Studies in the British Isles*. Londres, Nelson, 1964, XXIII, 528 p. — MITCHELL (Jean) (sous la dir. de), *Great Britain, geographical essays*. Cambridge, Cambridge University Press, 1962, 594 p. — WATSON (James Wreford), SISSONS (J. B.), *The British Isles, a systematic geography*. Londres, Nelson, 1964, XII, 452 p. — CHALINE (Claude), ROGE (F.), GEORGE (Pierre), *L'Europe des marchands*. Coll. Europe de Demain, Paris, P. U. F., 1964, 208 p. — WILLATS (E. C.), *Geographical Techniques in Physical Planning*, pp. 266-293 de CHORLEY (Richard J.), HAGGETT (Peter), *Frontiers in Geographical Teaching*. Londres, Methuen, 1965, XII, 379 p. — CHALINE (Claude), *Le Royaume-Uni et la République d'Irlande*. Coll. Magellan, nº 8, Paris, P. U. F., 1966, 273 p.

Nous avons déjà indiqué les études qui permettent de suivre la croissance des grands marchés intérieurs en Grande-Bretagne : GRAS (N. S. B.), *The Evolution of the English Corn Market from the XIIth to the XVIIth Century*, *op. cit.*

Sud-Est, qui veulent écouler leurs produits alimentaires. A certains moments, les vues des représentants de la vieille Angleterre l'emportent. Au Parlement, la représentation très faible des régions périphériques, dont la population n'a commencé à

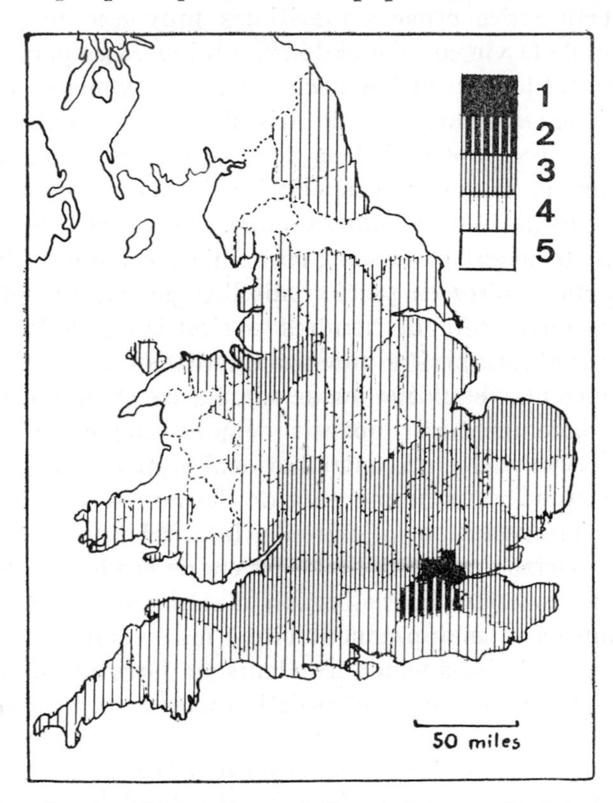

Fig. 12.13. — La répartition de la population anglaise au début du xviiie siècle.

1. Plus de 200 habitants au mile carré.
2. De 150 à 200 — —
3. De 100 à 200 — —
4. De 50 à 100 — —
5. Moins de 50 — —

Les zones de forte densité coïncident avec les régions de plaine à agriculture riche. Ces régions concentrent d'ailleurs une bonne part de l'industrie textile, la plus importante à l'époque par les effectifs employés. La seule tache de forte densité liée aux villes est celle de Londres.

D'après Allen K. Philbrick, *This Human World, op. cit.*, cf. p. 132.

croître à un rythme rapide que dans le courant du xviiie siècle, assure le triomphe de législations protectionnistes (85), qui ont

(85) Celles-ci connaissent un regain de faveur à la suite des guerres napoléo-

pour but de ménager les intérêts agricoles. Pour l'essentiel pourtant, les autorités politiques ne sont pas opposées, bien au contraire, aux aventures commerciales des ports de l'Ouest. Les relations avec les colonies sont choses normales, elles permettent à l'Angleterre de s'enrichir dans son nouveau rôle d'intermédiaire entre les pays extra-européens et les clients de l'Europe centrale ou occidentale. Il ne déplaît pas au gouvernement du pays de voir les Anglais se substituer aux Hollandais comme rouliers des mers. De très bonne heure, les théoriciens de l'économie admettent en Angleterre que la cohésion d'une économie nationale ne tient pas exclusivement à la fermeture des circuits commerciaux sur l'espace national (86). Ils savent que la prospérité de l'économie nationale peut résulter de sa large ouverture, de son rôle commercial. Ils arrivent au début du XVIIe siècle, à l'idée que ce qui importe dans les résultats du commerce extérieur, c'est le solde global des relations. Ils comprennent qu'un pays qui bénéficie d'une position solide sur le plan du commerce international est déjà fortement intégré : ils voient dans l'existence de circuits financiers un gage suffisant d'autonomie.

On s'expliquerait mal la localisation des nouvelles activités manufacturières dans le courant du XVIIIe siècle si l'on oubliait ces options fondamentales (fig. 12.14). Bien avant le triomphe du libéralisme en matière économique, les Anglais ont renoncé à construire leur nation en refermant les circuits commerciaux dans les limites de l'île. Ce qui les intéresse, c'est de s'assurer les stades les plus intéressants des transformations et enchaînements économiques. C'est à cela que visent les Actes de navigation. Rien ne vient donc favoriser la concentration des activités industrielles autour des vieux foyers de production artisa-

niennes, qui avaient convaincu les Anglais de la nécessité de garder une agriculture susceptible de nourrir la plus grande partie de la population.

(86) C'est ce qui fait, dès le XVIIe siècle, l'originalité des mercantilistes anglais : ils croient davantage aux avantages d'une économie commerciale qu'à ceux d'un système qui ne cherche qu'à imiter les importations. A la jointure du XVIe siècle et du XVIIe, Gérard de Malynes, maître des monnaies en Angleterre, est encore le théoricien d'un contrôle sévère de l'ensemble du commerce extérieur, afin d'éviter la sortie des métaux précieux. Quelques années plus tard, un membre de la compagnie des marchands aventuriers, Edward Misselden, entreprend de défendre les intérêts du commerce : il publie, en 1632 un ouvrage qui marque la fin du mercantilisme au sens étroit du mot en Angleterre : *Free Trade, Or, the Means to make Trade florish : Wherein the Causes of the Decay of Trade in this Kingdome are discovered... (1622).*

Les thèses de Misselden furent développées, dans les années suivantes, par Thomas Mun.

nale. Les régions périphériques sont mieux placées pour entrer en contact avec les terres d'outre-mer, elles ont en abondance les ressources nécessaires pour les nouveaux modes de produc-

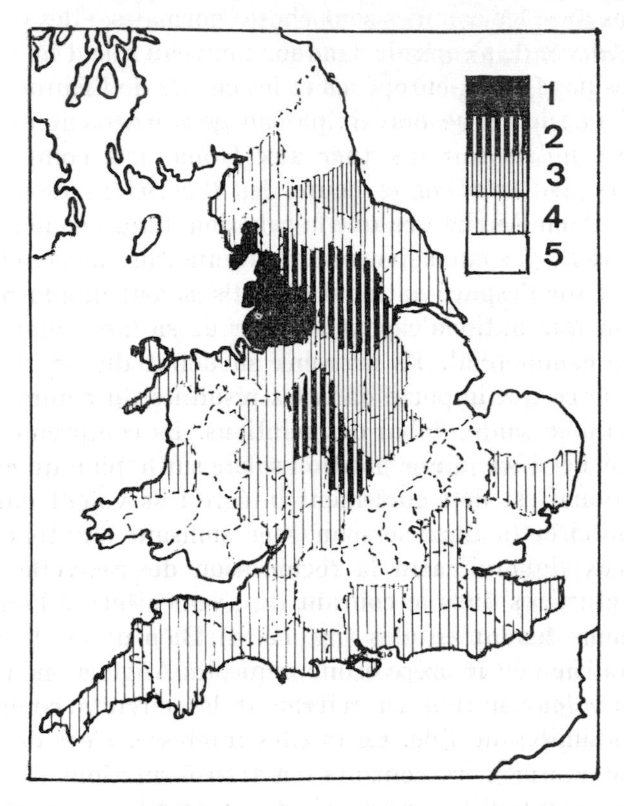

FIG. 12.14. — Les variations de la population anglaise au XVIIIe siècle.
Accroissement de la population par mile carré :

1. De 200 à 250 habitants.
2. De 150 à 200 —
3. De 100 à 150 —
4. De 50 à 150 —
5. De moins de 50 habitants.

L'accroissement de la population anglaise très important au cours de cette période se répartit inégalement : les zones agricoles les plus peuplées semblent avoir fait le plein au début du siècle. Les régions agricoles du Sud et de l'Ouest bénéficient d'une croissance plus importante. L'influence de la révolution industrielle est visible dans l'accroissement de population de toute la zone qui entoure la chaîne Pennine méridionale.

tion — qu'il s'agisse de l'eau pure de la force motrice des rivières ou de plus en plus de la houille et des minerais métalliques dont sont lardés les massifs anciens anglais.

Une économie et des régions ouvertes sur la mer.

Le développement de la nouvelle puissance industrielle et économique britannique se traduit par un bouleversement sans exemple de la structure économique de l'ensemble territorial (fig. 12.15). La généralisation de l'emploi de la houille accentue, dans le courant du XIXe siècle, les caractères déjà discernables au XVIIIe siècle. Les vieilles régions historiques du Sud-Est s'endorment, leurs villes vivotent médiocrement au pied de cathédrales célèbres. Londres fait seule exception et son développement est parallèle à celui de l'ensemble de l'économie nationale. La ville devient dans le courant du XIXe siècle la première du monde. Elle est reliée sans difficulté, par mer, aux grands foyers industriels, et l'essor précoce du gisement houiller du Northumberland en témoigne. Elle l'est aussi par canal, par route ou par voie ferrée. Pour être moins nettement centré sur la desserte de la métropole nationale que le réseau français, le réseau ferré britannique n'en est pas moins dessiné pour assurer de bonnes liaisons entre la région londonienne et le reste du pays (fig. 12.16). Et pourtant, la ville demeure relativement peu industrielle durant la plus grande partie du XIXe siècle. Elle abrite un artisanat important, des industries de luxe comme toujours dans les grandes métropoles. Son port fait vivre une foule d'ateliers qui réparent et préparent tout ce qui est nécessaire au mouvement continuel des bateaux. Mais la capitale demeure essentiellement une place de commerce. C'est le premier port du Royaume-Uni et le premier marché du monde. Le rôle de place financière se développe progressivement et le poids de la Cité va croissant aussi bien à l'intérieur qu'à l'extérieur. En dehors des domaines financiers et politiques, les liens de Londres et du reste du pays ne sont pas aussi développés qu'on pourrait le croire. La Cité redistribue dans l'ensemble du pays un certain nombre de matières premières, mais son rôle est peut-être plus grand encore pour la desserte des pays riverains de la mer du Nord que pour le reste de l'Angleterre. Les premiers marchés qui ont été de taille à tenir tête aux marchés londoniens se sont développés en Angleterre même, à Bristol, et plus encore à Liverpool, qui a réussi durant tout le XIXe siècle à dominer, avec l'aide puis la rivalité de Manchester, le marché

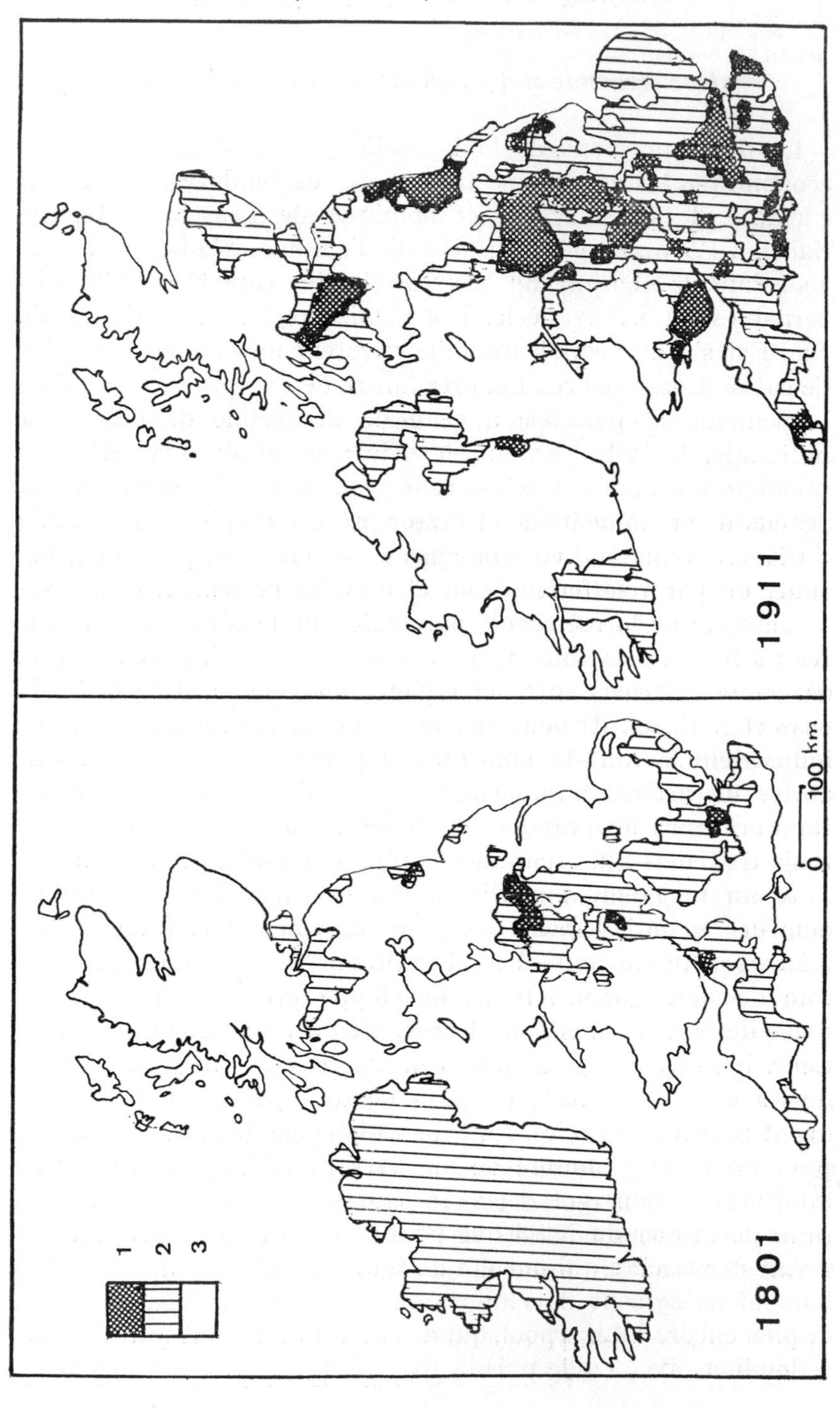
1801
1911
1
2
3
0
100 km

FIG. 12.15. — Les variations de la population anglaise au XIXe siècle. Densité de la population pour 1.000 acres :

1. Plus de 800.
2. De 200 à 800.
3. Moins de 200.

En 1801, les effets de la révolution industrielle sont déjà sensibles, ainsi que le montre l'apparition de noyaux comme celui du Lancashire. Les grandes régions agricoles continuent à équilibrer ces centres nouveaux. En 1911, la situation est toute différente : les régions purement agricoles comme l'Irlande et la plus grande partie de la plaine anglaise font figure de zones peu peuplées, cependant que la concentration de la population dans les régions industrielles s'accentue, et que l'agglomération londonienne commence à s'étaler. Aux foyers originels de la révolution industrielle (Midlands et Lancashire) se sont ajoutés des centres puissants : Pays de Galles du Sud, West Riding, Nord anglais, Lowlands d'Écosse. En deux siècles, on a assisté de la sorte à un renversement complet de la répartition du peuplement dans les Iles Britanniques.

D'après J. Wreford Watson, *The British Isles, A Systematic Geography*, *op. cit.*, cf. pp. 228 et 241, cartes très simplifiées.

du coton dans le monde. Le port de Londres ne voit passer d'ailleurs qu'une portion assez faible de tout le tonnage du commerce extérieur britannique — 13 % en 1889, par exemple (87).

L'industrie semble s'être développée uniquement en fonction des gisements houillers. Pour les témoins de la révolution industrielle, ce facteur a été réellement prépondérant dans le mouvement de bascule qui provoque la naissance des grandes concentrations des Midlands, du Lancashire, du Pays de Galles, du Yorkshire, du Northumberland et de l'Écosse occidentale. Un aussi bon observateur que Vidal de la Blache écrivait, en analysant la répartition des activités en Grande-Bretagne : « c'est ainsi que la houille a pris place, de nos jours, au premier rang des causes géographiques qui déterminent la position des villes et le groupement des populations. Les contrées où elle se trouve en abondance, ont en elles un élément d'activité qui peut à la rigueur compenser le défaut d'autres avantages naturels. Les industries se groupent naturellement sur les lieux où se trouve la houille afin d'éviter les frais de transport : elles y fixent les capitaux, y multiplient les moyens de communication et y préparent le développement, parfois prodigieux, des villes. Pour l'étude de la région d'Angleterre qui nous occupe, la répartition des bassins houillers mérite donc d'être regardée comme le fait dominant, le principe de classification sur lequel doit se

(87) VIDAL DE LA BLACHE (Paul), *États et nations de l'Europe autour de la France*, *op. cit.*, cf. p. 274.

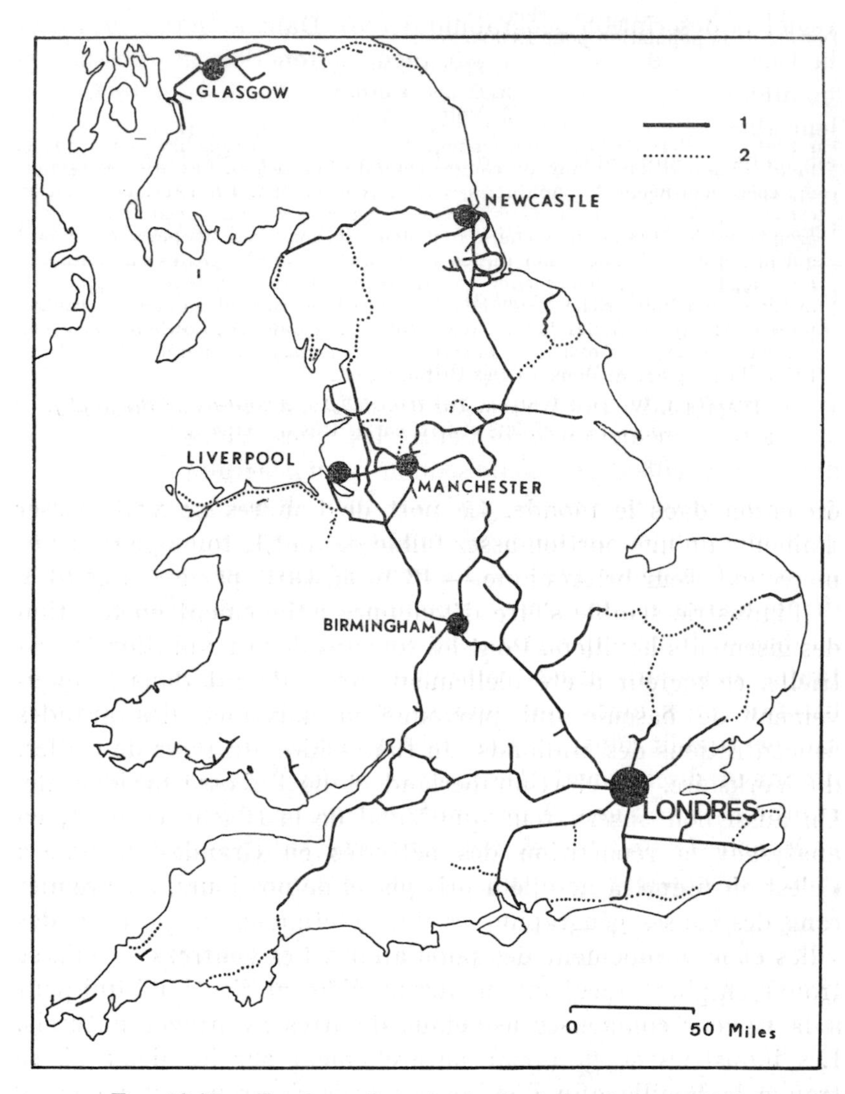

FIG. 12.16. — Le réseau des voies ferrées britanniques en 1844.

1. Lignes ouvertes ou en construction.
2. Lignes autorisées en 1844.

Les liaisons créées en 1844 correspondent aux axes essentiels de la circulation britannique. Le tracé des autoroutes à l'heure actuelle en construction se superpose à peu près exactement à celui des premières grandes voies ferrées.

D'après J. Allan Patmore, *The British Railway Network in the beaching Era. Economic Geography*, vol. 41, nº 1, January 1964, p. 79.

régler la description géographique (88). Dans le détail, Vidal de la Blache avait raison : c'est bien en fonction des ressources houillères que se disposaient les agglomérations humaines, c'est leur absence dans l'Angleterre méridionale ou orientale qui avait empêché le vieil artisanat de devenir le principe d'une activité industrielle nouvelle. Mais les zones d'activités créées sont orientées vers les espaces maritimes extérieurs. La région des Midlands est la seule qui fasse réellement exception; elle doit son essor à la houille et à un équipement particulièrement dense en moyens de communication, qui lui a permis de participer à l'expansion générale de l'économie britannique (89). Le réseau urbain de la Grande-Bretagne perd sa régularité d'antan (fig. 12.17). Il n'y a plus d'espacement régulier entre les villes. Vidal de la Blache note : « à la ville telle qu'elle se montre en général, dans les vieux pays historiques, comme un tout bien défini, pourvue d'une personnalité bien distincte, se substitue cet être plus vague qu'on ne saurait désigner que sous les noms d'agglomération, de centre de population ou de termes semblables (90) ». Les villes croissent au-delà de tout ce que l'on avait vu jusqu'alors. Les plus importantes zones urbanisées coïncident avec les régions houillères littorales. Les métropoles qui les animent ont une importance qui ne traduit plus du tout la dimension de la zone qu'elles dominent directement. De grandes villes à activités tertiaires nombreuses s'édifient à proximité les unes des autres. Liverpool et Manchester ont toutes deux des dimensions de grande métropole — à l'époque, des dimensions de capitale même. Elles se

(88) *Ibid.*, cf. p. 281.

(89) Allan Philbrick, dans *This Human World (op. cit.)*, insiste sur l'originalité de la région des Midlands. Il utilise les études menées par Ross Ashton sur la révolution industrielle en Angleterre *(op. cit.)* pour essayer de dégager les conditions dans lesquelles les nouvelles techniques ont été inventées et diffusées. C'est à cet exemple que l'on aperçoit certaines faiblesses de sa géographie culturelle. Il cartographie en effet les lieux où les innovations techniques importantes ont été pour la première fois mises au point. Le croquis qu'il obtient montre une densité particulière de points tout autour de la chaîne Peninne méridionale, dans les Midlands en particulier. Il qualifie cette région de foyer de la révolution industrielle en Angleterre et parle de diffusion des nouvelles techniques autour de ce centre. Il emploie ainsi les techniques de l'analyse des aires de civilisation mises au point par les ethnologues allemands du début de ce siècle. On peut se demander si la propagation des innovations continuait à se faire, au XVIIIe siècle, par rayonnement lent autour d'un foyer originel. Tout semble indiquer, au contraire, que les innovations réalisées en un point ont sauté tout de suite fort loin, là où le milieu social était prêt à les utiliser : les techniques classiques de la géographie ethnologique sont en défaut en pareils cas.

(90) VIDAL DE LA BLACHE (Paul), *États et nations de l'Europe autour de la France, op. cit.*, cf. p. 283.

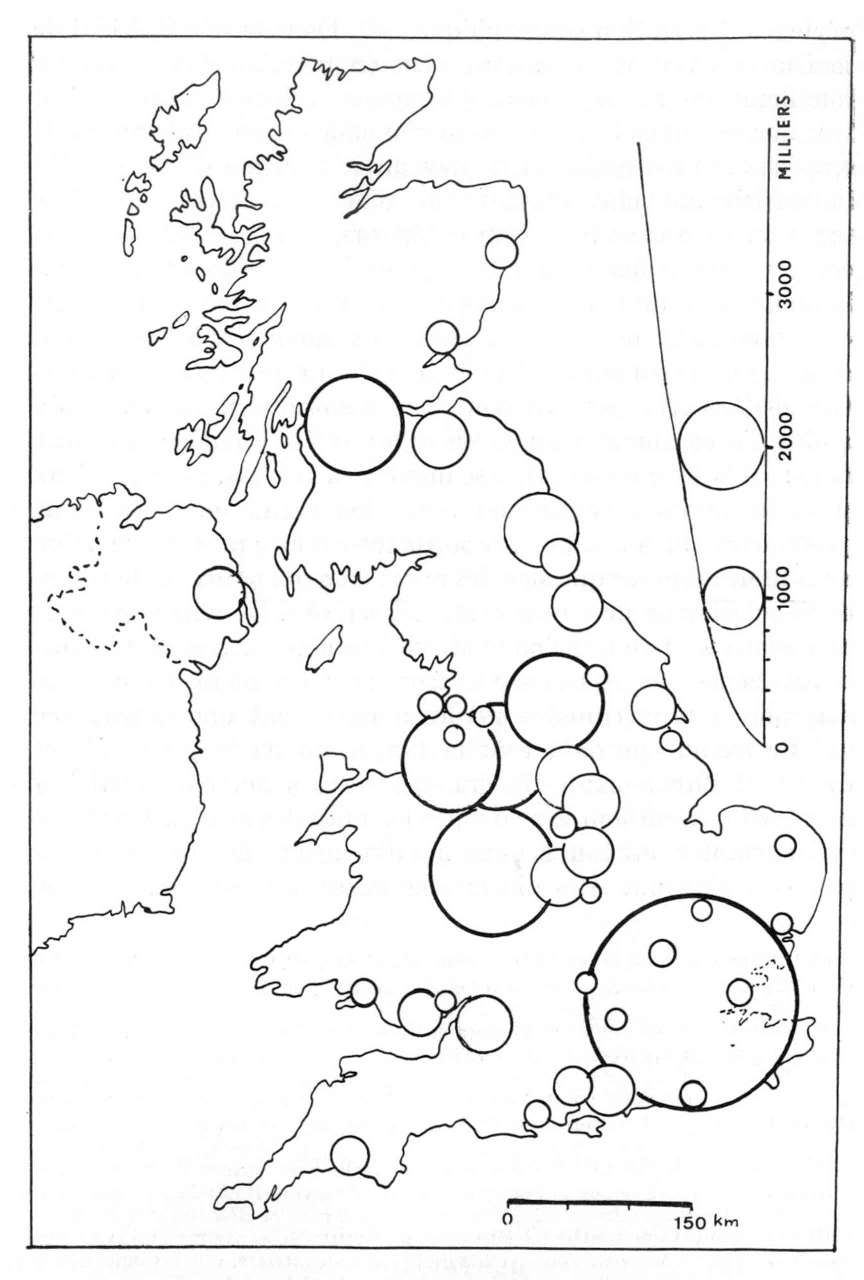

FIG. 12.17. — Le réseau urbain de la Grande-Bretagne.
Les données sont celles du recensement de 1961.

partagent une province qui n'est guère plus grande qu'un département français et compte des centres urbains anciens dont le rôle organisateur n'est pas négligeable.

L'espace anglais doit se concevoir alors comme formé d'une série de métropoles disposées pour la plus grande part à la périphérie (Birmingham constitue la seule exception notable) et sur le charbon (Londres est là la seule exception) et animant des circuits économiques qui se referment à l'extérieur du domaine insulaire, en Europe ou dans les pays neufs et les terres colonisées ou prospectées par le commerce britannique. On s'explique mieux, dès lors, l'irrégularité du réseau urbain. Elle ne traduit pas seulement la disposition des ressources houillères. Elle résulte de la multiplication des villes à rayonnement international dans le domaine du commerce, des relations financières ou des innovations techniques. Manchester et Liverpool peuvent de la sorte garder leur indépendance réciproque et jouer un rôle de véritables capitales, alors qu'elles se touchent presque. De la même manière, en Écosse, la poussée de Glasgow, tournée vers le monde extérieur par tous ses intérêts industriels et commerçants, ne menace pas les fonctions de direction pluri-régionale que vaut à Édimbourg le maintien de l'indépendance relative de l'Écosse au sein de la construction nationale britannique. La Grande-Bretagne est composée d'un amalgame de noyaux à fonctions internationales; leur localisation se fait à la périphérie du territoire national, puisqu'ils acquièrent ainsi la centralité qui leur permet de s'acquitter convenablement de leur rôle de direction. La répartition de la population et les caractères des régions industrielles ne dépendent pas étroitement des ressources houillères. La région du Northumberland et celle du Pays de Galles méridional sont les mieux placées pour l'exportation du charbon. Elles doivent peut-être à cette circonstance de ne pas avoir connu un épanouissement aussi complet que le Lancashire, les Midlands et le Yorkshire : elles ont livré une matière première brute aux grandes villes littorales, à Londres en particulier, sont devenues plus tard le siège d'industries lourdes puissantes; elles n'ont pas suscité l'apparition d'organismes urbains à fonctions dominantes. Les régions qui entourent la chaîne Pennine sont moins douées naturellement, comme aussi la dépression écossaise, mais là, la rencontre de l'activité commerciale, de l'innovation technique et de la houille ont permis de créer des centres plus puissants. La nation britannique est davantage le concert harmonieux de différentes métropoles à fonction internationale, que l'ensemble clos d'un système de relations commerciales. Londres est la seule ville qui domine réellement l'ensemble.

La Grande-Bretagne porte dans la géographie qu'elle s'est donnée au XIXe siècle les marques de sa volonté de devenir le centre économique du monde, non pas une nation au milieu des autres nations, mais le foyer d'un espace mondial. Elle garde la cohérence d'une nation, grâce à son homogénéité humaine et à son avance technique dans tous les domaines. Mais les caractères de son organisation régionale se présentent d'une manière totalement aberrante.

Les mutations régionales récentes et les progrès de l'économie nationale fermée.

Les conditions se sont progressivement modifiées dans la seconde moitié du siècle passé. En 1889, lorsque Vidal de la Blache décrit la situation de l'économie britannique (91), il insiste déjà sur les menaces que la généralisation de l'industrialisation fait peser sur ses fonctions traditionnelles. Il signale la multiplication des grands marchés dans les ports du continent, le rôle croissant des marines non britanniques et la diminution de la part prise par l'Angleterre dans les échanges internationaux. Il montre que la prépondérance industrielle se trouve menacée par les progrès de fabrications allemandes et américaines, qui excèdent déjà, au moment où il écrit, par leur volume réuni, celui de l'Angleterre. Sur les marchés extérieurs, les produits anglais se heurtent à de nouvelles concurrences, cependant qu'un nombre croissant de pays revient sur les dispositions libre-échangistes que l'on avait vu se généraliser aux alentours du milieu du siècle.

La Première Guerre mondiale a transformé en crise grave ce qui était encore un malaise sourd. On a vu apparaître des déséquilibres économiques grandissants entre les diverses parties de l'espace national. Les régions minières ont perdu l'espoir d'écouler leur charbon à l'extérieur, car les prix anglais sont trop élevés et les pays neufs s'équipent de plus en plus pour

(91) *Ibid.*, cf. pp. 324-328.

consommer du pétrole. Les activités industrielles traditionnelles sont menacées par des concurrences sans cesse plus vives. La métallurgie lourde stagne et les besoins mondiaux en produits peu élaborés, en rails en particulier, sont moins vifs qu'à la fin du siècle passé. Le textile est durement touché par la multiplication des industries nationales. Toutes les grandes régions industrielles nées de la houille ou presque, se trouvent de la sorte touchées par le chômage. Il demeure chronique dans ces pays noirs durant l'entre-deux-guerres. Cependant, au moment même où les centres du Nord et de l'Ouest périclitent, la Grande-Bretagne jette les bases d'une nouvelle puissance industrielle. Elle développe des équipements modernes, multiplie la gamme de ses spécialisations mécaniques et chimiques. La croissance du pouvoir d'achat favorise la création de ces nouvelles activités; elles écoulent sur le marché intérieur une bonne partie de leurs fabrications. Elles cessent d'être attirées par les localisations traditionnelles, mais elles recherchent la région londonienne où elles profitent de toutes les économies externes que multiplient les grandes villes. Elles s'installent aussi sur un bassin houiller, celui qui est le moins bien placé pour maintenir ses activités extractives : celui des Midlands. La baisse de la production y est d'ailleurs très marquée, mais le chômage n'existe pas. Autour de Birmingham, se crée un foyer puissant d'industries mécaniques modernes. Il déborde largement hors des limites du pays noir, et les régions des East Midlands sont entraînées dans le mouvement. La tradition de métallurgie diversifiée a contribué à attirer là les nouvelles branches d'activité plus ou moins directement liées au cycle et à l'automobile. Mais cette orientation est le résultat d'un effort déjà ancien d'adaptation à des circonstances devenues défavorables. Les conditions d'extraction ont rendu rapidement délicate la vente de la houille et l'épuisement du minerai local a compromis la sidérurgie. Dès le milieu du siècle dernier, la région s'était spécialisée dans les fabrications légères, dont certaines étaient exportées, mais dont une bonne part était destinées au marché intérieur. Pour la desserte de celui-ci, la situation des Midlands est excellente. Birmingham jouit, vis-à-vis de l'espace national britannique d'une centralité meilleure que celle de Londres. Les aménagements actuels du réseau routier ne font que confirmer cet avantage de situation : les deux grands axes méridiens qui constituent le trait essentiel de l'armature autoroutière britannique se rapprochent et se trouvent réunis là par une bretelle. La présence d'une très grande ville et d'équipements importants

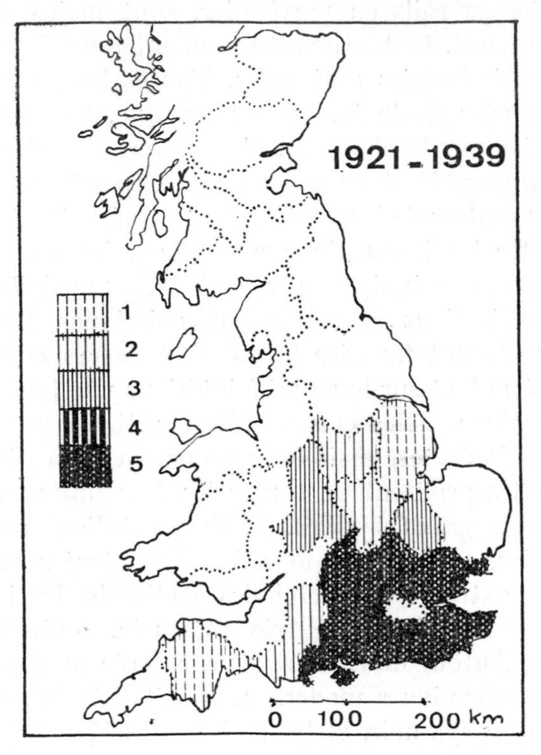

Fig. 12.18. — Les variations de la population anglaise de 1921 à 1931.
Indice d'accroissement pour la Grande-Bretagne = 100.
1. Indice compris entre 90 et 110.
2. — — — 110 et 133.
3. — — — 133 et 166.
4. — — — 166 et 200.
5. — supérieur à 200.
La période se caractérise par le développement rapide de l'Angleterre de l'Est et du Sud, et par la stagnation ou la diminution de la population des régions industrielles du Nord et de l'Ouest.
D'après J. Wreford Watson, *The British Isles, a Systematic Geography*, *op. cit.*, p. 339 simplifié.

permet de bénéficier des économies externes de concentration et l'accès du marché se fait mieux que de partout ailleurs.

Une nouvelle géographie industrielle et une nouvelle répartition du peuplement se dessinent de la sorte dans le courant de l'entre-deux-guerres (fig. 12.18). La population des régions du

24. Un ouvrier d'horlogerie. Un agent économique. Il risque de voir son travail supprimé le jour où une machine plus perfectionnée, mieux asservie pourra faire son travail sans fatigue et sans erreur.

(Cliché : *Cité fraternelle.*)

25. Le marché, rouage essentiel du circuit économique.
Là se confrontent l'offre et la demande.

(Cliché : *Cité fraternelle.*)

26. Une société traditionnelle.
Transports en commun au Cambodge.

Pl. XVIII.

Nord et de l'Ouest stagne, ou décroît, cependant que l'Angleterre de plaine est en train de retrouver rapidement la prédominance qui l'avait caractérisée jusqu'au XIXe siècle. Les énormes villes de régions houillères sont frappées d'une espèce de léthargie. Leurs fonctions techniques de direction se trouvent dévalorisées par l'apparition de zones concurrentes à l'extérieur; elles ne savent pas ou ne peuvent pas orienter leurs activités

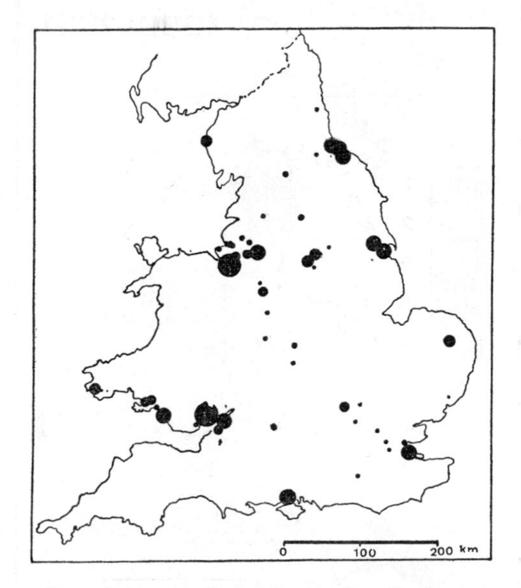

FIG. 12.19. — Les créations industrielles en Grande-Bretagne depuis 1945.

Les ronds noirs indiquent les nouvelles créations, et leur surface est approximativement proportionnelle au capital investi. On voit le succès de la politique britannique de décentralisation industrielle : la plupart des créations se trouvent concentrées dans les régions longtemps déprimées du Nord et de l'Ouest, cependant que la plaine anglaise, avec les deux grands pôles des Midlands et de l'agglomération londonienne ne reçoit pour ainsi dire rien.

D'après E.C. Willatts, *Geographical Techniques in Physical Planning*, pp. 266-293 de Richard J. Chorley et Peter Haggett, *Frontiers in Geographical Teaching*, *op. cit.*, cf. p. 291, simplifié.

différemment, changer de fonction en même temps que la place de l'Angleterre dans le monde change.

Une telle révolution géographique ne va pas sans pertes. De très nombreuses installations et d'importants équipements collectifs se trouvent sous-utilisés dans les régions en crise, alors qu'il est nécessaire de procéder à un effort massif de construction et d'aménagement dans les régions prospères. Il y a là un véritable gaspillage, auquel les Britanniques n'ont pas été insensibles. La mise en place d'une politique d'aménagement du territoire a été rendue précocement nécessaire par les déséquilibres nés

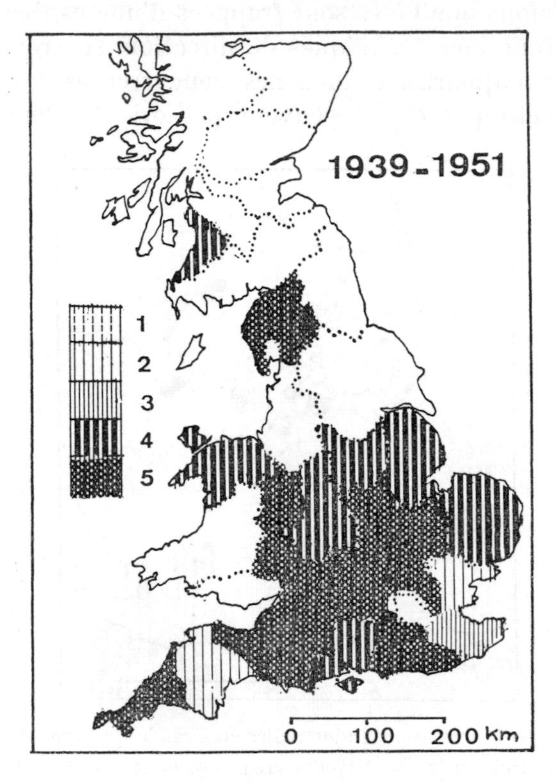

Fig. 12.20. — Les variations de la population anglaise de 1939 à 1951. Même légende que pour la figure 12-18.

Le mouvement de croissance de la population se poursuit dans le Sud et dans les Midlands, mais l'évolution des régions d'industries anciennes est moins simple qu'avant la guerre. Les zones rurales de l'Ouest et du Sud-Ouest bénéficient d'une part importante de la croissance.

de la réadaptation de la vie britannique aux dimensions du marché intérieur (92). Depuis une génération, on a dépensé sans compter pour inciter les entreprises dynamiques à s'installer

(92) La politique anglaise d'intervention et d'aménagement du territoire est déjà ancienne. On trouvera un exposé de ses principes et de ses principales réalisations, dans : Willats (E. C.), *L'état actuel de la planification régionale en Grande-Bretagne et la contribution des géographes*, pp. 103-133 de Gottmann (Jean) (publié sous la dir. de), « L'aménagement de l'espace. Planification régionale et géographie ». *Cahiers de la Fondation nationale des Sciences politiques*, n° 32, Paris, Armand

dans les zones déprimées (fig. 12.19). Les résultats obtenus ont été considérables, le chômage a disparu petit à petit des zones où il était devenu chronique (fig. 12.20). Et pourtant, la tendance n'a pas été renversée. La population de l'ensemble des

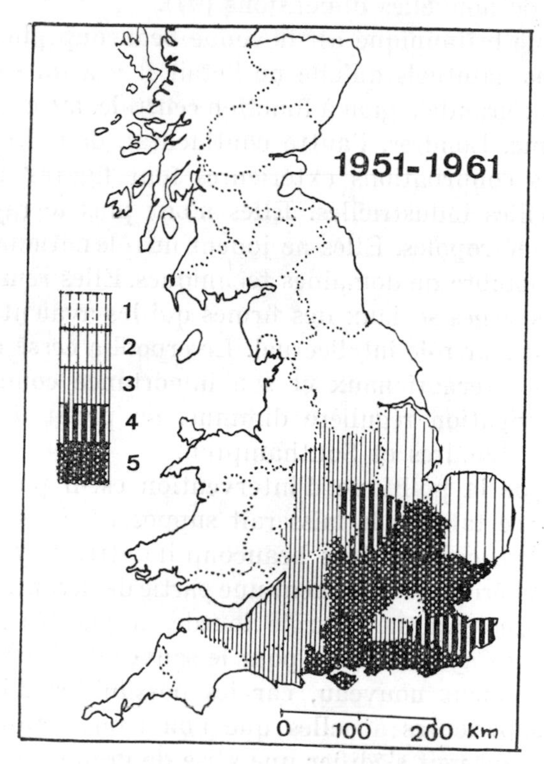

Fig. 12.21. — Les variations de la population anglaise de 1951 à 1961. Même légende que pour la figure 12.18.

Malgré le succès de la politique de décentralisation industrielle, le mouvement de concentration de la population dans l'Angleterre méridionale se poursuit à un rythme aussi rapide qu'avant-guerre.

régions périphériques du Nord et de l'Ouest continue à diminuer, cependant que celle des régions du Centre et du Sud augmentent (93) (fig. 12.21). On en vient à se demander si tout ce

Colin, 1952, 140 p. — Fyot (J. L.), Calvez (J. Y.), *Politique économique régionale en Grande-Bretagne*. Centre d'Études économiques, *Études et mémoires*, n° 27, Paris, Armand Colin, 1956, 295 p. — Caesar (A. L.), *Planning and the Geography of Great Britain*. Advancement of Science, 1964, pp. 230-240.

(93) Le mouvement de déclin des régions du Nord et de l'Ouest, enrayé durant la guerre et l'immédiate après-guerre a repris depuis 1950. Les cartes indiquant les

qui se trouve dépensé au nom de l'aménagement du territoire ne constitue pas un luxe. Il est des géographes et des économistes qui se demandent si la politique de décentralisation n'est pas inutilement coûteuse au moment où la concurrence internationale prend de nouvelles dimensions (94).

L'économie britannique est devenue beaucoup plus conforme aux schémas habituels qu'elle ne l'était il y a un siècle. Il n'y a plus qu'une grande région à fonction centrale, avec deux foyers, l'un maritime, Londres, l'autre continental, dans les Midlands. Les grandes conurbations extérieures font figures aujourd'hui de tristes villes industrielles. Elles n'ont plus le rayonnement de grandes métropoles. Elles ne jouent un rôle national que dans un certain nombre de domaines techniques. Elles réussissent mal à retenir les sièges sociaux des firmes qui les avaient fait vivre, elles perdent leur rôle intellectuel. Liverpool a cessé de dominer les marchés internationaux et son importance comme tête de ligne de navigation régulière diminue, au profit des ports du Sud, comme Londres et Southampton.

Le bilan de la politique d'intervention est-il pourtant aussi négatif que ce tableau le laisserait supposer? Sans doute pas. En Angleterre, comme dans beaucoup d'autres pays, les localisations périphériques reprennent une partie des avantages qu'elles avaient perdus. La métallurgie lourde, implantée de manière autoritaire au Pays de Galles pour le sauver de la crise, y prend un développement nouveau, car les possibilités d'importation sont bien supérieures à celles que l'on trouve ailleurs. De la même façon, on voit s'édifier une série de grandes usines pétrochimiques dans les zones maritimes, et pas seulement dans le Sud. Mais plus importante pour l'avenir apparaît la tendance

implantations industrielles montrent que la politique de décentralisation a été efficace en ce domaine : cela ne rend que plus grave la persistance du déclin. Depuis cinq ans, on assiste à un nouvel effort pour revitaliser les régions périphériques : on lance des programmes de villes nouvelles, on essaie de renforcer les effets de la décentralisation industrielle. Il ne semble pas que le mouvement de déclin ait pu être limité jusqu'ici — pour l'Écosse tout au moins.

(94) Devant les frais qu'impose la politique de décentralisation, devant ses résultats limités, on trouve maintenant bon nombre d'économistes et de géographes qui se posent la question de la valeur générale de l'action engagée et de ses résultats à long terme. Ne va-t-on pas faire peser de manière permanente des charges supplémentaires sur une industrie déjà peu compétitive sur les marchés internationaux? CHISHOLM (Michael), « Must we all Live in Southeast England? ». *Geography*, vol. 49, janv. 1964, pp. 1-14. — HALL (Peter), *London 2000*. Londres, Faber, 1963, 220 p.

actuelle à la décentralisation des fonctions de direction. Les Anglais se sont engagés de manière énergique dans cette voie. La présence de grands noyaux de peuplement peut favoriser la réussite de cette politique.

L'exemple de l'organisation régionale de l'Angleterre est extrêmement intéressant, car il montre qu'il n'y a pas de construction qui soit déterminée de manière rigide par le cadre physique et les grandes voies naturelles de circulation. L'équilibre régional de la nation dépend en définitive beaucoup du rôle que celle-ci se donne sur la scène mondiale. Une nation résolument refermée sur elle-même ne prend pas le même visage qu'un pays rompu à la pratique du commerce international. L'analyse de l'organisation régionale ne peut donc se faire sans définir l'orientation fondamentale de l'économie nationale. Les nations contemporaines demeurent relativement fermées, mais les zones par lesquelles elles entrent en contact avec le reste du monde, les zones à fonction de pivot économique, pour reprendre l'expression imaginée par Jean Gottmann, attirent de plus en plus à elles les équipements de niveau supérieur et créent de la sorte des conditions de centralité qui ne sont nullement inscrites dans la nature. Les structures territoriales des nations ne peuvent être comprises que si on analyse les conditions de l'équilibre extérieur de la production, de la consommation et de l'échange. C'est ce qu'il nous reste à faire, en montrant comment les diverses économies nationales s'articulent au sein du marché mondial, en rentrant parfois directement en contact les unes avec les autres ou en s'isolant en grands ensembles cimentés par une même monnaie ou une même politique douanière et économique. Les réalités de l'espace international et des constructions pluri-nationales se répercutent de manière nette dans l'articulation des espaces nationaux.

CHAPITRE XIII

LE MARCHÉ MONDIAL ET LES GRANDS ENSEMBLES TERRITORIAUX

Pour la plupart des économistes classiques, la nation représentait la seule réalité territoriale qui méritât attention et recherche. Il était bien question d'unités plus vastes, puisque les nations commerçaient entre elles par l'intermédiaire du marché international, mais celui-ci ne présentait pas de particularités intéressantes pour le théoricien. Il suffisait pour épuiser le sujet d'analyser les mécanismes d'ajustement général des demandes et des offres et de décrire les marchés concrets, puis de plus en plus souvent, abstraits. Au-dessus de l'espace macro-économique national, on ne trouvait plus que des ensembles relevant de l'analyse micro-économique.

Cette déformation curieuse de la pensée économique se manifeste sur d'autres points. Les spécialistes des questions monétaires ont depuis longtemps montré que l'autorité et la confiance sont nécessaires pour que l'usage de l'argent soit possible. Depuis plus d'un siècle, le commerce international se fait par l'intermédiaire de monnaies fortes, la livre sterling puis le dollar. Mais il a fallu attendre les difficultés engendrées par la crise, et plus encore, par la Seconde Guerre mondiale, et la détérioration de la situation du monde sous-développé, pour que l'on fasse l'effort de rechercher l'origine des difficultés rencontrées dans le domaine monétaire.

On en vient petit à petit à considérer que le milieu mondial, celui qui se trouve compris en marge des territoires nationaux, n'est pas un no man's land inorganisé; en suivant l'évolution économique du monde, on s'est aperçu qu'il s'était transformé, dans ses structures et dans son organisation, au moins aussi profondément que les nations qu'il sépare. Et on est obligé d'accorder une attention toute spéciale aux divisions qui s'y dessinent et qui se présentent avec une dimension et des caractères qui dépassent ceux de l'État.

I. — La conception classique de l'espace international.

Les physiciens du siècle passé avaient imaginé, pour expliquer les phénomènes lumineux, et leur propagation dans l'espace, la présence d'un support aux propriétés curieuses et qu'ils avaient baptisé éther. Il fallut les expériences précises de Michelson pour démontrer l'inexistence de l'éther — mais avant même les épreuves décisives qui devaient condamner la théorie, le doute s'était installé dans l'esprit de beaucoup de physiciens. Lorsqu'on se donnait la peine de préciser les caractères de l'éther, on trouvait une série de propriétés si contradictoires que l'on ne savait comment les concilier : le milieu était immatériel et cependant il possédait certaines propriétés que l'on ne trouve normalement que dans les métaux.

Toute proportion gardée, l'espace international de la théorie classique se présente sous la forme d'un milieu aussi paradoxal, aussi contradictoire que ne l'était l'éther. Il a les caractères d'un océan sur lequel toutes les nations sont réparties comme des îles. Il a le double avantage d'isoler les nations les unes des autres, au point de leur donner une certaine liberté, une autonomie qui tient à leur isolement et de ne pas offrir d'obstacles aux déplacements, de ne pas être coûteux. On a beau savoir qu'une bonne partie du trafic commercial international se fait par mer, que les taux de frêts sont depuis toujours inférieurs aux tarifs pratiqués pour les relations continentales et que la distance se trouve de ce fait réduite, il y a dans la vision classique une part de schématisation excessive qui n'a pas manqué d'attirer l'attention des économistes.

Les efforts essentiels des spécialistes des problèmes spatiaux consistent à restituer aux analyses du commerce international le sens de la dimension qui lui avait été enlevée par la plupart des classiques. Lösch (1) a consacré de longs développements à

(1) Lösch (August), *Die raümliche Ordnung der Wirtschaft*, *op. cit.*

montrer comment les diverses perturbations se propagent d'une nation à l'autre. Il analyse la transmission des mouvements de prix et des cycles économiques. Il y a là tout un aspect de son œuvre sur lequel on insiste généralement peu. Avant lui, d'autres auteurs (2) avaient essayé d'intégrer distance et frais de transport dans la théorie du commerce international.

Cette direction prise un temps par l'économie spatiale n'a guère de postérité à l'époque contemporaine. Elle néglige ce qui fait l'originalité profonde des économies nationales — leur fermeture relative — et ne présente qu'une image affadie des conditions de la vie internationale. A la limite, on oublie tout à fait la différence qui oppose sur le plan théorique la région et la nation — la confusion est souvent évidente dans les travaux de Bertil Ohlin — et on néglige les éléments volontaristes qui contribuent à modeler la nation moderne. L'évolution historique a fait varier constamment le contenu et les attributions des groupements territoriaux que nous appelons région et nation, mais les types que la théorie décèle et reconstruit sont stables et bien tranchés. On risque de ne pas s'en apercevoir à lire certains ouvrages.

Ainsi, les analyses de l'économie internationale proposées par les spécialistes des problèmes spatiaux ne sont pas plus satisfaisantes que celles offertes par les classiques. Elles manquent de réalisme à la fois dans leur description des mécanismes de la vie nationale et dans leur appréhension de l'espace international. Elles présentent cependant l'intérêt de fournir une image claire de ce que serait le tissu qui isole les nations les unes des autres si l'économie libérale était effectivement réalisée.

Que se produirait-il alors? Un équilibre s'établirait qui permettrait de maximiser l'ensemble des satisfactions économiques éprouvées par les producteurs et les consommateurs à la surface de la terre. Ceci revient à dire que les premiers obtiendraient le prix le plus élevé conciliable avec le respect de la libre concurrence et les seconds paieraient le prix le plus faible conciliable avec l'absence de rente d'acheteurs. Un tel résultat ne peut être obtenu que si deux conditions se trouvent réunies : l'absence de rente ne peut être effective que si le marché est clair, si l'information circule bien et si les partenaires ne sont pas en mesure

(2) OHLIN (Bertil), *Interregional and International Trade*, *op. cit.*

d'imposer leurs volontés; pour que les prix à la production soient les plus forts possibles et les prix à la consommation les plus faibles, il est d'autre part nécessaire que les frais de transport soient minimisés. Il y a entre ces deux conditions des éléments de contradiction. La transparence n'est souvent effective que si toutes les marchandises passent par un marché concret où l'offre et la demande peuvent se trouver confrontées : cela introduit des détours sur les itinéraires suivis par les biens et augmente les frais de transport. La minimation des parcours n'est effective que dans le cas de matières premières lourdes et faciles à définir au point de vue commercial : minerais, pétrole ou céréales. Les trajets peuvent être directs, car l'information circule indépendamment de la marchandise et des marchés abstraits permettent de régler l'équilibre général. Il n'y a que peu de temps que l'on est parvenu à s'approcher de la sorte de la solution idéale. D'ailleurs, les marchés qui semblent les plus proches de l'optimum sont le résultat d'une action autoritaire d'organisation par une société ou un groupe de quelques sociétés qui contrôlent l'ensemble de la production mondiale. On sait le rôle que les accords de marché ont ainsi joué dans la régulation des cours du pétrole brut dans le monde, depuis la fin de la Première Guerre mondiale (3).

C'est donc vers des solutions de sous-optimation que l'on a dû s'orienter longtemps : on a ou bien accepté le maintien d'un certain pouvoir de marché de la part des producteurs et des consommateurs, qui ont limité les trajets parcourus par les biens ou bien accepté de faire transiter toutes les marchandises par un point central où l'équilibre des parties en présence se dégage à la suite d'une confrontation loyale. Ces considérations théoriques sont utiles pour comprendre l'histoire et les formes actuelles du milieu international. Elles expliquent le rôle prédominant de certaines régions, l'imperfection persistante de certaines constructions. Elles montrent pourquoi l'organisation du marché international réalisée à un certain moment peut se retrouver mise en question par la transformation des techniques

(3) Les ouvrages récents font état de ces accords d'organisation du marché international du pétrole : la source commune semble être un rapport de la Federal Trade Commission au Sénat des États-Unis présenté sous le titre : « The International Petroleum Cartel. » LAUDRAIN (Michel), *Les prix du pétrole brut. Structure d'un marché.* Paris, Génin, 1958, 340 p. — DURAND (Daniel), *La politique pétrolière internationale.* Coll. « Que sais-je? », n° 891, Paris, 1960, 128 p.

des transports ou par celles de l'échange d'information. L'histoire du marché mondial est complexe, dans la mesure où il n'est pour ainsi dire jamais possible de parvenir à une optimation totale, où l'on doit choisir entre des solutions imparfaites et qui s'excluent mutuellement. De manière générale, on peut admettre que l'unification du marché mondial s'est réalisée d'abord par concentration progressive des transactions sur un marché unique, par polarisation des transactions internationales. Dans une seconde phase, les échanges internationaux se sont ordonnés selon d'autres principes, car la transparence des milieux économiques est devenue bien plus grande.

II. — La création du marché économique mondial : mercantilisme et monopole technique.

Les grands marchés du monde moderne sont de création relativement récente (4). Longtemps, les échanges à longue distance sont demeurés limités à un petit nombre de produits de luxe. Les premiers exemples de grands marchés sont fournis par le monde méditerranéen classique. La période de décadence de l'Empire romain coïncide avec un fractionnement progressif des circuits mis en place à l'époque hellénistique; les progrès de la navigation au moyen âge ne permettent pas le retour à une économie très ouverte. Malgré l'importance croissante des relations entre le Nord et entre le Sud de l'Europe, malgré le recours de plus en plus fréquent à la voie maritime pour relier Méditerranée et mer du Nord, les échanges demeurent limités à un petit nombre de produits : et les marchés sont régionaux pour les biens de consommation courante : ils s'ordonnent ou bien autour des mers

(4) Les premiers grands marchés se trouvaient en Méditerranée : dès l'époque romaine, Alexandrie joue ce rôle à l'échelon mondial. Au moyen âge, Alexandrie, Alep et Constantinople servent tour à tour de relais entre l'Orient et l'Occident, mais la direction effective revient en grande partie aux villes italiennes, à Venise en particulier.

Les grands marchés modernes apparaissent avec les grandes découvertes : Anvers, puis Amsterdam. On peut cependant estimer que les premières organisations de caractère réellement moderne ont pris naissance en Angleterre, car c'est là que l'on a vu associées des institutions comme les marchés concrets de denrées, les marchés d'assurance, les marchés monétaires. Les divers rouages ont été créés au cours du XVIIe siècle ainsi qu'au cours du XVIIIe, mais le fonctionnement ne s'est régularisé que plus tard, à l'époque victorienne. Dauphin-Meunier (A.), *La Cité de Londres...*, *op. cit.*

italiennes ou bien autour de la mer du Nord et de son annexe baltique.

Les premiers grands marchés à l'échelle planétaire naissent à la Renaissance. A partir du XVIe siècle, l'organisation d'un marché mondial se généralise pour tous les produits d'origine tropicale, dont la demande est ferme en Europe occidentale. Elle porte d'abord sur des biens un peu exceptionnels, susceptibles d'engendrer des profits considérables. Petit à petit, les achats se diversifient en Europe, ce qui provoque un glissement dans les habitudes de consommation.

Ces marchés présentent un certain nombre de points communs. Il n'y a pas encore d'ouverture générale de l'espace aux navires de tout pavillon. Les zones où sont cultivées les épices, le sucre, le café, le tabac sont contrôlées par les nations européennes — par un petit nombre d'entre elles. Au cours du XVIe siècle, le Portugal et l'Espagne bénéficient ainsi d'un véritable monopole de l'approvisionnement du marché. Les écumeurs des mers dont l'action est regardée d'un œil favorable par le gouvernement anglais ne réussissent pas à menacer sérieusement la situation des puissances ibériques avant la fin du siècle de Philippe II. Les relations entretenues entre le pays européen et le pays colonial au sein des empires ne sont pas égales. Le fonctionnement du marché mondial, avec la centralisation des transactions autour d'un foyer central européen est le résultat d'un ensemble d'opérations où les faits politiques de domination ont eu autant de part que les faits économiques (5). Une fois effectué le passage transocéanique, la redistribution est réalisée à partir d'une place centrale directrice, qui n'exerce pas directement de contrainte de marché, celle d'Anvers.

Au XVIIe et au XVIIIe siècle, le marché mondial garde une organisation analogue (fig. 13.1). La mise en valeur des colonies, la création de plantations dans le monde tropical permettent de s'affranchir des conditions difficiles des marchés extrêmes-orientaux. La domination politique conduit à maintenir la

(5) Sur l'organisation générale du marché mondial mercantiliste : BLITZ (Rudolph C.), « Mercantilist Policies and the Pattern of World Trade 1500-1750 ». *The Journal of Economic History*, vol. 47, 1967, pp. 39-55. — CHAUNU (H. et P.), *Séville et l'Atlantique (1504-1650)*. Paris, A. Colin, 1955-1959, 12 vol. — MAURO (Frédéric), *Le Portugal et l'Atlantique au XVIIe siècle. Étude économique*. Paris, Imprimerie Nationale, 1960, LXI, 550 p. — DE ROOVER (R.), « Anvers comme marché monétaire au XVIe siècle ». *Revue belge de Philologie et d'Histoire*, vol. 31, 1953, pp. 1003-1047. — HECKSCHER (Eli F.), *Mercantilism., op. cit.*

complémentarité des économies associées. Pour que les relations entre la métropole et la colonie soient équilibrées, il importe d'éviter le développement d'une économie complexe autonome, qui priverait les agriculteurs et les manufacturiers de la métropole de leur marché. Il est également nécessaire d'éviter les détour-

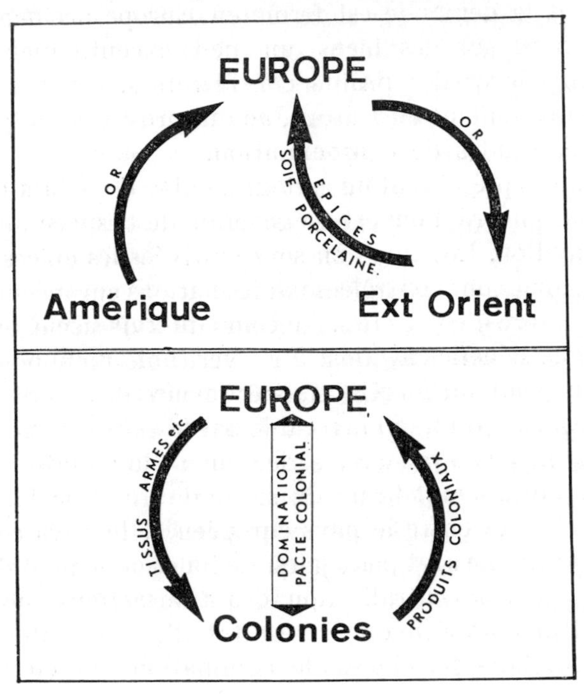

Fig. 13.1. — Les deux schémas d'organisation du marché mondial à l'époque mercantiliste.

L'Europe se trouve au centre des réseaux d'échange, mais elle ne dispose pas de produits dont l'exportation permette d'équilibrer naturellement les importations. Les relations sont cependant possibles grâce à la domination exercée par certaines puissances européennes à l'extérieur. Cela permet en effet d'utiliser l'or et l'argent d'Amérique pour payer les achats réalisés en Extrême-Orient (en haut), et, par application du pacte colonial, de maintenir les économies des « Iles » dans un état de dépendance, de leur imposer l'importation de produits européens (en bas).

nements de trafic : le bénéfice réalisé sur les transactions internationales doit échoir aux commerçants de la métropole. La doctrine coloniale mercantiliste, rigoureusement appliquée par la plupart des nations au cours de ces deux siècles, permet donc d'établir un équilibre économique artificiel entre le pays dépendant et le pays maître. Les transactions entre les deux ensembles territoriaux sont équilibrées, mais elles risqueraient de ne pas l'être dans un marché libre.

Le monopole commercial de l'Espagne et du Portugal est brisé dès les premières décades du XVIIIe siècle, grâce à l'initiative commerciale des Provinces-Unies, puis plus tard, et d'une manière plus durable, par suite de la création de colonies dépendant de la France et de la Grande-Bretagne. Amsterdam se pose comme héritière d'Anvers et réussit à drainer une bonne partie de ce qui avait jusqu'alors transité par Lisbonne. La pénétration sur les terres de la couronne espagnole est plus malaisée. Aussi l'unité du marché mondial se trouve en partie rompue — puisque les rapports entre Séville et Amsterdam sont moins étroits que ceux entre Séville et Anvers. L'apparition des nouvelles puissances coloniales accentue la division du monde en faisceaux — dépendant chacun d'une métropole européenne : un faisceau espagnol, longtemps le plus important, un faisceau portugais, très réduit, mais auquel le développement de l'agriculture de plantation dans les États du Nord-Est du Brésil, puis plus tard la découverte de l'or et des diamants dans la région des Mines générales redonne de l'importance, un faisceau français, plus puissant au début qu'à la fin du XVIIIe siècle, mais qui, avec Saint-Domingue, a gardé la base essentielle de ses transactions et un faisceau anglais qui ne connait pas les mêmes revers de fortune que les autres.

Nous sommes loin du modèle des classiques. Il existe bien une aire de redistribution commune aux divers pays coloniaux — et qui correspond aux pays de l'Europe centrale. Mais cette aire de consommation commune ne joue guère de rôle dans l'arbitrage et l'organisation des échanges. Elle participe au commerce, fournit une partie des produits manufacturés, que les terres coloniales demandent, intervient parfois par la puissance de ses banques ou de sa bourgeoisie commerciale, comme c'est le cas des villes de l'Allemagne du Nord, de Hambourg en particulier. Mais sa position vis-à-vis du marché mondial demeure quelque peu dépendante, puisqu'elle ne peut agir sur les leviers politiques qui assurent le bon fonctionnement du système et donnent aux relations internationales une stabilité qu'elles n'auraient pu conserver spontanément.

L'organisation du marché est à base de contrainte. Mais la répartition des aires de production et de consommation à laquelle aboutit cette pression politique est assez rationnelle et les circuits établis unissent directement des régions productrices aux régions consommatrices. Les marchés régulateurs et directeurs sont installés sur les voies les plus courtes entre les partenaires. Si l'on oublie la domination et la tension qui expliquent la permanence des courants d'affaires, on risque de ne voir dans l'organisation spatiale des échanges que des rapports normaux; la libre concurrence les aurait ordonnés de la même manière. Les différents faisceaux du marché sont indépendants l'un de l'autre, mais comme il existe un débouché commun, les prix se trouvent liés et le gradient des prix qui détermine les échanges internationaux est orienté dans le même sens à l'intérieur de chacun des faisceaux.

Dans le courant du XVIIIe siècle, la position de l'Angleterre est progressivement renforcée. Le traité de Methuen lui permet de bénéficier de l'essentiel de ce que les colonies brésiliennes apportent à l'Europe : les métaux précieux. Au commerce colonial proprement dit, elle peut ajouter les ressources de l'échange avec l'Extrême-Orient, et profiter de la position d'intermédiaire obligatoire qu'elle se constitue peu à peu, en éliminant la France du marché indien.

L'Antiquité et le moyen âge avaient vu l'apparition de constructions économiques de type mercantiliste analogue à celles mises sur pied plus tard par la France, par l'Espagne et par l'Angleterre. De telles combinaisons supposaient l'existence de contraintes politiques qui contenaient en germe la ruine du système : Gideon Sjoberg (6) voit dans cette contradiction un des traits des plus constants de civilisations urbaines préindustrielles. L'Empire romain avait organisé de manière politique et par la force un système d'échanges qui unissaient tous les pays riverains de la Méditerranée en un seul faisceau ordonné pour assurer le ravitaillement de Rome et de l'Italie. Mais l'égalisation progressive de la condition des régions périphériques et des régions centrales de l'Empire — nécessaire au point de vue politique, pour assurer l'intégration progressive des groupes sociaux dominés — se traduisit à la longue par une rupture du marché, qui ne reposait pas sur le jeu de complémentarités naturelles.

(6) SJOBERG (Gideon), *The Preindustrial City...*, *op. cit.* — KEYFITZ (Nathan), *Political-Economic Aspects of Urbanization in South and South-East Asia*, pp. 265-309 de HAUSER (Philip), SCHNORE (Leo, F.), *The Study of Urbanization*, *op. cit.*

La révolution américaine témoigne d'une évolution analogue : le pacte colonial se trouve rompu et l'émancipation des colonies anglaises marque un revirement important : les constructions mercantilistes de l'époque moderne sont rongées de l'intérieur et malgré la jalousie de la métropole, l'empire espagnol se disloque à la première crise internationale — la tempête révolutionnaire et napoléonienne (7).

L'avance technique permet de s'affranchir de la pression politique.

L'avènement de la société industrielle a été rendu possible en Angleterre par la constitution de l'Empire. Celui-ci fournit les capitaux nécessaires au lancement de nouvelles expériences. Il permet l'effort prolongé de modernisation qui avait manqué dans la plupart des économies antérieures, il donne aux industriels anglais la possibilité d'étendre leurs affaires jusqu'au point où l'île franchit le seuil de la croissance entretenue (8).

Les transformations qui s'opèrent dans les ateliers et manufactures font baisser considérablement le prix de revient des produits fabriqués dans les pays d'Occident, leur permettent d'abord de se substituer à ceux que l'on importait à grand prix des Indes, puis leur ouvrent les pays d'Orient. Les premières branches de fabrication industrielle à s'être épanouies en Angleterre sont symptomatiquement la fabrication des étoffes de coton et celles des terres à feu : d'un côté, on s'affranchit du fournisseur indien, de l'autre du fournisseur chinois (9).

(7) De nombreux signes témoignaient de l'importance de ces tensions au sein du marché impérial espagnol : le développement du commerce interlope au XVIIIe siècle montre l'affaiblissement de la position espagnole et l'impatience de la société créole.

(8) On connaît assez bien le moment où la croissance devient continue et soutenue en Grande-Bretagne grâce aux analyses d'historiens comme Ross Ashton ou d'économistes comme Rostow : ASHTON (T. S.), *La révolution industrielle (1760-1830)*, *op. cit.* — ROSTOW (W. W.), *The Process of Economic Growth*, New York, Norton, 1952, 372 p. — ID., « The Take-off into Self-Sustained Growth ». *Economic Journal*, mars 1956. — ID., « Les cinq étapes de la croissance économique ». *Cahiers de la République*, no 21, 1959, pp. 54-74 (traduction d'un article de même titre publié dans *The Economist* du 15 août 1959). — ID., *The Stages of Economic Growth*. Cambridge, Cambridge University Press, 1960. Trad. française : *Les étapes de la croissance économique*. Paris, Le Seuil, 1960, 207 p.

(9) L'histoire de l'ouverture du marché mondial à l'époque du libre-échange est analysée du point de vue des puissances européennes dans BAUMONT (Maurice),

A partir du moment où le développement industriel crée en Occident une productivité infiniment supérieure à celle des pays d'Orient, la pression politique qui avait été nécessaire à la mise en place du marché initial peut se relâcher. L'inégal niveau de développement technique suffit à créer naturellement la complémentarité. Les Anglais, réalistes, comprennent que l'époque du mercantilisme est close.

La révolution industrielle rend la contrainte employée jusque-là par les États inutile. Mais elle laisse aux marchés interna-

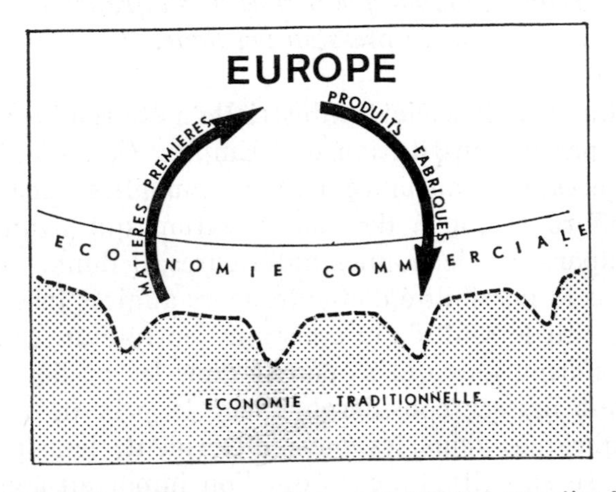

Fig. 13.2. — Le schéma du marché mondial libéral, première formule.

Le développement de l'industrie fournit à l'Europe une gamme nouvelle de produits d'exportation qui lui permet de se passer de l'usage de la contrainte pour équilibrer son commerce. Il lui suffit d'ouvrir de nouvelles terres à l'économie commerciale, en ruinant les systèmes d'autarcie traditionnelle, pour réaliser les conditions d'une expansion générale.

tionaux un aspect aussi artificiel que par le passé (fig.13.2). Au XIXe siècle, les pays d'outre-mer fournissent des matières premières, que l'Angleterre travaille et transforme. Elle vend

L'essor du libre-échange, pp. 9-147 de Lacour-Gayet (Jacques) (sous la dir. de), *Histoire du commerce*. Paris, SPID, t. V.

Sur la pénétration du marché mondial par les produits manufacturés anglais, on a des indications qui proviennent de l'étude de l'économie anglaise (W. W. Rostow, dans les analyses que nous avons signalées au paragraphe précédent, montre l'importance des exportations en certains domaines : 60 % de la production de cotonnades étaient exportés entre 1820 et 1830) ou de celle des relations internationales : pour l'Extrême-Orient, on peut se reporter en particulier à Chesneaux (Jean), *L'Asie orientale aux XIXe et XXe siècles...*, *op. cit.* — Mauro (Frédéric), *L'expansion européenne*. Coll. Nouvelle Clio, Paris, P. U. F., 1964, 419 p.

On aura l'exposé d'un point de vue plus passionné dans Panikkar (K. M.), *L'Asie et la domination occidentale*. Paris, 1956.

27. L'instrument de la conquête de l'espace aux États-Unis. Une locomotive datant de l'ouverture du Far-West. La vue est prise dans les grandes plaines, sur un arrière-fond de Montagnes Rocheuses. (Cliché : *P. Claval.*)

28. Canal ancien.
Les canaux ont créé des axes particulièrement bon marché pour les échanges.
Le canal de Bruges à Damme. (Cliché : *M.-Th. Génin.*)

L'afflux des touristes
s les rivages de l'Europe
ridionale provoque une
re de spéculation sur le
des terrains et les cons-
ctions. Le Lavandou.
iché : *Vues aériennes,*
ain Perceval.)

Pl. XX.

30. vue de l'Alaska.

Si l'Alaska n'a pas tiré le même profit que la Californie de certaines ressources communes — de l'or par exemple — cela tient à ce qu'il lui manque les aménités qui se sont révélées être des ressources de plus en plus importantes pour la croissance.

(Cliché : *U. S. I. S.*)

31. Le Détroit de Gibraltar. Vue prise au cours du vol de Gemini 5, 21-29 août 1965, par les astronautes Gordon Cooper et Charles Conrad, d'une altitude de 160 à 280 km.

(Cliché : *U. S. I. S.*)

ses produits à l'Europe voisine, mais en exporte aussi une partie vers les régions d'origine. Les laines d'Australie viennent à Leeds et les draps utilisés par les Australiens sont importés de Leeds. Il y a marché mondial, mais la solution est loin d'être la plus avantageuse pour les partenaires en présence, dans la mesure où elle multiplie à l'excès les déplacements de matières premières et de produits fabriqués. Les transports maritimes sont relativement bon marché, ce qui rend moins monstrueux le système; mais on conçoit qu'on ait essayé de raccourcir les circuits de distribution.

Les puissances voisines de l'Angleterre ont constitué un débouché essentiel pour ses fabrications. Elles s'adressaient à elle pour l'achat d'une partie des produits coloniaux, des indiennes ou des porcelaines qu'elles consommaient. Elles restent sa cliente lorsque l'Angleterre se couvre de manufactures. Cependant, ces pays sont bien placés pour voir les avantages que l'Angleterre retire de ses industries. Ils ont, au cours du XVIIIe siècle, lancé des fabrications analogues, ont même parfois devancé les initiatives anglaises; ils ont participé au mouvement d'innovation technique qui a déclenché la croissance. Ils sont les premiers à copier l'Angleterre. Ce sont eux qui avaient le moins à souffrir de la structure du marché organisé par la place de Londres ou par celles de l'Ouest, Glasgow, Bristol et Liverpool. Ce sont cependant les premiers à se transformer et, pour concurrencer les industriels du Lancashire ou des Midlands, à utiliser les mêmes techniques. Les zones transformées par l'industrie ne correspondent pas, au XIXe siècle, à celles qui sont éloignées du marché central et où les prix sont majorés par les charges d'un double et long transport; il leur manque les connaissances techniques, la faculté de mettre en place de nouvelles structures. Si l'Europe s'équipe la première, c'est qu'elle est plus perméable que le reste du monde aux bouleversements de mentalité et de technique qui viennent de faire preuve de leur efficacité. La géographie des aires dynamiques est celle des milieux sociaux, capables d'assimiler vite l'innovation et qui traditionnellement sont les plus proches par leur organisation politique, leurs valeurs et leurs mentalités, de l'Angleterre. La distance physique ne constitue pas l'obstacle essentiel à la diffusion du progrès ; celle qui rend compte de la localisation de l'industrie neuve est une distance sociale, humaine. Les États-Unis se trouvent donc plus vite touchés que bien des pays, proches de l'Angleterre.

La formation de nouvelles puissances manufacturières en Europe modifie la structure du marché mondial. Les lieux centraux ont tendance à se multiplier. Pour un assez grand nombre de produits, les industriels ou les importateurs prennent l'initiative d'organiser les marchés concrets directeurs, à la manière de celui de Londres. Les grands ports de l'Europe du Nord-Ouest se partagent donc les fonctions d'organisation des échanges mondiaux. Londres garde la prééminence, à la fois par la variété des produits qui y sont échangés et par la perfection de l'ensemble de ses services commerciaux.

La position des grands pays d'Europe du Nord-Ouest se trouve consolidée par la concentration des lieux centraux qui s'y multiplient. Les pays périphériques estiment peut-être que c'est un gaspillage d'envoyer leurs matières premières en Europe. Dans l'immédiat, ils n'ont pourtant pas intérêt à se créer une armature industrielle. Les circuits commerciaux se nouent autour de Londres et des rivages de la mer du Nord, les prix se fixent là. La zone voisine des grands marchés se caractérise, pour chaque produit, par des prix supérieurs à ceux de la région productrice, mais c'est celle où le niveau des prix est le plus faible si l'on doit utiliser des produits d'origine variée (10). Aussi l'avantage industriel naît en partie de la concentration et de la domination commerciales, qu'il renforce et justifie. De cette façon, la construction du marché mondial est moins fragile qu'il ne peut apparaître à première vue. Malgré sa position un peu artificielle et le prix qu'elle conduit à faire payer pour le progrès, l'organisation à foyer central unique tend à se perpétuer et par une série d'enchaînements, à devenir en quelque sorte naturelle. En organisant un marché mondial de céréales, en renonçant à sa propre agriculture, l'Angleterre devient le pays où l'existence est le meilleur marché et renforce sa position compétitive.

Le marché mondial de la première moitié du siècle dernier diffère du marché mercantiliste par d'autres caractères. Il est équilibré, ce qui permet aux échanges de se poursuivre sans gêne monétaire. L'or peut servir de monnaie internationale : la complémentarité entre les diverses parties du monde tend à maintenir un certain équilibre dans les balances des paiements.

(10) Nous avons analysé l'avantage de la localisation près des grands marchés concrets dans Claval (Paul), *Géographie générale des marchés, op. cit.*

Il est nécessaire, lorsqu'on achemine des quantités considérables de marchandises sur de grandes distances, de financer les dépenses liées aux délais qui en sont la conséquence. Il faut prêter aux vendeurs, comme aux acheteurs. Les banques de Londres financent une bonne partie des opérations du marché. La ville attire les fonds disponibles pour les opérations à court terme, car les perspectives de trouver un emploi y sont bonnes. L'importance de l'offre de monnaie, liée à cet afflux de liquidités extérieures et à la création de moyens nouveaux de paiement par les banques, maintient le loyer de l'argent à un taux assez bas. Petit à petit, ces opérations deviennent si nombreuses que l'or n'est plus la vraie monnaie internationale. La livre sterling s'y substitue. L'or n'intervient plus que lorsque le déséquilibre de la balance des paiements est trop grave. Pour les périodes de difficulté mineure, les prêts de la place de Londres suffisent au rétablissement de la situation. L'offre de liquidité internationale devient souple avec la substitution à l'or d'une monnaie dominante (11).

Héritier d'un marché construit par des actions politiques, le marché mondial libéral du XIXe siècle ne peut fonctionner que grâce aux inégalités qui tiennent à la faible diffusion des techniques modernes. Son équilibre se trouve sans cesse menacé. Par suite de toute une série d'adaptations, de transformations successives, il réussit cependant à demeurer vivant jusqu'à la grande crise économique des années 1930.

III. — Les transformations du marché mondial dans le cadre du monde libéral.

La prééminence absolue de la Grande-Bretagne se maintient jusqu'à la dernière décade du siècle dernier — c'est alors que l'Al-

(11) Peut-on dater cette transformation? Le crédit s'est développé avec le grand commerce : la lettre de change et les autres instruments modernes du marché monétaire sont nés ainsi progressivement, lorsque les relations s'améliorent et se multiplient en Europe au moyen âge et au début de l'époque moderne. On peut se demander s'il n'y a pas eu effet de seuil, si le phénomène n'a pas changé de signification à partir d'un certain niveau : la généralisation du crédit international devient alors un des éléments essentiels du développement des transactions et un des stimulants de la croissance des économies nationales. Aussi peut-on admettre que si le crédit a depuis longtemps assuré une certaine souplesse à l'offre de liquidité internationale, cette élasticité n'a pris d'importance réelle qu'avec la multi-

lemagne et les États-Unis la dépassent dans certains domaines. Mais depuis longtemps déjà, les positions anglaises semblent s'effriter. La part de l'Angleterre dans le commerce mondial qui est de 27 % en 1830, baisse à 24 % en 1870 et n'est plus que de 19 ou 20 % en 1882 (12). Cela traduit effectivement la transformation des structures mondiales, l'élargissement du secteur à économie avancée et la concurrence qu'il fait à l'Angleterre.

Affaiblissement de la position de l'Europe occidentale et évolution du marché mondial.

La puissance économique de l'Angleterre n'est pas ébranlée par cette évolution avant le début du XXe siècle. Même alors, la situation du pays demeure dominante. Certaines branches de fabrication industrielle sont contraintes de limiter leurs exportations, certaines mêmes sont frappées de décadence, mais l'ensemble de l'économie britannique demeure vigoureux. A quoi attribuer cette surprenante vitalité de la puissance britannique — et de l'organisation du marché mondial auquel elle a donné naissance?

Au cours des premières décades du XIXe siècle, l'Angleterre avait assis son expansion sur la substitution de produits industrialisés aux articles artisanaux de consommation courante des économies traditionnelles. L'élargissement du marché de ces produits se prolongea durant tout le XIXe siècle. Mais la concurrence se fit plus vive entre les industriels européens, le rythme de croissance de la consommation se tassa. Cela créait une menace pour les pays développés.

L'Angleterre, puis les pays les plus anciennement industrialisés d'Europe occidentale trouvèrent le moyen de conjurer le danger. Dès la première moitié du XIXe siècle, les Anglais s'étaient aperçus que la vente de certains biens d'équipement était aussi

plication des opérations passant par les grandes places monétaires, celle de Londres en particulier : le tournant se situe sans doute aux environs de 1840 ou de 1850 : c'est à ce moment que les transactions internationales atteignent un niveau suffisant pour qu'il y ait vraiment unification du marché mondial de l'argent.

(12) Ces chiffres sont empruntés à Vidal de la Blache, comme ceux que nous citions au chapitre précédent : le petit ouvrage sur l'Europe publié par le grand géographe en 1889 nous paraît extrêmement précieux, car on y voit comment un observateur averti percevait le système des relations internationales à la fin du siècle dernier. Le déclin relatif de l'Angleterre est déjà sensible à cette époque. VIDAL DE LA BLACHE (Paul), *L'Europe...*, *op. cit.*

intéressante pour eux que celle des produits fabriqués. La diffusion des nouvelles techniques de transformation manufacturière en Europe au début de la révolution industrielle se fait encore dans le climat mercantiliste : espionnage, vol d'invention, copie de modèles et de méthodes sont monnaie courante (13). La mise au point de législations sur les brevets d'invention, leur généralisation en Europe occidentale et les habitudes internationales auxquelles elles donnèrent naissance marquent une transformation du climat industriel : les détenteurs de monopoles techniques savent qu'il vaut mieux vendre une licence, que de provoquer l'espionnage ou d'inciter à la mise au point de procédés parallèles. La vente des biens d'équipement apparaît désormais comme normale et également celle des brevets et procédés de fabrication. Les Anglais exportent en Europe leurs techniques : ils imposent leur matériel ferroviaire, avec toutes les techniques accessoires qui y sont liées — et sont ainsi les responsables involontaires de l'unification des gabarits ferroviaires européens, dont on ne dira jamais assez l'influence heureuse sur la croissance des économies nationales. Ils équipent en machines textiles les régions qui modernisent leurs équipements — Normandie française, Nord, Alsace, Suisse, Belgique. Plus tard, ils vendent des navires aux pays qui transforment leur marine. Ils comprennent plus tôt que la plupart de leurs concurrents l'intérêt de la marine à vapeur et prennent une avance considérable dans la modernisation de leur flotte (14).

Lorsque existent des protections douanières, les industriels anglais s'installent dans la place. Les exportations de capitaux se réalisent à l'occasion des investissements industriels directs. Tant que la supériorité technique britannique et européenne reste nette, le marché mondial peut se développer sur les mêmes principes : les échanges se font autour d'un foyer unique. Les importations qu'il effectue sont constituées par des matières premières ou des produits alimentaires, les ventes portent dans une large mesure sur des objets fabriqués : la nature de ceux-ci se

(13) L'espionnage industriel a été largement pratiqué au moment de la révolution industrielle. BALLOT (Ch.), *L'introduction du machinisme dans l'industrie française*. Paris, Comité des Travaux historiques et scientifiques, 1923, t. IX, 575 p.

(14) C'est toujours Vidal de la Blache qui note cette avance dans la transformation et l'équipement de la marine anglaise en navires à vapeur et qui y voit un des éléments qui assure la suprématie du pays. VIDAL DE LA BLACHE (Paul), *L'Europe...*, *op. cit.*, cf. p. 290...

modifie, il s'agit de biens plus élaborés, le marché mondial se transforme qualitativement, mais garde la même structure géographique.

L'Europe et le développement des pays neufs.

La modernisation des économies européennes constitue une menace pour l'Angleterre. Dès les années 1850, celle-ci réagit et cherche plus à développer les pays lointains qu'à y poursuivre simplement la substitution de ses exportations aux produits artisanaux indigènes.

Lorsque le partenaire commercial est au niveau de l'économie traditionnelle, son marché est limité. On ne peut l'étendre que si on fait l'effort de transformer les bases de l'économie, que si on agit sur l'ensemble des structures. Dans la première moitié du XIXe siècle, le protectionnisme agricole gêne les entreprises des Anglais. Les pays tropicaux, qui ne rentrent pas en concurrence avec les producteurs de grain de l'Angleterre du Sud-Est, constituent alors les partenaires les plus intéressants. La politique de libre-échange bouleverse ces conditions. L'Angleterre n'a plus à se défendre contre les concurrents des régions tempérées (15) : elle n'a qu'à prendre en main leur expansion, acheter leurs produits agricoles et leurs matières premières pour voir se développer des marchés considérables.

Les pays neufs se caractérisent par leur dynamisme. Ils augmentent très rapidement leur production et la livrent tout entière au commerce. Cette croissance n'est pas due à un effort intérieur d'épargne et d'investissement. Les perspectives de profit sont bonnes, mais les besoins sont hors de proportion avec les revenus. Les pays neufs poussent dans la mesure où ils

(15) Au moment de la guerre de Sécession, ce sont encore les régions du Sud qui contribuent le plus largement au commerce extérieur des États-Unis, en assurant, grâce au coton, plus de 60 % des exportations totales. Les zones agricoles du Nord-Est, du Canada, et du Nord-Ouest exportent depuis longtemps des céréales, mais leur histoire économique agitée tient à la peine qu'ils ont à s'assurer des débouchés stables. Le Québec renonce ainsi totalement aux céréales entre 1830 et 1840. Les territoires du Nord-Ouest vendent souvent plus facilement leur grain au Sud qu'à l'Europe. Le démarrage des pays neufs tempérés ne s'effectue réellement qu'avec l'essor des ventes de blé, consécutif à la libéralisation des échanges de l'Angleterre.

Sur les conditions de développement d'une région tempérée, CLARK (John G.), *The Grain Trade in the Old Northwest*. Urbana, Chicago, University of Illinois Press, 1966, 324 p.

reçoivent les capitaux des nations industrialisées qui épaulent leur développement — d'Angleterre d'abord. Le développement ancien de la puissance commerciale et industrielle britannique lui a donné une position excédentaire sur le plan de la balance des paiements courants. L'Angleterre et ses émules européennes prêtent donc aux pays neufs les capitaux. Ils fournissent également les techniques; dans un grand nombre de cas, ils envoient les hommes. Les pays neufs ne sont pas des nations, au sens économique du mot : ce sont des compléments, des excroissances, des espaces nationaux européens; l'unité du marché mondial et sa direction européenne se maintiennent dans la mesure où tout l'espace se trouve intégré dans une très grande unité, forme une très grande nation. Les libéraux avaient raison lorsqu'ils annonçaient la disparition des frontières économiques : les hommes et les capitaux circulent aussi librement dans la sphère contrôlée par les grandes puissances européennes qu'ils ne le font au sein d'une nation. L'uniformisation des niveaux d'instruction et de revenu résulte des migrations intercontinentales et des placements de capitaux. Les personnes qui s'installent dans des régions nouvelles ont la formation technique que les vieilles puissances sont seules capables d'assurer. Une solidarité sociale, économique se développe donc entre les pays d'outre-mer et ceux d'Europe. Ils finissent par se trouver associés de manière si intime que les caractères des nations européennes sont exportés dans les régions nouvellement mises en valeur. On comprend mieux les raisons de l'organisation régionale si étonnante de l'Angleterre du XIXe siècle : c'est une nation, mais, pour reprendre l'heureuse expression de M. François Perroux, une nation sans rivage (16). Elle trouve dans son expansion même le secret de son dynamisme. Elle renouvelle l'expérience qu'elle avait faite au début du siècle, lorsqu'elle s'ouvrait les marchés traditionnels, mais la croissance qu'elle connaît en mettant ainsi en valeur les pays neufs se trouve infiniment plus forte que celle qu'assurait l'écoulement de quelques produits de consommation.

Les pays neufs présentent des traits semblables à ceux des métropoles qui les animent. Ils constituent des marchés en

(16) PERROUX (François), *L'Europe sans rivages.* Paris, P. U. F., 1954, 668 p. Dans cet ouvrage curieux et parfois contradictoire, François Perroux critique les projets du fédéralisme ou d'union européenne qui sont alors en gestation, en déclarant qu'ils vont contre la vocation à l'universel de l'Europe : le modèle de l'Europe du XIXe siècle est ainsi repris et magnifié.

expansion, dans la mesure où la productivité du travail est croissante et où l'on met en valeur de nouvelles ressources. Ils le sont également parce que leurs besoins d'équipement vont en se développant. Leur consommation s'enrichit. Les circuits économiques qui sont représentés sont déjà complexes. Ils ne se referment pas à l'intérieur du pays; le pays neuf diffère du pays d'économie traditionnelle en ce qu'il est animé par des courants généraux de circulation, qu'il est perméable à toutes les innovations qui tendent à compliquer sans cesse l'organisation économique des nations.

Les pays neufs participent donc au mouvement général de diversification qui marque la fin de la période d'hésitation dans la croissance et annonce les effets cumulatifs de l'économie complexe et le développement entretenu. Il semble donc, à la fin du siècle dernier, que le progrès économique puisse faire ainsi indéfiniment tâche, à partir de régions centrales d'un espace national étiré aux dimensions de la planète.

Les futurs pays sous-développés se modèlent sur les pays neufs.

Les régions tropicales n'échappent pas au mouvement. On les voit équipées d'infrastructures de transport, de ports. Les Anglais parviennent ainsi après 1870 à assurer l'ouverture à peu près complète de l'espace indien (17). Des travaux de bonification ou d'irrigation gagnent de nouvelles terres à la culture. On acclimate des plantes venant d'autres terres tropicales et dont la demande croît sur les marchés européens. On prospecte les richesses minières, on met en valeur les nouveaux gisements découverts. Pour assurer ce développement économique, on fait appel à des Européens, qui transportent leurs habitudes de consommation. Les indigènes ne restent pas en dehors du mouvement. Ils participent à la mise en valeur agricole, aux grands

(17) L'équipement des pays neufs ne s'est pas fait au hasard. C'est ce qu'Albert Demangeon a démontré il y a près d'un demi-siècle lorsqu'il a mis en évidence les principes qui ont animé les créateurs de l'Empire britannique. L'Empire est une création scientifique, ordonnée, et l'on voit que l'arpenteur, l'ingénieur et l'agronome ont été très vite associés à la progression du politique ou du militaire dans les territoires neufs. Le symbole même de cette prise de possession réfléchie, on le trouve, au dire de Demangeon, dans les territoires de la prairie canadienne : le Manitoba, la Saskatchewan et l'Alberta ont eu des services statistiques avant d'être peuplés: DEMANGEON (Albert), *L'Empire britannique. Étude de géographie coloniale, op. cit.*

travaux d'infrastructure, à l'exploitation minière. Ils fournissent une main-d'œuvre à bas prix. Petit à petit, une élite adopte les modes de vie européens, s'instruit, participe à la direction technique de certaines affaires et contribue de la sorte à accélérer le mouvement. Les Indes, qui constituent une des plus vieilles terres coloniales entraînées dans l'orbite de l'Europe font de la sorte figure d'authentique pays neuf. Les Anglais continuent à y vendre leurs cotonnades bon marché. Mais ils élargissent l'éventail de leurs relations. Le développement des irrigations ouvre les plaines de l'Indus à la production agricole et les blés de Karatchi servent au ravitaillement de la vieille Europe. Les producteurs agricoles indiens multiplient les surfaces qu'ils consacrent au coton, dans l'Ouest, ou au jute, dans la région du Bengale. Des plantations menées par des Européens s'implantent à Ceylan, au Kerala et en Assam. L'Inde fournit aux Anglais une partie croissante de leur thé. Les gisements métalliques sont reconnus, de même que les mines de houille de l'Orissa.

La mise en place de toute cette nouvelle économie nécessite la présence de quelque cent cinquante mille Européens — administrateurs, militaires et hommes d'affaires. Ils sont peu nombreux par rapport à la masse hindoue, mais ils représentent un marché qui n'est pas négligeable. Dans les dernières années du XIXe siècle, la bourgeoisie indigène dispute aux Européens l'initiative dans un certain nombre de domaines : elle se lance dans les fabrications textiles, commence à concurrencer les industriels du Lancashire. Plus tard, en 1911, un parsi se lance dans la métallurgie lourde et crée de toutes pièces le complexe industriel de Jamshedpour.

Dans tout ceci, l'Inde se comporte comme un pays neuf. Elle absorbe une gamme de produits sans cesse plus variée, permet ainsi la diversification de l'industrie anglaise. Elle présente apparemment les mêmes caractères que l'Australie, que le Canada. Son dynamisme économique est réel et une fraction de sa population est touchée par le mouvement de promotion économique. Les grandes familles de Bombay supplantent dans bon nombre de domaines les dynasties d'hommes d'affaires écossais qui avaient jusqu'alors eu la haute main sur la vie économique du sous-continent (18).

(18) C'est Calcutta qui avait attiré les grandes dynasties d'hommes d'affaires

Pour l'observateur européen, les conditions offertes par le développement des affaires dans les pays d'outre-mer sont à peu près les mêmes, qu'il s'agisse d'une nation de vieille civilisation, ou d'un pays vierge, dont le peuplement européen se met en place dans le vide à peu près complet. On peut alors légitimement comparer les situations de l'Afrique du Nord et de l'Australie ou de l'Argentine, celles de l'Inde et du Brésil. Dans la mesure où la mise en œuvre des nouvelles ressources y nécessite des investissements du même ordre de grandeur, y provoque des importations semblables de biens d'équipement et y crée un marché de consommation équivalent, l'assimilation est légitime. La société indigène n'est certes pas prise tout entière dans le tourbillon des affaires et de la vie moderne, mais il y a des esquisses d'évolution qui laissent bien présager de l'avenir. On ne prend conscience des effets de blocage provoqués par l'imperméabilité de certaines barrières sociales qu'à la veille de la Première Guerre mondiale; en Indonésie (19), on s'aperçoit alors qu'il ne suffit pas de restituer les sommes que l'exploitation du pays avait apportées à la métropole dans les premières décennies du XIXe siècle pour provoquer le démarrage économique. Pour l'observateur moyen, rien ne semble devoir interrompre l'expansion progressive de la nation européenne.

Le marché international et la concurrence des pays européens.

Lorsqu'on regarde quels sont les principaux partenaires commerciaux de l'Angleterre dans les années 1880 (20), on trouve, dans l'ordre d'importance décroissante, le classement suivant : les États-Unis, l'Inde, la France, l'Australie, l'Allemagne, les Pays-Bas, la Belgique et le Canada. Sur les huit premiers partenaires, quatre appartiennent à la catégorie des pays neufs telle qu'on la définit alors. Les États-Unis sont déjà par bien des caractères des concurrents de l'Europe, mais ils ont encore besoin de son aide pour la mise en valeur des territoires de l'Ouest. Ils sont le prototype du pays neuf et leur jeune puissance industrielle

écossais : PEARSON (H.), *Eastern Interlude : a Social History of the European Community in Calcutta.* Calcutta, Thacker, Spink et Co, 1954.

(19) C'est en Indonésie que l'analyse du dualisme social prend forme pour la première fois, grâce aux travaux de J. H. Bœke.

(20) Sur ce point, nous utilisons encore une fois l'ouvrage de VIDAL DE LA BLACHE (Paul), *L'Europe..., op. cit.*

est tout entière tournée vers la satisfaction des besoins de l'espace intérieur. Parmi les partenaires qui assurent alors l'essentiel des débouchés à la Grande-Bretagne, trois dépendent d'elle politiquement et le quatrième demeure à bien des points de vue un prolongement de sa société. L'expansion économique de l'Angleterre se trouve conditionnée dans une large mesure par le contrôle politique qu'elle exerce sur des régions en expansion. Elle bénéficie également de l'ouverture des espaces indépendants de l'Amérique latine (21). Pour les autres pays européens, l'avenir apparaît sous un jour moins favorable. Les zones les plus riches leur échappent et pour des raisons politiques et sociales autant qu'économiques, tombent dans la dépendance de la Grande-Bretagne. La déchéance économique des pays ibériques laisse bien leurs anciennes colonies ouvertes aux initiatives européennes, mais on en vient à se demander si la pénurie de marchés à développer ne se manifestera pas un jour. L'inquiétude des puissances européennes se traduit sur le plan politique par un revirement de leur politique internationale. La poussée coloniale, bien endormie durant la première moitié du XIXe siècle, se précipite. C'est l'ère des grands impérialismes. La contrainte politique qui avait été nécessaire pour le démarrage de l'industrialisation, mais qui était devenue un instrument inutile et coûteux, se trouve de nouveau employée pour organiser le marché mondial. La puissance anglaise résulte de l'étendue des territoires dont elle provoque la mise en valeur. Les États européens cherchent à prendre des assurances pour l'avenir. Ils ne veulent pas renoncer à la promesse de croissance que semble représenter la possession de territoires coloniaux. En fait, la part du commerce effectué avec les colonies demeure ridiculement faible pour tous les pays européens, à l'exception de l'Angleterre : l'Espagne du XIXe siècle avait effectué un effort gigantesque pour resserrer les liens qui l'unissaient aux quelques colonies qu'elle gardait : elle n'effectuait pourtant, aux alentours de 1890, que 9,5 % de son commerce extérieur avec ses possessions coloniales. Le Portugal, qui disposait de territoires occupés longtemps, ne faisait avec eux que 2 % de ses échanges

(21) Mais l'Angleterre l'emporte sur les autres puissances européennes par l'ampleur des investissements qu'elle effectue dans les domaines des transports et des équipements de base. Elle restera la maîtresse des réseaux ferrés les plus importants jusqu'à la fin de la Deuxième Guerre mondiale.

totaux (22). La poussée impérialiste répond moins à une volonté actuelle d'ouverture de marchés nouveaux, qu'au désir de ne pas compromettre les chances de développement futur. Pour les mercantilistes, la conquête était une des bases du développement économique. Les classiques avaient rejeté cette vue. Par un retournement singulier de la conscience économique, les héritiers de la pensée classique que sont les marxistes redonnent une place à la contrainte politique dans la théorie de l'équilibre économique international. Les thèses de Lénine et de Rosa Luxembourg sur l'impérialisme, stade suprême du capitalisme, ont un grand retentissement. Elles attirent d'autant plus d'adhésions que l'histoire des dernières décades du XIXe siècle correspond à la fois à l'accélération de la croissance des pays industrialisés et au partage du monde entre les grands États : après les pays d'Europe, les États-Unis se trouvent touchés par cette contagion de puissance et se taillent un empire dans ce qui reste des possessions espagnoles. La Chine est partagée en zones d'influences et devient ainsi une quasi-colonie collective, dans laquelle les diverses parties en présence se réservent des lots qui correspondent à leur force sur la scène internationale.

Le développement du commerce international se traduit donc par la prise en charge de la quasi-totalité de la planète par quelques puissances européennes. Vers 1900, il ne reste plus de place à prendre, ce qui laisse présager des tensions entre pays inégalement nantis. On souligne volontiers les dangers de cette situation (23). On n'insiste pas toujours suffisamment sur sa signification économique.

(22) Cf. là aussi VIDAL DE LA BLACHE (Paul), *L'Europe...*, *op. cit.*

(23) Le thème des puissances nanties et des puissances dépourvues de tout sera exploité surtout entre les deux guerres mondiales : il constituera une des bases des revendications des économistes italiens et allemands entre les deux guerres mondiales. Il recevra un surcroît de virulence lorsqu'il se trouvera associé de la sorte aux slogans sur l'espace vital, repris plus ou moins indirectement de Ratzel et exploités dans un sens partisan par les théoriciens de la géo-politique.

Sur les enchaînements qui ont conduit à la restauration générale des protectionnismes et à l'impérialisme, on pourra se reporter à BAUMONT (Maurice), *Le retour au protectionnisme*, pp. 149-244. — LACOUR-GAYET (Jacques) (sous la dir. de), *Histoire du commerce*, t. V, *op. cit.*

Le marché mondial au XIXe siècle et le mécanisme de la « frontière ».

Les historiens américians attribuent un rôle essentiel à la « frontière » dans toute la formation de leur nation (24). La fin de la période d'exploration et de prise de possession de l'Ouest nécessite l'abandon de vieilles habitudes sociales, de toute une philosophie de la vie : c'est l'ère du monde fini qui commence. L'impérialisme est salué par certains américains comme une nécessité, car il faut trouver de nouveaux espaces à un peuple pour qui la conquête, l'organisation, la mise en valeur de nouvelles terres constituent l'élément primordial d'unité. Les États-Unis font figure de nation en expansion au sens littéral du mot : ils ont une économie dynamique, car ils organisent un territoire toujours plus vaste.

Lorsqu'on regarde comment fonctionne le marché mondial dans le courant du XIXe siècle, on s'aperçoit que les principes qui l'animent sont assez semblables à ceux que l'on trouve à échelle plus réduite en Amérique. La croissance et la cohésion de l'économie mondiale ne sont compréhensibles que dans une perspective dynamique. Le marché mondial est viable dans la mesure où il correspond à une organisation conquérante de l'espace, dans la mesure où il comprend un cœur et des fronts pionniers. A deux reprises, le mécanisme a fonctionné. Dans une première phase, le front marque la limite de la zone où se manifestent les effets de désorganisation de l'économie traditionnelle et la pénétration des produits industriels. Dans une seconde phase, le front est constructeur — et en ce sens, plus semblable à la « frontière » américaine. Les régions centrales du monde bâtissent un peu partout des économies à leur image.

Les transformations qu'entraîne la mise en valeur des pays neufs aboutissent à la division du marché mondial en plusieurs

(24) Le mythe de la frontière a été utilisé pour la première fois, comme thème central de l'analyse de l'histoire américaine, par Turner. Mais les recherches plus récentes ont montré combien l'Ouest avait pesé sur l'ensemble de la vie intellectuelle du pays : TURNER (Frederik J.), *The Frontier in American History*. New York, Henry Holt, 1920. Trad. française : *La frontière dans l'histoire des États-Unis*. Paris, P. U. F., 1963, XII, 331 p. — SMITH (Henry Nash), *Virgin Land. The American West as Symbol and Myth*. Cambridge (Mass.), Harvard University Press, 1950. Trad. française : *Terres vierges*. Coll. « Vent d'Ouest », Paris, Seghers, 1967, 509 p.

faisceaux dominés chacun par un pays — faisceaux britannique et européen, faisceau américain, comprenant l'Amérique centrale et une partie de l'Amérique du Sud, faisceau extrême-oriental dans lequel le Japon lutte pour éliminer la concurrence que lui font les puissances occidentales et essaie de transformer la Chine en une immense chasse gardée. L'évolution des économies tend à faire éclater à la longue chacun de ces faisceaux : lorsqu'un pays neuf a suffisamment réussi, lorsqu'il s'est peuplé, équipé, que sa population dispose d'un niveau de vie décent, la situation de dépendance devient difficile à supporter. Le détour imposé par le pays dominant à tous les circuits de fabrication, n'est plus nécessaire et des économies considérables apparaissent si l'on industrialise le pays. Cette évolution, les Anglais sont incapables de l'éviter aux Indes (25). A plus forte raison, leurs dominions blancs se trouvent bientôt dans une situation telle que la croissance peut se prolonger d'une manière autonome. Et le rôle de pays prêteur et organisateur perd de son importance.

Ce qui rend fragile le marché mondial, à la fin du siècle dernier, c'est d'abord la multiplication des faisceaux de marchés dépendant chacun d'un pays dominant, puis la mise en place de nouveaux pôles de croissance. Le système des relations internationales porte en lui des germes de rupture du marché que les marxistes, à la suite de l'analyse de Lénine, ont parfaitement su déceler. Mais ils n'ont pas vu que cette dislocation du monde n'impliquait pas condamnation définitive des économies industrielles. Ils n'ont pas compris la véritable originalité de la deuxième phase de l'expansion industrielle européenne, celle de la mise en valeur des pays neufs et l'ont interprétée comme ils auraient pu analyser l'aventure mercantiliste du XVIIIe siècle. La création des pays neufs prélude à une véritable diaspora des foyers de développement à l'occidentale. En ce sens, les contradictions du monde impérialiste de la fin du XIXe siècle sont moins graves qu'on le pense. La résistance opposée par les sociétés duales aux impulsions que cherche alors à leur communiquer l'Europe est très fréquente. Certains États ne réussissent pas à adapter leurs structures aux besoins de la production industrielles. Mais le succès des pays de peuplement européen montre que le marché mondial de la seconde moitié du siècle

(25) Longtemps, l'essor de l'industrie textile hindoue a été gêné par une législation qui était favorable à l'importation de cotonnades anglaises.

dernier, malgré ses tensions et ses contradictions, ne perpétue pas constamment les inégalités.

La structure générale des relations internationales se transforme et s'adapte à la diffusion du progrès. L'évolution multiplie les points centraux selon les produits échangés, transforme leur rôle et en fait des marchés abstraits, ce qui permet de réaliser des économies importantes de transport. Elle aboutit à l'apparition de nouvelles places centrales à fonction multiple à la tête des faisceaux secondaires. Il en va ainsi de New York, qui apparaît de plus en plus comme un rival des vieilles places européennes, organisant toute une série de circuits directement dirigés vers les États-Unis.

Le rôle monétaire international des pays européens.

La puissance des vieux centres se traduit surtout par leur fonction de direction monétaire. La monnaie du pays foyer n'est pas seulement une unité de compte et de paiement maniable, et dont l'offre est plus souple que celle de l'or. Elle se substitue progressivement à lui dans les fonctions qu'il avait conservées jusqu'alors. Au lieu de garder de lourdes réserves, l'habitude se développe, dans bon nombre de pays, de couvrir les émissions de la banque centrale en utilisant les devises du pays dominant (26). On adopte un étalon de change-or, au lieu d'un étalon-or. La transformation s'effectue dans les faits bien avant que la théorie en soit établie et l'usage systématiquement étendu. Tant que la pratique demeure isolée, elle ne se traduit pas par une transformation sensible des conditions de fonctionnement de l'économie mondiale. A partir du moment où l'habitude se généralise et où l'on se met à accumuler dans les banques centrales les devises fortes provenant d'un pays dominant, les conditions

(26) Les pays qui utilisent l'étalon de change-or de manière systématique sont peu nombreux avant la Première Guerre mondiale. Le plus connu est l'Inde. La circulation intérieure est traditionnellement une circulation d'argent, si bien que le pays ne disposait pas de réserve considérable d'or. La généralisation du monométallisme-or a contraint les Indes à se constituer des réserves de change : ces réserves ont été constituées pour la plus grande part par de l'or et des devises à partir de 1898. L'Argentine adopte l'étalon de change-or à la même époque (1899). Le système n'est pas encore parfait, car les États préfèrent constituer des réserves métalliques que des réserves de devises. Il n'en va pas de même de la Russie et de l'Autriche-Hongrie qui utilisent plus systématiquement, dès avant la Première Guerre, les devises comme réserves de change. Après la Première Guerre mondiale, le système se généralise à la suite des recommandations d'économistes comme Keynes ou Cassel. Il est à peu près général en Europe centrale et orientale.

globales de l'offre de monnaie dans le monde se trouvent modifiées. L'étalon de change-or permet de créer une véritable monnaie internationale reliée aux monnaies nationales de manière organique, et de donner plus de souplesse aux politiques monétaires nationales. Pour assurer la couverture du déficit passager de la balance des paiements d'un petit pays, la nation dominante peut prêter : elle contribue ainsi de manière décisive à assurer

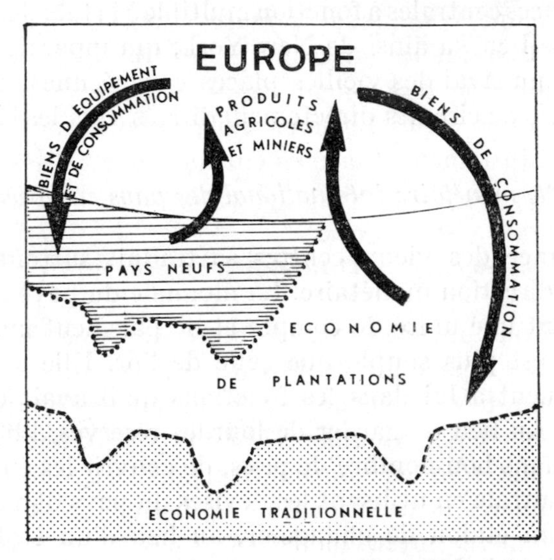

FIG. 13.3. — Le schéma du marché mondial libéral, deuxième formule.

L'Europe trouve un nouveau moteur à l'expansion de son commerce et de ses industries en mettant en valeur les pays neufs : au moment où les espaces d'économie traditionnelle deviennent plus rares, le commerce international aurait cessé de croître si la vente des biens d'équipements dans les pays tempérés et dans certains pays tropicaux n'était venue compléter ou relayer celle des produits de consommation.

la stabilité des prix et rend inutiles les réajustements brutaux que l'emploi de l'étalon-or et l'absence de tout crédit imposaient naguère aux petits États. La monnaie dominante n'est pas un simple instrument commode de l'échange. Elle facilite l'expansion économique internationale (27). Les financiers et les hommes d'affaires du pays central ont ainsi une responsabilité directe dans le mouvement général de l'économie mondiale.

L'espace mondial (fig. 13.3) à la fin de la période d'économie

(27) Sur l'expansion du crédit international sur l'expansion, on se reportera à la première partie, chapitre VI, paragraphe II : « La monnaie, l'équilibre et les

libérale est polarisé autour d'un ou de plusieurs grands centres, unifié par les inégalités de développement qui rendent les diverses parties du monde complémentaires. Il est caractérisé par une monnaie dominante qui régularise les rapports de change des différents partenaires internationaux, évite les crises passagères et favorise l'expansion de l'ensemble des économies qu'elle sert, en assurant une certaine souplesse à l'offre de liquidité à l'intérieur de chacune, comme sur le marché qui les sépare. C'est par cette institution que les faisceaux de relations internationales de la période libérale se fondent en un marché mondial. Malgré les imperfections et les tensions qui procèdent de sa nature, il permet un ajustement relativement harmonieux des économies.

III. — La rupture du marché mondial.

Aux environs de 1880, on a l'impression que les limites des nations et de l'espace international perdent de leur vigueur. La généralisation du libre-échange dans les années 1850-1860 a fait tomber les barrières douanières. Les prix internationaux et les prix nationaux sont en continuité. Dans ces conditions, l'analyse du commerce international ne se distingue pas tellement de celle du commerce interrégional — et les modèles d'Ohlin (28) et de ses émules, peuvent rendre compte des problèmes qui se posent alors. La nation existe comme unité sociale, comme ensemble au comportement original, davantage que comme espace de prix.

La fermeture économique des espaces industrialisés (29).

Lorsque, à la suite de l'Allemagne, les pays européens adoptent les uns après les autres des mesures protectionnistes, les nations

déséquilibres de la croissance. » On trouvera quelques indications sur la période de l'entre-deux-guerres dans le paragraphe suivant de ce chapitre.

(28) Ohlin (Bertil), *Interregional and International Trade*, *op. cit.*

(29) L'histoire de l'économie internationale depuis la fin du siècle dernier a fait l'objet de nombreux travaux. Pour la période postérieure à la Première Guerre mondiale, on trouve dans les traités classiques d'économie internationale des indications très riches. Pour la période antérieure, il manque quelques précisions, que l'on pourra chercher dans les histoires des relations internationales. Byé (Maurice), « Relations économiques internationales », *op. cit.* — Ellsworth (P. F.), *The International Economy*, *op. cit.* — Marcy (Gérard), *Économie internationale*, *op. cit.* — Harris (Seymour E.), *International and Interregional Economics*, *op. cit.*

et le marché international cessent de communiquer totalement. Les États se défendent du monde extérieur pour soutenir l'agriculture et pour inciter au développement de certaines fabrications industrielles. Les besoins de matières premières et d'énergie sont impérieux, sur eux repose tout le cycle des fabrications menées à l'intérieur du territoire national : le marché mondial et les marchés nationaux restent en continuité directe pour ces produits. Les pays développés s'isolent au contraire partiellement en ce qui concerne les produits industriels et les produits agricoles. Ils choisissent en fonction de leurs préférences et de leurs aptitudes les branches pour lesquelles la fermeture est intéressante. Dans les cas extrêmes, le marché national se distingue du marché mondial aussi bien pour les produits exportés que pour les produits importés — l'Allemagne wilhelminienne tire ainsi le parti maximum des mesures de protectionnisme, en pratiquant le dumping pour asseoir sa puissance d'expansion. Dans la majeure partie des cas, cependant, il n'y a pas de seuil entre espace national et marché mondial pour les produits exportés, ceux livrés par les industries des nations développées en particulier.

On voit donc que les rapports des espaces nationaux et du marché international deviennent complexes à la fin du XIXe siècle. L'originalité du comportement social et l'inégale transparence suffisent à créer des effets globaux qui rendent sensibles la traversée des frontières, là même où il n'y a pas de limitation aux mouvements de marchandises et où les prix demeurent égaux de part et d'autre. Les différences de densité, de niveau de vie témoignent de la vigueur des mécanismes macro-économiques. Là où le protectionnisme s'installe, le passage du marché mondial à l'économie nationale se traduit par des discontinuités dans la géographie des prix. Aux portes des nations, dans l'espace international, les cours pratiqués sont tels que les mouvements de matières premières s'effectuent normalement des pays non développés vers les pays développés et que les mouvements de produits

— MASNATA (Albert), *Les échanges internationaux au XXe siècle.* Genève, Éditions générales, 1961, 219 p. — LESOURD (Jean-Alain), GÉRARD (Claude), *Histoire économique (XIXe et XXe siècles).* Coll. U, Paris, Armand Colin, 1963, 2 vol., 664 p. — POMMERY (Louis), *Aperçu d'histoire économique contemporaine.* Coll. d'histoire économique, Paris, Génin, 2 vol., 1952. — BAUMONT (Maurice), *L'essor industrie et l'impérialisme colonial (1878-1904).* Paris, F. Alcan, 1937, 611 p. — RENOUVIN (Pierre), *Histoire des relations internationales.* T. VI : *De 1871 à 1914. L'apogée de l'Europe.* Paris, Hachette, 1955.

manufacturés se produisent en sens inverse. Rien, en principe, ne tend à multiplier les transactions entre pays développés. Lorsqu'une nation essaie de provoquer la croissance de son économie industrielle, elle crée un cordon douanier qui l'isole des autres nations industrielles et du marché mondial.

A partir de la première guerre, le développement de la production des biens de consommation durable et d'équipement modifie peu à peu les conditions de l'échange entre les pays industrialisés. Nous avons essayé de montrer la logique des spécialisations, en fonction de la dimension des marchés; pour un certain nombre de produits industriels, on renonce à la fermeture des espaces nationaux; la part du commerce qui correspond aux rapports entre les économies développées devient plus importante que par le passé. L'espace mondial est ainsi fait d'un marché homogène sans frontière pour certains produits de base, de zones exportatrices écoulant leurs excédents sur des marchés à demi fermés pour les produits alimentaires et de marchés inégalement fermés en ce qui concerne les produits manufacturés; de manière générale, les pays sous-développés se trouvent, en ce dernier domaine, en continuité directe avec l'espace international; les pays développés se trouvent également en continuité avec lui pour les équipements qu'ils exportent; ils le deviennent aussi, lorsqu'ils renoncent à la fabrication d'un produit qui leur coûterait trop cher.

La transformation des relations à la suite du développement des économies complexes se traduit par un rapprochement sensible entre les pays industriels, grâce à l'élaboration d'un marché international d'un type nouveau. Les espaces nationaux s'en distinguent nettement, mais ils entrent de plus en plus en contact par leur secteur industriel. Cette évolution est commandée par les conditions générales du progrès technique. Mais les circonstances politiques ont rendu délicat le passage du marché polarisé traditionnel au système équilibré moderne; elles ont provoqué des heurts et des tensions qui ont amené à un certain moment une véritable désintégration de l'espace international.

L'élargissement des zones à économie moderne s'organise, à la fin du XIXe siècle, à partir de foyers qui jouent un rôle à la fois moteur et régulateur. La multiplication des pays industrialisés aboutit, nous l'avons vu, à la division du monde en faisceaux parallèles et concurrents. L'Angleterre domine son très vaste empire colonial, et une bonne partie de l'Amérique du Sud. Elle partage ce dernier secteur avec la France et l'Allemagne, mais ces deux pays ont des secteurs d'expansion qui leur sont propres : la France dispose d'un empire colonial et l'Allemagne se taille une zone d'influence en Europe du Sud-Est et au Moyen-Orient. Le concurrent Américain plus récent, se contente, comme chasse gardée, de la zone caraïbe, cependant que le Japonais essaie de chasser les Européens de l'Extrême-Orient qu'il considère comme nécessaire à son expansion. Londres, puis New York possèdent une telle puissance comme centres d'animation que l'existence de ces faisceaux ne détruit pas l'unité de l'espace mondial.

La Première Guerre mondiale et ses conséquences.

La première Guerre mondiale rompt la continuité de l'évolution. Elle hâte la transformation économique des pays neufs, les contraint à s'industrialiser, les amène à franchir le seuil de la croissance entretenue. Elle donne aux États-Unis une puissance telle qu'ils peuvent consacrer une partie de leur énergie à l'organisation du monde extérieur. Elle en fait le concurrent le plus puissant de l'Europe. Celle-ci est affaiblie (30), elle a perdu, au moins provisoirement, une partie de son potentiel de production, elle est saignée par des combats meurtriers qui ont fauché des éléments jeunes et dynamiques; elle se trouve ainsi diminuée dans son activité intellectuelle et dans son esprit d'entreprise. Elle a perdu l'essentiel de ce qu'elle avait placé à l'extérieur et qui a été consumé par le financement de la guerre. L'équilibre traditionnel se trouve donc bouleversé. Le rayonnement économique et les moyens nécessaires pour réaliser l'équipement des pays neufs, ce sont désormais les États-Unis qui en disposent. Le faisceau animé par l'Amérique du Nord se renforce et les Européens perdent une partie de leurs positions en Amérique du Sud et en Asie. La division du monde en grands faisceaux unissant nations développées et pays neufs ou pays sous-développés s'accuse. Mais en même temps, les puissances de l'hémisphère austral se créent une industrie neuve. Cela réduit la part de

(30) Le thème du déclin de l'Europe est alors très vivant. En France, par exemple, Albert Demangeon consacre une étude capitale à ce problème : DEMANGEON (Albert), *Le déclin de l'Europe*. Bibliothèque politique et économique, Paris, Payot, 1920, 314 p.

certains circuits traditionnels. Les commandes de machines outils, de matériel lourd tiennent en revanche plus de place dans les exportations des pays industriels. Le commerce international des biens de consommation durable s'organise. La solidarité des économies industrialisées s'accroît. La reconstruction de l'économie mondiale est dirigée par des hommes, des groupes ou des nations qui ont pour idéal de reconstituer le statu quo ante. L'Angleterre par exemple consacre toute son énergie à retrouver son rôle international dominant; elle restaure sa monnaie, redonne confiance aux utilisateurs de la livre sterling, reprend sa place de marché international et de banquier. Il lui faut pourtant tenir compte des transformations provoquées par la guerre, faire une place à la jeune économie américaine, dans la direction du monde. Mais elle demeure là encore fidèle aux vieilles structures : elle admet l'apparition d'un nouveau foyer, ce qui montre que pour elle le marché mondial trouve toujours son aliment dans les complémentarités nées de degrés différents de développement.

Certains pays ont cependant modifié profondément leur orientation extérieure et se tournent plus délibérément vers les marchés des nations développées; après la Première Guerre mondiale, la France ne cherche pas à restaurer le prestige de sa monnaie. Elle continue à profiter de la mise en valeur de quelques pays neufs — l'Afrique du Nord et plus spécialement le Maroc, dont la croissance s'effectue à un rythme rapide à partir de ce moment. Pour l'essentiel, elle tire sa prospérité retrouvée du développement d'une nouvelle gamme d'industries, de l'élargissement de son marché intérieur, de sa spécialisation nouvelle dans les fabrications de biens de consommation durable, d'automobiles par exemple, dont les ventes à l'étranger deviennent importantes. L'Allemagne de Weimar choisit une voie analogue. L'inflation et les désordres monétaires interdisent de reprendre avec l'Angleterre la compétition pour l'organisation du marché mondial. Le pays vit de son industrie, de ses exportations de produits fabriqués. Il met à profit l'équipement de certains pays neufs — vend à la Russie soviétique une bonne partie des outillages qui lui sont nécessaires. Il trouve une part croissante de ses clients chez les nations développées qui l'entourent et auxquels il fournit à la fois des objets de consommation durable et des équipements.

La création d'un marché équilibré entre les nations industrialisées ne peut se faire sans que l'on règle certaines des séquelles de la guerre. La question des réparations est malheureusement envisagée sous un aspect politique, alors qu'elle se pose en termes économiques. Les dirigeants de la Grande-Bretagne se montrent plus réalistes que leurs homologues français : ils voient bien que la restauration de monnaies saines et de l'équilibre de la balance des paiements des pays européens affectés par la guerre, est la condition du développement harmonieux du marché mondial (31). Ils espèrent tirer profit des nouveaux circuits économiques; Londres n'organise-t-elle pas une bonne partie des échanges entre les pays européens? Dans l'ensemble cependant, les prises de position raisonnables sont rares, le rééquilibre n'est réalisé que grâce à la médiation américaine et aux prêts qui permettent de régler les transferts internationaux dus par l'Allemagne sous forme de réparations.

De nombreux faits montrent que les puissances n'ont pas une claire conscience des forces qui remodèlent le marché mondial. Malgré la prospérité économique retrouvée, malgré la poussée rapide des niveaux de vie et de consommation dans les pays européens, on se lamente volontiers sur le déclin de l'Europe (32). On regrette qu'elle ne dispose plus du monopole de la direction économique du monde, qu'elle doive composer avec les États-Unis, ou avec d'autres pays. On admet que l'économie européenne a perdu ce qui avait assuré sa puissance et comme elle a de la peine à reconquérir le terrain perdu, on voit dans la prospérité manifeste au cours de ces années 1920 quelque chose d'un peu factice. L'Europe ne croit plus en ses chances, car elle a confondu les bases de sa prospérité avec une forme d'organisation de l'espace mondial qui se trouve dépassée. La profondeur et le caractère dramatique de la crise économique, son prolongement dans le temps, tiennent dans une large mesure à ce pessimisme des grandes puissances européennes. Elles demeurent

(31) C'est à ce propos que John M. Keynes se signala d'abord à l'attention des économistes : KEYNES (John M.), *Les conséquences économiques de la paix.* Paris, N. R. F., 1920. — ID., *Nouvelles considérations sur les conséquences économiques de la paix.* Paris, Stock, 1922.

(32) Le thème de déclin de l'Europe n'est pas abordé uniquement par des économistes ou par des géographes. Il est repris par des essayistes, des philosophes, des sociologues. Un des ouvrages qui ont le plus d'influence à l'époque est celui de SPENGLER (Oswald), *Untergang des Abendlandes*, 1918. Trad. française : *Le déclin de l'Occident.* Paris, Gallimard, 1948.

fidèles à de vieilles habitudes, croient que la croissance ne peut se réaliser que par adjonction de nouveaux espaces à mettre en valeur ou à exploiter. Les pays qui, comme l'Italie ou l'Allemagne, désirent développer leur production, s'estiment lésés, puisqu'ils ne possèdent pas d'aire d'expansion, que la France et l'Angleterre se sont partagées les dépouilles de l'Empire allemand.

Ce manque de réalisme et de discernement, on les voit se manifester à toute occasion. Lorsque la France réussit enfin à maîtriser l'inflation qui déséquilibrait son économie depuis la fin de la guerre, c'est pour essayer de suivre la même ligne de conduite que celle de l'Angleterre. Elle attend désormais beaucoup de la défense du franc, voit en cela le moyen essentiel de maintenir sa puissance, d'asseoir sa prospérité — et oublie que l'expansion économique intérieure est préférable, à long terme, au rayonnement du marché de Paris (33).

L'étalon de change-or.

Les règlements internationaux se font désormais en utilisant deux monnaies, le dollar et la livre sterling; la livre joue un rôle plus grand dans les transactions, le dollar, dans la constitution des réserves. Les conditions économiques nées de la guerre sont telles que l'on ne peut rétablir l'intégration monétaire du marché mondial sur des principes analogues à ceux d'autrefois. Il n'est plus possible d'asseoir la stabilité des rapports monétaires internationaux sur la constitution de réserves d'or. Les États-Unis disposent d'une telle masse de métaux précieux qu'ils se trouvent menacés par l'inflation intérieure : ils stérilisent leur or, cependant que les pays étrangers sont dans l'impossibilité de se constituer des réserves suffisantes pour gager leur monnaie. L'or ne peut servir de monnaie internationale et de monnaie de réserve universelle, car il est trop rare ou trop mal réparti. Dans ces conditions, on doit généraliser et officialiser l'étalon de change-or. Les pays qui avaient gagé, avant la Première Guerre mondiale, leur émission monétaire sur la détention

(33) Sur l'aveuglement des économistes français, on pourra se reporter à quelques histoires récentes de l'entre-deux-guerres : FOHLEN (Claude), *La France de l'entre-deux-guerres*. Tournai, Casterman, 1966, 226 p. — SAUVY (Albert), *Histoire économique de la France entre les deux guerres*. I : *De l'armistice à la dévaluation de la livre*. Paris, Fayard, 1965, 566 p.

de livre sterling, avaient montré que la solution offrait toutes les garanties aux utilisateurs internationaux.

La généralisation de l'étalon de change-or présentait cependant quelque danger. La pratique s'était développée dans un monde inégal et les nations qui avaient jusqu'alors utilisé la méthode appartenait à la catégorie des pays neufs. Elles demeuraient sous la dépendance d'un centre unique de direction économique mondiale; la Cité pouvait éviter, par des interventions raisonnées, que les politiques de ces pays ne deviennent trop aventureuses. La place de Londres gardait toujours le contrôle de la liquidité mondiale et les risques d'une inflation internationale étaient limités. Les autres grandes monnaies européennes étaient gagées sur les réserves de métaux précieux plus importantes que celles de la Banque d'Angleterre, si bien qu'il n'y avait pas de possibilité d'emballement de l'économie internationale à la suite d'une création incontrôlée de signes monétaires (34).

La guerre ruine les grandes puissances industrielles européennes. Elle renoncent à la convertibilité intérieure et gagnent leur monnaie sur des réserves de devises fortes. Au fur et à mesure que leur santé s'améliore, leurs devises sont demandées par d'autres pour entrer dans leurs réserves. Ainsi voit-on l'étalon de change-or se caractériser par deux unités de réserves fondamentales, la livre et le dollar, mais aussi par la prolifération des monnaies de réserves annexes, le franc, le franc suisse, le florin, par exemple. Les pays dominants peuvent influencer le marché, mais ils ont de moindres possibilités d'intervention que n'en avait l'Angleterre au siècle précédent. Dans le domaine monétaire, le dualisme des centres de direction mondiale est évidemment dangereux, puisque les politiques des deux places risquent de ne pas être coordonnées. Les émissions réalisées par les banques américaines ou anglaises, les placements effectués par ces pays à l'étranger, le solde créditeur des balances courantes en devises fortes donnent aux nations industrielles la possibilité d'augmenter leur liquidité intérieure. Une véritable inflation internationale se produit. Son mécanisme est analysé par un certain nombre d'économistes, par Jacques Rueff en France

(34) Si bien que l'on peut soutenir que le fonctionnement de l'étalon de change-or sous l'égide de la Grande-Bretagne, avant 1914, était rendu possible par la prudence avare de la Banque de France.

par exemple (35), la position de ce dernier est négative : il ne voit pas l'intérêt que présente la monnaie de réserve internationale et prône un retour pur et simple à l'étalon-or. La politique de restauration du franc traduit le succès intérieur de la doctrine Rueff, mais ne contribue en rien à restaurer l'équilibre mondial (36).

Les grandes puissances sont comme aveuglées par le poids des recettes qui ont assuré leur expansion au siècle précédent. Elles ne font pas l'effort de concerter réellement l'organisation du marché mondial, ne voient pas quelles sont les forces qui le travaillent. La crise disloque la reconstruction fragile des années d'après-guerre, provoque une rupture et une disparition presque totale du marché mondial et ne laisse subsister comme structures que celles qui sont le moins adaptées aux conditions nouvelles de l'échange.

La dislocation économique du monde.

Les déséquilibres nés de la Première Guerre mondiale sont corrigés plutôt qu'éliminés. Sans les crédits ouverts par l'Amérique à l'Allemagne, tout le mécanisme des paiements internationaux risque d'être bloqué. C'est ce qui se produit lorsque les États-Unis, touchés par la crise, décident de pratiquer une politique de restriction financière. La dévaluation des deux monnaies de réserve précipite la désorganisation du marché mondial : l'étalon-or et l'étalon de change-or ont vécu. L'Amérique et l'Angleterre entraînent dans leurs difficultés toutes les économies

(35) Jacques Rueff s'est signalé à cette époque par ses interventions et ses critiques de l'étalon de change-or. Il a exposé son point de vue au cours d'un débat qui l'a opposé à John M. Keynes, à Genève, en 1929, à propos des réparations. Après avoir été un des inspirateurs de la politique de stabilisation de Poincaré, il jouera un rôle actif dans le maintien de la convertibilité du franc; il tient à éviter les risques d'emballement de la machine internationale qui lui paraissent être à l'origine de la crise. Rueff (Jacques), *Théorie des phénomènes monétaires. Statique*. Paris, Payot, 1927, 384 p. — Id., *Les doctrines monétaires à l'épreuve des faits*. Paris, Alcan, 1932. — Id., *Le lancinant problème de la balance des paiements*. Paris, Payot, 1965, 235 p.

On trouvera des exposés plus récents de la théorie de l'inflation internationale engendrée par le système de l'étalon de change-or où les systèmes équivalents dans des ouvrages plus récents; le mécanisme et ses conséquences sur l'équilibre international et les mouvements de capitaux ont été exposés d'une manière particulièrement claire par Ingram (James C.), *International Economic Problems, op. cit.*

(36) Les conséquences désastreuses sur le plan intérieur et sur le plan international de la politique monétaire française dans les années 1930 sont mises en évidence dans l'ouvrage de Claude Fohlen (cf. note 33).

mondiales. Pour les pays qui disposent de réserves d'or, la dévaluation des deux monnaies fortes n'a pas d'incidence directe. Elle compromet à terme l'équilibre de leur balance extérieure, puisque leurs exportations se trouvent désormais en concurrence avec les produits dévalués. Pour les pays qui sont très directement liés à Londres ou à New York, et dont la monnaie se trouvait presque totalement gagée sur des devises, la dévaluation s'impose. On voit donc la livre et le dollar déterminer l'évolution de blocs monétaires. Un peu plus tard, lorsque la France renonce à son tour au maintien de la valeur de sa monnaie, elle entraîne les économies qui dépendent d'elles directement ou indirectement. Pour un grand nombre de pays situés entre ces blocs, la situation devient grave : s'ils continuent à maintenir la valeur de leur monnaie, leurs exportations baissent, leurs stocks d'or diminuent, leur monnaie perd sa couverture. La seule solution qui leur soit offerte est de suivre le mouvement général et de dévaluer. Certains se trouvent sans réserves métalliques et répugnent à se lier trop étroitement aux grandes monnaies dominantes. Ils restent en dehors des blocs constitués autour du dollar, du franc ou de la livre sterling. Ils ont une monnaie indépendante, mais ne possèdent aucun moyen de la convertir. Ils se trouvent mis en marge du marché mondial, ne peuvent réaliser l'échange que dans le cadre de transactions bilatérales équilibrées : le troc remplace le commerce (37).

La rupture du marché mondial se manifeste donc essentiellement sur le plan monétaire. A la veille de la crise, les échanges internationaux étaient de deux types : ceux entre pays inégalement développés, qui formaient le courant le plus ancien, ceux plus récents entre pays industrialisés de plus en plus liés par la nécessité d'une certaine spécialisation de leurs économies. La rupture du monde permet le maintien des transactions du premier type et compromet celles du second. Elle va contre la tendance qui se manifestait de plus en plus clairement, correspond à un véritable retour en arrière : la division du monde en zones monétaires qui découle de la crise et la généralisation des accords de troc et des accords bilatéraux pour permettre le déroulement

(37) Les accords de troc sont surtout le fait de l'Allemagne nationale-socialiste. Ils lui permettent d'imposer sa volonté à des partenaires dont les exportations de produits agricoles ne peuvent plus passer par les circuits normaux. Ellis (Howard X.), *Exchange Control in Central Europe*. Cambridge (Mass.), Harvard University Press, 1941.

des transactions entre pays de blocs différents ou pays extérieurs aux grands blocs n'auraient pas entraîné de conséquences dramatiques dans les conditions qui régnaient au début du xxe siècle. En 1930, la crise aboutit à une désorganisation profonde.

Les nations se trouvent placées devant de nouvelles responsabilités. Elles doivent plus directement que par le passé contrôler leur commerce extérieur; elles connaissent mieux son influence sur le plein emploi et l'expansion économique. Les nations s'isolent plus fortement du marché mondial. Celui-ci, démantelé en faisceaux, ne subsiste plus guère que pour quelques produits alimentaires et matières premières industrielles. On trouve là encore des cas où le passage du milieu international au milieu national se fait sans qu'il y ait de seuil à franchir. Mais les exceptions deviennent plus nombreuses, les pays industrialisés font des efforts pour réduire leur dépendance vis-à-vis de l'extérieur et ressuscitent leur agriculture. A l'inverse, les pays indépendants extra-européens se donnent les institutions qui assurent le contrôle du commerce extérieur, s'entourent de barrières douanières et cherchent à provoquer l'industrialisation de leurs économies.

Les zones monétaires.

La disparition des grandes monnaies internationales, l'inégale répartition de l'or dans le monde se traduisent donc par la gêne apportée à toutes les transactions, par la réduction très rapide de celles entre les pays avancés. Les économies nationales s'individualisent de plus en plus. Au total, cette évolution a quelques résultats heureux, elle donne l'occasion à certaines nations de franchir le seuil de la croissance soutenue; mais, comme nous l'avons dit pour l'Amérique du Sud, ces effets demeurent rares, ce qui étonne puisqu'il y a eu généralisation des procédés qui avaient assurés l'industrialisation de pays comme les États-Unis et comme l'Allemagne. Et dans l'ensemble, la réduction de la spécialisation internationale se marque par une diminution générale de la vitesse d'expansion. La rupture du monde coûte cher à l'humanité (38).

(38) La rupture coûte cher au plan économique. Elle rend plus dure la situation des puissances dépourvues de colonies ou de ressources naturelles suffisantes et fournit ainsi un argument aux propagandes bellicistes de certains pays ou de certains partis. De cette manière, la rupture économique du monde crée un climat favorable à l'explosion de conflits.

A l'intérieur des zones monétaires, telles qu'elles se constituent spontanément au cours de la crise, les conditions sont assez inégales. La zone sterling (39) est la plus importante, celle aussi qui offre les meilleures perspectives d'équilibre. Elle englobe, avant la Seconde Guerre mondiale, l'Empire britannique et les pays européens qui se trouvent le plus étroitement liés à la Grande-Bretagne. Elle unit donc des régions tropicales, à économie sous-développée, et des pays industrialisés de type varié. Certains sont à peine sortis de la condition de pays neufs, et sont contraints de faire de grands efforts pour développer leurs infrastructures. D'autres se sont spécialisés dans l'exportation de produits agricoles et pratiquent des échanges importants avec la Grande-Bretagne qui leur fournit leurs équipements et leurs biens de consommation durable. Ainsi, la zone sterling se présente-t-elle davantage comme une section du marché mondial incorporant tous les types d'économie, que comme un faisceau directement modelé sur les circuits commerciaux du XIXe siècle.

La zone dollar (40) est plus déséquilibrée. Elle comporte une tête prodigieusement lourde et une poignée de pays sous-développés. Il existe un déséquilibre entre la puissance industrielle et commerciale de la nation maîtresse et le volume des pays dominés. Les États-Unis ne peuvent trouver à l'intérieur de la zone qu'ils contrôlent une base suffisante pour leur activité extérieure.

(39) SAILLY (Jean de), La zone sterling. *Cahiers de la Fondation nationale des Sciences politiques*, n° 84, Paris, Armand Colin, 1957, XVIII, 135 p.

(40) La zone dollar n'a pas de contours aussi fermes que les autres, elle n'est pas institutionnalisée. Elle a de la peine à s'épanouir, car les États-Unis n'ont guère réussi à développer des systèmes d'échanges équilibrés avec les pays qui pourraient le plus naturellement graviter autour d'eux. A l'issue de la Seconde Guerre mondiale, les réserves constituées dans les banques centrales des pays d'Amérique latine leur permirent de pratiquer la convertibilité avec le dollar. La détérioration progressive de leur balance extérieure les a conduit à des politiques plus restrictives : la zone dollar s'est trouvée réduite de la sorte à l'Amérique septentrionale et à une partie de l'Amérique centrale.

A partir de 1954, la généralisation de l'utilisation du dollar comme monnaie de réserve et le déficit de plus en plus important de la balance des paiements américaine ont modifié les données du problème : la zone dollar s'est en un sens élargie aux dimensions de l'univers, mais les territoires qui constituent leurs réserves en dollars ne dépendent pas des autorités monétaires américaines comme le font les pays qui appartiennent à une même zone. Ils peuvent en particulier demander l'échange des devises qu'ils détiennent contre de l'or.

L'évolution de la zone dollar est donc liée à l'évolution d'ensemble du dollar : on trouve sur ce thème une très abondante littérature. Nous y reviendrons plus loin. Le manuel de Seymour E. Harris *(International and Interregional Economics, op. cit.)* analyse très abondamment ces problèmes jusqu'en 1956.

La zone franc (41) est la plus exactement copiée sur le modèle du siècle précédent : elle associe un pays développé et une série d'économies dépendantes. Elle est assez importante pour que la France puisse développer des marchés intéressants en son sein et se procurer une bonne partie des matières premières agricoles qui lui manquent. En quelques années, la part des pays de la zone franc dans le commerce français se multiplie au point de représenter plus du tiers des transactions totales. Ceci semble correspondre à un plafond, car les possibilités alors connues de l'Empire colonial français sont insuffisantes pour le ravitaillement en matières premières industrielles de la métropole.

IV. — La Seconde Guerre mondiale et la régionalisation du commerce international.

La guerre et la reconstruction du marché international.

La Seconde Guerre mondiale a accentué la division économique du monde. La constitution du glacis des démocraties populaires, en Europe orientale, a fait apparaître, en marge du marché capitaliste, une zone de commerce communiste qui ne se fond pas dans l'espace mondial (42). Les zones monétaires d'avant-guerre ont subsisté, mais elles ont subi d'importantes transformations. La zone dollar s'est étendue en Amérique. La zone sterling a été imputée du Canada et des pays nord-européens; elle a vu son caractère colonial accentué. La zone franc s'est trouvée quelque peu réduite aux dépens de la zone dollar, dans le Pacifique et dans l'océan Indien. La désintégration des échanges entre pays industrialisés est accrue par les conséquences de la guerre. Les États-Unis ont renforcé leur position créditrice et sont seuls capables de fournir en peu de temps les équipements nécessaires à la remise en état des économies touchées par la guerre. Dans les conditions d'une économie normale, les rapports entre l'Europe et les États-Unis semblent devoir se limiter à peu de choses, faute de possibilités d'exportation. La situation est un peu moins mauvaise pour l'Angleterre que pour les autres nations : son

(41) Bloch-Lainé (François), *La zone franc.* Paris, P. U. F., 1956.
(42) On parle à son sujet de zone rouble, quoique les caractères soient assez différents de ceux des autres zones monétaires.

économie n'a pas souffert au même point que celles d'Europe occidentale. Elle se trouve en état de fabriquer les équipements nécessaires à sa croissance et à celle de ses dépendances ou de ses dominions. La zone dollar n'est pas assez large pour disposer de toutes les ressources en produits stratégiques ou en matières premières industrielles qui lui sont nécessaires. L'Afrique du Sud, grâce à sa production d'or et la Malaisie, grâce à ses exportations de caoutchouc et d'étain, se trouvent en position excédentaire vis-à-vis de la zone dollar. Un commerce triangulaire entre pays de la zone sterling et États-Unis est possible (43).

La reconstruction économique du monde se fait d'une manière plus réfléchie qu'après la Première Guerre. Ce n'est pas une simple restauration. Dès la période de guerre, des plans se proposent de recréer un véritable marché mondial (44). La référence au marché libéral dominé au siècle dernier par l'Angleterre est claire, mais on sait que les circonstances ne se prêtent pas à un retour immédiat aux conditions d'avant-guerre. Lord Keynes propose la création d'une monnaie internationale, le bancor, qui éviterait la domination exclusive du marché mondial par une seule puissance, réduirait les risques de propagation de l'inflation et fonderait les relations entre pays industrialisés sur une base de réciprocité. Son plan n'est pas retenu et celui proposé par White et adopté à la suite des pressions américaines, se présente comme une résurrection du marché classique, avec condominium anglo-américain. Mais les mesures provisoires que l'on estime nécessaires montrent que l'on a compris les données véritables du problème.

Les États-Unis, en acceptant de relancer la production dans les pays touchés par la guerre par le moyen de dons, permettent de surmonter les premiers obstacles. Les organisations qu'ils mettent

(43) Pour l'histoire récente de l'organisation économique du monde, nous renvoyons à l'ouvrage de Schmeltz. Sur les possibilités de compensation triangulaire des échanges entre la zone sterling et les États-Unis, on trouvera des précisions dans l'ouvrage de Jean de Sailly. SCHMELTZ (Guy-Willy), *L'économie mondiale contemporaine*. 1 : *Vers une économie mondiale*. 2 : *Les grands espaces économiques*. 3 : *L'économie du Tiers Monde*. Paris, La Colombe, 1965. — SAILLY (Jean de), *La zone sterling, op. cit.*

(44) Ce sont les ouvrages de Jean Weiller qui fournissent le plus de précisions sur les étapes et les plans de reconstruction du marché mondial. WEILLER (Jean), *Problèmes d'économie internationale*. Paris, P. U. F., t. I : *Les échanges du capitalisme libéral*, 1946; t. II : *Une nouvelle expérience : l'organisation internationale des échanges*. Paris, P. U. F., 1950, 333 p. — ID., *L'économie internationale depuis 1950*. Coll. Études économiques internationales, Paris, P. U. F., 1965, 250 p.

sur pied, ou qui sont créées à leur instigation, sont hardiment novatrices. Il ne paraît pas possible de revenir vite à la libre convertibilité des monnaies. Les expériences que pratique l'Angleterre (45) montrent que c'est dans l'immédiat une solution peu réaliste. Il faut procéder par étapes. Au lieu de réaliser la libre convertibilité à l'échelle mondiale, il est possible de la réaliser pour des espaces plus restreints et dont les caractères sont assez fortement complémentaires pour que l'on puisse compter sur un équilibre facile de la balance des paiements. Et c'est ainsi que l'on met en place l'Union Européenne des Paiements. Grâce à elle et à l'O. E. C. E., on réalise un marché à l'échelle continentale. Son efficacité se révèle remarquable. La pénurie de dollars, qui semblait structurelle et définitive dans les premières années de l'après-guerre (46), disparaît; l'Europe développe des échanges intérieurs et reprend sa place sur la plupart des marchés mondiaux. Les rapports entre pays industrialisés se font plus nombreux. Il n'est pas jusqu'aux pays de l'Extrême-Orient, le Japon et Hong-kong, qui tirent avantage de cette situation et recherchent en Europe et aux États-Unis une partie de leurs clients.

Parallèlement, on assiste à un effacement relatif des zones monétaires conçues à la manière classique : la zone franc se trouve affectée par la désintégration de l'Empire colonial français. Il en va de même de la zone sterling. Celle-ci est également menacée par la promotion au rang de grandes puissances des pays à peuplement européen de l'Empire britannique. L'Afrique du Sud, la Nouvelle-Zélande et l'Australie entendent développer

(45) L'Angleterre avait obtenu par les accords de Washington de décembre 1945, l'octroi de prêts particulièrement avantageux. En contrepartie, elle s'était engagée à la libération du système sterling à la fin de la période de reconversion qui était estimée à deux ans. Les Anglais tinrent leurs engagements, libérèrent leurs échanges le 15 juillet 1947 et durent faire marche arrière le 20 août de la même année devant la gravité de leur situation extérieure. SAILLY (Jean de), *La zone sterling, op. cit.*, pp. 74-75.

(46) Il y a toute une littérature pessimiste durant les premières années d'après-guerre : on pense que le déficit de dollar est structurel. L'ouvrage de Seymour Harris est instructif à cet égard : il le présente de telle sorte que la pénurie de dollars apparaît comme une donnée stable du système d'échanges internationaux depuis 1913. En France, Jean Weiller, dans ses premiers ouvrages d'après-guerre, parle volontiers du déficit structurel. HARRIS (Seymour E.), *International and Interregional Economics, op. cit.*, pp. 324-543. — WEILLER (Jean), *Une nouvelle expérience : l'organisation internationale des échanges, op. cit.* Les conditions d'un redressement structurel, pp. 301-325. — KINDLEBERGER (Charles P.), *The dollar shortage.* Londres, Chapman, 1950. — Mac DOUGALL (D.), *The world dollar problem.* Londres, MacMillan, 1957.

leurs transactions avec les États-Unis, avec l'Europe continentale et avec le Japon comme leur intérêt semble le suggérer. Les relations proprement impériales, qui s'étaient développées à partir de 1930, se trouvent progressivement réduites.

La situation actuelle de l'économie internationale : la régionalisation.

Le monde actuel est donc organisé de telle manière que les échanges entre les économies les plus avancées se font sans trop de difficultés. Le marché met en rapport des partenaires d'importance équivalente, parvenus au même point de développement technique. Les échanges ne naissent pas de la tension que crée l'inégale répartition du progrès, ils sont entraînés par la concentration sans cesse plus poussée des fabrications qui crée de nouvelles bases à la géographie économique du monde et interdit aux nations de rechercher l'autarcie. Ce marché est donc proche du modèle des théoriciens libéraux du siècle passé. Mais il en diffère par quelques points essentiels. Il ne réussit pas à intégrer réellement les pays sous-développés : les bases de la division internationale du travail ne tiennent plus à l'inégalité des états d'avancement. Les économies modernes ont besoin de quelques matières premières, mais la part de leurs besoins couverte par leur propre production va plutôt en croissant. Et les économies en voie de développement ne constituent pas de marchés réellement intéressants, puisque les cercles vicieux qui les caractérisent liment leur taux d'expansion. Ainsi, le marché mondial a-t-il tendance à se restreindre aux pays développés (47).

Une analyse plus précise des relations économiques internationales permet de mettre en évidence quelques grandes tendances supplémentaires. Les enquêtes menées par la Société des Nations (48) (fig. 13.4). montrent qu'il existait en 1928 un certain nombre de pôles autour desquels s'ordonnait l'essentiel des échanges : trois dominaient les relations, l'Angleterre, l'Eu-

(47) La part prise par les pays sous-développés dans le commerce mondial va en décroissant. De 1928 à 1962, la part des pays sous-développés dans les exportations mondiales est tombée de 26,2 à 24,3 %, dans les importations de 26,1 à 24,1 %. Depuis 1950, la décroissance est encore plus forte et plus rapide.

(48) Société des Nations, *Le réseau du commerce mondial, op. cit.* — Hansson (Karl Erik), « A general Theory of the System of Multilateral Trade ». *American Economic Review,* vol. 42, 1952, n° 1.

rope continentale et les États-Unis. Ils constituaient les plus importantes des zones industrialisées. Ils commerçaient entre eux et avec les pays du Tiers Monde.

Depuis 1938, la structure d'ensemble des échanges reste recon-

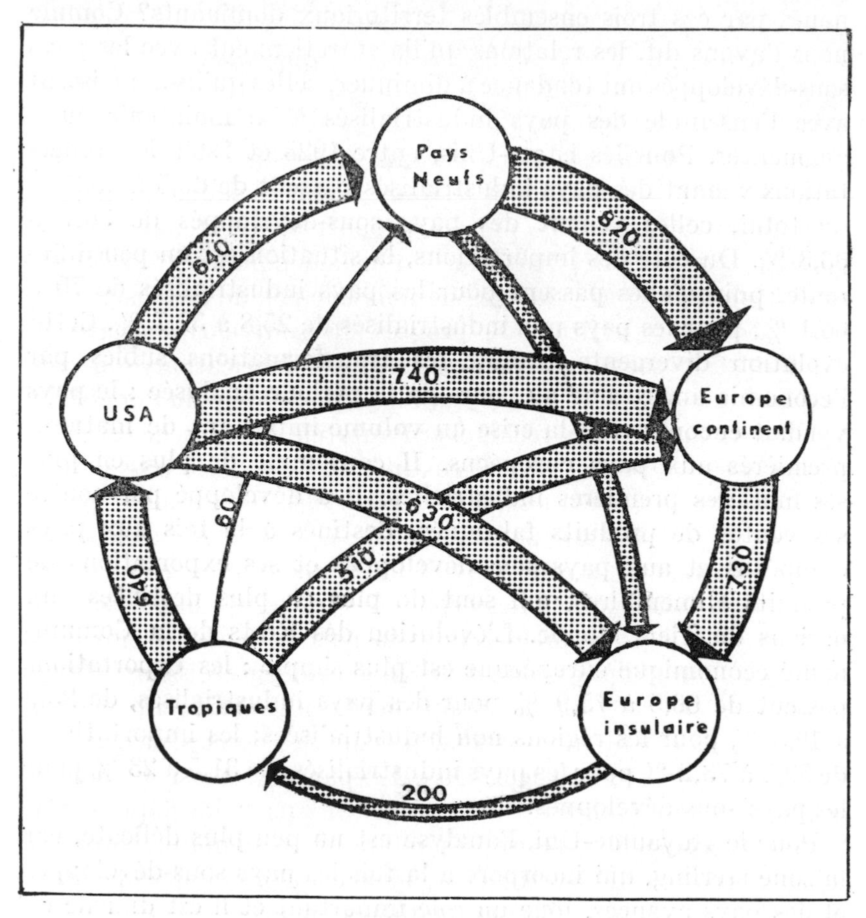

Fig. 13.4. — Le réseau des relations mondiales à la veille de la Seconde Guerre mondiale.

Les flèches représentent les soldes de la balance des échanges de biens entre deux pays ou deux groupes de pays. Elles sont orientées du pays dont le solde est négatif. Les chiffres indiquent les valeurs exprimées en millions de dollars.

Les données sont extraites de : S.D.N., *Le réseau mondial du commerce*, Genève, 1942.

naissable, en ce sens que ce sont les mêmes pôles qui gardent la première place : les pays communistes, autour de l'U. R. S. S. constituent un nouvel ensemble, mais leur part dans les relations internationales est encore relativement modeste; le Japon développe ses échanges à un rythme très rapide, mais il tient encore moins de place que les grands centres traditionnels.

Comment se répartissent et comment évoluent les échanges noués par ces trois ensembles territoriaux dominants? Comme nous l'avons dit, les relations qu'ils entretiennent avec les pays sous-développés ont tendance à diminuer, celles qu'ils nourrissent avec l'ensemble des pays industrialisés à se maintenir ou a augmenter. Pour les États-Unis, entre 1928 et 1962, les importations venant des pays industrialisés passent de 60,5 à 66,2 % du total, celles venant des pays sous-développés de 36,7 à 33,3 %. Du côté des importations, la situation est un peu différente, puisqu'elles passent pour les pays industrialisés de 70 à 66,1 %, pour les pays non industrialisés de 25,8 à 32,7 %. Cette évolution divergente traduit les transformations subies par l'économie américaine au cours de la période analysée : le pays vendait encore avant la crise un volume important de matières premières aux pays européens. Il consomme de plus en plus ses matières premières industrielles. Il a développé par contre ses ventes de produits fabriqués, destinés à la fois aux pays européens et aux pays sous-développés et ses exportations de produits alimentaires, qui sont de plus en plus destinées aux nations du Tiers Monde. L'évolution des États de la Communauté économique européenne est plus simple : les exportations passent de 66,5 à 75,9 % pour des pays industrialisés, de 23,9 à 19,5 % pour les régions non industrialisées; les importations, de 59,5 à 73,2 % pour les pays industrialisés, de 31,5 à 23 % pour les pays sous-développés.

Pour le Royaume-Uni, l'analyse est un peu plus délicate, car la zone sterling, qui incorpore à la fois les pays sous-développés et des pays avancés, joue un rôle important et il est difficile de ne pas la considérer comme un tout. L'évolution est irrégulière : elle se caractérise d'abord par l'augmentation des transactions avec les pays du bloc sterling. Leur part croît jusqu'aux alentours de 1950. Depuis cette date, il y a diminution, mais le bloc sterling constitue un débouché presque aussi important, en valeur relative qu'en 1928 (40 % et 38 %), et un fournisseur plus puissant (25 et 34 %). L'Amérique du Nord gagne des points aux exportations, mais en perd beaucoup aux importations. Pour l'Europe occidentale, c'est l'inverse : ses ventes gardent la même importance relative, mais ses achats se développent rapidement.

Les tendances que l'on peut mettre en évidence pour l'ensemble des pays industrialisés se retrouvent donc au niveau de chacun des groupes importants. Mais ce qui constitue une nouveauté par rapport à l'avant-guerre, c'est l'évolution des relations au sein des espaces industrialisés. On l'a décelée il y a une dizaine d'années. Depuis lors, on insiste volontiers, à la suite des travaux de Wooley (49), sur la régionalisation du commerce mondial (50). De quoi s'agit-il? Du développement des relations à court ou à moyenne distance entre les pays industrialisés. Par exemple, dans le cas de la Grande-Bretagne, on assiste à un développement rapide des relations avec l'Europe, alors que celles avec l'Amérique du Nord présentent des allures divergentes et que celles avec le Commonwealth, après une augmentation due aux conditions qui ont suivi la rupture économique du monde, diminuent de nos jours. Pour l'Amérique du Nord et pour l'Europe occidentale, l'évolution est plus simple : les progrès notés dans les relations avec les pays industrialisés tiennent presque uniquement à la multiplication des échanges à l'intérieur de la zone.

Tout se passe donc comme si l'on voyait se créer un certain nombre de grandes cellules au sein du monde industrialisé, un certain nombre de groupements régionaux : les deux plus importants, ce sont ceux de l'Europe occidentale et de l'Amérique du Nord (fig. 13.5). Le commerce international porte sur des produits manufacturés : les marchés intérieurs sont souvent trop étroits pour permettre un développement harmonieux des activités industrielles, mais les dimensions optimales ne sont pas telles qu'il faille un débouché mondial : un grand espace plurinational sembla parfaitement adapté aux conditions de l'heure.

La Grande-Bretagne, dont les relations se faisaient avec des pays lointains, se trouve désavantagée : elle a de plus en plus

(49) WOOLEY (H. B.), « Transactions between World Trade Areas in 1951 ». *Review of Economics and Statistics*, 1958, numéro supplémentaire : « Problems in International Economics ».

(50) MARCHAL (André), « La régionalisation du marché mondial ». *Revue économique*, vol. 17, 1966, nº 6, « Régionalisation de l'économie internationale », pp. 883-895. — ID., *L'intégration territoriale, op. cit.* — MAIZELS (A.), *Recents Trends in World Trade*, pp. 31-51 d'HARROD (Roy), HAGUE (Douglas C.) (ed. by), *International Trade Theory in a Developing World, op. cit.* — MAIZELS (A.), *Industrial Growth and World Trade*. Cambridge, Cambridge University Press, 1963, 563 p.

tendance à resserrer ses liens avec l'Europe, à s'intégrer spontanément dans cet ensemble régional. Les pays développés périphériques, ceux de l'hémisphère Sud, ou le Japon, sont mal placés par rapport à ces foyers de concentration. On ne voit pas, pour eux, s'esquisser de regroupement régional du même type. Leurs relations se font cependant de plus en plus à moyenne

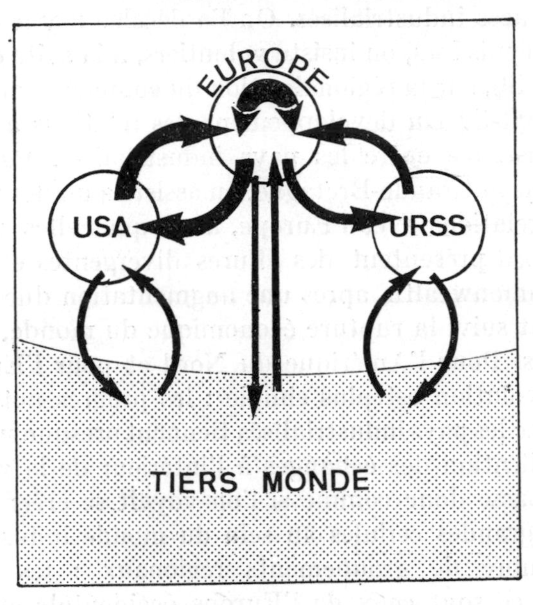

FIG. 13.5. — Le marché mondial contemporain.

Les relations internationales se développent surtout entre les pays développés. Le Tiers Monde ne tient plus qu'une place secondaire dans le réseau général des échanges : c'est là une situation tout à fait différente de celle qui caractérisait le système libéral créé par la Grande-Bretagne et les pays de l'Europe du Nord-Ouest au XIXe siècle.

distance : l'Australie et la Nouvelle-Zélande multiplient volontiers leur rapports avec le Japon, les États-Unis ou le Canada.

Les relations internationales se structurent spontanément. Au XIXe siècle, elles se présentaient sous la forme de faisceaux orientés autour de pôles dominants. De nos jours, elles sont surtout caractérisées par la prolifération des circuits au sein de quelques espaces de dimension continentale. Dans un cas comme dans l'autre, l'évolution spontanée est favorisée par la mise en place de structures politiques, qui institutionnalisent des courants antérieurs et facilitent les évolutions.

A la différence de ce qui se passait à l'époque de la prééminence

nence britannique, les nations ne se noient pas dans le milieu international. Elles en sont séparées par des barrières souvent importantes. Au siècle passé, le commerce international portait sur des matières premières et des biens industriels de consommations dont les cours ne différaient qu'en fonction des charges de transport; les échanges intéressent maintenant de plus en plus des biens d'équipement et des biens de consommation durable. Il y a égalisation générale des prix pour certaines matières premières industrielles, les sources d'énergie et bon nombre d'équipements. Ailleurs, la diversité est grande. Les préférences nationales de structure se manifestent par les écarts persistants d'échelles de prix. Elles ont pourtant tendance à se restreindre : il n'est pas possible d'en exprimer autrement que si l'on dispose d'une avance sur le reste du monde, que si l'on a des moyens assez abondants pour choisir de ne pas minimiser tous les coûts. Les orientations motivées par les valeurs purement sociales sont un luxe de nations industrialisées qui entretiennent leurs relations avec des pays retardés. Au fur et à mesure que les rapports s'orientent davantage vers les autres nations développées, la situation se modifie. Il ne peut y avoir de préférences de structure, que si toutes les nations en manifestent également : elles s'éloignent de manière équivalente de la rationalité économique la plus grande. Sinon, le dynamisme des économies nationales est inégal et celles qui essaient de s'isoler, de garder une originalité dans leurs échelles de prix et de production, se trouvent pénalisées. Ainsi, durant plus de deux générations, les pays industrialisés d'Europe occidentale ont eu des agricultures de luxe. Ils avaient choisi, pour éviter de provoquer une accélération trop brutale de l'exode rural, de protéger leurs paysanneries. Depuis une dizaine d'années un retournement se produit. L'accentuation de la concurrence entre les secteurs industriels nécessite une certaine homogénéisation des secteurs agricoles. On continue à les protéger, mais on recherche également partout à faciliter les mutations de structure qui semblent à terme inévitables.

Les problèmes monétaires et leur signification géographique.

La reconstruction du marché mondial est un succès. Mais tous les problèmes ne sont pas résolus. Maintenant que les mesures provisoires de réajustement ont cessé d'être nécessaires que les rapports se sont normalisés, qu'un certain équilibre paraît s'être réalisé, on se rend mieux compte des limites du système imaginé en 1944 et 1945. On a compris que le commerce du monde ne peut se développer que dans la mesure où l'on donne aux pays industriels les moyens de multiplier leurs rapports. On a assuré la prospérité de toutes les parties du monde touchées avant 1930 par les vagues d'innovations venues d'Occident. Mais on n'a pas réussi à intégrer les pays sous-développés dans l'espace mondial et leur misère actuelle résulte de l'évolution qui tend à les éliminer des circuits complexes de l'économie industrielle (51). On n'a pas résolu de manière satisfaisante le problème de la liquidité internationale. En reprenant le schéma de la monnaie directrice dominante ou des monnaies directrices dominantes, on revient à un système qui n'est efficace que dans des situations d'inégal développement des partenaires. Il apparaît dès 1955 que la remise en ordre des économies et des finances européennes met en danger, sous de nouvelles formes, l'équilibre du marché mondial. Ce n'est plus la pénurie de dollars, qui est menaçante, mais la multiplication des monnaies de réserve qui favorise les inflations internationales et nationales et compromet à terme la solidité des monnaies dominantes (52). Depuis maintenant dix ans, les rencontres entre les autorités monétaires et les projets de réorganisation se succèdent : mais on se heurte toujours au même problème. Doit-on créer une monnaie internationale indépendante des monnaies nationales, gérée par une autorité indépendante et supra-nationale, de manière à tenir compte de la responsabilité collective des pays développés dans l'équilibre du marché international? Doit-on maintenir le système actuel en l'améliorant (53)? Le problème est délicat. La

(51) Nous avons déjà cité un certain nombre d'ouvrages relatifs aux pays sous-développés et au problème de leur croissance. Ils ne représentent qu'une toute petite partie de la littérature consacrée à cet immense sujet. Il ne nous est pas possible de revenir sur ces problèmes qui ne pourraient être traités que dans un gros volume.

(52) Le problème qui se pose est essentiellement celui du dollar, mais sous un jour tout à fait nouveau : on est passé du déficit à la pléthore de dollars. On trouvera une analyse des problèmes actuels dans Triffin (Robert), *L'or et la crise du dollar*, *op. cit.*

(53) Sur les problèmes monétaires et sur les solutions qu'on peut leur proposer : Mossé (Robert), *Les problèmes monétaires internationaux*. Paris, Payot, 1967, 318 p. — Piettre (André), *Monnaie et économie internationale*. Paris, Cujas, 1967. — Grubel (Herbert G.), *World Monetary Reform. Plan and Issues*, *op. cit.* — Tabatoni (P.), « Problèmes de l'organisation monétaire internationale », *op. cit.*

multiplication des nations à économie complexe, leur imbrication croissante fait pencher la plupart des pays vers la première solution (54) : elle prône le retour à l'étalon-or intégral, pour ne pas donner le droit de direction de l'économie mondiale à une seule nation (55).

Les problèmes monétaires occupent aujourd'hui une place de premier plan dans les préoccupations internationales. Ils sont particulièrement graves dans un monde en rapide transformation et traduisent des tensions violentes, mais dont certaines ne sont que passagères. Faut-il croire que l'équilibre interne et externe des balances globales de l'économie soit sans importance pour le spécialiste des équilibres territoriaux? Non, de toute évidence : car les possibilités à long terme de développement, les spécialisations productives, les orientations économiques dépendent des conditions dans lesquelles ces problèmes peuvent être réglés.

La souplesse ou la rigidité de l'offre et de la demande de liquidités internationales peuvent modifier considérablement les chances offertes aux nations. Dans une ambiance de rigueur financière, les possibilités de croissance se trouveraient vraisemblablement très réduites, ce qui compromettrait l'avenir des actuels pays sous-développés. C'est le danger que fait peser le retour à l'étalon-or que préconise la France. Le système actuel de monnaie dominante est plus souple, il donne l'occasion de suivre les mouvements de la demande et facilite l'octroi de prêts à court terme, comme les mouvements internationaux de capitaux : il a tendance, malheureusement, à conférer en ce domaine des privilèges injustifiés à la puissance ou aux puissances dominantes : il leur permet de procéder à peu près seuls à l'inflation de la masse des liquidités internationales, leur donne le moyen de procéder à des exportations de capitaux qui ne sont gagés sur aucune épargne intérieure (56). On com-

(54) C'est la position du groupe des dix. La plupart des représentants des pays développés penchent en effet pour une réforme modérée du système actuel, pour un renforcement des institutions existantes, du F. M. I. en particulier.

(55) Elle retrouve pour l'essentiel la position Rueff. Officiellement, le retour au système rigide de l'étalon-or constitue la doctrine du gouvernement. On semble en attendre une diminution du pouvoir de décision qui revient à l'heure actuelle aux Américains. En fait, la position française a varié avec le temps et il y a des moments où le dialogue avec le groupe des 10 a semblé possible.

(56) C'est le mécanisme de l'inflation interne exportée par l'économie dominante, ce qui lui permet de procéder à des investissement intérieurs et extérieurs

prend l'inquiétude des pays en voie de développement ou des petites et moyennes nations qui se trouvent ainsi à la merci des puissances dominantes. Les systèmes à monnaie internationale commune sont-ils capables d'éviter ces dangers?

De l'organisation monétaire internationale dépend donc dans une large mesure l'avenir de l'économie mondiale et celui de ses diverses composantes : le poids qu'auront dans dix ou vingt ans les actuelles grandes puissances et les pays sous-développés n'est pas déterminé uniquement par le milieu physique, par la population ou par les équipements déjà existants : le jeu des transactions internationales est un élément essentiel des équilibres de croissance et les organisations monétaires fixent en quelque sorte les règles auxquelles ce jeu est soumis (57).

Les problèmes monétaires sont des problèmes généraux, mais il se peut qu'ils soient résolus par des actions limitées dans l'espace : c'est ce qui s'est produit, par exemple, lorsqu'on a mis en place l'Union Européenne des Paiements. L'évolution spontanée du commerce mondial donne naissance de nos jours à de grands ensembles territoriaux. Peut-être est-ce dans l'organisation systématique des groupements de ce type que les problèmes auront le plus de chance de se trouver efficacement traités. Un bilan rapide des expériences réalisées dans ce domaine nous montrera ce que l'on peut en attendre de positif.

V. — Les grands ensembles territoriaux.

Les difficultés traversées par le marché mondial depuis maintenant un demi-siècle ont favorisé le regroupement de territoires

et de faire peser les responsabilités de la politique de déflation sur les nations dépendantes. On a exposé ce mécanisme au chapitre 6.

(57) Les modèles d'Harrod-Domar montrent comment le taux de croissance se trouve lié au montant des investissements réalisés : ceux-ci sont de toute évidence sous la dépendance des résultats de l'échange extérieur. Selon les cas, l'épargne intérieure se trouve épaulée par celle de l'extérieur ou au contraire privée de tout secours.

On peut se demander si cette présentation est capable de rendre compte de la diversité réelle des situations. Charles P. Kindleberger fait remarquer qu'il s'agit d'un modèle *ex post*, qui laisse échapper les forces agissantes. Il remarque que les efforts du gouvernement britannique pour accélérer la croissance en agissant brutalement sur le niveau de l'investissement n'ont pas été couronnés de succès, alors que la croissance française d'après-guerre n'a pas été suscitée par une vague d'investissement particulièrement élevée. Les variations de la productivité jouent un grand rôle, ce sont elles qui nécessitent les investissements. On trouvera cette théorie

nationaux et la formation de grands espaces économiques. Par suite des différences qui existent dans leur dimension, dans leur contenu et leur but, par suite également de leur nombre réduit, leur rôle dans l'organisation de la vie économique n'est pas partout le même. Il existe cependant suffisamment de traits communs pour que l'on puisse distinguer quelques grands types.

Types et caractères des grands espaces.

Les grands espaces économiques se distinguent dans une certaine mesure en fonction du type de territoire qui s'y trouvent associés. La catégorie la plus ancienne et la plus largement représentée, est constituée par les groupements de type colonial, dans lesquels on voit unis des pays dont le niveau de développement est inégal. Ils représentent les faisceaux du marché mondial du type libéral classique et proviennent souvent de sa rupture. Ces espaces sont généralement géographiquement disjoints et mettent en contact des territoires tropicaux ou sub-tropicaux et des pays tempérés. Il arrive dans certains cas que la constitution de ces grandes zones se soit faite dans des espaces continentaux : à certains moments de leur histoire économique, les États-Unis ou l'Empire russe n'étaient pas très différents de l'Empire britannique ou de l'Empire français, en ce qu'on y trouvait associées des économies complémentaires parce qu'inégalement développées.

Les groupements territoriaux actuels sont un peu différents, car ils mettent souvent en contact des nations dont le niveau de développement est relativement homogène. En Europe, les trois groupements en voie de constitution n'échappent pas à la règle. Le Marché commun groupe six pays industrialisés. La zone de libre-échange est constituée par sept pays de dimension inégale, mais qui, à l'exception du Portugal, sont tous très puissamment équipés. Les pays que le Comecon se propose d'unir plus étroitement sont assez différents dans leur vocation, certains demeurent plus profondément agricoles, d'autres ont commencé leur industrialisation il y a déjà près d'un siècle, mais les oppositions sont moins visibles qu'il y a une génération.

exposée dans KINDLEBERGER (Charles P.), *Foreign Trade and the National Economy.* New Haven, Yale University Press, 1962, XV, 265 p. — ID., *La renaissance de l'économie française après la guerre,* pp. 139-185 d'HOFFMAN (S.), KINDLEBERGER (Charles P.), ... *A la recherche de la France, op. cit.*

Les pays dont le retard est trop marqué ne peuvent s'intégrer facilement dans des ensembles territoriaux de type moderne. Autour du Marché commun, certains pays cherchent à bénéficier des avantages que risque de leur procurer l'accès à un aussi vaste espace, mais hésitent à s'y intégrer, car ils savent combien le choc des économies plus avancées leur serait néfaste. L'Espagne, le Portugal, la Grèce et, dans une certaine mesure, la Turquie, renoncent à exercer certaines des prérogatives normales des nations. Ils laissent se produire des mouvements de travailleurs considérables, favorisent l'afflux du tourisme estival. Ils parviennent de la sorte à bénéficier de transferts en provenance de leurs voisins septentrionaux plus favorisés. Ils ne sont pas intégrés à l'intérieur du Marché commun, mais tirent bénéfice de leur contact avec lui et recherchent les formes de relation qui leur donnent les meilleurs moyens de rompre le cercle du sous-développement. Lorsqu'ils essaient de donner une structure légale à cette symbiose de fait, ils demandent à être associés au Marché commun, à participer dans certains domaines à la vie de l'ensemble territorial; ils savent également qu'il leur faut conserver une large dose d'indépendance, car leur industrie ne peut supporter encore toutes les concurrences.

Le principe de continuité territoriale est plus généralement réalisé dans les grands ensembles de ce type, qu'il ne l'est dans ceux qui sont nés des aventures coloniales. Il n'est cependant pas nécessaire au succès des associations. La zone de libre-échange se trouve ainsi éclatée — ce qui lui impose certaines contraintes, la soumet incontestablement à des tensions divergentes, mais ne la condamne pas *a priori*.

Les niveaux d'intégration.

Les grands ensembles territoriaux modernes diffèrent donc par la nature des pays et des nations qu'ils unissent. Ils se distinguent encore par le degré d'intégration et par la nature des liens qui donnent la cohésion à l'ensemble. La forme la plus lâche d'association est constituée par l'appartenance à une même zone monétaire. Il s'agit d'une liaison souvent provisoire. Elle naît des difficultés de l'économie internationale, de l'inadaptation de certains pays aux conditions de l'échange moderne et du besoin qu'ils éprouvent de se mettre sous la protection de nations plus développées. Au fur et à mesure que la situation internationale s'améliore, que les équilibres se restaurent, on voit les liens se distendre. A la limite, la zone monétaire subsiste, mais les conditions sont devenues si favorables à l'échange international que les rapports qu'elle entretient avec l'extérieur sont plus nombreux et aussi faciles que ceux qui s'inscrivent en son sein.

Le second niveau d'intégration territoriale apparaît lorsque les pays membres font disparaître en partie ou totalement les barrières douanières qui les isolent. Les unions douanières sont anciennes et constituent la forme la plus connue d'association. Au siècle dernier, elles ont parfois précédé et favorisé la constitution des ensembles nationaux, comme ce fut le cas pour le Zollverein. L'ensemble territorial est alors caractérisé par la libre circulation des biens et parfois par celle des hommes (58). Les mouvements de capitaux sont nécessairement libres, puisque le contrôle des changes ne s'exerce pas à l'intérieur du grand marché. Cependant, les nations participantes ne renoncent pas à la poursuite de politiques économiques indépendantes. L'espace d'information est moins uni que ne l'est celui de circulation des biens.

Au dernier stade, les frontières des nations finissent par s'effacer à peu près complètement (59). Le grand espace apparaît, au plan économique, comme une nouvelle unité territoriale, possédant les mêmes attributs ou presque que la nation, mais d'échelle supérieure. Le grand ensemble de ce type conserve ce que la nation représente de plus positif tout en lui donnant un dyna-

(58) En Suisse, entre 1848 et 1873, les mouvements de biens sont libres, mais la liberté d'établissement n'existe pas. Ce fait gêne considérablement l'essor économique du pays. Ce n'est qu'après la mise en place de la nouvelle constitution, après 1873, que le progrès économique s'accélère et que l'on peut voir l'économie suisse effectuer son décollage.

(59) Ce sont ces aspects de l'intégration économique qui ont attiré le plus les théoriciens. Partis de l'analyse des unions douanières, ils ont été conduits petit à petit à formuler une théorie générale de l'intégration économique : rappelons les ouvrages essentiels : VINER (Jacob), *The Customs Union Issue, op. cit.* — MEADE (James E.), *Problems of Economic Union, op. cit.* — ID., *The Theory of Custom Union, op. cit.* — TINBERGEN (Jan), *International Economic Integration, op. cit.* — BALASSA (Bela), *The Theory of Economic Integration, op. cit.* — MARCHAL (André), *L'intégration territoriale, op. cit.* — ERBES (Robert), *L'intégration économique internationale, op. cit.* — COURTIN (René), « Le problème de l'Union économique douanière ». *Revue d'économie politique,* vol. 58, 1948, pp. 366-393. — BYÉ (Maurice), « Union douanière et économies nationales ». *Économie appliquée,* vol. III, 1950, pp. 121-158. — BOURGUINAT (Henri), « Réalisme et théorie de l'union douanière ». *Revue économique,* vol. 17, 1966, pp. 949-974.

misme nouveau. Le taux de croissance se trouve accéléré par les effets d'entraînement que favorise la fermeture des circuits. La dimension du marché permet de réaliser toutes les économies d'échelle susceptibles de développer la production ou la consommation.

Les éléments de différenciation des grands ensembles que nous venons de passer en revue ne sont pas indépendants les uns des autres. Il existe une logique interne des associations, qui fait que la nature des territoires liés, leur disposition géographique, leur niveau de développement et les liens juridiques qu'ils se sont forgés, découlent en partie les uns des autres.

Les associations de pays inégalement développés.

Les associations entre pays inégalement développés sont encore nombreuses, quoique la décolonisation du monde leur ait porté de rudes coups. Elles prennent des formes variées, mais ont de nombreux points communs. Les pouvoirs de décision économique ne sont pas également répartis entre les États membres. Dans les situations coloniales, il existe des liens de sujétion politique étroite. Au plan économique, les entreprises qui transforment les pays colonisés sont possédées, dirigées ou animées par les colonisateurs. Lorsque la dépendance politique a disparu, la dépendance économique subsiste. La subordination se traduit alors par les liens qui existent entre les Instituts d'émission des membres de l'ensemble territorial. Les unions entre régions d'inégal niveau se survivent souvent sous la forme monétaire. Au moment de la crise, la division du marché mondial a favorisé le maintien sous cette forme des constructions impériales, si bien que la zone monétaire est apparue bien souvent comme l'héritière des aventures coloniales.

La plupart des grands ensembles territoriaux qui se sont construits à cheval sur les pays industrialisés et sur le monde sous-développé ont gardé des traits qui rappellent les conceptions de l'époque mercantiliste. Les rapports entre les métropoles et leurs colonies sont privilégiés. Les droits de douane entre elles sont absents ou réduits à peu de chose. Le pays colonisateur se montre la plupart du temps soucieux d'éviter l'apparition de concurrents à ses industriels et s'oppose à l'apparition de droits protecteurs dans ses dépendances. Les liens que crée la communauté douanière sont souvent renforcés par le monopole légal du commerce extérieur que s'attribue la puissance directrice (60).

Dans le courant du XIXe siècle, les institutions nées des pratiques de l'époque mercantiliste sont restées en vigueur, mais leur efficacité s'est trouvée limitée par l'application générale des politiques libre-échangistes. Le monopole des transactoins extérieures ou des relations avec la métropole pouvait bien subsister : du moment qu'il n'y avait plus de barrière économique extérieure, l'ensemble territorial perdait ses limites et se trouvait intégré dans le marché mondial. Les transactions des pays coloniaux se faisaient non seulement avec leur métropole, mais aussi avec tous les pays développés liés à l'économie anglaise dominante. Lorsque les protectionnismes douaniers sont réapparus, les ensembles territoriaux se sont trouvés automatiquement reconstitués. Leur rôle est devenu très important. Dès les années 1890, on se rend compte de ce que la Grande-Bretagne tire grand avantage de son empire colonial (61). Lorsque son économie est menacée par la multiplication des puissances industrialisées concurrentes, elle cherche à promouvoir la préférence impériale. Elle réussit à l'imposer dans les faits bien avant de renoncer au libre-échange. Les autres nations européennes l'ont devancé dans cette voie. La France, la Belgique, les Pays-Bas ont profité des liens commerciaux qui les unissaient à leurs dépendances. Les pays tiers devenus jaloux ont imposé le maintien de la parité douanière dans les colonies les plus récentes : Congo belge

(60) La permanence des pratiques mercantilistes dans le domaine des relations avec les pays coloniaux peut sembler paradoxale : elle tient pour une large part à la stabilité des administrations coloniales, qui ont continué à appliquer leurs solutions et leurs doctrines quel que soit le régime officiel. On a signalé le fait depuis longtemps pour l'Angleterre, dont le Colonial Office a toujours eu une politique indépendante. Pour la France, il ne serait pas impossible de montrer une permanence analogue, et une collusion entre services ministériels susceptibles de diriger les relations avec les colonies.

(61) C'est ce qui apparaît dans les ouvrages de contemporains, comme l'analyse de Vidal de la Blache que nous avons déjà longuement citée. Ces avantages viennent en partie de la mise en place d'institutions privilégiées dans le cadre des colonies : de même que l'Angleterre libérale défend son marché intérieur à la fin du siècle en renonçant à la standardisation, de même elle se crée des marchés privilégiés, malgré les apparences du libéralisme, en contrôlant les équipements de transport et les communications extérieures. Dans un certain nombre de territoires africains, la mise en place de compagnies à charte permet d'aller plus loin dans la domination commerciale. Enfin, les diplomates anglais créent dans le Moyen-Orient des bases privilégiées. Ce sont ces liens particulièrement forts qui expliquent la part jouée dès cette époque par les colonies dans le commerce extérieur britannique.

ou Maroc français (62). Lors de la grande période de pénétration sur le marché chinois, le souci de la plupart des protagonistes fut à la fois de réaliser le partage du marché en zones d'influences et d'assurer l'égalité de traitement pour les commerçants et pour les marchandises européennes, afin d'éviter de voir la Chine devenir la chasse gardée d'une seule puissance industrielle.

Les ensembles territoriaux associant des pays d'inégal niveau de civilisation ont connu des périodes de succès divers, qui reflètent les transformations mêmes de la structure économique du monde. Dans la deuxième moitié du XIXe siècle, ils se révèlent particulièrement dynamiques, ainsi que durant les premières décades de notre siècle. Les métropoles exploitent les marchés de produits de consommation courante offerts par les populations indigènes. Leurs fabricants de cotonnade ruinent les artisans. Plus tard, les efforts d'équipement systématique permettent d'écouler des quantités importantes de biens d'équipement. Les pays neufs des empires coloniaux se trouvent de la sorte tirés de la stagnation et mis en position de se développer de manière autonome. A partir du moment où l'opposition entre pays neufs et pays sous-développés à économie duale se précise, la situation devient plus diverse. Pour l'Angleterre, qui a animé un espace où les terres de peuplement européen sont vastes, les perspectives de développement harmonieux subsistent : le marché colonial classique se transforme petit à petit en une association de type différent qui unit des économies industrialisées et permet une spécialisation mutuelle. Pour les autres puissances européennes, l'aventure coloniale se termine différemment; aucun n'a réussi à tirer ses colonies du sous-développement; dès les années 1930, on s'aperçoit des limites imposées à la croissance de l'ensemble. Les liens peuvent devenir plus étroits, les matières premières venir davantage que par le passé des dépendances coloniales et les produits industriels, de la métropole; le problème essentiel n'est pas résolu. Les échanges à l'intérieur de l'ensemble territorial sont limités en volume par l'inégal développement et l'union douanière empêche dans une large mesure les partenaires sous-développés de s'industrialiser, d'augmenter la cohésion

(62) Le maintien de la parité douanière est bien souvent le résultat de l'intervention de la diplomatie américaine : durant tout le XIXe siècle, celle-ci s'est battue pour maintenir libre l'accès des pays étrangers. Les progrès des solutions où l'égalité de traitement est accordée à tous les pays européens trahissent la puissance et l'influence grandissante des États-Unis dans le domaine international.

interne de leur économie et d'accéder à la croissance régulière et entretenue (63).

L'histoire des grands ensembles territoriaux associant des pays inégaux reproduit en les exagérant les grandes phases de l'histoire du marché mondial de type libéral, dans lequel ils se sont fondus à certains moments. Les pays les plus directement associés aux grandes puissances européennes ont tiré de leurs liens certains avantages : ils ont bénéficié de la mise en place d'infrastructures qui sont sans commune mesure avec celles que l'on a créées dans la plupart des autres régions du monde. Ils ont été plus profondément pénétrés par les formes nouvelles de civilisation. Mais ils n'ont pas davantage que les autres réussi à triompher des contradictions du sous-développement. Ils sont restés plus longtemps dans l'impossibilité de prendre en main leur destinée. En un sens, ils se trouvent à l'heure actuelle mieux placés pour triompher de leurs difficultés économiques : ils sont plus décidément marqués par les nouvelles mentalités, plus soucieux de se créer une économie moderne. Ils ont malheureusement été trop longtemps en position de dépendance pour avoir choisi la forme nationale de développement économique au moment où elle était la plus efficace.

Les groupements issus de la division du marché mondial en faisceaux ont vu se modifier leurs contours, leur organisation interne, mais leur stabilité est demeurée grande. Lorsqu'on étudie leur évolution récente, lorsqu'on les analyse au moment où ils ne sont plus guère que des zones monétaires, on a l'impression qu'ils ne peuvent guère marquer de manière permanente la répartition des activités économiques. La zone franc a cessé d'être un monde clos, refermé sur lui-même. Les liens économiques redeviennent indifférents à ses limites. Mais les orientations fondamentales des pays qui en font partie ou en ont fait partie jusqu'à une date récente, ne s'expliquent pas si l'on ne tient pas compte des caractères d'ensemble du marché impérial français. L'Algérie s'est organisée depuis la fin du siècle dernier pour vendre des produits méditerranéens sur le marché métropolitain. Elle profita de la crise phylloxérique pour développer

(63) C'est la situation qui caractérise la France et ses colonies entre 1930 et 1940. On fait alors des efforts considérables pour renforcer les liens commerciaux impérieux. On se heurte très vite à un plafond : la France ne peut se procurer toutes les matières premières dont elle a besoin, elle ne peut écouler quantitativement et qualitativement une bonne partie de sa production.

un vignoble de masse, puis des habitudes de consommation d'une population au niveau de vie croissant pour accroître sa production de primeurs et de fruits. Aujourd'hui, l'Algérie a de la peine à vendre sur un marché qui n'est plus privilégié, mais elle ne peut reconvertir rapidement son agriculture : les vergers, les vignobles représentent un capital qu'il n'est pas facile de sacrifier. Lorsque les ajustements nécessaires auront été réalisés, la géographie algérienne continuera d'être marquée par son ancienne orientation. L'infrastructure des voies de communications, la répartition des grands centres urbains, le partage des fonctions entre les diverses villes ne peuvent s'expliquer sans référence aux courants qui unissaient l'Algérie et la France.

Le marché mondial du café est dominé depuis le siècle dernier par les producteurs américains. Leur puissance est telle, et les prix si souvent bouleversés par les crises de surproduction que l'expansion de la culture du café est demeurée longtemps très limitée dans le reste du monde. La fermeture progressive des empires coloniaux, la création des zones monétaires et les besoins des économies dominantes ont donné aux pays africains des marchés réservés et protégés. Les territoires qui dépendaient autrefois de la France et ceux qui gravitent toujours autour du Portugal, sont devenus des producteurs importants. Ils n'auraient pas trouvé d'occasion analogue de se tailler une place sur le marché dans des conditions de liberté commerciale : leurs produits ont longtemps été de qualité inférieure à celle de leurs concurrents américains.

Les systèmes de régulation des prix dont ont bénéficié les pays liés à la France et à l'Angleterre leur ont permis d'échapper à certaines infirmités générales de l'économie sous-développée. Ils n'ont pas vu, au moment des crises de surproduction, fondre leur pouvoir d'achat extérieur, ils n'ont pas connu la succession des années d'abondance et des années de pénurie qui décourage les grands projets et interdit de mettre en place les équipements qui nécessitent des efforts trop continus.

L'analyse de l'équilibre des localisations à l'intérieur du territoire impérial ou de la zone monétaire qui lui a succédé peut donc se faire selon des principes analogues à ceux exposés à propos des économies nationales : on évalue, pour chaque région, les possibilités originales par rapport à l'ensemble, on analyse la répartition des ressources, on met en évidence les vocations :

mais l'inégal développement des parties en présence crée des conditions favorables à l'accentuation des contrastes entre le centre et la périphérie : le problème des économies des pays d'outre-mer peut s'analyser un peu comme celui des régions sous-développées au sein de la nation. La différence provient de la faible intégration sociale des espaces coloniaux à l'ensemble national, ce qui limite évidemment les possibilités de démarrage et de croissance.

On a un peu l'impression que les grands ensembles territoriaux associant des pays inégaux se trouvent condamnés par les conditions actuelles de la vie économique. Sur le plan politique, les formes de liaison traditionnelles sont universellement réprouvées et les liens se trouvent presque toujours brisés, entre les anciennes métropoles et les pays dont elles avaient assuré la direction. Les zones anciennes ne subsistent plus que sous la forme monétaire, mais elles n'ont pas la même vitalité qu'il y a seulement dix ans, dans la mesure où la situation sur le marché mondial s'est normalisée. On peut se demander pourtant si l'association de territoires nationaux inégalement développés dans un grand ensemble territorial n'est pas une forme apte à permettre le démarrage des plus faibles. Il va de soi qu'il ne saurait s'agir de revenir aux conditions de l'époque coloniale. Le pays sous-développé doit être maître de se défendre, de se protéger, pour accroître sa cohérence interne. Mais il peut tirer avantage d'avoir accès à un large marché et de bénéficier des mouvements de capitaux que lui assure l'effacement relatif de ses frontières économiques. L'Espagne ou la Grèce se trouvent ainsi partiellement intégrées dans un grand ensemble; dans le nouveau continent, il en est de même de Porto Rico, dont nous avons vu que les conditions économiques s'étaient assez considérablement améliorées depuis une génération.

Les forces qui ont conduit à l'éclatement des grands ensembles territoriaux traditionnels, plutôt qu'à leur transformation et à leur adaptation à la lutte contre le sous-développement sont de nature politique autant qu'économique. Dans les conditions actuelles, les avantages que les pays à croissance retardée peuvent retirer de leur association mutuelle sont extrêmement réduits (64) : on a tendance à voir s'effriter les grands ensembles

(64) Il faut cependant signaler les essais de Marché commun en Amérique centrale ou en Amérique latine : LAGOS (Gustavo) (sous la dir. de), « L'intégration

que la colonisation avait créés. Les pays d'Afrique noire se morcellent à l'infini. Ceux dont les dimensions étaient les plus grandes, l'ex-A.-O. F., l'ex-A.-É. F., étaient handicapés par leur faible peuplement et par leur démesure. D'autres, plus petits, mais mieux peuplés, comme la Nigeria ou le Congo belge, semblaient mieux placés pour résister aux tendances centrifuges, dans la mesure où ils représentaient des ensembles économiques plus cohérents. Leur unité est en fait toujours remise en question : les intérêts économiques ne sont pas assez forts pour faciliter la tâche des politiques et pour triompher des difficultés que provoque le pluralisme ethnique et religieux.

Les associations de pays développés.

Les grands ensembles territoriaux modernes résultent de plus en plus de l'association de pays développés; ils se présentent sous deux formes : le groupement compact de nations moyennes et l'alliance plus lâche de pays de dimensions hétérogènes, comportant autour d'un ou de plusieurs États moyens des unités politiques plus petites, souvent dispersées sur de vastes espaces.

On voit très bien l'avantage que les partenaires recherchent dans le premier cas. Ils essaient de former un marché de grande dimension par fusion de territoires nationaux et, à terme, l'analyse de leur équilibre pourra se calquer sur celle que nous avons faite des localisations au sein d'un pays : nous avons d'ailleurs évoqué, à ce propos, les problèmes qui pourraient se poser un jour au Marché commun (65). Dans l'immédiat, les grands ensembles demeurent encore très fortement marqués par les divers héritages nationaux, si bien qu'ils demandent une analyse particulière.

Les groupements territoriaux du second type sont plus difficiles à analyser. Les petites nations qu'ils incorporent ont une économie ouverte et très spécialisée; elles ne tirent pas d'avantage immédiat de leur entrée dans la combinaison supra-nationale, car leurs fabrications ne bénéficient pas d'économies d'échelle

latino-américaine ». *Tiers Monde*, vol. VI, 1965, pp. 603-775. — URQUIDI (Victor-L.), *Genèse du Marché commun latino-américain*. Coll. Tiers Monde, Paris, P. U. F., 1962, 132 p. (traduction de *Trayectoria del Mercado Comun Latino americano*. Mexico, Centro de Estudios Monetarios Latino americanos, 1960).

(65) Sur l'équilibre spatial du Marché commun, cf. *supra*, chap. 12, note 54.

sensibles. Leurs débouchés sont la plupart du temps étendus et souvent lointains, car elles vendent des biens d'équipement délicats. La dimension du marché dans laquelle elles entrent n'a que peu d'influence sur leur orientation économique : tout ce qu'elles peuvent espérer, c'est vendre plus facilement les matières premières ou les produits peu élaborés qu'elles continuent à fabriquer, et qu'elles ne peuvent plus placer sur un marché international libre. Les avantages de l'association sont plus directs pour les partenaires moyens. Ils voient s'élargir le marché offert aux biens de consommation durable qu'ils fabriquent au moment où la concurrence internationale devient plus dure dans ce domaine.

Les petites nations ont donc moins d'avantages directs que les moyennes à entrer dans ce type de formation : elles demeurent plus directement exposées à l'affrontement international et ne retirent presque aucun bénéfice de l'élargissement du marché. Mais elles peuvent désirer la protection d'États plus puissants : le groupement augmente la puissance de négociation; les possibilités de transfert de capitaux sont souvent utilisées et procurent à la collectivité des participants des solutions heureuses : on n'a plus besoin d'attendre aussi longtemps pour lancer une opération demandant la mobilisation de crédits importants. Enfin, les compensations réalisées à l'intérieur de la zone peuvent améliorer la situation vis-à-vis des pays tiers et rétablir une balance plus satisfaisante des échanges de l'ensemble.

A long terme, l'association de partenaires de dimension inégale peut évoluer de deux manières : si ses membres ne sont unis que pour des raisons artificielles, pour l'opportunité de compenser plus facilement leurs échanges avec l'extérieur, il n'y a pas de remodelage géographique important et l'association se dissout lorsque les conditions d'ensemble de la vie économique se modifient; si les participants trouvent intérêt à accroître leur spécialisation mutuelle, s'ils découvrent qu'il y a avantage à travailler pour le grand marché qu'ils constituent, plutôt que pour l'extérieur, ils finissent par se fondre dans un espace intégré qui ne présente plus de différence appréciable avec celui réalisé dans les marchés communs.

L'Angleterre, les dominions et la zone de libre-échange.

L'Angleterre est au centre des constructions du second type. Elle en a organisé deux successivement qui ne se présentent pas sous le même aspect juridique, mais ont certaines caractéristiques communes. Elle trouve dans les nations les plus développées du Commonwealth des exportateurs qui sont en état de lui fournir une bonne partie des produits agricoles dont elle a besoin. Elle leur achète aussi des matières premières dont son industrie est grosse consommatrice. Depuis la Seconde Guerre mondiale, le développement de leurs industries les a rendus capables de satisfaire la demande intérieure de certaines fabrications délicates. Ils fabriquent évidemment les produits industriels de consommation courante pour lesquels les économies d'échelle jouent peu. Ils réalisent des constructions de biens d'équipement souvent très compliquées; le Canada est ainsi en état de fabriquer des ensembles électroniques, des armements, des avions ou des missiles. Pour les produits de consommation durable, leur marché intérieur est important, mais pas assez pour permettre de bénéficier d'économies d'échelle : ils ne peuvent que se livrer au montage, où la fabrication de sous-ensembles. L'Angleterre trouve donc là un marché très vaste pour absorber sa production mécanique (66).

Les anciens dominions britanniques ont encore des économies de dimension modeste, mais leur situation évolue vite. A la différence des petites nations d'Europe occidentale qui ne peuvent développer leurs exportations de matières premières, ils sont peu peuplés, ce qui leur permet de compter très largement sur la livraison de produits bruts pour soutenir leur commerce international. Ils disposent de ressources suffisantes pour que les variations de cours et de niveau de la demande soient absorbées par l'économie intérieure sans perturber l'équilibre d'ensemble. Ils n'ont pas d'intérêt à se battre pour se tailler des marchés internationaux de produits d'équipement. La plupart d'entre

(66) Sur le marché impérial britannique, on trouvera des indications dans Sailly (Jean de), *La zone sterling, op. cit.* — Niveau (M.), « L'évolution de la place de Londres et le rôle international du sterling ». *Économie appliquée*, 1954. — Clarke (W. M.), *The City in the World Economy, op. cit.* — Conan (A. R.), *The rationale of the sterling area*. Londres, MacMillan, 1961. — Crouzet (F.), *L'économie du Commonwealth*. Coll. « Que sais-je? », n° 403, Paris, P. U. F., 1950, 128 p. — Chaline (Claude), *L'économie britannique, op. cit.* — Id., *Le Royaume-Uni et la République d'Irlande, op. cit.*

eux sont en passe de devenir des économies de dimension moyenne. Au fur et à mesure que leur population augmente et que leur niveau de vie s'améliore, leur marché intérieur devient plus vaste. De nouvelles fabrications y deviennent profitables. La construction des équipements électroménagers, des appareils de radio et de télévision cesse de se borner au montage de pièces importées. On généralise l'utilisation des sous-ensembles de provenance locale. Dans ces conditions, les liens qui les unissaient à l'Angleterre deviennent plus lâches. Le Canada a quitté l'orbite économique de la Grande-Bretagne. Les liens avec l'Afrique du Sud se sont distendus et l'Australie est en train de se tourner plus franchement vers des partenaires plus proches — le Japon et les États-Unis. La Nouvelle-Zélande demeure paradoxalement le pays le plus proche de la Grande-Bretagne. Ceci aurait certainement étonné les théoriciens de l'échange international, il y a un siècle, car il s'agit d'une nation dont les conditions climatiques sont très voisines de celles de la Grande-Bretagne : pour les productions agricoles, il n'existe aucune complémentarité naturelle, mais bien plutôt similitude des vocations. Mais la Nouvelle-Zélande a une superficie et une population qui lui interdisent de devenir une puissance industrielle autonome. La multiplication des puissances de moyenne ou de grande dimension sur le pourtour du Pacifique donnera cependant un jour à la Nouvelle-Zélande des possibilités d'association plus proche.

Le relâchement des liens avec les pays tempérés du Commonwealth est déjà net. Il tient à ce que la plupart d'entre eux ont fait plus d'effort pour orienter leur industrie vers la satisfaction du marché intérieur que pour lui tailler une place sur un marché mondial où la concurrence est dure. Les liens impériaux se dénouant lentement, la Grande-Bretagne a essayé de resserrer les relations qu'elle avait toujours eues avec l'Europe. Le Marché commun l'effrayait, car il pouvait devenir un concurrent redoutable, mais il la tentait, car il ouvrait des perspectives très larges à l'essor de la consommation. Dans l'immédiat, il offrait plus d'inconvénients que d'avantages, car, en y adhérant, l'Angleterre aurait dû renoncer à bénéficier du marché privilégié que constitue encore le Commonwealth. Elle avait intérêt à mettre sur pied une association qui développe le marché de ses industries mécaniques, mais la laisse maîtresse de ses mouvements.

La petite zone de libre-échange (67) ne constitue pas, comme on le dit souvent, une construction illogique; à bien des points de vue, c'est là la solution qui convient le mieux à l'économie britannique, ainsi qu'à celles des petites nations de l'Europe occidentale ou septentrionale.

La zone de libre-échange ne transforme pas les économies nationales, ne les intègre pas brutalement en un ensemble plus large. Les industriels, les commerçants de chacune des nations participantes continuent à agir en se référant uniquement aux bases spatiales auxquelles ils sont habitués. Ils s'implantent pour être assurés d'une bonne centralité vis-à-vis du marché intérieur ou choisissent les sites des ports et de villes frontières qui leur ouvrent les meilleures possibilités pour recevoir les matières premières ou pour exporter les produits fabriqués. Les forces qui modèlent la géographie économique des petits États favorisent souvent la localisation des centres les plus importants au contact de l'extérieur, mais la chose est vraie aussi bien pour les économies indépendantes que pour celles qui se trouvent inclues dans une zone de libre-échange. Plutôt donc que sur les localisations et sur les spécialisations des différentes nations, l'action de la zone de libre-échange se manifeste par une certaine orientation des liaisons extérieures, par une sécurité plus grande et, peut-être, par un taux de progression plus rapide du produit national. Il existe une certaine solidarité entre les divers partenaires, mais les mouvements qui les affectent peuvent être d'intensité diverse.

Le Marché commun, les conditions de réalisation.

Les grands ensembles territoriaux dont l'économie s'inspire du Marché commun (68) sont originaux dans leurs principes et

(67) Sur les problèmes de la zone de libre-échange, sur les rapports de ses membres avec le Marché commun : KITZINGER (U. W.), *The Challenge of the Common Market.* Oxford, Basil Blackwell, 1961. — LAMFALUSSY (A.), *The United Kingdom and the Six.* Homewood (Ill.), Richard D. Irwin, 1963. — CAMPS (Miriam), *Britain and the European Community 1955-1963.* Londres, Oxford University Press, 1964. — BENOIT (E.), *Europe at sixes and sevens.* New York, Columbia University Press, 1961, 273 p. — REUTER (Paul), *Organisations européennes.* Themis. Paris, P.U.F., 1965, VIII, 452 p.

(68) Sur la théorie du Marché commun et des espaces intégrés : BALASSA (Bela), *The Theory of Economic Integration, op. cit.* — ID., « Le Marché commun et ses problèmes ». *Revue d'économie politique,* numéro spécial, vol. 68, 1958, nº 1, 378 p. — BOURGUINAT (Henri), *Espace économique et intégration européenne, op. cit.* —

dans leurs buts. Ils se proposent de créer un grand espace unitaire, au sein duquel les économies d'échelle pourront jouer à plein, de manière à soutenir la comparaison avec les géants de l'heure. Les nations moyennes de l'Europe, dont les progrès étaient ralentis par leurs dimensions mêmes et leurs structures, vieillies par les protectionnismes qu'elles avaient adoptés depuis la fin du siècle dernier, cherchaient là un moyen de faire sauter les freins qui les paralysaient (69). C'était évidemment le cas de la France. L'Italie présentait des analogies avec elle, puisqu'elle avait une population du même ordre de grandeur et une industrie caractérisée par la prédominance des biens de consommation. Le poids du Mezzogiorno pouvait faire redouter la confrontation dans un espace plus vaste; mais l'élargissement du marché ne devait-il pas aider à le tirer de son isolement économique et de son sous-développement? L'Allemagne fédérale représentait une construction d'une dimension supérieure. Sa population n'était pas beaucoup plus élevée, mais la concentration de moyens industriels dont elle s'était dotée lui permettait de se trouver à la limite des grandes puissances. Elle pouvait soutenir sans crainte la concurrence des États-Unis dans un certain nombre de spécialités et accepter leur concours financier. L'intérêt de l'Allemagne était moins clairement dessiné que celui des autres partenaires. Elle n'avait guère à craindre la compétition internationale dans le domaine des fournitures de biens d'équipements. Ses fabrications de biens de consommation durable pouvaient trouver de nouveaux débouchés au sein de la construction plurinationale; mais des débouchés nécessairement limités, puisque c'est dans ce domaine que les partenaires étaient le mieux équipés. L'Allemagne pouvait espérer dominer plus largement le marché des biens d'équipement au sein de la grande unité, mais ses

SANNWALD (Rolf F.), STOHLER (Jacques), *Economic Integration*, *op. cit.* — SCITOVSKY (Tibor), *Economic Theory and Western European Integration*, *op. cit.*

(69) Sur l'organisation et la mise en place du Marché commun et des groupements qui l'ont précédé : SOTO (Jean de), *La C. E. C. A.* Coll. « Que sais-je? », nº 773, Paris, P. U. F., 1958, 128 p. — DENIAU (J.-F.), *Le Marché commun.* Coll. « Que sais-je? », nº 778, Paris, P. U. F., 1958, 128 p. — MARCHAL (André), *L'Europe solidaire.* Paris, Cujas. 1965, 361 p. — SAINTE-LORETTE (Lucien de), *L'idée d'union fédérale européenne.* Coll. Armand Colin, nº 298, Paris, Armand Colin, 1955, 204 p. — ID., *Le Marché commun.* Coll. Armand Colin, nº 333, Paris, Armand Colin, 1958, 224 p. — VIGNES (Daniel), *La Communauté Européenne du Charbon et de l'Acier.* Paris, Librairie générale de Droit et de Jurisprudence, 1956, 196 p. — MAURY (René), *L'intégration européenne.* Paris, Sirey, 1958, 339 p. — PINTO (Roger), *Les organisations européennes.* Paris, Payot, 1963, 504 p.

clients les plus importants, au présent comme au futur, étaient situés hors de l'Europe des Six. L'Allemagne fédérale avait évidemment profit à voir s'élargir les marchés privilégiés offerts à ses produits de consommation durable, mais elle pouvait se demander si elle ne gagnerait pas plus en favorisant l'expansion de ses ventes de matériel d'équipement et en gardant une large liberté de manœuvre dans le domaine des approvisionnements agricoles.

Dans la mesure où l'Allemagne était encore une moyenne puissance, son intérêt était de s'intégrer dans un marché supranational unitaire. Dans la mesure où elle possédait déjà les caractères d'une grande puissance, une formule de libre-échange lui aurait assuré de meilleures assises et l'aurait assuré d'une position plus forte. Le succès de la formule du Marché commun a été assuré en Allemagne par des considérations politiques. Depuis que la construction du marché a commencé, on a vu souvent s'opposer la France et l'Italie d'une part, l'Allemagne d'autre part. Les deux premières nations tiennent à ce que l'on demeure fidèle à l'esprit du traité de Rome, à ce que l'on organise un marché protégé. Les Allemands préféreraient une association plus souple. Ils ont multiplié les efforts pour éviter que leur agriculture ne soit intégrée dans l'espace commun. Ils n'y ont pas réussi, ils ont dû renoncer à une partie de leur liberté commerciale, mais le tarif extérieur commun qui protège le marché européen est beaucoup plus bas qu'on aurait pu le croire et se trouve dans la plupart des domaines très inférieur à celui établi autour des concurrents et des marchés potentiels — États-Unis, Grande-Bretagne par exemple. Toute l'économie du système s'en est trouvée modifiée. Le Marché commun doit tirer partie de l'étendue même qu'il constitue, mais il n'est guère fermé et doit tenir compte dans tous les domaines de la pression exercée par les puissances tierces.

Les petites puissances associées au sein du Marché commun n'avaient apparemment pas le même intérêt que les trois précédentes à se trouver noyées dans un espace plus vaste. Elles avaient entrepris depuis une dizaine d'années la constitution d'une union douanière, afin de faire naître un marché de dimension moyenne (70). La transformation était récente et n'avait

(70) Sur l'histoire de la mise en place du Bénélux : LAUBIÉ (Alain), *Le Béné-*

pas encore eu le temps d'influer fortement sur les économies en présence. Les politiques économiques pratiquées à l'intérieur des trois États demeuraient d'inspiration dissemblable, ce qui ne favorisait guère l'unification totale. Malgré la création du Bénélux, il s'agissait encore de trois espaces économiques distincts, dont l'équilibre extérieur et l'activité d'ensemble reposaient sur des principes différents. La Belgique gardait des orientations voisines de celles que l'on trouve parfois chez les puissances moyennes; elle était grande exportatrice de demi-produits industriels. Elle n'avait pas changé complètement ses structures depuis l'époque où au XIXe siècle il suffisait de disposer de beaucoup de charbon pour faire figure de grande puissance. La situation du Luxembourg était similaire. Pour ces deux pays, l'intégration dans un espace pluri-national offrait des garanties sérieuses et leur permettait de se réadapter aux conditions de la vie moderne, sans avoir à modifier complètement leur spécialisation traditionnelle. Les pays du Marché commun pouvaient absorber une partie de leurs demi-produits. Les perspectives nouvelles pouvaient inciter les industriels à se lancer dans les fabrications modernes que le marché belge n'avait jamais réussi à susciter.

Les Pays-Bas présentaient bien davantage les caractères d'une petite nation adaptée à la concurrence économique internationale. Ils avaient réussi, au cours du XXe siècle, à se constituer des bases économiques qui n'étaient pas sans rappeler celles de leurs voisins. Ils possédaient les gisements charbonniers du Limbourg, ils s'étaient créés une sidérurgie moderne à Ijmuiden. Mais c'était là des orientations récentes et, pour l'essentiel, le pays avait dû compter sur lui-même pour vivre. Il avait durement exploité son empire colonial dans la première moitié du XIXe siècle, mais dès la fin du siècle dernier, les conceptions économiques et politiques s'étaient transformées et c'est dans d'autres directions que s'était exercé l'esprit de lucre des Néerlandais. Ils avaient tiré parti de leur rôle de redistributeur de produits tropicaux, bénéficié de la poussée des pays rhénans. Cependant, ils ne voulaient pas se contenter de ces bases, dans la mesure où elles

lux. Mémentos économiques de l'I. N. S. E. E., série M7, Paris, I. N. S. E. E., 1953, 486 p.

Sur les problèmes géographiques et économiques : GAY (J.), WAGRET (P.), *Le Bénélux*. Coll. « Que sais-je? », n° 870, Paris, P. U. F., 1960, 128 p. — GEORGE (Pierre), SÉVRIN (Robert), *Belgique, Pays-Bas, Luxembourg, op. cit.*

les mettaient sous la dépendance de leurs voisins. La politique allemande était à cet égard menaçante. La construction du réseau des voies fluviales, dans les dernières années du siècle dernier et les premières du nôtre, visait à ouvrir à la Ruhr des accès maritimes par le territoire allemand. Emden et Brême bénéficiaient de ces efforts, aux dépens de Rotterdam. Le marché de Hambourg était systématiquement favorisé et la ville se taillait, grâce à cela, un très vaste hinterland aux dépens cette fois d'Amsterdam. La Hollande choisit d'assurer son avenir en se plaçant à la pointe du progrès dans un certain nombre de domaines. Elle réussit ainsi à s'ouvrir des marchés pour ses productions agricoles; puis devint une nation industrielle importante, grâce à ses grandes firmes, Royal Dutch et Philips par exemple.

L'économie des Pays-Bas était plus largement ouverte sur le monde extérieur que la plupart de celles des petites nations. Elle avait un horizon économique particulièrement large; elle se trouvait face à un choix difficile. Comme l'Allemagne, mais pour des raisons différentes, elle aurait préféré être intégrée dans une zone de libre-échange qui lui aurait permis d'affirmer son rôle de fournisseur de produits très spécialisés. Mais elle était au débouché de la zone la plus riche de l'Europe. A une époque où les industries lourdes et une bonne partie des activités qui leur sont liées se trouvent attirées vers la mer, les Pays-Bas avaient intérêt à resserrer leurs liens avec le reste de l'Europe. Ils pouvaient de la sorte devenir une des régions centrales de l'ensemble territorial constitué et devenir les grands bénéficiaires de l'opération.

Leur attitude vis-à-vis du Marché commun porte la trace de ces intérêts divergents. Comme l'Allemagne, les Pays-Bas ont tout fait pour que le Marché commun ne devienne pas un ensemble isolé du reste du monde. Ils espèrent tirer ainsi profit de leur double orientation : de leur rôle traditionnel dans le commerce mondial, de leur position idéale pour attirer les activités industrielles et les fonctions de direction.

Les conditions dans lesquelles le Marché commun s'est constitué ne sont pas simples. Les membres ne recherchaient pas les mêmes avantages et ils ont essayé de le modeler dans des sens différents. Au total, c'est à un espace économique supranational qu'ils ont donné naissance. A la différence des simples unions douanières, qui prévoient la liberté de circulation des biens, mais qui ne laissent pas s'opérer librement les mouvements de main-d'œuvre — et parfois aussi de capitaux — le Marché commun formera, au terme de la période transitoire, un espace économique unifié. Il n'y aura pas de restriction aux mouvements économiques, et toutes les barrières intérieures auront cédé. De bons esprits en tirent la conclusion qu'une certaine harmonisation des politiques économiques des États-membres sera nécessaire. Elle le semble déjà dans bien des domaines.

La constitution du Marché commun a eu un effet global très certain : la croissance économique des États qui en font partie a été plus rapide que celle de la plupart des régions extérieures au cours des années qui ont suivi sa création. De nouvelles fabrications ont été entreprises. Les perspectives offertes par un espace aussi vaste ont multiplié les fusions et les regroupements. Les Américains ont très vite compris quelles possibilités l'Europe des Six pouvait offrir à leurs capitaux. A la croissance globale plus rapide s'ajoute, comme conséquence de la formation du marché, un bouleversement dans la répartition des spécialisations : les Pays-Bas se lancent dans la fabrication en série d'automobiles de tourisme, cependant que la France et l'Italie font de grands efforts pour se donner les industries de biens d'équipement qui y étaient jusque-là relativement moins bien représentées.

A l'intérieur de l'espace total, il se produit donc une certaine égalisation des vocations industrielles, une certaine uniformisation du profil économique. La dimension initiale des nations perd déjà de son importance dans l'orientation des fabrications nouvelles. Cela ne veut cependant pas dire que le progrès s'exerce de manière uniforme. Nous avons vu dans quelles directions s'étaient exercées les forces de concentration depuis le lancement du Marché (71). En une période très courte, deux tendances se sont succédées : celle qui favorisait les régions intérieures, proches de l'axe rhénan, celle qui donnait l'avantage aux fronts maritimes. Une troisième se dessine peut-être, celle à l'éclatement des centres à fonction supérieure. Il est difficile de dégager de ces transformations contradictoires des règles simples et de se lancer dans une exploration des équilibres futurs. La géographie du Marché commun doit sa complexité aux héritages qu'elle

(71) Cf. *supra*, chap. 12, note 54.

incorpore et aux transformations actuelles dans l'équilibre des localisations; ailleurs aussi, les zones centrales se sont déplacées depuis le début du siècle; le Marché commun offre en raccourci une histoire qui s'est étalée généralement sur une plus longue durée. Cette géographie doit également une partie de ses transformations contradictoires aux imprécisions du profil et de l'avenir du Marché. Dès l'origine, on a décidé qu'il constituerait un espace uni, mais on ne voit que petit à petit se dessiner les limites de l'intégration et les conditions qui prévalent dans les rapports avec l'extérieur.

Même encore indécis dans certains de ses caractères, le Marché commun apparaît comme un succès, comme en témoigne la rapidité avec laquelle son produit intérieur a crû au cours des dernières années. La solution des zones de libre-échange pouvait, *a priori*, sembler aussi logique que celle du marché unitaire. Si la demande internationale de biens d'équipement avait augmenté plus vite que celle des biens de consommation durable, comme cela s'est vu bien souvent au cours de la période récente, la formule libérale aurait été la plus heureuse. Le succès va aujourd'hui à l'espace unitaire, car les consommations intérieures y augmentent plus vite : de là vient la reconversion actuelle de la politique britannique.

Le Comecon et ses problèmes.

Les pays de l'Europe orientale ont été englobés dans une construction économique qui n'est pas sans évoquer le Marché commun (72). Sa mise en place a été en partie déterminée par l'exemple de l'Europe de l'Ouest. Son développement s'est fait irrégulièrement. Imposé par l'U. R. S. S., lorsque les premiers germes d'union de l'Europe occidentale se sont précisés, l'organisation est demeurée longtemps somnolente. Elle n'a pris son essor que lorsque le succès du Marché commun s'est confirmé. Il est alors apparu clairement que la constitution d'un grand espace

(72) Sur le Comecon, ou plus justement, le Conseil d'Assistance économique mutuelle : AGOSTON (Istvan), *Le Marché commun communiste. Principes et pratique du Comecon.* Genève, Droz, 1965, XII, 353 p. — PRYOR (Frédéric-L.), *Communist Foreign Trade System. The other Common Market.* Londres, G. Allen et Unwin, 1963.

On trouvera également des éléments dans PINTO (Roger), *Les organisations européennes*, *op. cit.*, cf. pp. 408-421.

économique pouvait accélérer la croissance économique et éviter la multiplication des investissements parallèles à faible productivité que la recherche du développement autarcique provoque et qui pesaient très lourd sur toutes les démocraties populaires.

L'Europe danubienne et orientale était très hétérogène à la veille de la Seconde Guerre mondiale (73). La plupart des États qui s'y étaient créés ou agrandis à la suite de la défaite de l'Allemagne, de la révolution russe et de l'éclatement de l'Autriche-Hongrie étaient au niveau des pays ruraux sous-développés (74). Ils ne constituaient pas de vraies nations, au sens économique. Les trois pays qui se trouvaient à la pointe de l'évolution étaient dissemblables, et leurs régions restaient mal intégrées. L'Allemagne orientale correspondait, dans sa partie méridionale, à une zone de vieille industrialisation, mais la plus grande partie de la grande plaine restait agricole et les grandes exploitations y maintenaient des conditions sociales souvent à demi féodales. La Tchécoslovaquie apparaissait comme formée de la juxtaposition de trois espaces, plutôt que comme une nation et la Bohême n'avait pas réussi à entraîner la Slovaquie dans le mouvement de transformation économique. En Pologne, les zones industrielles du Sud se contentaient bien souvent de fournir des matières premières et des demi-produits. La plus grande partie des régions centrales et septentrionales était dominée par la grande exploitation peu progressive. De nos jours, l'unité de l'Europe de l'Est est réalisée par le niveau de transformation assez homogène des économies que l'on y trouve : elles sont toutes sorties du sous-développement et présentent des analogies par leur dimension et par leurs équipements. Les complémentarités qui existaient jusqu'à la Seconde Guerre mondiale entre les pays de l'Europe centrale et de l'Europe danubienne tenaient au niveau inégal de développement, par deux fois l'Allemagne avait

(73) Les études géographiques passées ou actuelles permettent de prendre conscience de cette inégalité et de ce qui en reste : MARTONNE (Emmanuel de), *L'Europe centrale*, tome IV de la *Géographie universelle* publiée sous la direction de P. Vidal de la Blache et L. Gallois. Paris, Armand Colin, 2 vol., 1930-1931, 845 p. — BLANC (André), *L'économie des Balkans*. Coll. « Que sais-je? », n° 1193, Paris, P. U. F., 1965, 128 p. — BLANC (André), GEORGE (Pierre), SMOTKINE (Henri), *Les républiques socialistes d'Europe centrale*. Coll. Magellan, n° 15, Paris, P. U. F., 1967, 299 p.

(74) La première étude économique régionale consacrée aux problèmes du sous-développement se rapporte d'ailleurs à ces pays du Sud-Est européen : ROSENSTEIN-RODAN (Paul), « Problems of Industrialization of Eastern and South-Eastern Europe », *op. cit.*

essayé de se constituer là une zone de domination économique de type quasi colonial. Les responsables du Comecon sont demeurés conscients des différences de niveau dans les équipements et les échanges qu'ils se proposent de favoriser sont déterminés en partie par ces écarts. La spécialisation des différentes nations devait initialement se faire un peu comme elle existait il y a une trentaine d'années. Les trois pays septentrionaux, Allemagne de l'Est, Pologne et Tchécoslovaquie devaient accentuer leur spécialisation industrielle, cependant que la Hongrie et plus encore la Roumanie et la Bulgarie devaient profiter de leurs richesses agricoles et de leur climat (75). Proposer une division internationale du travail fondée sur ces principes, c'est ne pas apprécier à leur juste valeur les transformations effectuées dans le domaine économique au cours de la dernière génération. Les bases de l'échange intracommunautaire ne peuvent plus être déterminées par les oppositions de niveaux : ceux-ci se sont uniformisés. Les pays autrefois purement agricoles ont aujourd'hui un secteur secondaire bien développé et leur équipement de services est parfois plus large et plus complet que celui de leurs voisins du Nord. Ils répugnent à ne pas en tirer quelques avantages. Ils se soustraient parfois aux obligations du Comecon, car ils cherchent à promouvoir une association établie sur des bases plus justes. La Roumanie est à la tête du mouvement d'opposition et n'hésite pas à développer ses relations avec les pays occidentaux pour se procurer les équipements industriels de valeur dont elle rêve (76).

(75) Les principes de la division du travail entre les pays socialistes ne peuvent se définir d'une manière simple. Ils ont donné lieu à de multiples analyses. Nous avons déjà cité quelques articles de vulgarisation. Conseil d'entraide économique, *Les principes fondamentaux de la division internationale du travail socialiste, op. cit.* — Noirot (P.), *Progrès, difficultés et perspectives de la divison du travail dans le système socialiste mondial, op. cit.* — Lavallée (L.), *Économie socialiste mondiale et division internationale du travail socialiste, op. cit.* — Sergeyev (V. P.) *Economic Principles of the Foreign Trade of Socialist States*, pp. 277-296 d'Harrod (Roy), Hague (Douglas C.) (sous la dir. de), *International Trade Theory in a Developing World, op. cit.* — Bodnar (Artur), « Some problems of the Division of Labour between the countries of Council for Mutual Economic Assistance ». *Papers and Proceedings of the Regional Science Association*, vol. 16, 1966, pp. 117-122. — Nowicki (A.), « Premiers contours d'une théorie du commerce extérieur dans un pays d'économie planifiée. Le cas des échanges commerciaux de la Pologne ». *Cahiers de l'I. S. E. A.*, série G, n° 13, 1962, pp. 146-286. — Kaigl (V.), « La division internationale du travail dans le système socialiste mondial ». *Études économiques*, n°s 120-121, 1960.

(76) Ben (Philippe), *La Roumanie entre Pékin et Moscou*. III : *Le Comecon, homme malade de l'Europe de l'Est. Le Monde*, nov. 1963. — Féron (Bernard),

Malgré les efforts pour élargir les échanges entre les pays de l'Est, les réalisations qui sont à mettre à l'actif du Comecon ne sont pas comparables à celles du Marché commun. Ceux qui ont jeté les bases de la politique de spécialisation se sont surtout montrés sensibles à la répartition des ressources naturelles, et des équipements existants. On s'explique facilement les efforts faits par les pays qui se sentent lésés par les décisions officielles pour se donner une structure économique diversifiée.

Les conditions du fonctionnement des économies socialistes gênent par ailleurs les échanges réguliers de demi-produits ou de produits finis. Le système de prix pratiqué à l'intérieur de chacune des nations socialistes est le résultat de choix originaux et ne dépend pas des contraintes de marché et de productivité qui assurent ailleurs une certaine uniformisation (77). Les échanges ne peuvent donc se faire facilement que pour des matières premières et des produits agricoles faciles à définir par des normes techniques. Pour calculer leur valeur, l'absence de base de prix commune oblige à se référer au cours pratiqué sur le marché mondial capitaliste. Pour être imparfait et lourd, pour marquer une espèce d'inadaptation permanente aux conditions de la vie internationale, ce système n'en est pas moins capable d'assurer l'approvisionnement de toute une série d'installations industrielles lourdes en minerai, en charbon ou en pétrole (78). Lorsqu'on passe aux produits manufacturés, les comparaisons sont plus difficiles. Les cours doivent tenir compte de l'usure du matériel, des frais d'entretien, des charges et des possibilités de réparation. La satisfaction retirée des équipements ou des biens de consommation durable achetés à l'étranger varie en fonction de leur adaptation aux conditions locales et des services après-vente. Les relations entre pays socialistes achoppent donc sur deux obstacles : les systèmes de prix sont radicalement hétérogènes; les partenaires ont tendance à profiter de l'absence d'auto-

« Les pays de l'Est vont transformer leur planification d'ici 1970 ». *Le Monde*, 21 mai 1967.

(77) C'est bien là que réside la difficulté fondamentale pour les spécialistes de l'économie socialiste. On mesure mieux les problèmes que pose la spécialisation internationale lorsqu'on se reporte aux études consacrées aux méthodes de planification économique utilisées dans les démocraties populaires. MARCZEWSKI (Jean), *Planification et croissance économique des démocraties populaires*. Paris, P. U. F., 1956, 2 vol., 572 p.

(78) Il existe donc une géographie communautaire des fabrications lourdes. Elle est particulièrement sensible autour de la Pologne, qui fournit les charbons à coke et une partie des combustibles industriels aux pays voisins.

rité économique supra-nationale pour se contenter de fournir des produits de médiocre qualité et pour éluder toute responsabilité lorsqu'il est question de les entretenir ou de les transformer. On comprend la réaction des démocraties populaires qui préfèrent acheter leurs biens d'équipements dans les pays occidentaux : le prix qui y est pratiqué est en général plus faible, à qualité égale, et les adaptations des modèles aux problèmes nationaux plus faciles à obtenir.

Au total, le Comecon est une union incomplète; il n'a pas réussi à transformer l'espace de l'Europe de l'Est en un espace supranational authentique. Même en l'absence de monnaie fédérale, en l'absence de gouvernement fédéral, le Marché commun existe comme ensemble cohérent, car les plans des producteurs y sont automatiquement conçus en fonction de la dimension totale du marché (79). Malgré les déclarations officielles et les intentions des promoteurs, il n'en va pas de même en Europe orientale. Les plans sont élaborés à l'intérieur d'unités territoriales closes et indépendantes. La coordination a lieu après coup. Le Comecon constitue un progrès par rapport aux situations antérieures, puisqu'il y a des échanges de vue préalables à l'élaboration des plans (80) : mais ceux-ci demeurent par nature nationaux et l'on s'est contenté de passer d'un système de compensation bilatérale des échanges internationaux à un système de compensation multilatérale qui autorise une spécialisation beaucoup plus poussée.

Le Comecon n'a pas encore eu d'influence importante sur l'organisation régionale des nations qu'il englobe. Il se traduit par de faibles effets globaux et n'a pas provoqué une accélération sensible des rythmes de croissance réels des économies en présence (81). Les exportations apparaissent comme des surplus

(79) C'est ce qui a fait l'efficacité du Marché commun. Il a transformé les structures avant même d'être entré en vigueur ou d'avoir pris tout à fait son visage définitif : les sujets économiques, dans la mesure où ils correspondent à des centres importants et bien informés, comme dans l'industrie, s'adaptent par avance aux transformations de l'horizon économique.

(80) Nous avons cité à la note 75 les études relatives au problème de la spécialisation internationale en économie socialiste et aux difficultés qu'elle soulève. Même imparfaite, la coordination constitue un progrès évident : elle évite la multiplication des équipements lourds qui s'était révélée ruineuse au cours des premières années après la guerre.

(81) Il y a même eu une baisse du taux de croissance moyen. Ceci ne doit pas être interprété comme un échec pour le Comecon. Les difficultés économiques que les démocraties populaires ont traversées depuis quelques années proviennent en partie des orientations économiques défectueuses prises après la guerre et aux

mis à la disposition de l'étranger. Le choix des localisations est surtout dominé par les conditions de l'équilibre général des nations. Les grands axes internationaux, par exemple, ne bénéficient pas de priorité d'équipement. Mais il se peut que ces conditions se modifirent dans les années futures. La régularisation du Danube aux Portes de Fer va peut-être donner à son cours et à celui de ses affluents une valeur qu'ils n'avaient pas jusqu'alors. Déjà, pour les industries lourdes se lit l'influence des grandes voies ferrées ou des pipe-lines qui assurent la distribution des matières premières et de l'énergie.

Le marché mondial constitue le milieu dans lequel se trouvent enveloppées toutes les économies nationales. Son aspect, ses caractères géographiques se sont modifiés constamment depuis un siècle et demi si bien que l'on a eu affaire à trois ou quatre combinaisons totalement différentes. Cet espace mondial est souvent subdivisé en compartiments intermédiaires. Ceux qui se développent de nos jours diffèrent des grands espaces impériaux par le fait qu'ils unissent des économies de niveaux analogues et essaient de les associer dans des constructions qui leur procurent des avantages réciproques. Aussi bien dans le monde capitaliste que dans le monde socialiste, ces grands espaces se présentent souvent sous la forme d'associations d'économies nationales qui gardent leurs contours et leur indépendance : le Comecon ressemble plus, par ses conséquences géographiques, à une zone de libre-échange qu'à une union douanière ou qu'à un marché commun. Ces grands espaces imposent un réaménagement dans le dessin des lignes de relations entre les pays membres et permettent d'accélérer la croissance des économies nationales.

Le cas des marchés communs est différent. Il s'agit là de constructions qui sont d'échelle supranationale. Leur apparition traduit l'inquiétude qu'éprouvent les pays de petite et de moyenne dimension devant la concurrence des très grandes puissances. Elle montre que l'ère des grands espaces est venue. Mais il est encore trop tôt pour savoir si la réalisation de marchés communs apportera plus d'avantages réels que celle de zones de libre-échange. Les conditions du progrès technique décideront sans doute de l'avenir de ces deux formules. Il n'est pas possible de tirer, d'une expérience isolée, des leçons pour tout le futur.

gaspillages nés des politiques autarciques. Les difficultés actuelles ne font que rendre plus manifestes les besoins de la politique de coordination internationale.

Sur le plan de l'organisation géographique interne, le Marché commun se traduit par une réorganisation des activités productives beaucoup plus profonde que ne le font les constructions des autres types. On a pu croire que les effets de centralité allaient se manifester avec plus de force que par le passé, créant des déséquilibres régionaux considérables. Cette éventualité est devenue moins menaçante. Ceci tient pour partie aux caractères originaux du Marché commun et pour partie à la tendance à la multiplication des zones à fonction centrale.

CONCLUSION

Les économistes et les géographes s'intéressent aux ensembles territoriaux à des titres divers. Les recherches sur la nation ont de tout temps trouvé des échos dans le grand public. Dès le XVIIIe siècle, les querelles qui opposent philosophes et essayistes à propos des sources de la richesse nationale passionnent l'opinion et la divisent. Par la suite, les études consacrées aux problèmes fondamentaux de l'économie territoriale perdent une large partie de leur audience. Chez les économistes, elles sont cultivées par de petits groupes de spécialistes, dont les recherches restent en marge des courants essentiels de la réflexion. Lors même qu'ils font des problèmes spatiaux l'objet premier de leurs préoccupations, ils se trouvent détournés des réalités globales par l'orientation générale de la pensée économique. Ils se soucient davantage d'équilibre de la firme, de localisation individuelle que de réalités macro-économiques.

Les géographes découvrent la région à la fin du siècle dernier et en font l'objet essentiel de leurs analyses. Ils réussissent par moments à intéresser le grand public à ses problèmes. En France, les travaux de Vidal de la Blache et de ses disciples ne sont pas purement académiques. Ils alimentent tout un courant de pensée politique, donnent de la force à une certaine conscience régionaliste et en même temps la dépouillent de tous les éléments irrationnels, inavoués qui pouvaient la rendre suspecte. Vidal de la Blache prend progressivement conscience du rôle des grandes régions économiques à base urbaine, il se rend compte que les petites régions homogènes de jadis se sont regroupées autour de quelques grandes métropoles depuis que la vie économique multiplie les relations à longue distance. Il propose d'adapter les structures politiques et administratives de la France aux conditions nouvelles de la vie de relations. En ce sens, il est un des premiers à avoir fait ce que nous appellerions aujourd'hui de la géographie appliquée : il tire de sa réflexion géographique les bases d'une politique d'aménagement de l'espace.

Il a la chance de trouver des hommes qui comprennent l'intérêt des aménagements qu'il propose. Henri Hauser, appelé durant la guerre à occuper des postes de responsabilité, favorise la mise en place d'institutions régionales et essaye de les pérenniser. Malgré la création de régions économiques, le retour à la vie normale se traduit par l'oubli des problèmes territoriaux, par la mise en sommeil de certains des projets que l'on avait pu former.

La prise de conscience des problèmes territoriaux est, en définitive, un phénomène récent. La crise économique a provoqué une rupture économique du monde qui a redonné aux nations une fermeté de contour que beaucoup avaient perdue. Pour juguler la récession, faire baisser le chômage, lutter contre la misère, on a eu recours à des mesures globales, qui se sont souvent montrés plus efficaces que les mesures de détail. En agissant sur le crédit, sur la monnaie, sur la demande, on a appris à agir sur l'ensemble de la nation. Keynes et ses émules ont fourni la justification théorique de toute une série de techniques utilisées depuis le début de la crise par la plupart des pays.

Le malaise persistant de certaines régions a donné à peu près au même moment conscience de l'originalité des structures économiques de moyenne dimension. C'est en France que durant les dernières années du siècle dernier et les premières de ce siècle, les réflexions sur la réalité régionale avaient connu leur développement le plus riche. Mais entre les deux guerres mondiales, les problèmes régionaux ne revêtent pas dans notre pays d'acuité particulière. Lorsqu'on lit le petit livre que Y. M. Goblet (1) consacre au terme de cette période à la division de l'espace français en régions économiques, on en perçoit bien la cause : l'évolution du monde moderne a totalement modifié les conditions de l'équilibre régional; les échanges ne se font plus sur une base locale, ils sont équilibrés à l'échelle de la nation ou à plus grande échelle encore; mais cette transformation de la réalité économique ne se lit pas partout de la même manière dans les paysages français. Pour l'essentiel, l'adaptation a réussi à se faire sans que les structures visibles soient bouleversées. La

(1) Goblet (Y.-M.), *La formation des régions. Introduction à une géographie économique de la France.* Paris.

campagne et les petites villes françaises vivent à l'heure du présent, mais elles ressemblent à ce qu'elles étaient au temps de Balzac, au point que l'on pourrait ignorer les changements. En quelques zones, la transformation s'est effectuée à d'autres rythmes, elle a remodelé le cadre de la vie. Ici, les besoins de la grande culture ont favorisé une remise en ordre des parcellaires; les grandes exploitations se sont multipliées. Les silos le long des voies ferrées, les grandes cheminées des sucreries dans les villages signalent ici de loin la modernisation. Là où la grande industrie a pénétré, là où les activités de service se sont développées, les mutations sont également importantes. En certains secteurs, donc, on a l'impression qu'il existe des tensions, des forces puissantes qui remodèlent en peu de temps la réalité (2). La faible pression démographique, le dépeuplement qui frappe une bonne partie de la campagne française expliquent sans doute la permanence des cadres du paysage et font perdre de vue la gravité des problèmes, la persistance de crises profondes. Dans les secteurs industrialisés et modernisés au XIXe siècle, les réadaptations sont encore rarement nécessaires. A la différence de ce qui s'est passé alors en Angleterre, les régions houillères n'ont pas provoqué de bouleversements fondamentaux dans la répartition du peuplement. La France ne disposait pas de bassins assez importants pour que cela soit possible. Elle s'est industrialisée à un moment où une partie des moyens de transports modernes était déjà en place, si bien que les usines se sont volontiers installées dans ces centres urbains préexistants ou dans de vieilles zones d'économie rurale. Aussi, la France de l'entre-deux-guerres ne connaît pas encore de graves problèmes de reconversion des zones industrialisées. Les dévastations effectuées dans le bassin du Nord et dans celui du Pas-de-Calais durant la guerre ont d'ailleurs permis de moderniser les installations dans le secteur qui aurait pu être le plus profondément touché par la crise de l'industrie traditionnelle.

En Angleterre, les déséquilibres régionaux prennent une ampleur telle que toute la nation prend conscience du problème. Les géographes et les sociologues anglais, profondément marqués par l'influence de Le Play (3), abordent l'analyse des déséqui-

(2) L'opposition entre deux catégories d'espace, deux types de régions, on la trouvait déjà analysée très finement dans Vidal de la Blache (Paul), *La France de l'Est*, *op. cit.*

(3) Cette influence s'est exercée par l'intermédiaire de Patrick Geddes. Celui-ci

libres avec un état d'esprit réformateur. Ils estiment que l'homme a des devoirs vis-à-vis de la communauté nationale dans laquelle il se trouve inséré, mais qu'il en a également vis-à-vis de toutes les communautés partielles dans lesquelles il est englobé; il ne peut laisser se dégrader les cadres de sa vie et doit réagir devant les régressions, les évolutions négatives dont il est le témoin. La crise qui frappe en permanence, entre les deux guerres mondiales, les régions industrielles du Nord et de l'Ouest est très durement ressentie par l'ensemble de la population. La rénovation des zones déprimées ne peut pas résulter d'actions individuelles, d'interventions de type micro-économique. Les maladies dont elles souffrent sont trop graves, les symptômes trop généraux pour que l'on puisse se tromper, : la guérison ne peut venir que de traitements d'ensembles.

Aux États-Unis, la crise économique révèle des déséquilibres analogues. Elle affecte certaines régions industrielles. Les vallées minières des Appalaches commencent à être frappées par la dépopulation; les puits de mine à être abandonnés. Cependant, cette évolution, longtemps assez lente, ne frappe pas le public américain au même degré que celle qui se produit au même moment en Grande-Bretagne. Elle ne prend une ampleur dramatique que depuis une quinzaine d'années, lorsque les progrès de la mécanisation joints à la substitution progressive de nouvelles sources d'énergie ont condamné à la disparition la plupart des sièges miniers. A la différence des zones de l'Ouest ou du Nord britannique, ces secteurs miniers, apparus à la fin du XIXe siècle, n'ont jamais provoqué la constitution de zones industrielles puissantes. Ils ont gardé l'aspect improvisé de la plupart des villes minières américaines et n'ont jamais donné l'impression d'être destinés à durer. Le marasme des régions minières ne frappe donc pas au moment de la crise l'imagination du public américain. Il n'en est pas de même pour les parties agricoles de l'Union qui sont le plus durement affectées par les mouvements désordonnés des prix et se trouvent ruinées. On s'aperçoit, à l'analyse, que leurs problèmes ne sont pas de ceux que l'on peut résoudre par quelques mesures partielles. Là comme dans les régions industrielles anglaises, on a affaire à des maladies qui

a su concilier un certain réformisme de caractère anglo-saxon, et les méthodes d'enquête directe que le sociologue français avait mis au point. Il a à la fois préparé la prise de conscience des problèmes régionaux et les méthodes propres à les résoudre.

frappent tous les aspects de la vie. Elles se manifestent en particulier par une dégradation du paysage. Depuis le début du siècle, le public américain a été progressivement alerté par le développement du mouvement de conservation. L'administration de Théodore Roosevelt, l'œuvre de Gifford Pinchot (4) ont accrédité l'idée qu'une civilisation se juge à la manière dont elle sait respecter ses richesses naturelles. Et les montagnes du Sud des Appalaches, les plaines à demi arides de l'Ouest, les zones de monoculture du coton du Sud ne souffrent pas seulement de mévente, d'appauvrissement momentané. Elles ont des populations ruinées, découragées, qui fuient les catastrophes qu'elles ont déclenchées par leur imprévoyance. Elles sont atteintes dans leurs forces vives, malades de la ruine de leur sol, de la destruction de leurs forêts, du déchaînement de leurs fleuves. La prise de conscience des problèmes régionaux se trouve donc teintée aux États-Unis de toute une série de connotations qui lui manquent ailleurs. Elle est dès le départ liée au problème de restauration des équilibres écologiques (5). Depuis lors, les problèmes se sont multipliés, à la mesure des succès matériels de la civilisation américaine. On a réussi à sauver de la ruine une bonne partie des campagnes alors menacées, mais les problèmes se sont trouvés transposés ailleurs. Les zones frappées par le marasme agricole ne sont plus celles qui attirent le plus l'attention du public américain. L'urbanisation rapide du pays, la mécanisation des transports, l'augmentation du niveau de vie ont fini par faire de la pollution de l'air et de l'eau une question d'intérêt national. Et en même temps, la dimension spatiale des problèmes se trouve soulignée, la liaison de l'économie à un sol qui n'est pas renouvelable est plus clairement perçue.

Pour la plus grande partie du monde, la prise de conscience des problèmes spatiaux est plus récente. Elle se place durant la Seconde Guerre mondiale et les années qui ont immédiatement suivi. Dans les pays européens, par exemple, on prend plus clairement conscience de l'inégal développement régional. Chaque

(4) Sur l'œuvre de Gifford Pinchot, L. B., « Un grand forestier américain : Gifford Pinchot ». *Revue forestière française*, vol. 18, 1966, pp. 52-54.

(5) La politique régionale américaine se confond volontiers avec la politique de conservation de la nature — elle la déborde maintenant, mais c'est une évolution récente. Sur les doctrines de la conservation, on consultera Burton (Ian), Kates (Robert. W.) (sous le dir. de), *Readings in resource management and conservation*, *op. cit.*

nation se découvre des zones déshéritées. Les symptômes ne sont pas identiques, mais le Mezzogiorno italien (6), la Bretagne et le Massif central, le Borinage ou les terres pauvres de l'Overijsel témoignent d'un même phénomène : il est des secteurs qui se trouvent laissés à la traîne. Certains sont purement agricoles, d'autres ont connu des périodes de prospérité industrielle. Mais tous sont de la même manière rejetés hors de la société où ils sont placés et ne participent pas à son mouvement général.

Ailleurs, l'attention est attirée sur les problèmes territoriaux un peu de la même manière : les pays du Tiers Monde s'aperçoivent qu'ils sont oubliés de la civilisation moderne. Les progrès de la technologie donnent de plus en plus l'impression que cette inégalité ne peut être tout entière imputée aux inégalités du milieu physique. Et la diffusion de l'information rend sensible à chacun des différences d'une nation à l'autre.

La prise de conscience des questions d'économie spatiale est aujourd'hui générale. Il y a eu un net décalage entre le moment où les théoriciens ont mis en évidence le jeu des mécanismes régionaux ou nationaux et l'instant où leurs résultats ont été vulgarisés et compris par le public. Le décalage persistant entre les recherches d'économie dimensionnelle et les mouvements d'opinion qui leur sont liés est sans doute un des traits les plus curieux de l'histoire de la pensée en ce domaine, un de ceux que l'on éprouve le plus de peine à expliquer de prime abord.

L'analyse des constructions spatiales à laquelle nous venons de nous livrer donne sans doute la clef du problème. Les ensembles territoriaux sont des réalités économiques. Mais ils sont également des réalités sociales, des réalités humaines, au sens le plus large du terme. Jusqu'à une époque relativement récente, les contours des unités que l'on pouvait distinguer sur la terre ne devaient pas grand-chose aux forces économiques pures. Les limites étaient sociales ou politiques. Elles résultaient souvent des accidents de la diffusion des formes de civilisation. En Europe occidentale, par exemple, l'Antiquité et le moyen âge ont vu le

(6) La situation du Mezzogiorno italien a suscité d'innombrables études depuis la fin de la guerre. Celles-ci ont eu une très large influence en Italie et hors de l'Italie. Elles ont aidé à préciser les caractères des régions sous-développées agricoles, elles ont proposé une série de mesures qui ont été imitées un peu partout, comme les mesures imaginées en Angleterre pour combattre le sous-emploi dans les zones de chômage industriel l'ont été. Pour une vue d'ensemble du problème et de son interprétation, Compagna (F.), *La questione meridionale.* Milan, Garzanti, 1963, 157 p.

remplacement progressif des unités à base ethnique — celles que l'on trouvait encore dans la Germanie des Grandes Invasions — par des structures à base territoriale. Celles-ci sont liées au jeu de forces politiques appuyées sur un principe administratif ferme, elles se manifestent sur le plan social par l'apparition de solidarités nouvelles, par la prise de conscience de l'originalité du pays et du groupe.

La nation, comme forme d'organisation de l'espace économique, est aussi une tard venue. On peut lui trouver des antécédents dans l'Antiquité, mais elle ne commence à prendre forme qu'au XVe et au XVIe siècles avec l'apparition des États modernes en Europe occidentale. Elle ne se précise que dans le courant du XVIIe siècle. Depuis sa signification a sans cesse varié. Un moment, ses contours disparaissent presque dans une unité mondiale qui semble la seule forme économique d'avenir. Et voici qu'elle prend une fermeté de dessin qu'on ne lui avait jamais connue et favorise l'épanouissement des économies complexes. Elle semble aujourd'hui remise en question dans un monde où les économies de concentration se généralisent.

La stabilité apparente des contours de la région, la fermeté des limites de nation ne peuvent s'expliquer en termes d'économie. Ce sont là des traits qui tiennent à l'organisation de la société en groupes territoriaux. A travers le temps, la région et la nation subsistent, mais leur consistance économique se transforme. La région voit ses contours se modifier, son autonomie croître ou décroître en fonction de l'étendue des divers circuits de la vie économique. La nation se montre plus ou moins efficace à maîtriser son destin. Elle semble le tenir mieux en main qu'elle ne l'a jamais fait. Elle a pris conscience de ses responsabilités, manifeste le désir d'accélérer sa promotion, dispose de moyens de direction qu'elle n'avait jamais possédés. Au moment où elle semble ainsi dotée de tout ce qui est nécessaire pour orienter le mouvement économique, elle perd en partie son efficacité. Les moyens qu'elle s'est donnée à grand prix sont déjà démodés, dépassés par une évolution galopante. La nation ne peut plus ignorer le monde extérieur. Elle lutte pour composer avec ses rivales, pour choisir des voies qui lui laissent une certaine autonomie. Elle s'associe avec elles, pour mieux sauvegarder son indépendance réelle. Mais les faits semblent la condamner à terme. Les associations ne sont que des parades, des manœuvres défensives pour retarder le moment où la lutte avec les grands espaces deviendra impossible (7). Le problème est de savoir ce que devront être ces grands espaces du monde de demain. Seront-ils une simple transposition de la nation, son agrandissement à la taille des nouveaux circuits de la vie économique? Verrons-nous se multiplier les États-Unis? Sans doute, mais la réalité de ces grands ensembles ne sera pas la même que celle des nations de l'époque précédente. Ils ne correspondront pas de la même façon à des groupes sociaux solidaires, conscients de leurs responsabilités partagées. Il est possible qu'à l'intérieur des frontières élargies, on voit une solidarité se développer. Mais il est peu probable qu'elle atteigne le niveau qu'elle a chez des peuples cimentés par des siècles d'histoire commune, jaloux de leur culture. Si l'évolution se poursuit au rythme actuel, l'adaptation incessante que les ensembles territoriaux devront subir pour suivre la courbe du mouvement économique gêneront l'éclosion de ces structures mentales nouvelles.

Régions, nations, on voit donc combien leur réalité nous échappe profondément au terme de ce travail. Nous avons voulu les analyser comme cadres économiques. Ce sont les techniques de la production, les règles de la répartition, les impératifs de la distribution qui font leur importance actuelle, expliquent leur généralisation à tous les pays de la terre. Au fur et à mesure que les formes de civilisation industrielle se répandent, les nations se multiplient et se divisent en ensembles régionaux cohérents. Mais ces formes ne peuvent être que transitoires si elles ne s'appuient pas sur une charpente solide. La compréhension des architectures territoriales ne peut être complète si on ne sort pas du domaine économique. Les structures qui nous frappent si vivement, qu'elles soient régionales ou nationales, ne doivent leur relief qu'à la conjonction de forces sociales et de forces économiques. La connaissance des dernières ne suffit pas à percer le secret du dynamisme des ensembles territoriaux.

Jusqu'à une date récente, il apparaissait difficile de dominer les tensions économiques qui donnaient naissance des unités ter-

(7) Fernand Braudel analyse, dans sa thèse, la part qui revient à chaque type d'État au cours de la période qu'il étudie : pour lui, les grands espaces bénéficient de conditions plus favorables au début du XVIe siècle qu'à la fin. Ceci doit nous inciter à la prudence : l'élargissement actuel des espaces économiques peut trouver un jour un terme. BRAUDEL (Fernand), *La Méditerranée et le monde méditerranéen à l'époque de Philippe II*, *op. cit.*

ritoriales. Il semblait impossible de modeler les ensembles économiques à son gré. La distance était coûteuse, difficile à maîtriser, les activités agricoles, ou extractives très importantes. De nos jours, la situation est différente. On a réussi à compter avec l'espace : on a peine à imaginer encore toutes les conséquences qui peuvent en résulter. Le support matériel des activités compte moins que par le passé. La plus grande partie des postes de travail peut être localisée en fonction de données dans lesquelles les contingences du monde physique n'interviennent plus. Les forces centripètes qui agissent sur la répartition des activités économiques et dont le jeu était gêné par la faible transparence de l'espace et par le prix des transports, peuvent se donner libre cours. La concentration des localisations sur une faible surface permet d'obtenir des économies considérables, assure une fermeture plus complète des circuits économiques et provoque une accélération de la croissance et du progrès. La tendance à la condensation des activités se manifeste aussi bien au plan de la région qu'au plan de la nation. Au niveau inférieur, les campagnes pèsent moins que par le passé. Les cultures se pratiquent de plus en plus dans les zones qui leur sont le plus favorables, car les rendements plus élevés permettent de libérer les terres médiocres. La main-d'œuvre employée diminue avec la productivité améliorée. La région finit de la sorte par se confondre avec la métropole et sa banlieue. L'espace extérieur fournit l'eau, l'air, les lieux de détente et de loisir. A l'échelle de la nation, le phénomène est analogue : il y a aussi concentration de l'activité. Il n'est pas nécessaire de disperser les usines sur toute la surface de la terre pour produire tout ce qui est nécessaire à la population mondiale. La disperson coûte encore cher et retarde les effets induits de croissance. Elle est souvent antiéconomique. De vastes régions du monde se trouvent de la sorte rejetés hors des circuits du monde moderne. Elles constituent les espaces sous-développés.

Si les problèmes d'équilibre territorial sont plus directement ressentis qu'autrefois, cela tient à cette évolution. Les gens se rendent compte que les forces qui divisent le monde en secteurs développés et secteurs retardés ne sont plus de l'ordre de la contingence physique, mais qu'elles témoignent du jeu de facteurs sociaux. L'économie n'est plus tant la science de la lutte contre la rareté que celle de la distribution de l'abondance. Le problème de l'aménagement de l'espace se pose ainsi en termes nouveaux. On sent que les facteurs volontaires peuvent avoir plus d'influence que par le passé, que l'on peut infléchir le sens des répartitions d'une manière plus efficace. En même temps, les mécanismes spontanés qui permettaient les rééquilibres perdent de leur force. La dissociation générale entre les ressources et les activités qui les valorise donne plus de prise sur l'organisation de l'espace, mais aussi plus de champ aux tensions purement sociales. Ceci se traduit par la résurrection de certaines formes de ségrégation ethnique ou religieuse, par une nouvelle géographie des groupes et des activités (8).

Les seules contraintes avec lesquelles doivent composer les forces sociales sont celles qui tiennent à l'évolution des techniques. Elles jouent en faveur de la concentration des activités, en repoussant sans cesse le niveau à partir duquel on voit les rendements décroître : les grands espaces sont favorisés. Les groupes nombreux, disposant d'une large assise territoriale sont ceux qui peuvent profiter au maximum des possibilités d'expansion. Aussi a-t-on l'impression que l'évolution économique, après avoir renforcé l'importance des cadres sociaux et politiques, dans la mesure où ils se prêtaient au déploiement harmonieux des circuits de production, les privent aujourd'hui d'une partie de leur poids. C'est mal analyser la situation : les grands espaces sont évidemment favorisés, leur croissance est rapide, mais leur dynamisme dépend de l'action concertée des sociétés qui s'unissent. La civilisation des grands espaces ne résulte pas du jeu de forces purement économiques : elle traduit la réussite de certaines formes d'organisation sociale qui donnent aux groupes le moyen de mieux se discipliner et à l'homme la possibilité de mieux aménager le milieu.

(8) Cette idée est exprimée par James E. Vance Jr dans un article récent. Il l'applique à l'organisation de l'espace social urbain. Mais on peut l'élargir à un ensemble plus vaste. VANCE (James E. Jr), « Housing the Worker : Determinative and Contingent Ties in Nineteenth Century Birmingham ». *Economic Geography*, vol. 43, 1967, pp. 95-125.

INDEX DES NOMS D'AUTEURS CITÉS

TABLE DES ILLUSTRATIONS

Couverture : Le delta du Nil. Photo prise durant le vol orbital des astronautes J. McDivitt et Edward White, les 3-6 juin 1965. (Photo U. S. I. S.)

TABLE DES FIGURES

CHAPITRE I

CHAPITRE II

CHAPITRE III

CHAPITRE IV

CHAPITRE V

CHAPITRE VI

CHAPITRE VIII

CHAPITRE X

CHAPITRE XII

CHAPITRE XIII

TABLE DES MATIÈRES

DEUXIÈME PARTIE

RÉGIONS, NATIONS, GRANDS ESPACES

ACHEVÉ D'IMPRIMER
— LE 27 MAI 1968 —
PAR L'IMPRIMERIE FLOCH
A MAYENNE (FRANCE)

(7765)

NUMÉRO D'ÉDITION : 383
DÉPOT LÉGAL : 2e TRIMESTRE 1968

GÉOGRAPHIE ÉCONOMIQUE ET SOCIALE

Tome I. — RÉGIONS, NATIONS, GRANDS ESPACES. Géographie générale des ensembles territoriaux, par Paul Claval.

Tome II. — GÉOGRAPHIE AGRAIRE, par le Professeur Daniel Faucher, Doyen honoraire de la Faculté des Lettres de Toulouse.

Prix Olivier de Serres 1951.

1 vol. in-8° de 390 pages (1949). (en réimpression)

Tome III. — GÉOGRAPHIE DE LA CIRCULATION.

I. L'Économie des Transports terrestres (rail, route et eau), par René Clozier, Inspecteur général de l'Instruction publique, Professeur à l'Institut d'Urbanisme de l'Université de Paris.

1 vol. in-8° de 408 pages (1963).

II. Navigation maritime, par André Vigarié.

III. Navigation aérienne, par Jean Gottmann. (en préparation)

Tome IV. — GÉOGRAPHIE DE L'ÉNERGIE, par Pierre George, Professeur à la Sorbonne.

1 vol. in-8° de 469 pages (1950). (épuisé)

Tome V. — GÉOGRAPHIE DE LA POPULATION, par Jacqueline Beaujeu-Garnier, Professeur à la Faculté des Lettres de Paris (1958).

I. Europe et Amérique.

1 vol. in-8° de 440 pages.

II. Afrique, Asie et Pays soviétiques.

1 vol. de 574 pages.

Tome VI. — GÉOGRAPHIE DES TEXTILES, par le Professeur André Allix, Recteur honoraire de l'Université de Lyon et André Gibert, Professeur de Géographie à la Faculté des Lettres de Lyon.

1 vol. in-8° de 572 pages (1957).

ÉDITIONS M.-Th. GÉNIN

Diffuseur :

LIBRAIRIES TECHNIQUES, 26, rue Soufflot

Paris-V^e